PRISMA WOORDENBOEK

Nederlands-Frans

In de reeks Prisma Woordenboeken
zijn de volgende delen verschenen:

Nederlands
Nederlands-Engels
Engels-Nederlands
Nederlands-Duits
Duits-Nederlands
Nederlands-Frans
Frans-Nederlands
Nederlands-Spaans
Spaans-Nederlands
Nederlands-Italiaans
Italiaans-Nederlands
Latijn-Nederlands
Grieks-Nederlands

Nederlands Frans

drs. H.W.J. Gudde

Uitgeverij Het Spectrum B.V.
Postbus 2073
3500 GB Utrecht

Eerste tot en met de 28e druk 1955-2000.
29e geheel herziene druk 2001

Redactionele bijdragen: André Abeling, Epinay-sur-Seine
Omslagontwerp: Oranje Vormgevers, Eindhoven
Typografie: Chris van Egmond bNO, Studio PlantijnCasparie Heerhugowaard
Zetwerk: Spectrum DBP en PlantijnCasparie Heerhugowaard B.V.
Druk:

ISBN 90 274 7202 5
NUGI 503

www.spectrum.nl

Voorwoord bij de 29e druk

Het Prisma Woordenboek *Nederlands-Frans* is in zijn bijna vijftigjarige bestaan herhaaldelijk bijgewerkt. Ook nu weer heeft de tekst grote veranderingen ondergaan. In vergelijking met de herziening van 1996, toen de nieuwe spelling van het Nederlands werd geïntroduceerd, zijn bijna zesduizend trefwoorden toegevoegd, waaronder tal van neologismen. De wereld van de informatica, de economie, de rechtspraak, de geneeskunde, de vrije tijd enz. leverden tal van in onze ogen onmisbare termen op, die door auteur en experts van Franse equivalenten zijn voorzien. Een belangrijk criterium bij de keuze voor een 'ingang' was de relevantie voor het onderwijs – met name het voortgezet en het volwassenenonderwijs.

Daarnaast heeft de redactie kritisch gekeken naar de volgorde van betekenisomschrijvingen en vertalingen en naar het nut van bepaalde voorbeeldzinnen. Waar nodig is nieuw idioom toegevoegd. Vrouwelijke varianten en meervoudsvormen van zelfstandige en bijvoeglijke naamwoorden zijn consequenter vermeld.

De inhoudelijke aanpassing weerspiegelt zich in een geheel nieuwe typografie die, in vergelijking met de vorige edities, een rustiger paginabeeld oplevert, waardoor het opzoeken van 'ingangen' en vertalingen wordt vergemakkelijkt. Het grotere lettertype moet ook de wat oudere gebruiker van dienst zijn.
Voor op- en aanmerkingen houden wij ons aanbevolen.

Spectrum Lexicografie
april 2001

Aanwijzingen voor het gebruik

Nederlandstalig gedeelte
Informatie over de trefwoorden, betekenissen, voorbeeldzinnen en idiomen is zo beperkt mogelijk gehouden. Voor zover deze informatie wordt gegeven, dient deze om de vertaling(en) te verduidelijken. Er wordt van uitgegaan dat de Prisma Woordenboeken door Nederlandstaligen worden geraadpleegd, van wie wordt verondersteld dat zij weten hoe de trefwoorden enz. op de juiste wijze worden gebruikt. Om deze reden en om ruimte te sparen is bij het Nederlands niet aangegeven wanneer sprake is van formeel, informeel of ander bijzonder taalgebruik. Om dezelfde redenen is spaarzaam met grammaticale informatie omgesprongen.

Trefwoorden
Woorden die op dezelfde wijze worden geschreven, maar met een verschillende klemtoon worden uitgesproken (voorkómen vs. vóórkomen), zijn als aparte trefwoorden opgenomen, die elk zijn voorzien van een accentteken. Veelgebruikte voorvoegsels en woorden waarmee tal van samenstellingen kunnen worden gemaakt, zijn als aparte trefwoorden opgenomen. Wanneer een trefwoord niet wordt aangetroffen, is het raadzaam onder synonieme 'ingangen' te zoeken.

Voorbeeldzinnen en idiomen
In de Prisma Woordenboeken Nederlands-Vreemde taal is een onderscheid gemaakt tussen voorbeeldzinnen en idiomatische uitdrukkingen. Voorbeeldzinnen zijn zinnen die het gebruik van een trefwoord in een bepaalde betekenis demonstreren. Ze staan daarom achter de betekenissen en zijn aangegeven met een sterretje (⋆). Idiomatische uitdrukkungen zijn zinnen waarin het trefwoord weliswaar voorkomt, maar waarin dit niet in een van de onderscheiden betekenissen wordt gebruikt. Tot deze uitdrukkingen behoren bijvoorbeeld spreekwoorden. De idiomen worden voorafgegaan door een driehoekje (▾).

De vreemde taal
Van zelfstandige naamwoorden die uitsluitend als meervoud voorkomen, is dit aangegeven. Ook wordt vermeld of deze meervouden mannelijk of vrouwelijk zijn.
De vrouwelijke vorm van de vertalingen van bijvoeglijke naamwoorden wordt alleen gegeven wanneer deze niet gevormd wordt door toevoeging van de reguliere *-e* achter de mannelijke vorm.
De onregelmatige vorm van bijvoeglijke naamwoorden, voornaamwoorden enz. wordt gebruikt vóór woorden die beginnen met een klinker of 'stomme' h. Deze vorm wordt aangeduid met de afkorting [onr.].
Meervouden die worden gevormd door toevoeging van de *-s* worden niet vermeld. Worden meervouden op andere manieren gevormd (bijv. -aux), dan worden ze wel vermeld.
In incidentele gevallen worden de modi *indicatif* en *subjonctif* vermeld.

Bijzondere tekens

Trefwoorden zijn vet gedrukt. Alle informatie die romein (niet cursief) is gezet, heeft betrekking op het Nederlands; alle cursief afgedrukte informatie heeft betrekking op het Frans.

•	Elke betekenisomschrijving van een trefwoord wordt voorafgegaan door een bolletje.
‹...›	Elke specificering van een vertaling (restrictie) staat tussen geknikte haken.
[...]	Grammaticale informatie (o.a. de vrouwelijke vormen en meervoudsvormen) staan tussen vierkante haken, behalve de geslachtsaanduidingen *m*, *m mv*, *v* en *v mv* achter de zelfstandige naamwoorden.
★	Voorbeeldzinnen worden voorafgegaan door een sterretje.
▾	Idiomatische uitdrukkingen worden voorafgegaan door een driehoekje.
I, **II** enz.	Aanduidingen van grammaticale categorieën (woordsoorten als zelfstandig naamwoord, bijvoeglijk naamwoord, overgankelijk en onovergankelijk werkwoord enz.) worden voorafgegaan door vet gedrukte Romeinse cijfers.
~	Een tilde vervangt het trefwoord in voorbeeldzinnen en idiomatische uitdrukkingen.
/	Een schuine streep scheidt woorden die onderling verwisselbaar zijn.
≈	Dit teken geeft aan dat de vertaling een benadering is van het vertaalde woord, voorbeeld of idioom. Een exacte vertaling is in dat geval niet te geven. Meestal gaat het om een typisch Nederlands of Vlaams woord.
↑	Dit teken geeft aan dat de vertaling formeler is dan het Nederlandse trefwoord, voorbeeld of idioom.
↓	Dit teken geeft aan dat de vertaling minder formeel is dan het Nederlandse trefwoord, voorbeeld of idioom.
h̲	de h aspiré (aangeblazen h) wordt aangegeven d.m.v. een streepje.

Lijst van gebruikte afkortingen

AANW VNW	aanwijzend voornaamwoord
ADM.	administratie
ANAT.	anatomie
ASTRON.	astronomie
BELG.	België, Belgisch
BETR VNW	betrekkelijk voornaamwoord
BEZ VNW	bezittelijk voornaamwoord
BIJW	bijwoord
BIOL.	biologie
BNW	bijvoeglijk naamwoord
BOUWK.	bouwkunde
CHEM.	chemie, scheikunde
COMP.	computer
CUL.	culinair
ECON.	economie, handel
EUF.	eufemisme
EV	enkelvoud
FIG.	figuurlijk, overdrachtelijk
FIL.	filosofie, wijsbegeerte
FORM.	formeel
FOT.	fotografie
FR.	Frankrijk, Frans
GEO.	geografie, aardrijkskunde
GESCH.	geschiedenis
HER.	heraldiek
HWW	hulpwerkwoord
IND.	indicatief, aantonende wijs
INF.	informeel
inf.	infinitief, onbepaalde wijs
INFORM.	informatica
IRON.	ironisch
JUR.	juridisch
KIND.	kindertaal
KWW	koppelwerkwoord
LANDB.	landbouw
LIT.	literatuur, literair
LUCHTV.	luchtvaart
LW	lidwoord
m	mannelijk
M.B.T.	met betrekking tot
MED.	medisch
MIL.	militair
MUZ.	muziek
MV	meervoud
M/V	mannelijk/vrouwelijk
NAT.	natuurkunde
ONB TELW	onbepaald telwoord
ONB VNW	onbepaald voornaamwoord
ONP WW	onpersoonlijk werkwoord
ONR	onregelmatig
ONV	onveranderlijk
ONV WW	onvervoegbaar werkwoord
ON WW	onovergankelijk werkwoord
OV WW	overgankelijk werkwoord
PEJ.	pejoratief, met ongunstige betekenis
PERS VNW	persoonlijk voornaamwoord
PLANTK.	plantkunde
POL.	politiek
PSYCH.	psychologie
QC	quelque chose
QN	quelqu'un
REL.	religie, godsdienst
SCHEEPV.	scheepvaart
SUBJ.	subjunctief, aanvoegende wijs
TAALK.	taalkunde
TECHN.	techniek
TELW	telwoord
TV	televisie
TW	tussenwerpsel
TYP.	typografie
UITR VNW	uitroepend voornaamwoord
V	vrouwelijk
V.	van
V.D.	van de
V.H.	van het
VERO.	verouderd
VR VNW	vragend voornaamwoord
VULG.	vulgair
VW	voegwoord
VZ	voorzetsel
WISK.	wiskunde
WKD VNW	wederkerend voornaamwoord
WKD WW	wederkerend werkwoord
WKG VNW	wederkerig voornaamwoord
WW	werkwoord
ZN	zelfstandig naamwoord
ZN	Zuid-Nederlands
ZW.	Zwitserland, Zwitsers

zwager *beau-frère* m [mv: *beaux-frères*]
zwartekousenkerk ≈ *Église* v *protestante orthodoxe*
zweren I OV WW eed doen FIG. *jurer* **II** ON WW • ontstoken zijn *suppurer* • ~ **bij** *jurer sur*; *prêter serment sur* ★ ~ bij *jurer par*
zwerfafval *détritus* m mv *non ramassés*
zwerm *nuée* v; ‹v. bijen› *essaim* m; ‹v. vogels› *volée* v
zwermen *se déployer*; ‹v. bijen› *essaimer*; FIG. *s'empresser autour de*
zweven • vrij hangen *planer*; ‹in vloeistof› *flotter* • zich onzeker bevinden ★ ~ tussen leven en dood *être entre la vie et la mort* • vagelijk voordoen *planer* ▾ voor de geest ~ *être présent à l'esprit* ▾ voor de ogen ~ *flotter devant les yeux*
zwier • zwaai *virement* m • gratie *élégance* v; *grâce* v ▾ aan de ~ zijn *faire la noce*
zwieren *tourner*; *virer*
zwierig I BNW *élégant*; *gracieux* [v: *gracieuse*] **II** BIJW *avec élégance*
zwijgen I ZN *silence* m ★ iem. het ~ opleggen *imposer le silence à qn* **II** ON WW • niet spreken *se taire*; *garder le silence* ★ doen ~ *faire taire* ★ tot ~ brengen *réduire au silence* ★ over iets ~ *passer qc sous silence* • geen geluid geven *se taire* ▾ wie zwijgt, stemt toe *qui ne dit mot, consent*
zwijggeld *prix* m *du silence*; *pot-de-vin* m [mv: *pots-de-vin*]
zwijn • dier *porc* m; *cochon* m ★ een wild ~ *un sanglier* • persoon *cochon* m [v: *cochonne*]
zwoegen • hijgen *haleter* • zwaar werken *trimer*; ‹m.b.t. studie› *bûcher*
zwoeger *piocheur* [v: *piocheuse*]
zwoel • drukkend warm *lourd*; *étouffant* • sensueel *sensuel* [v: *sensuelle*]

onregelmatige meervoudsvormen en vrouwelijke vormen staan tussen vierkante haken

dit teken geeft aan dat de vertaling een benadering is van het Nederlands

geslacht en getal van Franse zelfstandige naamwoorden worden eengegeven door de afkorting m, v en mv

een tilde vervangt het trefwoord (langer dan 4 karakters) in voorbeeldzinnen

vet gedrukte Romeinse cijfers geven het onderscheid aan tussen grammaticale categorieën (woordsoorten)

een sterretje geeft een voorbeeldzin aan

een driehoekje geeft een idiomatische uitdrukking aan

bolletjes geven de verschillende betekenissen van een trefwoord aan

a • letter *a* m ★ van a tot z *de a à z* • muzieknoot *la* m ★ a kleine/grote terts *la mineur/majeur* ▾ wie a zegt, moet ook b zeggen *quand le vin est tiré, il faut le boire*

aai *caresse* v

aaien *caresser*

aak *chaland* m; *péniche* v

aal *anguille* v ▾ hij is zo glad als een aal *il est malin comme un renard*

aalbes • vrucht *groseille* v • struik *groseillier* m

aalglad *malin* [v: *maligne*]

aalmoes *aumône* v; *charité* v ★ een ~ geven *donner une aumône; faire la charité*

aalmoezenier *aumônier* m

aalscholver *cormoran* m

aambeeld ▾ steeds op hetzelfde ~ slaan *chanter toujours le même refrain*

aambeien *hémorroïdes* v

aan I BIJW • in werking ★ de radio staat aan *la radio est allumée* ★ het vuur is aan *le feu est allumé* • aan het lichaam ★ trek je schoenen aan! *mets tes chaussures!* • op zekere wijze ★ kalmpjes/rustig aan *doucement* ▾ er is niets aan *ce n'est pas difficile* ▾ ervan op aan kunnen *pouvoir compter sur* **II** VZ • meewerkend voorwerp *à* ★ iets aan iem. geven *donner qc à qn* • op een (vaste) plaats *à* ★ aan het strand *à la plage* ★ aan dek *à bord* ★ aan de muur *au mur* ★ aan de gracht/kade *au bord du canal/quai* • naar iets toe ★ aan land komen *débarquer* • als gevolg van *par suite de* ★ aan koorts lijden/sterven *souffrir/mourir de fièvre* • wat betreft *de* ★ een gebrek aan vitaminen *un manque de vitamines* • na/naast elkaar ★ rij aan rij *en rangs* ▾ het is niet aan mij om dat te zeggen *ce n'est pas à moi de dire cela* ▾ van nu af aan *dès maintenant; à partir de maintenant*

aanbakken *attacher*; INF. *cramer*

aanbeeld → **aambeeld**

aanbellen *sonner*

aanbesteden *faire un forfait; mettre en adjudication*

aanbesteding *adjudication* v

aanbetalen *verser un acompte*

aanbetaling *acompte* m; ‹bij boeking reis e.d.› *arrhes* v mv

aanbevelen *recommander*; ↑ *préconiser*

aanbevelenswaardig *à conseiller*; ‹bij ontkenningen› *recommandable* ★ niet ~ *peu recommandable*

aanbeveling *recommandation* v ★ op ~ van *sur recommandation de*

aanbiddelijk I BNW *adorable* **II** BIJW *de façon adorable*

aanbidden *adorer*

aanbidder *adorateur* m [v: *adoratrice*]

aanbidding *adoration* v

aanbieden *proposer; présenter* ★ iets te koop ~ *mettre en vente qc*

aanbieder *présentateur* m [v: *présentatrice*]

aanbieding • aanbod *offre* v • koopje *article* m *en promotion*

aanbinden • vastbinden *attacher; nouer* ★ schaatsen ~ *chausser des patins* • beginnen *commencer* ★ de strijd ~ *engager le combat*

aanblaasriet *anche* v

aanblazen • MUZ. *emboucher* • TAALK. *aspirer*

aanblijven *rester en place; conserver ses fonctions*

aanblik • het zien *vue* v ★ bij de eerste ~ *à première vue; au premier abord* • wat gezien wordt *spectacle* m; *vue* v; *aspect* m

aanbod *offre* v; *proposition* v ★ de wet van vraag en ~ *la loi de l'offre et de la demande* ▾ een ~ aannemen *accepter une offre* ▾ een ~ afslaan *refuser une offre* ▾ een ~ doen *faire une offre*

aanboren *forer; percer* ★ olie ~ *rencontrer du pétrole*

aanbouw • het (aan)bouwen *construction* v ★ in ~ zijn *être en construction* • aangebouwd deel *annexe* m

aanbouwen *ajouter; construire à côté; bâtir à côté*

aanbraden *faire revenir*

aanbranden *brûler* ★ aangebrand ruiken *sentir le brûlé*

aanbreken I OV WW beginnen te gebruiken *entamer* **II** ON WW beginnen *apparaître; arriver* ★ de dag breekt aan *le jour se lève*

aanbrengen • plaatsen *poser; placer*; ‹v. verf/kleuren› *appliquer* • meebrengen *apporter; amener* • veroorzaken ★ een verandering ~ *introduire une modification* • verklikken *dénoncer; rapporter* • werven *recruter; embaucher*

aandacht *attention* v ★ de ~ in beslag nemen *attirer l'attention* ★ de ~ vasthouden *retenir l'attention* ★ ~ vragen voor *appeler l'attention sur* ★ met gespannen ~ *avec une attention soutenue* ★ de ~ afleiden *détourner l'attention* ★ de ~ trekken/opeisen *attirer l'attention* ★ iets met ~ volgen *suivre qc avec attention* ★ iets onder iemands ~ brengen *porter qc à l'attention de qn* ★ ~ schenken aan *prêter attention à* ★ de ~ doen verslappen *faire relâcher l'attention* ★ ~ schenken aan *prêter l'attention à* ▾ dat heeft mijn volle ~ *cela a toute mon attention*

aandachtig I BNW *attentif* [v: *attentive*] **II** BIJW *attentivement*

aandachtsgebied *domaine* m *qui mérite une attention particulière*

aandachtspunt *question* v *prioritaire*

aandachtsveld → **aandachtsgebied**

aandeel • portie *part* v; *portion* v ★ een ~ in de winst *une participation aux bénéfices* • bijdrage *participation* v; *part* v ★ ~ hebben in *avoir part à; participer à* • ECON. *action* v; *titre* m ★ ~ aan toonder *action au porteur* ★ ~ op naam *action nominative* ★ preferent ~ *action de priorité*

aandeelhouder ‹v. NV› *actionnaire* m/v; ‹v. BV, v.o.f.› *associé* m

aandelenkapitaal *capital* m *(par) actions*

aandelenmarkt *marché* m *des actions*

aandelenoptie *option* v *d'achat; option* v *d'actions*

A

aandelenpakket *paquet* m *d'actions*

aandenken *souvenir* m

aandienen I OV WW de komst melden van *annoncer* II WKD WW zich doen voorkomen *se faire passer pour*

aandikken • dikker maken *grossir*; *amplifier* • overdrijven *grossir*; *exagérer*

aandoen • aantrekken *mettre* • aansteken *allumer* • bezoeken ‹v. trein/bus› *s'arrêter à*; ‹v. boot› *faire escale à* • berokkenen *faire*; *causer* • een indruk geven *faire*

aandoening • kwaal *affection* v • ontroering *émotion* v

aandoenlijk I BNW *touchant*; *attendrissant* ★ een ~ verhaal *une histoire émouvante* II BIJW *d'une manière touchante*

aandraaien *serrer*; *visser*

aandragen • ergens heen brengen *apporter* • opperen *avancer*

aandrang • druk/behoefte *poussée* v; *afflux* m • aansporing *instances* v mv; *instigation* v ★ op ~ van iem. *sur les instances de qn* • nadruk *insistance* v

aandrift *impulsion* v

aandrijfas *arbre* m *moteur*; *arbre* m *de transmission*

aandrijven I OV WW • TECHN. *faire fonctionner*; *actionner*; *mettre en marche* • aansporen *pousser (à)*; *inciter (à)* II ON WW aanspoelen *flotter*; *arriver en flottant*

aandrijving *mise* v *en marche* ★ een auto met vierwiel~ *une voiture à quatre roues motrices*

aandringen *presser (de)*; *pousser (à)*; *insister (sur)* ★ bij iem. op iets ~ *insister sur qc auprès de qn* ★ op een maatregel ~ *réclamer une mesure* ★ op ~ van *sur les instances de*

aandrukken *presser*; *serrer* ★ zich tegen de muur ~ *se serrer contre le mur*; *se plaquer contre le mur*

aanduiden • aanwijzen *désigner*; *signaler*; *marquer* • betekenen *signifier*

aanduiding *indication* v; *désignation* v ★ een nadere ~ geven *préciser*

aandurven ‹iets› *se risquer à*; *oser entreprendre*; *ne pas reculer devant*; ‹iemand› *oser tenir tête à* ★ alles ~ *ne reculer devant rien*

aanduwen • aandrukken *tasser* • door duwen starten *pousser*

aaneen • aan elkaar vast *ensemble* ★ dicht ~ staan *être serrés* • ononderbroken *de suite*; *sans interruption*; *d'affilée* ★ twee dagen ~ *deux jours de suite* ★ jaren ~ *pendant de longues années*

aaneengesloten *serré*

aaneenschakeling • het aaneenschakelen *jonction* v • opeenvolging *enchaînement* m; *suite* v; *succession* v

aaneensluiten (**zich**) *se solidariser*; *s'unir*; *s'associer*

aanfluiting *risée* v; *objet* m *de risée*; ‹schande› *honte* v

aangaan I OV WW • betreffen *concerner* ★ het gaat mij niet aan *cela ne me regarde pas* • beginnen *engager*; ‹v. verdrag› *conclure* ★ een weddenschap ~ *faire un pari* II ON WW • beginnen *commencer*; ‹in werking treden› *s'allumer* • bezoeken *passer chez* ▾ er ~ *y passer*

aangaande *à propos de*

aangapen *regarder bouche bée*

aangebonden ▾ kort ~ zijn *se montrer brusque*

aangeboren • met de geboorte meegekregen *héréditaire*; *congénital* [m mv: *congénitaux*] • natuurlijk *inné*; *naturel* [v: *naturelle*]

aangebrand ▾ gauw ~ zijn *se fâcher pour un rien*

aangedaan *ému*; *touché*

aangelegd *doué* ★ kunstzinnig ~ *doué pour l'art*

aangelegenheid *question* v; *affaire* v

aangenaam I BNW *agréable*; INF. *sympa* ★ het is hier ~ *il fait bon ici* ★ ~ (kennis te maken) *enchanté (de faire votre connaissance)* II BIJW *agréablement*; *avec plaisir*

aangenomen ★ een ~ kind *un enfant adoptif* ★ een ~ naam *un pseudonyme* ★ ~ werk *du travail à forfait* ★ ~ dat *à supposer que* [+ subj.]

aangeschoten • dronken *gris*; *éméché*; INF. *pompette* • verwond *blessé*

aangeslagen *déconcerté*; *démoralisé*

aangetrouwd *apparenté par alliance* ★ ~e kinderen *beaux-enfants*

aangeven • aanreiken *passer* • aanduiden *indiquer*; *signaler* • officieel melden ‹ook bij douane› *déclarer*; ‹bij politie› *porter plainte* • aanbrengen *dénoncer*

aangever SPORT *déclarant* m; ‹in komische stukken› *faire-valoir* m

aangewezen *qualifié* ★ op iets ~ zijn *en être réduit à qc*

aangezicht *visage* m; *figure* v; *face* v

aangezichtspijn *névralgie* v *faciale*

aangezien *puisque*; *vu que*; *étant donné que*

aangifte *déclaration* v; ‹v. belasting› *déclaration* v *d'impôts*; *déclaration* v *des revenus*; ‹v. verdachte› *dénonciation* v

aangiftebiljet *déclaration* v *des revenus*; INF. *feuille* v *d'impôts*

aangrenzend *avoisinant*; *à côté*

aangrijpen • vastpakken *saisir* • ontroeren *affecter*; *émouvoir* ▾ de gelegenheid ~ *saisir l'occasion*

aangrijpend I BNW *émouvant*; *saisissant* II BIJW *de façon émouvante*

aangrijpingspunt *point* m *d'application*

aangroeien • opnieuw groeien *repousser* • toenemen *croître*; *augmenter*; *s'accroître*

aangroei(sel) *accroissement* m; *croûte* v

aanhaken *accrocher*

aanhalen • vaster trekken *serrer*; *resserrer* • liefkozen *caresser*; *cajoler*; *câliner* • citeren *citer*

aanhalig *câlin*; *caressant*; *cajoleur* [v: *cajoleuse*] ★ ~ doen *minauder*

aanhaling *citation* v

aanhalingsteken *guillemet* m ★ ~s openen/sluiten *ouvrir/fermer les guillemets*

aanhang *partisans* m mv; REL. *adeptes* m mv ★ de politieke ~ *la clientèle*

aanhangen I OV WW • bevestigen *suspendre à*; *accrocher à* ★ een schilderij aan de muur hangen *accrocher un tableau au mur*

• steunen *adhérer à* II ON WW vastkleven *coller à; rester accroché*

aanhanger • volgeling ‹v. koningschap› *royaliste* m; *adhérent* m; *partisan* m; *disciple* m/v • aanhangwagen *remorque* v

aanhangig ‹proces› *pendant; en litige; en instance* ★ ~ maken ‹in de raad› *mettre une affaire en discussion*; ‹bij rechtbank› *saisir un tribunal d'une affaire*

aanhangsel • aanhangend deel *appendice* m • bijlage *annexe* v; ‹bij boek› *appendice* m; ‹v. testament› *codicille* m; ‹v. polis› *avenant* m

aanhangwagen *remorque* v

aanhankelijk *dévoué*

aanhechten *attacher*; ‹knopen› *nouer*; ‹naaien› *coudre*

aanhechting *rattachement* m; *attache* v ▾ ~spunt *point* m *d'attache*

aanhef *commencement* m; *début* m; MUZ. *intonation* v; *les premières notes* v mv; ‹v. rede› *introduction* v; *préambule* m; ‹v. brief› *en-tête* m

aanheffen *commencer*; ‹v. lied› *entonner*

aanhikken ★ tegen een opdracht ~ *être emmerdé de devoir exécuter un ordre*

aanhoren *écouter; entendre* ★ het is niet om aan te horen *c'est inécoutable*

aanhouden I OV WW • arresteren *arrêter* • tegenhouden *arrêter* • blijven houden *garder*; ‹aan het lijf houden› *ne pas quitter; garder*; ‹niet laten uitgaan› *laisser marcher; laisser brûler* ★ het vuur ~ *entretenir le feu* • uitstellen *ajourner* II ON WW • volhouden *persister* • voortduren *prolonger; continuer* • gaan naar ★ links ~ *tenir sa gauche*

aanhoudend I BNW • zonder ophouden *continu; permanent* • steeds weer *continuel* [v: *continuelle*]; *persistant; constant* II BIJW *continuellement; constamment; sans cesse*

aanhouder *personne* v *persévérante* ▾ de ~ wint *la persévérance vient à bout de tout*

aanhouding *arrestation* v ★ een bevel tot ~ *un mandat d'arrêt* ▾ ~sbevoegdheid *pouvoir* m *d'arrêter*

aanjagen *faire* ★ angst ~ *faire peur* ★ schrik ~ *effrayer*

aanjager *booster* m; ‹in ruimtevaart› *fusée* v *de lancement*; ‹elektrisch› *survolteur* m

aankaarten *aborder; mettre sur le tapis*

aankijken • kijken naar *regarder* ★ elkaar ~ *se regarder* ★ iem. strak ~ *dévisager qn* ★ iem. brutaal ~ *défier qn du regard* ★ hem niet durven ~ *ne pas oser le regarder* ★ schuin ~ *regarder de travers* • overdenken *regarder faire qc* • ~ **op** *croire responsable (de)* ▾ met schele ogen ~ *envier*

aanklacht *accusation* v; *plainte* v; JUR. *inculpation* v ★ een ~ indienen *porter plainte* ★ zijn ~ intrekken *retirer sa plainte* ★ een geheime ~ *une délation*

aanklagen *accuser; dénoncer* ★ ~ wegens smaad *déposer une plainte en diffamation*

aanklager *accusateur* m [v: *accusatrice*]; JUR. *demandeur* m [v: *demanderesse*]

aanklampen • aanspreken *accoster; aborder* • enteren *aborder*

aankleden • kleren aantrekken *habiller* ★ zich ~ *s'habiller* • inrichten *décorer*

aankleding *présentation* v ★ de ~ van een stuk *la mise en scène; le décor*

aankloppen • op deur kloppen *frapper à la porte* • ~ **bij** ★ bij iem. ~ *avoir recours à qn; s'adresser à qn* ★ om geld ~ *demander de l'argent*

aanknopen • vastknopen aan *nouer; lier; attacher* • beginnen ★ een gesprek ~ *entamer/engager une conversation*

aanknopingspunt *point* m *de départ* ★ het ~ van een gesprek *le point de départ d'une conversation*

aankoeken *coller au fond de la casserole*

aankomen • arriveren *arriver (à)* ★ de aangekomen goederen *les arrivages* • naderen *arriver* ★ ik heb het zien ~ *je m'attendais à cela* • bezoeken *passer chez* • aanraken *toucher* ★ met het hoofd ~ tegen *cogner la tête contre* • doel treffen *porter* • zwaarder worden *prendre du poids; engraisser* • ~ **op** *s'agir de* ★ het komt er op aan goed op te letten *il s'agit de faire bien attention*

aankomend • aanstaand *prochain*; ‹toekomstig› *futur* • beginnend *jeune; débutant* ★ ~e talenten *des talents naissants*

aankomst *arrivée* v

aankondigen *annoncer*; ‹officieel› *notifier*

aankondiging *avis* m; *annonce* v; *publication* v; ‹v. huwelijk› *faire-part* m [onv]

aankoop • het kopen *acquisition* v • het gekochte *achat* m; *acquisition* v

aankoopsom *prix* m *d'achat*

aankopen *acheter; acquérir*

aankruisen *marquer d'une croix* ★ een hokje ~ *cocher une case*

aankunnen ‹iemand› *être plus fort que; valoir*; ‹iets› *être à même de faire* ▾ ~ op *pouvoir compter sur; pouvoir se fier à*

aankweken *cultiver*

aanlanden *aborder; débarquer; arriver au port*

aanlandig *marin; du large* ★ ~e wind *le vent du large*

aanleg • constructie *construction* v; ‹v. verzameling› *constitution* v; ‹v. tuin› *aménagement* m; ‹v. elektriciteit› *installation* v ★ in ~ zijn *être en voie de construction* • talent *aptitudes* v mv; *dispositions* v mv ★ ~ hebben voor *être doué pour; avoir des dispositions naturelles pour* • vatbaarheid *prédisposition* v ★ ~ hebben voor *être prédisposé à*

aanleggen I OV WW • maken *poser*; ‹v. elektriciteit› *installer*; ‹v. vuur› *faire*; ‹v. bos› *aménager*; ‹v. weg/brug› *construire*; ‹v. kanaal› *creuser*; ‹v. lijst› *dresser; mettre* ★ het ~ van een weg *la construction d'une route* • regelen *s'y prendre* ★ het zo ~ dat *s'arranger pour* ★ hoe zal ik dat ~? *comment m'y prendre?* • richten *viser; braquer (sur); coucher ... en joue* II ON WW aan de wal gaan liggen *accoster; faire escale; aborder* ★ het ~ van een schip *l'accostage d'un navire*

aanlegplaats *débarcadère* m; *quai* m

A

A

aanleiding *occasion* v ★ naar ~ van uw advertentie *me référant à votre annonce* ★ ~ geven tot *donner lieu à; provoquer* ★ naar ~ van *à l'occasion de; à propos de*

aanlengen *délayer; couper; diluer*

aanleren • onderwijzen *enseigner* • eigen maken *apprendre*

aanleunen ▾ hij laat zich dat niet ~ *il ne se laisse pas faire; il ne s'en laisse pas conter*

aanleunwoning ≈ *foyer-logement* m [mv: *foyers-logements*]; *appartement* m *dans une résidence-service*

aanlijnen *tenir en laisse*

aanlokkelijk *séduisant; attrayant*

aanlokken • aantrekken *tenter; attirer;* ‹passief› *allécher* • bekoren *séduire*

aanloop • SPORT *élan* m ★ een ~ nemen *prendre son élan* • bezoek *monde* m; *visiteurs* m mv ★ veel ~ hebben *voir beaucoup de monde* • inleiding *préambule* m

aanloophaven *port* m *de relâche; escale* v

aanloopkosten *frais* m mv *de démarrage*

aanloopperiode *période* v *de mise en œuvre*

aanlopen I OV WW een haven aandoen *faire escale* II ON WW • naderen ‹haastig› *accourir* • even langsgaan *passer chez* • tegen iets aan schuren *frotter; heurter* ★ ik loop tegen iets aan *je heurte qc* • een kleur krijgen ★ rood ~ *devenir rouge*

aanmaak *confection* v; *fabrication* v

aanmaakblokje *allume-feu* m [mv: *allume-feu(x)*]

aanmaakhout *bois* m *d'allumage*

aanmaken • fabriceren *faire; confectionner; fabriquer* • klaarmaken *préparer* ★ de sla ~ *faire la salade* • aansteken *allumer*

aanmanen *sommer de; exhorter à*

aanmaning *sommation* v; *exhortation* v

aanmatigen (zich) *s'arroger*

aanmatigend I BNW *arrogant; insolent* II BIJW *d'un air arrogant; d'un air insolent*

aanmelden • opgeven *s'inscrire* ★ zich voor een examen ~ *s'inscrire à un examen* • aankondigen *annoncer*

aanmelding *inscription* v; ‹in register› *immatriculation* v

aanmeldingsformulier *formulaire* m *d'inscription*

aanmeldingstermijn *délai* m *d'inscription*

aanmeren *amarrer*

aanmerkelijk I BNW *considérable* II BIJW *considérablement*

aanmerken *remarquer; observer; avoir à redire*

aanmerking • beschouwing ★ in ~ komen *entrer en considération* ★ in ~ nemen *considérer* ★ in ~ genomen *étant donné* • kritiek *remarque* v; *observation* v; *critique* v ★ ~en krijgen *recevoir des observations*

aanmeten *prendre les mesures (de qn)*

aanmodderen *patauger* ★ hij moddert maar wat aan *il patauge*

aanmoedigen • aansporen *encourager; stimuler* • bevorderen *favoriser*

aanmoedigend *encourageant*

aanmoediging *encouragement* m

aanmonsteren *s'enrôler; s'engager*

aannaaien *recoudre* ★ een knoop ~ *recoudre un bouton*

aanname *supposition* v

aannemelijk • redelijk *admissible; acceptable* • geloofwaardig *plausible*

aannemen • in ontvangst nemen *accepter; recevoir; prendre;* ‹v. goederen› *prendre livraison de* ★ iemands jas ~ *débarrasser qn de son manteau* • accepteren *accepter;* ‹v. wet› *voter* • geloven *croire* • veronderstellen *supposer; admettre* • eigen maken *adopter* ★ een godsdienst ~ *embrasser une religion* • voor een bepaalde prijs uitvoeren *se charger (d'un travail)* • in dienst nemen *engager* • adopteren *adopter* • als lid opnemen *admettre;* ‹tot kerk› *confirmer*

aannemer *entrepreneur* m

aanpak *approche* v

aanpakken • vastpakken *saisir; prendre* • aangrijpen *entreprendre; entamer; commencer* • behandelen ★ niet weten hoe men iets zal ~ *ne pas savoir comment s'y prendre* • hard werken *mettre la main à la pâte* ★ hij weet van ~ *il sait travailler* • beginnen met *s'attaquer à*

aanpalend *avoisinant*

aanpappen ★ met iem. ~ *faire des démarches auprès de qn par intérêt*

aanpassen I OV WW • passen *essayer* • geschikt maken *adapter; ajuster;* ‹kostenpeil› *revaloriser* II WKD WW zich conformeren *s'adapter (à); s'accommoder (à)*

aanpassing *adaptation* v; *ajustement* m; *aménagement* m; ‹v. getal/munt› *conversion* v

aanpassingsvermogen *capacité* v *d'adaptation*

aanplakbiljet *affiche* v

aanplakken *afficher*

aanplant ★ een nieuwe ~ *une nouvelle plantation*

aanplanten *peupler;* ‹v. bos› *boiser; planter*

aanpoten *travailler dur*

aanpraten • doen geloven *faire croire* • aansmeren *persuader de prendre*

aanprijzen *recommander; vanter* ★ zijn waar ~ *vanter sa marchandise*

aanraden *conseiller; recommander* ★ op ~ van *sur les conseils de*

aanrader *film* m/*produit* m *recommandé*

aanraken *toucher*

aanraking *contact* m ★ met de politie in ~ komen *avoir des démêlés avec la police* ★ hen met elkaar in ~ brengen *les mettre en contact*

aanranden ‹seksueel› *violer; agresser; attaquer*

aanrander *assaillant* m; *agresseur* m

aanranding ‹seksueel› *viol* m; *agression* v; *attaque* v

aanrecht *évier* m; *plan* m *de travail*

aanreiken *passer; remettre*

aanrekenen • beschouwen als *considérer* • verwijten *imputer; reprocher; attribuer* ★ iem. iets ~ *imputer/reprocher qc à qn* ★ het hem niet ~ *ne pas lui en vouloir*

aanrichten • veroorzaken *causer* ★ schade ~ *causer des dégâts; faire des dégâts*

A

• voorbereiden *organiser*
aanrijden I OV WW in botsing komen *accrocher*; *heurter*; INF. *emboutir* ★ door een taxi aangereden *heurté par un taxi* II ON WW rijdend naderen *rouler (vers)*; *aller (vers)* ★ tegen iets ~ *donner contre*; *heurter contre*
aanrijding *collision* v; *accrochage* m ★ ik heb een ~ gehad met een vrachtwagen *j'ai eu un accrochage avec un camion*
aanroepen • roepen naar *appeler* • hulp vragen *implorer* ★ God ~ *invoquer Dieu*
aanroeren • aanraken *toucher* • ter sprake brengen *aborder* ★ een teer punt ~ *toucher un point sensible*
aanrukken ‹militair› *s'approcher rapidement* ▾ laten ~ *faire venir*
aanschaf *achat* m; *acquisition* v
aanschaffen *acheter*; *se procurer*; INF. *se payer*
aanscherpen *affiler*
aanschieten • licht verwonden *blesser*; *atteindre* • gauw aantrekken *enfiler* • aanspreken *aborder* ★ iem. ~ *aborder qn*
aanschoppen ~ **tegen** *attaquer*; *taper sur*
aanschouwelijk I BNW *vivant*; *clair*; *intelligible* ★ ~ onderwijs *leçons de choses* II BIJW *d'une manière vivante*
aanschouwen *voir*; *regarder*; *contempler* ★ 't levenslicht ~ *voir le jour*
aanschrijven • een brief richten tot *écrire une lettre à* • kennisgeven *notifier*
aanschrijving *notification* v
aanschuiven I OV WW dichterbij brengen *pousser* ★ een stoel ~ *approcher une chaise* II ON WW dichterbij komen *se serrer un peu*; ‹aan tafel gaan› *se mettre à table*
aanslaan I OV WW • kort raken ‹v. snaar› *toucher*; ‹v. toets› *frapper* • waarderen *estimer* • belasten *évaluer*; *imposer* II ON WW • vasthechten *se déposer* • starten van motor *se mettre en marche* • succes hebben *avoir du succès* • blaffen *se mettre à aboyer* • beslaan *s'embuer*
aanslag • afzetting ‹v. damp› *buée* v; ‹v. vuil› *saleté* v • indrukken v.e. toets *frappe* v • aanval *attentat* m • belastingaanslag *feuille* v *d'impôt* ★ voorlopige ~ *acompte* m *provisionnel* • schietklare stand *mise* v *à joue* ★ zijn geweer in de ~ brengen *épauler son fusil* • MUZ. *toucher* m
aanslagbiljet *avis* m *d'imposition*; INF. *feuille* v *d'impôts*
aanslibben *accroître par alluvions*
aansluiten I OV WW • verbinden *brancher (sur)*; *relier (à)*; *raccorder (à)*; ‹v. telefoon› *mettre en communication* • aaneen doen sluiten *serrer (contre)* ★ de rijen ~ *serrer les rangs* II ON WW verbonden zijn *joindre*; ‹m.b.t. openbaar vervoer› *correspondre* III WKD WW • meedoen *se joindre* • lid worden *s'affilier (à)* • het eens zijn *s'associer (à)*
aansluiting • verbinding *jonction* v; ‹m.b.t. openbaar vervoer› *correspondance* v ★ in ~ op *en nous référant à* ★ in ~ op ons schrijven *faisant suite à notre lettre* • contact ‹v. telefoon› *communication* v; ‹v. toestel› *prise* v; *branchement* m; *raccordement* m ★ antenne~ *prise d'antenne* ★ de ~ op het elektriciteitsnet *le branchement au secteur* ★ ~ krijgen *obtenir la communication*
aansluitingstreffer SPORT *coup* m *de rattrapage*
aansluitkosten *frais* m mv *de raccordement*
aansmeren • dichtsmeren *crépir* • aanpraten ★ iem. iets ~ *coller qc à qn*
aansnellen *accourir*
aansnijden • afsnijden *entamer* • aankaarten *entamer*; *attaquer*; *aborder*
aanspannen • vastmaken *atteler* • strak trekken *tendre* • beginnen *intenter* ★ een proces ~ *intenter un procès*
aanspelen SPORT *donner une passe à*
aanspoelen • aan land laten drijven *rejeter* • aan land drijven *être jeté sur la plage*
aansporen *stimuler*; *encourager*; ‹v. paard› *éperonner*
aansporing *stimulation* v; *encouragement* m ★ op ~ van *à l'instigation de*
aanspraak • sociaal contact *occasion* v *de parler* ★ hij heeft hier weinig ~ *il ne connaît presque personne ici* • recht *droit* m; *prétention* v ★ ~ hebben op *avoir droit à* ★ ~ maken op *prétendre à*
aansprakelijk *responsable (de)* ★ hoofdelijk ~ *solidairement responsable* ★ wettelijk ~ *civilement responsable* ★ iem. ~ stellen *rendre qn responsable* ★ zich ~ stellen *se porter garant*
aansprakelijkheid *responsabilité* v ★ wettelijke ~ *responsabilité civile*
aansprakelijkheidsverzekering *assurance* v *de responsabilité civile*
aanspreekbaar *abordable*; *accessible*
aanspreektitel *titre* m
aanspreken • het woord richten tot *adresser la parole à*; *s'adresser à* ★ met jij en jou ~ *tutoyer* • gaan gebruiken *entamer* ★ zijn kapitaal ~ *entamer son capital* • in de smaak vallen *plaire à*; *avoir du succès*
aanstaan • bevallen *plaire*; *convenir* • in werking zijn *être branché*; *être allumé*; *marcher* ★ de radio staat aan *le poste est allumé* • op een kier staan *être entrouvert*
aanstaande I ZN *fiancé* m [v: *fiancée*] II BNW • eerstkomend *prochain* ★ ~ vrijdag *vendredi prochain* • toekomstig *futur* ★ mijn ~ echtgenoot *mon futur mari*
aanstalten ★ ~ maken om *s'apprêter à*
aanstampen *enfoncer*; ‹met stamper› *tasser*; ‹met de voet› *fouler*
aanstaren *regarder fixement*; *fixer*
aanstekelijk I BNW • besmettelijk *contagieux* [v: *contagieuse*] • gemakkelijk op anderen overgaand *communicatif* [v: *communicative*] II BIJW *de façon contagieuse*
aansteken • doen branden *enflammer*; *allumer* ★ een lamp ~ *allumer une lampe* ★ een lucifer ~ *frotter une allumette* ★ die brand is aangestoken *cet incendie a été provoqué* • besmetten *contaminer*; *infecter* • wormstekig maken *gâter*
aansteker *briquet* m
aanstellen I OV WW *nommer*; *engager* II WKD WW *jouer la comédie*

aansteller *poseur* m [v: *poseuse*]
aanstellerig I BNW *poseur* [v: *poseuse*] II BIJW *d'une façon théâtrale*
aanstellerij *affectation* v; *comédie* v
aanstelling *nomination* v; *dénomination* v
aanstellingsbrief *acte* m *de nomination*
aansterken *reprendre des forces*
aanstichten *tramer*; *causer*; *provoquer*
aanstichter *instigateur* m [v: *instigatrice*]
aanstichting *initiative* v
aanstippen • even aanraken *toucher*; ‹met geneesmiddel› *badigeonner* • even noemen *citer en passant* ★ iets kort ~ *relever qc en passant* • aankruisen *marquer d'un point*
aanstoken • opruien *exciter* • aanwakkeren *attiser*
aanstonds *tout à l'heure*
aanstoot *scandale* m ★ ~ geven *scandaliser* ★ ~ nemen aan *s'offusquer de*
aanstootgevend *scandaleux* [v: *scandaleuse*]
aanstoten *pousser*; *heurter*
aanstrepen *marquer d'un trait*; *marquer au crayon*
aanstrijken • doen ontbranden *craquer* • MUZ. ‹v.e. snaar› *faire vibrer* • met iets bestrijken *frotter*
aansturen *se diriger vers*; FIG. *viser à*; FIG. *tendre à*
aantal *nombre* m; *quantité* v ★ een ~ schrijvers *un certain nombre d'écrivains*
aantasten • aanpakken *attaquer* ★ iem. in zijn eer ~ *attaquer l'honneur de qn* • aanvreten *ronger*; ‹v. metalen› *corroder*
aantasting ‹v. metaal› *corrosion* v; ‹v. eer› *atteinte* v; *insulte* v ★ een ~ van zijn eer *une atteinte à son honneur*
aantekenboek *carnet* m *de notes*
aantekenen I OV WW • opschrijven *noter* ★ een brief laten ~ *envoyer une lettre en recommandé* ★ beroep ~ *interjeter appel* • opmerken *annoter*; *remarquer* II ON WW in ondertrouw gaan *faire publier ses bans*
aantekening • notitie *note* v • vermelding *commentaire* m; *note* v; *annotation* v; *remarque* v • het noteren *note* v
aantijging *imputation* v
aantikken I OV WW even aanraken *toucher* II ON WW oplopen *chiffrer* ★ dat tikt aan *ça chiffre*
aantocht ★ in ~ zijn *approcher*
aantonen • laten zien *montrer*; *indiquer* ★ de ~de wijs *le mode indicatif*; *l'indicatif* m • bewijzen *démontrer*; *prouver*
aantoonbaar I BNW *démontrable* ★ dit is goed ~ *ceci est facilement démontrable* II BIJW *manifestement*
aantreden • zich verzamelen *se rassembler*; *se réunir* ★ laten ~ *faire rassembler* • beginnen *entrer en fonction*
aantreffen *tomber sur*; *rencontrer*; *trouver*
aantrekkelijk *attrayant*; ‹verleidelijk› *séduisant*
aantrekken I OV WW • aandoen *mettre*; *passer* ★ z'n schoenen ~ *se chausser* • vasttrekken *serrer* • naar zich toe trekken *tirer* • aanlokken *attirer* • werven ★ personeel ~ *attirer de nouveaux collaborateurs* II ON WW zich herstellen *se redresser*; ‹v. prijzen› *monter* III WKD WW bezorgd zijn over *se soucier de*
aantrekkingskracht • NAT. *(force* v *d')attraction* v; ‹v. aarde› *gravitation* v; *pesanteur* v • aantrekkelijkheid *attraction* v; *attirance* v; *attrait* m
aanvaardbaar *acceptable*; *admissible*
aanvaarden • beginnen *commencer*; *entreprendre* • in gebruik nemen ★ te ~ bij tekening van het contract *libre à la signature* ★ meteen te ~ *clefs en main* • op zich nemen *prendre*; *assumer*; ‹aannemen› *accepter*; ‹als gunst› *agréer*
aanvaarding • *acceptation* v • inbezitneming *prise* v *de possession*
aanval • het aanvallen *attaque* v; *assaut* m • uitbarsting *crise* v; *accès* m • SPORT *attaque* v
aanvallen I OV WW een aanval doen *attaquer* ★ zich aangevallen voelen *se sentir agressé* II ON WW afstormen op *se jeter sur*; *tomber sur*
aanvallend I BNW *agressif* [v: *agressive*]; *offensif* [v: *offensive*] II BIJW *agressivement*; *offensivement*
aanvallig *gentil* [v: *gentille*]
aanvalsoorlog *guerre* v *offensive*
aanvalsspits *attaquant* m
aanvalswapen *arme* v *offensive*
aanvang *commencement* m; *début* m ★ van de ~ af *dès le début*; *d'emblée*
aanvangen *commencer*; *débuter*; *entreprendre*; *se mettre à* ★ wat zullen we nu met hem ~ *que faire de lui*
aanvangs- *de départ*
aanvangsloon *revenu* m *(minimum) d'insertion*
aanvangstijd ≈ *heure* v *à laquelle commence qc*
aanvankelijk I BNW *initial* [m mv: *initiaux*]; *premier* [v: *première*] II BIJW *à l'origine*; *d'abord*; *au début*
aanvaring • botsing *abordage* m • ruzie *collision* v
aanvechtbaar *discutable*; *contestable*; *attaquable*
aanvechten *contester*
aanvechting *envie* v; *tentation* v
aanvegen *balayer* ★ even ~ *donner un coup de balai*
aanverwant • aangetrouwd *apparenté* • nauw betrokken bij *lié*; *voisin* ★ ~e wetenschappen *sciences* v mv *connexes*
aanvliegen I OV WW heftig aanvallen *se jeter (sur)*; *attaquer* II ON WW vliegend naderen *s'approcher (en volant)*
aanvliegroute *trajet* m *d'arrivée*
aanvoegend ▼ ~e wijs *subjonctif* m
aanvoelen I OV WW • begrijpen *sentir*; *comprendre* • aanraken *tâter*; *toucher* II ON WW ★ zacht ~ *être doux au toucher*
aanvoelingsvermogen *empathie* v
aanvoer • het aanvoeren *approvisionnement* m • het aangevoerde *arrivage* m; ‹v. vloeistoffen› *distribution* v; *transport* m; *adduction* v • aanvoerleiding

conduite v *d'alimentation*
aanvoerder *chef* m; *meneur* m; SPORT *capitaine* m; MIL. *commandant* m
aanvoeren • leiden *diriger*; *mener*; *commander* • ergens heen brengen *transporter*; *amener* • naar voren brengen *alléguer*
aanvoering *direction* v
aanvraag *demande* v ★ op ~ *sur demande* ★ op ~ vertonen *présenter à toute réquisition*
aanvraagformulier *bulletin* m *de demande*
aanvraagprocedure *procédure* v *de demande*
aanvragen *demander*; *solliciter* ★ een studiebeurs ~ *solliciter une bourse d'étude*
aanvreten *ronger*; *attaquer*; ‹v. metaal› *corroder*
aanvullen • volledig maken *compléter* ★ elkaar ~ *se compléter* • vol maken *remplir*; *combler*
aanvulling • het aanvullen *addition* v • het bijgevoegde *complément* m; ‹bij manuscript› *ajout* m; *supplément* m
aanvuren *exciter*; *animer*
aanwaaien ★ komen ~ *être amené par le vent* ▾ dat is hem zo maar aangewaaid *cela lui est venu comme ça*
aanwakkeren I OV WW heviger maken *attiser*; *encourager*; *exciter* ★ het vuur ~ *attiser le feu*; *activer le feu* II ON WW heviger worden *se ranimer*; *se raviver*; ‹v. brand› *s'étendre*; ‹v. wind› *se lever*
aanwas *augmentation* v; ‹v. water› *crue* v
aanwenden *employer*; *se servir de*; *utiliser*; *appliquer*
aanwennen (**zich**) *s'habituer à*
aanwensel *habitude* v; *mauvaise habitude* v; ‹sterker› *manie* v
aanwerven *embaucher*; *recruter*; *engager*; ‹v. soldaten› *enrôler*; INF. *racoler*
aanwezig *présent*; ‹voorradig/beschikbaar› *disponible* ★ de ~en *l'assemblée*; *l'assistance* v ★ de ~e voorraad *le stock* ★ ~ zijn *être là* ★ ~ zijn bij *assister à*
aanwezigheid *présence* v; *existence* v ★ ~ aantonen *déceler*
aanwijsbaar *démontrable*
aanwijzen • laten zien *montrer*; *indiquer*; *désigner* ★ men kan ze bij honderden ~ *on les trouve par centaines* • bestemmen *désigner*; *affecter*
aanwijzing • het aanwijzen *désignation* v • inlichting *information* v; *instruction* v; *indice* m • indicatie *indication* v
aanwinst • verworven bezit *acquisition* v • verrijking *gain* m
aanwippen ▾ even ~ ≈ *passer chez qn*
aanwonende *riverain* m
aanwrijven I OV WW verwijten *imputer* II ON WW wrijven tegen *frotter contre*
aanzeggen *notifier*
aanzet *amorce* v; *ébauche* v ★ een ~ geven *donner une impulsion*
aanzetten I OV WW • in werking zetten *mettre en marche*; *allumer* • vastmaken *mettre*; ‹naaien› *coudre*; ‹vaster draaien› *serrer* • aansporen *activer*; *presser*; *pousser*; *animer*; *inciter* • benadrukken *accentuer* • slijpen *affiler* II ON WW • vastkoeken *attacher*; ‹v. ketel› *s'entartrer* ★ het vlees is aangezet *la viande a attaché* • komen *arriver* ★ komen ~ *débarquer à l'improviste*
aanzicht *aspect* m
aanzien I ZN • het bekijken *regard* m • uiterlijk *air* m ★ een ander ~ krijgen *changer d'aspect*; FIG. *prendre un autre aspect* • achting *considération* v ▾ ten ~ van (t.a.v.) *à l'égard de*; *par rapport à* ▾ zonder ~ des persoons *sans acception de personne* II OV WW • kijken naar ‹oplettend› *contempler*; *regarder*; *considérer*; ‹brutaal› *dévisager* ★ dat is vreselijk om aan te zien *c'est terrible à voir* ★ hoe kunt u dat ~? *comment pouvez-vous souffrir cela?* ★ ik kan dat niet langer ~ *je ne peux plus le supporter* ★ hem met de nek ~ *le regarder de haut* • door het uiterlijk zien *se voir* ★ men ziet hem zijn leeftijd niet aan *il ne paraît pas son âge* ★ men kan het hem niet ~ dat hij zo rijk is *on ne le croirait pas si riche* • ~ **voor** *prendre pour* ★ iem. voor een ander ~ *prendre qn pour un autre* ★ waar ziet u mij voor aan? *pour qui me prenez-vous?* ▾ iets nog even ~ *patienter un peu* ▾ ~ doet gedenken *loin des yeux, loin du cœur*
aanzienlijk I BNW • groot *important*; *considérable*; *notable* • voornaam *considéré*; *distingué*; *éminent* II BIJW *considérablement*; *sensiblement*
aanzitten *s'attabler*
aanzoek *demande* v *en mariage* ★ ~ doen *faire sa demande* ★ ~ krijgen *être demandé en mariage*
aanzuigen *aspirer*
aanzuigend ▾ ~e werking *action* v *aspirante*
aanzuiveren *acquitter*; ‹v. tekort› *combler*
aanzwellen *se gonfler*; *s'enfler*; *s'amplifier*
aanzwengelen *démarrer*
aap *singe* m ▾ daar komt de aap uit de mouw *découvrir le pot aux roses* ▾ in de aap gelogeerd zijn *être dans de jolis draps*
aapachtig I BNW *ressemblant à un singe*; *simiesque* II BIJW *comme un singe*
aar *épi* m
aard • gesteldheid *nature* v; *caractère* m; *tempérament* m ★ dat ligt niet in zijn aard *ce n'est pas son genre* • soort *nature* v ★ van dien aard dat *tel que* ★ van voorbijgaande aard *passager* [v: *passagère*] ★ van geldelijke aard *d'ordre pécuniaire* ▾ hij heeft een aardje naar zijn vaartje *tel père tel fils*
aardappel *pomme* v *de terre* ★ gebakken ~en *pommes de terre sautées*
aardappelmeel *fécule* v *(de pomme de terre)*
aardappelmesje *éplucheur* m
aardappelmoeheid *maladie* v *causée par les anguillules*
aardappelpuree *purée* v *de pommes de terre*
aardas *axe* m *de la terre*
aardbaan *orbite* v *terrestre*
aardbei *fraise* v
aardbeving *tremblement* m *de terre*; *séisme* m
aardbodem *surface* v *de la terre*
aardbol *globe* m
aarde *terre* v ★ de zwarte ~ *le terreau* ★ hier op

A

A

~ sur cette terre ▾ ter ~ bestellen *enterrer; inhumer* ▾ in goede ~ vallen *être bien reçu* ▾ dat heeft veel voeten in de ~ gehad *cela n'est pas allé tout seul* ▾ hij rust onder de ~ *il repose dans la tombe*
aardedonker *tout noir; noir comme dans un four*
aarden I BNW *de terre; en terre* **II** OV WW TECHN. *installer une prise de terre* **III** ON WW • wennen *se plaire dans un lieu* • ~ **naar** *tenir de*
aardewerk I ZN *poterie* v; ⟨geglazuurd⟩ *faïence* v ★ Delfts blauw ~ *la faïence de Delft* ★ het Keulse ~ *le grès de Cologne* **II** BNW *de faïence; de céramique*
aardgas *gaz* m *naturel* ★ synthetisch ~ *gaz naturel de synthèse* ★ vloeibaar ~ *gaz naturel liquéfié*
aardig I BNW • vriendelijk *gentil* [v: *gentille*]; *charmant; sympathique* ★ je bent niet ~ tegen haar *tu n'es pas gentil avec elle* ★ dat is ~ van je INF. *tu es chic* ★ zij ziet er ~ uit *elle a l'air gentille* ★ dat is erg ~ van je *c'est bien gentil de votre part* • leuk om te zien *mignon* [v: *mignonne*]; *joli*; ⟨grappig⟩ *drôle; plaisant; comique* ★ zij ziet er ~ uit *elle n'est pas mal* • nogal groot *joli* **II** BIJW behoorlijk *pas mal; joliment* ★ zij zingt heel ~ *elle ne chante pas mal* ★ ~ wat geld kosten *coûter gros*
aardigheid • geschenk *petit cadeau* m [m mv: *petits cadeaux*] • grap *plaisanterie* v ★ geen aardigheden kunnen velen *ne pas entendre la plaisanterie* • plezier *plaisir* m ★ ~ in iets hebben *se plaire à qc*
aardigheidje *petit rien* m
aarding *prise* v *de terre; prise* v *de masse*
aardkloot *globe* m *terrestre*
aardkorst *écorce* v *terrestre*
aardleiding *fil* m *de terre; prise* v *de terre*
aardlekschakelaar *disjoncteur* m *de prise de terre*
aardmetalen *terres* v mv *rares*
aardolie *pétrole* m *(brut)*
aardrijkskunde *géographie* v
aardrijkskundig *géographique*
aards *terrestre* ★ het ~e *les biens* m mv *terrestres; les choses* v mv *de la terre*
aardschok *secousse* v *tellurique*
aardschol *plaque* v *(litosphérique)*
aardverschuiving *glissement* m *de terrain*
aardwetenschappen *sciences* v mv *de la terre*
aardworm *ver* m *de terre; lombric* m
aars *anus* m
aarts- *archi-*
aartsbisdom *archevêché* m; *archidiocèse* m
aartsbisschop *archevêque* m
aartsdom *bête comme tout;* INF. *archibête*
aartsengel *archange* m
aartshertog *archiduc* m
aartslui *archiparesseux* [v: *archiparesseuse*]
aartsvader *patriarche* m
aartsvijand *ennemi* m *mortel* [v: *ennemie mortelle*]; *ennemi* m *juré* [v: *ennemie jurée*]
aarzelen *hésiter* ★ zonder ~ *sans hésiter; résolument*
aarzeling *hésitation* v
aas I ZN (de) speelkaart *as* m **II** ZN (het) lokaas *appât* m; *amorce* v
aaseter *saprophage* m
aasgier *vautour* m; *charognard* m
AAW ≈ *loi* v *générale sur l'assurance incapacité de travail* ★ in de AAW zitten ≈ *recevoir une allocation de l'assurance incapacité de travail*
abattoir *abattoir* m
abc *alphabet* m; *abc* m
abces *abcès* m
ABC-wapens *armes* v mv *atomiques, chimiques et bactériologiques*
abdiceren *abdiquer*
abdij *abbaye* v
abdis *abbesse* v
abdomen *abdomen* m
abel ★ abele spelen *jeux* m mv *profanes*
abituriënt *bachelier* m [v: *bachelière*]
abject *abject*
ablutie *ablution* v; JUR. *désistement* m
abnormaal *anormal* [m mv: *anormaux*]
abolitionisme *abolitionnisme* m
abominabel I BNW *abominable* **II** BIJW *abominablement*
abonnee *abonné* m [v: *abonnée*]
abonneenummer *numéro* m *d'appel*
abonneetelevisie *chaîne* v *payante*; ⟨in Frankrijk⟩ *Canal* m *Plus*
abonnement *abonnement* m
abonneren I OV WW *abonner (à)* **II** WKD WW *s'abonner (à)* ★ zich ~ op een tijdschrift *s'abonner à un périodique*
aborteren • zwangerschap afbreken *pratiquer un avortement sur* • miskraam hebben *avorter* ★ zich laten ~ *se faire avorter*
abortus • ingreep *avortement* m; *I.V.G.* v • miskraam *fausse couche* v
abortuskliniek *clinique* v *où l'on pratique l'avortement*
abracadabra • toverspreuk *abracadabra* m • wartaal *charabia* m ★ dat is ~ voor hem *c'est du chinois pour lui*
Abraham *Abraham* ▾ ~ zien *atteindre la cinquantaine* ▾ weten waar ~ de mosterd haalt *être au courant; connaître la musique*
abri *abri* m
abrikoos • vrucht *abricot* m • boom *abricotier* m
abrupt • plotseling *brusque; brutal* [m mv: *brutaux*] • hortend *abrupt*
ABS *système* m *antiblocage; A.B.S.* m
abscis *abscisse* v
absence MED. *absence* v
absent *absent* ★ zich ~ melden *se faire excuser*
absenteren (zich) *s'absenter*
absentie *absence* v
absentielijst *registre* m *des absences*
absolutie *absolution* v
absolutisme *absolutisme* m
absoluut I BNW *absolu* **II** BIJW *absolument* ★ ~ onmogelijk *physiquement impossible; absolument impossible*
absorberen *absorber*
absorptie *absorption* v
abstinentie *abstinence* v
abstract *abstrait*
abstractie *abstraction* v

abstraheren *abstraire*

absurd I BNW *absurde*; *aberrant* II BIJW *de façon absurde*

abt *abbé* m

abuis I ZN *erreur* v; *méprise* v ★ per ~ *par méprise*; *par erreur* II BNW *erroné*; *faux* [v: *fausse*] ★ ~ zijn *se tromper*; *se méprendre*

abusievelijk *abusivement*; *par erreur*

ABW *loi* v *générale sur l'aide sociale*

abyssaal *abyssal* [m mv: *abyssaux*]

acacia *acacia* m

academicus *universitaire* m/v

academie • hogeschool *université* v; *école* v ★ militaire ~ *École militaire* ★ pedagogische ~ *école normale* ★ sociale ~ *académie sociale* • geleerd genootschap *académie* v ★ de Academie van Wetenschappen *l'Académie des Sciences*

academisch I BNW *universitaire* ★ het ~ ziekenhuis *le centre hospitalier universitaire* II BIJW *académiquement* ★ ~ gevormd *sorti de l'université*

academisme *académisme* m

a capella *a capella*

acceleratie *accélération* v

accelereren *accélérer*

accent *accent* m

accentueren *accentuer*

acceptabel I BNW *acceptable* II BIJW *de façon acceptable*

acceptant *accepteur* m

acceptatie *acceptation* v

accepteren *accepter*

acceptgiro ‹aan brief vast› *titre* m *universel de paiement*; *TUP* m; *carte* v *de versement-virement*

accessoire *accessoire* m

accijns *impôt* m *indirect*

acclamatie ★ bij ~ *par acclamation*

acclimatiseren *s'acclimater*

accolade *accolade* v

accommodatie • inrichting *confort* m; *installations* v mv; *équipement* m; *aménagement* m • aanpassing *accommodation* v; *adaptation* v

accordeon *accordéon* m

account ‹klant van/opdracht voor een reclamebureau› *account* m

accountancy *comptabilité* v

accountant ‹extern› *commissaire* m *aux comptes*; ‹binnen bedrijf› *expert-comptable* m [mv: *experts-comptables*]

accountantsverklaring *certification* v *comptable*

accrediteren *accréditer*

accu *accumulateur* m; ‹v. auto› *batterie* v ★ de accu weer opladen *recharger ses batteries*

accuklem *borne* v

accumulatie *accumulation* v

accuraat *minutieux* [v: *minutieuse*]; *consciencieux* [v: *consciencieuse*]

accuratesse *exactitude* v; *précision* v; *ponctualité* v

ace SPORT *ace* m

acetaat *acétate* m

aceton *acétone* v

acetyleen *acétylène* m

acetylsalicylzuur *acide* m *acétylsalicylique*

ach *hélas*; *ah*; *tant pis* ★ ach en wee roepen *se lamenter*

à charge *à charge* ★ een getuige ~ *un témoin à charge*

achilleshiel *talon* m *d'Achille*

achillespees *tendon* m *d'Achille*

acht I ZN • cijfer *huit* m ★ een acht voor aardrijkskunde *un huit en géographie* • aandacht *attention* v ★ acht slaan op *faire attention à* ★ zich in acht nemen *se ménager* ★ weinig acht slaan op *se soucier peu de* ★ de wet in acht nemen *observer la loi* • roeiteam *huit* m ▼ geef acht! *garde à vous!* II TELW *huit* ★ in achten *en huit (morceaux)* ★ we zijn met ons achten *nous sommes huit* ★ om acht uur *à huit heures* ★ het is kwart voor acht *il est huit heures moins le quart* ★ het is kwart over acht *il est huit heures et quart* ★ vandaag over acht dagen *dans huit jours* ★ een dag of acht *une huitaine (de jours)* ★ om de acht dagen *tous les huit jours* ★ het is acht uur *il est huit heures* ★ na achten *passé huit heures*

achtbaan *grand-huit* m [onv]; *montagnes* v mv *russes*

achtbaar *estimable*; *respectable*; *honorable*

achteloos I BNW • onoplettend *nonchalant* • onverschillig *négligent* II BIJW • onoplettend *nonchalamment* • onverschillig *négligemment*

achten • vinden *croire* • waarderen *estimer*

achter I BIJW • aan de achterkant *derrière* ★ hij woont ~ *il habite derrière* • in achterstand *en retard* ★ hij is ~ bij de anderen *il a un retard par rapport aux autres* ★ het team staat ~ *l'équipe est menée (à la marque)* ★ de klok loopt ~ *la pendule retarde* ▼ van ~ naar voren kennen *savoir sur le bout du doigt* II VZ • met iets/iemand voor zich *derrière* ★ ~ elkaar *l'un derrière l'autre* ★ ~ het stuur zitten *être au volant* ★ ~ zijn bureau zitten *être assis à son bureau* • na *après* ★ een paar dagen ~ elkaar *quelques jours de suite* ▼ ergens iets ~ zoeken *croire qu'il y a qc derrière* ▼ ~ de waarheid komen *découvrir la vérité*

achteraan *derrière* ★ ~ instappen *monter en queue* ★ ~ uitstappen *descendre par l'arrière* ★ hij loopt ~ *il marche derrière*

achteraanzicht *vue* v *de derrière*

achteraf • naderhand *après coup* • afgelegen *à l'écart* ★ zich wat ~ houden *se dissimuler* ★ ~ wonen *vivre à l'écart*

achterbak *coffre* m

achterbaks I BNW ‹v. zaken› *secret* [v: *secrète*]; ‹v. personen› *sournois*; *hypocrite* II BIJW *en cachette*; *à la dérobée*

achterban *base* v; *ensemble* m *des membres*; ‹v. politieke partij› *masse* v *des électeurs*

achterband *pneu* m *arrière* [m mv: *pneus arrière*]

achterbank *banquette* v *du fond*

achterblijven • niet meekomen *rester*; ‹achter anderen blijven› *demeurer en arrière*; *s'attarder* ★ ~ bij de anderen *rester en arrière avec les autres* • achtergelaten worden *être*

A

laissé; *rester sur place* ★ een koffer is achtergebleven *il est resté une valise* • blijven leven ★ de ~den *les survivants* ▾ niet willen ~ (bij de anderen) *ne pas vouloir demeurer en reste*

achterblijver • *retardataire* m/v • kind *enfant* m *arriéré*

achterbuurt *quartier* m *pauvre*

achterdeur *porte* v *de derrière*

achterdocht *soupçon* m; *méfiance* v ★ ~ wekken bij *éveiller la méfiance chez*

achterdochtig I BNW *soupçonneux* [v: *soupçonneuse*]; *méfiant* II BIJW *avec méfiance*

achtereen *de suite*; *sans interruption*; *d'affilée* ★ maanden ~ *plusieurs mois de suite*; *durant des mois*

achtereenvolgens *successivement*; *consécutivement*; *de suite*

achtereind • achterste deel *extrémité* v • achterwerk *derrière* m; *postérieur* m ▾ zo stom als het ~ van een varken *bête comme ses pieds*

achteren *arrière* ★ naar ~ *en arrière* ▾ naar ~ gaan *aller aux toilettes*

achtergrond • achterkant *fond* m • iemands verleden *passé* m • tweede plan *fond* m; *arrière-plan* m [mv: *arrière-plans*] ★ op de ~ blijven *rester dans l'ombre* • oorzaak *dessous* m mv ★ tegen de ~ van *à la lumière de*

achtergrondinformatie *informations* v mv *sur le fond d'une question*

achtergrondmuziek *musique* v *de fond*

achterhaald *daté* ★ ~ zijn *dater*

achterhalen • te pakken krijgen *joindre* • terugvinden *retrouver* • te weten komen *découvrir* ▾ achterhaald zijn *être dépassé*

achterheen ▾ ergens ~ zitten *s'occuper activement d'une affaire*

achterhoede • MIL. *arrière-garde* v [mv: *arrière-gardes*] • SPORT *défense* v

achterhoofd *occiput* m ▾ zij is niet op haar ~ gevallen *elle n'est pas bête*

achterhouden • bij zich houden *retenir*; *détenir* • geheimhouden *cacher*; *dissimuler*; ‹niet mededelen› *taire*

achterhuis *arrière* v *d'une maison*; ‹werkplaats› *remise* v; ‹v. boerderij› *grange* v

achterin *au fond*; *à l'arrière*

achterkant *arrière* m; *arrière-côté* m; ‹v. stof› *envers* m; ‹v. papier› *verso* m

achterklap *médisance* v

achterkleinkind ‹jongen› *arrière-petit-fils* m; ‹meisje› *arrière-petite-fille* v ★ ~eren *arrière-petits-enfants*

achterklep *hayon* m

achterland *arrière-pays* m; *intérieur* m

achterlaten *laisser*; *abandonner* ★ met achterlating van ... *en laissant...* ★ hij laat drie kinderen achter *en mourant il a laissé trois enfants* ★ sporen ~ *laisser des traces*

achterlicht *feu* m *arrière* [m mv: *feux arrière*]

achterliggen *suivre*; FIG. *être à la traîne*

achterlijf *arrière-train* m [mv: *arrière-trains*]; ‹v. insect› *abdomen* m

achterlijk I BNW zwakzinnig *débile* II BIJW *d'une manière imbécile*

achterlopen *retarder*

achterna • achter iem./iets aan *après* ★ iem. ~ lopen *courir après qn* • later *après coup*; *par la suite*

achternaam *nom* m *de famille*

achternagaan • volgen *suivre* • gaan lijken op *commencer à ressembler à* ★ zij gaat haar moeder achterna *elle suit les traces de sa mère*

achternalopen *suivre*; FIG. *courir après*

achternamiddag *après-midi* m/v

achternazitten • achtervolgen *poursuivre* • controleren *surveiller de près*

achterneef • zoon van neef/nicht *cousin* m *(issu de germain)* • zoon van oom-/tantezegger *arrière-neveu* m [mv: *arrière-neveux*]; *petit-neveu* m [mv: *petits-neveux*]

achternicht • dochter van neef/nicht *cousine* v *(issue de germain)* • dochter van oom-/tantezegger *arrière-nièce* v [mv: *arrière-nièces*]; *petite-nièce* v [mv: *petites-nièces*]

achterom *par derrière* ★ ~ lopen *passer par derrière* ★ ~ kijken *regarder derrière soi*

achterop *derrière*; ‹te paard› *en croupe*

achterover *en arrière* ★ ~ vallen *tomber à la renverse*; *tomber sur le dos*

achteroverdrukken *détourner*

achteroverslaan I OV WW snel drinken ★ een glas wijn ~ *s'envoyer un verre de vin* II ON WW vallen ★ steil ~ *tomber à la renverse*

achterpand *dos* m

achterpoot ‹v. meubel› *pied* m *de derrière*; ‹v. dier› *patte* v *de derrière*

achterruit *vitre* v *arrière* ★ verwarmde ~ *vitre arrière chauffante*

achterruitverwarming *dégivrage* m *de la vitre arrière*

achterspeler SPORT *(joueur* m*) arrière* m

achterstaan SPORT *être relégué au second plan* ★ Nederland staat met 2-0 achter *les Pays-Bas sont menés 2 buts à 0*

achterstallig *arriéré*; *impayé*; *en retard de paiement* ★ ~e schuld *arriéré* m

achterstand • het achterstaan *retard* m ★ ~ inhalen *rattraper un retard*; *combler un retard* • wat men achter is ‹m.b.t. rente› *arrérages* m mv; ‹m.b.t. schuld› *arriéré* m

achterste *derrière* m; *postérieur* m

achterstellen • benadelen *désavantager* • minder waarderen *reléguer au second plan* ★ hij wordt bij zijn broers achtergesteld *on lui préfère ses frères*

achterstelling *manque* m *d'égards*; *manque* m *d'attention*

achterstevoren *à l'envers*; *sens devant derrière*

achtertuin *jardin* m *derrière la maison*

achteruit I ZN *marche* v *arrière* II BIJW *en arrière*; *à reculons*; *dans le sens opposé à la marche* ★ ~ rijden (in de trein) *être assis dans le sens opposé à la marche (du train)* ★ ~! *reculez!*; ‹v. voertuig› *en marche arrière!*; *arrière!* ★ in zijn ~ zetten *faire marche arrière*

achteruitgaan • naar achteren gaan *reculer*;

faire marche arrière; ‹v. barometer› *baisser* • verslechteren *diminuer*; *baisser*; ECON. *péricliter*; ‹m.b.t. gezondheid› *décliner*; *aller plus mal*
áchteruitgang *sortie* v *de derrière*; *porte* v *de derrière*
achterúítgang *régression* v; *déclin* m; *baisse* v; ECON. *récession* v
achteruitkijkspiegel *rétroviseur* m
achtervoegsel *suffixe* m
achtervolgen ‹om te vangen› *traquer*; *talonner*; *poursuivre*; FIG. *hanter*; FIG. *obséder* ★ het ongeluk achtervolgt hem *le malheur s'acharne contre lui*
achtervolging *poursuite* v
achtervolgingswaan *manie* v *de la persécution*
achterwaarts I BNW *en arrière*; *rétrograde* **II** BIJW *en arrière*
achterwacht *remplaçant* m *en cas d'urgence* [v: *remplaçante*]
achterwege ★ ~ blijven *ne pas se faire* ★ ~ houden *passer sous silence*; *retenir*; *cacher* ★ ~ laten *ne pas faire*
achterwerk • achterste deel *partie* v *postérieure* • zitvlak *derrière* m
achterwiel *roue* v *arrière*
achterwielaandrijving *traction* v *arrière*
achterzijde *arrière* m; *arrière-côté* m; ‹v. stof› *envers* m; ‹v. papier› *verso* m
achthoekig *octogonal* [m mv: *octogonaux*]
achting *estime* v; *considération* v ★ ~ hebben voor iem. *avoir qn en estime* ★ in iemands ~ dalen/stijgen *baisser/monter dans l'estime de qn* ★ met de meeste ~ ‹in brief› *Recevez, Monsieur/Madame, mes salutations distinguées*
achtste I ZN *huitième* m **II** TELW *huitième* ★ in de ~ eeuw *au VIIIème siècle* ★ Hendrik de Achtste *Henri VIII* ★ ~ noot *croche* v ★ de ~ verdieping *le huitième (étage)* ★ op z'n ~ *à huit ans* ★ de ~ mei *le huit mai*
achttien I ZN *dix-huit* m **II** TELW *dix-huit* → **acht**
achttiende *dix-huitième* → **achtste**
acid *acide* m
acne MED. *acné* v
acquireren *acquérir*
acquisitie *acquisition* v
acquit *acquit* m
acrobaat *acrobate* m/v
acrobatiek *acrobatie* v
acrobatisch I BNW *acrobatique* **II** BIJW *de façon acrobatique*
acroniem *acronyme* m
acryl *acrylique* m ★ ~verf *peinture* v *acrylique* ★ een trui van ~ *un pull-over en acrylique*
act *numéro* m ★ een act opvoeren *faire son numéro*
acteren • toneelspelen *jouer* • doen alsof *jouer (la comédie)*
acteur *acteur* m
actie *action* v ★ ~ voeren *mener une campagne*
actiecomité *comité* m *d'action*
actief I ZN *actif* m **II** BNW *actif* [v: *active*] **III** BIJW *activement*
actiegroep *groupe* m *d'action*; *militants* m mv
actieradius *rayon* m *d'action*; FIG. *champ* m *d'activité*
actievoerder *militant* m
activa *actifs* m mv
activeren *activer*
activist *activiste* m/v
activiteit *activité* v
actrice *actrice* v
actualiseren *actualiser*
actualiteit *actualité* v
actualiteitenprogramma *programme* m *d'actualités*
actuariaat *actuariat* m
actuarieel *actuariel* [v: *actuarielle*]
actueel *actuel* [v: *actuelle*]
acupressuur *acupressure* v
acupunctuur *acuponcture* v
acuut I BNW plotseling opkomend *aigu* [v: *aiguë*] ★ acute ziekte *maladie aiguë* v **II** BIJW *immédiatement*
adagio I ZN *adagio* m **II** BIJW *adagio*
Adam *Adam* m
adamsappel *pomme* v *d'Adam*
adapter *adaptateur* m
addenda *addenda* m mv
adder *vipère* v; *aspic* m ▾ er schuilt een ~tje onder het gras *il y a anguille sous roche*
additief *additif* m
additioneel *additionnel* [v: *additionnelle*]
à decharge *à décharge* ★ een getuige ~ *un témoin à décharge*
adel *noblesse* v; *nobles* m mv ★ van adel *noble*
adelaar *aigle* m
adelborst *aspirant* m *de la marine*
adelen *anoblir*
adellijk • van adel ‹titel› *nobiliaire*; *noble* ★ ~ bloed *sang bleu* m • bijna bedorven *faisandé*
adelstand *noblesse* v ★ in de ~ verheffen *anoblir*
adem • ademhaling *respiration* v • ademtocht *souffle* m ★ buiten adem *à bout de souffle* ★ adem scheppen *respirer* ★ buiten adem raken *perdre haleine* ★ op adem komen *reprendre haleine* ★ diep adem halen *respirer à fond* ▾ van lange adem *de longue haleine* ▾ de laatste adem uitblazen *rendre le dernier soupir*
adembenemend I BNW *fascinant* **II** BIJW *à vous couper le souffle* ★ ~ mooi *prodigieusement beau* [m mv: *... beaux*]
ademen • ademhalen *respirer* • lucht doorlaten *respirer*
ademhalen *respirer*
ademhaling *respiration* v; *souffle* m ★ kunstmatige ~ *respiration artificielle*
ademhalingswegen *voies* v mv *respiratoires*
ademloos • buiten adem *hors d'haleine*; *tout essoufflé* • heel stil *le souffle coupé* ★ ~ toekijken *regarder le souffle coupé*
ademnood *suffocation* v; *étouffement* m ★ een hevige ~ *une crise d'étouffements*
adempauze *pause* v; *arrêt* m
ademtocht *souffle* m
adequaat *adéquat*
ader • bloedvat *veine* v • bodemlaag *filon* m ▾ de dichtader *la veine poétique*
aderlaten *saigner*

A

aderlating *saignée* v
aderverkalking *artériosclérose* v
adhesie • NAT. *adhérence* v • instemming *adhésion* v ★ ~ betuigen *souscrire à*
ad hoc *ad hoc*
adieu *adieu*
ad interim *par intérim*
adjectief I ZN *adjectif* m II BNW *adjectif* [v: *adjective*]
adjudant • toegevoegd officier *aide* m *de camp* • adjudant-onderofficier *adjudant* m
adjunct *adjoint* m; *aide* m
adjunct-directeur *sous-directeur* m
a.d.l. activiteiten van het dagelijks leven *les activités* v mv *quotidiennes*
administrateur *administrateur* m [v: *administratrice*]
administratie • afdeling *administration* v • beheer *administration* v
administratief I BNW *administratif* [v: *administrative*] II BIJW *administrativement*
administratiekantoor *entreprise* v *de gestion*; *bureau* m *d'administration* [m mv: *bureaux* ...]; ‹bankiershuis› *société* v *fiduciaire*
administratiekosten *frais* m mv *d'administration*
administreren *administrer*; *gérer*
admiraal *amiral* m [mv: *amiraux*]
admiraliteit *amirauté* v
admissie *permis* m ★ ~-examen *examen d'entrée*
adolescent *adolescent* m [v: *adolescente*]
adolescentie *adolescence* v
adonis *adonis* m
adopteren • als eigen kind aannemen *adopter* • onder zijn hoede nemen *prendre en charge*
adoptie *adoption* v
adoptiekind *enfant* m *adoptif*
adoptieouders *parents* m mv *adoptifs*
adoreren *adorer*
adrem *prompt à la riposte*
adrenaline *adrénaline* v
adres • straat en woonplaats *adresse* v ★ per ~ *chez...* • verzoekschrift *pétition* v; *requête* v ▾ u bent aan het verkeerde ~ *vous vous trompez de porte*
adresboek *répertoire* m *d'adresses*; *Bottin* m
adresseren I OV WW van adres voorzien *mettre l'adresse* II ON WW rekest indienen *envoyer une requête (à)*
adreswijziging *changement* m *d'adresse*
Adriatische Zee *mer* v *Adriatique*
adsorberen *absorber*
adstrueren *appuyer*; *étayer*
adv arbeidsduurverkorting *diminution*/*réduction* v *du temps de travail*
advent *Avent* m
adverteerder *annonceur* m
advertentie *annonce* v ★ een ~ plaatsen *insérer une annonce* ★ op een ~ reageren *répondre à une annonce*
advertentiecampagne *campagne* v *de publicité*
adverteren *faire de la publicité*; ‹een advertentie zetten› *insérer une annonce*
advertorial *publireportage* m
advies *avis* m; *conseil* m
adviesbureau *bureau* m *de conseil* [m mv: *bureaux* ...]
adviesorgaan *organe* m *consultatif*
adviesprijs *prix* m *indicatif*
adviseren *conseiller*
adviseur *conseiller* m [v: *conseillère*] ★ een juridisch ~ *un avocat-conseil* ★ een medisch ~ *un médecin-conseil*
advocaat • raadsman *avocat* m [v: *avocate*] • drank ≈ *liqueur* v *faite d'œufs et d'eau-de-vie*
advocaat-generaal *avocat* m *général*
advocatencollectief *collectif* m *d'avocats*
advocatuur *barreau* m
aerobiccen *pratiquer l'aérobic*
aerobics *aérobic* m
aërodynamica *aérodynamique* v
aërodynamisch *aérodynamique* ★ ~e vormgeving *forme* v *aérodynamique*
aëroob *aérobie*
af I BNW voltooid *fini* ★ het werk is af *le travail est fini* II BIJW • vandaan/weg *de* ★ ver van de weg af *loin de la route* • naar beneden *de* ★ hij viel van het dak af *il tomba du toit* • bevrijd/verlost van *délivré*; *débarrassé de* ★ daar ben ik van af! *bon débarras!* • bij benadering ★ op het gevaar af *au risque de* ▾ af en toe *de temps à autre*; *de temps en temps* ▾ daar wil ik van af zijn *je veux m'en débarrasser* III VZ ECON. ★ prijzen af fabriek *prix* m *départ usine*
afasie *aphasie* v
afbakenen *délimiter*; *tracer*; *marquer*; ‹met bakenstokken› *jalonner* ★ een terrein ~ *jalonner un terrain*
afbeelden *représenter*; *figurer*; *peindre*
afbeelding • het afbeelden *représentation* v; *description* v • beeld *image* v; *portrait* m
afbekken *engueuler*
afbellen • afzeggen *annuler (par téléphone)* • iedereen opbellen *appeler partout*
afbestellen *décommander*; *annuler*
afbetalen • deels betalen *payer par acomptes* ★ op zijn rekening 100 gulden ~ *payer un acompte de 100 florins* • helemaal betalen *solder*; *payer (intégralement)*; *acquitter*
afbetaling ECON. ‹geheel› *paiement* m *(intégral)*; *acquittement* m; ‹gedeeltelijk› *règlement* m *à tempérament* ★ op ~ *à crédit*
afbetalingstermijn *terme* m; *échéance* v
afbeulen *surmener*; INF. *éreinter*
afbijten • bijtend wegnemen *mordre* • verf wegnemen *décaper*
afbijtmiddel *décapant* m
afbinden • MED. *ligaturer* • losmaken *délier*; *détacher*; *ôter* ★ de schaatsen ~ *ôter*/*enlever les patins*
afbladderen *s'écailler*
afblaffen *fulminer (contre)*; *engueuler*
afblazen • fluitsignaal geven *siffler*; *sonner* • wegblazen *enlever en soufflant*
afblijven *ne pas toucher* ★ van iets ~ *ne pas toucher à qc*; FIG. *ne pas se mêler de qc* ★ blijf (van me) af! *bas les pattes!*
afbluffen *en mettre plein la vue à qn*; *épater qn*

afboeken • boeken *transférer*; ‹als debet› *débiter* • afschrijven *passer aux pertes*
afborstelen *brosser*
afbouwen • afmaken *achever de construire* • geleidelijk opheffen *mettre progressivement un terme à*
afbraak *démolition* v
afbraakpand *immeuble* m *en voie de démolition*; ≈ *immeuble* m *sacrifié*
afbraakprijs *prix* m *dérisoire*; *prix* m *très bas*; *prix* m *choc*
afbraakproduct *produit* m *à base de déchets*
afbranden I OV WW door branden verwijderen ★ een verflaag ~ *flamber une couche de peinture* II ON WW door brand vernietigd worden *être détruit par un incendie*; *être réduit en cendres*
afbreekbaar *réductible* ★ biologisch ~ *biodégradable*
afbreken I OV WW • eraf-/kapotbreken *couper* ★ een tak ~ *arracher une branche* ★ kort ~ *couper court* • slopen ‹voor altijd› *démolir*; *démonter*; *défaire* • afkraken *démolir*; *éreinter* • beëindigen *interrompre* • CHEM. *décomposer* II ON WW losgaan *se rompre*; *se casser*
afbrengen *détourner* ★ iem. van zijn mening ~ *faire changer qn d'avis* ▾ het er goed ~ *s'en tirer bien*; *l'échapper belle* ▾ het er slecht ~ *échouer*; *s'en tirer mal*
afbreuk ★ ~ doen aan *porter préjudice à*; *nuire à*; *faire tort à*
afbrokkelen *s'émietter*; *se désagréger*
afbuigen *dévier*; *écarter*
afdak *auvent* m; *appentis* m
afdalen *descendre*
afdaling *descente* v
afdammen *endiguer*
afdanken • wegsturen *congédier*; *renvoyer* ★ een officier ~ *réformer un officier* • wegdoen *se défaire de* ★ een minnaar ~ *repousser un amant*
afdankertje *vieilles frusques* v mv; *vieilles fringues* v mv
afdekken • bedekken *couvrir* • afruimen *desservir (la table)*; *débarrasser*
afdeling *division* v; *section* v; ‹in een bedrijf› *service* m; ‹in het leger› *corps* m; ‹v. winkel› *rayon* m; ‹v. ziekenhuis e.d.› *service* m
afdelingschef *chef* m *de division*; *chef* m *de section*; ‹in een winkel› *chef* m *de rayon*
afdichten *étancher*
afdichtingstape *scotch* m
afdingen *marchander* ▾ daar valt niets op af te dingen *il n'y a pas à dire*
afdoen • afnemen *enlever*; *ôter* ★ iets van de prijs ~ *rabattre du prix* • afhandelen *achever* ★ een afgedane zaak *une affaire réglée* ★ dat is afgedaan *c'est fini*; *c'est fait* ★ een zaak ~ *arranger|régler une affaire* • schoonmaken *nettoyer*
afdoend • doeltreffend *efficace* • beslissend *définitif* [v: *définitive*]; *catégorique*; *concluant* ★ dat is ~e *c'est net*
afdraaien I OV WW • afspelen *tourner*; *passer* • door draaien verwijderen *enlever*; *dévisser* II ON WW *tourner*; *virer*
afdracht *remise* v
afdragen • afgeven *remettre*; *verser* • verslijten *user*
afdrijven I OV WW • verwijderen *chasser* • MED. *purger* II ON WW weggedreven worden *dériver*; ‹v. bui› *s'éloigner*
afdrogen • droog maken *essuyer*; *sécher* • een pak slaag geven *tabasser*
afdronk *fin* v *de bouche*
afdruipen • weglopen *s'en retourner la queue entre les jambes* • druipend vallen *tomber goutte à goutte*; *dégoutter*
afdruiprek *égouttoir* m
afdruk • het afdrukken *impression* v; *tirage* m • verkregen vorm *empreinte* v; *copie* v; *exemplaire* m; ‹v. foto› *épreuve* v
afdrukken • een afdruk maken *imprimer* • foto maken ★ foto's ~ *tirer des épreuves photographiques*
afdruksnelheid *vitesse* v *d'impression*
afduwen *pousser*; *repousser*
afdwalen *s'égarer* ★ ~ van het onderwerp *s'écarter de la question*; *s'éloigner de son sujet*
afdwingen • gedaan krijgen *extorquer*; *tirer* • inboezemen *commander*; *forcer* ★ iemands respect ~ *forcer l'estime de qn*
af-fabriekprijs *prix* m *départ usine*
affaire • kwestie *affaire* v; *histoire* v • verhouding *liaison* v
affect PSYCH. *affect* m
affectie *affection* v
afferent *afférent*
affiche *affiche* v
afficheren *afficher*
affiniteit *affinité* v
affirmatief I BNW *affirmatif* [v: *affirmative*] II BIJW *affirmativement*
affix *affixe* m
affreus I BNW *affreux* [v: *affreuse*] II BIJW *affreusement*
affront *affront* m
afgaan • naar beneden gaan *descendre* • weggaan *quitter*; *abandonner*; *partir* • langsgaan *parcourir* ★ alle winkels ~ *courir les magasins* ★ een lijst ~ *parcourir une liste* • afgeschoten worden *partir* ★ het geweer is niet afgegaan *le fusil a raté* • blunderen *chuter* ★ (iem.) laten ~ *faire chuter (qn)* • iets kunnen ★ dat gaat hem goed af *ça lui réussit bien* • ~ **op** *s'approcher de*; ‹vertrouwen› *se fier (à)*; *partir (de)*; *marcher (sur)* ★ op de vijand ~ *marcher sur l'ennemi*
afgang *échec* m; *fiasco* m; INF. *bide* m; *four* m
afgedaan *réglé*; *classé* ▾ hij heeft voor mij ~ *j'ai perdu toute confiance en lui*
afgeladen *bondé*; ‹in een zaal› *comble*
afgelasten *annuler*; *décommander*
afgelasting *annulation* v
afgeleefd *usé*; ‹v. mensen› *décrépit*
afgelegen I BNW • ver weg gelegen *éloigné*; *écarté* • eenzaam *isolé*; *solitaire* II BIJW *à l'écart*
afgelopen • verleden *dernier* [v: *dernière*]; *passé*; *écoulé* ★ ~ jaar *l'année passée* • voorbij *fini*
afgemat *las* [v: *lasse*]; *épuisé*; *fatigué*
afgemeten I BNW • afgepast *réglé*; *mesuré*

A

• kortaf *compassé* • stijf *réservé* II BIJW • afgepast *à pas comptés* • kortaf *d'un air compassé; en comptant ses mots*

afgepast ⋆ het is ~ ‹v. geld› *il y a le compte* ⋆ met ~ geld betalen *faire l'appoint*

afgepeigerd *crevé; vidé*

afgestompt • niet puntig *émoussé* • stomp van geest *abruti*

afgestreken *ras* ⋆ een ~ eetlepel *une cuiller à soupe rase*

afgetraind *entraîné; en pleine forme*

afgevaardigde *délégué* m [v: *déléguée*]; *représentant* m [v: *représentante*]; ‹in de Kamers› *député* m

afgeven I OV WW • overhandigen *remettre; déposer*; ‹v. vergunning› *délivrer* • SPORT ⋆ de bal ~ *passer le ballon* • verspreiden *répandre; diffuser* II ON WW • kleurstof loslaten *déteindre (sur)* • ~ **op** *critiquer; blâmer* III WKD WW ~ **met** ‹met mensen› *se commettre (avec)*; ‹met zaken› *s'ingérer (dans)*

afgezaagd *rebattu; banal* [m mv: *banals*]; *usé*

afgezant *envoyé* m [v: *envoyée*]

afgezien ⋆ ~ van *sans parler de; abstraction faite de* ⋆ ~ daarvan *à part ça*

afgezonderd I BNW *isolé; solitaire; reclus* II BIJW • apart *isolé; à l'écart* • eenzaam *solitairement* ⋆ ~ leven *vivre retiré*

Afghaan • inwoner *Afghan* m • hond *lévrier* m

Afghanistan *l'Afghanistan* m

afgieten • vocht weggieten *égoutter; déverser* ⋆ er wat ~ *en déverser un peu* • door gieten maken *mouler*

afgietsel • beeld *moulage* m • afgegoten vocht *égoutture* v

afgifte ‹v. papieren› *délivrance* v; *dépôt* m; *remise* v ⋆ een bewijs van ~ *un certificat de dépôt*

afglijden *glisser*

afgod • idool *idole* v • onechte god *divinité* v

afgooien *jeter* ⋆ van zich ~ *jeter par terre* ⋆ van de trap ~ *jeter en bas de l'escalier*

afgraven • weggraven *déblayer* • vlak maken *aplanir; égaliser*

afgrendelen *verrouiller*

afgrijselijk I BNW *horrible; affreux* [v: *affreuse*]; ‹heel erg› *atroce* II BIJW *horriblement; affreusement*; ‹heel erg› *atrocement*

afgrijzen *horreur* v

afgrond *précipice* m; *abîme* m; *gouffre* m

afgunst *envie* v; *jalousie* v

afgunstig I BNW *envieux* [v: *envieuse*]; *jaloux* [v: *jalouse*] II BIJW *avec envie; jalousement; avec jalousie*

afhaaldienst *service* m *de ramassage; service* m *de factage et de camionnage*

afhaalrestaurant *restaurant* m *de plats à emporter*

afhaken I OV WW losmaken *décrocher* II ON WW niet meer meedoen *arrêter; se retirer*

afhakken *couper; trancher*

afhalen • van iets ontdoen *ôter; enlever* ⋆ het bed ~ *défaire le lit* • meenemen *aller chercher; prendre* ⋆ iem. van de trein ~ *attendre qn à la gare; aller chercher qn à la gare* ⋆ geld van de bank ~ *retirer de l'argent de la banque*

afhameren *réduire au silence*

afhandelen • tot een einde brengen *terminer; arranger; régler* ⋆ snel ~ *expédier* • helemaal behandelen *traiter (à fond)*

afhandig ▾ iemand iets ~ maken *déposséder qn de qc; arracher qc à qn*; INF. *subtiliser qc à qn*

afhangen I OV WW *décrocher* II ON WW • naar beneden hangen *pendre; retomber* • ~ **van** *dépendre (de)* ⋆ dat hangt slechts van u af *cela ne tient qu'à vous* ⋆ dat hangt er van af *cela dépend*

afhankelijk • niet-zelfstandig *subordonné; dépendant (de)* ⋆ ~ zijn van iem. *dépendre de qn* • ~ **van** *dépendant (de)* ⋆ het is ~ van het aantal *cela dépend du nombre*

afhelpen ~ **van** *délivrer de; débarrasser de* ⋆ iem. van zijn geld ~ *débarrasser qn de son argent*

afhouden • inhouden *retenir* • weghouden *tenir à distance; empêcher d'approcher* ⋆ iem. van zijn werk ~ *empêcher qn de travailler* ⋆ iem. van iets ~ *détourner qn de qc*

afhuren *louer; prendre en location*

afjakkeren • snel afmaken/afleggen *bâcler* • uitputten *épuiser* ⋆ hij jakkerde zijn paard af *il crevait son cheval*

afkalven *s'ébouler; s'affouiller; se creuser*

afkammen *décrier*; INF. *éreinter*

afkanten • scherpe kant wegnemen *délarder* • handwerk afmaken *terminer; rabattre*

afkappen • afhakken *trancher*; TAALK. *élider* • plotseling beëindigen ⋆ het gesprek ~ *couper court à la discussion*

afkatten *envoyer sur les roses; houspiller*

afkeer *répugnance* v; *aversion* v; *dégoût* m ⋆ een ~ hebben van iem. *avoir qn en aversion* ⋆ ~ inboezemen *répugner*

afkeren *détourner; écarter; repousser; parer*

afkerig *dégoûté (de)* ⋆ ~ maken van *dégoûter de* ⋆ ~ zijn van *avoir en aversion*

afketsen I OV WW • verwerpen *rejeter; faire échouer; refuser* • doen terugstuiten *faire ricocher* II ON WW • verworpen worden *être rejeté; échouer; rater* • terugstuiten *ricocher*

afkeuren • MIL. *déclarer impropre*; ‹voor dienst› *réformer* ⋆ hij is afgekeurd *il a été réformé* • niet goedkeuren ‹v. gedrag› *désapprouver; condamner*; ‹iets› *rejeter*

afkeurend *désapprobateur* [v: *désapprobatrice*]

afkeuring • het niet goedkeuren ‹v. gedrag› *désapprobation* v; ‹v. iets› *rejet* m • het ongeschikt verklaren *réforme* v

afkickcentrum *centre* m *de désintoxication*

afkicken *se désintoxiquer*

afkickverschijnselen *phénomènes* m mv *de désintoxication*

afkijken I OV WW leren door te kijken *copier* II ON WW spieken *copier; tricher*

afkleden *amincir*

afklemmen ≈ *coincer*

afkloppen • schoonkloppen *nettoyer; battre* • bezweren *toucher du bois*

afkluiven *ronger*

afknappen • knappend breken *se casser; se rompre* • mentaal instorten *craquer* ★ ~ op *être déçu dans*
afknapper *déception* v
afkoelen I OV WW koeler maken *rafraîchir; refroidir* II ON WW koeler worden *se rafraîchir; se refroidir*
afkoeling *refroidissement* m
afkoelingsperiode *période* v *de refroidissement*
afkoker *pomme* v *de terre farineuse*
afkomen • naar beneden komen *descendre* • aan iets ontsnappen *échapper (à)* ★ ergens heelhuids ~ *sortir indemne de qc* • kwijtraken *se débarrasser de* • afstammen van ★ van het Latijn ~ *dériver du latin* • voltooid worden *achever; finir* • bekend worden *devenir officiel* [v: ... *officielle*] ★ zijn benoeming is afgekomen *sa nomination est devenue officielle* • ~ **op** *s'avancer (vers)*
afkomst *origine* v; *naissance* v ★ van hoge ~ *de haute/bonne naissance*
afkomstig *natif (de)* [v: *native*]; *originaire (de); issu (de)* ★ dit doosje is ~ uit Parijs *cette boîte vient de Paris*
afkondigen *annoncer; proclamer* ★ de staat van beleg ~ *décréter l'état de siège*
afkondiging • *proclamation* v • JUR. *promulgation* v
afkoopsom *prix* m *de rachat*; JUR. *dédit* m
afkopen *racheter*
afkoppelen *dételer*
afkorten • korter maken *raccourcir; écourter* • korter schrijven *abréger*
afkorting *abréviation* v
afkraken INF. *bêcher; éreinter*
afkrijgen *finir; terminer; achever*
afkunnen *pouvoir finir*
aflaat *indulgence* v ★ volle ~ *indulgence plénière*
aflandig *venant de terre* ★ ~e wind *vent* m *de terre*
aflaten *arrêter (de); cesser (de)* ★ een niet ~de stroom woorden *un interminable flot de mots*
afleesfout *erreur* v *de lecture*
afleggen • afdoen *ôter; enlever*; ‹v. wapens› *mettre bas* • zich ontdoen van *se débarrasser de* • volbrengen, doen ‹v. afstand› *couvrir; franchir*; ‹v. bezoek› *rendre*; ‹v. eed› *prêter*; ‹v. examen› *passer*; ‹v. bekentenis› *faire* • verzorgen van dode *faire la toilette* ▾ het tegen iemand ~ *céder le pas à qn*
afleiden • laten weggaan *détourner; dévier*; ‹v. water› *dériver (l'eau)* • concluderen *déduire; conclure* • op andere gedachten brengen *distraire; divertir* • oorsprong aanwijzen *faire remonter à; descendre de* • TAALK. *dériver*
afleiding • verstrooiing *distraction* v • TAALK. *dérivation* v; ‹afgeleid woord› *dérivé* m
afleidingsmanoeuvre *manœuvre* v *de diversion*
afleren • verleren *se déshabituer de* • doen ontwennen *déshabituer de; corriger de* ★ ik zal hem dat wel ~ *je lui en ferai passer l'envie*
afleveren *livrer; remettre*
aflevering • het afleveren *livraison* v • deel van een reeks ‹v.e. boek› *fascicule* m; ‹v. uitzending› *épisode* m
afleveringstermijn *délai* m *de livraison*
aflezen • helemaal (voor)lezen *lire* ★ namen ~ *faire l'appel* • uit wijzerstand opmaken *déduire*
aflikken *lécher* ▾ om je vingers bij af te likken *à s'en lécher les doigts*
afloop • einde *fin* v ★ na ~ van de vergadering *à l'issue/à la sortie de la réunion* ★ met dodelijke ~ *mortel; fatal* • uitslag *issue* v; *résultat* m
aflopen I OV WW helemaal langslopen *parcourir; faire* II ON WW • naar beneden lopen *descendre*; ‹v. vloeistof ook› *s'écouler* • eindigen *tirer à sa fin; se terminer; finir; expirer* ★ goed ~ *se passer bien* ★ het is afgelopen *c'est fini/terminé* ★ slecht ~ *tourner mal* ★ het loopt af met hem *il touche à sa fin* • hellen *descendre* • rinkelen *sonner* ★ de wekker loopt af *le réveille-matin sonne*
aflossen • afbetalen *rembourser; acquitter* ★ een hypotheek ~ *lever l'hypothèque* • vervangen *relayer; remplacer*; ‹v.d. wacht› *relever*
aflossing • afbetaling *amortissement* m; *remboursement* m ★ vervroegde ~ *remboursement anticipé* • vervanging *libération* v; *relève* v
aflossingstermijn *terme* m *de remboursement*
afluisterapparatuur *appareils* m mv *d'écoute*
afluisteren *écouter en cachette* ★ het ~ van telefoongesprekken *l'écoute* v *téléphonique*
afmaken I OV WW • beëindigen *achever; terminer; finir* • doden *tuer* • afkraken *finir; achever; abattre* II WKD WW ~ **van** ★ zich van iets ~ *se débarrasser de qc*
afmatten *fatiguer; épuiser; exténuer*
afmelden *excuser* ★ zich ~ *se faire excuser*
afmeren *amarrer*
afmeten • meten *mesurer* • beoordelen *comparer*
afmeting • het afmeten *mesure* v; *mensuration* v • maat *mesure* v • omvang *dimension* v
afmonsteren I OV WW ontslaan *licencier* II ON WW ontslag nemen *débarquer*
afname • vermindering *décroissance* v; *diminution* v • aankoop *achat* m • afzet *vente* v
afneembaar • af te nemen *démontable*; ‹v. autodak› *décapotable* • afwasbaar *lavable*
afnemen I OV WW • afzetten *enlever; ôter* • wegnemen *enlever; ôter; prendre* • afruimen *desservir* • kopen *acheter* • laten afleggen ‹v. examen› *faire passer*; ‹v. eed› *faire prêter serment à* • schoonpoetsen *nettoyer*; ‹v. stof› *épousseter* II ON WW (ver)minderen *diminuer; faiblir*; ‹v. maan› *décroître*; ‹v. gezondheid› *s'affaiblir*; ‹v. gezichtsvermogen› *baisser*
afnemer *preneur* m [v: *preneuse*]; *acheteur* m [v: *acheteuse*]
afnokken *se tirer; se casser; se barrer*
aforisme *aphorisme* m
afpakken *prendre (de force); arracher*

afpalen *délimiter*; ‹met palen› *jalonner*

afpassen *mesurer exactement*

afpeigeren *crever*

afperken *limiter*; *délimiter*; *borner*

afpersen ‹v. iemand› *faire chanter*; ‹v. iets› *extorquer*

afperser *maître* m *chanteur*; *racketteur* m

afpijnigen *tourmenter*

afpikken *prendre*; *voler*; INF. *chiper*; *piquer*

afpoeieren *renvoyer*; *éconduire*; INF. *envoyer promener*

afpraten • veel praten *discuter* ★ zij praten heel wat af *ils discutent beaucoup* • uit het hoofd praten *dissuader* ★ iem. iets ~ *dissuader qn de qc*

afprijzen *baisser le prix de*; *solder*

afraden *déconseiller*; *dissuader* ★ iem. iets ~ *déconseiller qc à qn*; *dissuader qn de qc*

afraffelen • snel en slordig afmaken *bâcler*; *expédier*; *torcher* • slordig opzeggen *bredouiller*

aframmelen *rosser*; *tabasser*

aframmeling *rossée* v

afranselen *tabasser*; FORM. *rouer de coups*; *rosser*

afrasteren *entourer d'un grillage*

afrastering *treillage* m; *grillage* m; *claire-voie* v [mv: *claires-voies*]

afreageren *se défouler*

afreizen I OV WW bereizen *parcourir* II ON WW vertrekken *partir*; *se mettre en route*

afrekenen *payer*; *régler* ▾ met iemand ~ *régler son compte à qn*

afrekening *décompte* m; *règlement* m; ‹op de beurs› *liquidation* v

afremmen • remmen *freiner*; *ralentir* • matigen *freiner*

africhten *dresser*; *entraîner*

afrijden I OV WW rijdier afjakkeren *surmener* II ON WW • naar beneden rijden *descendre* • wegrijden *partir* • rijexamen doen *être reçu au permis*; *passer son permis*

Afrika *l'Afrique* v

Afrikaan *Africain* m [v: *Africaine*]

Afrikaander *Afrikaner* m

Afrikaans *africain*

afrikaantje *œillet* m *d'Inde*

afrit *sortie* v; *embranchement* m

afrodisiacum *aphrodisiaque* m

afroep *demande* v ★ hij is op ~ beschikbaar *il est disponible sur demande*

afroepcontract ≈ *contrat* m *temporaire*

afroepen *faire l'appel de*

afrokapsel *coiffure* v *afro*

afrollen I OV WW • naar beneden rollen *descendre en roulant* • uitrollen *dégringoler* II ON WW zich ontrollen *se dérouler*

afromen *écrémer*

afronden • rond maken *arrondir* • beëindigen *conclure*; *finir* • WISK. *arrondir* ★ op duizend francs naar beneden afgerond *arrondi au millier de francs inférieur*

afrossen *rouer de coups*; *rosser*; INF. *tabasser*

afruimen *desservir*; *débarrasser (la table)*

afrukken • met ruk aftrekken *arracher*; *enlever de force*; INF. *faire sauter* • masturberen *branler*; ↑ *masturber*

afschaffen • opheffen ‹v.e. wet› *abroger*; ‹v. slavernij› *abolir* • wegdoen *renoncer à*; *arrêter*

afschampen *effleurer*; *friser*; *frôler*

afscheid *adieu* m [mv: *adieux*] ★ ~ nemen van *prendre congé de*

afscheiden • losmaken *séparer*; *isoler*; ‹v. ruimte› *cloisonner* • scheiding aanbrengen *séparer* • uitscheiden BIOL. *sécréter*; CHEM. *dégager*

afscheiding • scheiding *séparation* v • het afsplitsen van *séparation* v • afgescheiden stof BIOL. *sécrétion* v ★ ~ van een klier *sécrétion glandulaire*

afscheidingsbeweging *mouvement* m *séparatiste*

afscheids- *d'adieu*

afscheidsfeest *réception* v *d'adieu*

afscheidsgroet *adieu* m

afschepen *renvoyer*; INF. *envoyer promener*

afschermen • voorzien van scherm ‹v. elektrische apparaten› *blinder*; ‹v. licht› *voiler* • beschermen ★ iem. voor iets ~ *protéger qn de qc*

afscheuren I OV WW lostrekken *déchirer* II ON WW *se déchirer*

afschieten I OV WW • doen afgaan *tirer* • doodschieten *tuer* • ruimte afscheiden *séparer (par une cloison)*; *cloisonner* II ON WW ~ **op** *se précipiter sur*

afschilderen • met verf afbeelden *peindre* • beschrijven *dépeindre*; *représenter*

afschilferen I OV WW losmaken *écailler* II ON WW loslaten ‹v. verflaag› *s'écailler*; ‹v. huid› *peler*

afschminken *démaquiller*

afschrift *copie* v; *double* m; *duplicata* m [onv]; JUR. *expédition* v

afschrijven • afzeggen *décommander (par écrit)* • afboeken *débiter*; *décompter*; *déduire* ★ van zijn rekening ~ *déduire de son compte* • niet meer rekenen op ★ voor mij is hij afgeschreven *pour moi il n'existe plus* • boekwaarde verlagen *amortir* ★ de auto ~ *amortir la voiture*

afschrijving • het afboeken *débit* m • bewijs van afboeking *avis* m *de débit* ★ een automatische ~ *un prélèvement automatique*

afschrikken *effrayer*

afschrikwekkend I BNW *effrayant*; *effroyable*; *épouvantable*; *repoussant* II BIJW *d'une manière effrayante|effroyable*

afschroeven *dévisser*

afschudden • ontdoen van *secouer* • kwijt zien te raken *secouer*; *se libérer de*

afschuimen *écumer* ★ de zeeën ~ *écumer les mers*

afschuiven • wegschuiven *pousser*; *éloigner*; *reculer* • afwentelen *rejeter* ★ de schuld op iem. anders schuiven *rejeter la responsabilité de qc sur un autre* • betalen *se fendre (de)* ▾ een probleem op iemand ~ *rejeter un problème sur un autre*; *refiler le bébé à qn*

afschuw *horreur* m; *aversion* v; *répulsion* v

afschuwelijk I BNW • heel slecht/lelijk *horrible*; *atroce*; *affreux* [v: *affreuse*];

A

abominable • afschuwwekkend *horrible*; *atroce* **II** BIJW *horriblement*; *atrocement*; *affreusement*
afslaan I OV WW • wegslaan *abattre*; *chasser*; ‹v. thermometer› *faire descendre* • tegenhouden *repousser*; *rabattre (de)*; *réduire*; *baisser* • weigeren *rejeter*; *décliner* ★ dat kan ik niet ~ *cela n'est pas de refus* **II** ON WW • van richting veranderen *prendre*; *tourner* ★ rechts ~ *tourner/prendre à droite* • niet meer werken ‹v. apparaten› *s'arrêter*; ‹v. motor› *caler*
afslachten • in groten getale doden *massacrer* • slachten *abattre*
afslag • afrit *sortie* v • veiling *criée* v ★ bij ~ verkopen *vendre à la criée* • prijsvermindering *rabais* m; *baisse* v; *diminution* v • het afbrokkelen *écoulement* m
afslanken I OV WW slanker maken *amaigrir*; *amincir* **II** ON WW • slanker worden *perdre du poids* • kleiner worden *diminuer*; ‹m.b.t. onderneming› *dégraisser*
afslankingsoperatie *dégraissage* m
afsluitdop *bouchon* m
afsluiten • ontoegankelijk maken *fermer*; ‹v. weg› *barrer*; ‹v. waterleiding/stroom› *couper* ★ het gas ~ *fermer le robinet du gaz*; *couper le gaz* • op slot doen *fermer (à clef)* • eind maken *arrêter*; *clôturer*; *terminer* ★ een rekening ~ *arrêter un compte* • overeenkomst sluiten *conclure* ★ een polis ~ *souscrire à une police d'assurance*
afsluiting *fermeture* v
afsluitpremie *commission* v; ‹v. makelaar› *courtage* m
afsluitprovisie *commission* v; *frais* m mv *de dossiers*
afsmeken *implorer*
afsnauwen *rembarrer*; *rabrouer*
afsnijden • korter maken *couper* ★ de bocht ~ *couper le virage* • wegsnijden *couper*; *séparer*; *trancher* ★ de hals ~ *égorger* • versperren *couper* ★ iem. de pas ~ *couper le chemin à qn*
afsnoepen *escamoter*; INF. *chiper*
afspeelapparatuur *matériel* m *(sonore) de reproduction*
afspelen I OV WW • SPORT *finir sa partie* • beluisteren *jouer*; *mettre* **II** WKD WW *se passer*; *se dérouler*
afspiegelen *refléter*; *réfléchir*
afspiegeling *reflet* m
afspiegelingscollege *groupe* m *constitué par le maire et les adjoints formant reflet des partis dans le conseil municipal*
afsplitsen I OV WW *séparer* **II** WKD WW • zich afscheiden *se séparer* • door splitsen scheiden *se diviser*; *bifurquer*
afsplitsing *bifurcation* v
afspoelen I OV WW schoonspoelen *rincer*; *laver* **II** ON WW wegslaan *être emporté par*
afspraak • overeenkomst *accord* m; *convention* v ★ volgens de ~ *conformément à ce qui était convenu* • ontmoeting *rendez-vous* m ★ een nieuwe ~ maken *reprendre rendez-vous* ★ volgens ~ *sur rendez-vous*
afspreken I OV WW overeenkomen *convenir de*; *arranger*; *concerter* ★ met elkaar ~ om *s'entendre pour* ★ afgesproken! *entendu!* **II** ON WW *prendre rendez-vous*; *se donner rendez-vous*
afspringen • loslaten *se détacher*; ‹v. verf› *s'écailler* ★ er is een knoop afgesprongen INF. *un bouton a sauté* • afketsen *érafler* • ~ **op** *s'élancer (sur)*
afstaan *céder*; *abandonner*
afstammeling *descendant* m
afstammen *provenir de*; ‹v. personen› *descendre*; *être issu de*; ‹v. woord› *dériver de*
afstamming *descendance* v
afstand • het afstaan *renonciation* v; JUR. *cession* v ★ ~ doen van *renoncer à* ★ ~ doen van de troon *abdiquer* • lengte tussen twee punten *distance* v; *éloignement* m; *trajet* m ★ ~ houden (in verkeer) *garder ses distances* ★ over een ~ van *sur une distance de* ▾ zich op een ~ houden *être distant*; *être réservé*
afstandelijk I BNW *réservé*; *distant* **II** BIJW *avec réserve*
afstandsbediening *télécommande* v ★ met ~ *télécommandé*
afstandsonderwijs *téléenseignement* m
afstandsrit *raid* m
afstapje *marche* v ★ denk om het ~ *attention à la marche*
afstappen • naar beneden stappen *descendre* • ~ **op** *se diriger (vers)* • ~ **van** *renoncer à* ★ laten we daarvan ~ *n'en parlons plus*
afsteken I OV WW • aansteken ★ vuurwerk ~ *tirer un feu d'artifice* • uitspreken *prononcer*; *énoncer* ★ een speech ~ *prononcer un discours* • wegsteken *couper*; *enlever (avec un instrument pointu)* ▾ de loef ~ *l'emporter sur* **II** ON WW duidelijk uitkomen *contraster (avec)*
afstel *abandon* m ▾ uitstel is geen ~ *ce n'est que partie remise*
afstellen *mettre au point*; *régler* ★ te voren afgesteld *préréglé*
afstemmen • aanpassen *aligner* • instellen *régler* • verwerpen *rejeter*; *repousser*
afstemming • verwerping *rejet* m • communicatie *réglage* m
afstempelen *oblitérer* ★ een strippenkaart ~ ≈ *composter un ticket*
afsterven *mourir*; *décéder*; *s'éteindre*
afstevenen ~ **op** *se diriger vers*; *mettre le cap sur*; FIG. *foncer sur*
afstijgen *mettre pied à terre*; *descendre*
afstoffen *épousseter*; *donner un coup de chiffon à*
afstompen I OV WW • stomp maken *émousser* • ongevoelig maken *abrutir* **II** ON WW • stomp worden *s'émousser* • ongevoelig worden *s'abrutir*
afstoppen • dichtmaken *boucher* • SPORT ‹wielersport› *mettre le frein dans le peloton*
afstotelijk *répugnant*; *repoussant*
afstoten I OV WW • wegstoten *repousser* • wegdoen *se débarrasser de*; *se défaire de* • niet accepteren *rejeter* • afkerig maken *repousser*; *se désintéresser de* **II** ON WW afkeer inboezemen *inspirer de la répulsion*

A

afstotend *repoussant*
afstoting • *rejet* m; ‹v. product› *fait* m *de se défaire de* • NAT. *répulsion* v
afstraffen *punir*
afstraffing *correction* v; *punition* v
afstralen I OV WW afgeven *diffuser* II ON WW ~ **van** *rayonner* ★ het straalde van zijn gezicht af *son visage rayonnait*
afstrepen *biffer*
afstrijken • aansteken *gratter* • door strijken verwijderen *gratter*; *frotter*
afstropen • villen *écorcher*; *enlever la peau*; *dépouiller* • plunderen *écumer*; *piller*; *saccager*
afstudeerproject *projet* m *de recherches de fin d'étude*
afstuderen *achever ses études*; *finir ses études*
afstuiten • afketsen *rebondir*; *ricocher* • ~ **op** *échouer contre*
aftaaien *se tirer*
aftakelen *dépérir* ★ aan het ~ zijn *être sur son déclin*
aftakeling *déchéance* v; *dépérissement* m ★ de seniele ~ *la sénilité*
aftakking *(em)branchement* m; *bifurcation* v; *fourche* v; ‹v. water› *dérivation* v; ‹v. weg› *bretelle* v *de raccordement*
aftands *hors d'âge*; ≈ *usé*
aftapkraan *robinet* m *de vidange*
aftappen *faire couler*; *vider*; ‹v. verwarming› *vidanger*; ‹v. drank› *tirer*; ‹v. bloed› *saigner*
aftasten • voorzichtig onderzoeken *tâter* ★ het terrein ~ *tâter le terrain* • mogelijkheden aftasten *tâter les possibilités* • TECHN. *explorer*; ‹met lichtstraal› *balayer*
afte *aphte* m
aftekenen I OV WW • voor gezien tekenen *signer*; *parafer* • nauwkeurig beschrijven *tracer*; FIG. *montrer le chemin* II WKD WW zichtbaar worden *se dessiner*
aftellen • van tien tot nul tellen *compter*; *décompter* ★ het ~ is begonnen *on a commencé le compte à rebours* • aftelrijmpje opzeggen *réciter une comptine* • uittellen *compter*
aftershave *après-rasage* m
aftiteling *générique* m
aftocht *retraite* v ★ ordeloze ~ *déroute* v ★ de ~ blazen *sonner la retraite*; FIG. *battre en retraite*
aftoppen ‹v. bomen› *étêter*; *écimer*
aftrap *coup* m *d'envoi*
aftrappen *donner le coup d'envoi*; *engager*
aftreden *démissionner*; *donner sa démission*
aftrek • het aftrekken *déduction* v • vraag *demande* v; *débit* m ★ goede ~ vinden *se vendre facilement* • korting *décompte* m; *rabais* m ★ na ~ van *déduction faite de*
aftrekbaar *déductible*
aftrekken I OV WW • in mindering brengen *déduire*; *décompter*; *rabattre*; WISK. *ôter*; *soustraire* • wegtrekken *enlever*; *arracher* • seksueel bevredigen *masturber*; VULG. *branler* II ON WW weggaan *se diriger (vers)*
aftrekpost *poste* m *déductible*; *charge* v *déductible*
aftreksel *infusion* v; *décoction* v
aftreksom *soustraction* v
aftroeven • winnen met troefkaart *couper* • te slim af zijn ★ iem. ~ *damer le pion à qn*
aftroggelen *escroquer*; INF. *carotter*
aftuigen • het tuig afhalen ‹v. schip› *dégréer*; ‹v. paard› *déharnacher* • afranselen *rosser*; *tabasser*
afvaardigen *déléguer*
afvaardiging *délégation* v
afvaart *départ* m
afval *déchets* m mv; *ordures* v mv ★ radioactief ~ *déchets radioactifs*
afvalemmer *poubelle* v
afvallen • naar beneden vallen *tomber* • niet meer meetellen *être éliminé* • vermageren *maigrir*; *perdre du poids* • ontrouw worden *faire défection*; *abandonner*; *déserter* • SCHEEPV. *abattre*
afvallig *infidèle (à)* ★ een ~e REL. *un/une infidèle*; REL. *un apostat*; *un renégat*
afvallige *infidèle* v; ‹politiek› *dissident* m [v: *dissidente*]
afvalproduct *sous-produit* m [mv: *sous-produits*]
afvalstof *déchet* m
afvalverwerking *traitement* m *de déchets*
afvalwater *eaux* v mv *usées*
afvalwedstrijd *éliminatoire* v
afvegen • schoonmaken *nettoyer* ★ je handen ~ *essuyer ses mains* • weghalen *essuyer*
afvijlen *limer*; *polir*; ‹afbramen› *ébarber*
afvloeien • wegstromen *s'écouler*; *couler* • geleidelijk weggaan *s'en aller* • ontslagen worden *être licencié*
afvloeiingsregeling *plan* m *social*
afvoer • het afvoeren *évacuation* v; ‹v. water› *écoulement* m; ‹vervoer› *transport* m • afvoerleiding *conduite* v *d'eau*
afvoeren • wegvoeren *transporter*; *décharger*; ‹v. persoon› *emmener*; ‹naar beneden› *faire descendre*; ‹v. vloeistof› *faire écouler* • schrappen *rayer*
afvoerkanaal *canal* m *de dérivation*
afvragen (**zich**) *se demander*
afvuren *tirer* ★ een kanon ~ *tirer un (coup de) canon*
afwachten *attendre*
afwachting *attente* v ★ in ~ *en attendant* ★ in ~ van uw orders *dans l'attente de vos ordres*
afwas *vaisselle* v
afwasautomaat *lave-vaisselle* m [onv]
afwasbaar *lavable*
afwasborstel *brosse* v *à vaisselle*
afwasmachine *lave-vaisselle* m [onv]
afwasmiddel *produit* m *pour la vaisselle*
afwassen • afwas doen *faire la vaisselle* • schoonwassen *laver*; *nettoyer*; ‹vaatwerk› *laver la vaisselle* • verwijderen *laver*; *enlever*
afwatering *écoulement* m; ‹v. land› *drainage* m
afweer *défense* v; *protection* v
afweergeschut *défense* v *antiaérienne*
afweermechanisme *mécanisme* m *de défense*
afweerstof *anticorps* m
afweersysteem *système* m *de défense*; MED. *système* m *immunitaire*
afwegen • wegen *peser* • overdenken *peser*;

considérer ★ opnieuw ~ *remettre en cause* ★ de voor- en nadelen ~ *peser le pour et le contre*

afwenden • wegdraaien *détourner* ★ de ogen niet ~ van *ne pas quitter des yeux* • tegenhouden *parer*; *empêcher*

afwennen I OV WW afleren *déshabituer (qn de qc)* II ON WW gewoonte verliezen *se détacher*

afwentelen • wegrollen *faire rouler vers le bas*; *faire dévaler* • afschuiven *répercuter sur* ★ hij heeft zijn problemen op haar afgewenteld *il s'est déchargé de ses problèmes sur elle*

afweren • tegenhouden *repousser*; *se défendre contre* • op een afstand houden *repousser*; *écarter*; *parer*

afwerken *achever*; *finir*; *terminer*; *mettre au point*

afwerking • het afwerken TECHN. *finissage* m; *achèvement* m; *mise* v *au point* • wijze van afwerken *finition* v

afwerpen *jeter*; *jeter en bas*; ‹uit vliegtuig› *parachuter*; ‹v. ruiter› *désarçonner* ▾ vruchten ~ *porter ses fruits*

afweten ★ het laten ~ ‹bij afspraak› *se décommander*; *manquer*; *laisser tomber*

afwezig • absent *absent* • verstrooid *absent*; *distrait*

afwezigheid *absence* v ★ bij ~ van *en l'absence de*

afwijken • andere kant opgaan *dévier (de)*; *s'écarter (de)*; ‹v. wet› *déroger à* • verschillen *différer*; ‹magneet› *décliner*; ‹v. mening› *diverger*

afwijking • het afwijken van een richting *déviation* v; ‹v. kompas› *déclinaison* v • het afwijken van een regel *infraction* v; ‹verschil› *différence* v • gebrek *anomalie* v

afwijzen • niet toelaten *refuser*; ‹de deur wijzen› *éconduire* • niet laten slagen *refuser*; *recaler* • afslaan *refuser*; *repousser*; *rejeter*; ‹v. verantwoordelijkheid› *décliner* ★ een ~d gebaar *un geste de refus* ★ een ~d antwoord *une réponse négative*

afwijzing *refus* m

afwikkelen • loswinden *dévider*; *dérouler* • afhandelen *régler*; *liquider*

afwikkeling *dévidage* m; FIG. *règlement* m

afwimpelen *décliner*; *refuser*; *repousser*

afwinden *dévider*

afwisselen I OV WW beurtelings vervangen *alterner*; *remplacer* ★ elkaar ~ *se relayer* II ON WW telkens anders worden *changer*; *varier*

afwisselend I BNW • beurtelings *changeant*; *alternatif* [v: *alternative*] • gevarieerd *varié* II BIJW beurtelings *alternativement*; *tour à tour*; *à tour de rôle*

afwisseling • opeenvolging *alternance* v; *variété* v; *diversité* v ★ bij ~ *à tour de rôle* • variatie *changement* m ★ voor de ~ *pour varier|changer*

afzagen *scier*

afzakken • naar beneden zakken *glisser*; *descendre*; ‹v. kousen› *être en tire-bouchon*; *tomber* • stroomafwaarts gaan *descendre le courant* ★ een rivier ~ *descendre une rivière* • minder worden *diminuer* ★ de bui zakt af *l'orage passe*

afzakkertje *pousse-café* m [onv]

afzeggen *annuler* ★ kunt u het niet ~? *vous ne pouvez pas vous excuser?*

afzegging *annulation* v

afzender *expéditeur* m [v: *expéditrice*]; *envoyeur* m

afzet • verkoop *vente* v; *débit* m ★ ~ vinden *trouver un débouché* • SPORT *élan* m

afzetbalk SPORT *planche* v *d'appel*

afzetgebied *débouché* m; *marché* m

afzetmarkt *marché* m; *débouchés* m mv

afzetten • afdoen *enlever*; ‹v. hoed› *ôter*; ‹v. helm› *tirer* • uit-|afzetten *arrêter*; ‹v. radio|tv› *fermer*; ‹v. motor› *couper* • amputeren *amputer* • verkopen *débiter*; *placer* • oplichten *tromper* • laten uitstappen *descendre (qn chez lui)* • ontslaan *destituer*; *détrôner* • afsluiten *barrer*; *fermer*; *garder* • omboorden *galonner* • aanslag vormen *déposer* • afduwen *repousser*

afzetter *escroc* m; *voleur* m

afzetterij *escroquerie* v ★ wat een ~! *c'est du vol!*

afzetting • afsluiting ‹omheining› *clôture* v; *barrage* m • ontslag *destitution* v • amputatie *amputation* v • vorming van neerslag *sédimentation* v; ‹bezinksel› *dépôt* m; *sédiment* m

afzichtelijk I BNW *affreux* [v: *affreuse*]; *hideux* [v: *hideuse*] II BIJW *affreusement*; *hideusement*

afzien I OV WW overzien *embrasser du regard* II ON WW • lijden *souffrir*; *en voir de dures* ★ dat wordt ~ *ce sera dur* • ~ **van** *renoncer (à)*; JUR. *se désister (de)* ★ van een plan ~ *abandonner un projet*

afzienbaar ★ binnen afzienbare tijd *dans un avenir assez proche*

afzijdig *neutre* ★ zich ~ houden *se tenir à l'écart*

afzoeken *inspecter*; *fouiller*

afzonderen • in afzondering plaatsen *isoler* • afzonderlijk plaatsen *séparer*

afzondering • het afzonderen *séparation* v • eenzaamheid *solitude* v; *isolement* m; REL. *retraite* v

afzonderlijk I BNW apart *séparé*; *à part*; *individuel* [v: *individuelle*]; ‹v. gebouw› *indépendant*; ‹zonder anderen› *particulier* [v: *particulière*]; *individuel* [v: *individuelle*] II BIJW *séparément*

afzuigen • door zuigen verwijderen *aspirer* • seksueel bevredigen *sucer*

afzuigkap *hotte* v *(aspirante)*

afzwaaien *être démobilisé*

afzwakken I OV WW zwakker maken *atténuer*; *affaiblir* II ON WW zwakker worden *s'affaiblir*; *s'atténuer*

afzwemmen *passer son brevet de natation*

afzweren *renoncer à*; *renier*

agaat *agate* v

agenda • boekje ‹op school› *cahier* m *de textes*; *agenda* m • bezigheden *ordre* m *du jour*

agenderen *inscrire à l'ordre du jour*

agens I ZN (de) *agent* m II ZN (het) *agent* m

agent • politieagent *agent* m *de police* [v: *femme policier*]; ‹officieel› *gardien* m *de la paix* [v: *gardienne* ...] • vertegenwoordiger *agent* m; *représentant* m
agentschap *agence* v; *succursale* v
ageren *agir*; *opérer*; *mener une action*
agglomeratie *agglomération* v
aggregaat *agrégat* m; *agglomérat* m; ‹voor stroom› *groupe* m *électrogène*
agio *agio* m; *prime* v *d'émission*
agitatie *agitation* v
agnost *agnostique* m/v
agrariër *agriculteur* m
agrarisch *agricole*
agreement ▾ gentleman's ~ *gentleman's agreement* m
agressie *agression* v
agressief I BNW *agressif* [v: *agressive*] II BIJW *agressivement*
agressiviteit *agressivité* v
agressor *agresseur* m
A-griep *grippe* v *asiatique*
agrobiologie *agrobiologie* v
agro-industrie *agro-industrie* v
agrologie *agrologie* v
agronomie *agronomie* v
agronoom *agronome* m/v
AGV automatische gegevensverwerking *traitement* m *automatique de données*
aha-erlebnis *déjà-vu* m; *illumination* v; *recognition* v
ahorn PLANTK. *érable* m
aids *Syndrome* m *d'Immuno-Déficience Acquise*; *sida* m
aidspatiënt *malade* m/v *du sida*
aidsremmer *médicament* m *antisida*
aidstest *test* m *de séropositivité*; *test* m *de dépistage du sida*
air *airs* m mv; *manières* v mv ★ een air aannemen *se donner des airs* ★ met het air van *en se donnant des airs de*
airbag *airbag* m; *coussin* m *gonflable*
airbus *airbus* m
airconditioning • het regelen van de temperatuur *climatisation* v • apparaat *climatiseur* m
airmile *airmile* m
A-kant *face* v *A*
akela *chef* m *de meute* [v: *cheftaine* ...]
akelig I BNW • naar *désagréable*; ‹vreselijk› *horrible*; *affreux* [v: *affreuse*]; *lugubre* ★ een ~ mens *une femme désagréable* • onwel ★ ik word er ~ van *cela me soulève le cœur* II BIJW *horriblement*
Aken *Aix-la-Chapelle*
akkefietje *besogne* v; ‹zaakje› *vétille* v
akker *champ* m; *terres* v mv
akkerbouw *agriculture* v
akkerland *terres* v mv *cultivables*
akkoord I ZN • overeenkomst *accord* m; ‹verbintenis› *contrat* m; ‹schikking› *arrangement* m; ‹bij faillissement› *concordat* m ★ het op een ~je gooien *parvenir à s'entendre* • MUZ. *accord* m ★ een ~ aanslaan *plaquer un accord* II BNW *en règle* ★ ~ bevonden *approuvé* III TW *d'accord!*
akoestiek *acoustique* v
akoestisch *acoustique*
akte • deel van toneelstuk *acte* m • schriftelijk stuk *acte* m; *titre* m ★ een akte opmaken *dresser un acte* ★ akte van overlijden *acte de décès* ★ een akte passeren *passer un acte* ★ waarvan akte *dont acte* • bevoegdheid, vergunning *diplôme* m; ‹voor geven onderwijs› *certificat* m *d'aptitude (à l'enseignement)* • gebed *acte* m
aktetas *serviette* v
AKW Algemene Kinderbijslagwet *loi* v *générale sur les allocations familiales*
al I BIJW reeds *déjà* ★ vanavond al *dès ce soir* ★ hij is al lang dood *il est mort depuis longtemps* II ONB VNW *tout* [m mv: *tous*] [v: *toute*] [v mv: *toutes*] ★ al met al *tout compte fait* ★ te allen tijde *de tout temps* ★ aan alle kanten *de tous côtés* ★ alle reden hebben om *avoir tout lieu de* ★ al het mogelijke doen *faire tout son possible* III TELW *tous (les)* m mv [v mv: *toutes (les)*] ★ alle mensen *tous les hommes* IV VW *quoique* [+ subj.]; *bien que* [+ subj.] ★ al is hij rijk, hij is niet gelukkig *tout riche qu'il est, il n'est pas heureux*
à la carte *à la carte*
alarm • waarschuwing *alerte* v; *alarme* v ★ loos ~ *fausse alerte* ★ ~ slaan/blazen *donner l'alerte*; *sonner l'alerte* • alarminstallatie *dispositif* m *d'alarme* • noodtoestand *alerte* v
alarmcentrale *police* v *secours*
alarmeren • waarschuwen *alerter*; *avertir* • ongerust maken *alarmer*; *consterner*
alarminstallatie *dispositif* m *d'alarme*
alarmklok *tocsin* m ★ de ~ luidt over *sonner le tocsin à cause de qc*
alarmnummer *numéro* m *de secours*
alarmtoestand *état* m *d'alerte*
Albanees I ZN (de) *Albanais* m [v: *Albanaise*] II ZN (het) *albanais* m III BNW *albanais*
Albanië *l'Albanie* v
albast *albâtre* m
albatros *albatros* m
albino *albinos* m
album *album* m
albumine *albumine* v
alchemie *alchimie* v
alcohol *alcool* m
alcoholcontrole *alco(o)test* m
alcoholica • drank *boissons* v mv *alcoolisées* • drinkster *alcoolique* v
alcoholisch *alcoolique* ★ ~e dranken *boissons* v mv *alcooliques*
alcoholisme *alcoolisme* m
alcoholist *alcoolique* v
alcoholpromillage *alcoolémie* v
alcoholvrij *sans alcool*
aldaar *là*; *là-bas*; *à cet endroit*
aldoor *tout le temps*; *continuellement*; *sans cesse*
aldus *ainsi*; *c'est ainsi que*
aleatorisch *aléatoire*
alert *vif* [v: *vive*]; *éveillé (à)* ★ ~ op iets zijn *rester attentif à qc*
alexandrijn *alexandrin* m
alexie *alexie* v; *cécité* v *verbale*

alfa • Griekse letter *alfa* m • talenafdeling *section* v *classique-langues* • student *étudiant* m *en lettres*
alfabet *alphabet* m
alfabetisch I BNW *alphabétique* II BIJW *alphabétiquement*
alfabetiseren • alfabetisch rangschikken *classer par ordre alphabétique* • leren lezen en schrijven *alphabétiser*
alfabetisme *fait* m *de savoir lire et écrire*
alfadeeltje *particule* v *alpha*
alfahulp *aide* v *familiale*
alfanumeriek I ZN *aide* v *familiale* II BNW *alphanumérique*
alfastraling *rayons* m mv *alpha*
alfawetenschap *science* v *humaine*
alg *algue* v
algebra *algèbre* v
algebraïsch *algébrique*
algeheel *complet* [v: *complète*]; *total* [m mv: *totaux*]; *entier* [v: *entière*]; *intégral* [m mv: *intégraux*]
algemeen I ZN *ensemble* m ★ in het ~ *en général* ★ over het ~ *dans l'ensemble* ★ in het ~ gesproken *généralement parlant* II BNW • van/voor iedereen of alles *général* [m mv: *généraux*]; *universel* [v: *universelle*]; *commun* ★ algemene geschiedenis *histoire universelle* • vaag, niet concreet *vague* ★ steeds algemener worden *se généraliser de plus en plus* III BIJW *généralement*; *universellement*; *communément* ★ een ~ ontwikkeld man *un homme cultivé*
algemeenheid *généralité* v
algemeenverbindendverklaring *fait* m *de déclarer généralement obligatoire*
Algerije *l'Algérie* v
algoritme *algorithme* m
alhier *ici*; *en ce lieu*; *en cette ville*; ‹adres› *en ville*
alhoewel *quoique* [+ subj.]; *bien que* [+ subj.]; *encore que* [+ subj.]
alias *autrement dit/nommé*; *dit*; *alias*
alibi *alibi* m ★ een ~ vinden *fournir un alibi*
alikruik *bigorneau* m [mv: *bigorneaux*]
alimentatie *pension* v *alimentaire*
alinea *paragraphe* m; *alinéa* m
alkali *alcali* m
alkalisch *alcalique*
alkaloïde *alcaloïde* m
alkoof *alcôve* v
Allah *Allah*
allang *depuis longtemps*
alle I ONB VNW *tout le* [m mv: *tous les*] [v: *toute la*] [v mv: *toutes les*] II TELW *tous (les)* m mv [v mv: *toutes (les)*]
allebei *tous les deux* m mv [v mv: *toutes les deux*]; *l'un* m *et l'autre* [v: *l'une ...*]
alledaags • van elke dag *journalier* [v: *journalière*]; *quotidien* [v: *quotidienne*] • heel gewoon *ordinaire*; *commun*; *banal*; *normal* [m mv: *normaux*]
alledag *tous les jours* ★ het leven van ~ *la vie de tous les jours*
allee I ZN *allée* v II TW *allez!*
alleen I BNW • zonder andere(n) *seul*; *tout seul*; *(le) seul* [v: *(la) seule*] ★ en dat is het niet ~ *et il n'y a pas que cela* • eenzaam *seul* II BIJW *seulement*; *uniquement* ★ niet ~ ... maar ook *non seulement ... mais aussi* ★ ik laat u ~ *je vous laisse*
alleenheerschappij *pouvoir* m *absolu*; *autocratie* v
alleenrecht *droit* m *exclusif*
alleenstaand • losstaand *isolé* • alleenwonend *seul* ★ een ~e *une personne seule*
alleenverdiener *soutien* m *de famille*; *ménage* m *à revenu unique*
allegaartje *méli-mélo* m [mv: *mélis-mélos*]; INF. *salade* v
allegorie *allégorie* v
allegro *allégro* m
alleluja *alléluia* m
allemaal I BIJW *rien que* ★ ~ praatjes *ce ne sont que des racontars* II TELW • allen *tous* m mv [v mv: *toutes*]; *tous ensemble* m mv ★ zij zijn ~ vertrokken *tous sont partis* ★ wij zijn er nu ~ *nous sommes au (grand) complet* • alles *tout*
allemachtig *terriblement*; *prodigieusement*
allemansvriend *ami* m *de tout le monde*
allen *tout le monde* m [onv]; *tous* m mv [v mv: *toutes*]
allengs *peu à peu*
allereerst I BNW vóór een ander *tout premier* [v: *toute première*] II BIJW *tout d'abord*; *avant tout*
allergeen *allergène* m
allergie *allergie* v
allergisch *allergique*
allerhande *toutes sortes de*
Allerheiligen *Toussaint* v
Allerheiligste • deel van tempel *Saint* m *des saints*; FIG. *sanctuaire* m • hostie *Saint-Sacrement* m
allerijl ▾ in ~ *en toute hâte*
allerlaatst I BNW *(tout) dernier* [v: *(toute) dernière*]; *ultime* II BIJW *en dernier lieu*
allerlei I ZN *toutes sortes* v mv *de choses*; ‹in rubriek› *faits* m mv *divers* II BNW *toutes sortes de*
allermeest *le plus de* ★ op zijn ~ *tout au plus*
allerminst I BNW minst ‹v. allen› *le moindre* [v: *la moindre*]; ‹v. alles› *le moins* ★ op zijn ~ *au bas mot* II BIJW helemaal niet *ne ... pas du tout*
allerwegen *tous azimuts*
Allerzielen *Jour* m *des Morts*
alles *tout* ★ dat is ~ *voilà tout* ★ is dat ~? *est-ce tout?*; *n'est-ce que cela?* ★ ~ op het spel zetten *jouer le tout pour le tout* ★ voor ~ *avant tout* ★ daarmee is ~ gezegd *un point c'est tout*
allesbehalve *tout sauf*; *nullement*; *aucunement* ★ hij is ~ vriendelijk *il est tout sauf aimable*
allesbrander *brûle-tout* [onv]
alleseter *omnivore* m/v ★ varkens zijn ~s *le porc est omnivore*
alleskunner ★ hij is een ~ *il est bon en tout*
allesomvattend *complet* [v: *complète*]; *intégral*
allesreiniger *nettoie-tout* m [onv]
alleszins *à tous égards*; *sous tous les rapports*

A

alliantie *alliance* v

allicht *sûrement*; *évidemment* ★ ~ niet *sûrement pas*

alligator *alligator* m

all-in I BNW *tout compris* ▾ de ~prijs *le prix net* II BIJW *tout compris*

all-inprijs *prix* m *net*

alliteratie *allitération* v

allochtoon I ZN *émigré* m [v: *émigrée*]; PEJ. *métèque* m/v II BNW *émigré*

allogeen *allogène*

allonge • ‹geldw.› *allonge* v • ‹in boek› *dépliant* m

allooi • waarde/soort *aloi* m; INF. *acabit* m • goud-/zilvergehalte *aloi* m; *titre* m

allopaat *allopathe* m/v

allopathie *allopathie* v

all-riskverzekering *assurance* v *tous risques*

allround *accompli*; *complet* [v: *complète*]

allrounder ★ hij is een ~ *il est bon en tout*

all terrain bike *vélo* m *tout-terrain*

allure *allure* v ★ van grote ~ *de grand style*

Alluvium *holocène* m

all-weatherkleding *vêtements* m mv *toutes-saisons*

almaar → **alsmaar**

almacht *toute-puissance* v; *omnipotence* v

almachtig *tout-puissant* [m mv: *tout-puissants*] [v: *toute-puissante*] [v mv: *toutes-puissantes*]; *omnipotent* ★ de Almachtige *Le Tout-Puissant*

almanak *almanach* m

aloë PLANTK. *aloès* m

alom *partout*

alomtegenwoordig *omniprésent*

alomvattend *universel* [v: *universelle*]

aloud *ancien* [v: *ancienne*]; *immémorial* [m mv: *immémoriaux*]

alp *alpe* v

alpaca *alpaga* m

Alpen *Alpes* v mv ★ in de ~ *dans les Alpes*

alpenweide *alpage* m

alpien *alpin*

alpineskiën *combiné* m *alpin*

alpinisme *alpinisme* m

alpinist *alpiniste* m/v

alpino *béret* m *basque*

als • zoals, gelijk *comme*; *aussi ... que*; ‹m.b.t. verschil› *plus/moins ... que*; ‹opsommend› *tels que* ★ zo wit als sneeuw *blanc comme la neige* • indien *si* • (telkens) wanneer *lorsque*; *quand* • alsof *comme* • in de hoedanigheid van *comme*; *en qualité de*; *en tant que* ▾ als ... maar *pour peu que*; *pourvu que*

alsdan *alors*

alsem PLANTK. *absinthe* v

alsjeblieft I BIJW • wil je zo vriendelijk zijn? *s'il te plaît?* • graag *volontiers* II TW hier is het *voici*; *voilà*; *tiens*

alsmaar *continuellement*; *sans arrêt*; *sans cesse*; *toujours*

alsmede *ainsi que*

alsnog *encore*

alsof ‹met imparfait› *comme si* ★ doen ~ *faire semblant* ★ er uitzien ~ *avoir l'air de*

alsook *ainsi que*

alstublieft I BIJW • graag *volontiers* • bij verzoek *s'il vous plaît?* II TW hier is het *voici*; *voilà*; *tenez*

alt • stem *alto* m; *contralto* m • persoon *contralto* m • instrument *alto* m

altaar *autel* m

altaarstuk *retable* m

alternantie *alternance* v

alternatief I ZN *variante* v; *alternative* v II BNW • de keus latend *alternatif* [v: *alternative*] • afwijkend *tout à fait différent*; *parallèle* ★ alternatieve geneeswijze *médecine parallèle* v ★ alternatieve straf *peine/sanction originale* v

alterneren *alterner*

althans *du moins*; *tout au moins*

altijd *toujours* ★ nog ~ *toujours* ★ nog ~ niet *ne ... toujours pas*

altijddurend *perpétuel* [v: *perpétuelle*]

altruïsme *altruisme* m

altsax(ofoon) *saxophone* m *alto*

altviool *alto* m

aluminium I ZN *aluminium* m II BNW *en aluminium*

aluminiumfolie *papier* m *d'aluminium*

alvast *déjà*; *en attendant*; *toujours*

alveole *alvéole* v

alvleesklier *pancréas* m

alvorens *avant que* [+ subj.]; *avant de* [+ inf.]

alweer *de nouveau*; *encore*

alwetend *omniscient*; *qui sait tout*; PEJ. *docte*

alzheimer *(maladie* v *d') Alzheimer*

alzo • aldus *ainsi* • dus *donc*

a.m. ante meridiem *a.m.*

amalgaam *amalgame* m

amandel • vrucht *amande* v • boom *amandier* m • klier *amygdale* v

amandelontsteking *angine* v *tonsillaire*; *amygdalite* v

amanuensis *préparateur* m [v: *préparatrice*]

amarant *amarante* v

amaril *émeri* m

amarillo *cigare* m *léger*

amaryllis *amaryllis* v

amateur *amateur* m [v: *amatrice*]

amateurisme *amateurisme* m

amateuristisch *amateur* ★ dat is ~ gemaakt *c'est un travail d'amateur*

amateurvoetbal *football* m *amateur*

amazone *amazone* v

amazonezit ★ paardrijden in amazonenzit *monter en amazone*

ambacht *artisanat* m; *métier* m ▾ twaalf ~en, dertien ongelukken *il a fait mille métiers*

ambachtelijk *artisanal* [m mv: *artisanaux*]

ambachtsman *artisan* m

ambachtsschool *collège* m *d'enseignement technique (CET)*

ambassade *ambassade* v

ambassadeur *ambassadeur* m [v: *ambassadrice*]

amber *ambre* m

ambiance *ambiance* v; *atmosphère* v

ambiëren *ambitionner*

ambigu *ambigu* [v: *ambiguë*]

ambitie • eerzucht *ambition* v • ijver *ardeur* v; *zèle* m; *application* v

ambitieus • eerzuchtig *ambitieux* [v: *ambitieuse*] • ijverig *appliqué*; *zélé*

ambivalent I BNW *ambivalent* II BIJW *de manière ambivalente*
Ambonees *Amboinais* m; ‹Zuid-Molukker› *Moluquois* m
ambrozijn *ambroisie* v
ambt *poste* m; *fonction* v; REL. *ministère* m
ambtelijk I BNW *administratif* [v: *administrative*]; *officiel* [v: *officielle*] II BIJW *officiellement*; *administrativement*
ambteloos *sans profession*
ambtenaar *fonctionnaire* m ★ ~ van de burgerlijke stand *officier de l'état civil*
ambtenarenapparaat *appareil* m *administratif*; *administration* v
ambtenarij • bureaucratie *bureaucratie* v • de ambtenaren *fonctionnaires* m mv
ambtgenoot *confrère* m; *consœur* v
ambtsaanvaarding *entrée* v *en fonctions*
ambtseed *serment* m *professionnel*
ambtsgeheim *secret* m *professionnel*
ambtshalve *d'office*
ambtsketen *chaîne* v; *collier* m; ‹burgemeester Fr.› *écharpe* v
ambtskledij *habit* m *officiel*
ambtstermijn *mandat* m
ambtswege ★ van ~ *officiellement*
ambtswoning *appartement* m/*logement* m *de fonction*
ambulance *ambulance* v
ambulancedienst *SAMU* m; *service* m *d'aide médicale d'urgence*
ambulant • zonder vaste plaats *ambulant* • op de been *ambulatoire*
ambulatorium *service* m *de traitement ambulatoire*; *policlinique* v
amechtig *hors d'haleine*; *essoufflé*
amen *amen*
amendement *amendement* m
amenderen *amender*
Amerika *l'Amérique* v ★ in ~ *en Amérique*
Amerikaan *Américain* m [v: *Américaine*]
Amerikaans *américain*
amerikaniseren I OV WW *américaniser* II ON WW *s'américaniser*
amerikanisme *américanisme* m
amethist *améthyste* v
ametropie *amétropie* v
ameublement *ameublement* m; *mobilier* m
amfetamine *amphétamine* v
amfibie • dier *animal* m *amphibie* • voertuig *véhicule* m *amphibie*
amfibievoertuig *véhicule* m *amphibie*
amfitheater *amphithéâtre* m
amfoor *amphore* v
amicaal *amical* [m mv: *amicaux*]
aminozuur *acide* m *aminé*
ammonia *ammoniaque* v
ammoniak *ammoniac* m
ammonium *ammonium* m
ammunitie *munitions* v mv
amnesie *amnésie* v
amnestie *amnistie* v ★ ~ verlenen *amnistier*
amoebe *amibe* v
amok ★ amok maken *faire l'amok*; FIG. *se mettre dans une rage folle*
amoraliteit *amoralité* v
amoreel I BNW *amoral* [m mv: *amoraux*] II BIJW *de façon amorale*
amorf *amorphe*
amortisatie *amortissement* m
amoureus *amoureux* m [v: *amoureuse*]
ampel I BNW *ample* II BIJW *amplement*
amper *à peine*; *presque*
ampère *ampère* m
amplitude *amplitude* v
ampul *ampoule* v
amputatie *amputation* v
amputeren *amputer*
Amsterdam *Amsterdam*
amsterdammertje *chasse-roue* m [mv: *chasse-roues*]
Amsterdams *amstellodamien* [v: *amstellodamienne*]
amulet *amulette* v; *fétiche* m
amusant I BNW *amusant*; INF. *marrant* II BIJW *d'une manière amusante*
amusement *amusement* m; *divertissement* m
amuseren *amuser*; *divertir*
anaal *anal* [m mv: *anaux*]
anabool I ZN *anabolisant* m II BNW ★ anabole steroïden *stéroïdes* m mv *anabolisants*
anachoreet *anachorète* m; *ermite* m
anachronisme *anachronisme* m
anachronistisch *anachronique*
anaëroob *anaérobie*
anagram *anagramme* m
anakoloet *anacoluthe* v
analfabeet *analphabète* m/v
analfabetisme *analphabétisme* m
analgeticum *analgésique* m
analist • COMP. *analyste* m *programmateur* [v: *analyste programmatrice*] • onderzoeker *analyste* m/v
analogie *analogie* v
analoog I BNW • overeenkomstig *analogue* • niet-digitaal *analogique* II BIJW *par analogie*
analyse *analyse* v
analyseren *analyser*
analytisch I BNW *analytique* II BIJW *analytiquement*
ananas *ananas* m
anarchie *anarchie* v
anarchisme *anarchisme* m
anarchist *anarchiste* m/v
anarchistisch *anarchiste*
anathema *anathème* m
anatomie • het ontleden *dissection* v • ontleedkunde *anatomie* v
anatomisch *anatomique*
anchorman *présentateur* m; *réalisateur* m
anciënniteit *ancienneté* v
andante *andante* m
ander I BNW *autre* ★ de ~e tien *les dix autres* II ONB VNW ‹m.b.t. zaken› *d'autres*; ‹m.b.t. een persoon› *un autre*; ‹na voorzetsel/m.b.t. een persoon› *autrui* ★ niets ~s *rien d'autre* ★ onder ~e *entre autres* III TELW *second* ★ om de ~e *alternativement* ★ om de ~e dag *tous les deux jours*
anderhalf *un et demi*
andermaal *de nouveau*; *encore une fois*
andermans *d'autrui* ★ ~ zaken *les affaires d'autrui*

A

A

anders I BNW *différent; autre* ★ iem. ~ *qn d'autre* ★ dat is iets ~ *c'est différent; c'est autre chose* ★ ~ dan anderen *pas comme les autres* ★ niem. ~ *personne d'autre* ★ niets ~ *rien d'autre* ★ het is nu eenmaal niet ~ *tant pis; c'est comme ça* II BIJW • gewoonlijk *d'habitude* • op andere wijze *autrement; différemment* • op andere tijd *d'autres fois* • zo niet, dan *sinon; sans quoi*
andersdenkend *non-conformiste* [m mv: *non-conformistes*]; ‹in godsdienst/wetenschap› *hétérodoxe*
andersom *en sens inverse*
andersoortig *de nature différente*
anderstalig *allophone; non néerlandophone; non francophone (enz.)*
anders-zijn *sortir de l'ordinaire*
anderszins *autrement; d'une autre manière*
anderzijds *d'autre part*
andijvie *chicorée* v *(frisée); scarole* v
Andorra *(la principauté d')Andorre* v ★ in ~ *à Andorre*
andragogie *science* v *de l'andragogie*
andreaskruis *croix* v *de Saint-André*
androgyn *androgyne*
anekdote *anecdote* v
anemie *anémie* v
anemoon *anémone* v
anesthesie *anesthésie* v
anesthesist *anesthésiste* m/v
angel • BIOL. *dard* m; *aiguillon* m • vishaak *hameçon* m
Angelsaksisch *anglo-saxon* [m mv: *anglo-saxons*] [v: *anglo-saxonne*]
angelus *angélus* m
angina *angine* v ★ ~ pectoris *angine* v *de poitrine*
angiografie *angiographie* v
angiogram *angiographie* v
anglicaans *anglican*
anglicisme *anglicisme* m
anglist *angliciste* m/v
anglofiel *anglophile* m/v
Angola *l'Angola* m
angora *angora* m
angorawol *laine* v *angora*
angst *anxiété* v; *angoisse* v; *peur* v; INF. *frousse* v ★ ~en uitstaan *être dans l'angoisse*
angstaanjagend I BNW *angoissant; terrifiant* II BIJW *de façon terrifiante*
angstgegner *équipe* v *épouvantail*
angsthaas *poltron* m [v: *poltronne*]; *paniquard* m
angstig I BNW • bang *angoissé; anxieux* [v: *anxieuse*]; *effarouché* • angstaanjagend *angoissant; terrifiant* II BIJW *anxieusement*
angstvallig I BNW • bang *timide; craintif* [v: *craintive*]; *timoré* • zorgvuldig *scrupuleux* [v: *scrupuleuse*]; *méticuleux* [v: *méticuleuse*] II BIJW zorgvuldig *méticuleusement; scrupuleusement*
angstwekkend I BNW *angoissant* II BIJW *d'une manière angoissante/inquiétante*
angstzweet *sueur* v *froide*
anijs *anis* m
animaal *animal* [m mv: *animaux*]
animatie *animation* v
animatiefilm *film* m *d'animation*
animeermeisje *entraîneuse* v
animeren *animer; encourager* ★ geanimeerd *animé*
animisme FIL. *animisme* m
animo • levendige stemming *entrain* m; *enthousiasme* m • zin om iets te doen *enthousiasme* m
animositeit *animosité* v
anjer *œillet* m
anker • scheepvaart *ancre* v ★ het ~ lichten *lever l'ancre* ★ het ~ werpen *jeter l'ancre* ★ voor ~ liggen *être à l'ancre* • palletje in uurwerk *ancre* v • rotor in dynamo *induit* m
ankeren *mouiller; jeter l'ancre*
ankerplaats *mouillage* m
annalen *annales* v mv
annex I BNW *contigu* [v: *contiguë*]; *attenant; annexe* II VW ★ tabakszaak ~ tijdschriftenverkoop *tabac-journaux* m
annexatie *annexion* v
annexeren *annexer*
anno *en l'an* ▾ anno Domini *en l'an de grâce*
annonce *annonce* v
annonceren *annoncer*
annotatie *annotation* v
annoteren *annoter*
annuïteit *annuité* v
annuleren *annuler*
annulering *annulation* v
annuleringsverzekering *assurance* v *de frais d'annulation*
Annunciatie *Annonciation* v
anode *anode* v
anomalie *anomalie* v
anoniem I BNW *anonyme* II BIJW *anonymement*
anonimiteit *anonymat* m
anorak *anorak* m
anorexia nervosa *anorexie* v *mentale*
anorganisch *inorganique*
ansicht(kaart) *carte* v *postale*
ansjovis *anchois* m
antagonist • tegenstander *antagoniste* m/v; *adversaire* m/v • spier *muscle* m *antagoniste*
Antarctica *l'Antarctique* v
antarctisch *antarctique*
antecedent • voorafgaand feit *antécédent* m; *précédent* m • TAALK. *antécédent* m
antenne *antenne* v ★ centrale ~ *antenne collective* ★ ingebouwde ~ *antenne incorporée*
anti- *anti-*
antiaanbaklaag *revêtement* m *antiadhésif*
antibioticum *antibiotique* m
antiblokkeersysteem *système* m *antiblocage*
anticiperen *anticiper (sur); être en avance (sur)*
anticlimax • dieptepunt *déception* v • TAALK. *gradation* v *décroissante*
anticoagulantia *anticoagulants* m mv
anticonceptie *contraception* v
anticonceptiepil *pilule* v *anticonceptionnelle*
anticonceptivum *contraceptif* m
anticycloon *anticyclone* m
antidateren *antidater*
antidepressivum *antidépresseur* m
antidrugseenheid *brigade* v *antidrogue*

A

antiek I ZN *antiquités* v mv; *antique* m II BNW • oud *antique*; *ancien* [v: *ancienne*] • uit de oudheid *classique*
antiekbeurs *foire* v *aux antiquités*
antiekwinkel *boutique* v *d'antiquités*
antigeen I ZN *antigène* m II BNW *antigénique*
antiheld *antihéros* m
antihistamine *antihistaminique* m
antilichaam *anticorps* m
Antilliaan *Antillais* m [v: *Antillaise*]
antilope *antilope* v
antimaterie *antimatière* v
antioxidant *antioxydant* m
antipathie *antipathie* v
antipathiek *antipathique*
antipode • tegenvoeter *antipode* m • iemand met tegenovergestelde denkwijze *pôle* m *opposé*
antiquair *antiquaire* m/v; *marchand* m *d'antiquités* [v: *marchande ...*]
antiquariaat *librairie* v *d'occasion*; *librairie* v *ancienne*
antiquarisch *ancien* [v: *ancienne*]; ‹v. boeken› *d'occasion*
antiquiteit *antiquité* v
antireclame *contre-publicité* v
antirookcampagne *campagne* v *anti-tabac*
anti-semiet *antisémite* m/v
anti-semitisme *antisémitisme* m
antiseptisch *antiseptique*
antislip *antidérapant* m
antistatisch *antistatique*
antistof *anticorps* m ★ ~ vormend *antigénique*
antiterreureenheid *unité* v *antiterroriste*
antithese *antithèse* v
antivries *antigel* m
antoniem *antonyme* m
antraciet *anthracite* m
antropologie *anthropologie* v
antropoloog *anthropologue* m/v
antroposofie *anthroposophie* v
Antwerpen *Anvers*
antwoord *réponse* v ★ ~ geven *répondre* ★ ~ krijgen *recevoir une réponse* ★ het ~ schuldig blijven *ne savoir que répondre*
antwoordapparaat *répondeur* m *(automatique)*
antwoorden *répondre*; ‹gevat› *répliquer*; *riposter*
antwoordenvelop *enveloppe-réponse* v [mv: *enveloppes-réponses*]
antwoordformulier *formulaire-réponse* m [mv: *formulaires-réponses*]
antwoordnummer *numéro* m *d'autorisation*
anus *anus* m
aorta *aorte* v
AOW • wet *loi* v *générale sur l'assurance-vieillesse* • uitkering *pension* v *(de retraite)*
AOW'er *retraité* m; *retraitée* v
apache *apache* m
Apache *Apache* m/v
apart I BNW • afzonderlijk *à part*; *séparé* • bijzonder *particulier* [v: *particulière*] II BIJW *séparément*
apartheid *apartheid* m
apartheidswet *loi* v *ségrégationniste*
apartje *aparté* m
apathie *apathie* v
apathisch I BNW *apathique* II BIJW *de façon apathique*
apatride *apatride* m/v; *sans-patrie* m/v
apegapen ▾ op ~ liggen *être à la dernière extrémité*
apenliefde *amour* m *aveugle*
apenpak *accoutrement* m
apenstaartje @ *arobas* m
aperitief *apéritif* m
apert I BNW *évident*; *notoire*; *manifeste* II BIJW *notoirement*; *manifestement*
apetrots *fier comme Artaban* [v: *fière ...*]
apezuur ▾ zich het ~ werken *se tuer au travail* ▾ zich het ~ schrikken *avoir une peur bleue*
APK ≈ *contrôle* m *technique (périodique) de véhicules automobiles* ★ de auto is APK gekeurd *la voiture a subi un contrôle technique*
aplomb *aplomb* m; *assurance* v; INF. *toupet* m
apneu *apnée* v
APO *contrat* m *collectif qui garantit le maintien d'un certain nombre d'emplois*
apocalyps *apocalypse* v ★ het bijbelboek Apocalyps *le livre de l'Apocalypse*
apocrief *apocryphe*
apodictisch • onweerlegbaar *apodictique* • zeer stellig *péremptoire*
apollinisch *apollinien* [v: *apollinienne*]
apologie *apologie* v
apostel *apôtre* m
a posteriori *a posteriori*
apostolisch I BNW *apostolique* II BIJW *de manière apostolique*
apostrof *apostrophe* v
apotheek • winkel *pharmacie* v • geneesmiddelen *produits* m mv *pharmaceutiques*
apotheker *pharmacien* m [v: *pharmacienne*]
apotheose *apothéose* v
apparaat • toestel *appareil* m; *machine* v; *instrument* m; *dispositif* m • organisatie *appareil* m
apparatuur *appareillage* m ★ elektrische ~ *appareillage électrique*
appartement *appartement* m
appartementenflat *immeuble* m *d'appartements*
appel I ZN (de) vrucht *pomme* v ▾ de ~ valt niet ver van de boom *tel père tel fils* II ZN (het) • verzameling van alle aanwezigen ★ ~ houden *faire l'appel* • JUR. *appel* m ★ ~ aantekenen *interjeter appel* ★ in ~ gaan *faire appel*
appelboom *pommier* m
appelflap *chausson* m *aux pommes*
appelflauwte *malaise* m; *évanouissement* m ★ een ~ krijgen *s'évanouir*; INF. *tomber dans les pommes*
appelleren • JUR. *interjeter appel* • ~ **aan** *faire appel (à)*; *en appeler (à)*
appelmoes *compote* v *de pommes*
appelsap *jus* m *de pommes*
appeltaart *tarte* v *aux pommes*
appendix *appendice* m
appetijtelijk *appétissant*
applaudisseren *applaudir*

A

applaus *applaudissements* m mv
applausmeter *applaudimètre* m
applicatiecursus *cours* m *de recyclage*
applicatieprogramma *progiciel* m
appliqueren *appliquer*
apporteren *rapporter*
appreciëren *apprécier*
après-ski *après-ski* m
april *avril* m ⋆ de eerste ~ *le premier avril*
aprilgrap *poisson* m *d'avril*
a priori *a priori*
à propos *à propos*
aquacultuur *aquaculture* v
aquaduct *aqueduc* m
aquajoggen *faire du jogging aquatique*
aquanaut *aquanaute* m
aquaplaning *aquaplaning* m; *aquaplanage* m
aquarel *aquarelle* v
aquarelleren *peindre à l'aquarelle*
aquarium *aquarium* m
aquatisch *aquatique*
aquavit *aquavit* m
ar *traîneau* m [mv: *traîneaux*]
ara *ara* m
arabesk *arabesque* v
Arabier • Arabischtalige *Arabe* m/v • paard *cheval* m *arabe* [m mv: *chevaux arabes*] • burger van Saoedi-Arabië *Saoudien* m [v: *Saoudienne*]
Arabisch I ZN *arabe* m II BNW *arabe*
arak *arac(k)* m
aramide *aramide* m
arbeid • werk, inspanning *travail* m [mv: *travaux*] ⋆ een zware ~ *un labeur* • ECON. *main* v *d'œuvre* • NAT. *travail* m; *énergie* v
arbeiden *travailler*
arbeider *travailleur* m [v: *travailleuse*]; *ouvrier* m [v: *ouvrière*]
arbeiderisme *ouvriérisme* m
arbeidersbeweging *mouvement* m *ouvrier*
arbeidersbuurt *quartier* m *ouvrier*
arbeidsaanbod *potentiel* m *de main-d'œuvre*
arbeidsbemiddeling *placement* m
arbeid(s)besparend ⋆ ~e machines *machines* v mv *qui économisent le travail*
arbeidsbureau *Agence* v *nationale pour l'emploi*; *A.N.P.E.* v
arbeidsconflict *conflit* m *du travail*
arbeidscontract *contrat* m *de travail*
arbeidsduurverkorting *réduction*/*diminution* v *du temps de travail*
arbeidsinspectie *inspection* v *du travail*
arbeidsintensief *coûteux en main d'œuvre*; *qui demande beaucoup de travail*
arbeidskracht *ouvrier* m [v: *ouvrière*]; ‹collectief› *main-d'œuvre* v
arbeidsloon *salaire* m; *paye* v; *paie* v
arbeidsmarkt *marché* m *du travail*
arbeidsomstandigheden *conditions* v mv *de travail*
arbeidsongeschikt *inapte au travail*
arbeidsongeschiktheidsuitkering *allocation* v *de l'assurance invalidité*
arbeidsovereenkomst *contrat* m *de travail* ⋆ algemene ~ *convention collective*
arbeidsplaats *emploi* m
arbeidsproces • gang van zaken m.b.t. arbeid *vie* v *active* • handelingen in productieproces *processus* m *de fabrication*
arbeidsrecht *droit* m *du travail*
arbeidsreserve • reserve aantal arbeidskrachten *réserve* v *en main d'œuvre* • de gezamenlijke werklozen *personnes* v mv *sans emploi*; *personnes* v mv *au chômage*
arbeidstherapie *ergothérapie* v
arbeidstijdverkorting *réduction* v *du temps de travail*
arbeidsverleden *emplois* m mv *précédents*
arbeidsvermogen • mate waarin arbeid verricht kan worden *capacité* v *productrice* • NAT. *énergie* v
arbeidsvoorwaarden *conditions* v mv *de travail*
arbeidzaam *travailleur* [v: *travailleuse*]; *laborieux* [v: *laborieuse*]; *actif* [v: *active*]
arbiter *arbitre* m
arbitrage *arbitrage* m
arbitragecommissie *commission* v *d'arbitrage*
arbitrair I BNW • willekeurig *arbitraire* [m mv: *arbitraux*] • scheidsrechterlijk *arbitral* II BIJW • willekeurig *arbitrairement* • scheidsrechterlijk *arbitralement*
arbodienst *entreprise* v *conseillant les conditions de travail et suivant les travailleurs malades*
Arbowet *loi* v *sur les conditions de travail*
arcade • booggewelf *arcade* v • bogengalerij *arcades* v mv
arceren *hachurer*
archaïsch *archaïque*
archaïsme *archaïsme* m
archeologie *archéologie* v
archeoloog *archéologue* m/v
archetype *archétype* m
archief *archives* v mv
archipel *archipel* m
architect *architecte* m
architectonisch *architectonique*
architecturaal *architectural* [m mv: *architecturaux*]
architectuur *architecture* v
architraaf *architrave* v
archivaal ⋆ ~ onderzoek *étude* v/*recherche* v *d'Archives*
archivaris *archiviste* m/v
archiveren *archiver*
Arctica *l'Arctique* v
arctisch *arctique*
Ardennen *Ardennes* v mv
are *are* m
areaal *superficie* v
arena *arène* v
arend *aigle* m
arendsblik *regard* m *d'aigle*
areometer *aréomètre* m
argeloos I BNW niets vermoedend *naïf* [v: *naïve*]; *ingénu* II BIJW *naïvement*; *ingénument*
Argentinië *l'Argentine* v ⋆ in ~ *en Argentine*
arglistig I BNW boosaardig *malin* [v: *maligne*] II BIJW *avec malignité*
argument *argument* m
argumentatie *argumentation* v

argumenteren *argumenter; démontrer par des arguments*
argusogen ▾ met ~ volgen *suivre avec une attention soupçonneuse*
argwaan *soupçon* m; *méfiance* v; *défiance* v
argwanend I BNW *méfiant; soupçonneux* [v: *soupçonneuse*] II BIJW *avec méfiance*
aria *aria* v; *air* m
Ariër *Arien* [v: *Arienne*]; *Aryen* [v: *Aryenne*]
aristocraat *aristocrate* m/v
aristocratie *aristocratie* v
aristocratisch I BNW *aristocratique* II BIJW *aristocratiquement*
aritmetica *arithmétique* v
aritmie *arythmie* v *(cardiaque)*
ark *arche* v; *péniche* v ★ de ark van Noach *l'Arche de Noé*
arm I ZN lichaamsdeel *bras* m ★ met de armen over elkaar *les bras croisés* ★ iem. een arm geven *donner le bras à qn* II BNW • behoeftig *pauvre; indigent* ★ arm worden *s'appauvrir* ★ arm maken *appauvrir* • meelijwekkend *pauvre* • ~ **aan** *pauvre en*
armatuur *armature* v
armband ‹om pols› *bracelet* m; ‹om arm› *brassard* m
armelijk I BNW *pauvre; miséreux* [v: *miséreuse*] II BIJW *pauvrement*
Armenië *l'Arménie* v ★ in ~ *en Arménie*
armetierig • armoedig *misérable* • benepen *mesquin*
armlastig *indigent; nécessiteux* [v: *nécessiteuse*]
armlengte *longueur* v *d'un bras*
armleuning *bras* m; *accoudoir* m
armoede *pauvreté* v; *misère* v ★ de ~ van geest *la faiblesse d'esprit*
armoedegrens *seuil* m *de pauvreté*
armoedeval ≈ *dilemme* m *du plafond de ressources (dont le dépassement supprime les prestations sociales)*
armoedig I BNW • haveloos *misérable; pauvre* • karig, schraal *pauvre; maigre* II BIJW *pauvrement; misérablement*
armoedzaaier INF. *crève-la-faim* m [onv]; *miséreux* m
armoriaal *armorial* m
armsgat *emmanchure* v
armslag *liberté* v *de manœuvre/d'action* ▾ ~ hebben *avoir les coudées franches*
armzalig I BNW • armoedig *misérable; pauvre; pitoyable* • onbeduidend *misérable* II BIJW *misérablement*
AROB Administrative Rechtspraak Overheidsbeschikkingen *juridiction* v *administrative sur des décisions des autorités civiles*
aroma *arôme* m
aromatherapie *aromathérapie* v
aromatisch *aromatique* ★ ~e middelen *substances* v mv *aromatiques*
aromatiseren *aromatiser*
arrangement *arrangement* m
arrangeren • regelen *arranger* • MUZ. *arranger*
arrangeur *arrangeur* m [v: *arrangeuse*]
arrenslee *traîneau* m [mv: *traîneaux*]
arrest • hechtenis *détention* v; ‹voorlopig› *garde* v *à vue*; ‹militair› *arrêts* m mv • beslaglegging *saisie* v • gerechtelijke uitspraak *arrêt* m
arrestant *détenu* m [v: *détenue*]; *prisonnier* m [v: *prisonnière*]
arrestatie *arrestation* v
arrestatiebevel *mandat* m *d'arrêt*
arrestatieteam *groupe* m *d'intervention*
arresteren • in hechtenis nemen *arrêter* • beslag leggen *saisir; confisquer* • vaststellen van notulen *approuver*
arriveren *arriver*
arrogant *arrogant; présomptueux* [v: *présomptueuse*]
arrogantie *arrogance* v; *présomption* v
arrondissement *arrondissement* m
arrondissementsrechtbank *tribunal* m *de grande instance*
arsenaal *arsenal* m [mv: *arsenaux*]
arsenicum *arsenic* m
art-director *directeur* m *artistique*
artefact • MED. *artefact* m • kunstvoorwerp *artefact* m
arterie *artère* v
Artesisch *artésien* [v: *artésienne*]
articulatie *articulation* v
articuleren *articuler*
artiest *artiste* m/v
artikel • voorwerp *article* m; *produit* m; *marchandise* v • geschreven stuk *article* m • wetsbepaling *article* m • lidwoord *article* m
artillerie *artillerie* v
artisjok *artichaut* m
artistiek I BNW *artistique* II BIJW *artistiquement*
artotheek ≈ *centre* m *où l'on peut emprunter des œuvres d'art, ou les acheter à tempérament*
artritis *arthrite* v
artrose *arthrose* v
arts *médecin* m; *docteur* m; INF. *toubib* m ★ een vrouwelijke arts *une femme médecin*
arts-assistent *médecin-assistant* m
artsenbezoeker *visiteur* m *médical* [m mv: *visiteurs médicaux*] [v: *visiteuse médicale*]
artsenij *médicament* m; *remède* m
artwork *maquette* v
as • verbrandingsresten *cendre* v • spil *axe* m; *pivot* m; ‹v. wagen› *essieu* m [mv: *essieux*]; ‹v. machine› *arbre* m ★ om zijn as draaien *pivoter* • middellijn *axe* m • MUZ. *le bémol* m ▾ uit de as herrijzen *renaître de ses cendres* ▾ as is verbrande turf *avec des si on mettrait Paris dans une bouteille* ▾ in de as leggen *réduire en cendres*
asbak *cendrier* m
asbest I ZN *asbeste* m; *amiante* m II BNW *d'amiante; d'asbeste*
asblond *blond cendré*
asceet *ascète* m
ascendant *ascendant* m
ascese *ascétisme* m
ascetisch I BNW *ascétique* II BIJW *ascétiquement*
ASCII-code *code* m *ASCII*
ascorbinezuur *acide* m *ascorbique*
aselect *arbitraire* ★ ~e steekproef *échantillon aléatoire*
aseptisch *aseptique* ★ ~ maken *aseptiser*

A

asfalt *asphalte* m; *bitume* m
asfaltbeton *béton* m *asphaltique*
asfalteren *asphalter*
asgrauw *couleur de cendre*
asiel *asile* m ⋆ politiek ~ aanvragen *demander l'asile politique*
asielprocedure *procédure* v *de demande d'asile*
asielzoeker *demandeur* m *d'asile* [v: *demandeuse d'asile*]
asielzoekerscentrum *centre* m *d'accueil (pour les demandeurs d'asile)*
asjeblieft I BIJW wil je zo vriendelijk zijn? *s'il te plaît?* II TW • hier is het *voici*; *voilà*; *tiens* • graag *volontiers*
asjemenou *eh ben, dis donc!*
asociaal *asocial* [m mv: *asociaux*]
aspect • gezichtspunt *aspect* m • vooruitzicht *perspective* v • ASTRON. *aspect* m
asperge *asperge* v
aspirant • kandidaat *candidat* m [v: *candidate*]; ‹in het leger› *aspirant* m • SPORT *junior* m/v; *minime* m/v
aspiratie • aanblazing *aspiration* v • eerzucht *aspirations* v mv
aspirine *aspirine* v
assemblage *assemblage* m
assemblee *assemblée* v
assembleren *assembler*
assenkruis *système* m *de coordonnées*; *coordonnées* v mv
Assepoester *Cendrillon* v
assertief *capable de s'affirmer/de s'imposer*
assessment ECON. *évaluation* v; *assessment* m; *opinion* v *qu'on se fait de la capacité d'un candidat à un poste*
assessmentcenter *centre* m *d'évaluation*
assimilatie *assimilation* v
assimileren I OV WW gelijkstellen *assimiler* II ON WW TAALK. *s'assimiler*; *s'adapter*
assistent *assistant* m [v: *assistante*]; ‹in ziekenhuis› *interne* m/v; ‹op laboratorium› *laborantin* m [v: *laborantine*]
assistentie *assistance* v; *aide* v; *secours* m
assisteren *assister*
associatie *association* v
associatief I BNW *associatif* [v: *associative*] II BIJW *de façon associative*
assortiment *assortiment* m
assuradeur *assureur* m
assurantie *assurance* v
aster *aster* m
asterisk *astérisque* v
asthenie *asthénie* v
astma *asthme* m
astmaticus *asthmatique* m
astmatisch *asthmatique*
astraal *astral* [m mv: *astraux*]
astrologie *astrologie* v
astroloog *astrologue* m/v
astronaut *astronaute* m/v
astronomie *astronomie* v
astronomisch *astronomique*
astronoom *astronome* m
asurn *urne* v *cinéraire*
Aswoensdag *mercredi* m *des Cendres*
asymmetrisch I BNW *asymétrique* II BIJW *de façon asymétrique*
asymptoot *asymptote* v
asynchroon *asynchrone*
atavisme *atavisme* m
atavistisch I BNW *atavique* II BIJW *par atavisme*
ATB all terrainbike *vélo* m *tout-terrain*; *VTT* m
atelier • ‹v. fotograaf› *studio* m • *atelier* m
atheïsme *athéisme* m
atheïst *athée* m/v
Athene *Athènes*
atheneum ≈ *lycée* m *classique et moderne*
atherosclerose *artériosclérose* v
atjar *légumes* m mv *atjar*
Atlantische Oceaan *océan* m *Atlantique*
atlas I ZN (de) *atlas* m II ZN (het) *satin* m
atleet *athlète* m/v
atletiek *athlétisme* m
atletisch *athlétique*
atmosfeer • dampkring/lucht *atmosphère* v • sfeer *ambiance* v
atmosferisch *atmosphérique*
atol *atoll* m
atomair *atomique*; *nucléaire*
atomiseren *atomiser*
atonaal *atonal* [m mv: *atonals*]
atoom *atome* m
atoombom *bombe* v *atomique*
atoomdreiging *menace* v *nucléaire*
atoomgeleerde *savant* m *atomiste* [v: *savante atomiste*]
atoomgewicht *poids* m *atomique*
atoomtijdperk *ère* v *atomique*
atoomwapen *arme* v *nucléaire*; *arme* v *atomique*
atrofie *atrophie* v
atropine *atropine* v
attaché *attaché* m
attachékoffer *attaché-case* m [mv: *attachés-cases*]; *porte-documents* m [onv]
attaque • MIL. *attaque* v • beroerte *attaque* v *d'apoplexie*
attaqueren *attaquer*
at-teken @ *arobas* m
attenderen *faire remarquer*; *appeler l'attention sur* ⋆ iem. ~ op iets *attirer l'attention de qn sur qc*
attent I BNW • opmerkzaam *attentif* [v: *attentive*] ⋆ iem. op iets ~ maken *attirer l'attention de qn sur qc* • vriendelijk *plein d'égards*; *prévenant* ⋆ dat is zeer ~ van u *c'est très aimable à vous* II BIJW • opmerkzaam *attentivement* • vriendelijk *avec prévenance*
attentie *attention* v ⋆ ter ~ van *à l'attention de* ⋆ ~ alstublieft *(votre) attention s'il vous plaît*
attest *attestation* v; *certificat* m
attitude *attitude* v
attractie • aantrekking *attraction* v; *attrait* m • trekpleister *attraction* v
attractief *attrayant*; *attirant*; *attractif* [v: *attractive*]
attractiviteit *attractivité* v
attributief I BNW *attributif* [v: *attributive*] II BIJW *attributivement*
attribuut *attribut* m; *emblème* m; TAALK. *attribut* m
atv *réduction* v *du temps de travail*
au *aïe!*

a.u.b. alstublieft *s.v.p.*
aubade *aubade* v
au bain-marie *au bain-marie*
aubergine I ZN *aubergine* v **II** BNW *aubergine*
audiëntie *audience* v ★ ~ aanvragen *demander une audience* ★ ~ verlenen *recevoir qn en audience*
audioapparatuur *équipement* m *audio*
audiofoon *audiophone* m
audiorack *chaîne* v *hi-fi* [v mv: *chaînes hi-fi*]
audiovisueel *audiovisuel* [v: *audiovisuelle*]
auditeur *auditeur* m [v: *auditrice*]
auditeur-militair *auditeur* m *général*
auditie *audition* v ★ ~ doen *auditionner*
auditief *auditif* [v: *auditive*]
auditorium • gehoorzaal *salle* v *de conférences*; *auditorium* m • toehoorders *auditoire* m
au fond *au fond*
augurk *cornichon* m
augustus *août* m
aula *salle* v *de conférences*; *grand* m *amphithéâtre*
au pair *au pair*
aura *aura* v
aureool • stralenkrans *auréole* v • glans *gloire* v
ausculteren *ausculter*
ausdauer *résistance* v; *endurance* v
auspiciën *auspices* m mv
ausputzer *libéro* m
Australië *l'Australie* v ★ in ~ *en Australie*
Australiër *Australien* m [v: *Australienne*]
Australisch *australien* [v: *australienne*]
autarkie *autarcie* v
auteur *auteur* m; *écrivain* m
auteursrecht • recht van de auteur *droit* m *d'auteur* • royalty's *droits* m mv *d'auteur*
authenticiteit *authenticité* v
authentiek *authentique*
autisme *autisme* m
autistisch *autistique*
auto *voiture* v; *auto* v; INF. *bagnole* v
auto- *auto-*
autobiografie *autobiographie* v
autobom *voiture* v *piégée*
autobus *autobus* m
autochtoon *autochtone*
autocoureur *pilote* m *de course*
autocraat *autocrate* m/v
autocratie *autocratie* v
autodidact *autodidacte* m/v
autogas *gaz* m *de pétrole liquéfié*
autogordel *ceinture* v *de sécurité*
auto-immuunziekte *maladie* v *auto-immune*
auto-industrie *(industrie* v*) automobile* v
autokerkhof *cimetière* m *de voitures*
autokostenvergoeding *compensation* v *des frais d'auto*
autokraker *voleur* m *de voiture* [v: *voleuse ...*]; INF. *roulottier* m [v: *roulottière*]
autoluw *où passent peu de voitures*
automaat • uit zichzelf functionerend apparaat *automate* m • distributieapparaat *distributeur* m *automatique* • auto *voiture* v *automatique* • robot *automate* m
automatenhal *hall* m *de jeux*
automatiek ≈ *snackbar* m *comportant des distributeurs automatiques*
automatisch I BNW *automatique* **II** BIJW *automatiquement*
automatiseren *automatiser*
automatisering *automatisation* v; *informatisation* v
automatiseringsdeskundige *automaticien* m [v: *automaticienne*]
automatisme *automatisme* m
automobilist *conducteur* m [v: *conductrice*]; *automobiliste* m/v
automonteur *mécanicien* m [v: *mécanicienne*]
autonomie *autonomie* v
autonoom *autonome*
auto-ongeluk *accident* m *de voiture*; *accident* m *de la route*
autopapieren *papiers* m mv *de la voiture*
autopark *parc* m *automobile*
autopech *panne* v *de voiture*
autoped *trottinette* v
autopetten *faire de la trottinette*
autopsie *autopsie* v
autoradio *autoradio* m
autorijden *conduire (une voiture)*
autorijschool *auto-école* v [mv: *auto-écoles*]
autoriseren *autoriser*
autoritair I BNW *autoritaire* **II** BIJW *autoritairement*
autoriteit *autorité* v
autoslaaptrein *train* m *autos-couchettes*
autosloperij *casse* v; *entreprise* v *de démolition de voitures*
autosnelweg *autoroute* v ★ ~ met tolheffing *autoroute* v *à péage*
autosport *sport* m *automobile*
autoverhuur *location* v *de voitures*
autovrij *interdit à la circulation automobile*
autoweg *autoroute* v
avance *avances* v mv ★ ~s maken *faire des avances*
avant-garde *avant-garde* v [mv: *avant-gardes*]
avant la lettre *avant la lettre*
avenue *avenue* v
averechts I BNW • andersom ingestoken *à l'envers* • verkeerd *de travers* **II** BIJW • andersom ingestoken *de travers*; *à rebours*; *à contresens* • verkeerd *gauchement*; *de travers*
averij SCHEEPV. *avarie* v; *averies* v mv ★ ~ krijgen *subir des avaries/des dommages*
A-verpleging *soins* m mv *non-spécialisés*
aversie *répulsion* v; *aversion* v ★ een ~ tegen iets hebben *avoir une répulsion contre qc*
A-viertje *feuille* v *A4*
avifauna *avifaune* v
avo *enseignement* m *général du second degré*
avocado *avocat* m
avond *soir* m; *soirée* v; ⟨m.b.t. uitgaan⟩ *soirée* ★ 's ~s *le soir* ★ de ~ tevoren *la veille au soir* ★ de volgende ~ *le lendemain soir* ★ goeden~ *bonsoir* ★ van~ *ce soir*
avondeten *dîner* m
avondjurk *robe* v *du soir*
avondkleding *tenue* v *de soirée*
avondklok • straatverbod *couvre-feu* m [mv: *couvre-feux*] • REL. *angélus* m; *vêpres* v mv

A

avondkrant *journal* m *du soir*
avondland *occident* m
avondmaal *repas* m *du soir*; *dîner* m ▾ het Laatste Avondmaal *La Cène*
avondmens ⋆ een ~ zijn *être du soir*
avondrood *rougeur* v *du couchant*
avondschool *école* v *du soir*; *cours* m mv *du soir*
avondspits *heure* v *de pointe du soir*
Avondster *étoile* v *du berger*
avondtoilet *tenue* v *de soirée*
avondverkoop *vente* v *en nocturne*
avondvierdaagse ≈ *randonnée* v *à pied de 4 soirées*
avondvullend *qui dure toute la soirée*
avondwinkel *magasin* m *ouvert en nocturne*
avonturenroman *roman* m *d'aventures*
avonturier *aventurier* m [v: *aventurière*]
avontuur *aventure* v
avontuurlijk I BNW • vol avonturen *aventureux* [v: *aventureuse*] • gewaagd *hasardeux* [v: *hasardeuse*] II BIJW *aventureusement*
avontuurtje *amourette* v; *aventure* v *sentimentale*
AWBZ Algemene Wet Bijzondere Ziektekosten *loi* v *générale sur l'assurance-frais médicaux spéciaux*
axioma *axiome* m
ayatollah *ayatollah* m
azalea *azalée* v
azen • aas zoeken *chasser* • ~ **op** *être avide de*; *lorgner*; *guigner*; FORM. *prétendre à*
Azerbeidzjan *l'Azerbaïdjan* m ⋆ in ~ *en Azerbaïdjan*
Aziaat *Asiatique* m/v
Aziatisch *asiatique*
Azië *l'Asie* v ⋆ in Azië *en Asie*
azijn *vinaigre* m
azijnzuur *acide* m *acétique*
Azoren *Açores* v mv ⋆ op de ~ *aux Açores*
Azteeks *aztèque*
Azteken *Aztèques* m mv
azuren *azuré*
azuur *bleu* m; *azur* m

B

b • letter *b* m • muzieknoot *si* m
baai • inham ‹groot› *golfe* m; *baie* v • stof *bure* v
baaierd *chaos* m
baak • SCHEEPV. *balise* v • paaltje *jalon* m; *borne* v
baal *balle* v; *ballot* m ▾ ergens de balen van hebben *en avoir ras le bol de qc*; *en avoir marre de qc*
baaldag *jour* m *de flemme*
baan • betrekking *emploi* m; *poste* m • strook stof *lé* m; *largeur* v • weg *voie* v; *couloir* m *(de circulation)* • route ‹v. planeet› *orbite* v; ‹v. kogel/raket› *trajectoire* v • SPORT *piste* v ▾ iets op de lange baan schuiven *remettre qc indéfiniment* ▾ ruim baan maken *aplanir la voie* ▾ dat plan is voorgoed van de baan *ce projet est définitivement écarté*
baanbrekend *innovateur* [v: *innovatrice*]
baanbreker *initiateur* m [v: *initiatrice*]; *pionnier* m [v: *pionnière*]
baanrecord *record* m *de piste*
baansport *sport* m *pratiqué sur une piste*; ‹wielrennen› *cyclisme* m *sur piste*
baantjesjager *carriériste* m/v
baanvak *section* v *de voie*
baanwachter *garde-voie* m [mv: *gardes-voie(s)*]
baar I ZN • staaf edelmetaal *barre* v; *lingot* m ⋆ een baar goud *un lingot* m *d'or* • draagbaar *civière* v; *brancard* m • golf *flots* m mv; *vague* v; *lame* v ⋆ de woelige baren *les flots déchaînés* II BNW als klinkende munt *comptant* ⋆ in baar geld betalen *payer en espèces*
baard • haargroei op kin *barbe* v ⋆ zijn ~ laten staan *laisser pousser sa barbe* • deel van sleutel *panneton* m ▾ hij heeft de ~ in de keel *sa voix mue*
baardgroei *barbe* v ⋆ zware ~ *forte pilosité* v
baarmoeder *utérus* m
baarmoederhalskanker *cancer* m *cervical*; *cancer* m *du col de l'utérus*
baarmoederslijmvlies *endomètre* m
baars *perche* v
baarzen *pêcher la perche*
baas • chef *patron* m; ‹eigenaar van dier› *maître* m ⋆ hij is zijn eigen baas *il travaille pour son propre compte*; *il est à son compte* • man, jongen *bonhomme* m ▾ de baas spelen *faire la loi* ▾ iemand de baas blijven *dominer qn* ▾ zijn zenuwen waren hem de baas *il ne pouvait plus contrôler ses nerfs* ▾ je hebt altijd baas boven baas *on trouve toujours son maître*
baat • voordeel *avantage* m ⋆ te baat nemen *profiter de*; *se servir de* • opbrengst *profit* m; *bénéfice* m
baatzuchtig I BNW *intéressé*; *égoïste* II BIJW *par intérêt personnel*
babbel *causette* v ⋆ ~s hebben *la ramener*; *ramener sa fraise* ▾ een vlotte ~ hebben *avoir du baratin*
babbelaar • kletskous *bavard* m [v: *bavarde*]

• snoep ≈ *bonbon* m *au caramel*
babbelbox *réunion* v *par téléphone*
babbelen • gezellig praten *bavarder*; ‹v. kinderen› *babiller* • roddelen *faire des ragots*; *jaser*
babbelkous *bavard* m [v: *bavarde*]
babbeltje *causette* v ★ een ~ maken *bavarder*
Babel ▾ een toren van ~ bouwen *commencer un travail d'Hercule*
baby *bébé* m
babyboom *baby-boom* m
babydoll *babydoll* v
babyfoon *babyphone* m
Babylonisch ▾ een ~e spraakverwarring *une tour de Babel*
babysitten *faire du baby-sitting*
babysitter *baby-sitter* m [mv: *baby-sitters*]
babyuitzet *layette* v
baccalaureaat *baccalauréat* m; INF. *bac* m
bacchanaal *bacchanale* v
bachelor *licencié* m [v: *licenciée*]
bacil *bacille* m
back *arrière* m
backbencher POL. *membre* m *du parlement sans portefeuille*
backhand I ZN SPORT *revers* m II BIJW *en revers*
backspacetoets COMP. *touche* v *de retour/arrière/de rappel*
back-upbestand COMP. *copie* v *de sauvegarde*
back-upprogramma *programme* m *de sauvegarde*
bacon *bacon* m
bacterie *bactérie* v ★ behandeling tegen bacteriën *traitement* m *antibactérien*
bacteriedodend *bactéricide*
bacterieel *bactérien* [v: *bactérienne*]
bacteriologisch *bactériologique*
bad *bain* m ★ een bad nemen *prendre un bain* ★ iem. in bad doen *baigner qn*
badcel *cabine* v *(de douche)*
badderen *patauger*
baden I OV WW in bad doen *baigner* II ON WW • een bad nemen *prendre un bain* • ~ **in** *nager (dans)* ★ ~ in het zweet *être trempé de sueur*
badgast *baigneur* m [v: *baigneuse*]; *estivant* m [v: *estivante*]
badge *badge* m; *insigne* v
badgoed *linge* m *de bain*
badhanddoek *serviette* v *éponge*
badhuis *établissement* m *de bains*
badineren I ZN *badinage* m II ON WW *badiner*
badjas *peignoir* m *de bain*; *sortie* v *de bain*
badkamer *salle* v *de bains*; ‹zonder bad› *salle* v *d'eau*
badkuip *baignoire* v
badlaken *drap* m *de bain*; ‹op strand› *drap* m *de plage*
badmeester *maître* m *nageur*
badminton *badminton* m
badmuts *bonnet* m *de bain*
badpak *maillot* m *de bain*
badplaats • plaats aan zee *station* v *balnéaire* • kuuroord *station* v *thermale*
badschuim *mousse* v *de bain*
badstof *tissu-éponge* m
badwater *eau* v *du bain* ▾ het kind met het ~ weggooien *jeter le bébé avec l'eau du bain*
badzout *sels* m mv *de bain*
bagage *bagages* m mv
bagagedepot *consigne* v
bagagedrager *porte-bagages* m [onv]
bagagekluis *consigne* v *automatique*
bagagerek • bagagenet *filet* m *à bagages* • imperiaal *galerie* v
bageruimte ‹in auto› *coffre* m; ‹in schip/vliegtuig› *soute* v *à bagages*
bagatel *bagatelle* v
bagatelliseren *minimiser*
bagel *(pain* m*) bagel* m
bagger *vase* v; *boue* v
baggeren I OV WW uit het water halen *draguer*; *curer* II ON WW waden ★ door de modder ~ *patauger dans la boue*
baggermachine *drague* v
bah *pouah!* ▾ geen boe of bah zeggen *ne souffler mot*
Bahama's *Bahamas* v mv ★ op de ~ *aux Bahamas*
bahco *clé* v *à molette*
Bahrein *le Bahrein*
baisse ▾ speculeren à la ~ *spéculer à la baisse*; *miser à la baisse*; *jouer à la baisse*
bajes *taule* v
bajesklant *taulard* m [v: *taularde*]
bajonet *baïonnette* v
bajonetsluiting *fixation* v *baïonnette*
bak • vergaarplaats *baquet* m; *bac* m; ‹voor vloeistof› *cuve* v; ‹voor geld› *sébile* v; ‹v. baggermachine› *godet* m; ‹voor voer› *mangeoire* v • bajes *taule* v • mop *blague* v • vaartuig *barge* v ▾ hij zal niet aan de bak komen *ce ne sera pas son tour* ▾ een bakje koffie *une tasse de café*
bakbeest *monstre* m; *bête* v *énorme*
bakboord *bâbord* m ▾ aan ~ *à bâbord*
bakeliet *bakélite* v
baken *balise* v ▾ de ~s verzetten *changer de tactique*
bakermat *patrie* v; *berceau* m
bakerpraatje *histoires* v mv
bakfiets *triporteur* m
bakkebaard *favoris* m mv
bakkeleien • ruziën *se chamailler* • vechten *se bagarrer*
bakken I OV WW door verhitting eetbaar of hard maken *faire (cuire)*; ‹in vet› *(faire) frire* II ON WW zonnebaden *se faire rôtir* ★ ~ in de zon *se faire rôtir au soleil*
bakkenist *sidecariste* m/v
bakker *boulanger* m [v: *boulangère*]
bakkerij *boulangerie* v
bakkes *trogne* v; *gueule* v
bakkie • aanhangwagentje *remorque* v • zendapparatuur *émetteur* m • kopje koffie *café* m
bakmeel *farine* v
bakpoeder *levure* v *chimique*
baksteen *brique* v
bakvet *friture* v
bakvis *fillette* v
bakzeilhalen • SCHEEPV. *brasser les voiles* • terugkrabbelen *faire marche arrière*; *baisser le ton*

B

bal I ZN (de) • bolvormig voorwerp ⟨klein⟩ *balle* v; ⟨groot⟩ *ballon* m; ⟨massief⟩ *boule* v • testikel *testicule* m • deel van voet *plante* v *du pied* ▾ geen bal ervan snappen *ne piger que dalle* ▾ de bal terugkaatsen FIG. *renvoyer l'ascenseur* II ZN (het) dansfeest *bal* m ★ gemaskerd bal *bal masqué*
balanceren I OV WW uitbalanceren *équilibrer* II ON WW *se tenir en équilibre*; *balancer*
balans • ECON. *bilan* m ★ de ~ opmaken *dresser le bilan*; *dresser son bilan* • evenwicht *équilibre* m • weegschaal *balance* v ▾ de ~ flatteren *camoufler/truquer/maquiller le bilan*
balansopruiming ADM. *soldes* m mv *pour cause d'inventaire*
balanswaarde *valeur* v *de bilan*; *valeur* v *comptable*
balatum *balatum* m
baldadig *déchaîné*; *vandale*
baldadigheid *surexcitation* v
baldakijn *baldaquin* m
Balearen *Baléares* v mv ★ op de ~ *aux Baléares*
balein I ZN (de) buigzaam staafje ⟨in korset⟩ *busc* m; ⟨in paraplu⟩ *baleine* v *de parapluie* II ZN (het) materiaal *baleine* v
balen *en avoir marre (de)*; *en avoir ras le bol (de)*
balie • toonbank *comptoir* m • advocaten *barreau* m • rechtbank *barre* v
baliekluiver *badaud* m
baljurk *robe* v *de bal*
balk • stuk hout/metaal *poutre* v; ⟨dwars-/vloerbalk⟩ *solive* v; ⟨klein⟩ *soliveau* m [mv: *soliveaux*]; SCHEEPV. *bau* m [mv: *baux*]; *barrot* m • dikke streep *bande* v
Balkan *Balkans* m mv
Balkanstaten *États* m mv *des Balkans*
balken *braire*; *crier*
balkon • uitbouw *balcon* m • ruimte in trein *plate-forme* v [mv: *plates-formes*] • rang *fauteuils* m mv *de balcon*
ballade *ballade* v
ballast *fardeau* m; ⟨m.b.t. schip/luchtballon⟩ *lest* m; FIG. *bagage* m *inutile*
ballen I OV WW samenknijpen *fermer*; *serrer* ★ de vuist ~ *serrer le poing* II ON WW spelen met bal *jouer au ballon*
ballenjongen *ramasseur* m *de balles*
ballentent *café* m *snob*
ballet *ballet* m
balletdanser *danseur* m *de ballet* [v: *danseuse* ...]
balletgezelschap *corps* m *de ballet*
balling *exilé* m [v: *exilée*]; *banni* m [v: *bannie*]
ballingschap *exil* m; *bannissement* m
ballistisch *balistique* ★ een ~e baan *une trajectoire* v *balistique*
ballon • luchtballon *ballon* m • omhulsel *ballon* m ▾ een ~netje oplaten *lancer un ballon d'essai*
ballonvaren *voyager en ballon*
ballotage *ballottage* m; *vote* m
ballpoint *stylo* m *à bille*
ballroomdansen *danse* v *de salon*
bal masqué *bal* m *masqué*
balneotherapie *balnéotherapie* v
balorig *récalcitrant*; *qui ne veut rien entendre*
balpen *stylo* m *à bille*
balsahout *balsa* m
balsem *baume* m
balsemen *embaumer*
balsemiek *balsamique*
balspel *jeu* m *de balle*; *jeu* m *de ballon*
balsport *sport* m *de ballon*
balsturig *obstiné*
Balticum *les États baltiques*
Baltisch *baltique*
balts *parades* v mv *nuptiales*
balustrade *balustrade* v; *barre* v *d'appui*
balzaal *salle* v *de bal*
balzak *bourses* v mv; *scrotum* m
bamboe I ZN (het) rietsoort *bambou* m II BNW *en/de bambou*
bami ≈ *plat* m *indonésien à base de pâtes chinoises*
ban • betovering *charme* m; *fascination* v ★ in de ban zijn van iem. *être sous le charme de qn* • verbanning ★ in de ban doen *mettre au ban* • excommunicatie *excommunication* v ★ in de ban doen *excommunier*
banaal I BNW alledaags *banal* [m mv: *banals*]; *quelconque* II BIJW *banalement*
banaan • vrucht *banane* v ★ een tros bananen *un régime de bananes* • boom *bananier* m
banaliteit *banalité* v; *lieu* m *commun*; ⟨sterker⟩ *platitude* v
bananenrepubliek *république* v *bananière*
band • strook stof *bande* v; ⟨om arm⟩ *brassard* m; ⟨lint⟩ *ruban* m • luchtband *pneu* m; ⟨binnenband⟩ *chambre* v *à air* • transportband *tapis* m *transporteur* ★ aan de lopende band *à la chaîne*; *en série* • magneetband *bande* v ★ opnemen op de band *enregistrer* • bindweefsel *ligament* m • verbondenheid *lien* m; ⟨door vriendschap⟩ *lien* m *d'amitié*; ⟨door huwelijk⟩ *liens* m mv *du mariage* ★ banden aanknopen *nouer des liens* ★ banden (van vriendschap) aanhalen *resserrer les liens d'amitié* ★ banden onderhouden *entretenir des liens* ★ de banden verbreken *rompre des liens* • boekomslag *reliure* v • boekdeel *volume* m • muziekgroep *groupe* m ▾ uit de band springen *se porter à des excès*
bandage *bandage* m
bandbreedte *largeur* v *de bande*; *marge* v *de fluctuation*
bandeau *bandeau* m [mv: *bandeaux*]
bandeloos I BNW *effréné*; *indiscipliné* II BIJW *sans frein*
bandenlichter *démonte-pneus* m [onv]
bandenpech *crevaison* v ★ ~ hebben *avoir un pneu crevé*
bandenspanning *pression* v *des pneus*
banderol • beschreven band *phylactère* m • vaan *banderole* v • sigarenbandje *bague* v
bandiet *bandit* m; *brigand* m
bandje • schouderbandje *bretelle* v • cassettebandje *cassette* v
bandopname *enregistrement* m *(sur bande)*
bandplooibroek *pantalon* m *à pinces*
bandstoten *jouer de bricole*
banen *frayer* ★ zich een weg ~ *se frayer un*

chemin
banenplan *plan* m *de création d'emplois*
banenpool *groupement* m *de sans-emploi disponibles*
bang • bevreesd *angoissant*; *effrayant* ★ bang maken *faire peur*; *intimider*; *effrayer* ★ bang zijn van/voor *craindre*; *avoir peur de* ★ bang zijn *avoir peur* ★ bang worden *prendre peur*; *s'inquiéter* • snel angstig *craintif* [v: *craintive*]; *peureux* [v: *peureuse*]; *anxieux* [v: *anxieuse*] ▾ ik ben bang dat je je vergist *je crains que tu ne te trompes*
bangelijk *peureux* [v: *peureuse*]
bangerd *peureux* m [v: *peureuse*]
bangerik *peureux* m [v: *peureuse*]
Bangladesh *le Bangladesh* ★ in ~ *au Bangladesh*
bangmakerij *intimidation* v
banier *bannière* v; *étendard* m
banjeren *vadrouiller*; *traîner*
banjo *banjo* m
bank • zitmeubel ‹in huis› *canapé* m; ‹op tribune› *gradin* m; *banc* m; ‹in auto/trein› *banquette* v • geldinstelling *banque* v • werkbank *établi* m • inzet *banque* v • casino *casino* m
bankafschrift *relevé* m *de compte*
bankbiljet *billet* m *de banque*
bankbreuk ★ bedrieglijke ~ *banqueroute frauduleuse*
bankcheque *chèque* m *de banque/bancaire*
banket • feestmaal *banquet* m; *festin* m • gebak *pâtisserie* v
banketbakker *pâtissier* m [v: *pâtissière*]
banketbakkerij *pâtisserie* v
banketletter ≈ *gâteau* m *feuilleté à la pâte d'amandes en forme de lettre*
bankgarantie *garantie* v *de banque*; *caution* v *de banque*
bankgeheim *secret* m *bancaire*
bankier *banquier* m
bankoverval *attaque* v *de banque à main armée*; *hold-up* m [onv]
bankpas *carte* v *bancaire*; *carte* v *de paiement et de retrait*
bankrekening *compte* m *bancaire*
bankrekeningnummer *numéro* m *de compte en banque*
bankroet *faillite* v; *banqueroute* v ★ ~ gaan *faire faillite*
bankroof *cambriolage* m *d'une banque*
banksaldo *solde* m *en banque*
bankschroef *étau* m [mv: *étaux*]
bankstel *ensemble* m *de salon*
bankwerker *ajusteur* m
bankwezen *banques* v mv; *système* m *bancaire*
banneling *banni* m [v: *bannie*]; *exilé* m [v: *exilée*]
bannen *bannir*; *exiler*; ‹v. gedachten› *chasser*; *reléguer*; ‹v. boze geesten› *exorciser*
bantamgewicht *poids* m *coq*
banvloek *anathème* m; *excommunication* v ★ de ~ uitspreken over *anathémiser*; *excommunier*
baptist *baptiste* m/v
bar I ZN • café *bar* m • tapkast *comptoir* m II BNW • erg ★ het is bar en boos *c'est abominable* • dor *aride*; *stérile* • koud *âpre*; *rude*; *rigoureux* [v: *rigoureuse*] III BIJW *terriblement*; *rudement*
barak *baraque* v; *baraquement* m
barbaar *barbare* m
barbaars I BNW • onbeschaafd *barbare* • wreed *cruel* [v: *cruelle*] II BIJW • onbeschaafd *en barbare* • wreed *cruellement*
barbarisme *emprunt* m
barbecue *barbecue* m
barbecuen *faire un barbecue*
barbeel *barbeau* m
Barbertje ▾ ~ moet hangen ≈ *il faut une victime*; ≈ *il faut un bouc émissaire*
barbiepop *poupée* v *Barbie*
barbier *barbier* m
barbituraat *barbiturique* m
barcode *code* m *à barres*
bard *barde* m
baren • ter wereld brengen *accoucher (de)*; *enfanter*; *mettre au monde* • veroorzaken *causer*; *produire*; *susciter* ★ opzien ~ *faire sensation*
baret *béret* m; ‹v. geestelijke› *barrette* v; ‹v. professor› *toque* v
Bargoens I ZN *argot* m II BNW *argotique*
bariton *baryton* m
barium *baryum* m
bark • zeilschip *trois-mâts* m • slecht schip *rafiot* m
barkeeper *barman* m
barkruk *tabouret* m *de bar*
barmhartig I BNW *miséricordieux* [v: *miséricordieuse*]; *charitable* II BIJW *charitablement*; *avec miséricorde*
barmhartigheid *miséricorde* v; *charité* v
barnsteen *ambre* m *jaune*
barok I ZN (de) *baroque* m II BNW *baroque*
barometer *baromètre* m
barometerstand *hauteur* v *barométrique*
baron *baron* m
baroscoop *baroscope* m
barotrauma • atmosfeer *chute* v *brusque de la pression atmosphérique* • letsel *barotraumatisme* m
barracuda *barracuda* m
barrage *barrage* m
barrel *baril* m
barrevoets I BNW *déchaussé*; *les pieds nus* II BIJW *nu-pieds*
barricade *barricade* v
barricaderen *barricader*
barrière *barrière* v
bars I BNW *brusque*; *rude*; *bourru* II BIJW *rudement*; *avec brusquerie*
barst *fissure* v; ‹in lip e.d.› *gerçure* v; ‹in glas› *fêlure* v; ‹in grond› *crevasse* v; ‹in muur› *lézarde* v
barsten • barsten krijgen *se fissurer*; *se fendre*; *se fêler*; ‹v. huid› *se gercer* • uit elkaar springen *éclater*; *crever* ▾ iemand laten ~ *laisser tomber qn* ▾ een ~de hoofdpijn *un mal de tête qui vous fend le crâne*
barstensvol *plein à craquer* ★ hij zat ~ ideeën *il débordait d'idées*

B

B

barysfeer *barysphère* v
bas • stem *(voix* v *de) basse* v • zanger *basse* v • instrument *contrebasse* v
basaal • van de basis *de base* • fundamenteel *basique*
basalt *basalte* m
bascule *bascule* v
base *base* v
baseball *base-ball* m
baseline *ligne* v *de fond*
baseren *baser*; *fonder* ★ gebaseerd zijn op *se baser sur*; *se fonder sur*; *tabler sur*
basgitaar *guitare* v *basse*
Basic *(langage* m*) BASIC* m
basilicum *basilic* m
basiliek *basilique* v
basilisk *basilic* m
basis • grondslag *base* v • fundament *fondements* m mv • WISK. ★ de ~ van een driehoek *la base d'un triangle*
basis- *de base*
basisbeurs ≈ *bourse* v *attribuée à tout étudiant*
basisch *basique*
basiscursus *cours* m *élémentaire*
basisinkomen *salaire* m *de base*; *revenu* m *de base*
basisloon *salaire* m *de base*
basisonderwijs *enseignement* m *primaire*
basisopstelling *sélection* v *de base*
basisschool *école* v *primaire*
basisvak *discipline* v *de base*
basisvorming *enseignement* m *de base*; *premier cycle* m; *tronc* m *commun*
Bask *Basque* m/v
Baskenland *le Pays Basque* ★ in ~ *au Pays Basque*
basketbal I ZN bal *ballon* m *de basket* II ZN spel *basket-ball* m
Baskisch I ZN *basque* m II BNW *basque*
bas-reliëf *bas-relief* m [mv: *bas-reliefs*]
bassin *bassin* m
bassist *bassiste* m
bassleutel • muzieksleutel *clef* v *de fa* • stemsleutel *clef* v *d'accordeur pour graves*
bast • schors *écorce* v • lijf *panse* v; *corps* m
basta *assez!*; *ça suffit!*; *fini!* ★ en daarmee ~! *et puis un point, c'est tout!*
bastaard *bâtard* m [v: *bâtarde*]
bastaardwoord *mot* m *hybride*
Bastenaken *Bastogne*
basterdsuiker *vergeoise* v
bastion *bastion* m
bat • *raquette* v *de ping-pong* • cricket *bat* m; *batte* v
Bataaf *Batave* m/v
bataljon *bataillon* m
batch COMP. *lot* m; *batch* m ★ ~verwerking *traitement* m *par lots*
bate *avantage* m; ⟨financieel⟩ *profit* m; *bénéfice* m ★ ten bate van *au profit de*; *au bénéfice de*
baten *servir (à)*; *être utile (à)* ▾ baat het niet, dan schaadt het niet *on ne risque rien à essayer*
batig *favorable* ★ een ~ saldo *un solde créditeur*
batikken *faire quelque chose en batik*
batist *batiste* v
batterij • energiebron *pile* v • verzameling *batterie* v • MIL. *batterie* v
baud *baud* m
bauxiet *bauxite* v
bavarois *bavaroise* v; *glace* v *aux fruits confits*
baviaan *babouin* m
bazaar • liefdadigheidsverkoop *vente* v *de charité* • marktplaats *bazar* m • warenhuis *bazar* m
Bazel *Bâle*
bazelen *radoter*
bazig I BNW *autoritaire*; *dominateur* [v: *dominatrice*] II BIJW *autoritairement*
bazin *patronne* v; ⟨v. dier⟩ *maîtresse* v
bazooka *bazooka* m
bazuin *trompette* v
beachvolleybal *volley(-ball)* m *de plage*
beademen • adem inblazen *insuffler*; ≈ *réanimer* • adem overheen laten gaan *souffler sur*
beademing *insufflation* v ★ mond-op-mond ~ *bouche-à-bouche* m
beambte *employé* m [v: *employée*]; ⟨aan loket⟩ *préposé* m [v: *préposée*]
beamen *approuver*; *être d'accord*
beangstigen *effrayer*; *angoisser*
beantwoorden I OV WW reageren op *répondre (à)* ★ een brief ~ *répondre à une lettre* II ON WW ~ **aan** *répondre (à)*; *correspondre (à)*
bearnaisesaus *sauce* v *béarnaise*
beat *beat* m
beauty *beauté* v
beautycase *vanity-case* m [mv: *vanity-cases*]; *vanity* m
beautyfarm *salon* m *de beauté dans une ferme*
bebloed *ensanglanté*; *en sang*
beboeten *verbaliser*; *infliger une amende (à)*
bebop • MUZ. *be-bop* m • haardracht *coiffure* v *be-bop*
bebossen *boiser*; ⟨opnieuw⟩ *reboiser*
bebouwen • gebouwen neerzetten op *bâtir (sur)*; *urbaniser* • gewassen kweken op *cultiver*
bebouwing • gebouwen *construction* v • akkerbouw *mise* v *en culture*; *exploitation* v
bechamelsaus *sauce* v *béchamel*
becijferen *calculer*; *chiffrer*
becommentariëren *commenter*
beconcurreren *concurrencer*
becquerel *becquerel* m
bed • slaapplaats *lit* m; INF. *plumard* m ★ naar bed gaan *se coucher* ★ uit bed springen *sauter (à bas) du lit* ★ bedden naast elkaar *des lits-jumeaux* ★ het bed houden *garder le lit*; *rester au lit* ★ het bed opmaken *faire le lit* ★ in bed leggen *mettre au lit*; *coucher* • bloembed *carré* m; *plate-bande* v [mv: *plates-bandes*] ▾ zijn bedje is gespreid *son avenir est assuré*
bedaagd *d'un âge avancé*
bedaard *calme*; *posé*
bedacht ★ op iets ~ zijn *s'attendre à qc*; *être préparé à qc*
bedachtzaam I BNW *réfléchi*; *circonspect*; *prudent* II BIJW *avec réflexion*; *avec*

circonspection
bedankbrief *lettre* v *de remerciement*
bedanken I ov ww dank betuigen *remercier* II on ww • afslaan *refuser*; *décliner* • opzeggen *démissionner*; *donner sa démission*
bedankje • dankwoord *remerciement* m ★ er kon nog geen ~ af *il/elle n'a même pas dit merci* • weigering *refus* m *(poli)*
bedaren I ov ww tot rust brengen *apaiser*; *calmer* II on ww tot rust komen *se calmer*; *s'apaiser*
bedbank *canapé-lit* m; *banquette-lit* v
beddengoed *literie* v
bedding • onderlaag *assise* v; *support* m • geul *lit* m
bede *prière* v; *demande* v; ‹dringend› *instance* v
bedeesd I bnw *timide* II bijw *timidement*
bedehuis *maison* v *de prière*
bedekken • onzichtbaar maken *couvrir (de)*; *recouvrir* • verbergen *masquer*; *cacher*
bedekking • wat bedekt *couverture* v • bekleding *revêtement* m
bedekt • niet openlijk *couvert*; *caché* • afgedekt *couvert*
bedektzadigen *angiospermes* v mv
bedelaar *mendiant* m [v: *mendiante*]
bedelarij *mendicité* v
bedelarmband *bracelet* m *à breloques*
bédelen *mendier*; inf. *faire la manche*
bedélen *faire la part à*; *pourvoir* ★ iem. ruim bedelen *faire la part belle à qn*
bedelstaf *mendicité* v ▾ tot de ~ brengen *réduire à la mendicité*; ‹v. land› *ruiner*
bedeltje *breloque* v
bedelven • helemaal bedekken *enfouir*; *ensevelir* • overstelpen *accabler (de)*
bedenkelijk • twijfel uitdrukkend *hésitant* • zorgelijk *grave*; *épineux* [v: *épineuse*]; *délicat* ★ dat ziet er ~ uit *cela donne à réfléchir*
bedenken I ov ww • overwegen *considérer* ★ en als je dan bedenkt, dat *et dire que* ★ bedenk wel *notez bien* • verzinnen *imaginer*; *concevoir* • iets schenken *laisser*; *léguer* II wkd ww • nadenken over *réfléchir (à)* • van gedachten veranderen *se raviser*
bedenking • overweging *réflexion* v; *considération* v • bezwaar *objection* v ★ ik heb zo mijn ~en *j'ai mes réserves*
bedenktijd *temps* m *de réflexion*; *délai* m *de réflexion* ★ ik geef u ... ~ *je vous accorde un délai de ...*
bederf *putréfaction* v; *décomposition* v; *pourriture* v ★ aan ~ onderhevig *périssable*
bederfelijk *périssable*; *corruptible*
bederfwerend *antiseptique*
bederven I ov ww • slechter maken *abîmer*; *corrompre*; ‹v. plezier› *gâcher* • verwennen *gâter* II on ww onbruikbaar worden *pourrir*; *se gâter*
bedevaart *pèlerinage* m
bedevaartganger *pèlerin* m
bedevaartplaats *lieu* m *de pèlerinage*
bedgenoot *compagnon* m *de lit* [v: *compagne ...*]
bediende *commis* m; *garçon* m; ‹in huis› *domestique* m/v; ‹in hotel› *chasseur* m; *groom* m
bedienen I ov ww • rel. *administrer un moribond* • helpen *servir* • laten functioneren *commander* II wkd ww gebruik maken van *se servir (de)*; *user (de)*
bediening • rel. ‹kerkelijke functie› *charge* v; ‹rooms-katholiek› *administration* v • het helpen *service* m ★ slechte ~ *mauvais service* ★ snelle ~ *service rapide* ★ is de ~ inbegrepen? *le service est-il compris?*
bedieningspaneel *pupitre* m
bedillen • vitten op *chicaner*; *ergoter* • zich bemoeien met *se mêler de*
bedilzucht ≈ *manie* v *de se mêler de tout*
beding *stipulation* v; *condition* v ▾ onder geen ~ *à aucune condition*; *en aucun cas*
bedingen *négocier*; *stipuler*
bedisselen *arranger*; *régler*
bedlegerig *alité*; *retenu au lit* ★ ~ worden *s'aliter*; *prendre le lit*
bedoeïen *bédouin* m [v: *bédouine*]
bedoelen • aanduiden *vouloir dire* ★ wie bedoelt u? *à qui pensez-vous?* ★ wat bedoel je? *qu'est-ce que tu veux dire?* ★ wat bedoelt hij toch? *où en veut-il venir?* • beogen *viser (à)*
bedoeling • oogmerk *intention* v; form. *dessein* m ★ het ligt in de ~ om *il entre dans les intentions de* ★ met een goede ~ *à bonne intention* ★ zonder kwade ~ *sans (y entendre) malice* • betekenis *sens* m
bedoening • gedoe ★ het is een hele ~ *c'est toute une affaire*; *quelles histoires* • toestand ★ het was een kale ~ *c'était un peu maigre*
bedompt *mal aéré*; *étouffant* ★ ~ ruiken *sentir le renfermé*
bedonderd • gek *dingue*; *malade* ★ ben je helemaal ~? *t'es complètement dingue?* • beroerd ★ er ~ uitzien *avoir une sale mine* ★ ergens te ~ voor zijn ≈ *avoir la flemme de faire qc*
bedonderen *rouler*; *couillonner*; inf. *arnaquer*
bedorven • rot *pourri*; ‹v. jurk› *abîmé*; ‹v. lucht› *vicié* • verwend *gâté*
bedotten *duper*; *tromper*; inf. *mettre dedans*
bedplassen *souffrir d'énurésie*; *faire pipi au lit*
bedrading *câblage* m; *fils* m mv ★ gedrukte ~ *circuit imprimé* ★ in vaste ~ *câblé*
bedrag *montant* m; *total* m; *somme* v ★ ten ~e van *du montant de* ★ tot een ~ van *jusqu'à concurrence de* ★ het ~ overmaken op *verser le montant à*
bedragen *se monter à*; *s'élever à*; *se chiffrer à*; *être de*
bedreigen *menacer (de)* ★ met iets bedreigd worden *être sous le coup de qc*
bedreiging *menace* v
bedremmeld I bnw *confus*; *penaud* II bijw *d'une manière confuse*
bedreven *habile (dans)*; *expert (dans)*; *fort (en)*; *rompu (à)*
bedriegen *tromper*; *duper*
bedrieger *trompeur* m [v: *trompeuse*]; *tricheur* m [v: *tricheuse*]; *escroc* m ▾ de ~ bedrogen *l'arroseur arrosé*

B

bedrieglijk I BNW *trompeur* [v: *trompeuse*]; *frauduleux* [v: *frauduleuse*] II BIJW *de manière trompeuse*
bedrijf • onderneming *entreprise* v; *firme* v; ‹agrarisch› *exploitation* v ★ het midden- en klein~ *les petites et moyennes entreprises*; *les P.M.E.* • deel van toneelstuk *acte* m • werking *action* v ★ in ~ zijn *fonctionner*
bedrijfsadministratie • management *administration* v *(d'une entreprise)* • secretariaat *secrétariat* m
bedrijfsarts *médecin* m *d'entreprise*
bedrijfsblind ≈ *aveugle pour le vrai cours des événements de l'entreprise*
bedrijfschap ≈ *association* v *professionnelle*; *syndicat* m
bedrijfseconomie *économie* v *d'entreprise*
bedrijfsgeheim *secret* m *d'affaires*; *secret* m *d'entreprise*
bedrijfskapitaal *fonds* m *de roulement*
bedrijfsklaar *opérationnel* [v: *opérationnelle*]; *prêt à l'emploi*
bedrijfskunde ≈ *management* m
bedrijfsleider *gérant* m; *chef* m *d'entreprise*
bedrijfsleiding *direction* v *d'entreprise*
bedrijfsleven • de bedrijven *entreprises* v mv • industrie en handel *vie* v *économique*
bedrijfsongeval *accident* m *du travail*
bedrijfstak *secteur* m *(industriel)*
bedrijfsvereniging *association* v *professionnelle sectorielle*
bedrijfsvoering *gestion* v *de l'entreprise*; *management* m
bedrijfszeker *fiable*
bedrijven *faire*; *pratiquer* ★ de liefde ~ *faire l'amour*
bedrijvenpark *quartier* m/*terrain* m *plein de bureaux et de lieux d'exploitation*
bedrijvig • levendig *animé*; *occupé* • ijverig *actif* [v: *active*]
bedrijvigheid • levendigheid *animation* v • ijver *activité* v
bedrinken (zich) *s'enivrer*; INF. *se cuiter*; *se soûler*
bedroefd I BNW *triste*; *affligé*; *désolé* II BIJW *tristement*
bedroeven *attrister*; *affliger*; *désoler*
bedroevend I BNW • treurig *triste* • ergerlijk *affligeant*; *désolant*; *pitoyable* II BIJW *lamentablement*
bedrog *tromperie* v; *fraude* v; ‹in spel› *tricherie* v ★ optisch ~ *illusion d'optique* v
bedruipen I OV WW *arroser*; *mouiller* II WKD WW *se suffire*
bedrukken *imprimer* ★ bedrukte stof *tissu à dessins* m
bedrukt • met inkt bedrukt *imprimé* • neerslachtig *abattu*; *affligé* ★ er ~ uitzien *avoir l'air triste*
bedscène *scène* v *érotique*
bedstee ≈ *alcôve* v; ‹met deurtjes› *lit* m *breton*
bedtijd *heure* v *du coucher*
beducht *alarmé*; *inquiet* [v: *inquiète*]
beduiden • betekenen *signifier*; *vouloir dire* ★ dat heeft niets te ~ *cela n'a pas d'importance* • aanduiden *faire signe (à qn de + inf.)* • voorspellen *annoncer*; *présager* ★ dat beduidt niet veel goeds voor de toekomst *cela ne présage rien de bon*
beduidend I BNW *considérable* II BIJW *nettement* ★ het gaat ~ beter *ça va nettement mieux*
beduimelen *tacher (en maniant)* ★ een beduimeld boek *un livre couvert de taches de doigts*
beduusd *déconcerté* ★ ik was helemaal ~ van haar reactie *sa réaction m'avait interloqué*
beduvelen *avoir*; *rouler* ★ ze heeft me beduveld *elle m'a eu*
bedwang ★ in ~ houden *maîtriser*
bedwateren *souffrir d'énurésie nocturne*
bedwelmen *étourdir*; *griser*; *enivrer*
bedwingen • onderdrukken *contraindre*; *dompter*; ‹v. tranen› *refouler*; *retenir* • onderwerpen *soumettre*; *assujettir*
bedzeiltje *alaise* v; *alèse* v
beëdigen • eed laten afleggen *assermenter* • bekrachtigen *confirmer*; *ratifier sous le sceau du serment*
beëindigen *finir*; *achever*; *terminer*
beëindiging *fin* v
beek *ruisseau* m [mv: *ruisseaux*]
beeld • afbeelding *image* v; *figure* v; *portrait* m • voorstelling *image* v; *idée* v • beeldhouwwerk *statue* v; ‹borstbeeld› *buste* m • indruk, idee *idée* v ★ zich een ~ vormen van *se faire une idée de*; *se former une image de* • een mooi exemplaar *beauté* v ★ een ~ van een meisje *une fille belle comme le jour*
beeldband *bande* v *vidéo*
beeldbuis • TECHN. *écran* m; *tube-image* m [mv: *tubes-images*] • televisie *petit écran* m
beelddrager *support* m *d'images*
beeldend I BNW *imagé*; *évocatif* [v: *évocative*] ★ ~e taal gebruiken *utiliser un langage métaphorique* ★ ~e kunsten *arts* m mv *plastiques*; *Beaux-Arts* m mv II BIJW *de façon figurée*
beeldenstorm *iconoclasme* m ★ ~er *iconoclaste* m
beeldhouwen *sculpter* ★ het ~ *la sculpture*
beeldhouwer *sculpteur* m ★ beeldhouwster *femme sculpteur* v
beeldhouwkunst *sculpture* v
beeldhouwwerk *sculpture* v
beeldig I BNW *ravissant* II BIJW *à merveille* ★ deze jurk staat haar ~ *cette robe lui va à merveille*
beeldmerk *marque* v
beeldplaat *vidéodisque* m
beeldpunt • punt van optisch beeld *point-image* m [mv: *points-images*] • punt van een reproductiebeeld *point* m *d'analyse*
beeldscherm *(petit) écran* m
beeldschoon *de toute beauté*; *beau comme le jour* [v: *belle comme le jour*]; *ravissant*
beeldspraak *langage* m *figuré*; *métaphore* m
beeldtelefoon *vidéophone* m; *visiophone* m
beeldverbinding *contact* m *de personnes à l'aide d'images de télévision*
beeltenis *portrait* m; *image* v; *effigie* v
been • ledemaat *jambe* v ★ een been breken

se casser une jambe ★ niet meer op zijn benen kunnen staan *ne plus tenir sur ses jambes* ★ de benen strekken *se dégourdir/se dérouiller les jambes* • bot *os* m • WISK. *côté* m ▾ op eigen benen staan *être indépendant* ▾ geen been hebben om op te staan *être incapable de prouver ce qu'on a affirmé* ▾ zijn beste beentje voorzetten *se montrer à son avantage* ▾

beenbreuk *fracture* v *d'une jambe*

beendergestel *ossature* v

beenmerg *moelle* v *osseuse*

beenmergtransplantatie *greffe* v *de moelle osseuse*

beenvlies *périoste* m

beenwarmer *jambière* v

beer • roofdier *ours* m • varken *verrat* m • steunbeer *contrefort* m • waterkering *batardeau* m [mv: *batardeaux*] • drek *purin* m; *excréments* m mv ▾ de grote Beer *la grande Ourse* ▾ zo sterk als een beer *fort comme un Turc*

beerput *fosse* v *d'aisances*; FIG. *cloaque* m; VULG. *merdier* m

beërven *hériter*

beest • dier *bête* v; *animal* m [mv: *animaux*] • ruw mens *brute* v ▾ de ~ uithangen *faire des siennes* ▾ dat is bij de ~en af *c'est dégoûtant*

beestachtig I BNW wreed *bestial* [m mv: *bestiaux*]; *brutal* [m mv: *brutaux*] II BIJW • ruw *bestialement* • erg *terriblement*; *horriblement*

beestenboel • rotzooi *pagaïe* v • lawaai *vacarme* m; INF. *boucan* m

beestenweer *temps* m *de chien*

beet • het bijten *morsure* v; *coup* m *de dent* • wond *morsure* v; ⟨v. insect⟩ *piqûre* v • hap *bouchée* v

beethebben I OV WW • vast hebben *tenir* • voor de gek houden *avoir* II ON WW *avoir une touche* ★ ik heb beet! *ça mord!*

beetje *peu* m; ⟨vleugje⟩ *soupçon* m ★ alle ~s helpen *tout peut servir* ★ een heel klein ~ *un (tout) petit peu* ★ stukje bij ~ *petit à petit*; *peu à peu* ★ bij stukjes en bij ~s vertellen *raconter par petits morceaux* ▾ een ~ arts weet dat *un médecin qui se respecte le sait* ▾ maak het een ~! *non, mais des fois!*

beetnemen • beetpakken *saisir*; *attraper* • ertussen nemen *duper*; *rouler*; *attraper* ★ ik laat me niet ~ *on ne me la fait pas*

beetpakken *saisir*; *empoigner*; *prendre* ★ bij de kraag ~ *saisir au collet*

beetwortel *betterave* v

befaamd *fameux* [v: *fameuse*]; *célèbre*; *renommé*

beffen *brouter*

begaafd *doué*; *de talent*; *talentueux* [v: *talentueuse*] ★ buitengewoon ~ *surdoué* ★ ~ met *doué de*

begaafdheid *talent* m; *dons* m mv; *moyens* m mv

begaan I BNW *compatissant* ★ met iemands lot ~ zijn *être touché par le sort de qn* II OV WW • uitvoeren *faire*; *commettre* ★ een fout ~ *commettre une erreur* • betreden *fréquenter* ★ een weg ~ *emprunter un chemin* III ON WW zijn gang gaan ★ iem. laten ~ *laisser faire qn*

begaanbaar *praticable*

begeerlijk I BNW *désirable*; *avide* II BIJW *avidement*

begeerte *désir* m; *appétit* m; *convoitise* v; ⟨zinnelijk⟩ *concupiscence* v

begeesteren *enthousiasmer*

begeleiden • meegaan met *accompagner*; ⟨uitgeleide doen⟩ *escorter* • ondersteunen *guider*; *suivre* • MUZ. *accompagner* ★ iem. op de piano ~ *accompagner qn au piano*

begeleider • vergezeller *accompagnateur* m [v: *accompagnatrice*] • adviseur *personne* v *qui guide*; ⟨v. kinderen⟩ *moniteur* m [v: *monitrice*] • MUZ. *accompagnateur* m [v: *accompagnatrice*]

begeleiding • het vergezellen *accompagnement* m; ⟨militair⟩ *escorte* v • het ondersteunen *conseil* m; *assistance* v • MUZ. *accompagnement* m

begenadigd *qui a du génie*; *doué*

begenadigen *faire grâce à*; ⟨m.b.t. misdrijf⟩ *amnistier*

begeren *désirer*; *aspirer à*; *convoiter*

begerenswaard(ig) *désirable*; *tentant*

begerig I BNW • gretig *avide* • verlangend *désireux (de)* [v: *désireuse*]; *avide (de)* II BIJW *avidement*

begeven I OV WW in de steek laten *abandonner*; *délaisser*; *quitter* ★ ik voel dat mijn krachten het ~ *je sens mes forces défaillir* II WKD WW gaan *se rendre à* ▾ zich op glad ijs ~ *s'aventurer sur une pente glissante*

begieten *arroser*

begiftigen *doter (de)*; *douer (de)*; *gratifier (de)*

begijn *béguine* v

begijnhof *béguinage* m

begin • eerste deel *début* m; *commencement* m ★ in het ~ *au début* ★ een ~ maken met *entamer*; *commencer* ★ van het ~ af *dès le début*; *d'emblée* ★ van het ~ tot het eind *du début à la fin* ★ alle ~ is moeilijk *il n'y a que le premier pas qui coûte* • oorsprong *origine* v; *naissance* v

beginkapitaal *mise* v *de fonds*; *capital* m *de départ* [m mv: *capitaux* ...]

beginneling *commençant* m [v: *commençante*]; ⟨in opleiding⟩ *apprenti* m [v: *apprentie*]; *débutant* m [v: *débutante*]

beginnen I OV WW • begin maken met *commencer*; ⟨met onderwerp⟩ *entamer* ★ een gesprek ~ met iem. *engager la conversation avec qn* ★ een zaak ~ *monter une affaire* ★ er is geen ~ aan *c'est la mer à boire* • gaan doen ★ we kunnen niets tegen hem ~ *nous ne pouvons rien contre lui* II ON WW aanvangen *commencer* ★ de les is begonnen *la classe a commencé* ★ het begint te sneeuwen *il commence à neiger* ★ daar begint het gedonder *nous y voilà*

beginner → **beginneling**

beginnersfout *faute* v *de débutant*

beginrijm *allitération* v

beginsel • principe *principes* m mv

B

B

• grondslag *principe* m ★ in ~ *en principe* ★ de ~en van het rekenen *les rudiments du calcul* ★ het leidend ~ *le principe directeur* ★ uit ~ *par principe* ★ van een ~ uitgaan *partir d'un principe*
beginselverklaring *programme* m *de base*; *discours-programme* m
beglazing *vitrage* m ★ dubbele ~ *double-vitre* v
begluren *lorgner*; *épier*
begonia *bégonia* m
begoochelen *illusionner*; *leurrer*
begraafplaats *cimetière* m
begrafenis *enterrement* m; *funérailles* v mv
begrafenisonderneming *entreprise* v *de pompes funèbres*; *pompes* v mv *funèbres*
begrafenisstoet *convoi* m *funèbre*; *cortège* m *funèbre*
begraven • in de grond stoppen *enfouir*; *enterrer* • in het graf leggen *enterrer*; *ensevelir*; FORM. *inhumer* ★ hier ligt ~ *ci-gît*; *ici repose*
begrensd • binnen grenzen *délimité* • beperkt *limité*
begrenzen • beperken *limiter* • de grens zijn van *borner*; *(dé)limiter* • nauwkeurig aangeven *délimiter*
begrenzing FIG. *délimitation* v; *démarcation* v; *localisation* v
begrijpelijk • te begrijpen *compréhensible*; *concevable* ★ ik vind het ~ dat hij niet is gekomen *je comprends bien qu'il ne soit pas venu* • duidelijk *compréhensible*; *intelligible*; *clair* ★ ~ maken *rendre compréhensible* ★ ~ voor iedereen *à la portée de toutes les intelligences*
begrijpen • verstandelijk bevatten *comprendre*; *concevoir*; *entendre*; INF. *piger* ★ hij begrijpt er niets van *il n'y comprend rien* ★ nu begrijp ik het *maintenant j'y suis* • omvatten *contenir*; *comprendre* ★ daaronder begrepen *y compris* [onv]
begrip • het begrijpen *compréhension* v; ‹inzicht› *entendement* m; *intellect* m ★ dat gaat zijn ~ te boven *cela le dépasse* ★ geen flauw ~ van iets hebben *ne pas avoir la moindre notion de* ★ langzaam van ~ zijn *avoir l'intelligence lente* • denkbeeld *conception* v; ‹algemene voorstelling› *notion* v ★ een rekbaar ~ *une notion élastique* ★ voor onze ~pen is dat te duur *à nos yeux c'est trop cher*
begripsbepaling *définition* v
begripsverwarring *confusion* v *des idées*
begroeien *couvrir*
begroeiing *végétation* v
begroeten *saluer*; *dire bonjour*
begroeting *salutation* v; *accueil* m; *réception* v
begrotelijk *trop cher* [v: *trop chère*]
begroten *évaluer (à)*
begroting • raming *estimation* v *budgétaire* ★ een gat in/een tekort op de ~ *un déficit budgétaire* ★ een ~ (op)maken *faire un devis*; *établir un budget* ★ een ~ overschrijden *dépasser le budget* ★ een ~ sluitend maken *boucler les dépenses*; *équilibrer les dépenses* • het stuk *budget* m ★ aanvullende ~ *budget complémentaire* m ★ in de ~ opnemen *budgétiser*
begrotingsjaar *année* v *budgétaire*; *exercice* m *budgétaire*
begrotingstekort *déficit* m *budgétaire*
begunstigde *bénéficiaire* m/v
begunstigen *favoriser*; *avantager*
begunstiger *protecteur* m [v: *protectrice*]; *bienfaiteur* m [v: *bienfaitrice*]
beha *soutien-gorge* m [mv: *soutiens-gorge*]
behaaglijk I BNW • prettig *agréable*; *confortable* • gezellig *agréable* II BIJW *agréablement*; *confortablement*
behaagziek I BNW *coquet* [v: *coquette*] II BIJW *coquettement*
behaard *velu*; *poilu*; ‹v. hoofd› *chevelu*
behagen I ZN *plaisir* m ★ ~ scheppen in *prendre plaisir à* II ON WW *plaire (à)*; *être agréable (à)*
behalen *obtenir*; ‹v. overwinning› *remporter*; ‹v. prijs› *gagner*
behalve • uitgezonderd *excepté*; *sauf*; *à l'exception de* • niet alleen *outre*; *en dehors de*; *en plus de*
behandelen • omgaan met *s'occuper de*; ‹met personen/dieren› *traiter*; ‹met breekbare goederen› *manipuler* ★ als vriend ~ *traiter en ami* ★ als gelijke ~ *traiter d'égal à égal avec* • ambtelijk afhandelen *s'occuper de*; *manier* • bespreken *traiter* • MED. *soigner*
behandeling • het omgaan met iets *traitement* m; *manipulation* v; *maniement* m • bejegening *traitement* m • uiteenzetting *discussion* v ★ in ~ nemen *examiner* • MED. *traitement* m ★ zich onder ~ stellen *se faire traiter*
behandelkamer *salle* v *de soins*
behang *papier* m *peint*; *tenture* v
behangen • behang aanbrengen *tapisser*; *couvrir de papier peint* • hangen aan *couvrir (de)*
behanger *tapissier* m [v: *tapissière*]
behappen ▼ iets kunnen ~ *être à la hauteur de qc*
behartigen *veiller (à)*; *gérer*
behaviorisme *behaviourisme* m
beheer • leiding *gestion* v; *direction* v ★ het ~ voeren/hebben over *avoir la gestion de* ★ werkzaamheden in eigen ~ *travaux* m mv *en régie* • bestuur en toezicht *administration* v ★ de raad van ~ *le conseil d'administration* ★ in ~ geven *mettre en régie* ★ gemengd ~ *régie* v ★ onder zijn ~ hebben *avoir la gestion de* ★ onder ~ staan van *être sous le contrôle de qn*
beheerder ‹v. zaak› *gérant* m; ‹v. landgoed› *régisseur* m; ‹v. flat› *syndic* m; *administrateur* m [v: *administratrice*]
beheersen I OV WW • heersen over *dominer*; *contrôler*; *maîtriser* ★ zijn emotie ~ *maîtriser son émotion* • kennis hebben van *dominer*; *maîtriser* ★ een taal ~ *posséder une langue* II WKD WW *se maîtriser*
beheerst *maître de soi*; ‹v. stem› *contenu*
beheksen *ensorceler*; *jeter un sort à*
behelpen (**zich**) *se débrouiller*

behelzen *contenir*; *impliquer*; *comprendre*
behendig I BNW *adroit*; *habile*; *prompt* **II** BIJW *habilement*; *promptement*; *adroitement*
behendigheid *adresse* v
behendigheidsspel *jeu* m *d'adresse*
behept *marqué (de)*; *sujet (à)* [v: *sujette*]
beheren *administrer*; *gérer*
behoeden *garder*; *préserver (de)*; *protéger (contre)*
behoedzaam I BNW *prudent*; *circonspect* **II** BIJW *avec précaution*; *prudemment*; *avec circonspection*
behoefte • verlangen *besoin* m ★ de ~ aan/om *le besoin de* ★ ~ hebben aan *avoir besoin de* ★ in iemands ~ voorzien *pourvoir aux besoins de qn* • ontlasting ★ zijn ~ doen *faire ses besoins*
behoeftig *indigent*; *nécessiteux* [v: *nécessiteuse*]
behoeve ★ ten ~ van (t.b.v.) *au bénéfice de*; *en faveur de*; *destiné à*
behoeven I OV WW nodig hebben *avoir besoin de* **II** ON WW nodig zijn *falloir*
behoorlijk I BNW • zoals het hoort *convenable*; *comme il faut*; *décent* • flink *respectable* **II** BIJW *convenablement*; *comme il faut*
behoren • betamen *falloir*; *devoir*; *être nécessaire*; ‹passend zijn› *convenir* • ~ **aan** *appartenir (à)*; *être (à)* • ~ **tot** *être (de ceux qui)*; *compter parmi* • ~ **bij** *faire partie de*
behoud • het in stand houden *préservation* v; *maintien* m; *conservation* v ★ met ~ van salaris *avec maintien de salaire* ★ het ~ van de natuur *la préservation de la nature* ★ ~ van energie *conservation de l'énergie* • redding *salut* m
behouden I BNW ‹v. mensen› *sain et sauf* [v: *saine et sauve*]; ‹v. zaken› *intact* **II** OV WW • blijven houden *garder* • niet kwijtraken *conserver*; *garder*; *retenir*
behoudend *conservateur* [v: *conservatrice*]
behoudens • behalve *sauf* ★ ~ de burgemeester ook de wethouders *outre le maire aussi les adjoints* • op voorwaarde van *sous réserve de* ★ ~ instemming van de anderen *sous réserve de l'accord des autres*
behoudzucht *conservatisme* m
behuisd *logé*; *installé* ★ klein ~ *logé à l'étroit* ★ ruim ~ zijn *avoir une grande maison*
behuizing *logement* m
behulp ★ met ~ van *à l'aide de*
behulpzaam *serviable*; *obligeant* ★ iem. ~ zijn *aider qn*
beiaard *carillon* m
beiaardier *carillonneur* m
beide ‹bijvoeglijk› *les deux*; ‹zelfstandig› *tous* m mv *(les) deux* [v mv: *toutes ...*]
beiderlei ▾ van ~ kunne *des deux sexes*
beieren • een carillon bespelen *carillonner* • luiden *sonner*
Beieren *la Bavière*
beige *beige*
beignet *beignet* m
beijveren (zich) *se consacrer (à)*
beïnvloeden • van invloed zijn op *influencer*; *influer (sur)* • manipuleren *influencer*
beïnvloeding *fait* m *d'influencer*
beitel *ciseau* m [mv: *ciseaux*]
beitelen *travailler au ciseau*; *ciseler*
beits *brou* m *de noix*; *vernis* m *transparent teinté*; *produit* m *d'imprégnation*
beitsen *passer au brou de noix*; *teinter*
bejaard *âgé*; *vieux* [v: *vieille*] [onr: *vieil*] ★ een ~e *une personne âgée*; *une personne du troisième âge*
bejaarde *personne* v *du troisième âge*; *personne* v *âgée*
bejaardentehuis *maison* v *de retraite*
bejaardenverzorgster *infirmière* v *gériatrique*
bejaardenwoning *logement* m *pour personnes âgées*
bejaardenzorg *soins* m mv *aux personnes âgées*
bejegenen *traiter*; *se conduire (envers)* ★ ruw ~ *rudoyer*
bejubelen *applaudir*
bek • mond ★ hou je bek! *ta gueule!* ★ iem. een grote bek geven *engueuler qn* • mond van dier *gueule* v; *bouche* v • snavel *bec* m
bekaaid ▾ er ~ afkomen *en être pour ses frais*
bekabelen *câbler*
bekaf *crevé* ★ ~ zijn *être sur ses dents*; *être mort de fatigue*; *être fourbu*
bekakt I BNW *affecté*; *prétentieux* [v: *prétentieuse*] **II** BIJW *de manière affectée*
bekeerling *converti* m; *prosélyte* m/v
bekend • niet vreemd *familier* [v: *familière*] • gekend *connu*; *public* [v: *publique*] ★ goed ~ staan bij *avoir la cote auprès de* ★ slecht ~ staan *avoir mauvaise réputation* ★ zojuist is ~ geworden dat *on vient d'annoncer que* ★ voor zover mij ~ *autant que je sache* ★ een ~ gezicht *une figure de connaissance* ★ ~ maken *annoncer*; *publier*; *rendre public*; ‹v. geheim› *révéler* • beroemd *notoire*; *fameux* [v: *fameuse*]; *renommé* ★ ~ worden *arriver à la notoriété* • ervan wetend *informé*; *au courant (de)* ★ ~ zijn met *être au courant de*
bekende *connaissance* v
bekendheid • het bekend zijn met *connaissance* v • faam *notoriété* v; *réputation* v; *renommée* v
bekendmaken *annoncer*
bekendmaking • het bekendmaken *proclamation* v • publicatie *publication* v
bekendstaan *être connu (pour)*
bekennen • toegeven *avouer*; INF. *se mettre à table* • schuld bekennen *confesser* ▾ geen kleur ~ *renoncer*
bekentenis *confession* v; *aveu* m [mv: *aveux*]
beker • mok *gobelet* m; ‹met voet› *coupe* v • trofee *coupe* v
bekeren *convertir (à)*
bekerfinale *finale* v *de la Coupe*
bekerwedstrijd *match* m *de coupe*
bekeuren *verbaliser*; *dresser une contravention*
bekeuring *procès-verbal* m [mv: *procès-verbaux*]; *contravention* v; *amende* v; ‹op voorruit› *papillon* m
bekijken • overdenken *examiner*; *considérer* ★ iets van alle kanten ~ *mettre à plat qc* • kijken naar *regarder*
bekijks ★ veel ~ hebben *attirer les regards*
bekisting *coffrage* m

B

bekken I ZN • ANATO. *bassin* m; *pelvis* m • kom *bassin* m; *vasque* v • slaginstrument ⋆ ~s *cymbales* v mv • stroomgebied *bassin* m II ON WW ▾ die tekst bekt goed *ce texte sonne bien*

bekkenbodem(spieren) *plancher* m *pelvien*

beklaagde *prévenu* m [v: *prévenue*]; *accusé* m [v: *accusée*]

beklaagdenbank *banc* m *des accusés*

bekladden • besmeuren *salir*; *souiller*; ‹v. papier ook› *barbouiller* • belasteren *salir*; *noircir*; *calomnier*

beklag *plainte* v ▾ zijn ~ doen bij *porter plainte auprès de*; *se plaindre auprès de*

beklagen I OV WW • medelijden tonen *plaindre* • betreuren *déplorer* II WKD WW *se plaindre*

beklagenswaard(ig) *à plaindre*; *déplorable*

beklant ⋆ druk ~ *bien achalandé*

bekleden • bedekken *revêtir*; *recouvrir*; *habiller* • vervullen *occuper*; *remplir* ⋆ iemands plaats ~ *remplacer qn*; *remplir les fonctions de qn* • opdragen ⋆ iem. met een ambt ~ *charger qn de fonctions*

bekleding *revêtement* m

beklemmen • vastknellen *serrer* • benauwen *oppresser*; *accabler*

beklemtonen *souligner*; *insister (sur)*

beklijven *durer*; *subsister*

beklimmen ‹v. boom› *grimper (à/sur)*; ‹v. trap› *monter*; ‹v. helling› *gravir*; *escalader* ⋆ de Mont Blanc ~ *faire l'ascension du Mont Blanc*

beklinken *arranger*; *arrêter* ⋆ de zaak is beklonken *l'affaire est réglée*

beknellen *serrer*; *coincer*

beknibbelen ⋆ ~ op *lésiner sur*

beknopt I BNW *bref* [v: *brève*]; *concis*; *succinct* ⋆ ~ overzicht *précis*; *sommaire* m II BIJW *brièvement*; *succinctement*

beknotten *diminuer*; *réduire*; *restreindre*

bekocht *dupé*; *refait*

bekoelen *se rafraîchir*; *se refroidir*; FIG. *se refroidir*

bekogelen *bombarder (qn de qc)*; *jeter (qc à qn)*

bekokstoven *manigancer*

bekomen • uitwerking hebben ⋆ die vis is mij niet goed ~ *j'ai mal digéré ce poisson* • bijkomen *se remettre (de)* ▾ dat zal hem slecht ~ *il s'en repentira*

bekommerd *soucieux* [v: *soucieuse*]

bekommeren (zich) *se soucier (de)*

bekomst *content* m ⋆ zijn ~ hebben van *en avoir assez de*

bekonkelen *comploter*; *tripoter*; *machiner*

bekoorlijk I BNW *charmant*; *ravissant*; *séduisant* II BIJW *de façon charmante*

bekopen I OV WW *payer* ⋆ iets met de dood ~ *payer qc de sa vie* II WKD WW *se faire rouler*

bekoren *charmer*; *enchanter*; *séduire*; REL. *tenter* ⋆ zich laten ~ *se laisser prendre au charme*

bekoring *charme* m; *séduction* v; *enchantement* m

bekorten *abréger*; *raccourcir*

bekostigen *payer*

bekrachtigen • bevestigen *confirmer* • ratificeren *ratifier*; ‹v. verkiezing› *valider*; ‹v. benoeming› *sanctionner*

bekrachtiging *confirmation* v; *ratification* v; *validation* v

bekritiseren *critiquer*

bekrompen • kortzichtig *étroit*; *borné*; *étriqué* • niet ruim *étroit*; *exigu* [v: *exiguë*]

bekronen • belonen *couronner*; ‹met prijs› *primer* • bedekken *couronner*

bekroning • prijs *couronne* v • voltooiing *couronnement* m

bekruipen • besluipen *se glisser vers/dans* • opkomen van gevoelens *(sur)prendre* ⋆ de lust bekruipt me *l'envie me prend* ⋆ de vrees bekroop hem *la crainte le saisit*

bekvechten *se chamailler*; *avoir une prise de bec*

bekwaam *capable*

bekwaamheid *capacité* v; *habileté* v; *savoir-faire* m; *talents* m mv ⋆ akte van ~ *certificat* m; *brevet* m; *diplôme* m

bekwamen I OV WW *rendre habile (à)*; *rendre capable (de)* II WKD WW *se perfectionner (en)*

bel • schel ‹met drukknop› *timbre* m; *sonnette* v; ‹v. telefoon› *sonnerie* v *du téléphone*; ‹rinkelbel› *grelot* m; *sonnerie* v; ‹aan hals› *clarine* v; *sonnaille* v ⋆ de bel gaat *on sonne* • luchtbel *bulle* v • groot glas *grand verre* m

belabberd *misérable*; *pitoyable* ⋆ dat ziet er ~ uit *cela s'annonce mal*

belachelijk I BNW *ridicule*; *sot* [v: *sotte*]; *dérisoire* ⋆ ~ maken *ridiculiser*; *tourner en ridicule* II BIJW *ridiculement*

beladen I BNW *chargé (de)* II OV WW *charger (de)*; FIG. *accabler (de)*

belagen *dresser des embûches à*; *harceler*

belager *poursuivant* m [v: *poursuivante*]; *agresseur* m

belanden *arriver* ⋆ waar zijn we nu weer beland? *où est-ce qu'on a encore atterri?*

belang • aandacht ⋆ ~ stellen in *s'intéresser à* • betekenis *importance* v; *portée* v; *poids* m ⋆ dat is niet van ~ *cela n'a aucune importance* ⋆ het is van ~ dat *il importe que* [+ subj.] • voordeel *intérêt* m ⋆ ~ hebben bij *avoir intérêt à* ⋆ het algemeen ~ *l'intérêt public*

belangeloos I BNW • onbaatzuchtig *désintéressé*; *bénévole*; *gracieux* [v: *gracieuse*] • gratis *gratuit* II BIJW • onbaatzuchtig *bénévolement* • gratis *gratuitement*

belangenorganisatie *organisation* v *syndicale*

belanghebbend *intéressé*

belangrijk I BNW van betekenis *important*; *considérable*; *d'importance* ⋆ het ~ vinden te *tenir à* II BIJW *considérablement*

belangstellen ~ **in** *porter intérêt à*

belangstellend I BNW *plein d'intérêt*; *intéressé* ⋆ zich ~ tonen in *prendre part à* II BIJW *avec intérêt*

belangstelling *curiosité* v; *intérêt* m ⋆ met ~ vragen naar *s'intéresser vivement à*

belangwekkend *intéressant*; *curieux* [v: *curieuse*]

belast *chargé*; ‹als taak hebbend› *responsable de*; ‹belasting› *imposé* ⋆ te zwaar ~

surchargé ▾ erfelijk ~ zijn *avoir des tares; avoir des antécédents héréditaires*

belastbaar *imposable; passible d'impôt*

belasten • last leggen op *charger (de)* • belasting heffen *imposer; taxer* • ~ **met** *charger (de)*

belasteren *calomnier; diffamer; médire (de)*

belasting • last, druk *charge* v ⋆ met volledige ~ *à pleine charge* • geestelijke druk *contrainte* v; *charge* v • verplichte bijdrage *impôt* m; *taxe* v ⋆ van de ~ aftrekken *déduire des impôts* ⋆ de ~ ontduiken *frauder le fisc*

belastingaangifte *déclaration* v *d'impôts*

belastingaanslag *imposition* v

belastingadviseur *conseiller* m *fiscal*

belastingaftrek *exonération* v *fiscale; abattement* m *fiscal*

belastingbiljet *feuille* v *(de déclaration) d'impôts*

belastingconsulent *conseiller* m *fiscal* [m mv: *conseillers fiscaux*] [v: *conseillère fiscale*]

belastingdienst *fisc* m

belastingdruk *pression* v *fiscale*

belastingjaar *année* v *fiscale; exercice* m *fiscal*

belastingontduiking *fraude* v *fiscale; évasion* v *fiscale*

belastingparadijs *paradis* m *fiscal* [m mv: *paradis fiscaux*]

belastingplichtige *contribuable* m/v

belastingvrij *exempt d'impôts*

belastingvrijdom *exemption* v *d'impôts*

belazerd • gek *dingue; malade* • slecht *lamentable* ⋆ ik voel me ~ *je me sens minable*

belazeren *rouler* ⋆ ik heb me laten ~ *on m'a eu*

belbus ≈ *service* m *d'autocar sur appel téléphonique*

belcanto *bel canto* m

beledigen *offenser; insulter; vexer; blesser* ⋆ beledigd zijn over *être vexé de*

belediging *offense* v; *insulte* v; ‹zwaar› *outrage* m

beleefd I BNW *poli; civil; galant* II BIJW *poliment*

beleefdheid *politesse* v; *galanterie* v ⋆ uit ~ *par politesse* ⋆ de ~ hebben om *avoir l'amabilité de*

beleg • broodbeleg ≈ *garniture* v *pour sandwich* • belegering *siège* m

belegen *vieux* [v: *vieille*] ⋆ ~ kaas *du fromage fait; du fromage affiné*

belegeren *assiéger*

beleggen • bedekken *couvrir (de); garnir (de)* • investeren *placer; investir* • bijeenroepen *convoquer; organiser*

belegging *placement* m; *investissement* m

beleggingsfonds • instelling *société* v *d'investissement* • effecten *fonds* m *de placements*

beleggingsmarkt *marché* m *des fonds*

beleggingsobject *objet* m *d'investissement*

beleggingspand *immeuble* m *de rapport*

beleid • gedragslijn *politique* v; *stratégie* v • tact *prudence* v; *circonspection* v

beleidslijn *ligne* v *d'action*

beleidsmaker *celui qui définit une stratégie/politique*

beleidsnota ≈ *mémoire* m *détaillant la politique à suivre*

belemmeren *entraver;* ‹v. doorgang› *encombrer;* ‹v. verkeer› *gêner;* ‹goede gang van zaken› *embarrasser*

belemmering • het belemmeren *obstruction* v • hetgene dat belemmert *obstruction* v; *entrave* v; *empêchement* m; ‹geestelijk› *embarras* m; *gêne* v

belendend *contigu* [v: *contiguë*]; *adjacent; avoisinant; à côté*

belenen *engager;* GESCH. *inféoder; mettre en gage*

belerend I BNW *doctoral* [m mv: *doctoraux*] II BIJW *doctoralement*

belet ⋆ ~ vragen *demander une audience*

beletsel *obstacle* m; *empêchement* m

beletselteken ‹drie puntjes› *ellipse* v

beletten *empêcher (de); faire obstacle (à); s'opposer (à)*

beleven *vivre; voir;* ‹bereiken› *atteindre* ⋆ het is, of ik die tijd weer beleef *je crois revivre ce temps* ⋆ nu gaan we iets ~! ‹aankondiging› *on va voir ce qu'on n'a jamais vu!;* ‹dreigend› *on va voir ce qu'on va voir!*

belevenis *événement* m; *expérience* v

belevingswereld *univers* m *mental*

belezen *lettré*

Belg *Belge* m/v

belgicisme *belgicisme* m

België *la Belgique* ⋆ in ~ *en Belgique*

Belgisch *belge*

belhamel *petit diable* m

belichamen *matérialiser; incarner; personnifier*

belichaming *matérialisation* v; *incarnation* v; *personnification* v

belichten • licht laten schijnen op *éclairer* • FOTO. *exposer*

belichting • FOTO. *exposition* v • het belichten KUNST *éclairage* m; *jour* m

believen I ZN *volonté* ⋆ naar ~ *à souhait;* ‹m.b.t. hoeveelheid› *à volonté* II OV WW willen doen *désirer*

belijden • bekennen *confesser; avouer* • aanhangen *professer*

belijdenis *profession* v; *confession* v *de foi* ⋆ ~ doen *faire sa profession*

bellen I OV WW telefoneren *téléphoner (à);* INF. *donner un coup de fil (à)* II ON WW • aanbellen *sonner* ⋆ er wordt gebeld *on sonne* ⋆ tweemaal ~ *sonner deux fois* • signaal geven *sonner*

bellengeheugen *mémoire* v *vive*

bellettrie *belles-lettres* v mv

belofte *promesse* v; ‹i.p.v. eed› *affirmation* v *solennelle* ⋆ zijn ~ houden *tenir/remplir sa promesse* ⋆ zijn ~ niet houden *manquer à sa promesse* ▾ ~ maakt schuld *chose promise, chose due*

beloken ▾ ~ Pasen *le dimanche de Quasimodo; la Quasimodo*

belonen *récompenser*

beloning • voldoening voor goede daad *récompense* v ⋆ als ~ voor *en récompense de* ⋆ iets tegen ~ terugbezorgen *rapporter qc*

B

contre récompense • loon *rémunération* v; *salaire* m
beloop *cours* m; *train* m; *marche* v ★ de zaak op zijn ~ laten *laisser tomber l'affaire*
belopen • lopen over iets *marcher (sur)* • bedragen *s'élever à*; *se monter à*
beloven *promettre* ★ iets plechtig ~ *promettre qc solennellement* ▾ dat belooft wat! *ça promet!*
beluisteren MED. *écouter*
belust *avide (de)*; *désireux (de)* [v: *désireuse*] ▾ ~ zijn op *avoir envie de*; *rechercher*; *convoiter*
bemachtigen *obtenir*; *se procurer*
bemalen *épuiser*; *drainer*
bemannen *équiper* ★ een bemande (ruimte)vlucht *un vol habité*
bemanning • het bemannen *équipement* m • het personeel/de mensen *équipage* m
bemanningslid *membre* m *de l'équipage*
bemerken *s'apercevoir (de qc)*; *s'apercevoir (qc/qn)*
bemesten *fumer*; *engraisser*
bemesting *fumage* m
bemeten ▾ ruim ~ *mesuré largement*
bemiddelaar *médiateur* m [v: *médiatrice*]; *négociateur* m [v: *négociatrice*]; *intermédiaire* m/v
bemiddeld *aisé*
bemiddelen *servir de médiateur (dans)*; *négocier* ★ ~ in een conflict *intervenir dans un conflit*
bemiddeling *négociation* v; *médiation* v; *conciliation* v ★ door ~ van *par l'intermédiaire/l'entremise de*
bemind *cher* [v: *chère*]; *recherché*; *chéri*; *aimé*
beminnelijk I BNW *aimable*; *charmant* II BIJW *aimablement*
beminnen *aimer*; *chérir*; *affectionner*
bemoederen *materner*
bemoedigen *encourager*
bemoeial *personne* v *qui se mêle de tout* ★ hij is een ~ *il se mêle de tout*
bemoeien (zich) • zich mengen in *se mêler (de)* • op zich nemen *se charger (de)* • zich bekommeren om *s'occuper (de)*
bemoeienis • inmenging *immixtion* v • bemoeiing *intervention* v; ‹ongewenst› *ingérence* v
bemoeilijken *rendre difficile*; *compliquer*; *importuner*
bemoeiziek *indiscret* [v: *indiscrète*]; ≈ *tracassier* [v: *tracassière*]
bemoeizucht *indiscrétion* v; *désir* m *de se mêler de tout*
benadelen *faire tort à*; *nuire à*
benaderen • dichter komen tot *approcher* • aanpakken *aborder* • ongeveer berekenen *calculer par approximation* • zich wenden tot *pressentir*; *sonder*
benadering • het naderbij komen *approximation* v • aanpak *approche* v • beslaglegging *saisie* v ▾ bij ~ *approximativement*
benadrukken *accentuer*; *insister (sur)*
benaming *dénomination* v; *nom* m; *titre* m
benard *critique*; *difficile*; *fâcheux* [v: *fâcheuse*]; *embarrassant*
benauwd I BNW • moeilijk ademend *oppressé* ★ het ~ krijgen *se sentir oppressé* ★ vreselijk ~ worden *suffoquer* • drukkend *oppressant*; ‹door warmte› *étouffant*; *suffocant* ★ het is hier ~ *on étouffe ici* ★ het is ~ weer *il fait un temps lourd* • angstig *inquiet* [v: *inquiète*]; *alarmé*; *angoissé* ★ maak je daar maar niet ~ over *ne t'inquiète pas de ça* II BIJW • ademhaling belemmerend *de manière oppressante* • bang *avec angoisse*
benauwen • beklemmen *oppresser*; *étouffer* • beangstigen *angoisser*; *inquiéter*
benchmarking *référenciation* v; *parangonnage* m
bende • groep *bande* v; *troupe* v; FIG. *clique* v • groot aantal *tas* m • wanorde *pagaille* v
beneden I BIJW lager gelegen *en bas* ★ ze woont ~ *elle habite en bas* ★ naar ~ gaan/brengen *descendre* ★ van boven naar ~ *de haut en bas* II VZ onder *au dessous de* ★ ~ mijn waardigheid *indigne de moi* ★ ~ de maat zijn *être insuffisant*
benedenhuis ≈ *habitation* v *au rez-de-chaussée*
benedenloop *cours* m *inférieur*
benedenverdieping *rez-de-chaussée* m [onv]; *étage* m *inférieur*
benedictijn *bénédictin* m
benefiet *représentation* v *au bénéfice de*
benefietwedstrijd *match* m *au bénéfice (de)*
Benelux *Benelux* m
benemen *ôter*; *priver de* ★ de eetlust ~ *couper l'appétit*
benen I BNW *en os*; *d'os* II ON WW *marcher d'un bon pas*
benenwagen ▾ met de ~ *pedibus*
benepen I BNW • benauwd *embarrassé*; *étouffé* ★ met ~ hart *le cœur serré* ★ met ~ stem *d'une voix mal assurée* • bekrompen *mesquin* II BIJW • benauwd *de façon étouffée* • bekrompen *petitement*; *de façon mesquine*
beneveld • met nevel *nébuleux* [v: *nébuleuse*] • dronken *enivré*; *gris*
benevens *outre*
Bengaals *bengali* ▾ ~ vuur *feu* v *de Bengale*
Bengalees *Bengali* m
bengel *polisson* m; *petit brigand* m
bengelen *pendiller*
benieuwd *curieux* [v: *curieuse*] ★ ~ zijn naar iets *être curieux de connaître/savoir qc*
benieuwen ★ het zal mij ~ of *je suis curieux de savoir si*
benig *osseux* [v: *osseuse*]; *ossu*
benigne *bénin* [v: *bénigne*]
benijden *envier*; *être jaloux (de)* [v: *jalouse*]
benijdenswaardig I BNW *enviable* II BIJW *de façon enviable*
benjamin *cadet* m
benodigd *nécessaire*
benodigdheden *outillage* m; *nécessaire* m; ‹op kantoor› *fournitures* v mv; ‹voor tuinieren/reizen› *ustensiles* m mv
benoemen • naam geven *appeler*; *dénommer* • aanstellen *nommer* ▾ iemand tot erfgenaam ~ *instituer qn héritier*
benoeming *nomination* v ★ definitieve ~ *titularisation* v

benoorden *au nord de*
benul *notion* v
benutten *utiliser; mettre à son profit; employer*
benzedrine *benzédrine* v
benzeen *benzène* m
benzine *essence* v ★ loodvrije ~ *essence sans plomb* ★ op gewone ~ lopen *rouler à l'essence ordinaire*
benzinepomp *pompe* v *à essence*
benzinestation *station-service* v [mv: *stations-service*]; ‹met zelfbediening› *station* v *libre-service* [v mv: *stations ...*]
benzinetank *réservoir* m *d'essence* ★ zijn ~ vullen *faire le plein*
beo *mainate* m
beoefenaar ‹als liefhebber› *amateur (de)*; ‹v. wetenschap› *homme* m *de science; femme* v *de science*; ‹v. muziek› *musicien* [v: *musicienne*]; ‹v. sport› *sportif* [v: *sportive*]
beoefenen *pratiquer*
beogen *viser à; poursuivre; rechercher*
beoordelen *juger; apprécier*
beoordeling *jugement* m; *appréciation* v; ‹kritiek› *critique* v; ‹cijfer› *note* v
bepaald I BNW • vastgesteld *fixé; arrêté* • omschreven *défini; déterminé* ★ een ~ geval *un cas spécifique* • een of ander *certain* ★ in ~e gevallen *dans certains cas* II BIJW *certainement; décidément* ★ dat is ~ niet waar *c'est absolument faux*
bepakking *charge* v; ‹militair› *paquetage* m
bepalen • richten, beperken *limiter; fixer* • vaststellen *fixer; déterminer*; ‹voorschrijven› *prescrire*; ‹in contract› *stipuler* • omschrijven *définir*
bepaling • vaststelling *détermination* v; *fixation* v • omschrijving *détermination* v; *définition* v; ‹v. besluit› *disposition* v • beding *stipulation* v; *clause* v • TAALK. *complément* m ★ bijwoordelijke ~ *circonstanciel* m ★ bijvoeglijke ~ *attribut* m
beperken • begrenzen *limiter; restreindre; borner* • inkrimpen *réduire; limiter*
beperking • grens *limitation* v; *restriction* v • inkrimping *réduction* v
beperkt *réduit; limité* ★ in ~e kring *en petit comité*
beplanten *planter*
beplanting *plantation* v
bepleiten *plaider; défendre*
bepraten • bespreken *discuter (de)*; INF. *causer (de)* • overhalen *convaincre; raisonner*
beproefd *éprouvé; efficace*
beproeven • proberen *essayer; tenter* • op de proef stellen *mettre à l'épreuve; éprouver*
beproeving *épreuve* v
beraad *délibération* v ★ in ~ houden *réserver sa décision*; JUR. *tenir en délibéré*
beraadslagen *délibérer (sur); débattre (qc)*
beraadslaging *délibération* v
beraden I BNW *réfléchi* II WKD WW *réfléchir*
beramen • ontwerpen *méditer; tramer* • begroten *évaluer; supputer*
berberis *berberis* m
berde ▾ iets te ~ brengen *mettre qc sur le tapis*
berechten *juger*
beredderen *arranger*; ‹v. boedel› *liquider*
bereden *monté*
beredeneren *raisonner*
beregoed I BNW *vachement bon* [v: ... *bonne*] II BIJW *vachement bien*
bereid *préparé (à); disposé (à); prêt (à)* ★ zich ~ verklaren om iets te doen *consentir à faire qc* ★ ik ben ~ om u dat boek te lenen *je veux bien vous prêter ce livre*
bereiden *préparer*; ‹v. eten› *préparer; faire; accommoder*; ‹v. gerecht› *confectionner*
bereidheid *bonne volonté* v
bereiding *préparation* v
bereidverklaring *accord* m; *consentement* m
bereidwillig I BNW *obligeant; serviable* II BIJW *très volontiers; de grand cœur*
bereik *portée* v ★ binnen mijn ~ *à ma portée* ★ binnen het ~ van ieders beurs *d'un prix abordable* ★ buiten het ~ *hors d'atteinte*
bereikbaar • te bereiken *accessible* • realiseerbaar *réalisable; abordable*
bereiken • aankomen bij *atteindre (à)* • komen tot iets *atteindre; parvenir (à); gagner*
bereisd *qui a beaucoup voyagé*
berekend • geschikt voor *capable (de); calculé (pour)* ★ voor zijn taak ~ *à la hauteur de sa tâche* ★ niet voor zijn taak ~ *inférieur à sa tâche* • berekenend *calculateur* [v: *calculatrice*]
berekenen • uitrekenen *calculer; chiffrer* • in rekening brengen *porter en compte; percevoir*
berekenend *calculateur* [v: *calculatrice*]
berekening *calcul* m; *compte* m
berenklauw *acanthe* v
berenmuts *bonnet* m *à poils*
beresterk *balaise*
berg • grote heuvel *montagne* v; *mont* m • hoop *tas* m • hoofduitslag MED. *pellicules* v mv ▾ ergens als een berg tegenop zien *appréhender (de faire) qc*
bergachtig *montagneux* [v: *montagneuse*]
bergafwaarts *en descendant*; FIG. *de mal en pis* ★ het gaat ~ met haar *elle est sur une mauvaise pente*
bergbeklimmer *alpiniste* m/v; INF. *grimpeur* m [v: *grimpeuse*]
bergen • opbergen *ranger; enfermer* • in veiligheid brengen *sauver*; SCHEEPV. *renflouer*
bergetappe SPORT *étape* v *de montagne*
berggeit *chamois* m
berghelling *côte* v; *pente* v
berghok *débarras* m; *resserre* v
berging • het bergen ‹v. goederen› *sauvetage* m; ‹v. schip› *renflouage* m • bergruimte *remise* v; *débarras* m
bergingsoperatie *sauvetage* m
bergkam *crête* v
bergkast *débarras* m
bergketen *chaîne* v *de montagnes*
bergkristal *cristal* m *de roche; quartz* m
bergmeubel *meuble* m *de rangement*
bergopwaarts *en montant*; FIG. *de mieux en mieux*
bergpas *col* m
bergplaats *débarras* m; ‹op schip› *soute* v;

magasin m; *dépôt* m; *resserre* v
Bergrede *Sermon* m *sur la Montagne*
bergrug *crête* v
bergruimte • hok *remise* v • capaciteit *espace* m
bergsport *alpinisme* m
bergtop *cime* v; *sommet* m
beriberi *béribéri* m
bericht *nouvelle* v; *information* v; *communication* v; *avis* m ★ een ~ van verzending *un avis d'expédition* ★ volgens de laatste ~en *selon les dernières informations*; *selon les informations de la dernière heure* ★ ~ krijgen van iets *être informé de qc* ★ ~ van overlijden/huwelijk, e.d. *faire-part* m [onv]
berichten *annoncer*; *informer (de)*; *avertir (de)*
berichtgeving *information* v
berijden • rijden op *monter* • rijden over *rouler (sur)*; *circuler (sur)*
berijmen *rimer*; *versifier*
berijpt *givré*
berin *ourse* v
berispen *blâmer*; *réprimander*
berisping *blâme* m; *réprimande* v
berk *bouleau* m [mv: *bouleaux*]
Berlijn *Berlin*
berm *accotement* m; *bas-côté* m [mv: *bas-côtés*] ★ zachte berm *accotement non stabilisé*
bermlamp ≈ *phare* m *auxiliaire*
bermprostitutie ≈ *prostitution* v *de bord de route*
bermtoerisme ≈ *tourisme* m *de bord de route*
bermuda *bermuda* m
beroemd *célèbre*; *illustre*; *fameux* [v: *fameuse*]
beroemdheid *célébrité* v
beroemen (zich) *se vanter (de)*
beroep • vak *profession* v; ‹ambacht› *métier* m ★ de vrije ~en *les professions libérales* • verzoek *appel* m ★ een ~ doen op *faire appel à* • JUR. *appel* m ★ in ~ gaan (tegen een vonnis) *faire appel (d'un jugement)*
beroepen (zich) ‹op iemand› *s'en rapporter (à)*; ‹op iets› *invoquer (qc)*
beroepengids *guide* m *d'orientation professionnelle*
beroeps *professionnel* [v: *professionnelle*]; *pro*
beroepsbevolking *population* v *active*
beroepsdeformatie *déformation* v *professionnelle*
beroepsethiek *déontologie* v
beroepsgeheim *secret* m *professionnel*
beroepsgroep *catégorie* v *professionnelle*
beroepshalve *à titre professionnel*
beroepskeuze *choix* m *d'une carrière*; *orientation* v *professionnelle*
beroepskeuzevoorlichting *orientation* v *professionnelle*
beroepsleger *armée* v *de métier*
beroepsmilitair *militaire* m *de carrière*
beroepsonderwijs *enseignement* m *professionnel*
beroepsopleiding *formation* v *professionnelle*
beroepssport *sport* m *professionnel*
beroepsverbod *interdiction* v *professionnelle*
beroepsvoetbal *football* m *professionnel*
beroepsziekte *maladie* v *professionnelle*
beroerd I BNW *malade*; *misérable*; *indisposé* ★ dat is ~ *c'est embêtant* ★ niet te ~ zijn om iets te doen *bien vouloir faire qc* ★ die ~e bakker *ce boulanger de malheur* II BIJW *mal* ★ zich ~ voelen *se sentir malade*
beroeren • even aanraken *effleurer*; *toucher* • verontrusten *bouleverser*; *troubler*
beroering *agitation* v; ‹verwarring› *confusion* v ★ grote ~ veroorzaken *bouleverser*
beroerte *attaque* v; *(attaque* v *d')apoplexie* v; *coup* m *de sang* ★ een ~ krijgen *être frappé d'apoplexie*
berokkenen *causer* ★ iem. schade ~ *porter préjudice à qn*
berooid *pauvre*; INF. *fauché*; *indigent* ★ de ~e adel *la noblesse besogneuse*
berouw *repentir* m; *regret* m; *regrets* m mv ★ ~ hebben over *se repentir de*; *regretter*
berouwen *regretter* ★ dat zal je ~ *tu le regretteras*
beroven • bestelen *dépouiller*; *dévaliser* • ontdoen van *priver (de)* ★ iem. van het leven ~ *tuer qn.*
beroving *vol* m
berucht *mal famé*; *redouté*
berusten • zich schikken *se résigner (à)*; *se faire une raison* • ~ **op** *reposer (sur)*; *être fondé (sur)*
berusting *résignation* v
bes • vrucht *baie* v • muzieknoot *si* m *bémol* • oude vrouw *petite vieille* v
beschaafd I BNW • niet barbaars *civilisé*; *cultivé*; *instruit* • goed opgevoed *poli*; *bien élevé* II BIJW *poliment*; *courtoisement*
beschaamd *confus*; *honteux (de)* [v: *honteuse*]; *embarrassé*
beschadigen *endommager*; *gâter*; *abîmer*; SCHEEPV. *avarier*
beschadiging *endommagement* m; SCHEEPV. *avarie* v
beschamen • beschaamd maken *faire rougir*; *rendre honteux* [v: *rendre honteuse*]; *faire honte à* • teleurstellen *décevoir*; *trahir* ★ iemands vertrouwen ~ *trahir la confiance de qn*
beschamend • *honteux* [v: *honteuse*] • teleurstellend *décevant*
beschaving • cultuur *civilisation* v; *culture* v • goede manieren *éducation* v
beschavingsziekte *maladie* v *de civilisation*
bescheid • antwoord *réponse* v; *nouvelle* v • stuk *acte* m; *titre* m; *pièce* v
bescheiden I ZN *documents* m mv II BNW • niet opdringerig *modeste*; *discret* [v: *discrète*] ★ naar mijn ~ mening *à mon humble avis* • matig *modeste* III BIJW • niet opdringerig *discrètement* • matig *modestement*
bescheidenheid *modestie* v; *discrétion* v
beschermeling *protégé* m [v: *protégée*]
beschermen *protéger (de)*; *abriter (de)* ★ zich ~ *se protéger*; *s'abriter*
beschermengel *ange* m *gardien*
beschermheer *patron* m; *protecteur* m
beschermheilige *patron* m [v: *patronne*]

bescherming *protection* v; *défense* v ★ in ~ nemen *prendre la défense de* ▾ vereniging tot ~ van dieren *société* v *protectrice des animaux*

beschermvrouw *protectrice* v ★ als ~ optreden *parrainer*

bescheuren (zich) *se tordre (de rire)*

beschieten • schieten op *tirer (sur)* • betimmeren *revêtir*; *lambrisser*; ‹met hout› *boiser*

beschijnen *éclairer*; *illuminer*; *luire (sur)*

beschikbaar *disponible* ★ zich ~ stellen voor een functie *poser sa candidature*

beschikken I ov ww beslissen *disposer (de)* II on ww • ~ **over** *jouir (de)* • beslissen *avoir le pouvoir de décision*

beschikking • zeggenschap *disposition* v ★ ter ~ stellen van *mettre à la disposition de* • besluit ★ een ministeriële ~ *un arrêt ministériel*

beschilderen ‹dekkend› *couvrir de peinture*; *peindre*

beschimmeld *moisi*

beschimpen *injurier*; *insulter*

beschoeiing • handeling *coffrage* m • wand ‹met hout› *boisage* m; ‹met klei› *clayonnage* m

beschonken *ivre* ★ in ~ toestand *en état d'ivresse*

beschoren ★ hem is een beter lot ~ *son sort sera meilleur*

beschot • lambrisering *lambris* m; *boiserie* v • afscheiding *cloison* v

beschouwen • bezien *considérer*; *regarder* ★ alles wel beschouwd *après tout* • ~ **als** *considérer (comme)*

beschouwend *contemplatif* [v: *contemplative*]

beschouwing • overdenking *considération* v; *examen* m ★ bij nadere ~ *en y regardant de plus près* ★ buiten ~ laten *négliger*; *laisser hors considération* • bespreking *exposé* m ★ de algemene ~en *la discussion générale*

beschrijven • schrijven op *écrire (sur)* • omschrijven *décrire*; *dépeindre* • volgen ★ een cirkel ~ *décrire un cercle*

beschrijving *description* v

beschroomd *timide*; *craintif* [v: *craintive*]

beschuit *biscotte* v

beschuldigde *inculpé* m [v: *inculpée*]; jur. *prévenu* m [v: *prévenue*]; *accusé* m [v: *accusée*]

beschuldigen *accuser*; jur. *inculper (de)*

beschuldiging jur. *accusation* v; jur. *inculpation* v; *prévention* v ★ in staat van ~ stellen *mettre en accusation* ★ aangehouden op ~ van *arrêté sous l'inculpation de*

beschut *abrité* ★ ~ tegen *à l'abri de*

beschutten *mettre à l'abri*; *abriter*

beschutting *défense* v; *protection* v; *abri* m

besef • bewustzijn *conscience* v • begrip *notion* v; *idée* v ★ geen ~ hebben van *ne pas avoir idée de*

beseffen *comprendre*; *se rendre compte*; *réaliser*

besje *(bonne) vieille* v; *vieille femme* v

beslaan I ov ww • bekleden met metaal ‹in goud› *garnir*; ‹met ijzer› *ferrer* • innemen *occuper*; *prendre* • van hoefijzers voorzien *ferrer* II on ww vochtig worden *se couvrir de buée*

beslag • deeg *pâte* v • metalen bekleedsel *ferrure* v; ‹v. deur› *garniture* v; ‹v. wiel› *bandages* m mv; ‹v. geweer› *monture* v • hoefijzers *fers* m mv • het in bezit nemen *arrêt* m; *saisie* v ★ in ~ nemen ‹v. goederen› *saisir*; ‹v. aandacht› *absorber (l'attention)*; ‹v. ruimte› *occuper* ★ ~ leggen op *saisir*; *confisquer* ★ ~ leggen op iem. *occuper qn* ★ dat neemt veel tijd in ~ *cela prend beaucoup de temps*

beslagen ★ de ruiten zijn ~ *les vitres sont couvertes de buée*

beslaglegging *embargo* m; *emprise* v; *saisie* v

beslapen I bnw ★ een ~ bed *un lit défait* II ov ww *coucher dans/sur*

beslechten *arranger*; *accommoder* ★ een ruzie ~ *terminer une querelle*

besliskunde *science* v *de la décision*; *recherche* v *opérationnelle*

beslissen *décider*; jur. *arrêter*

beslissend *décisif* [v: *décisive*]; *déterminant* ★ ~e stem *voix prépondérante* v ★ een ~ moment *un moment critique* ★ de ~e partij spelen *jouer la belle*

beslissing *décision* v; jur. *jugement* m; *arbitrage* m ★ een ~ nemen *décider*; *prendre une décision*

beslissingsbevoegdheid *pouvoir* m *de décision*

beslissingswedstrijd *match* m *de barrage*

beslist I bnw • zeker *net* [v: *nette*]; *indéniable* • vastberaden *ferme*; *décidé* ★ een ~ antwoord *une réponse catégorique* II bijw • zeker *décidément*; *certainement* • vastberaden *fermement*

beslommering *souci* m

besloten *fermé* ★ in ~ kring *en petit comité*

besluipen *s'approcher à pas de loup*

besluit • beslissing *décision* v; *résolution* v; ‹v. overheid› *arrêté* m ★ mijn ~ staat vast *j'ai pris ma décision* • conclusie *conclusion* v • einde *conclusion* v; *fin* v ★ tot ~ *pour conclure*

besluiteloos *irrésolu*; *indécis* ★ ~ zijn *hésiter*; *balancer*

besluiten I ov ww • een besluit nemen *décider de*; *se résoudre à* ★ bij zichzelf ~ om *se promettre de* ★ iem. doen ~ om *décider qn à*; *résoudre qn à* • concluderen *conclure* • eindigen *finir*; *terminer* II on ww beslissen *se décider (à)*

besluitvaardig *qui a l'esprit de décision*

besluitvorming *processus* m *de décision*

besmeren *enduire*; *frotter (de)*; ‹met boter› *beurrer*; ‹met vet› *graisser*

besmettelijk *contagieux* [v: *contagieuse*]; ‹v. kleur› *salissant*

besmetten • *infecter*; *contaminer* • besmetten met *inoculer*

besmettingsgevaar *danger* m *de contagion*

besmettingshaard *foyer* m *d'infection*

besmeuren *salir*; *tacher*

besmuikt *sournois*

besneeuwd *neigeux* [v: *neigeuse*]

B

B

besnijden • snijden *tailler; couper* • besnijdenis toepassen *circoncire*
besnijdenis *circoncision* v
besnoeien *élaguer; tailler*
besodemieterd • gek *dingue* ★ ben je ~? *t'es (complètement) cinglé?* • beroerd ★ er ~ uitzien *avoir une sale mine*
besogne *occupation* v
bespannen • trekdieren spannen voor *atteler* • iets spannen op ‹m.b.t. draad› *corder;* MUZ. *munir de cordes; monter*
besparen *économiser; épargner; faire l'économie (de)* ▾ bespaar je de moeite *épargne-toi la peine*
besparing • *économie* v • het gespaarde *épargne* v; *économies* v mv
bespelen • beïnvloeden *manipuler* • muziek maken *jouer de* • spelen in/op ★ een schouwburg ~ *donner des représentations dans un théâtre*
bespeuren *s'apercevoir (de); découvrir*
bespieden *guetter; épier; espionner*
bespiegelen *spéculer*
bespiegeling *spéculation* v
bespioneren *espionner; épier*
bespoedigen *activer; accélérer*
bespottelijk I BNW *ridicule* **II** BIJW *ridiculement*
bespotten *se moquer (de); railler; tourner en ridicule*
bespraakt *éloquent; qui a la parole facile*
bespreekbaar *qui peut être discuté*
bespreekbureau *bureau* m *de location*
bespreken • spreken over *causer de; parler de; discuter* • reserveren *retenir; réserver*
bespreking • het bespreken *discussion* v; ‹boek› *compte-rendu* m [mv: *comptes-rendus*] • reservering *réservation* v • onderhandeling *débat* m; *négociation* v
besprenkelen ‹v. gerechten› *arroser (de); asperger*
bespringen • springen op *sauter sur* • aanvallen *assaillir; attaquer* • dekken *couvrir*
besproeien *arroser;* ‹op grote schaal› *irriguer*
bessensap ‹v. aalbessen› *jus* m *de groseilles*
bessenstruik *groseillier* m
best I ZN *mieux* m ★ zijn best doen *faire de son mieux* **II** BNW • overtreffende trap van goed *meilleur;* ‹m.b.t. kwaliteit› *excellent; très bon* [v: *très bonne*]; *parfait;* ‹in aanhef van brief› *cher* [v: *chère*] ★ mijn beste wensen *mes meilleurs vœux* • goedhartig *brave* • waarde *bon* [v: *bonne*] ★ beste vriend! *cher ami!* **III** BIJW • overtreffende trap van goed *le mieux* ★ ik ken mezelf het best *je me connais le mieux moi-même* • uitstekend *très bien* ★ ik vermaak me best *je m'amuse très bien* • tamelijk *assez; plutôt* ★ ik vind je best dik *je te trouve assez gros* • wel degelijk *fort bien* ★ ik vind hem best lief *je l'aime bien, moi* • zeker *certainement; assurément* ★ we redden het best *nous nous en tirerons sans problème* **IV** TW *bien* ★ mij best, hoor! *parfait!*
bestaan I ZN leven *existence* v; *vie* v **II** ON WW • zijn *exister; être* ★ hij bestaat niet meer voor mij *il ne m'est plus rien* • mogelijk zijn *être possible* ★ dat bestaat niet! *c'est impossible!* • ~ **van** *vivre (de)* ★ hij kan van zijn zaak niet ~ *son négoce ne le nourrit pas* • ~ **uit** *se composer de (+ znw); consister en (+ znw);* ‹inhouden› *consister à (+ ww)*
bestaansminimum *minimum* m *vital*
bestaansrecht *droit* m *à l'existence*
bestaanszekerheid *assurance* v *du lendemain*
bestand I ZN • verzameling gegevens *fichier* m • wapenstilstand *armistice* m **II** BNW ★ ~ zijn tegen *supporter; être résistant à*
bestanddeel *élément* m; *composant* m; *partie* v *constituante;* ‹v. gerecht› *ingrédient* m
bestandsbeheer *tenue* v *de fichier*
besteden • uitgeven *dépenser* • gebruiken, aanwenden *employer* ▾ dat is aan hem niet besteed *il ne le mérite pas*
besteding *dépense* v
bestedingsbeperking *réduction* v *des dépenses*
bestedingspatroon *budget* m
besteedbaar ★ ~ inkomen *revenu* m *net*
bestek • couvert *couvert* m • begroting *cahier* m *des charges* • ruimte *espace* m; *étendue* v ★ in kort ~ *sommairement* • SCHEEPV. *point* m ★ ~ opmaken *faire le point*
bestekbak *range-couvert* m
bestel *ordre* m; *structure* v
bestelauto *fourgonnette* v
bestelbon *bon* m/*bulletin* m *de commande*
bestelen *voler; dépouiller* ★ zich laten ~ INF. *se faire avoir*
bestelformulier *bulletin* m *de commande; ordre* m *d'achat*
bestellen • iets laten komen *commander; faire venir;* ‹v. personen› *appeler* ★ koffie ~ *commander un café* • thuis bezorgen *livrer; distribuer*
besteller • bezorger ‹v. post› *facteur* m; ‹v. gekochte/bestelde zaken› *porteur* m; *livreur* m • opdrachtgever *acheteur* m
bestelling • bezorging *livraison* v; ‹v. post› *distribution* v • bestelde goederen *commande* v • order *ordre* m; *commande* v ★ op ~ *sur commande*
bestelwagen *camionnette* v; *fourgonnette* v
bestemmen *destiner (à); affecter (à)*
bestemming • reisdoel *destination* v ★ met ~ Parijs *à destination de Paris* • lot *sort* m; *destin* m; *destinée* v
bestemmingsplan *plan* m *d'occupation des sols; P.O.S.* m; ‹v. gemeente› *plan* m *d'aménagement urbain;* ‹v. streek› *plan* m *d'aménagement régional;* ‹agrarisch› *plan* m *d'aménagement rural*
bestemmingsverkeer *circulation* v *locale*
bestempelen • een stempel drukken op *timbrer; tamponner* • noemen *qualifier (de)* ★ iem. ~ als *qualifier qn de; traiter qn de*
bestendig I BNW • niet veranderlijk *constant; stable;* ‹v. weer› *beau fixe* • duurzaam *durable; permanent* **II** BIJW *constamment; durablement*
bestendigen *faire durer; rendre stable*
besterven ★ het vlees laten ~ *mortifier la*

viande

bestijgen *monter (sur)*; *grimper (sur)* ★ een paard ~ *enfourcher un cheval*

bestoken • lastig vallen *harceler* • aanvallen *attaquer*

bestormen • in drommen benaderen *assaillir*; *monter à l'assaut de* • aanvallen *tourmenter*; *importuner*

bestorming *charge* v

bestraffen • straffen *punir* • berispen *réprimander*

bestraffing *punition* v; *correction* v

bestralen *rayonner*; MED. *irradier*; *traiter aux rayons*

bestraling *rayonnement* m; MED. *irradiation* v

bestralingstherapie *radiothérapie* v

bestraten *paver*

bestrating • het bestraten *pavage* m • wegdek *pavé* m

bestrijden • vechten tegen *combattre*; *lutter contre* • aanvechten *contester*

bestrijdingsmiddel ‹tegen ziektekiemen› *germicide* m; *pesticide* m; ‹tegen insecten› *insecticide* m

bestrijken • besmeren *frotter*; *enduire (de)* • kunnen bereiken *couvrir*; *atteindre*

bestrooien *couvrir (de)*; ‹met blaadjes, bloemen› *joncher (de)*

bestseller *succès* m *de librairie*; *best-seller* m [mv: *best-sellers*]

bestuderen *étudier*

bestuiven • onderstuiven *poudrer* • bevruchten *transporter le pollen sur*

besturen • sturen, bedienen *conduire*; ‹v. vliegtuig› *piloter*; ‹draadloos› *télécommander* • leiding geven *diriger*; *gouverner*; *administrer*

besturing • het besturen *conduite* v; ‹vliegtuig/race-auto› *pilotage* m; ‹schip› *navigation* v • stuurinrichting *commande* v

besturingsprogramma *programme* m *de contrôle*

besturingssysteem *système* m *d'exploitation*

bestuur • bewind *direction* v; ‹v. vereniging› *bureau* m [mv: *bureaux*]; ‹v. bedrijf› *gestion* v; ‹m.b.t. overheid› *administration* v • college van bestuurders *conseil* m *d'administration*; *comité* m *directeur*

bestuurder • voertuigbestuurder *conducteur* m [v: *conductrice*] • leidinggevende *directeur* m [v: *directrice*]; *administrateur* m [v: *administratrice*]

bestuurlijk *administratif* [v: *administrative*]

bestuursapparaat *administration* v

bestuurscollege *conseil* m *d'administration*; *conseil*|*comité* m *de direction*

bestuurskunde *sciences* v mv *administratives*

bestuurslid *membre* m *du bureau*; *membre* m *du comité*

bestuursrecht *droit* m *administratif*

bestwil ★ het is voor je eigen ~ *c'est pour ton bien* ★ een leugentje om ~ *un pieux mensonge*

bèta • Griekse letter *bêta* m • leerling *scientifique* m/v

betaalautomaat *caisse* v *automatique*; *guichet* m *automatique*

betaalbaar *payable*; *abordable*; *raisonnable*

betaalcheque *chèque* m *visé*

betaald • beroeps *professionnel* [v: *professionnelle*] • gehuurd *acheté* ▾ iemand iets ~ zetten *faire payer qc à qn*

betaalkaart *chèque* m *postal* [m mv: *chèques postaux*]

betaalmiddel *moyen* m *de paiement* ★ een wettig ~ *une monnaie légale*

betaalpas *carte* v *de paiement*; *carte* v *de retrait*

betaaltelevisie *télévision* v *payante*

bètablokker *bêtabloquant* m

betalen • de kosten voldoen *payer*; *régler* ★ met goud ~ *payer en or* ★ ergens tien gulden voor ~ *payer qc dix florins* • vergelden *payer*

betaling *paiement* m; *règlement* m ★ wijze van ~ *mode de paiement* m ★ tegen ~ van ... *moyennant ...* ★ tegen contante ~ *argent comptant*

betalingsachterstand *arriéré* m

betalingsbalans *balance* v *des paiements*

betalingstermijn *terme* m; *échéance* v

betalingsverkeer *transactions* m mv *financières*

betamelijk *convenable*; *décent*

betamen *convenir*; *être décent*

betasten *toucher*; *tâter*

bètastraling *rayon* m *bêta*

bètawetenschappen *sciences* v mv *exactes*

betekenen • betekenis hebben *signifier*; *vouloir dire* ★ dat lijkt niets te ~ *cela n'a l'air de rien* • waarde hebben *avoir de la valeur*

betekenis • inhoud, bedoeling *signification* v; *sens* m; TAALK. *acception* v • belang *importance* v; *portée* v

betekenisleer *sémantique* v

beter I BNW • vergrotende trap van goed *meilleur* ★ zij is ~ in wiskunde dan haar broer *elle est meilleure en maths que son frère* ★ dat is ~ *cela vaut mieux* • genezen *guéri* ★ ~ worden *guérir* ▾ hij wordt er ~ van *il y gagne* **II** BIJW *mieux* ★ je kunt maar ~ *tu ferais mieux de* ▾ des te ~ *tant mieux*

béteren *améliorer* ★ zijn leven ~ *s'améliorer*

betéren *goudronner*

beterschap • het beter worden *rétablissement* m; *convalescence* v • beter gedrag *amélioration* v ★ ~ beloven *promettre de se corriger*

beteugelen *brider*; *réprimer*

beteuterd *déconfit*; *penaud*

betichten *accuser (qn de qc)*; *imputer (qc à qn)*

betijen ★ laten ~ ‹v. zaken› *laisser agir le temps*; ‹v. personen› *laisser faire*; ‹v. zaken› *ne pas intervenir*

betimmeren *boiser*; *lambrisser*

betitelen • noemen *qualifier (de)* • titel geven *intituler*

betogen I OV WW beredeneren *démontrer*; *argumenter* **II** ON WW demonstreren *manifester*

betoger *manifestant* m [v: *manifestante*]

betoging *manifestation* v

beton *béton* m ★ gewapend ~ *béton armé*

betonen (**zich**) *se montrer*; *se révéler*

B

betonijzer *fer* m *à béton*; *acier* m *d'armature*
betonmolen *bétonnière* v
betonrot *corrosion* v *du béton*
betonvlechter *ferrailleur* m
betoog *argumentation* v; *démonstration* v ★ het behoeft geen ~ dat *il est évident que* [+ ind.]
betoogtrant • *argumentation* v; *raisonnement* m • *façon* v *d'argumenter*
betoveren • beheksen *ensorceler* • bekoren *charmer*; *fasciner*
betovergrootmoeder *trisaïeule* v
betovergrootvader *trisaïeul* m [mv: *trisaïeux*]
betovering • beheksing *ensorcellement* m • bekoring *charme* m; *séduction* v; *fascination* v
betrachten ★ zijn plicht ~ *faire son devoir* ★ de regels ~ *observer les règles*
betrappen *attraper*; *surprendre* ★ op heterdaad ~ *prendre en flagrant délit* ★ betrapt! *je t'y prends*
betreden • stappen op *mettre le pied sur* • binnengaan *mettre les pieds dans*; *entrer dans*
betreffen • betrekking hebben op *s'agir de*; *concerner* ★ het betreft *il s'agit de* • aangaan *concerner*; *intéresser*; *toucher* ★ wat mij betreft *en ce qui me concerne*; *pour ma part* ★ wat zijn gezondheid betreft *pour ce qui est de sa santé*
betreffende *concernant*
betrekkelijk I BNW relatief *relatif* [v: *relative*] ★ dat is ~ *cela dépend* II BIJW tamelijk *relativement*
betrekken I OV WW • erbij halen *impliquer (dans)*; *mêler (à)* ★ hij is er niet bij betrokken *il n'y est pour rien* • gaan bewonen *s'installer (dans)* • koopwaar afnemen *acheter* • ~ **op** *mettre en rapport avec* II ON WW • somber worden *s'assombrir* • bewolkt worden *se couvrir*
betrekking • band, verband *rapport* m; *relation* v; *lien* m ★ met ~ tot *par rapport à*; *relatif à* m [v: *relative à*] ★ ~ hebben op *se rapporter à*; *porter sur* ★ goede ~en onderhouden met *entretenir de bons rapports avec* • baan *emploi* m; *poste* m; *situation* v
betreuren *déplorer*; *regretter*
betreurenswaardig *regrettable*
betrokken • somber *triste*; *morose*; *sombre* • bij iets gemoeid *concerné* ★ ~ zijn bij *être en cause* ★ ~ worden bij *venir en cause* • betreffende *en question*; *intéressé* • bewolkt *couvert*
betrokkenheid *engagement* m
betrouwbaar *digne de foi*; *fidèle*; ‹v. berichten› *crédible*; ‹v. zaken› *sûr*; *fiable*
betrouwbaarheid *fiabilité* v; *fidélité* v; *honorabilité* v; *loyauté* v; *solidité* v; *sûreté* v
betten *tamponner*
betuigen *témoigner*; *attester* ★ dank ~ *remercier*
betuiging *démonstration* v; *protestation* v
betuttelen *ergoter*; *pinailler*
betweter *pédant* m [v: *pédante*]
betwijfelen *douter de*
betwistbaar *contestable*; *discutable*
betwisten • aanvechten *contester* • strijden om bezit *disputer*
beu *dégoûté de*; *las de* [v: *lasse de*] ★ ik ben het beu *j'en ai assez*; *j'en ai marre*
beugel • tandbeugel *appareil* m *orthodontique* • stijgbeugel *étrier* m ▾ dat kan niet door de ~ *cela dépasse les bornes*
beugel-bh *soutien-gorge* m *à armature*
beugelfles *bouteille* v *à serre-bouchon*
beuk • boom *hêtre* m • BOUWK. *nef* v
beuken I BNW *de hêtre*; *en hêtre* II OV WW hard slaan *battre*; *frapper*
beukenhout *(bois* m *de) hêtre* m
beukennootje *faîne/faine* v
beul *bourreau* m [mv: *bourreaux*]
beulen *trimer*; *s'éreinter*
beunhaas • prutser *bricoleur* m • zwartwerker *clandestin* m
beunhazerij *travail* m *d'amateur*
beuren • tillen *soulever*; *lever* • verdienen *toucher*; *recevoir*
beurs I ZN • portemonnee *bourse* v ★ goed gevulde ~ *bourse bien garnie* • studiebeurs *bourse* v *(d'études)* • ECON. *Bourse* v • tentoonstelling *salon* m; *foire* v II BNW *blet* [v: *blette*]
beursbericht *bulletin* m *de la Bourse*
beursfraude *fraude* v *à la Bourse*
beursgang *cotation* v *en Bourse*
beursgenoteerd *coté en Bourse*; *inscrit à la cote*
beursindex *indice* m *boursier*
beurskoers *cours* m *de la Bourse*
beurskrach *krach* m *(boursier)*
beursnotering *cote* v *en Bourse* ★ in de ~ opnemen *admettre à la cote* ★ ~ van effecten *cotation des titres en Bourse* v
beursstudent *boursier* m [v: *boursière*]
beurswaarde *valeur* v *en bourse*; *prix* m *coté en bourse*
beurt *tour* m ★ jij bent aan de ~ *c'est ton tour*; *c'est à toi* ★ voor zijn ~ gaan *passer avant son tour* ★ wie is aan de ~? *à qui le tour?* ★ om ~en *alternativement*; *tour à tour* ★ om de ~ *à tour de rôle* ▾ grote ~ *grande révision*; *révision* v *périodique* ▾ een goede ~ maken *marquer un bon point* ▾ aan iemand te ~ vallen *tomber en partage à qn*
beurtelings *alternativement*; *à tour de rôle*
beuzelarij • wissewasje *bagatelle* v; *niaiserie* v • kletspraat *sornette* v
bevaarbaar *navigable*
bevallen • in de smaak vallen *plaire (à)* ★ het bevalt mij hier *je me plais ici* ★ dat bevalt me *cela me va* • baren *accoucher (de)* ★ zij is voorspoedig ~ van een zoon *elle a heureusement accouché d'un garçon*
bevallig I BNW *gracieux* [v: *gracieuse*]; *charmant* II BIJW *gracieusement*
bevalling *accouchement* m; *couches* v mv ★ pijnloze ~ *accouchement sans douleur*
bevallingsverlof *congé* m *de maternité*
bevangen *prendre*; *saisir* ★ door de kou ~ *transi*
bevaren *naviguer sur* ★ de kust ~ *faire du cabotage*; *côtoyer le rivage*

bevattelijk I BNW • begrijpelijk *intelligible; clair; compréhensible* • vlug van begrip *intelligent* II BIJW *de façon intelligible*

bevatten • inhouden *contenir; renfermer* • begrijpen *concevoir; saisir*

bevattingsvermogen *intelligence* v; *compréhension* v ★ dat gaat mijn ~ te boven *cela me dépasse*

bevechten • vechten tegen *combattre; lutter contre* • vechten om *obtenir par les armes*

beveiligen *protéger; mettre en sûreté*

beveiliging • het beveiligen *protection* v; *mise* v *en sûreté* • beveiligingsmiddel *protection* v

beveiligingsdienst *service* m *de sécurité; service* m *de protection*

beveiligingssysteem *dispositif* m *de sécurité*

bevel • opdracht *ordre* m; *commandement* m • hoger gezag *commandement* m ★ het ~ voeren *commander* ★ onder ~ van *sous les ordres de*

bevelen *commander; ordonner*

bevelhebber *chef* m; *commandant* m

bevelschrift *ordre* m; *mandat* m

bevelvoering *commandement* m

beven *trembler; frémir; frissonner* ★ ~de stem *voix chevrotante* v ★ ~ van kou *grelotter*

bever *castor* m

beverig *tremblotant; tremblant;* ‹alleen van stem› *chevrotant*

bevestigen • vastmaken *attacher; fixer* • bekrachtigen *ratifier* • beamen *confirmer* ★ de ontvangst ~ van *accuser réception de* • REL. *installer; confirmer*

bevestigend I BNW *affirmatif* [v: *affirmative*] II BIJW *affirmativement*

bevestiging • het vastmaken *fixation* v • bekrachtiging *ratification* v • erkenning *confirmation* v

bevestigingsstrip *bande* v *de fixation*

bevind ▾ (handelen) naar ~ van zaken *(agir) selon les circonstances*

bevinden I OV WW vaststellen *trouver; constater* ★ goed ~ *approuver* II WKD WW in toestand/plaats zijn *se trouver*

bevinding • uitkomst *constatation* v; *résultat* m • ervaring *expérience* v

beving GEOL. *tremblement* m; *trépidation* v

bevlieging *engouement* m; *caprice* m

bevloeien *irriguer*

bevlogen *enthousiaste* ★ een ~ kunstenaar *un artiste inspiré*

bevochtigen *humecter; mouiller*

bevoegd • bekwaam *expert; compétent* • gerechtigd *autorisé;* ‹ambtelijk› *habilité* ★ ~ zijn tot/om *être qualifié pour*

bevoegdheid • bekwaamheid *compétence* v; *qualité* v • recht *compétence* v; *pouvoir* m; *droit* m

bevoelen *palper; tâter*

bevolken *peupler*

bevolking *population* v

bevolkingscijfer *chiffre* m *de la population*

bevolkingsdichtheid *densité* v *de la population*

bevolkingsexplosie *explosion* v *démographique*

bevolkingsgroei *croissance* v *démographique; accroissement* m *de population*

bevolkingsgroep *classe* v *sociale*

bevolkingsoverschot *excédent* m *démographique*

bevolkingsregister *registre* m *de l'état civil*

bevolkingsvraagstuk *problème* m *démographique*

bevoogden *traiter comme un enfant*

bevoordelen *avantager; favoriser*

bevooroordeeld *plein de préjugés; prévenu*

bevoorraden *ravitailler; approvisionner*

bevoorrechten *privilégier*

bevorderen • begunstigen *favoriser; encourager; stimuler; activer* • doen opklimmen *promouvoir* ★ hij is tot kapitein bevorderd *il est passé capitaine*

bevordering *avancement* m; *promotion* v

bevorderlijk *favorable (à); profitable (à)*

bevrachten *charger;* SCHEEPV. *affréter*

bevragen ★ te ~ bij *(pour tous renseignements) s'adresser à*

bevredigen I OV WW • tevreden stellen *contenter* • voldoening geven aan *satisfaire* II WKD WW *se masturber*

bevrediging *satisfaction* v

bevreemden *étonner; surprendre*

bevreemding *surprise* v; *étonnement* m

bevreesd *craintif* [v: *craintive*]; *peureux* [v: *peureuse*]

bevriend *ami* ★ ~ zijn met *être lié d'amitié avec* ★ een met hem ~ arts *un médecin de ses amis*

bevriezen I OV WW • stijf van kou laten worden *geler; congeler* • blokkeren *geler; bloquer* II ON WW stijf door kou worden *geler; se couvrir de glace; se glacer* ★ de Seine is bevroren *la Seine est prise*

bevrijden *délivrer; libérer* ★ iem. van een last ~ *débarrasser qn d'une charge*

bevrijding *libération* v; *délivrance* v

bevrijdingsdag *jour* m *de la Libération*

bevroeden *se douter de; concevoir*

bevruchten *féconder*

bevruchting *fécondation* v

bevuilen *salir; souiller*

bewaarder • bewaker *gardien* m [v: *gardienne*]; *garde* m • iemand die bewaart *conservateur* m [v: *conservatrice*]; *dépositaire* m/v

bewaarheiden ▾ vermoedens ~ *avérer des soupçons*

bewaken • waken over *garder; surveiller* • controleren *surveiller*

bewaker *surveillant* m [v: *surveillante*]; *gardien* m [v: *gardienne*]

bewaking • het waken over *surveillance* v; *garde* m • het controleren *surveillance* v

bewakingsdienst *gardiennage* m

bewandelen *se promener dans/sur;* FIG. *suivre*

bewapenen *armer; équiper*

bewapening *armement* m; *équipement* m

bewapeningswedloop *course* v *aux armements*

bewaren • bij zich houden *conserver; garder* • in stand houden *garder* ★ de orde ~ *maintenir l'ordre* • behoeden *préserver (de)*

B

B

★ God bewaar me! *juste ciel!* • opbergen *garder*

bewaring • het bewaren *conservation* v • opsluiting *détention* v ★ het huis van ~ *la maison d'arrêt*

beweegbaar *mobile*

beweeggrond *considérant* m

beweeglijk • te bewegen *mobile* • levendig *vif* [v: *vive*]; *remuant*

beweegreden *motif* m; *mobile* m

bewegen I OV WW • in beweging brengen *mouvoir*; *remuer* • overhalen *porter (à)*; *décider (à)* ★ tot medelijden ~ *exciter à la compassion* II ON WW van plaats veranderen *bouger* III WKD WW • zich verroeren *bouger* • omgang hebben met *fréquenter*

beweging • het bewegen *mouvement* m; *geste* m ★ in ~ brengen *mettre en mouvement* ★ in ~ zijn ‹v. personen› *être en mouvement*; ‹v. trein› *être en marche* ★ zich in ~ zetten *se mettre en mouvement*; *se mettre en marche* ★ de ~ overbrengen *entraîner le mouvement* • beroering *mouvement* m • stroming *mouvement* m ▾ uit eigen ~ *de sa propre initiative*; *spontanément*

bewegingloos *immobile*

bewegingsruimte *espace* m *libre*; FIG. *champ* m *de manœuvre*

bewegingstherapie *kinésithérapie* v

bewegingsvrijheid *liberté* v *de mouvement*; *liberté* v *de circulation*

bewegwijzering *signalisation* v

beweren *affirmer*; *prétendre*; *soutenir* ★ hij heeft niet veel te ~ *il ne dit pas grand-chose*

bewering *assertion* v; *affirmation* v

bewerkelijk *qui demande beaucoup de travail*

bewerken • behandeling laten ondergaan *travailler*; *façonner*; ‹v. grond› *cultiver*; *labourer*; ‹chemisch› *traiter*; ‹v. boek› *adapter*; ‹mooier maken› *orner* • beïnvloeden *travailler*; *manipuler*

bewerking • het bewerken *travail* m; LANDB. *culture* v; *labourage* m; ‹chemisch› *traitement* m • herziening *adaptation* v; ‹v. muziek› *transcription* v; ‹voor film› *montage* m *pour le cinéma* • het beïnvloeden *manipulation* v • WISK. *opération* v

bewerkstelligen *effectuer*; *réaliser*

bewesten *à l'ouest de*

bewijs • blijk, teken *marque* v; *témoignage* m • hetgeen waaruit iets blijkt *preuve* v; *démonstration* v; ‹getuigschrift› *certificat* m; ‹bewijsstuk› *pièce* v *justificative*; *titre* m ★ ~ van goed gedrag *certificat de bonne vie et mœurs* m ★ schriftelijk ~ *preuve littérale* v ★ ~ van herkomst *certificat d'origine* m ★ ~ van storting *récépissé de versement* m ★ ~ van ontvangst *accusé de réception* m ★ ~ van onvermogen *certificat d'indigence* m

bewijsgrond *preuve* v

bewijslast *charge* v *de la preuve* ★ de ~ omkeren *renverser la charge de la preuve*

bewijsmateriaal *pièces* v mv *à conviction*

bewijsvoering JUR. *argumentation* v; *démonstration* v

bewijzen • aantonen *prouver*; *démontrer* ★ ~ dat men twee jaar een beroep heeft uitgeoefend *justifier de deux ans de vie professionnelle* • betuigen *témoigner* ★ iem. een dienst ~ *rendre service à qn*

bewind • bestuur *direction* v; *administration* v • regering *gouvernement* m ★ aan het ~ komen/zijn *arriver/être au pouvoir*

bewindsman • minister *ministre* m; *dirigeant* m • staatssecretaris *secrétaire* m/v *d'Etat*

bewindspersoon POL. *ministre* m/*membre* m *du conseil*

bewindvoerder *dirigeant* m; *administrateur* m [v: *administratrice*]; *directeur* m [v: *directrice*]

bewogen • ontroerd *ému*; *touché* • onrustig *mouvementé*

bewolking *nuages* m mv; *nébulosité* v

bewonderaar *admirateur* m [v: *admiratrice*]

bewonderen *admirer*

bewonderenswaard(ig) *admirable*

bewondering *admiration* v ★ ~ oogsten *susciter l'admiration*

bewonen ‹tijdelijk› *loger à*; *demeurer à*; *habiter* ★ een heel huis ~ *occuper une maison entière*

bewoner ‹huurder› *locataire* m/v; *habitant* m [v: *habitante*]

bewoning *fait* m *d'occuper une maison*

bewoonbaar *habitable*

bewoording *termes* m mv ▾ in duidelijke ~en te verstaan geven *s'exprimer en termes clairs*

bewust • wetend *conscient (de)* ★ ik ben het me niet ~ *je ne me suis pas rendu compte* • betreffende *en question* ★ het ~e boek *le livre en question*

bewusteloos *sans connaissance*; *évanoui*; *inconscient* ★ ~ raken *s'évanouir*; *perdre connaissance*

bewustheid *conscience* v

bewustmaking *conscientisation* v

bewustwording *prise* v *de conscience*

bewustzijn *conscience* v ★ weer tot ~ komen *reprendre connaissance* ★ in het volle ~ van *pleinement conscient de* ★ buiten ~ *sans connaissance*; *évanoui*

bewustzijnsvernauwing *psychonévrose* v

bewustzijnsverruimend *psychédélique*

bezaaien *semer*; *ensemencer*; FIG. *joncher (de)* ★ met bloemen ~ *joncher de fleurs*

bezadigd I BNW ‹v. personen› *pondéré*; *posé*; ‹v. geest› *rassis*; *modéré* ▾ ~er worden *s'assagir* II BIJW *calmement*; *avec pondération*

bezatten (zich) *se soûler*

bezegelen *sceller*

bezeilen • zeilen over *naviguer sur* • door zeilen bereiken *atteindre (à la voile)* ▾ er valt geen land mee te ~ *on ne sait pas par quel bout le prendre*

bezem *balai* m

bezemwagen *voiture-balai* v [mv: *voitures-balais*]

bezeren I OV WW *faire mal à*; *blesser* II WKD WW *se faire mal*; *se blesser*

bezet • gevuld met mensen *occupé* ★ ~! *occupé!*; *il y a qn!* • druk *pris* ★ ik ben ~ *je*

suis pris ★ een druk ~te week *une semaine bien chargée* • MIL. *occupé*
bezeten • krankzinnig *possédé*; *fou* [v: *folle*] [onr: *fol*] • dol op *fou (de)* [v: *folle (de)*]; *épris (de)*
bezetten • innemen *occuper* • bedekken *garnir* ▾ de pianopartij ~ *assurer la partie de piano* ▾ een goed bezet stuk *une pièce bien montée*
bezetter *occupant* m [v: *occupante*]
bezetting • het bezetten *occupation* v • spelers ‹v. toneel› *distribution* v *(des rôles)*; MUZ. *effectif* m *orchestral* ★ met volle ~ *au grand complet*
bezettingsgraad *taux* m *d'occupation*
bezettoon ≈ *tonalité* v *qui indique que la ligne est occupée*
bezichtigen • bekijken *visiter* • inspecteren *examiner*
bezichtiging • inspectie *examen* m; *inspection* v • het bekijken *visite* v
bezield *animé*; FIG. *enflammé*; *inspiré*
bezielen • leven geven aan *animer*; *vivifier* • inspireren *animer*; *inspirer* ★ wat bezielt je toch? *quelle mouche te pique?*; *qu'est-ce qui te prend?*
bezieling *animation* v; FIG. *enthousiasme* m; *feu* m
bezien *inspecter*; *regarder*; *voir* ★ het valt nog te ~ of *reste à savoir si*
bezienswaardig *qui vaut le détour*
bezienswaardigheid *curiosité* v; ‹v. stad› *centre* m *d'intérêt*
bezig *occupé*; *actif* [v: *active*] ★ ~ zijn met *être occupé à*; *être en train de* ★ hij is druk ~ *il est fort occupé*
bezigen *employer*; *utiliser*
bezigheid *occupation* v ★ veel bezigheden hebben *être fort occupé*
bezigheidstherapie ≈ *rééducation* v *par des travaux manuels*
bezighouden I OV WW *occuper* II WKD WW ~ **met** *s'occuper (de)*
bezijden *à côté de* ★ ~ de waarheid *à côté de la vérité*
bezinken • naar bodem zakken *se déposer* • helder worden *se clarifier*; *se dépouiller* ▾ dit moet even ~ *ça demande réflexion*
bezinking *sédimentation* v
bezinksel *sédiment* m; *résidu* m; *dépôt* m
bezinnen *réfléchir*
bezinning • het nadenken *réflexion* v ★ tot ~ komen *revenir à soi*; *se ressaisir* • besef *connaissance* v; *conscience* v
bezit *possession* v ★ in het ~ komen van *entrer en possession de*
bezitloos *pauvre*; *démuni de tout*
bezitsvorming *acquisition* v *de biens*
bezittelijk *possessif* [v: *possessive*]
bezitten *posséder*; *avoir*; *jouir de*
bezitter *possesseur* m; *propriétaire* m/v
bezitterig *possessif* [v: *possessive*]
bezitting *possession* v; *propriété* v; *bien* m
bezoedelen *salir*; *souiller*; *tacher*
bezoek • het bezoeken *visite* v ★ op ~ gaan bij iem. *aller en visite chez qn*; *aller voir qn* • personen *du monde* m; *visite* v ★ ~! *de la visite!* ★ hij heeft ~ *il a du monde*
bezoeken *aller/venir voir*; *visiter*; *rendre visite à*; ‹v. school› *fréquenter*
bezoeker *visiteur* m [v: *visiteuse*]; ‹in café› *consommateur* m [v: *consommatrice*] ★ vaste ~ *habitué* m [v: *habituée*]
bezoeking *épreuve* v; *châtiment* m
bezoekrecht *droit* m *de visite*
bezoekregeling *règlement* m *de visites*
bezoektijd *heures* v mv *de visite*
bezoekuur *heure* v *des visites*
bezoldigen *payer*; ‹v. beambten› *rétribuer*; *appointer*
bezoldiging *solde* v; *gages* m mv; *salaire* m; *appointements* m mv; *traitement* m
bezondigen (**zich**) *être coupable (de)*
bezonken *réfléchi*
bezonnen *prudent*
bezonnenheid *prudence* v; *sagesse* v
bezopen I BNW • dronken *soûl* • idioot *fou* [v: *folle*] [onr: *fol*] II BIJW *comme un fou*
bezorgd • ongerust *inquiet (de)* [v: *inquiète*]; *soucieux (de)* [v: *soucieuse*]; *préoccupé (de)* ★ ~ zijn over *craindre pour* ★ zich ~ maken *se faire du souci* • zorgzaam *attentif* [v: *attentive*]
bezorgdheid • ongerustheid *inquiétude* v; *préoccupation* v • zorgzaamheid *attention* v
bezorgdienst *service* m *de livraison*
bezorgen • afleveren *distribuer*; *faire parvenir*; *remettre* ★ de bestellingen worden aan huis bezorgd *on porte à domicile* • verschaffen *procurer*; *fournir* ★ iem. een baantje ~ *procurer un job à qn*
bezorger *porteur* m [v: *porteuse*]; *livreur* m [v: *livreuse*]
bezorging *distribution* v; *factage* m
bezuiden *au sud de*
bezuinigen *économiser*; *faire des économies*
bezuiniging *économie* v; *réduction* v *de dépenses*
bezuinigingsmaatregel *mesure* v *d'économie*
bezuinigingspolitiek *politique* v *d'austérité*
bezuren I OV WW bekopen *payer (de)*; *faire les frais de* II ON WW opbreken *coûter cher*
bezwaar • beletsel *inconvénient* m; *problème* m ★ dat is geen ~ *cela ne pose aucun problème* • bedenking *inconvénient* m; *difficulté* v; *objection* v ★ ik zie er geen ~ in dat *je ne vois pas d'inconvénient à ce que* [+ subj.] ★ ~ hebben tegen *s'opposer à*
bezwaard *tourmenté* ★ zich ~ voelen *avoir des scrupules*
bezwaarlijk I BNW *difficile*; *pénible* II BIJW *difficilement*
bezwaarschrift *plainte* v; *réclamation* v
bezwaren *charger*; FIG. *peser sur*; *gêner*; *oppresser*
bezweet *trempé de sueur*; *tout en nage*
bezweren • onder ede verklaren *jurer*; *affirmer sous serment* • smeken *supplier*; *adjurer* • in zijn macht brengen *ensorceler* • afwenden *exorciser*; *conjurer*
bezwering • het onder eed verklaren *conjuration* v • het verdrijven van geesten *exorcisme* m

B

bezwijken • niet bestand zijn tegen iets *céder*; ‹instorten› *s'écrouler* • toegeven *céder* ★ voor de verleiding ~ *succomber à la tentation* • sterven *succomber*
bezwijmen *s'évanouir*
B-film *film* m *médiocre*
b.g.g. bij geen gehoor *en cas d 'absence*
bh *soutien-gorge* m
Bhutan *le Bhoutan*
bi I ZN biseksueel *bisexuel* m [v: *bisexuelle*]; BIOL. *bisexué* II BNW biseksueel *bisexuel* [v: *bisexuelle*]; BIOL. *bisexué*
biaisband *biais* m
biatleet *biathlète* m, v
biatlon *biathlon* m
bibberen *frissonner*; *grelotter*
bibliografie *bibliographie* v
bibliothecaris *bibliothécaire* m/v; *conservateur* m [v: *conservatrice*]
bibliotheek *bibliothèque* v
bicarbonaat *bicarbonate* m
biceps *biceps* m
bidden • gebed doen *prier* ★ voor het eten ~ ‹rooms-katholiek› *dire le bénédicité*; ‹protestants› *faire la prière avant le repas* ★ na het eten ~ ‹rooms-katholiek› *dire les grâces*; ‹protestants› *faire la prière après le repas* • smeken *supplier*; *conjurer*
bidet *bidet* m
bidon *bidon* m
bidonville *bidonville* m
bidprentje • prentje ter nagedachtenis *image* v *mortuaire* • heiligenprentje *image* v *pieuse*
bieb *bib* v; *thèque* v
biecht *confession* v ★ te ~ gaan *aller se confesser*
biechten I OV WW iets bekennen *confesser* II ON WW bekennen *se confesser*
biechtgeheim *secret* m *de la confession*
biechtstoel *confessionnal* m [mv: *confessionnaux*]
bieden • aanbieden *offrir*; *présenter* ★ iem. de hand ~ *tendre la main à qn* ★ te ~ hebben *offrir* • een bod doen *faire une offre de* ★ ik bied vijftig gulden voor dat boek *j'offre cinquante florins pour ce livre* • bij kaartspelen ‹kaartspel› *annoncer*
biedermeier *Biedermeier* m
biedkoers *cours* m *acheteurs*; *cours* m *demandé*
biedprijs *offre* v
biefburger *hamburger* m
biefstuk *bifteck* m ★ bijna rauwe ~ *bifteck bleu* ★ niet doorbakken ~ *bifteck saignant* ★ niet te rauwe ~ *bifteck à point* ★ doorbakken ~ *bifteck bien cuit*
biels *traverse* v
bier *bière* v ★ een bier! *un demi!*; *une pression!* ★ licht bier *bière blonde* ★ donker bier *bière brune* ★ zwaar bier *bière double* ★ alcoholvrij bier *bière sans alcool*
bierbrouwerij *brasserie* v
bierbuik • buik *bedaine* v • persoon *gros buveur* m *de bière*
bierkaai ▾ vechten tegen de ~ *se démener pour rien*
bierviltje *carton* m
bies • oeverplant *jonc* m • boordsel *passepoil* m; ‹v. broek› *bande* v; *galon* m ▾ zijn biezen pakken *décamper*; *plier bagage*
bieslook *ciboulette* v
biest *premier* m *lait*; ‹v. moeder› *colostrum* m
biet *betterave* v
bietsen • bedelen *quémander*; *mendier* • inpikken *piquer*
biezen I BNW *de jonc* II OV WW *lisérer*
bifocaal *bifocal* [m mv: *bifocaux*]
big *cochon* m *de lait*; *porcelet* m
bigamie *bigamie* v
biggelen ≈ *ruisseler*; ≈ *couler*
biggen ≈ *mettre bas*
bij I ZN *abeille* v ▾ een bezige bij *une fourmi* II BIJW • slim *rusé* ★ hij is goed bij *il est intelligent* • bij bewustzijn *conscient* ★ zij kwam weer bij *elle a repris connaissance* • zonder achterstand *à jour* ★ ik ben bij *je suis à jour* ▾ ik kan er met mijn verstand niet bij *cela me dépasse* ▾ dat hoort er nu eenmaal bij *c'est la vie* III VZ • toegevoegd aan *avec* ★ wil jij er nog iets bij? *est-ce que tu veux qc avec?* • in aanwezigheid van iets/iemand ★ hij kwam vroeger bij hen thuis *il les fréquentait autrefois* ★ logeren bij familie *loger chez des parents* ★ ik zal er niet bij zijn *je ne serai pas de la partie* • in een bepaald geval ★ bij het ontbijt *au petit déjeuner* ★ bij gelegenheid *à l'occasion* ★ bij dezen *par la présente* • door/wegens *par* ★ bij toeval *par hasard* ★ bij wijze van *en guise de* • in de buurt van *près de* ★ dat is bij het station *c'est près de la gare* ★ hij staat bij de muur *il est près du mur* • vergeleken met ★ daar is hij helemaal niets bij *il n'arrive pas à la cheville (de qn)* • maal *sur* ★ zes bij zes meter *six mètres sur six* • met *par* ★ bij honderden *par centaines* • aan ★ iem. bij de kraag pakken *prendre qn au collet* • door middel van *par* ★ bij de wet verboden *interdit par la loi* ★ bij zich hebben *avoir (sur soi)* ★ heb je het bij je? *est-ce que tu l'as sur toi?* ▾ goed bij kas zijn *ne pas manquer d'argent*; *avoir de quoi* ▾ nu ben je d'r bij! *je te tiens!*
bijbaantje *à-côté* m [mv: *à-côtés*]; *emploi* m *accessoire*
bijbal *épididyme* m
bijbedoeling *arrière-pensée* v [mv: *arrière-pensées*] ★ zonder slechte ~en *sans mauvaises intentions*
bijbehorend *annexe*
bijbel *Bible* v; *Écriture* v *sainte*
bijbelkring *cercle* m *d'étude biblique*
bijbels *biblique*; *de la Bible* ★ ~e geschiedenis *histoire sainte* v
bijbeltekst *texte* m *biblique*
bijbelvast *versé dans la Bible*
bijbelvertaling *traduction* v *de la Bible*
bijbenen *suivre* ★ hij kan het niet meer ~ *il ne peut plus y suffire*
bijbetalen *payer un supplément*
bijbetekenis *connotation* v
bijblijven • niet achter raken *suivre* • onthouden *rester dans la mémoire* ★ dat is

hem bijgebleven *il en a gardé le souvenir*
bijbrengen • leren *apprendre* • tot bewustzijn brengen *faire revenir à soi*
bijdehand • pienter *malin* [v: *maligne*]; *vif* [v: *vive*] • vrijpostig *éveillé; déluré*
bijdetijds *moderne; à la page*
bijdraaien • toegeven *ne pas persister dans son opinion; filer doux; céder* • SCHEEPV. *mettre en panne*
bijdrage ‹meer algemeen› *contribution* v; ‹geldelijk› *cotisation* v; ‹artikel› *article* m
bijdragen *contribuer à*; ‹in kosten› *participer*
bijdruk *imprimé* m *supplémentaire*
bijeen *réunis* m mv [v mv: *réunies*]; *ensemble*
bijeenblijven *rester ensemble*
bijeenbrengen *réunir; rassembler*
bijeenkomen *se réunir; se rassembler; se rejoindre*
bijeenkomst *réunion* v; *assemblée* v; *rendez-vous* m [onv] ★ een geheime ~ *un conciliabule*
bijeenrapen *ramasser* ★ al zijn moed ~ *rassembler tout son courage*
bijeenroepen *convoquer; rassembler*
bijeenzijn *réunion* v; *entrevue* v
bijeenzoeken *rassembler (en cherchant)*
bijenhouder *apiculteur* m
bijenkast *ruche* v
bijenkoningin *reine* v *(des abeilles)*
bijenkorf *ruche* v
bijensteek *piqûre* v *d'abeille*
bijgaand *ci-joint* [v: *ci-jointe*]; *ci-inclus* [v: *ci-incluse*]
bijgebouw *dépendance* v; *annexe* v ★ ~en *communs* m mv
bijgedachte *arrière-pensée* v [mv: *arrière-pensées*]
bijgeloof *superstition* v
bijgelovig I BNW *superstitieux* [v: *superstitieuse*] II BIJW *superstitieusement*
bijgenaamd *surnommé; dit*
bijgerecht *plat* m *d'accompagnement*
bijgeval *par hasard*
bijgevolg *par conséquent; donc*
bijholte *sinus* m
bijholteontsteking *sinusite* v
bijhouden • bijblijven FIG. *suivre; se tenir au courant de; suivre*; ‹lopend› *marcher du même pas que* • blijven werken aan *tenir à jour* • houden bij iets anders *rapprocher*
bijkans *presque; à peu près*
bijkantoor *succursale* v; *agence* v; ‹v. PTT› *bureau* m *auxiliaire*
bijkeuken *arrière-cuisine* v [mv: *arrière-cuisines*]
bijkomen • erbij komen *approcher; atteindre* • bij bewustzijn komen *revenir à soi* • herstellen *récupérer; se remettre*; ‹er bovenop komen› *reprendre des forces* ▾ dat moest er nog ~ *il ne manquait plus que cela*
bijkomend *additionnel* [v: *additionnelle*]; *complémentaire* ★ ~e onkosten *faux frais* m mv
bijkomstig *accessoire; secondaire*
bijkomstigheid *élément* m *accessoire; à-côté* m [mv: *à-côtés*]
bijl *hache* v; *cognée* v ▾ er met de grove bijl op inhakken *ne pas y aller de main morte*
bijlage *annexe* v; ‹v. blad› *supplément* m; ‹in blad› *encart* m
bijleggen • bijbetalen *ajouter* • goedmaken *vider; terminer* ★ een ruzie ~ *vider une querelle à l'amiable*
bijles *leçon* v *particulière*
bijlichten *éclairer*
bijltjesdag *chasse* v *aux collabos*
bijna *presque; à peu près* ★ hij is ~ verdronken *il a failli se noyer* ★ pas op, je was ~ overreden *attention, un peu plus, tu serais écrasé*
bijnaam *surnom* m; ‹spottend› *sobriquet* m
bijnadoodervaring *expérience* v *d'être quasi mort*
bijnier *glande* v *surrénale*
bijnierschors *cortex* m *surrénal*
bijou *bijou* m [mv: *bijoux*]
bijpassen I OV WW *ajouter* II ON WW • completeren *faire l'appoint* • bijbetalen *y aller de sa poche*
bijpassend *assorti*
bijpraten *se raconter des choses*
bijproduct *sous-produit* m [mv: *sous-produits*]; *dérivé* m
bijrijder *aide-conducteur* m [mv: *aide-conducteurs*] [v: *aide-conductrice*]
bijrol *rôle* m *secondaire*
bijschaven • glad maken *donner un coup de rabot à* • beter maken *perfectionner*
bijscholen *recycler*
bijscholing(scursus) *cours* m *de recyclage*
bijschrift *légende* v
bijschrijven • bijboeken *ajouter* ★ de boeken ~ *mettre à jour les livres de comptes* • inschrijven *inscrire; ajouter*
bijslaap • coïtus *coït* m; *copulation* v • vrijer *compagnon* m *de lit* [v: *compagne ...*]
bijsluiter *mode* m *d'emploi; notice* v
bijsmaak *goût* m; *arrière-goût* m [mv: *arrière-goûts*]
bijspijkeren • bijwerken *faire rattraper* ★ zijn kennis ~ *compléter ses connaissances* • bijspringen *aider financièrement; combler un déficit*
bijspringen ‹geldelijk› *aider; secourir; aider*
bijstaan *assister; secourir* ★ elkaar ~ *s'entraider* ★ God sta mij bij *(que) Dieu me soit en aide*
bijstand • hulp *assistance* v ★ ~ verlenen *prêter secours* ★ rechtskundige ~ *assistance juridique* v • uitkering *aide* v *sociale* ★ in de ~ zitten *toucher les prestations de l'aide sociale*
bijstandsmoeder ≈ *mère* v *célibataire assistée*
bijstandsuitkering *allocation* v *de l'aide sociale; revenu* m *minimum d'insertion; R.M.I.* m
bijstandtrekker *assisté* m; *érémiste* m/v
bijstellen • aanpassen *adapter* • in juiste stand brengen *ajuster; régler*
bijstelling • het bijstellen ‹aanpassing› *adaptation* v; *réglage* m • bijvoeglijke bepaling *apposition* v
bijster I BNW ★ het spoor ~ zijn *être égaré* II BIJW *très* ★ niet ~ intelligent zijn *ne pas être (très) intelligent*

bijsturen *corriger (la déviation)*; FIG. *corriger*
bijt *trou* m *dans la glace*
bijtanken • brandstof bijvullen *prendre de l'essence* • energie opdoen *recharger les accus*
bijtekenen *se rengager*
bijten • tanden zetten in *mordre*; ‹v. insecten› *piquer* ★ op zijn nagels ~ *se ronger les ongles* • scherp zijn *cuire*; *brûler* • corroderen *mordre* • vitten *dire d'un ton sec* ▾ van zich af ~ *ne pas se laisser marcher sur les pieds*
bijtend *mordant*; *caustique*
bijtgaar *à point*
bijtijds • op tijd *à temps* • vroeg *de bonne heure*
bijtrekken • beter worden *s'améliorer* • overgaan *s'apaiser*
bijtring *hochet* m
bijvak *matière* v *secondaire*; *matière* v *accessoire*
bijval • instemming *approbation* v ★ ~ vinden *avoir du succès*; *réussir* • applaus *applaudissements* m mv
bijvallen ★ iem. ~ *se ranger du côté de qn*
bijverdienen ★ wat ~ *arrondir les fins de mois*
bijverdienste *salaire d'appoint*; *à-côté* m [mv: *à-côtés*]
bijverschijnsel *effet secondaire*
bijverzekeren *étendre l'assurance*
bijvoeding *alimentation* v *supplémentaire*
bijvoegen *ajouter (qc à qc)*
bijvoeglijk I BNW *adjectif* [v: *adjective*]; *attributif* [v: *attributive*] ★ een ~ naamwoord *un adjectif* II BIJW *comme adjectif*; *adjectivement*
bijvoegsel *appendice* m; ‹v. testament› *codicille* m; *supplément* m
bijvoorbeeld *par exemple*
bijvullen *remplir*
bijwerken • in orde maken *mettre à jour*; ‹v. schilderij› *retoucher* • extra les geven *donner des cours supplémentaires*
bijwerking *effet* m *secondaire*
bijwonen *assister à*; ‹v. mis› *entendre*; ‹v. lessen› *suivre*
bijwoord *adverbe* m
bijwoordelijk I BNW *adverbial* [m mv: *adverbiaux*] II BIJW *adverbialement*
bijzaak *accessoire* m; *détail* m; *chose* v *de moindre importance*
bijzettafel *table* v *de desserte*; *petite table* v
bijzetten • erbij zetten *mettre auprès de* • begraven *enterrer*; *déposer dans un caveau*
bijziend *myope* ★ ~e zijn *avoir la vue courte/basse*
bijzijn *présence* v ★ in het ~ van *devant*; *en présence de*
bijzin *(proposition* v*) subordonnée* v
bijzit *concubine* v
bijzonder I BNW • speciaal *particulier* [v: *particulière*]; *spécial* [m mv: *spéciaux*] ★ iets ~s *qc de spécial* ★ het is niet veel ~s *ce n'est pas grand-chose* ★ in het ~ *en particulier*; *notamment* • ongewoon *singulier* [v: *singulière*]; *extraordinaire* • niet van de overheid *privé* ★ het ~ onderwijs *l'enseignement libre* m II BIJW *spécialement*; *particulièrement*
bijzonderheid • detail *détail* m • iets bijzonders *particularité* v
bikini *bikini* m
bikkelhard • erg hard *dur comme le fer* • onvermurwbaar *impitoyable*
bikken • afhakken *piquer*; *détartrer* • eten *bouffer*; *manger*
bil *fesse* v; ‹bilstuk van rund› *culotte* v
bilateraal *bilatéral* [m mv: *bilatéraux*]
biljard *million* m *de milliards*
biljart *billard* m
biljartbal *bille* v *de billard*
biljarten *jouer au billard*
biljet *billet* m
biljoen *billion* m
billboard *panneau* m *d'affichage*
billijk I BNW *juste*; *raisonnable*; *légitime*; ‹v. prijs› *raisonnable*; *modique*; *modéré* ★ dat is niet meer dan ~ *rien de plus juste* II BIJW *raisonnablement*; *avec raison*
billijken *approuver*; *autoriser*
bimetaal *bilame* v
binair *binaire*
binden • vastmaken *lier*; *attacher* • dik maken *lier*; *épaissir* • inbinden *relier* ★ een boek ~ *relier un livre*
bindend *contraignant*; *impératif* [v: *impérative*]; JUR. *obligatoire* ★ ~ zijn *lier*; *obliger*
binding *lien* m; *attachement* m; *liaison* v
bindmiddel *liant* m; MED. *excipient* m
bindvlies *conjonctive* v
bindvliesontsteking *conjonctivité* v
bindweefsel *tissu* m *conjonctif*
bingo *bingo* m
bink *costaud* m ★ de bink uithangen *jouer les durs*
binnen I BIJW in een ruimte *dans* ★ ze is nog ~ *elle est encore dedans* ★ van ~ naar buiten *de l'intérieur vers l'extérieur* ★ ~ zonder kloppen *entrez sans frapper* ★ is nummer 8 al ~? *est-ce que le numéro huit est déjà arrivé?* ★ hij loopt naar ~ *il entre* ▾ hij is ~ *il est à l'abri* II VZ • erin ★ ~ de muren van het kasteel *à l'intérieur des murs du château* ★ ~ mijn bereik *à ma portée* • minder dan *avant* ★ ~ de termijn *dans les délais* ★ ~ het budget blijven *ne pas dépasser le budget* • in herinnering ★ het schiet mij te ~ *cela me revient*
binnen- *intérieur*
binnenbaan • binnenste baan *couloir* m *intérieur* • overdekte baan *piste* v *couverte*; ‹tennis› *court* m *couvert*; ‹ijsbaan› *patinoire* v *couverte*
binnenbad *piscine* v *couverte*
binnenband *chambre* v *à air*
binnenblijven *rester dedans*
binnenbocht *courbe* v *intérieure d'un virage*
binnenbrand *feu* m *d'appartement*
binnenbrengen *(r)entrer* ▾ het nodige geld ~ *ramener l'argent nécessaire*
binnendoor • via kortere weg *par un raccourci* ★ ik ben ~ gereden *j'ai pris un raccourci* • niet buitenom *par l'intérieur*
binnendringen *envahir*; *pénétrer (dans)* ★ het

~ la pénétration
binnendruppelen *arriver au compte-gouttes*
binnengaan *entrer (dans)*
binnenhaven *port* m *fluvial* [m mv: *ports fluviaux*]; ‹bij zeehaven› *arrière-port* m [mv: *arrière-ports*]
binnenhuisarchitect *architecte* m *d'intérieur*
binnenin *en dedans*; *à l'intérieur*
binnenkant *dedans* m; *intérieur* m
binnenkomen *entrer (dans)*; *pénétrer (dans)*
binnenkomer *entrée* v *en matière* ★ dat is een leuke ~ *c'est une entrée en matière amusante*
binnenkort *sous peu*
binnenkrijgen • ontvangen *toucher*; *encaisser* • inslikken *avaler*; *boire*
binnenland GEO. *intérieur* m *(du pays)* ★ in het ~ *à l'intérieur du pays*
binnenlands *(de l')intérieur*
binnenlaten *faire entrer*
binnenloodsen *piloter*; *faire entrer au port*; FIG. *réussir à introduire*
binnenlopen ‹v. schip› *entrer au port*; ‹bij iemand› *passer chez*
binnenoor *oreille* v *interne*
binnenplaats *cour* v *(intérieure)*
binnenpraten LUCHTV. *transmettre par radio des instructions d'atterrissage*
binnenpretje *plaisir* m *intérieur*
binnenrijm *rime* v *intérieure*
binnenroepen *crier (à qn) d'entrer*
binnenscheepvaart *navigation* v *intérieure/fluviale*
binnenschipper *batelier* m; *marinier* m
binnenshuis ‹thuis› *en famille*; *dans la maison*; *chez soi*
binnenskamers *en secret*; *dans l'intimité*
binnensmonds *entre les dents*
binnenspiegel *rétroviseur* m *intérieur*
binnensport *sport* m *en salle*
binnenstad *centre-ville* m [mv: *centres-villes*]; *cité* v
binnenste *intérieur* m
binnenstebuiten *à l'envers* ★ ~ keren *retourner*; FIG. *mettre sens dessus sens dessous*
binnenvaart *navigation* v *fluviale*; *batellerie* v
binnenvallen • binnenkomen *entrer en coup de vent*; SCHEEPV. *faire escale à*; *faire une escale forcée* • een inval doen *faire irruption dans*
binnenvetter *introverti* m [v: *introvertie*]
binnenwaarts *vers l'intérieur*
binnenwater *eaux* v mv *intérieures*
binnenweg ‹korter› *raccourci* m; *chemin* m *de traverse*
binnenwerk • inwendige delen *intérieur* m • werk binnenshuis *intérieur* m
binnenzak *poche* v *intérieure*
binnenzee *mer* v *intérieure*; *golfe* m
bint *poutre* v
bintje *bintje* v
bioafval *déchets* m mv *biodégradables*
biobak *conteneur* m *de déchets végétaux*
biochemie *biochimie* v
biodynamisch *biodynamique*
bio-energie *bioénergie* v
biofeedback *biofeedback* m
biofysica *biophysique* v
biogas *biométhane* m; *biogaz* m; *gaz* m *de fumier*
biografie *biographie* v
bio-industrie *bio-industire* v; *élevage* m *industriel*
biologie *biologie* v
biologisch *biologique* ★ ~ afbreekbaar *biodégradable*
biologisch-dynamisch ≈ *relevant de l'agriculture biologique*
bioloog *biologiste* m/v
biomassa *biomasse* v
biopsie *biopsie* v; *prélèvement* m
biopt *prélèvement* m
bioritme *biorythme* m
bioscoop *cinéma* m
biosfeer *biosphère* v
biotechnologie *biotechnologie* v
biotoop *biotope* m
bipatride *qn qui possède deux nationalités*
bips *fesses* v mv
Birma *la Birmanie* ★ in ~ *en Birmanie*
bis I ZN muzieknoot *si* m *dièse* **II** BIJW *bis* **III** TW *bis*; *encore*
bisamrat *rat* m *musqué*
biscuit *biscuit* m
bisdom *évêché* m
biseksueel *bisexuel* [v: *bisexuelle*]
bisschop *évêque* m ★ de ~pen *l'épiscopat* m
bisschoppelijk *épiscopal* [m mv: *épiscopaux*]
bissectrice *bissectrice* v
bistro *bistro(t)* m; *petit restaurant* m
bit I ZN (de) COMP. *bit* m; *digit* m *binaire* **II** ZN (het) mondstuk *mors* m
bits I BNW *mordant*; *aigre* **II** BIJW *sèchement*; *brusquement*
bitter I ZN *bitter* m **II** BNW • scherp van smaak *amer* [v: *amère*] • smartelijk *amer* [v: *amère*]; *douloureux* [v: *douloureuse*] • verbitterd *amer* [v: *amère*]; *aigri* ▾ een ~e kou *un froid pénétrant* **III** BIJW *amèrement* ★ het is ~ koud INF. *ça pince dur*
bitterbal *boulette* v *de hachis*
bittergarnituur *plateau* m *d'amuse-gueule*
bitterzoet *doux-amer* [m mv: *doux-amers*] [v: *douce-amère*] [v mv: *douces-amères*]
bitumen • asfalt *bitume* m • koolwaterstof *bitume* m *naturel*
bivak *bivouac* m
bivakkeren • in de open lucht slapen *bivouaquer* • tijdelijk wonen *séjourner*
bivakmuts *passe-montagne* m [mv: *passe-montagnes*]; *cagoule* v
bizar *bizarre*
bizon *bison* m
B-kant *face* v *B*
blaadje *feuille* v; ‹v. bloem› *pétale* m ▾ in een goed ~ staan bij *être dans les bonnes grâces de*
blaag *polisson* m [v: *polissonne*]
blaam *blâme* m ★ zich van alle ~ zuiveren *se disculper* ★ zonder ~ *sans reproche*
blaar *ampoule* v; *cloque* v
blaarkop *vache* v *à tête en étoile*
blaas • luchtbel *bulle* v • orgaan *vessie* v
blaasaandoening *affection* v *de la vessie*
blaasbalg *soufflerie* v; ‹m.b.t. vuur› *soufflet* m

B

blaasinstrument *instrument* m *à vent*
blaaskaak *fanfaron* m; *vantard* m
blaaskapel *fanfare* v
blaasontsteking *cystite* v
blaaspijpje *alcootest* m
blabla *blabla* m
black-out • geheugenverlies *passage* m *à vide* • bewusteloosheid *évanouissement* m
blad • deel van plant *feuille* v • plat en breed voorwerp ‹deel van tafel› *tablette* v; *dessus* m *(de table)*; ‹v. mes› *lame* v • krant *journal* m [mv: *journaux*] • tijdschrift *revue* v • dienblad *plateau* m [mv: *plateaux*] • vel papier *feuille* v ★ van het blad spelen *jouer à livre ouvert* ★ het blad omslaan *tourner la page* ▾ geen blad voor de mond nemen *ne pas mâcher ses mots*
bladderen *s'écailler*
bladerdeeg *pâté* v *feuilletée*
bladeren *feuilleter*
bladgoud *or* m *en feuilles* ★ met ~ verguld *doré à la feuille*
bladgroen *chlorophylle* v
bladgroente *légumes* m mv *verts*
bladluis *puceron* m
bladmuziek *partition* v
bladspiegel *format* m *d'une page*
bladstil *sans un souffle* ★ het is ~ *rien ne bouge*
bladverliezend *à feuilles* v mv *caduques*
bladvulling *remplissage* m; ‹krant› *articulet* m
bladwijzer • leeswijzer *signet* m • inhoudsopgave *index* m; *table* v *des matières*
bladzijde *page* v
blaffen *aboyer*
blaffer *pétard* m
blaken • branden *brûler* • vol zijn van ★ in ~de welstand *resplendissant de santé*
blaker *bougeoir* m
blakeren *flamber*; *griller*
blamage *honte* v ★ hij voelde dat als een ~ *il se sentait diminué*
blameren *jeter un blâme sur*; *compromettre*
blancheren *blanchir*
blanco I BNW *blanc* [v: *blanche*] ★ een ~ cheque *un chèque en blanc* ★ ~ stemmen *déposer un bulletin blanc/nul*; *voter blanc* II BIJW *en blanc*
blancokrediet *crédit* m *en blanc*; *crédit* m *à découvert*
blancovolmacht *procuration* v *en blanc*
blank • ongekleurd *blanc* [v: *blanche*] • onbedekt, onbeschreven *blanc* [v: *blanche*] ★ ~ schuren *poncer*; *décaper* • onder water *sous les eaux*; *inondé* ★ ~ staan *être inondé*
blanke *blanc* m [v: *blanche*]
blasé *blasé*
blasfemeren *blasphémer*
blasfemie *blasphème* m
blaten *bêler* ★ het ~ *le bêlement*
blauw I ZN *bleu* m II BNW ‹hemelsblauw› *azuré*; *bleu* ★ ~ verven *teindre en bleu* ★ een ~e plek *un bleu*; *une ecchymose* ★ iem. een ~ oog slaan *pocher l'œil à qn*
Blauwbaard *Barbe-bleue*
blauwbekken *être transi de froid* ★ staan ~ *attendre dans le froid*
blauwboek *livre* m *bleu*
blauwdruk *bleu* m
blauweregen *glycine* v
blauwgrijs *gris-bleu*
blauwhelm *casque* m *bleu*
blauwkous *bas-bleu* m [mv: *bas-bleus*]
blauwtje *lycène* v ▾ een ~ lopen *essuyer un refus*
blauwzuur *acide* m *cyanhydrique*; *acide* m *prussique*
blauwzwart *bleu-noir*
blazen I OV WW bespelen *jouer* II ON WW • met kracht uitademen *souffler* • bespelen *jouer* ★ op de fluit ~ *jouer de la flûte*
blazer • MUZ. *joueur* m *d'instrument à vent* • jasje *blazer* m
blazoen *blason* m; ‹v. familie/stad› *écusson* m
bleek I ZN • het bleken *blanchissage* m • bleekveld *herberie* v II BNW ‹v. mens› *pâle*; *blafard* ★ ~ worden *pâlir*; *devenir tout pâle* ★ mat~ *blafard* ★ ~ en mager *hâve*
bleekgezicht *visage* m *pâle*
bleekmiddel *agent* m *de blanchiment*
bleekneus *personne* v *pâlotte*
bleekscheet *cachet* m *d'aspirine*
bleekselderij *céleri* m *à côtes*
bleekwater *eau* v *de Javel*
bleekzucht MED. *anémie* v
bleken *blanchir* ★ het ~ *le blanchissage*
blèren • blaten *bêler* • luid huilen *brailler*
bles • witte plek *lisse* v • paard *cheval* m *étoilé au front*
blesseren *blesser*
blessure *blessure* v
blessuretijd *arrêts* m mv *de jeu*
bleu • bedeesd *timide* • lichtblauw *bleu (clair)*
bliep *bip* m; *signal* m *sonore*
blieper *bip(eur)* m
blieven *avoir envie de*; *désirer*
blij I BNW • verheugd *content*; *heureux* [v: *heureuse*] ★ blij zijn om *se féliciter de* ★ ik ben blij dat je geslaagd bent *ça me fait plaisir que tu aies réussi* • verheugend *gai*; *joyeux* [v: *joyeuse*] II BIJW *gaiement*
blijdschap *joie* v; *plaisir* m
blijf-van-mijn-lijfhuis *centre* m *d'hébergement pour femmes en détresse*; ≈ *Centre* m *S.O.S. Femmes Battues*
blijheid *joie* v
blijk *marque* v; *preuve* v; *témoignage* m ★ als ~ van *en témoignage de* ★ ~ geven van *faire preuve de*
blijkbaar I BNW *clair*; *évident*; *manifeste* II BIJW kennelijk *manifestement*
blijken *paraître*; *se trouver*; *s'avérer* ★ het blijkt dat *il se trouve que*; *il s'avère que*
blijmoedig I BNW *joyeux* [v: *joyeuse*] II BIJW *joyeusement*
blijspel *comédie* v
blijven I ON WW • voortduren *être permanent*; *durer* ★ ~ staan ‹stoppen› *s'arrêter*; ‹niet gaan zitten› *rester debout* ★ ~ zitten *rester assis*; ‹op school› *redoubler* ★ het zal daar niet bij ~ *cette affaire n'en restera pas là* ★ waar zijn wij gebleven? *où en sommes-nous restés?* ★ ~ liggen *rester couché* ★ ~

steken ‹bij spreken› *être bloqué*; ‹v. auto› *rester en panne* ★ blijf van me af *bas les pattes* • niet weg- of doorgaan *demeurer*; *rester* • ~ **bij** ★ ik blijf erbij dat *je persiste à dire que* II KWW ★ ernstig ~ *garder son sérieux* ★ goed ~ *se conserver*
blijvend *permanent*; *durable*
blik I ZN (de) • oogopslag *coup* m *d'œil*; *regard* m ★ de blik wenden naar *tourner le regard sur* ★ een blik slaan op *jeter un regard sur* • manier van kijken *regard* m • kijk op iets ★ een ruime blik hebben *voir grand* ★ de blik verruimen *agrandir l'horizon* II ZN (het) • metaal *fer-blanc* m • bus *boîte* v ★ vlees in blik *viande de conserve* • stofblik *pelle* v *à poussière*
blikgroente *légumes* m mv *en boîte*
blikje *boîte* v *de conserves*
blikken I BNW *en fer-blanc*; *de fer-blanc* II ON WW ▾ zonder ~ of blozen *sans sourciller*
blikkeren *briller*; *étinceler*; *reluire*
blikopener *ouvre-boîtes* m [onv]
blikschade ≈ *dégâts* m mv *matériels*
bliksem • natuurverschijnsel ‹lichtflits› *éclair* m; ‹ontlading› *foudre* v ★ de ~ is in de toren geslagen *la foudre est tombée sur la tour* • persoon ★ luie ~ *un fainéant* ▾ als door de ~ getroffen *comme frappé par la foudre* ▾ als de ~! *plus vite que ça!* ▾ het is naar de ~ *c'est fichu*
bliksemactie *action* v *éclair*
bliksemafleider *paratonnerre* m; TECHN. *parafoudre* m
bliksemcarrière *carrière* v *éclair*
bliksemen ★ het bliksemt *il fait des éclairs*
bliksemflits *éclair* m
blikseminslag *foudre* v
bliksemoorlog *guerre* v *éclair*
bliksems I BNW *sacré* II BIJW *sacrément*; *diablement* III TW *tonnerre!*; *bigre!*
bliksemschicht *éclair* m
bliksemsnel I BNW *rapide comme l'éclair*; *archirapide* II BIJW *très rapidement*
bliksemstraal • flikkering *éclair* m • ellendeling *zèbre* m
blikvanger ★ dat is een ~ *ça accroche l'attention du public*
blikveld *champ* m *visuel*
blikvoer *nourriture* v *en boîte*
blind I ZN *volet* m II BNW • zonder zicht *aveugle* ★ ~ worden *perdre la vue* ★ ~ aan een oog *borgne* • onzichtbaar *invisible* • zonder inzicht ★ ~ voor eigen gebreken *aveugle à ses propres défauts*
blind date *rendez-vous* m *(avec qn qu'on ne connaît pas)*
blinddoek *bandeau* m [mv: *bandeaux*]
blinddoeken *bander les yeux à*
blinde *aveugle* m; ‹bij kaartspel› *mort* m
blindedarm *caecum* m; ‹wormvormig aanhangsel› *appendice* m *(vermiforme)*
blindedarmontsteking *appendicite* v
blindelings • zonder te zien *aveuglément*; *les yeux fermés* • zonder nadenken *aveuglément*
blindemannetje *colin-maillard* m ★ ~ spelen *jouer à colin-maillard*
blindengeleidehond *chien* m *d'aveugle*
blindenschrift *braille* m
blindenstip ‹op bankbiljet› *signe* m *tactile*
blinderen *blinder*
blindganger *bombe* v *qui n'a pas explosé*
blindheid *cécité* v; FIG. *aveuglement* m ★ met ~ geslagen *frappé de cécité*
blind staren ★ zich ~ op *ne voir que*; *s'aveugler sur*
blindvaren *avoir une confiance aveugle en* ★ hij vaart blind op de woorden van zijn docente *il s'en remet aux paroles de son professeur*
blindvliegen ‹zonder zicht› *voler sans visibilité*; ‹zonder geleiding› *voler sans guidage*
blinken *reluire*; *briller*; *resplendir*
blisterverpakking ‹voor medicijnen› *plaquette* v; *blist* m
blits I ZN ▾ de ~ met iets maken *en jeter avec qc* II BNW ‹persoon› *branché*; *chébran*; ‹zaak› *qui a le look*; *dans le vent* ★ er ~ uitzien *avoir le look*
blitskikker *minet* m
blocnote *bloc-notes* m [mv: *blocs-notes*]
bloed *sang* m ★ tot ~ens toe *au sang* ★ er heeft ~ gevloeid *le sang a coulé* ★ ~ afnemen *faire un prélèvement de sang* ▾ iets in zijn ~ hebben *avoir qc dans le sang* ▾ in koelen ~e *de sang-froid* ▾ dat zit in het ~ *cela tient de famille* ▾ het ~ kruipt waar het niet gaan kan *c'est la voix du sang*; *c'est plus fort que moi* ▾ kwaad ~ zetten *provoquer la colère*
bloedalcoholgehalte *alcoolémie* v; *taux* m *d'alcool dans le sang*
bloedarmoede *anémie* v
bloedbaan *vaisseau* m *sanguin* [m mv: *vaisseaux*]
bloedbad *carnage* m; *massacre* m; *boucherie* v
bloedbank *banque* v *du sang*
bloedbeeld *hémogramme* m
bloedbezinking MED. *sédimentation* v *sanguine*
bloedcel *globule* m
bloeddonor *donneur* m *de sang* [v: *donneuse*]
bloeddoorlopen *injecté de sang*
bloeddoping *doping* m *sanguin*
bloeddorstig I BNW *sanguinaire*; *féroce* II BIJW *férocement*
bloeddruk *tension* v *artérielle* ★ de ~ opnemen *prendre la tension* ★ verhoogde ~ *hypertension* v ★ verlaagde ~ *hypotension* v ★ verhoogde ~ hebben *faire de la tension*
bloedeigen *de (son) sang*
bloedeloos • zonder bloed *exsangue* • bleek *exsangue*; *pâle* • slap ★ een bloedeloze stijl *un style anémique*|*pâle*|*décoloré*
bloeden • bloed verliezen *saigner* ★ uit de neus ~ *saigner du nez* ★ dood~ *perdre tout son sang* • boeten voor *payer cher*
bloederig *sanglant*; *couvert de sang*
bloederziekte *hémophilie* v
bloedgang ★ met een ~ *à un train d'enfer*
bloedgeld • loon voor misdaad *argent* m *souillé de sang* • hongerloon *salaire* m *de famine*
bloedgroep *groupe* m *sanguin*
bloedheet *brûlant*

B

bloedhekel ★ een ~ hebben aan *détester qn/qc*
bloedhond • hond *limier* m • wreedaard *bourreau* m [mv: *bourreaux*]
bloedig I BNW bloederig *sanglant*; *ensanglanté* II BIJW *durement*
bloeding *hémorragie* v
bloedje *pauve gosse* m/v
bloedkanker *leucémie* v; *cancer* m *du sang*
bloedkleurstof *hémoglobine* v
bloedkoraal *corail* m *rouge* [m mv: *coraux rouges*]
bloedlichaampje *globule* m ★ rood ~ *globule rouge*; MED. *hématie* v ★ wit ~ *globule blanc*; MED. *leucocyte* m
bloedlink • riskant *archirisqué* • boos *furieux* [v: *furieuse*]
bloedmooi *bien balancé*
bloedneus *saignement* m *de nez* ★ iem. een ~ slaan ≈ *casser la figure à qn*
bloedonderzoek *analyse* v *de sang*
bloedplaatje *plaquette* v *sanguine*
bloedplasma *plasma* m *sanguin*
bloedproef *prise* v *de sang*
bloedschande *inceste* m
bloedserieus *sérieux comme un pape* [v: *sérieuse*]
bloedserum *sérum* m *sanguin*
bloedsomloop *circulation* v *sanguine*
bloedspiegel *taux* m *sanguin*
bloedstollend *qui glace le sang*
bloedstolling *coagulation* v
bloedstolsel *caillot* m *de sang*
bloedstroom *flot* m *de sang*
bloedsuikerspiegel *taux* m *de la glycémie*
bloedtransfusie *transfusion* v *sanguine*
bloeduitstorting • inwendige bloeding *hématome* m; *épanchement* m *sanguin* • blauwe plek *ecchymose* v
bloedvat *vaisseau* m *sanguin* [m mv: *vaisseaux sanguins*]
bloedverdunnend *anticoagulant*
bloedvergieten *effusion* v *de sang*; *carnage* m; *massacre* m
bloedvergiftiging *septicémie* v
bloedverlies *perte* v *de sang*
bloedverwant *parent* m [v: *parente*] ★ van/tussen ~en *consanguin*
bloedverwantschap *lien* m *de parenté*
bloedworst *boudin* m *(noir)*
bloedwraak *vendetta* v
bloedzuiger • uitbuiter *vampire* m; *exploiteur* m • dier *sangsue* v
bloedzuiverend *dépuratif* [v: *dépurative*]
bloei • het bloeien *floraison* v ★ in ~ staan *fleurir* ★ in ~ *en fleurs*; *fleuri* • ontplooiing *essor* m; *prospérité* v; *floraison* v ★ tot ~ komen *s'épanouir* ★ tot ~ brengen *faire fleurir*; *faire prospérer*
bloeien • bloemen dragen *fleurir*; *être en fleurs* • floreren *prospérer* ★ een ~d bedrijf *une entreprise en pleine expansion*
bloeiperiode FIG. *âge* m *d'or*
bloeiwijze *inflorescence* v
bloem • plant *fleur* v ★ een ~ in zijn knoopsgat doen *fleurir sa boutonnière* • meel *farine* v
bloembed *plate-bande* v [mv: *plates-bandes*]
bloembol *bulbe* m; *oignon* m *(à fleurs)*
bloembollenteelt *bulbiculture* v; *culture* v *des bulbes*
bloemencorso *cortège* m *fleuri*; *corso* m *fleuri*
bloemenslinger *guirlande* v *de fleurs*
bloemenwinkel *commerce* m *de fleuriste*
bloemetje • bos bloemen *fleurs* v mv • kleine bloem *petite fleur* v ▾ de ~s buiten zetten *se donner du bon temps*
bloemig *farineux* [v: *farineuse*]
bloemist • kweker *floriculteur* m [v: *floricultrice*] • verkoper *fleuriste* m/v
bloemisterij • winkel *magasin* m *de fleuriste* • bedrijf *floriculture* v
bloemknop *bouton* m
bloemkool *chou-fleur* m [mv: *choux-fleurs*]
bloemlezing *morceaux* m mv *choisis*; *florilège* m; *anthologie* v
bloemperk *parterre* m *de fleurs*
bloempot *pot* m *de fleurs*
bloemrijk *fleuri*; FIG. *riche en images*
bloemschikken *composition* v *florale*
bloemstuk *composition* v *florale*
bloes *blouse* v; *chemise* v ★ dames~ *chemisier*; *corsage* m
bloesem *fleur* v
blok • stuk *bloc* m; ‹speelgoed› *cube* m; ‹v. beul/slager› *billot* m; ‹brandhout› *bûche* v; ‹wielblokje› *cale* v; ‹metaal in blokken› *saumon* m • hijsblok *poulie* v • huizenblok *pâté* m *de maisons*; *bloc* m *de maisons* ★ een blokje omgaan *faire un petit tour* • samenwerkende groep ‹spoorwegen› *canton* m; *bloc* m; ECON. *cartel* m ▾ een blok aan het been zijn *être un boulet à traîner*
blokfluit *flûte* v *à bec*
blokhut *cabane* v *en rondins*
blokkade *blocus* m
blokken *piocher*; *bûcher*
blokkendoos *boîte* v *de cubes*; *jeu* m *de construction*
blokkeren *bloquer*
blokletter *caractère* m *d'imprimerie*
blokuur *bloc* m *de cours*
blokvorming *formation* v *d'un bloc*
blond *blond*
blonderen ★ zij heeft zich geblondeerd *elle s'est blondi les cheveux*
blondine *blonde* v
bloosangst *crainte* v *de rougir*
bloot • zonder kleren *nu*; *découvert*; ‹ontbloot› *dénudé* ★ op het blote lijf *à même la peau* • onbedekt *(à) découvert* ★ onder de blote hemel *à la belle étoile* ★ open en ~ *au vu et au su de tout le monde* • louter *simple*; *pur* • zonder hulpmiddel ★ met het blote oog *à l'œil nu*
blootblad *magazine* m *de cul*
blootgeven (**zich**) *s'exposer*; *jeter le masque*
blootje ★ in zijn ~ *tout nu*
blootleggen • van bedekking ontdoen *découvrir*; *mettre à nu* • onthullen *mettre à nu*; *dévoiler*; *révéler*
blootshoofds *nu-tête*; *tête nue*
blootstaan *être exposé (à)*; *être en butte (à)*
blootstellen *exposer (à)*
blootsvoets *nu-pieds*; *pieds nus*

blos *teint* m *vif*; *rougeur* v ★ een blos kwam op haar wangen *elle a rougi*; INF. *elle a piqué un fard*
blotebillengezicht *visage* m *lunaire*
blotevoetendokter *médecin* m *aux pieds nus*
blowen *fumer un joint*
blow-up *explosion* v
blozen *rougir* ★ hij bloosde *le rouge lui monta au visage*; *il rougit*
blubber *boue* v
blues *blues* m
bluf *bluff* m
bluffen *bluffer*
blufpoker *poker* m *menteur*
blunder *gaffe* v; *bévue* v
blunderen *commettre une bévue*; *gaffer*
blusapparaat *extincteur* m
blusboot *bateau-pompe* m [mv: *bateaux-pompes*]
blussen *éteindre*
blus(sings)werkzaamheid *extinction* v
blut *fauché*; *à sec*
bluts • buil *contusion* v; *meurtrissure* v • deuk *bosse* v
blutsen • kneuzen *meurtrir*; *contusionner*; ‹v. fruit› *taler* • deuken *bosseler*
bmr-prik *vaccination* v *contre les oreillons, la rougeole et la rubéole*
bnp *PNB* m; *Produit* m *National Brut*
boa *boa* m
board *panneau* m *de fibre de bois*; *isorel®* m
bobbel • blaasje *bulle* v • bultje *bosse* v
bobbelen *(se) gondoler*
bobo *membre* m *d'un comité de sport*; INF. *grosse légume* v
bobslee *bobsleigh* m
bobsleeën *faire du bobsleigh*
bochel • hoge rug *bosse* v • gebochelde *bossu* m [v: *bossue*]
bocht I ZN (de) buiging *courbe* v; *courbure* v; ‹v. de kust› *baie* v; *golfe* m; ‹v. weg› *tournant* m; *virage* m; *coude* m ★ in de ~ liggen *se coucher dans un virage* ★ een ~ nemen *prendre un virage* ★ in een ~ van de weg *au détour du chemin*; *au tournant du chemin* II ZN (het) troep ‹v. wijn› *piquette* v; *bibine* v
bochtig *tortueux* [v: *tortueuse*]; *sinueux* [v: *sinueuse*]; *qui va en serpentant*
bockbier *bière* v *d'Einbeck*; *bock* m
bod *offre* v; *mise* v ★ vrijblijvend bod *offre sans engagement* ★ een hoger bod *une surenchère*; *une enchère* ★ een bod doen *faire une offre* ★ een bod doen op *miser sur*
bode • boodschapper *messager* m [v: *messagère*]; *porteur* m [v: *porteuse*]; ‹postbode› *facteur* m [v: *factrice*] • bediende ‹bij rechtbank e.d.› *huissier* m
bodega *chai* m; *débit* m *de vin et de liqueur*
bodem • grondvlak *fond* m; ‹v. fles› *cul* m ★ met dubbele ~ *à double fond* • grond *sol* m; *terre* v
bodembescherming *protection* v *du sol*
bodemerosie *érosion* v *du sol*
bodemgesteldheid *nature* v *du sol*
bodemkunde *pédologie* v
bodemloos *sans fond*; FIG. *insatiable* ★ een bodemloze put *un panier percé*
bodemmonster *échantillon* m *de terrain*
bodemonderzoek *prospection* v
bodempensioen *pension* v *de retraite de base*
bodemprijs *prix* m *plancher*
bodemprocedure JUR. *procédure* v *normale*
bodemsanering *assainissement* m/*dépollution* v *du sol*/*des sols*
bodemverontreiniging *pollution* v *du sol*
bodemverrijking *enrichissement* m *du sol*
bodemwater *eaux* v mv *souterraines*
bodybuilden *faire du culturisme*/*de la muscu(lation)*/*du bodybuilding*
bodybuilding *musculation* v; *culturisme* m ★ zij doet al jaren aan ~ *il y a plusieurs années qu'elle fait du culturisme*
bodylotion *lait* m *pour le corps*
bodystocking *collant* m; *body* m
bodysuit *costume* m *collant*
bodywarmer *body-warmer* m [mv: *body-warmers*]
Boedapest *Budapest*
Boeddha *Bouddha*
boeddhisme *bouddhisme* m
boeddhist *bouddhiste* m/v
boedel • bezit *biens* m mv • nalatenschap *héritage* m; *succession* v
boedelbak ® *remorque* v *couverte*
boedelscheiding ‹bij overlijden› *liquidation* v; *partage* m *d'une succession*; ‹tussen echtgenoten› *séparation* v *de biens*
boef ‹kind› *voyou* m; *bandit* m
boeg *proue* v; *cap* m; ‹bij roeien› *brigadier* m ★ de boeg wenden *virer de bord*; ‹ook fig.› *changer de cap* ▾ ik heb nog jaren voor de boeg *j'en ai encore pour des années*
boegbeeld *figure* v *de proue*
boegeroep *tollé* m
boegspriet *beaupré* m
boei • kluister ‹om hand› *menottes* v mv; GESCH. *chaîne* v ★ iem. in de boeien slaan *mettre qn aux fers* • baken *bouée* v mv • reddingsgordel *bouée* v
boeien • in de boeien slaan *passer les menottes à qn*; *enchaîner* • fascineren *captiver*; *intéresser*
boeiend *captivant*; *entraînant*; *passionnant*
boek *livre* m ★ tweedehands boek *livre d'occasion* ★ de boeken bijhouden *tenir à jour la comptabilité* ▾ te boek staan als *avoir la réputation de*; *passer pour* ▾ een boekje bij iemand opendoen over *édifier qn sur*
Boekarest *Bukarest*
boekbespreking *critique* v *(d'un livre)*
boekbinden *reliure* v; *art* m *de la reliure*
boekbinder *relieur* m [v: *relieuse*]
boekdeel *volume* m; *tome* m ▾ dat spreekt boekdelen *cela en dit long*
boekdrukkunst *imprimerie* v; *typographie* v; *art* m *typographique*
boeken • in-/opschrijven *noter*; *enregistrer*; *inscrire*; ECON. *porter en compte* • behalen *obtenir* ★ resultaat ~ *obtenir des résultats* • bespreken *réserver*; *retenir*
boekenbal *bal* m *d'inauguration de la semaine du livre*
boekenbeurs *marché* m *du livre*; *foire* v *du*

B

B

livre
boekenbon *chèque-livre* m [mv: *chèques-livres*]
boekenclub *club* m *du livre*
boekenkast *bibliothèque* v; *étagère* v *à livres*
boekenlegger *signet* m
boekenlijst *catalogue* m; ‹voor aanschaf› *liste* v *de livres*; ‹te lezen› *liste* v *de lecture*
boekenmolen *présentoir* m *pivotant*; *bibliothèque* v *tournante*
boekenplank *rayon* m
boekenrek *étagère* v *à livres*
boekensteun *serre-livres* m [onv]
boekentaal *langage* m *livresque*; *style* m *emphatique*
boekentoptien *liste* v *des livres les plus vendus*
boekenweek *semaine* v *du livre*
boekenwijsheid *savoir* m *livresque*
boekenwurm *bouquineur* m [v: *bouquineuse*]
boeket *bouquet* m
boekhandel *librairie* v
boekhouden *tenir les livres*; *tenir la comptabilité* ★ het ~ *la comptabilité*
boekhouder *comptable* m/v
boekhouding ★ de ~ doen *tenir les livres* • het boekhouden *comptabilité* v • boekhoudafdeling *service* m *de comptabilité*
boeking • ADM. *inscription* v; *passation* v *sur les livres* • bespreking *réservation* v
boekjaar *exercice* m *(comptable)*
boekomslag ‹los omslag› *couverture* v; *jacquette* v; *liseuse*
boekstaven *documenter*; *appuyer*
boekwaarde *valeur* v *comptable*
boekweit *sarrasin* m; *blé* m *noir*
boekwerk *livre* m; ‹groot› *ouvrage* m
boekwinkel *librairie* v
boekwinst *bénéfice* m *comptable*
boel • veel *masse* v; *quantité* v • bedoening *bazar* m ★ de hele boel *toute la boutique* ★ de boel laten waaien *laisser aller les choses* ▾ de boel op stelten zetten *tout chambarder*
boeman *épouvantail* m; *croque-mitaine* m [mv: *croque-mitaines*]
boemel *omnibus* m ▾ aan de ~ zijn *faire la fête*; *faire la noce*; *faire la java*
boemelen • treinreis maken *aller en omnibus* • pret maken *faire la noce*
boemerang *boomerang* m ★ als een ~ werken *faire boomerang*
boender *cireuse* v
boenen *frotter*; *nettoyer*; ‹met was› *cirer*; *astiquer*
boenwas *encaustique* v; ‹voor parket› *cire* v *à parquet*
boer • plattelander *fermier* m; *éleveur* m; *paysan* m • agrariër *cultivateur* m; *fermier* m; *paysan* m; *agriculteur* m • lomperik *rustre* m; *brute* v • speelkaart *valet* m • oprisping *renvoi* m ★ een boer laten *roter*; *faire un renvoi*
boerderij *ferme* v
boeren • boer zijn *être fermier*; ‹m.b.t. landbouw› *cultiver la terre* • een boer laten *roter*; ‹m.b.t. baby's› *faire un renvoi* ▾ hij heeft goed geboerd *il a bien mené sa barque*
boerenbedrijf *exploitation* v *agricole*
boerenbedrog *attrape-nigaud* m
boerenbont • stof *tissus* m mv *à carreaux* • aardewerk *poterie* v *rustique*
boerenbruiloft *noces* v mv *de village*
boerenjongens ≈ *raisins* m mv *secs à l'eau de vie*
boerenkaas *fromage* m *fermier*
boerenkinkel *plouc* m
boerenkool *chou* m *frisé* [m mv: *choux frisés*]
boerenslimheid *roublardise* v
boerenverstand *jugeote* v
boerin *fermière* v; *paysanne* v
boernoes MIL. *burnous* m
boers I BNW • van/als een boer *rustique*; *rural* [m mv: *ruraux*]; *champêtre* • lomp *grossier* [v: *grossière*]; *rustaud* II BIJW • van/als een boer *à la paysanne*; *rustiquement* • lomp *grossièrement*
boertig I BNW *burlesque* II BIJW *de façon burlesque*
boete • geldstraf *amende* v ★ een ~ opleggen *mettre à l'amende* • genoegdoening *pénitence* v ★ ~ doen *faire pénitence*
boetebeding *clause* v *pénale*
boetedoening *pénitence* v; *expiation* v
boetekleed *haire* v ★ het ~ aandoen *porter la haire et le cilice*
boeten I OV WW goedmaken *assouvir*; *satisfaire* II ON WW boete doen *purger sa peine*
boetiek *boutique* v
boetseren I OV WW met kneedbaar materiaal maken *modeler* II ON WW met kneedbaar materiaal werken *faire du modelage* ★ het ~ *le modelage*
boetvaardig I BNW *repenti*; *pénitent* II BIJW *par contrition*
boevenbende *bande* v *de truands*
boezem • borst *gorge* v; *sein* m • hartholte *oreillette* v • binnenste *cœur* m • inham *lac* m *collecteur*; *golfe* m; ‹in polder› *réservoir* m *de décharge*; *bassin* m *de décharge* ▾ zijn hand in eigen ~ steken *rentrer en soi-même*
boezemfibrilleren MED. *fibrillation* v *auriculaire*
boezemfladderen *fibrillation* v *auriculaire*
boezemvriend *ami* m *intime*
bof • gelukje *veine* v; *chance* v ★ wat een bof! *quelle veine!* • ziekte *oreillons* m mv
boffen *avoir de la chance*; *avoir de la veine*; *avoir du pot*
boffer • geluksvogel *chançard* m [v: *chançarde*]; *veinard* m [v: *veinarde*] • gelukje *veine* v
bofkont *veinard* m [v: *veinarde*]
bogen *se vanter de* ★ hij kan ~ op veel ervaring *il peut se vanter d'avoir beaucoup d'expérience*
Bohemen *la Bohème*
bohémien *bohème* m/v
boiler *chauffe-eau* m [onv]
bok • mannetjesgeit *bouc* m • hijstoestel *chèvre* v; *bigue* v • gymnastiektoestel *cheval* m *d'arçons* • zitplaats van koetsier *siège* m • flater *bévue* v ★ een bok schieten *commettre une bévue* ▾ een oude bok lust

nog wel een groen blaadje *un vieillard n'est pas de bois*
bokaal • beker *coupe* v • glazen kom *bocal* m [mv: *bocaux*]
bokjespringen *jouer à saute-mouton*
bokken • nors zijn *faire la tête* • tochtig zijn *être en chaleur* • springen als een bok *gambader*
bokkenpruik ▾ de ~ op hebben *être d'une humeur massacrante; s'être levé du pied gauche*
bokkensprong *cabriole* v; INF. *galipette* v ▾ ~en maken *faire des extravagances*
bokkig • koppig *têtu; buté* • tochtig *en chaleur*
bokking *hareng* m *saur*
boksbeugel *coup-de-poing* m *(américain)* [m mv: *coups-de-poing ...*]
boksen *boxer* ★ met elkaar ~ *se boxer* ▾ iets voor elkaar ~ *venir à bout de qc*
bokser *boxeur* m [v: *boxeuse (zelden)*]
bokshandschoen *gant* m *de boxe*
bokspartij *match* m *de boxe*
bokswedstrijd *match* m *de boxe; assaut* m
bol I ZN • bolvormig voorwerp *boule* v • bloembol *bulbe* m; *oignon* m *à fleur(s)* ▾ het hoog in de bol hebben *se croire sorti de la cuisse de Jupiter* II BNW • bolvormig *rond; convexe* • opgezwollen *bombé*
bolbliksem *éclair* m *en boule*
bolderkar *chariot* m *à bâche*
boldriehoek *triangle* m *sphérique*
boleet *bolet* m
bolero *boléro* m
bolgewas *plante* v *à bulbe*
bolhoed *chapeau* m *melon* [m mv: *chapeaux melon*]
bolide *bolide* m *(de course)*
Bolivia *la Bolivie* ★ in ~ *en Bolivie*
bolleboos *as* m; *aigle* m
bollen *bouffer; se gonfler*
bollenveld *champ* m *de bulbes en fleur*
bolletje • broodje *petit pain* m *rond* • kinderhoofd *tête* v *d'un enfant*
bolrond *sphérique*
bolsjewiek *bolcheviste* m/v
bolster *brou* m; *écale* v; FIG. *écorce* v
bolvormig I BNW *sphérique* II BIJW *en forme de sphère*
bolwerk *bastion* m; *rempart* m
bolwerken *venir à bout de*
bom I ZN explosief *bombe* v II TW *boum!*
bomaanslag *attentat* m *à la bombe*
bomalarm *alerte* v *à la bombe*
bombardement *bombardement* m
bombarderen • bestoken *bombarder* • benoemen ★ iem. tot voorzitter ~ *bombarder qn président*
bombarie • kouwe drukte *vantardise* v • kabaal *boucan* m; *fracas* m
bombast *style* m *gonflé; style* m *emphatique*
bombastisch I BNW *emphatique; boursouflé* II BIJW *avec emphase*
bombrief *lettre* v *piégée*
bomen *bavarder; tailler une bavette*
bomexplosie *explosion* v *d'une bombe*
bommelding *alerte* v *à la bombe*
bommentapijt *tapis* m *de bombes*
bommenwerper *bombardier* m
bommoeder ≈ *mère* v *célibataire volontaire*
bomtrechter *cratère* m *de bombe*
bomvol *bondé* ★ het café was ~ *le café était bondé*
bon • betalingsbewijs *reçu* m; *ticket* m • waardebon *bon* m • bekeuring *contravention* v
bonafide *de bonne foi; sérieux* [v: *sérieuse*]
Bonaire *Bonaire* m ★ op ~ *à Bonaire*
bonbon *chocolat* m
bond • vereniging *association* v; ⟨vakvereniging⟩ *syndicat* m; *union* v; *fédération* v • verbond *alliance* v ★ de bond voor de rechten van de mens *la ligue des droits de l'homme*
bondage *esclavage* m; *asservissement* m
bondgenoot *allié* m [v: *alliée*]; ⟨m.b.t. statenbond⟩ *confédéré* m [v: *confédérée*]
bondgenootschap *alliance* v; *coalition* v
bondig I BNW • kort en krachtig *concis; succinct* • beknopt *bref* [v: *brève*]; *concis* II BIJW *d'une façon concise*
bondscoach *entraîneur* m *de l'équipe internationale de football*
bondsdag *Bundestag* m
bondskanselier *chancelier* m *fédéral* [m mv: *chanceliers fédéraux*]
bondspresident ⟨in Duitsland⟩ *président* m *de la République fédérale*; ⟨in Zwitserland⟩ *président* m *de la Confédération*
bondsrepubliek *république* v *fédérale*
bondsstaat *confédération* v
bonenkruid *sariette* v
bonenstaak • stok *rame* v • mager mens *perche* v
bongo *bongo* m
bonhomie *bonhomie* v
bonificatie SPORT *bonification* v
bonis ★ iem. in ~ *un homme* m *aisé/cossu*
bonje *bagarre* v ★ ~ met iem. hebben *se disputer avec qn*
bonk • brok *gros morceau* m [m mv: *gros morceaux*] • lomperik *rustre* m
bonken *cogner; frapper dur; heurter rudement (qc)*
bon-mot *bon mot* m; *mot* m *d'esprit*
bonnefooi ▾ op de ~ *au hasard; au petit bonheur*
bons • klap *coup* m • leider *bonze* m ▾ de bons krijgen *être plaqué*
bonsai *bonsaï* m
bont I ZN pels *fourrure* v ★ met bont gevoerd *fourré* II BNW • veelkleurig *bigarré* ★ een bont hemd *une chemise de couleur* • afwisselend *varié* ▾ het te bont maken *aller trop loin*
bontjas *manteau* m *de fourrure* [m mv: *manteaux ...*]
bontwerker *pelletier* m [v: *pelletière*]
bonus *boni* m; *bonification* v
bonusaandeel *action* v *gratuite*
bonus-malusregeling *système* m *bonus-malus*
bonze *bonze* m
bonzen *frapper rudement; cogner; heurter*
boodschap • bericht *message* m • het inkopen

commission v ★ ~pen doen *faire des courses* • ontlasting ★ grote/kleine ~ *grosse/petite commission*

B

boodschappendienst *service* m *de livraison*; ‹per telefoon› *transmission* v *téléphonique des messages*; ‹berichten› *service* m *de renseignements*
boodschappenjongen *garçon* m *de courses*
boodschappenkarretje *chariot* m; *caddie* ® m
boodschappenlijstje *liste* v *(des courses à faire)*
boodschapper *messager* m [v: *messagère*]
boog • kromme lijn *courbe* v ★ een boog beschrijven *tracer une courbe* • poort *arc* m; *arceau* m [mv: *arceaux*]; ‹balk› *cintre* m; ‹v. brug› *arche* v • wapen *arc* m
boogbrug *pont* m *à arches*
boogie-woogie *boogie-woogie* m [mv: *boogie-woogies*]
booglamp *lampe* v *à arc*
boogschieten I ZN *tir* m *à l'arc* II ONV WW *tirer à l'arc*
boogschutter *archer* m; GESCH. *arbalétrier* m
Boogschutter *sagittaire* m
bookmaker *bookmaker* m
boom • gewas *arbre* m • slagboom *barrière* v • vaarboom *gaffe* v; *perche* v ▾ een boom opzetten *entamer une conversation à perte de vue* ▾ een boom van een kerel *un gaillard solide* ▾ je ziet door de bomen het bos niet meer *les arbres te cachent la forêt*
boomchirurgie *chirurgie* v *des arbres*
boomdiagram *organigramme* m
boomgaard *verger* m; *(jardin* m*) fruitier* m
boomgrens *limite* v *des arbres*
boomklever *sittelle* v *torchepot*
boomkruiper *grimpereau* m *des jardins*
boomkweker *arboriculteur* m
boomkwekerij • bedrijvigheid *arboriculture* v • tuin *pépinière* v
boomlang *très grand*
boomschors *écorce* v
boomstam *tronc* m *(d'arbre)*
boomstronk *souche* v; *chicot* m
boon *haricot* m; *fève* v ★ blauwe boon *pruneau* m [mv: *pruneaux*] ★ bruine bonen *haricots rouges* ★ grote bonen *fèves* v mv *des marais* ★ witte bonen *haricots blancs* m
boontje *haricot* m ▾ een heilig ~ *un petit saint* ▾ ~ komt om zijn loontje *comme on fait son lit on se couche*
boor • boortoestel *perceuse* v; ‹zwengelboor› *vilebrequin* m; ‹handboor› *chignole* v; ‹boortje› *vrille* v; ‹poleerboor› *alésoir* m • boorijzer *mèche* v
boord I ZN (de) • rand *bord* m • oever *bord* m; *rive* v II ZN (het) • halskraag *col* m ★ losse ~ *faux col* • SCHEEPV. *bord* m ★ aan ~ gaan *monter à bord*; *s'embarquer* ★ over ~ gooien *jeter à la mer*; FIG. *sacrifier* ★ (een lijk) over ~ zetten *immerger (un corps)* ★ aan ~ *à bord* ★ aan ~ komen *aborder* ★ een man over ~ *un homme à la mer*
boordcomputer *ordinateur* m *de bord*
boordevol *rempli jusqu'au bord*; *comble*
boordwerktuigkundige *mécanicien* m *de bord* [v: *mécanicienne* ...]; INF. *mécano* m
booreiland *plate-forme* v [mv: *plates-formes*]
boorkop • *porte-foret* m • *tête* v *de perceuse*
boormachine *perceuse* v; *perforatrice* v
boorplatform *plate-forme* v *de forage* [v mv: *plates-formes* ...]
boortol *chignole* v; *perceuse* v
boortoren *tour* v *(de forage)*; *derrick* m
boorzalf *vaseline* v *boriquée*
boos *fâché*; *en colère*; *irrité* ★ boos zijn op iem. *être fâché contre*; *en vouloir à* ★ boos worden *se fâcher*; *se mettre en colère* ★ het is uit den boze *c'est inadmissible*
boosaardig I BNW *méchant*; *malveillant* II BIJW *méchamment*
boosdoener *malfaiteur* m
boosheid *colère* v; *irritation* v
booswicht *fripon* m; *bandit* m
boot *bateau* m [mv: *bateaux*]; *navire* m; ‹klein› *barque* v; ‹voor passagiers› *paquebot* m ▾ de boot missen INF. *rater le coche*
booten *démarrer*
boothals COMP. *décolleté* m *bateau*
boothuis *remise* v *à bateaux*
booting COMP. *remise* v *à zéro*
bootsman *second-maître* m [mv: *second-maîtres*]
boottocht *promenade* v *en bateau*
boottrein *train* m *assurant la correspondance avec un bateau*
bootvluchteling *boat people* m mv
bootwerker *débardeur* m; *docker* m
bop MUZ. *bop* m
borax *borax* m
bord • etensbord ‹plat› *assiette* v; ‹diep› *assiette* v *creuse* • speelbord ‹dambord› *damier* m; ‹schaakbord› *échiquier* m • schoolbord *tableau* m *(noir)* ★ voor het bord moeten komen *passer au tableau* • uithangbord *enseigne* v • naambord *plaque* v; ‹groot› *pancarte* v • mededelingenbord *tableau* m [mv: *tableaux*]; *panneau* m [mv: *panneaux*]
bordeaux *bordeaux* m
bordeel *maison* v *close*; *bordel* m
border *bordure* v *de fleurs*; *plate-bande* v [mv: *plates-bandes*]
borderline I ZN *ligne* v *de démarcation* II BNW ★ ~ persoonlijkheid *cas* m *limite*
bordes ‹voor huis› *perron* m; ‹v. trap› *palier* m; *carré* m
bordpapier *carton* m
bordspel *jeu* m *de tableau*
borduren ‹op stof› *broder*; ‹op gaas› *faire de la tapisserie*
borduursel *broderie* v
boreling *nouveau né* m; *nourrisson* m
boren I OV WW met boor maken *creuser*; *percer*; *trouer*; *forer* ★ een tunnel ~ *creuser un tunnel* II ON WW gaan door *percer*
borg • persoon *garant* m; *caution* v ★ zich borg stellen voor iem./iets *se porter garant pour qn/de qc* ★ voor iets borg staan *garantir qc*; *répondre de qc* • onderpand *caution* v
borgpen *goupille* v *d'arrêt*
borgsom *caution* v
borgstelling • handeling *cautionnement* m; ‹som geld› *caution* v • akte

cautionnement m
borgtocht • waarborgsom *caution* v; *cautionnement* m ★ op ~ vrijlaten *mettre en liberté sous caution* • overeenkomst *cautionnement* m
boring *alésage* m; *fonçage* m; *forage* m
borium *bore* m
borrel • sterke drank *petit verre* v ★ een ~tje drinken *prendre un petit verre*; ‹voor de maaltijd› *prendre l'apéritif* • het samen drinken *apéritif* m ▾ aan de ~ verslaafd zijn *être adonné à la boisson*; *être alcoolique*
borrelen • bubbelen *bouillonner*; *former des bulles d'air* • borrels drinken *prendre/boire un petit verre*; ‹voor de maaltijd› *prendre l'apéritif*
borrelgarnituur *plateau* m *d'amuse-gueule(s)*
borrelhapje *amuse-gueule* m [onv]
borrelpraat *balivernes* v mv
borreltafel *histoires* v mv *de café*
borst • lichaamsdeel ‹v. mens› *poitrine* v; *sein* m; ‹v. dier› *poitrail* m • boezem van vrouw *sein* m ★ een kind de ~ geven *donner le sein à un enfant* ▾ maak je ~ maar nat! *prépare-toi au pire!*
borstbeeld *buste* m
borstbeen *sternum* m
borstcrawl *crawl* m
borstel *brosse* v; TECHN. *balai* m
borstelen *brosser*; ‹v. schoenen› *décrotter*
borstelig *hérissé*; ‹v. kapsel› *en brosse*; ‹v. wenkbrauwen› *broussailleux* [v: *broussailleuse*]
borstholte *cavité* v *thoracique*
borstkanker *cancer* m *du sein*
borstkas *thorax* m
borstplaat • deel van harnas *cuirasse* v • snoepgoed *fondant* m
borstprothese *prothèse* v *mammaire*
borstslag *brasse* v
borststem *voix* v *de poitrine*
borststuk • deel van harnas *cuirasse* v • vlees *poitrine* v
borstvlies *plèvre* v
borstvliesontsteking *pleurésie* v
borstvoeding *allaitement* m *au sein* ★ ~ geven *nourrir au sein*
borstwering *parapet* m; *balustrade* v
borstzak *poche* v *poitrine*
bos I ZN (de) bundel *botte* v; ‹bloemen› *bouquet* m; *gerbe* v; ‹veren› *panache* m; ‹haar, dik gras› *touffe* v; ‹sleutelbos› *trousseau* m **II** ZN (het) ‹natuurlijk› *forêt* v; ‹aangelegd› *bois* m ▾ iemand het bos in sturen *promener qn*
bosachtig *boisé*
bosbeheer *exploitation* v *des forêts*
bosbes ‹blauw› *myrtille* v; ‹rood› *airelle* v
bosbouw *sylviculture* v
bosbrand *incendie* m *de forêt*
bosje • bundeltje *bouquet* m • struiken *bosquet* m; *buisson* m
Bosjesman *Boschiman* m
bosneger *nègre* m *marron*
Bosnië-Herzegovina *la Bosnie-Herzégovine*
Bosniër *Bosnien* m [v: *Bosnienne*]
Bosnisch *bosnien* [v: *bosnienne*]
bosrand *lisière* v *du bois*
bosrijk *boisé*
bosschage *groupe* m *d'arbres*
bosuil *hulotte* v
bosviooltje *violette* v *des bois*
boswachter *garde* m *forestier*
bot I ZN (de) • vis *plie* v; *flet* m • PLANTK. *bouton* m; *bourgeon* m ▾ bot vangen *essuyer un refus* **II** ZN (het) been *os* m **III** BNW • stomp *émoussé* • lomp *grossier* [v: *grossière*] **IV** BIJW *grossièrement*
botanicus *botaniste* m/v
botaniseren *herboriser*
botbreuk *fracture* v/*rupture* v *d'un os*
boter *beurre* m ★ met ~ besmeren *beurrer* ▾ ~ bij de vis *donnant donnant*
boterberg ≈ *montagne* v *de beurre*
boterbloem *bouton* m *d'or*
boterbriefje ▾ samenwonen zonder ~ *être mariés de la main gauche*
boteren ▾ het botert niet tussen hen *ils ne s'entendent pas très bien*
boterham *tartine* v; *sandwich* m ★ ~ met jam *tartine de confiture*
boterkoek *gâteau* m *au beurre* [m mv: *gâteaux* ...]
boterletter ≈ *gâteau* m *feuilleté à la pâte d'amande en forme de lettre* [m mv: *gâteaux* ...]
botervloot *beurrier* m
boterzacht *qui fond dans la bouche*
botheid *grossièreté* v
botkanker *sarcome* m *des os*
Botnische Golf *golfe* m *de Botnie*
botontkalking *ostéoporose* v
botsautootje *auto* v *tamponneuse*
botsen • stoten *se heurter* ★ tegen elkaar ~ *se tamponner*; *se heurter*; *s'accrocher* ★ tegen een boom ~ *rentrer dans un arbre*; *heurter un arbre* • in strijd komen *entrer en conflit*; *se heurter*
botsing • het botsen *heurt* m; *choc* m; *collision* v; ‹v. schepen› *abordage* m ★ in ~ komen met *entrer en collision avec*; *tamponner* • strijd *collision* v; *conflit* m; ‹onlusten› *affrontement* m ★ in ~ komen met *entrer en conflit avec*
Botswana *le Botswana* ★ in ~ *au Botswana*
bottelen *mettre en bouteilles*
bottenkraker *chiropraticien* m [v: *chiropraticienne*]
botterik • lomperd *rustre* m • domoor *imbécile* m/v
bottleneck • *goulot* m • knelpunt FIG. *goulot* m *d'étranglement*
bottom-upbenadering *approche* v *à l'envers*
botulisme *botulisme* m
botvieren *donner libre cours à*; *assouvir*
botweg • ronduit *tout net*; *carrément* • op botte wijze *brutalement*; *crûment*
boud *hardi*
boudoir *boudoir* m
bougie *bougie* v ★ een stel ~s *un jeu de bougies*
bougiekabel *câble* m *d'allumage*
bougiesleutel *clé* v *à bougie*
bouillon *consommé* m; *bouillon* m
bouillonblokje *cube* m *de Viandox®*

boulevard *boulevard* m; ‹afk.› *bld*
boulevardblad *journal* m *à sensation*
boulevardpers *presse* v *à sensation*
boulimie *boulimie* v
bouquet *bouquet* m
bourgeois I ZN *bourgeois* m II BNW *bourgeois*
bourgeoisie *bourgeoisie* v
bourgogne *bourgogne* m
Bourgondiër *Bourguignon* m [v: *Bourguignonne*]
Bourgondisch I BNW *bourguignon* [v: *bourguignonne*]; *abondant* II BIJW *abondamment*
bout • stuk vlees ‹schaap› *gigot* m; ‹gevogelte› *cuisse* v; ‹wild› *cuissot* m • staaf, pin *boulon* m • strijkijzer *fer* m *à repasser*
boutade *boutade* v; *trait* m *d'esprit*
bouvier *bouvier* m *des Flandres*
bouw • het bouwen *construction* v; ‹vak› *bâtiment* m • lichaamsbouw *morphologie* v
bouwbedrijf • bedrijfstak *bâtiment* m • onderneming *entreprise* v *de construction*
bouwdoos *boîte* v *de construction*
bouwen • maken *construire*; *bâtir* • ~ **op** *compter sur*
bouwfonds *fonds* m *des constructions*
bouwgrond • bouwterrein *terrain* m *à bâtir* • landbouwgrond *terre* v *cultivable*
bouwjaar *année* v *de construction*
bouwkeet *baraque* v *de chantier*
bouwkunde *architecture* v
bouwkundig I BNW *architectonique* ★ ~ ingenieur *ingénieur constructeur*; *ingénieur architecte* m II BIJW *architectoniquement*
bouwkunst *architecture* v
bouwland ‹geschikt voor landbouw› *terre* v *cultivable*; ‹gebruikt voor landbouw› *terre* v *de culture*
bouwmateriaal *matériau* m *de construction* [m mv: *matériaux ...*]
bouwnijverheid *industrie* v *du bâtiment*
bouwpakket *prêt-à-monter* m [mv: *prêts-à-monter*]; *kit* m
bouwplaat *découpage* m
bouwplan *plan* m *de construction*
bouwput *puits* m *de fondation*
bouwrijp *viabilisé* ★ ~ maken *viabiliser*
bouwsteen *pierre* v *(de construction)*
bouwstijl *style* m
bouwstof *matériau* m *de construction* [m mv: *matériaux ...*]; FIG. *matériaux* m mv; *éléments* m mv
bouwtekening *plan* m *d'un bâtiment*
bouwvak I ZN (de) ‹vakantie› *congés* m mv *dans le bâtiment* II ZN (het) *industrie* v *du bâtiment*; *bâtiment* m
bouwvakker *ouvrier* m *du bâtiment*
bouwval *ruine* v
bouwvallig *délabré*; *en ruine*
bouwvergunning *permis* m *de construire* ★ een ~ afgeven *délivrer un permis de construire*
bouwwerk *bâtiment* m; *construction* v; *édifice* m
boven I BIJW • hoger gelegen *au-dessus de* ★ hij woont ~ mij *il habite au-dessus de chez moi* • op de hoogste plaats *en haut* ★ wie 't eerst ~ is! *le premier qui arrive en haut!* ★ van ~ naar beneden *de haut en bas* • erop ★ de blauwe ligt onder, de rode ~ *le bleu est dessous, le rouge dessus* II VZ • meer dan *plus de* ★ toegang ~ de twaalf jaar *accès aux plus de douze ans* ★ een prijs ~ de 100 gulden *un prix supérieur à cent florins* • hoger gelegen/geplaatst *au-dessus de* ★ ~ het huis *au-dessus de la maison* • ten noorden van ★ net ~ Parijs *juste au-dessus de Paris*
bovenaan *en tête de*; *en haut de* ★ ~ de bladzijde *en haut de la page*
bovenaanzicht *vue* v *aérienne*
bovenaards *surnaturel* [v: *surnaturelle*]
bovenal *surtout*; *avant tout*
bovenarm *partie* v *supérieure du bras*; *bras* m
bovenbeen *cuisse* v
bovenbouw • hogere klassen op school *second* m *cycle*; *classes* v mv *terminales* • BOUWK. *superstructure* v
bovenbuur *voisin* m *d'en haut*; *voisin* m *du dessus*
bovendien *en outre*; *de plus*
bovendrijven *surnager*
bovengrens *limite* v *supérieure*
bovengronds *aérien* [v: *aérienne*]; *de surface*
bovenhand ▾ de ~ krijgen *l'emporter (sur)*; *avoir le dessus (sur)*
bovenhands ★ ~ gooien *faire un service haut*
bovenhuis ★ ik woon in een ~ ≈ *j'habite un appartement à l'étage*
bovenin *dans le haut*
bovenkaak *mâchoire* v *supérieure*
bovenkamer *chambre* v *d'en haut*; FIG. *cerveau* m
bovenkant *côté* m *supérieur*; *dessus* m
bovenkomen • naar hogere verdieping komen *monter* • aan oppervlakte komen *(re)faire surface*; *(re)monter à la surface* • opwellen *refaire surface*
bovenlaag *couche* v *supérieure*
bovenlangs *par en haut*
bovenleiding *caténaire* v
bovenlichaam *buste* m
bovenlicht • licht *jour* m *d'en haut* • raam *imposte* v
bovenlijf *haut* m *du corps*; *buste* m; ‹bij opmeten maten› *taille* v
bovenlip *lèvre* v *supérieure*
bovenloop *cours* m *supérieur*
bovenmate *excessivement*; *outre mesure*
bovenmatig I BNW *excessif* [v: *excessive*]; *démesuré* II BIJW *excessivement*; *démesurément*
bovenmenselijk *surhumain*
bovennatuurlijk *surnaturel* [v: *surnaturelle*]
bovenop • op de bovenkant *dessus* • hersteld ★ hij is er weer ~ *il s'est remis* ★ er weer ~ komen *se rétablir*; *guérir*; *se remettre*
bovenst *le plus haut* [v: *la plus haute*]
bovenstaand *mentionné ci-dessus*; *cité ci-dessus*; ADM. *susdit*; JUR. *ledit* m [mv: *lesdits*] [v: *ladite*] [v mv: *lesdites*]
boventallig *surnuméraire*
boventoon *son* m *dominant*; *harmonique* m
bovenuit *au-dessus de* ★ ergens ~ steken/klinken *dominer*

bovenverdieping *étage* m *supérieur*
bovenzijde *dessus* m; *côté* m *supérieur*
bowl • kom *saladier* m • drank ≈ *punch* m
bowlen *jouer au bowling*
bowling I ZN (de) *bowling* m II ZN (het) *bowling* m
box • kinderbox *parc* m • geluidsbox *enceinte* v *(acoustique)* • afgescheiden ruimte *box* m; ‹v. paard› *stalle* v
boxershort *caleçon* m *(américain)*
boycot *boycottage* m; *boycott* m
boycotten *boycotter*
boze I ZN (het) *mal* m II BNW ▾ uit den boze *inadmissible*
braadpan *poêle* v *à frire*; *sauteuse* v
braadslee *lèchefrite* v
braadspit *broche* v
braadworst *saucisse* v *à rôtir*; *saucisse* v *rôtie*
braaf I BNW • deugdzaam *honnête*; *brave*; *vertueux* • gehoorzaam *sage* ★ brave hond! *sage!* II BIJW *honnêtement*; *comme il faut*
braak I ZN *effraction* v ★ diefstal met ~ *vol avec effraction* m II BNW onbebouwd *en friche*; ‹tijdelijk› *en jachère* ★ ~ laten liggen *laisser en friche*
braakbal *pelote* v
braakmiddel *vomitif* m
braaksel *vomissure* v; INF. *vomi* m
braam • vrucht *mûre* v • struik *mûrier* m • ruwe rand *bavure* v; *morfil* m; *barbes* v mv
brabbelen *bredouiller*; *bafouiller*
braden *faire cuire*; ‹aan het spit› *rôtir*; ‹op rooster› *griller*; ‹in koekenpan› *faire frire*
braderie *braderie* v
braille *braille* m
brailleschrift *braille* m
brainstormen *faire du remue-méninges*
braintrust *brain-trust* m
brainwave *inspiration* v
brak *saumâtre*
braken *vomir*
brallen *crier*; *brailler*
brancard *brancard* m; *civière* v
branche *branche* v
brancheorganisatie *organisation* v *de branche*
branchevervaging *déspécialisation* v; *diversification* v
branchevreemd *étranger à la branche* [v: *étrangère*]
brand *feu* m; *incendie* m ★ in ~ vliegen *prendre feu* ★ ~! *au feu!* ★ er is ~ *il y a le feu*
brandalarm *alerte* v *d'incendie*
brandbaar *combustible*; *inflammable*
brandbeveiliging(ssysteem) *système* m *de protection anti-incendie*
brandblaar *cloque* v; *ampoule* v
brandblusser *extincteur* m
brandbom *bombe* v *incendiaire*
branddeur • nooduitgang *porte* v *de secours* • brandvrije deur *porte* v *coupe-feu* [v mv: *portes coupe-feu*]
branden I OV WW • verbranden *brûler* • verwonden • ★ een cd ~ *graver un disque compact* II ON WW in brand staan *brûler*
brander *brûleur* m
branderig • ontstoken *cuisant*; *irrité* • als van brand *roussi*; *qui sent le brûlé* ★ het ruikt hier ~ *cela sent le brûlé ici*
brandewijn *eau-de-vie* v
brandgang *coupe-feu* m [onv]; *pare-feu* m [onv]
brandglas *loupe* v
brandhaard *foyer* m *d'incendie*
brandhout *bois* m *de chauffage*; ‹al gedeeltelijk verbrand› *tison* m
branding *ressac* m; *déferlement* m
brandkast *coffre-fort* m [mv: *coffres-forts*]
brandkraan *bouche* v *d'incendie*; *borne* v *d'incendie*
brandladder • brandtrap *échelle* v *de secours* • ladder van brandweer *échelle* v *de pompiers*
brandlucht *odeur* v *de brûlé*
brandmeester *lieutenant* m *des pompiers*
brandmelder *avertisseur* m *d'incendie*
brandmerk *marque* v *(au fer rouge)*
brandmerken *marquer d'un fer chaud*; FIG. *stigmatiser*; *flétrir*
brandnetel *ortie* v
brandpreventie • pakket maatregelen *prévention* v *des incendies* • maatregel tegen brand *mesures* v mv *préventives contre l'incendie*
brandpunt NAT. *foyer* m
brandschade *dégâts* m mv *causés par l'incendie*
brandschatten *rançonner*; *mettre à sac*
brandschilderen *peindre sur verre*; *émailler*
brandschoon • helemaal schoon *d'une propreté minutieuse*; *très propre*; *propret* [v: *proprette*] • onschuldig *irréprochable*
brandsingel *coupe-feu* m [onv]; *essartement* m *de protection*
brandslang *tuyau* m *d'incendie* [m mv: *tuyaux* ...]; *boyau* m *à incendie* [m mv: *boyaux* ...]
brandspuit *lance* v *à incendie*
brandstapel *bûcher* m
brandstichten *incendier*; *mettre le feu (à)*
brandstichter *incendiaire* m/v
brandstof *combustible* m; ‹voor verbrandingsmotoren› *carburant* m
brandstofinjectiesysteem *système* m *d'injection d'essence*
brandtrap *escalier* m *de secours*
brandveilig • brandvrij gemaakt *ignifuge* • van nature brandvrij *incombustible*
brandverzekering *assurance* v *contre l'incendie*
brandvrij *à l'épreuve du feu*; *résistant au feu*; ‹brandvrij gemaakt› *ignifuge*
brandweer *sapeurs-pompiers* m mv
brandweerkorps *corps* m *des sapeurs-pompiers*
brandweerman *sapeur-pompier* m [mv: *sapeurs-pompiers*]
brandweerwagen *fourgon-pompe* m
brandwerend *ignifuge*; *ininflammable*
brandwond *brûlure* v
brandwondencentrum *hôpital* m *des grands brûlés*
brandy *eau-de-vie* v ★ ~ soda *eau-de-vie à l'eau de Seltz*
brandzalf *onguent* m *contre les brûlures*
branie *intrépidité* v; *audace* v ★ ~ schoppen

B

B

faire de l'esbroufe
branieschopper *crâneur* m [v: *crâneuse*]
brasem *brème* v
brassen I OV WW SCHEEPV. *brasser* II ON WW veel eten en drinken *faire la noce*
bravo *bravo*
bravoure *bravoure* v
Brazilië *le Brésil* ★ in ~ *au Brésil*
break • pauze *interruption* v; *pause* v • doorbraak bij tennis *percée* v
break-even-punt • *seuil* m *de rentabilité* • dood punt *point* m *mort*
breakpoint COMP. *point* m *de rupture*; TENNIS *point* m *d'avantage*
breed I BNW • wijd *large* ★ twee meter ~ *large de deux mètres* ★ breder maken *élargir* ★ breder worden *s'élargir* • ruim *vaste*; *ample* • uitgebreid *large* ▾ het niet ~ hebben *vivre petitement*; *devoir vivre chichement* II BIJW *largement* ▾ iets ~ zien *voir les choses en large*
breedband- *à bande* v *large*
breedbeeldtelevisie *télévision* v *à écran 16/9ème*
breedgeschouderd *large d'épaules*
breedsprakig I BNW *prolixe*; *verbeux* [v: *verbeuse*] II BIJW *verbeusement*
breedte • afmeting *largeur* v ★ in de ~ *dans le sens de la largeur* • GEO. *latitude* v
breedtecirkel *parallèle* m
breedtegraad *degré* m *de latitude*
breedtesport *sport* m *pour tous*
breeduit • voluit *ouvertement*; *ostensiblement* ★ ~ lachen *avoir un grand sourire sur les lèvres* • in volle breedte *dans toute sa largeur*
breedvoerig I BNW *ample*; *détaillé* II BIJW *amplement*; *en détail*
breekbaar *fragile*; NAT. *réfrangible*
breekijzer ‹v. inbreker› *pince-monseigneur* v [mv: *pinces-monseigneur*]; *pied-de-biche* m [mv: *pieds-de-biche*]
breekpunt *point* m *de rupture*
breekschade *casse* v
breeuwen *calfater*
breien *tricoter*
brein • hersenen *cerveau* m; INF. *cervelle* v • verstand *cerveau* m; *intelligence* v
breipen *aiguille* v *à tricoter*
breiwerk *tricot* m; *ouvrage* m
brekebeen *nullité* v
breken I OV WW • stuk maken *rompre*; *casser*; ‹in veel stukken› *briser*; ‹met gekraak› *fracasser* ★ een been ~ *se casser la jambe* • NAT. *réfracter* ▾ iemand het hart ~ *briser le cœur à qn* II ON WW • stuk gaan *se casser* • NAT. *se réfracter* • ~ **met** *rompre (avec)*
breker • persoon *briseur* m [v: *briseuse*] • golf *vague* v *déferlante*
breking NAT. *réfraction* v
brekingsindex *indice* m *de réfraction*
brem *genêt* m
brengen • vervoeren ‹dragen› *porter*; ‹naar spreker› *apporter*; *amener*; ‹leiden› *conduire*; *mener* ★ naar bed ~ *mettre au lit*; *coucher* ★ naar boven ~ *monter* • doen geraken ★ ter wereld ~ *mettre au monde* ★ tot stand ~ *effectuer*; *réaliser* ★ hij is er niet toe te ~ *on ne peut le persuader* ★ ter dood ~ *exécuter* ★ iem. ertoe ~ te *amener qn à* • presenteren ★ in rekening ~ *porter en compte* ▾ het ver ~ *aller loin* ▾ aan het licht ~ *mettre au jour*
bres *brèche* v
Bretagne *la Bretagne* ★ in ~ *en Bretagne*
bretel *bretelle* v
Bretons *breton* m
breuk • het breken *rupture* v; FIG. *coupure* v • hernia *hernie* v ★ beklemde ~ *hernie étranglée* v • fractuur *fracture* v • WISK. *fraction* v ★ een repeterende ~ *une fraction périodique*
breukvlak *plan* m *de rupture*; *plan* m *de cassure*
brevet *brevet* m
brevier *bréviaire* m
bridge *bridge* m
bridgen *jouer au bridge*
brie *brie* m
brief *lettre* v ★ aangetekende ~ *lettre recommandée*
briefgeheim *secret* m *postal*
briefhoofd *en-tête* m [mv: *en-têtes*]
briefing *instructions* v mv; *briefing* m
briefje • berichtje *petit mot* m • bankbiljet *billet* m
briefkaart *carte* v *postale*
briefopener *coupe-papier* m [onv]
briefpapier *papier* m *à lettres*
briefwisseling *correspondance* v
bries *brise* v; *vent* m *doux*
briesen ‹v. paard› *s'ébrouer*; ‹v. mens› *rugir*; *tempêter*
brievenbus *boîte* v *aux lettres* ★ uit de ~ halen *retirer de la boîte*
brigade *brigade* v
brigadier *brigadier* m
brij *bouillie* v; FIG. *cataplasme* m
brik • rijtuig *break* m • schip *brick* m
briket *briquette* v
bril • glazen in montuur *lunettes* v mv ★ twee brillen *deux paires de lunettes* • wc-bril *lunette* v
brildrager PEJ. *porteur* m *de lunettes*
briljant I ZN diamant *brillant* m II BNW *brillant*; ‹v. geest ook› *étincelant* III BIJW *brillamment*
brillantine *brillantine* v
brillenkoker *étui* m *à lunettes*
brilmontuur *monture* v *de lunettes*
brilslang *serpent* m *à lunettes*
brink ≈ *place* v *publique*
brisantbom *bombe* v *brisante*
Brit *Britannique* m
brits *lit* m *de camp*
Brits *britannique*
broccoli *brocoli* m
broche *broche* v
brochure *brochure* v
broddelwerk *bousillage* m
brodeloos *sans ressources*; *dans la misère* ★ hij is ~ *il est sur le pavé*
broeden *couver*
broeder • broer *frère* m • verpleger

infirmier m • REL. *frère* m

broederdienst MIL. *service* m *militaire effectué par un frère aîné*

broederlijk I BNW *fraternel* [v: *fraternelle*]; *en frère(s)* II BIJW *fraternellement*

broedermoord *fratricide* m

broederschap • REL. *communauté* v; *congrégation* v; ‹rooms-katholiek› *confrérie* v • het broerzijn *fraternité* v

broedgebied *aire* v *de couvaison*

broedmachine *couveuse* v

broedplaats *endroit* m *d'incubation*

broeds ≈ *qui veut couver*

broedsel • de jongen in het nest *couvée* v • de eieren in het nest ‹bij vogels› *couvée* v; ‹bij insecten› *couvain* m

broei *échauffement* m

broeien • heet worden *s'échauffer*; ‹v. hooi› *fermenter*; ‹met kokend water› *échauder* • dreigen ★ er broeit wat *il se mijote qc*

broeierig *orageux* [v: *orageuse*]; *lourd*

broeikas *serre* v *chaude*

broeikaseffect *effet* m *de serre*

broeinest *couvoir* m; FIG. *foyer* m

broek ‹lang› *pantalon* m; ‹kort› *culotte* v ★ een pak voor zijn ~ krijgen *recevoir une fessée* ★ een pak voor de ~ geven *fesser* ▾ het in zijn ~ doen *faire dans sa culotte*

broekje • ondergoed *culotte* v • onervaren persoon *novice* m/v

broekpak *tailleur-pantalon* m [mv: *tailleurs-pantalons*]

broekriem *ceinture* v ▾ de ~ aanhalen *se serrer la ceinture*

broekrok *jupe-culotte* v [mv: *jupes-culottes*]

broekzak *poche* v *de pantalon*

broer *frère* m; INF. *frangin* m

broertje *frère* m; ‹jongere broer› *frère* m *cadet* ▾ ergens een ~ dood aan hebben *détester qc*

brok *morceau* m [mv: *morceaux*]; *fragment* m ▾ een brok in de keel hebben *avoir la gorge serrée*

brokaat *brocart* m

brokkelen I OV WW in stukjes breken *morceler*; *émietter*; *rompre en petits morceaux* II ON WW in stukjes uiteenvallen *s'effriter*

brokkelig *friable*; *cassant*

brokkenmaker *brise-tout* m [onv]

brokstuk *morceau* m [mv: *morceaux*]; *fragment* m; *débris* m; *bribe* v

brombeer *bougon* m; *grognon* m/v; *ours* m

bromelia *bromélia* m

bromfiets *cyclomoteur* m; *vélomoteur* m

bromfietser *cyclomotoriste* m/v

bromium *brome* m

brommen • geluid maken ‹gonzen› *bourdonner*; ‹v. apparaat› *ronfler*; *gronder*; *grogner* • mopperen *grogner*; *bougonner* • gevangen zitten ★ hij moet een jaar ~ *il en a pour un an* ▾ wat ik je brom *je t'en donne mon billet*

brommer • bromfiets *mobylette* v; *vélomoteur* m • iemand die bromt *ronchon* m/v; *grognon* m/v

brompot *grognon* m/v [v: *grognonne*]

bromtol *toupie* v *d'Allemagne*

bromvlieg *mouche* v *bleue*; *grosse* v *mouche*

bron • opwellend water *source* v; *fontaine* v ★ hete bron *eau thermale chaude*; *source chaude* v • oorsprong *source* v; *origine* v • informatiebron ★ uit goede bron vernemen *tenir de source sûre*

bronbelasting *impôt* m *perçu à la source*

bronchitis *bronchite* v

bronchoscopie *bronchoscopie* v

bronnenlijst *liste* v *de références*

bronnenonderzoek *dépouillement* m *des sources*

brons *bronze* m; GESCH. *airain* m

bronst *rut* m; *chaleur* v

bronstig *en chaleur*; *en rut*

bronstijd *âge* m *du bronze*

bronsttijd *temps* m *du rut*; *rut* m

brontaal *langage* m *original*

brontosaurus *brontosaure* m

bronvermelding *référence* v

bronwater *eau* v *minérale*; *eau* v *de source*; ‹geneeskrachtig› *eaux* v mv *thermales*

bronzen I BNW van brons *en/de bronze* II OV WW *bronzer*

brood • eetwaar *pain* m ★ op water en ~ *au pain sec et à l'eau* ★ bruin ~ *pain complet* m • levensonderhoud ★ zijn ~ verdienen met *gagner sa vie à*

broodbeleg *garniture* v

broodboom *arbre* m *à pain*

brooddronken I BNW uitgelaten *pétulant* II BIJW *avec pétulance*

broodheer *boss* m

broodje *petit pain* m ★ een ~ ham *un sandwich au jambon* ▾ zoete ~s bakken *filer doux*

broodjeszaak *sandwicherie* v

broodkorst *croûte* v *de pain*

broodmaaltijd *repas* m *froid*

broodmager *maigre comme un clou*

broodmes *couteau* m *à pain* [m mv: *couteaux ...*]

broodnijd *jalousie* v *de métier*

broodnodig *indispensable*

broodnuchter *très calme*; *sans émotion*

broodplank *planche* v *à pain*

broodroof ▾ ~ aan iemand plegen *ôter le pain de la bouche à qn*

broodrooster *grille-pain* m [onv]

broodschrijver *écrivain* m *à gages*

broodtrommel *boîte* v *à pain*

broodwinning *gagne-pain* m [onv]; *métier* m

broom • broomkali *bromure* m *de potassium* • bromium *brome* m

broos *fragile*; *frêle*

bros *cassant*; *friable*

brouilleren *brouiller* ★ gebrouilleerd zijn met iem. *être brouillé(s) avec qn*

brouwen • bereiden *brasser* • veroorzaken *machiner*; *comploter*

brouwer *brasseur* m

brouwerij *brasserie* v

brouwsel *brassin* m; ‹zelf gemaakt› *breuvage* m

browsen COMP. *parcourir*

browser COMP. *logiciel* m *de navigation*; *navigateur* m

B

brr *brrr!*
brug • verbinding *pont* m; ‹v. schip› *passerelle* v ★ vaste brug *pont fixe* ★ een brug slaan over *jeter un pont (sur)* • gymnastiektoestel *barres* v mv *parallèles*
Brugge *Bruges*
bruggenhoofd *butée* v
brugklas *classe* v *d'orientation*; ≈ *sixième* v
brugleuning *garde-fou* m [mv: *garde-fous*]; ‹stenen› *parapet* m
brugpensioen *prépension* v
brugpieper *élève* m/v *en classe d'orientation*
brugwachter *pontier* m
brui ▾ er de brui aan geven *laisser tomber*
bruid ‹voor trouwdag› *fiancée* v; *future* v; ‹op trouwdag› *(nouvelle) mariée* v ★ ~ en bruidegom *les jeunes mariés* m mv; *les jeunes époux* m mv
bruidegom ‹voor trouwdag› *fiancé* m; *futur* m; ‹op trouwdag› *(nouveau) marié* v
bruidsboeket *bouquet* m *de mariée*
bruidsdagen *temps* m *des fiançailles*
bruidsjapon *robe* v *de mariée*
bruidsjonker *garçon* m *d'honneur*
bruidsmeisje *demoiselle* v *d'honneur*
bruidspaar ‹voor trouwdag› *les futurs époux* m mv; ‹op trouwdag› *les jeunes mariés* m mv
bruidsschat *dot* v
bruidssluier *voile* m *de mariée*
bruidssuiker *dragée* v
bruikbaar *utile*; *utilisable*; *pratique* ★ ~ maken voor *rendre propre à*
bruikleen JUR. *commodat* m; *prêt* m *à usage* ★ in ~ van *prêté par*
bruiloft *mariage* v mv; ‹feest› *noces* v mv ★ zijn ~ vieren *célébrer ses noces* ★ naar de ~ gaan *aller à la noce*
bruin ‹door zon› *bronzé*; *brun*; *basané* ★ ~ braden *rissoler*; *roussir* ★ ~ maken/worden *brunir*; ‹door zon› *se dorer*; ‹door zon› *bronzer*
bruinbrood *pain* m *bis*
bruinen I OV WW bruin maken *brunir* II ON WW bruin worden *bronzer*
bruinkool *lignite* m
bruinvis *marsouin* m
bruisen *mousser*; ‹v. bloed› *bouillonner*
bruistablet *comprimé* m *effervescent*
brulaap • aap *singe* m *hurleur* • schreeuwlelijk *braillard* m [v: *braillarde*]
brulboei *bouée* v *sonore*; *bouée* v *à sifflet*
brullen ‹v. leeuw› *rugir*; ‹v. stier› *mugir*; ‹v. mens› *hurler*
brunch *brunch* m
brunette *brunette* v; *brune* v
Brussel *Bruxelles*
brutaal I BNW • onbeschoft *impertinent*; *insolent* ★ ~ tegen *insolent avec* • stoutmoedig *effronté* II BIJW • onbeschoft *insolemment* • stoutmoedig *effrontément*
brutaliteit *impertinence* v; *insolence* v
bruto *brut* ★ ~ nationaal product *produit national brut*
brutoloon *salaire* m *brut*
brutosalaris *salaire* m *brut*
bruusk I BNW *brusque*; *d'un ton brusque* II BIJW *brusquement*
bruuskeren *brusquer* ★ de zaak ~ *brusquer les choses*
bruut I ZN *sauvage* m; *brute* v II BNW *brutal* [m mv: *brutaux*] ★ brute kracht *force* v *brutale*
BSE Bovine Spongiform Encephalopathy *ESB* v; *encéphalite* v *spongiforme bovine*
btw *taxe* v *à la valeur ajoutée*; *T.V.A.* v
bubbelbad *bain* m *bouillonnant*
buddy *copain* m; *pote* m
budget *budget* m ★ het ~ betreffend *budgétaire*
budgetbewaking *contrôle* m *budgétaire*
budgetoverschrijding *dépassement* m *budgétaire*
budgettair *budgétaire*
budgetteren *budgéter*; *budgétiser*
buffel *buffle* m
buffer *tampon* m
bufferstaat *état-tampon* m [mv: *états-tampons*]
buffervoorraad *stock* m *de sécurité*
bufferzone *zone* v *tampon*
buffet • meubel *buffet* m • tapkast *buvette* v; *comptoir* m; INF. *zinc* m • maaltijd ★ een koud ~ *un buffet froid*
bug COMP. *bogue* m; *bug* m
buggy • rijtuigje *boguet* m; *boghei* m • kinderwagen *poussette* v • sportwagen *buggy* v
bühne *scène* v
bui • neerslag *averse* v; ‹met hagel/sneeuw› *giboulée* v • humeur *humeur* v; *accès* m; *caprice* m ★ een goede/slechte bui hebben *être de bonne/mauvaise humeur* ▾ bij buien *par accès*
buidel • zak *bourse* v • huidplooi *poche* v *ventrale*
buideldier *marsupial* m [mv: *marsupiaux*]
buigbaar *flexible*; *pliable*
buigen I OV WW krom maken *plier*; *courber* ★ het hoofd ~ *baisser la tête* ★ de knieën ~ *fléchir les genoux* II ON WW • buiging maken *s'incliner*; *faire une révérence* • ~ **voor** ★ ~ voor iemands wensen *se plier aux désirs de qn*; *céder aux désirs de qn*
buiging • het buigen ‹v. hoofd› *inclination* v; ‹v. arm› *flexion* v; ‹uit beleefdheid› *révérence* v • stembuiging *inflexion* v
buigingsuitgang *désinence* v *flexionnelle*
buigzaam *flexible*; *souple*; FIG. *facile*; *docile* ★ ~ maken *assouplir*
buiig • regenachtig *pluvieux* [v: *pluvieuse*]; *inconstant* ★ het is ~ weer *le temps est à la pluie* • humeurig *capricieux* [v: *capricieuse*]; *changeant*
buik • lichaamsdeel *ventre* m ★ hij krijgt een buik *il prend du ventre* ★ een dikke buik hebben *avoir un gros ventre*; *être gros* [v: *être grosse*] ★ (plat) op de buik liggen *être couché à plat ventre* • bol gedeelte *ventre* m; ‹v. zeil› *creux* m ▾ dat zijn twee handen op een buik *ce sont deux têtes sous un bonnet* ▾ er de buik vol van hebben *en avoir ras le bol*
buikdansen *faire la danse du ventre*

buikdanseres *danseuse* v *orientale*
buikgriep *grippe* v *intestinale*
buikholte *cavité* v *abdominale*
buikje INF. *brioche* v
buiklanding *atterrissage* m *sur le ventre*
buikloop *diarrhée* v
buikpijn *mal* m *de ventre* ★ ~ hebben *avoir mal au ventre*
buikriem *ventrière* v
buikspieroefening ★ ~en doen *faire des abdominaux*
buikspreken *être ventriloque*
buikspreker *ventriloque* m
buikvlies *péritoine* m
buikvliesontsteking *péritonite* v
buikwand *paroi* v *abdominale*
buil • bult *bosse* v; *enflure* v • zakje *sachet* m
buis • pijp *tuyau* m [mv: *tuyaux*]; *tube* m; ‹leidingbuis› *canal* m [mv: *canaux*]; *conduit* m ★ de buis van Eustachius *la trompe d'Eustache* • televisie *petit écran* m
buiswater *embruns* m mv
buit *butin* m; ‹v. dieren› *proie* v ★ buit maken *prendre*; *s'emparer de*
buitelen *culbuter*; *faire la culbute*
buiteling *culbute* v
buiten I ZN *propriété* v II BIJW • buitenshuis *dehors* ★ hij speelt ~ *il joue dehors* • op het platteland *à la campagne* ★ hij woont ~ *il habite à la campagne* • niet betrokken bij ★ laat hem er ~! *ne l'implique pas dans cette affaire!* ▾ zich te ~ gaan aan *abuser de* III VZ • niet binnen een plaats *en dehors de* ★ ~ de stad *en dehors de la ville* ★ ~ op straat *dehors* • iets niet betreffende *hors* ★ ~ mededinging *hors-concours* ★ ~ bereik *hors de portée* • zonder ★ hij kan niet ~ zijn fiets *il ne peut se passer de son vélo* ★ ~ adem *hors d'haleine* ★ ~ kennis *sans connaissance* • behalve *excepté* ★ ~ haar vriendin wist niem. ervan *excepté sa copine, personne n'était au courant* ▾ iets van ~ kennen *connaître qc par cœur* ▾ ~ bedrijf *hors service*
buiten- *extérieur*
buitenaards *extra-terrestre* [m mv: *extra-terrestres*]
buitenbaarmoederlijk ★ ~e zwangerschap *grossesse* v *extra-utérine*
buitenbad *piscine* v *découverte*
buitenband *pneu* m
buitenbeentje *original* m [mv: *originaux*] [v: *originale*]
buitenboordmotor *moteur* m *hors bord*
buitendeur *porte* v *extérieure*; *porte* v *d'entrée*
buitendienst *personnel* m *itinérant*
buitenechtelijk *hors mariage*; *extra-conjugal* [m mv: *extra-conjugaux*] ★ een ~ kind *un enfant illégitime*
buitengaats *au large*
buitengebeuren *événements* m mv *extérieurs*
buitengewoon I BNW ongewoon *extraordinaire*; *exceptionnel* [v: *exceptionnelle*] II BIJW zeer *extrêmement*
buitenhuis *maison* v *de campagne*
buitenissig *excentrique*
buitenkans *aubaine* v; *chance* v
buitenkansje *aubaine* v
buitenkant *(côté* m*) extérieur* m; *dehors* m
buitenlamp *lampe* v *extérieure*; *éclairage* m *extérieur*
buitenland *étranger* m
buitenlander *étranger* m [v: *étrangère*]
buitenlands *extérieur*; *étranger* [v: *étrangère*]; *de provenance étrangère* ★ de ~e handel *le commerce extérieur*; *le commerce international* ★ de ~e politiek *la politique étrangère*
buitenleven *vie* v *au grand air*; *vie* v *à la campagne*
buitenlucht *grand air* m; *air* m *de la campagne*
buitenmens *amateur* m *de grand air*
buitenmodel *hors série*
buitenom *par le dehors*
buitenparlementair I BNW *extra-parlementaire* [m mv: *extra-parlementaires*] II BIJW *de façon extra-parlementaire*
buitenplaats *endroit* m *éloigné*
buitenshuis *(au) dehors*; *hors de la maison* ★ ~ eten *dîner en ville* ★ ~ slapen *découcher*
buitenspel *hors jeu*
buitenspeler *ailier* m
buitenspelval *piège* m *de hors-jeu*
buitenspiegel *rétroviseur* m *extérieur*
buitensporig I BNW *extravagant*; *exorbitant* II BIJW *extrêmement*
buitensport *sport* m *de plein air*
buitenstaander *non-initié* m [mv: *non-initiés*] [v: *non-initiée*]; *profane* m
buitenverblijf *propriété* v *à la campagne*
buitenwacht *avant-poste* m [mv: *avant-postes*]
buitenwereld *monde* m *extérieur*
buitenwijk *quartier* m *de la périphérie*; *faubourg* m
buitenzijde *extérieur* m; *dehors* m
buitmaken *capturer*
buizenstelsel *tuyauterie* v
buizerd *buse* v
bukken *se baisser*; *se courber* ▾ onder zorgen gebukt gaan *être accablé de soucis*
buks *carabine* v
bul • stier *taureau* m [mv: *taureaux*] • oorkonde *diplôme* m *(de maîtrise)* • pauselijke brief *bulle* v ▾ al zijn bullen *tous ses bagages*
bulderbaan ≈ *piste* v *d'aérodrome qui cause des nuisances acoustiques*
bulderen • dreunen ‹v. zee› *mugir*; ‹v. wind› *hurler*; ‹v. geschut› *gronder* • spreken *faire la grosse voix*; *tempêter*
buldog *bouledogue* m
Bulgaar *Bulgare* m/v
Bulgaars I ZN *bulgare* m II BNW *bulgare*
Bulgarije *la Bulgarie* ★ in ~ *en Bulgarie*
bulk *vrac* m ★ graan in bulk *du grain en vrac*
bulken • loeien *beugler*; *mugir* • brullen *beugler* • ~ **van** ★ hij bulkt van het geld *il remue l'or à la pelle*; *il est tout cousu d'or*
bulkgoederen *marchandises* v mv *en vrac*
bulldozer *bulldozer* m; *bouteur* m
bullebak *épouvantail* m; *tyran* m
bulletin *bulletin* m
bult • buil ‹klein› *bouton* m; *bosse* v • bochel MED. *cyphose* v; *bosse* v

B

bultenaar *bossu* m
bumper *pare-chocs* m [onv]
bundel • pak, bosje *paquet* m; ‹bos› *botte* v ⋆ een ~ papieren *une liasse* • verzameling, boekje *recueil* m
bundelen *faire un paquet*; ‹v. gedichten of verhalen› *réunir en (un) volume*; ‹v. stro› *botteler* ⋆ de krachten ~ *conjuguer les forces*
bunder *hectare* m
bungalow *bungalow* m
bungalowpark *village* m *de bungalows*
bungalowtent *tente* v *bungalow*
bungeejumpen *sauter à l'élastique*
bungelen *pendouiller*
bunker *casemate* v
bunkeren *s'empiffrer*
bunsenbrander *bec* m *Bunsen*
bunzing *putois* m
bups *bazar* m ⋆ de hele bups *tout le bazar*
burcht *château* m *(fort)* [m mv: *châteaux (forts)*]
bureau • schrijftafel *bureau* m [mv: *bureaux*] • afdeling *bureau* m [mv: *bureaux*]; *office* m • politiebureau *poste* m
bureaucratie *bureaucratie* v
bureaulamp *lampe* v *de bureau*
bureaustoel *fauteuil* m *de bureau*
burengerucht *tapage* m *(nocturne)*
burenhulp *aide* v *entre voisins*
burgemeester *maire* m; ‹buiten Frankrijk ook› *bourgmestre* m
burger ‹niet militair› *civil* m; ‹staatsburger› *citoyen* m [v: *citoyenne*]; GESCH. *bourgeois* m [v: *bourgeoise*] ⋆ in ~ *en civil*
burgerbevolking *population* v *civile*
burgerij *bourgeoisie* v
burgerkleding *vêtements* m mv *civils*
burgerlijk I BNW • van de burgerstand *roturier* [v: *roturière*] • van de staatsburger *civil* ⋆ ~e stand *état civil* m ⋆ de ~e ongehoorzaamheid *la désobéissance civile* ⋆ ~ recht *droit civil* m • kleinburgerlijk *bourgeois* ⋆ hij is erg ~ *c'est un petit bourgeois* II BIJW *bourgeoisement*; *en petit-bourgeois* [m mv: *en petits-bourgeois*] [v: *en petite-bourgeoise*]
burgerluchtvaart *aviation* v *civile*
burgerman *(petit) bourgeois* m; FORM. *roturier* m
burgeroorlog *guerre* v *civile*
burgerplicht *devoir* m *du citoyen*
burgerrecht *droit* m *civil*; *droit* m *de cité* ⋆ ~ verkrijgen *obtenir la naturalisation*
burgervader *maire* m; ‹in België› *bourgmestre* m
burgerwacht *garde* v *territoriale*
burlesk *burlesque*
burn-out I ZN *panne* v *par échauffement* II BNW PSYCH. *usé (à force de travail)*
Burundi *le Burundi* ⋆ in ~ *au Burundi*
bus • trommel *boîte* v; ‹in kerk› *tronc* m • autobus *(auto)bus* m; ‹interlokaal› *car* m • brievenbus *boîte* v *aux lettres* ⋆ in de bus doen *jeter/mettre à la boîte*
busbaan ▾ vrije ~ *couloir* m *d'autobus*
buschauffeur *chauffeur* m *d'autobus*
busdienst *service* m *d'autobus*
bushalte *arrêt* m *d'autobus*
business class *sièges* m mv *pour hommes/femmes d'affaires*
buskruit *poudre* v *(à canon)* ▾ hij heeft het ~ niet uitgevonden *il n'a pas inventé la poudre*
buslichting *levée* v
busstation *gare* v *routière*
buste • boezem *buste* m; ‹formeel› *gorge* v • borstbeeld *buste* m
bustehouder *soutien-gorge* m [mv: *soutiens-gorge*]
butagas *(gaz* m*) butane* m
buts *creux* m
button *badge* m; *macaron* m
buur *voisin* m [v: *voisine*] ⋆ goede buren hebben *être bien avec ses voisins*
buurjongen *petit voisin* m
buurland *pays* m *voisin*
buurman *voisin* m
buurmeisje *petite voisine* v
buurpraatje *brin* m *de causette entre voisins*; *parlotte* v *entre voisins*
buurt • omgeving *voisinage* m ⋆ in de ~ van *aux environs de* ⋆ blijf uit de ~ *n'approchez pas* • wijk *quartier* m
buurtbewaking *surveillance* v *de quartier*; *ensemble* m *de mesures de sécurité dans un quartier*
buurtbewoner *habitant* m *du quartier*
buurtcafé *café* m *du coin*
buurten *fréquenter les voisins*
buurthuis *foyer* m *(socio-éducatif)* [m mv: *foyers (socio-éducatifs)*]
buurtpreventie *surveillance* v *de quartier*; *ensemble* m *de mesures de sécurité dans un quartier*
buurtwerk *travail* m *socio-culturel de quartier*
buurtwinkel *magasin* m *de quartier*
buurvrouw *voisine* v
buzzer *buzzer* m; *vibreur* m *sonore*
B-verpleging *soins* m mv *donnés aux patients psychiatriques*
B-weg *chemin* m *vicinal*; *petite route* v
bypass *pontage* m *coronarien/veineux* ⋆ hij heeft een ~-operatie ondergaan *il a été ponté*
byte *byte* m; *octet*

C

c • letter *c* m • muzieknoot *c* m; *do* m; *ut* m
cabaret *spectacle* m *de cabaret*
cabaretier *comique* v
cabine *cabine* v
cabriolet *cabriolet* m
cacao *cacao* m
cacaoboter *beurre* m *de cacao*
cachet *cachet* m
cachot *cachot* m
cactus *cactus* m
cadans *cadence* v
caddie SPORT *caddie* m
cadeau *cadeau* m [mv: *cadeaux*] ⋆ ~ krijgen *recevoir en cadeau* ⋆ iets ~ geven *faire cadeau de qc* ⋆ is het voor een ~tje? *est-ce pour offrir?*
cadeaubon *chèque-cadeau* m [mv: *chèques-cadeaux*]
cadet *élève* m *d'une école militaire*; *élève-officier* m [mv: *élèves-officiers*]
cadmium • CHEM. *cadmium* m • cadmiumgeel *jaune* m *de cadmium*
café *café* m
caféhouder *patron* m *(de café)*
cafeïne *caféine* v ⋆ ~vrij *décaféiné*
cafeïnevrij *décaféiné*
café-restaurant *café-restaurant* m [mv: *cafés-restaurants*]
cafetaria *cafétéria* v
caissière *caissière* v
caisson *caisson* m
caissonziekte *maladie* v *des caissons*
cake *cake* m
calamiteit *calamité* v; *catastrophe* v
calcium *calcium* m
calculatie *calcul* m
calculator • rekenmachine *calculateur* m • beroep *calculateur* m
calculeren *calculer*
caleidoscoop *kaléidoscope* m
callgirl *call-girl* v [mv: *call-girls*]
call-optie *option* v *d'achat*
calorie *calorie* v
caloriearm *pauvre en calories*
calorierijk *riche en calories*
calvinisme *calvinisme* m
calvinistisch I BNW *calviniste* II BIJW *en calviniste*
Cambodja *le Cambodge* ⋆ in ~ *au Cambodge*
Cambrium *cambrien* m
camcorder *caméscope* m
camee *camée* m; *camaïeu* m
camel *poil de chameau*
camera ‹foto› *appareil* m *photo*; ‹film› *caméra* v ⋆ digitale ~ *appareil* m *numérique*
cameraman *opérateur* m; *caméraman* m; *cadreur* m
camera obscura *chambre* v *noire*
camouflage *camouflage* m
camoufleren *camoufler*
campagne *campagne* v ⋆ een ~ voeren *mener une campagne*
camper *camping-car* m [mv: *camping-cars*]
camping *terrain* m *de camping*; *camping* m
campus *campus* m
Canada *le Canada* ⋆ in ~ *au Canada*
Canadees I ZN (de) *Canadien* m [v: *Canadienne*] II BNW *canadien* [v: *canadienne*]
canaille *canaille* v
canapé *canapé* m
Canarische Eilanden *(îles* v mv*) Canaries* v mv ⋆ op de ~ *aux (îles) Canaries*
canon • *canon* m • erfpachtsom *redevance* v
canoniek *canonique* ⋆ het ~e recht *le droit canon*
cantate *cantate* v
cantharel *chanterelle* v
cantorij *maîtrise* v; *chapelle* v; *chœur* m
canvas *canevas* m
cao *CCT* v; *Convention* v *collective du travail*
capabel *capable*
capaciteit *capacité* v
cape *pèlerine* v; *cape* v
capitulatie *capitulation* v
capituleren *capituler*
capriool *cabriole* v ⋆ rare capriolen uithalen *faire le pitre*
capsule *capsule* v; ‹geneesmiddel› *gélule* v
captain *chef* m *d'équipe*; *capitaine* m
capuchon *capuchon* m
cara ≈ *affections* v mv *chroniques et non-spécifiques des voies respiratoires*
carambole *carambolage* m
caravan *caravane* v
carbol *phénol* m
carbolineum *coaltar* m
carbonaat *carbonate* m
carbonpapier *papier* m *carbone*; *carbone* m
carburateur *carburateur* m
carcinogeen MED. *cancérigène*
carcinoom *carcinome* m
cardiogram *cardiogramme* m
cardioloog *cardiologue* m
cargadoor *courtier* m *maritime*; *commissionnaire* m *chargeur*
cargo *cargaison* v
cariës *carie* v
carillon *carillon* m
caritatief *charitable*
carnaval *carnaval* m
carnivoor *carnivore* m/v
carpoolen ≈ *faire le trajet entre travail et domicile à plusieurs dans une voiture*
carpooling *covoiturage* m
carport *auvent* m *pour voitures*; *abri* m *pour voitures*
carré *carré* m
carrière *carrière* v ⋆ een schitterende ~ *une carrière brillante/fulgurante* ⋆ het ~ maken (uit persoonlijke ambitie) *le carriérisme* m
carrièreplanning *plan* m *de carrière*
carrosserie *carrosserie* v; INF. *caisse* v
carte ⋆ à la ~ eten *manger à la carte*
carte blanche *carte* v *blanche* ⋆ ~ krijgen *avoir carte blanche*
carter *carter* m
cartografie *cartographie* v
cartoon *dessin* m *humoristique*
cascade *cascade* v
casco • romp *carcasse* v; *coque* v; INF. *caisse* v

C

• verzekeringsterm *assurance* v *dommages collision*
cascoverzekering ‹schip› *assurance* v *sur corps*; ‹auto› *assurance* v *véhicule*
cash I ZN *argent* m *liquide* II BIJW *en espèces*
cashewnoot *noix* v *de cajou*
casino *casino* m
cassatie *cassation* v ★ in ~ gaan *se pourvoir en cassation*
casselerrib *côte* v *de porc de Cassel*
cassette • doos *ménagère* v • bandje *cassette* v
cassettebandje *cassette* v
cassettedeck *lecteur-enregistreur* m *de cassettes* [m mv: *lecteurs-enregistreurs ...*]; *platine* v *à cassettes*
cassetterecorder *magnétophone* m
cassis *limonade* v *de cassis*
castagnetten *castagnettes* v mv [mv]
castratie *castration* v
castreren *châtrer*; *castrer*
catacombe *catacombe* v
catalogiseren *cataloguer*
catalogus *catalogue* m
catamaran *catamaran* m
cataract *cataracte* v
catastrofaal I BNW *catastrophique* II BIJW *de façon catastrophique*
catastrofe *catastrophe* v
catechese *catéchèse* v
catechisatie *catéchisme* m
categorie *catégorie* v
categorisch *catégorique* ★ ~ ontkennen *nier catégoriquement*
categoriseren *catégoriser*
catering *restauration* v *(de masse)*
catharsis *catharsis* m
catheter *cathéter* m; *sonde* v
catheterisatie *cathétérisme* m
catheteriseren *cathéteriser*
causaal *causal* [m mv: *causals|causaux*] ★ een ~ verband *un rapport de cause à effet*
cavalerie *cavalerie* v
cavia *cobaye* m
cayennepeper *poivre* m *de Cayenne*
cc • copie conform *copie* v *conforme* • inhoudsmaat *cm³*
cd-rom *CD-Rom* m; *cédérom* m; FORM. *disque* m *optique compact*
cd-romspeler *platine* v *laser*
cd-speler *lecteur* m *de disques compacts*; *lecteur* m *de disques lasers*
ceder *cèdre* m
cederhout *cèdre* m
cedille *cédille* v
ceintuur *ceinture* v
cel • hokje *cellule* v; *cabine* v; ‹v. honingraat› *alvéole* v • BIOL. *cellule* v • POL. *noyau* m [mv: *noyaux*]
celdeling *division* v *cellulaire*
celebreren *célébrer* ★ de mis ~ *célébrer la messe*
celgenoot *compagnon* m *de cellule* [v: *compagne ...*]
celibaat *célibat* m
cellist *violoncelliste* m/v
cello *violoncelle* m
cellofaan *cellophane* v
cellulitis *cellulite* v
celluloid *celluloïd* m ★ van ~ *en celluloïd*
cellulose *cellulose* v
Celsius *Celsius* ★ 16 graden ~ *seize degrés Celsius*
celstof *cellulose* v
celtherapie *cellulothérapie* v
cement *ciment* m; ‹v. tanden› *cément* m ★ vlughardend ~ *ciment à prise rapide*
cementmolen *bétonnière* v
cenotaaf *cénotaphe* m
censureren *censurer*
censuur *censure* v
cent • munt ‹Frans geld› *centime* m; INF. *sou* m; ‹Ned. geld› *cent* m • geld *argent* m ▾ geen rooie cent hebben *être sans le sou*; *être fauché* ▾ voor geen cent minder *pas un sou de moins* ▾ zonder een cent beginnen *partir de rien*
centaur *centaure* m
centi- *centi-*
centimeter *centimètre* m
centraal I BNW *central* [m mv: *centraux*] II BIJW *d'un point central*
Centraal-Afrikaanse Republiek *République* v *Centrafricaine* ★ in de ~ *dans la République Centrafricaine*
centrale ‹elektriciteit› *centrale* v *électrique*; ‹telefoon› *central* m *téléphonique*; *centrale* v
centralisatie *centralisation* v
centraliseren *centraliser*
centreren *centrer*
centrifugaal *centrifuge*
centrifuge *appareil* m *centrifuge*; ‹voor was› *essoreuse* v
centrifugeren *centrifuger*
centripetaal *centripète*
centrum *centre* m
ceramiek *céramique* v
ceremonie *cérémonie* v
ceremonieel I ZN *cérémonial* m II BNW *cérémoniel* [v: *cérémonielle*]; *solennel* [v: *solennelle*]
ceremoniemeester *maître* m *de cérémonie*
certificaat • getuigschrift *certificat* m ★ ~ van echtheid *certificat* m *d'authenticité* • waardepapier *certificat* m *d'investissement*
cervelaatworst *cervelas* m
cessie *cession* v
cesuur *césure* v
cfk *CFC* m; *chlorofluorocarbone* m
chagrijn • persoon *grincheux* m [v: *grincheuse*] • humeurigheid *mauvaise humeur* v
chagrijnig I BNW *grincheux* [v: *grincheuse*] II BIJW *hargneusement*
chalet *chalet* m
champagne *champagne* m
champignon *champignon* m *(comestible)*
chanoekafeest *fêtes* v mv *de Lumière*
chanson *chanson* v
chantage *chantage* m
chanteren ★ iem. ~ *faire chanter qn*
chaoot *personne* v *chaotique*
chaos *chaos* m
chaotisch *chaotique*
charge *charge* v

charisma *charisme* m
charismatisch *charismatique*
charitatief *charitable*
charlatan *charlatan* m
charmant I BNW *charmant* II BIJW *de façon charmante*
charme *charme* m
charmeren *charmer* ★ gecharmeerd zijn van iem./iets *être sous le charme de qn/qc*
charmeur *charmeur* m [v: *charmeuse*]
chartaal *en espèces* ★ ~ geld *l'argent en espèces*; *la monnaie légale* m
charter • vlucht *charter* m • oorkonde *charte* v
charteraar *affréteur* m
charteren • afhuren *affréter* • hulp inroepen *faire appel à*
chartermaatschappij *compagnie* v *charter*
chartervliegtuig *charter* m; *avion* m *nolisé*
chartervlucht *vol* m *charter*
chassis *châssis* m
chatbox ≈ *réunion* v *par téléphone*; *réunion* v *par internet*
chatten *causer*; *bavarder (avec qn)*
chaufferen *conduire*
chauffeur *chauffeur* m [v: *chauffeuse*]; *conducteur* m [v: *conductrice*]
chauvinisme *chauvinisme* m
checken *contrôler*
checklist *liste* v *de contrôle*
chef *chef* m
chef-kok *chef* m *cuisinier*; *maître-cuisinier* m [mv: *maîtres-cuisiniers*]
chef-staf *chef* m *d'état-major*
chemicaliën *produits* m mv *chimiques*
chemicus *chimiste* m/v
chemie *chimie* v
chemisch *chimique*
chemokar ≈ *camionnette* v *qui ramasse les déchets chimiques*
chemotherapie *chimiothérapie* v
cheque *chèque* m ★ ~ aan toonder *chèque au porteur* ★ een ~ uitschrijven *écrire un chèque*; FORM. *libeller un chèque* ★ blanco ~ *chèque en blanc* ★ INF. ongedekte ~ *chèque en bois* ★ ~ op naam *chèque nominatif*
cherubijn *chérubin* m
chic I BNW • elegant *élégant*; INF. *chic* [onv] ★ chique mensen *des gens chic* • voornaam *distingué* II BIJW • elegant *avec élégance* • voornaam *avec distinction*
chimpansee *chimpanzé* m
Chinees I ZN (de) • persoon *Chinois* m [v: *Chinoise*] • restaurant *restaurant* m *chinois* II ZN (het) *chinois* m III BNW *chinois*
chinezen • Chinees eten *manger chinois* • heroïne snuiven *priser de l'héroïne*
chip *microprocesseur* m; *puce* v
chipkaart *carte* v *à puce*
chipolatapudding *bavarois* m *aux fruits confits*
chips *(pommes* v mv *chips*
chiropracticus *chiropracteur* m
chiropraxis *chiropractie* v
chirurg *chirurgien* m
chirurgie *chirurgie* v
chirurgisch *chirurgical* [m mv: *chirurgicaux*]
Chisinau *Chisinau*
chlamydia *chlamydia* v
chloor *chlore* m
chloride *chlorure* m
chloroform *chloroforme* m
chlorofyl *chlorophylle* v
chocolaatje *chocolat* m
chocolade *chocolat* m
chocoladeletter *lettre* v *en chocolat*
chocolademelk *chocolat* m *au lait*
chocolaterie *confiserie* v
chocopasta *pâte* v *à tartiner au chocolat*
choke *starter* m ★ de ~ gebruiken *mettre le starter*
cholera *choléra* m
cholesterol *cholestérol* m ★ het ~gehalte *le taux de cholestérol*
cholesterolgehalte *cholestérolémie* v
choqueren *choquer*
choreograaf *chorégraphe* m/v
choreografie *chorégraphie* v
chorizo *chorizo* m
christelijk I BNW *chrétien* [v: *chrétienne*] II BIJW *chrétiennement*
christen *chrétien* m [v: *chrétienne*]
christen-democraat *démocrate-chrétien* m [mv: *démocrates-chrétiens*] [v: *démocrate-chrétienne*]
christendom *christianisme* m
christenheid *chrétienté* v
Christus *le Christ*; ‹protestants: zonder lidwoord› *Christ*
chromosoom *chromosome* m
chroniqueur *chroniqueur* m [v: *chroniqueuse*]
chronisch *chronique*
chronologie *chronologie* v
chronologisch I BNW *chronologique* II BIJW *chronologiquement*
chronometer *chronomètre* m
chroom *chrome* m
chrysant *chrysanthème* m
cichorei *chicorée* v
cider *cidre* m
cijfer • teken *chiffre* m • beoordeling *note* v ★ hoge ~s halen *obtenir de bonnes notes* ▾ in de rode ~s staan *se solder en rouge*
cijfercode *chiffre* m
cijferen *chiffrer*; *calculer*
cijferlijst *bulletin* m *de notes*
cijfermateriaal *chiffres* m mv
cijferslot *cadenas* m *à combinaison*
cilinder *cylindre* m
cilinderslot *serrure* v *à cylindre*
cineast *cinéaste* m/v
cinefiel *cinéphile* m/v
cipier *geôlier* m [v: *geôlière*]
cipres *cyprès* m
circa *environ*; *à peu près*
circuit *circuit* m
circulaire *circulaire* v
circulatie *circulation* v
circuleren *circuler*
circus *cirque* m
circusnummer *numéro* m *de cirque*
cirkel *cercle* m ★ in een ~ *circulairement*; *en cercle* ▾ vicieuze ~ *cercle vicieux*
cirkelen *tourner en rond*; *tournoyer*

cirkelredenering *raisonnement* m *circulaire*
cirkelzaag *scie* v *circulaire*
cirrose *cirrhose* v
cis *do* m *dièse*
ciseleren *ciseler*
citaat *citation* v; *passage* m
citadel *citadelle* v
citer • instrument *cithare* v • symbool *lyre* v
citeren *citer*
citroen *citron* m ★ ~brandewijn *citronnelle* v
citroengeel *jaune citron*
citroenmelisse *citronnelle* v
citroensap *jus* m *de citron*
citroenzuur *acide* m *citrique*
citruspers *presse-citron* m [mv: *presse-citrons*]
citrusvrucht *agrume* m
civiel *civil* ★ een ~-ingenieur *un ingénieur civil*
civielrechtelijk *civil*
civilisatie *civilisation* v
civiliseren *civiliser*
claim • aanspraak *réclamation* v • voorkeursrecht JUR. *titre* m *de préférence*; ECON. *droit* m *préférentiel de souscription*
claimen *réclamer*
clan *clan* m
clandestien I BNW *clandestin* ★ ~e zender *(émetteur) pirate* m II BIJW *clandestinement*
classicisme *classicisme* m
classicus *philologue* m/v *classique*
classificatie *classification* v; *classement* m
classificeren *classer*; *classifier*
claustrofobie *claustrophobie* v
clausule *clause* v; *stipulation* v
claxon *klaxon* m
claxonneren *klaxonner*
clean • zuiver *propre* • zakelijk *direct* • afgekickt *désintoxiqué*
clematis *clématite* v
clementie *clémence* v
clerus *clergé* m
cliché I ZN *cliché* m II BNW *cliché*
clichématig *stéréotypé*
cliënt *client* m
clientèle *clientèle* v
cliffhanger *récit* m *à suspense*; *situation* v *à suspense*
climax *sommet* m; *apogée* v; ‹stijlleer› *gradation* v
clinch ★ in de ~ raken met *se disputer avec*; INF. *s'accrocher avec*
clip • paperclip *trombone* m • videoclip *clip* m
clitoris *clitoris* m
closet *toilettes* v mv; *W.C.* m mv; *cabinets* m mv
close-up *gros plan* m ★ in ~ *en gros plan*
clou *essentiel* m
clown *clown* m; FIG. *pitre* m
clownesk *clownesque*
club • vereniging *club* m; *cercle* m • groep vrienden *bande* v; INF. *clique* v • golfstick *club* m
clubfauteuil *fauteuil* m *club*
clubgenoot *membre* m *du même club*
clubhuis *foyer* m
clubverband ★ sporten in ~ *faire du sport dans un club*
cluster *agglomérat* m
clusteren *grouper*
coach *entraîneur* m [v: *entraîneuse*]; *coach* m
coachen *entraîner*
coalitie *coalition* v
coalitiepartner ≈ *partenaire* m/v *au sein d'une coalition*
coassistent *élève-assistant* m [mv: *élèves-assistants*] [v: *élève-assistante*]; *externe* m/v
coassistschap *externat* m
coaster *caboteur* m
coating *revêtement* m
coauteur *coauteur* m
coaxkabel *câble* m *coaxial*
cobra *cobra* m
cocaïne *cocaïne* v
cockpit *poste* m *de pilotage*; *habitacle* m
cocktail *cocktail* m
cocktailbar *bar* m *(dans un hôtel)*
cocktailjurk *robe* v *de cocktail*
cocktailprikker *bâtonnet* m
cocon *cocon* m
cocoonen *se chercher un confort douillet*
code *code* m
codeïne *codéine* v
codenaam *nom* m *de code*
coderen *coder* ★ het ~ *le codage*
codex *manuscrit* m
codicil *codicille* m
codificatie *codification* v
codificeren *codifier*
coëfficiënt *coefficient* m
coëxistentie *coexistence* v
coëxisteren *coexister*
coffeeshop *cafétéria* v
coffeïne *caféine* v
cognac *cognac* m
cognitief *cognitif* [v: *cognitive*]
coherent I BNW *cohérent* II BIJW *de façon cohérente*
coherentie *cohérence* v; *cohésion* v
cohesie *cohésion* v
coiffure *coiffure* v
coïtus *coït* m
coke • cola *coca* m • cocaïne *coke* v
cokes *coke* m
col • kraag *col* m • bergpas *col* m
cola *coca* m
cola-tic *coca* m *au genièvre*
colbert *veston* m
collaborateur *collaborateur* m [v: *collaboratrice*]
collaboratie *collaboration* v
collaboreren *collaborer*
collage *collage* m
collectant *quêteur* m [v: *quêteuse*]
collect-call ★ ~ bellen *téléphoner en P.C.V.*
collecte *quête* v; *collecte* v
collectebus *tronc* m/*boîte* v *à collecte(s)*
collecteren *quêter*; *faire la quête*
collectie *collection* v
collectief I ZN groep *collectif* m II BNW *collectif* [v: *collective*] ★ collectieve arbeidsovereenkomst *convention collective du travail* ★ de collectieve sector *le secteur semi-public et public* III BIJW *collectivement*
collectivisme *collectivisme* m
collector's item *objet* m *très recherché*

collega ⟨vrije beroepen⟩ *confrère* m; *collègue* m/v
college • bestuurslichaam *collège* m • school *collège* m • les *cours* m ★ ~ geven *faire un cours* ★ ~ lopen *suivre un cours*
collegedictaat *notes* v mv *de cours*
collegegeld *droits* m mv *d'inscription*
collegekaart *carte* v *d'étudiant*
collegezaal *salle* v *de cours*
collegiaal I BNW *confraternel* [v: *confraternelle*] II BIJW *confraternellement*
collegialiteit *confraternité* v
collier *collier* m
colloïde *colloïde* m
colloquium ⟨discussiecollege⟩ *commission* v *examinatoire*; ⟨gesprek⟩ *colloque* m
colofon *colophon* m
Colombia *la Colombie* ★ in ~ *en Colombie*
colonne *colonne* v
coloradokever *doryphore* m
coloriet *coloris* m
colportage *colportage* m
colporteren *colporter*
colporteur *colporteur* m [v: *colporteuse*]
coltrui *pull* m *à col roulé*
column *rubrique* v
columnist *chroniqeur* m [v: *chroniqueuse*]
coma *coma* m
comapatiënt *comateux* m [v: *comateuse*]
comateus *comateux* [v: *comateuse*]
combi *camionnette* v
combikaart *billet* m *rail-excursion*
combinatie *association* v; *combinaison* v; ⟨m.b.t. kleding⟩ *ensemble* m
combinatietang *pince* v *universelle*
combine • landbouwmachine *moissonneuse-batteuse* v [mv: *moissonneuses-batteuses*] • samenwerkingsverband *combine* v
combineren *combiner*; *associer*
combo ⟨jazzorkest⟩ *orchestre* m *de jazz*; *ensemble* m
comeback *rentrée* v
comedyserie *série* v *comique télévisée*
comfort *confort* m
comfortabel *confortable*
comité *comité* m
commandant *commandant* m
commanderen *commander*
commando • bevel *ordre* m; *commandement* m • groep soldaten *détachement* m; *commando* m
commando-eenheid *groupe* m *franc*
commandotroepen *troupes* v mv *de choc*
commentaar *commentaire* m
commentaarstem *voix-off* v
commentariëren *commenter*
commentator *commentateur* m [v: *commentatrice*]
commercial *publicité* v
commercialisering *commercialisation* v
commercie *commerce* m
commercieel *commercial* [m mv: *commerciaux*]
commies *commis* m
commissariaat *commissariat* m
commissaris • gemachtigde *commissaire* m ★ gedelegeerd ~ *commissaire aux comptes* ★ de ~ der Koningin *le commissaire de la République*; ≈ *le préfet* • bestuurslid *membre* m *du Conseil de gestion*
commissie *commission* v; *comité* m
commissionair *commissionnaire* m ★ een ~ in effecten *un agent de change*
commode *commode* v
commotie *agitation* v ★ ~ maken *mettre qc en émoi*
communautair *communautaire*
commune *communauté* v
communicant *communiant* m [v: *communiante*]
communicatie *communication* v
communicatief *communicatif* [v: *communicative*] ★ communicatieve vaardigheden *aptitudes* v mv *à communiquer*
communicatiemiddel *moyen* m *de communication*
communicatiesatelliet *satellite* m *de communication*
communicatiestoornis *difficultés* v mv *à communiquer*; *troubles* m mv *de communication*
communicatiewetenschap *science* v *de la communication*
communiceren • in verbinding staan *communiquer* • ter communie gaan *communier*
communie *communion* v
communiqué *communiqué* m ★ een ~ uitgeven *faire un communiqué*
communisme *communisme* m
communist *communiste* m/v
communistisch I BNW *communiste* II BIJW *en communiste*
Comoren *Comores* v mv ★ op de ~ *aux Comores*
compact I BNW *compact*; *serré*; *dense* II BIJW *de façon compacte*
compact disc *disque* m *compact*
compagnie *compagnie* v
compagnon • vennoot *associé* m [v: *associée*] • makker *camarade* m/v
compareren *comparaître*
compartiment *compartiment* m
compatibel *compatible*
compatibiliteit *compatibilité* v
compendium *compendium* m ★ grammaticaal ~ *abrégé grammatical* m
compensatie *compensation* v
compenseren *compenser*
competent *compétent*
competentie *compétence* v
competitie *compétition* v
competitief *compétitif* [v: *compétitive*] ★ ~ ingesteld zijn *avoir des tendances compétitives*
compilatie *compilation* v
compiler COMP. *compilateur* m
compileren *composer*; COMP. *compiler*
compleet I BNW *complet* [v: *complète*] II BIJW *complètement*
complement *complément* m
complementair *complémentaire* ★ ~e vennoot *associé commandité* m

completeren *compléter*
complex I ZN • geheel *ensemble* m; *complexe* m • PSYCH. *complexe* m II BNW *complexe*
complicatie *complication* v ★ ~s bij een ziekte *complications* v mv *d'une maladie*
compliceren *compliquer*
compliment • prijzende opmerking *compliment* m • groet *respects* m mv
complimenteren *complimenter*
complimenteus I BNW • vleiend *complimenteur* [v: *complimenteuse*] • hoffelijk *courtois* II BIJW • hoffelijk *courtoisement* • vleiend *flatteusement*
complot *complot* m
complottheorie *théorie* v *de complot*
component *composante* v; *composant* m
componentenlijm *colle* v *à deux composantes*
componeren *composer*
componist *compositeur* m [v: *compositrice*]
composiet PLANTK. *composée* v
compositie *composition* v
compositiefoto *photo-robot* v [mv: *photos-robots*]; *portrait-robot* m [mv: *portraits-robots*]
compost *compost* m
compote *compote* v
compressie *compression* v
compressor *compresseur* m
comprimeren *comprimer*
compromis *compromis* m
compromitteren *compromettre*
compromitterend *compromettant*
computer *ordinateur* m
computerbestand *fichier* m
computerbranche *branche* v *des ordinateurs*
computeren *travailler sur ordinateur*
computerfraude *escroquerie* v *par ordinateur*
computergestuurd *commandé par ordinateur*
computerisering *informatisation* v
computerkraak *piratage* m
computerkraker *pirate* m/v
computernetwerk *réseau* m *informatique*
computerprogramma *programme* m *d'ordinateur*
computerspel *jeu* m *informatique*
computerstoring *panne* v *d'ordinateur*
computertaal *langage* m *de programmation*
concaaf *concave*
concentraat *concentré* m
concentratie *concentration* v
concentratiekamp *camp* m *de concentration*
concentreren I OV WW *concentrer* II WKD WW *se concentrer*
concentrisch *concentrique*
concept • ontwerp *esquisse* v; *projet* m • begrip *concept* m
conceptie *conception* v
concept-nota *projet* m *de note*
concept-overeenkomst *projet* m *de contrat*
concern *groupe* m *financier*
concert • uitvoering *concert* m • muziekstuk *concerto* m
concertbezoek *fréquentation* v *des salles de concert*
concerteren *donner un concert*
concertganger ≈ *auditeur* m [v: *auditrice*]
concertgebouw *salle* v *de concert*
concertmeester *premier* m *violon*
concessie • het toegeven *concession* v • vergunning *concession* v; *permis* m
conciërge *concierge* m/v
concilie *concile* m
concipiëren *concevoir*; ‹schriftelijk› *rédiger*
conclaaf *conclave* m ★ in ~ gaan *se réunir en conclave*
concluderen *conclure* ★ wat kunnen we daaruit ~ *qu'est ce qu'on peut en conclure*
conclusie *conclusion* v
concours *concours* m
concreet I BNW *concret* [v: *concrète*] II BIJW *concrètement*
concretiseren *concrétiser*; *matérialiser*
concubinaat *concubinage* m ★ in ~ leven *vivre maritalement*
concurrent *concurrent* m [v: *concurrente*]
concurrentie *concurrence* v ★ ~ aandoen *faire concurrence*; *concurrencer*
concurrentiebeding *clause* v *de réserve*
concurrentieslag *concurrence* v *meurtrière*
concurreren *faire concurrence (à)*
condens *buée* v; *eau* v *de condensation*
condensatie *condensation* v
condensator *condensateur* m
condenseren I OV WW vloeibaar maken *condenser* II ON WW vloeibaar worden *se condenser*
conditie • toestand *forme* v ★ een goede ~ hebben *être en pleine forme* • voorwaarde *condition* v
conditietraining *mise* v *en condition*
conditioneren PSYCH. *conditionner*
condoléance *condoléances* v mv
condoleantieregister *registre* m *de condoléances*
condoleren *présenter ses condoléances (à)*
condoom *préservatif* m; *condom* m
condor *condor* m
conducteur *contrôleur* m
confectie *confection* v; *prêt-à-porter* m [mv: *prêts-à-porter*]
confectiekleding *prêt-à-porter* m
confederatie *confédération* v
conference • lezing *conférence* v • voordracht *sketch* m
conferencier *conférencier* m [v: *conférencière*]
conferentie *conférence* v
confereren *conférer*
confessie *confession* v
confessioneel • kerkelijk *confessionnel* [v: *confessionnelle*] ★ confessionele school ≈ *école privée* v • orthodox *orthodoxe*
confetti *confetti* m
confidentieel *confidentiel* [v: *confidentielle*]
configuratie *configuration* v; COMP. *profil* m
confiscatie *confiscation* v
confisqueren *confisquer*
conflict *conflit* m ★ in ~ komen *entrer en conflit*
conflictstof *matière* v *donnant lieu à des conflits*
conflictueus *tendu*
conform I BNW *conforme* ★ een ~e beslissing *une décision conforme* II VZ *conformément à*

★ ~ de eis *conformément à la requête*
conformeren *conformer*
conformisme *conformisme* m; *traditionnalisme* m
conformistisch *conformiste*
confrère *confrère* m
confrontatie *confrontation* v
confronteren *confronter*
confuus *confus* ★ iem. ~ maken *troubler qn*
congé *congé* m
congenitaal *congénital* [m mv: *congénitaux*]
conglomeraat *conglomérat* m
congregatie *congrégation* v
congres *congrès* m
congresgebouw *palais* m *des congrès*
congruent • van gelijke vorm en grootte *égal* [m mv: *égaux*] • overeenstemmend *concordant*
congruentie *concordance* v
conifeer *conifère* m
conjunctie *conjonction* v
conjunctuur *conjoncture* v
connaisseur *connaisseur* m
connectie *relation* v
connotatie *connotation* v
conrector *proviseur-adjoint* m [mv: *proviseurs-adjoints*]
consciëntieus I BNW *consciencieux* [v: *consciencieuse*] II BIJW *consciencieusement*
consecratie *consécration* v
consensus *consensus* m ★ op ~ berustend *consensuel* [v: *consensuelle*]
consequent I BNW *conséquent* II BIJW *de façon conséquente*
consequentie • gevolg *conséquence* v • standvastigheid *esprit* m *de suite*
conservatief I ZN *conservateur* m [v: *conservatrice*] II BNW *conservateur* [v: *conservatrice*]
conservator *conservateur* m
conservatorium *conservatoire* m
conserven *conserves* v mv
conserveren *conserver* ★ groente ~ *faire des conserves de légumes*
conserveringsmiddel *(produit* m*) conservateur* m
consideratie *considération* v
considereren • in overweging nemen *considérer* • hoogachten *estimer*
consignatie *consignation* v ★ in ~ geven *consigner*
consigne • opdracht *consigne* v • wachtwoord *mot* m *de passe*
consistent *cohérent*
consistentie *cohérence* v
consolidatie *consolidation* v
consolideren *consolider*
consonant • medeklinker *consonne* v • MUZ. *consonance* v
consorten *consorts* m mv
consortium *consortium* m
constant I BNW *constant*; ‹in zaken› *durable* II BIJW *constamment* ★ zij valt me ~ lastig *elle n'arrête pas de me déranger*
constante *constante* v
constateren *constater*
constatering *constatation* v
constellatie ASTRON. *constellation* v
consternatie *consternation* v
constipatie *constipation* v
constituent *constituant* m
constitutie *constitution* v
constitutioneel I BNW *constitutionnel* [v: *constitutionnelle*] II BIJW *constitutionnellement*
constructeur *constructeur* m [v: *constructrice*]
constructie *construction* v
constructief I BNW • m.b.t. constructie *constructeur* [v: *constructrice*] • opbouwend *constructif* [v: *constructive*] II BIJW *de façon constructive*
constructiefout *défaut* m/*vice* m *de construction*
constructivisme *constructivisme* m
construeren *construire*
consul ‹v. regering› *consul* m; ‹v. vereniging› *délégué* m
consulaat *consulat* m
consulent *consultant* m [v: *consultante*]
consult *consultation* v
consultancy *service* m *consultatif*
consultatie *consultation* v
consultatiebureau *dispensaire* m; *service* m *de consultation*
consulteren *consulter*
consument *consommateur* m [v: *consommatrice*] ★ ~enelektronica *électronique grand public*
consumentenbond *union* v *de consommateurs*
consumeren *consommer*
consumptie *consommation* v
consumptie- *de consommation*
consumptiebon *ticket* m *pour une consommation*
consumptieijs *glace* v
consumptiemaatschappij *société* v *de consommation*
contact *contact* m ★ ~ krijgen met *entrer en contact avec*
contactadres *adresse* v *d'un(e) intermédiaire*
contactadvertentie ≈ *annonce* v *relations*
contactdoos *prise* v *de contact*
contacteren *contacter*; *prendre contact avec*
contactgestoord *ayant des difficultés de contact*
contactlens *lentille* v; *verre* m *de contact*; *lentille* v *cornéenne* ★ zachte ~ *une lentille souple*
contactlijm *colle* v *contact*
contactpersoon • tussenpersoon *intermédiaire* m/v; MED. *contagieux* m • spion *contact* m
contactsleutel *clé* v *de contact*
contactueel ★ met goede contactuele eigenschappen *ayant goût et sens de contacts*
container *conteneur* m; *container* m
contaminatie *contamination* v
contant I BNW *comptant* II BIJW *(au) comptant*
contanten *espèces* v mv
contemplatie *contemplation* v
content *content* ★ ~ met iets zijn *être content de qc*
context *contexte* m

C

continent *continent* m
continentaal *continental* [m mv: *continentaux*]
contingent *contingent* m
continu I BNW *continu* II BIJW *continuellement*; *sans arrêt*
continubedrijf *entreprise* v *à travail continu*
continudienst *service* m *posté*
continueren • voortzetten *continuer* • handhaven *maintenir*
continuïteit • ononderbroken samenhang *constance* v • voortduring *continuité* v
continuüm *continu* m
conto *compte* m
contour *contour* m ★ de ~en van een vrouw *la silhouette d'une femme*
contra I ZN (de) *contre-révolutionnaire* m/v [m mv: *contre-révolutionnaires*] ★ de ~'s in Nicaragua *les contras au Nicaragua* II BIJW *contre* III VZ *contre*
contra-alt *contralto* m
contrabande *contrebande* v
contrabas *contrebasse* v
contrabeweging *mouvement* m *opposé*
contraceptie *contraception* v
contract *contrat* m
contractbreuk *rupture* v *de contrat*
contracteren • in dienst nemen *engager* • contract sluiten *stipuler par contrat*
contractueel I BNW *contractuel* [v: *contractuelle*] II BIJW *contractuellement*
contradictie *contradiction* v
contra-expertise *contre-expertise* v
contra-indicatie *contre-indication* v
contramine ▾ in de ~ zijn *être d'humeur contrariante*
contraprestatie *compensation* v
contraproductief *contre-productif* [m mv: *contre-productifs*] [v: *contre-productive*]
contrapunt *contrepoint* m
Contrareformatie *contre-réforme* v [mv: *contre-réformes*]
contraspionage *contre-espionnage* m
contrast *contraste* m
contrastekker *fiche* v *femelle*
contrasteren *contraster*
contrastregelaar *dispositif* m *de réglage du contraste*
contraststof *substance* v *de contraste*
contrastwerking *effet* m *contrastant*
contreien *parages* m mv
contributie *contribution* v; ‹v. lid› *cotisation* v
controle *contrôle* m
controleerbaar *contrôlable*
controleren • toezien *contrôler* • nagaan *contrôler*; *vérifier* • beheersen *contrôler*
controlestrookje *talon* m *de contrôle*
controleur *contrôleur* m
controverse *controverse* v
controversieel *controversable*
conveniëren *convenir (à)*
conventie • verdrag *convention* v • afspraak *conventions* v mv
conventioneel I BNW *conventionnel* [v: *conventionnelle*] II BIJW *d'une manière conventionnelle*
convergent *convergent*
convergeren *converger*
conversatie *conversation* v
converseren *converser*; INF. *causer*
conversie *conversion* v
converteren *convertir*
convertibel *convertible*
convex *convexe*
convocaat *lettre* v *de convocation*
convocatie *convocation* v
coöperatie • samenwerking *coopération* v • vereniging *société* v *coopérative*
coöperatief I BNW *coopératif* [v: *coopérative*] II BIJW *coopérativement*
coöptatie *cooptation* v
coöpteren *coopter*
coördinaat *coordonnées* v mv
coördinatenstelsel *système* m *de coordonnées*
coördinatie *coordination* v
coördinator *coordinateur* m [v: *coordinatrice*]
coördineren *coordonner*
co-ouder *chacun des parents divorcés qui prend soin de l'éducation des enfants*
copieus I BNW *copieux* [v: *copieuse*] II BIJW *copieusement*
coproductie *coproduction* v
copromotor *codirecteur* m *de thèse* [m mv: *co-directeurs ...*] [v: *codirectrice ...*]
copuleren *copuler* ★ het ~ *la copulation*
copyright *copyright* m
copywriter *rédacteur* m *publicitaire*
cordon bleu *viande* v *de veau farcie de jambon et de fromage*
corduroy *velours* m *côtelé*
coreferent *co-rapporteur* m [mv: *co-rapporteurs*]
cornedbeef *corned-beef* m
corner *corner* m
cornflakes *corn flakes* m mv
corporatie *corporation* v
corporatief *corporatif* [v: *corporative*]
corps *corps* m
corpsbal ≈ *membre* m *d'une association estudiantine traditionnelle*
corpulent *corpulent*
corpus • verzameling *corpus* m • lichaam *corps* m
correct I BNW *correct* II BIJW *correctement*
correctie *correction* v
correctielak *liquide* m *correcteur*
corrector *correcteur* m [v: *correctrice*]
correlaat *corrélat* m
correlatie *corrélation* v
correlatiecoëfficiënt *coefficient* m *de corrélation*
correleren *corréler*; *mettre en corrélation*
correspondent • berichtgever *correspondant* m [v: *correspondante*] • briefschrijver *correspondant* m [v: *correspondante*] • ECON. *correspondancier* m [v: *correspondancière*]
correspondentie *correspondance* v
correspondentieadres *adresse* v *postale*
corresponderen • schrijven *correspondre* • overeenstemmen *correspondre*; *concorder*
corrigeren *corriger*
corrosie *corrosion* v ★ middel tegen ~ *produit anticorrosion* m

corrupt *corrompu*; PEJ. *vénal* [m mv: *vénaux*]
corruptie *corruption* v
corsage *fleur* v *à porter sur le corsage*
Corsica *la Corse* ★ op ~ *en Corse*
corso *corso* m
corvee *corvée* v ★ ~ hebben *être de corvée*
coryfee *coryphée* m
co-schap *stage* m *hospitalier* ★ ~pen lopen *faire un stage hospitalier*
cosinus *cosinus* m
cosmetica *produits* m mv *de beauté*
cosmetisch *cosmétique*
Costa Rica *le Costa Rica* ★ in ~ *au Costa Rica*
couchette *couchette* v ★ een ~ reserveren *réserver une couchette*
coulant I BNW • tegemoetkomend *coulant* • soepel *souple* II BIJW • tegemoetkomend *de façon coulante* • soepel *avec souplesse* ★ hij heeft mij ~ behandeld *il m'a traité avec indulgence*
coulisse *coulisse* v ▼ achter de ~n hebben gekeken *avoir vu le dessous des cartes*
counselen *se mettre en relation d'assistance*
counteren *contrer*; *riposter*
countertenor • stem *voix* v *haute-contre* [v mv: ... *hautes-contre*] • persoon *ténor* m *haute-contre* [m mv: *ténors hautes-contre*]
countrymuziek *country-music* v
coup • slag *coup* m • staatsgreep *coup* m *d'Etat* ★ een coup plegen *faire un coup d'État*
coupe *coupe* v
coupé • compartiment *compartiment* m • personenauto *coupé* m
couperen • af-/bijsnijden *couper* ★ de oren van een hond ~ *essoriller un chien* • ‹kaartspel› *couper*
couperose MED. *couperose* v
couplet *couplet* m; *strophe* v
coupon *coupon* m
couponboekje *carnet* m *de coupons*
coupure • deelwaarde *valeur* v *nominal*; ‹mbt bankbiljet› *coupure* v • weglating in film *coupure* v
courant *courant*; ECON. *facile à vendre* ★ ~e effecten *valeurs en cours* v mv
coureur *coureur* m [v: *coureuse*]
courgette *courgette* v
courtage *courtage* m
couturier *couturier* m
couvert • eetgerei *couvert* m • envelop *enveloppe* v
couveuse *couveuse* v
cover • MUZ. *couverture* m • omslag *pochette* v
coverartikel *(article* m *en) couverture* v
coveren • bestrijken *couvrir* • autobanden vernieuwen *rechaper* ★ zijn banden zijn gisteren gecoverd *ses pneus ont été rechapés hier*
cowboy *cow-boy* m [mv: *cow-boys*]
cowboyfilm *film* m *de cow-boys*
crack • drug *crack* m • uitblinker *as* m; *champion* m
cracker *cracker* m
cranberry *canneberge* v
crank *manivelle* v
crash • ernstig ongeluk *grave accident* m • financiële crisis *krach* m *financier*
crashen *s'écraser*; ‹v. computer› *se planter*
crawl *crawl* m
crawlen *nager le crawl*
creatie *création* v
creatief I BNW *créatif* [v: *créative*] II BIJW *d'une façon créative*
creativiteit *créativité* v
creatuur *créature* v
crèche *crèche* v
credit *crédit* m
creditcard *carte* v *de crédit*; *carte* v *bleue*
crediteren *créditer* ★ ~ voor *créditer de*
crediteur *créancier* m [v: *créancière*]
creditnota *note* v *de crédit*
creditrente *intérêts* m mv *d'un solde créditeur*
credo *crédo* m
creëren *créer*
crematie *incinération* v; *crémation* v
crematorium *crématorium* m
crème I ZN • zalf *crème* v ★ make-up ~ *fond de teint* m • room *crème* v II BNW *crème*
cremeren *incinérer*
creool • Spaans-Amerikaanse afstammeling van Europese kolonisten *créole* m/v • Surinaamse afstammeling van negerslaven *marron* m/v
creools I ZN *créole* m II BNW *créole*
crêpe • materiaal *crêpe* m • flensje *crêpe* v
crêpepapier *papier* m *crépon*
creperen *crever*
cricket *cricket* m
cricketen *jouer au cricket*
crime *calamité* v
criminaliseren *faire passer pour de la délinquance*
criminaliteit *criminalité* v ★ jeugd~ *délinquance juvénile* v
crimineel I ZN *criminel* m [v: *criminelle*] II BNW *criminel* [v: *criminelle*]
criminologie *criminologie* v
crisis *crise* v ★ een ~ doormaken *traverser une crise*
crisiscentrum • opvangcentrum *centre* m *d'accueil* • coördinatiecentrum *cellule* v *de crise*
crisisteam *état-major* m *de crise* [m mv: *états-majors* ...]
criterium *critère* m
criticus *critique* m
croissant *croissant* m
croquet *croquet* m
cross *cross* m
crossen • aan cross meedoen *faire du cross* • racen *conduire comme un fou*
crossfiets *vélo* m *de cross*
croupier *croupier* m
cru I ZN *cru* m II BNW *cru* III BIJW *crûment*
cruciaal *crucial* [m mv: *cruciaux*]; *fondamental* [m mv: *fondamentaux*]; *capital* [m mv: *capitaux*]
crucifix *crucifix* m
cruise *croisière* v
cruisen *partir en croisière*
crypte *crypte* v
cryptisch *obscur*
cryptogram *cryptogramme* m

C

c-sleutel *clef* v *d'ut*
Cuba *Cuba* m ★ op Cuba *à Cuba*
culinair *culinaire*
culmineren *culminer*
cultfilm *film* m *culte*
cultiveren *cultiver*
cultureel I BNW *culturel* [v: *culturelle*] II BIJW *de façon culturelle*
cultus *culte* m
cultuur • beschaving *civilisation* v; *culture* v • bebouwing met gewas *culture* v
cultuurbarbaar *béotien* m [v: *béotienne*]
cultuurdrager ≈ *personne* v *qui contribue au développement de la culture*
cultuurgeschiedenis *histoire* v *de la civilisation*
cultuurgewas *plantes* v mv *cultivées*
cultuurlandschap ≈ *paysage* m *aménagé par l'homme*
cultuurpessimist *Cassandre* v *de la civilisation*
cultuurschok *choc* m *culturel*
cultuurvolk *peuple* m *cultivé*; *nation* v *civilisée*
cum laude *avec mention très bien*; FORM. *avec distinction*
cumulatief *cumulatif* [v: *cumulative*]
cup • beker *coupe* v • deel van beha *bonnet* m
cupwedstrijd *match* m *pour la coupe*
Curaçao *le Curaçao* ★ op ~ *à Curaçao*
curatele *curatelle* v; *tutelle* v ★ hij staat onder ~ *il est sous la curatelle* ★ onder ~ stellen *placer sous curatelle*
curator • toezichthouder *curateur* m; ‹faillissement› *liquidateur* m *judiciaire* • lid van raad van toezicht *membre* m *du conseil de gestion*
curettage MED. *curetage* m
curetteren *cureter*
curie • REL. *curie* v • eenheid van radioactiviteit *curie* m
curieus I BNW *curieux* [v: *curieuse*] II BIJW *curieusement*
curiositeit *curiosité* v
curiositeitenkabinet *cabinet* m *d'objets rares*
cursief I ZN *italique* v II BNW *cursif* [v: *cursive*] ★ ~ gedrukt *en italique*
cursiefje *chronique* v
cursist *participant* m *à un cours*
cursiveren *imprimer en italique*; FIG. *souligner*
cursor *curseur* m
cursus ‹lessenreeks› *cours* m; ‹leerjaar› *année* v *scolaire* ★ schriftelijke ~ *cours* m *par correspondance*
cursusgeld *droits* m mv *d'inscription*
curve *courbe* v
custard *poudre* v *pour flans*
cutter • snijtoestel *cutter* m • filmmonteerder *monteur* m [v: *monteuse*] • baggertoestel *drague* v *suceuse à désagrégateur*
cv *chauffage* m *central*
cv-ketel *chaudière* v *de chauffage central*
cvs chronisch-vermoeidheidssyndroom *syndrome* m *de lassitude chronique*
cyaankali *cyanure* m *de potassium*
cyanide *cyanure* m
cyclaam *cyclamen* m
cyclisch • tot een cyclus behorend *cyclique* ★ een ~e bloem *une couronne* • een kring beschrijvend *circulaire*
cycloon *cyclone* m
cycloop *cyclope* m
cyclus *cycle* m
cynicus *cynique* m
cynisch *cynique*
cypers ★ ~e kat *un chat tigré*
Cyprioot *Chypriote* m/v
Cyprisch *chypriote*
Cyprus *Chypre* v ★ op ~ *à Chypre*
cyste *kyste* m

D

d • letter *d* m • muzieknoot *ré* m
daad *action* v; *acte* m; *geste* v; *fait* m ▾ de daad bij het woord voegen *joindre le geste à la parole*
daadkracht *dynamisme* m
daadwerkelijk I BNW *réel* [v: *réelle*]; *effectif* [v: *effective*] II BIJW *effectivement*; *réellement*; *de fait*
daags • per dag *de tous les jours*; *par jour* ★ MED. driemaal ~ in te nemen *à avaler trois fois par jour* • op de dag *le jour* ★ ~ tevoren *la veille* ★ ~ daarna *le lendemain*
daalder *florin* m *et demi*
daar I BIJW *là*; *en cet endroit* ★ daar hebben we het *nous y voilà* ★ hier en daar *par-ci par-là* ★ daar is hij *le voilà* ▾ als de tijd daar is *quand le moment sera venu* II VW *parce que*; *comme* ★ daar het warm weer was zijn we naar het strand gegaan *comme il faisait chaud, nous sommes allés à la plage*
daaraan *à cela* ★ wat heb ik ~! *à quoi cela me sert-il?* ★ ~ heb ik genoeg *cela me suffit*
daarachter *derrière*; *là-derrière* ★ wat steekt ~? *qu'y a-t-il là-dessous?*
daarbij • bij dat *auprès*; *à côté* • bovendien *de plus*; *en plus*; *en outre* ★ ~ komt dat hij nooit een boek openslaat *en plus il n'ouvre jamais un livre*
daarbinnen *là-dedans*
daarbuiten *dehors*; *là-dehors*
daardoor • daar doorheen *par là* • door die oorzaak *de ce fait*; *ainsi* ★ het is volle maan ~ ben ik ziek *c'est la pleine lune, de ce fait je suis malade*
daardoorheen • door iets *par là* • om die reden *de ce fait*
daarenboven *en outre*; *de plus*; *d'ailleurs*
daarentegen *en revanche*; *par contre*
daarginds *là-bas*
daarheen *y*; *là*; *de ce côté-là* ★ morgen gaan wij ~ *demain nous y allons* ★ daar gaan wij heen *c'est là que nous irons*
daarin • in iets *y*; *là-dedans*; *en cela* ★ ~ zit geen water meer *il n'y a plus d'eau là-dedans* • in het genoemde *en cela* ★ ~ heb je gelijk *en cela vous avez raison*
daarlangs *par là*
daarlaten *laisser là*; *ne pas/ne plus parler de* ★ dit daargelaten *à part cela*
daarmee • met iets *avec (cela)* • als gevolg van iets *ainsi*; *par là*
daarna *ensuite*; *puis*; *après (cela)* ★ kort ~ *peu après* ★ het jaar ~ *l'année d'après*
daarnaast • naast iets *à côté* • bovendien *en outre*; *en plus* ★ ~ is het nog duur ook *en plus c'est cher*
daarnet *tout à l'heure*
daarom *pour cette raison que*; *c'est pour cela que*; *c'est pourquoi* ★ waarom niet? Daarom! *pourquoi pas? Parce que!*
daaromheen *(tout) autour*
daaromtrent • betreffende iets *à ce sujet* • ongeveer *environ* • in die omgeving *dans les environs*
daaronder • onder iets *là-dessous*; *au-dessous* ★ de vissen zwemmen ~ *les poissons nagent là-dessous* • onder meer ⟨mensen en dieren⟩ *parmi eux* [v mv: *parmi elles*]; ⟨dingen⟩ *parmi ces choses*
daarop • op iets *(là-)dessus*; *sur cela* ★ de koorddanser loopt ~ *le funambule marche là-dessus* ★ wat is uw antwoord ~? *quelle est votre réponse à ce sujet?* • daarna *ensuite*; *après (cela)*; *là-dessus* ★ ~ hing zij op *là-dessus elle a raccroché*
daaropvolgend I BNW *suivant* II BIJW *après*
daarover • over iets *par-dessus* • daaromtrent *sur cela*; *en*; *y* ★ spreek ~ met uw kinderen *parlez-en avec vos enfants* ★ denk ~ na *réfléchissez-y*
daaroverheen *par-dessus*
daarstraks → **daarnet**
daartegen *contre cela*
daartegenover • tegenover iets *en face* ★ de begraafplaats met het café ~ *le cimetière avec le café en face* • daarentegen *par contre*; *en revanche* ★ ~ staat dat je comfortabeler reist *par contre on voyage plus confortablement*
daartoe *y*; *à cela*; *pour cela*; *à cet effet* ★ tot ~ *jusque-là*
daartussen • tussen iets *au milieu*; *entre les deux* ★ het pad loopt ~ *le chemin passe au milieu* ★ wat is het verschil ~ *quelle est la différence entre les deux?* • onder meer *parmi ces objets*; *parmi eux* ★ ~ stond een lange slungel *parmi eux il y avait un grand échalas*
daaruit *en*; *de là*; *par là*
daarvan *en*; *de cela*
daarvandaan *de là*
daarvoor • voor iets ⟨voor een plaats⟩ *devant*; ⟨voor een bepaalde tijd⟩ *d'avant*; *auparavant* ★ de week ~ *la semaine d'avant* • om die reden *pour cela* • in ruil voor *à la place*; *en échange*
daarzo *là*
daas I ZN steekvlieg *taon* m II BNW *bête*; *nigaud*
dadel *datte* v
dadelijk • meteen *tout de suite*; *aussitôt*; *immédiatement* ★ ik kom ~ bij u *je suis à vous dans un instant* • straks *tout de suite*; *tout à l'heure*
dadelpalm *dattier* m
dadendrang *besoin* m *d'agir*; *besoin* m *d'activité*
dader *auteur* m; *coupable* m/v
dag I ZN *jour* m; *journée* v ★ de dag daarna *le lendemain* ★ de dag tevoren *la veille* ★ om de andere dag *tous les deux jours* ★ vandaag over acht dagen *aujourd'hui en huit* ★ halve dagen werken *travailler à mi-temps* ★ het is dag *il fait jour* ★ ik verwacht hem iedere dag *je l'attends d'un jour à l'autre* ★ voor halve dagen *à la demi-journée* ▾ voor dag en dauw *de grand matin*; *avant l'aube* ▾ voor de dag halen *tirer, sortir* ▾ voor de dag komen *se montrer* ▾ in onze dagen *de nos jours* ▾ op de dag (af) *jour pour jour*

D

▾ goed voor de dag komen *donner une bonne impression* ▾ voor de dag komen met *proposer*; *montrer* ▾ er zijn van die dagen *il y a des journées comme ça* ▾ dag in, dag uit *jour après jour* II TW INF. *salut!*; ‹tot ziens› *au revoir!*; *bonsoir!*; ‹bij aankomst› *bonjour!*
dagafschrift *relevé* m *de compte*
dagbehandeling *traitement* m *à mi-temps*
dagblad *journal* m [mv: *journaux*]; *quotidien* m

D

dagboek *journal* m [mv: *journaux*]; ECON. *livre-journal* m [mv: *livres-journaux*] ★ een ~ bijhouden *tenir un journal*
dagdeel ★ een parttimebaan van 4 dagdelen *un travail à temps partiel sur la base de 4 fois 4 heures par semaine*
dagdienst *service* m *de jour*
dagdromen *rêvasser*
dagelijks I BNW • daags *quotidien* [v: *quotidienne*]; *journalier* [v: *journalière*] • gewoon ★ voor ~ gebruik *d'usage courant* II BIJW *tous les jours*; *quotidiennement*
dagen I OV WW dagvaarden *citer*; *assigner*; *traduire* ★ iem. voor het gerecht ~ *traduire qn. en justice* II ONP WW dag worden *commencer à faire jour* ▾ het begint me te ~ *je commence à y voir clair*
dagenlang I BNW *qui dure des jours entiers*; *qui dure des journées entières* II BIJW *des jours entiers*; *des journées entières*
dageraad *aube* v; *aurore* v; *point* m *du jour*
dagindeling *emploi* m *du temps*
dagjesmensen *excursionnistes* m mv
daglicht *jour* m; *lumière* v *du jour* ▾ iemand/iets in een kwaad ~ stellen *jeter le discrédit sur qn/qc*
dagloner *journalier* m [v: *journalière*]; *ouvrier* m *à la journée* [v: *ouvrière ...*]
dagloon *salaire* m *journalier*; *journée* v
dagmars *étape* v *d'un jour*
dagpauwoog *paon-de-jour* m [mv: *paons-de-jour*]
dagretour *aller (et) retour* m *valable une journée*
dagschotel *plat* m *du jour*
dagtarief *tarif* m *de jour*
dagtekening • datum *date* v • het dagtekenen *datation* v
dagtocht *excursion* v; *promenade* v *d'une journée*
dagvaarden *citer en justice*; *assigner en justice*
dagvaarding *citation* v; *assignation* v
dagverblijf • personenverblijfplaats *foyer* m • dierenverblijfplaats *cage* v *extérieure*
dagwaarde *valeur* v *vénale*
dagwerk *journée* v; *tâche* v *journalière* ★ daar heb ik ~ aan *on n'en finirait pas*; *cela remplirait toute une journée*
dahlia *dahlia* m
dak *toit* m; FIG. *abri* m ★ plat dak *toit-terrasse* m ★ open dak *toit ouvrant* m ★ auto met open (afneembaar) dak *voiture décapotable* v ▾ iemand onder dak brengen *abriter qn*; *loger qn* ▾ iemand op zijn dak krijgen *se mettre qn sur les bras* ▾ iemand op zijn dak komen *réprimander qn* ▾ onder dak zijn *être casé* ▾ uit zijn dak gaan *être fou de joie*
dakgoot *gouttière* v
dakje TAALK. *(accent* m*) circonflexe* m
dakkapel *lucarne* v
dakloos *sans abri*
dakloze *sans-abri* m [onv]; *SDF (sans domicile fixe)* m/v
dakpan *tuile* v
dakraam *lucarne* v; *tabatière* v
dakterras *terrasse* v *sur le toit*
daktuin *jardin* m *sur le toit*
dal • laagte *vallée* v; *val* m • inzinking FIG. *dépression* v; *crise* v
dalai lama *dalaï-lama* m
dalen • omlaag gaan *descendre* • verminderen *être en baisse*; *baisser* ★ in iemands achting ~ *baisser dans l'estime de qn*
daling • het omlaag gaan *descente* v • vermindering *baisse* v; ‹v. waarde› *diminution* v
dalmatiër *dalmatien* m
daltononderwijs *enseignement* m *Dalton*
dalurenkaart ≈ *carte* v *d'abonnement valable pendant les heures creuses*
daluur *heure* v *creuse* ★ tijdens de daluren *aux heures creuses*
dam • waterkering *digue* v; *barrage* m; ‹kistdam› *batardeau* m [mv: *batardeaux*]; ‹havendam› *jetée* v • dubbele damschijf *dame* v ★ een dam halen *aller à dame*
damast *damas* m ★ van ~ *damassé*
dambord *damier* m
dame *dame* v ★ enkele jonge dames *quelques demoiselles*
damesachtig I BNW *de grande dame* II BIJW *comme une dame*
damesblad *magazine* m *féminin*
damesfiets *vélo* m *de dame*; *bicyclette* v *de dame*
dameskapper *coiffeur* m *pour dames*
damesmode *mode* v *féminine*
damestoilet *toilettes* v mv *pour dames*
damesverband *serviettes* v mv *hygiéniques*
damhert *daim* m
dammen *jouer aux dames*
damp • stoom *vapeur* v; *buée* v • rook *fumée* v • wasem *vapeur* v; CHEM. *exhalaison* v
dampen • damp/rook afgeven *dégager des vapeurs* • roken *fumer*
dampkring *atmosphère* v
damschijf *pion* m
damspel *jeu* m *de dames*
damsteen *pion* m
dan I ZN behendigheidsgraad *dan* m II BIJW • op die tijd *alors*; *puis* ★ nu en dan *de temps à autre* ★ hij is dan ook niet vertrokken *aussi n'est-il pas parti* ★ hij is dan ook vertrokken *aussi est-il parti* • in dat geval *alors* ★ hij is dan ook niet vertrokken *aussi n'est-il pas parti* ★ hij is dan ook vertrokken *aussi est-il parti* ★ antwoord dan toch! *répondez donc!* ★ en dan nog! *et encore!* • toch ★ en wat dan nog? *et puis après?* III VW • of *ou (bien)* ★ al dan niet *oui ou non* • na 'niet'/'niemand' *que* • na vergrotende trap *que*; ‹na bepaalde hoeveelheid› *de*

★ meer dan ik *plus que moi* ★ meer dan honderd *plus de cent* • na 'anders' *(autre) que* ★ anders dan hij heeft gezegd *différent de ce qu'il a dit*

dancing *dancing* m

dandy *dandy* m

danig I BNW *énorme*; *terrible* II BIJW *énormément*; *terriblement* ★ zich ~ vergissen *se tromper cruellement*

dank • dankbaarheid *reconnaissance* v; *gratitude* v ★ dankzij *grâce à*; *à l'aide de* ★ dank u *merci* ★ zijn dank betuigen *témoigner sa reconnaissance* ★ geen dank! *je vous en prie!*; *il n'y a pas de quoi!*; *de rien!* • dankbetuiging *remerciement* m ▾ dankzij uw moed *grâce à votre courage*

dankbaar I BNW • voldoening gevend *satisfaisant* • dank voelend *reconnaissant* II BIJW *avec satisfaction*; *avec intérêt* ▾ ~ gebruik maken van *se servir avec satisfaction de*; *faire usage avec satisfaction de*

dankbaarheid *reconnaissance* v; *gratitude* v

dankbetuiging *remerciements* m mv

danken I OV WW • bedanken *remercier (qn de qc)*; REL. *rendre grâce (à qn de qc)* ★ nee, dank je/u *non, merci* ★ niets te ~ *je vous en prie*; INF. *de rien* • verschuldigd zijn *devoir* ★ aan iem. iets te ~ hebben *devoir qc à qn* ★ daaraan heeft hij die betrekking te ~ *cela lui a valu cette place* II ON WW bidden *rendre grâce*

dankwoord *discours* m *de remerciement*

dankzeggen • bedanken *remercier (de)* • een dankgebed zeggen *dire des grâces*

dankzegging ▾ onder ~ voor bewezen diensten *en rendant grâce pour services rendus*

dankzij *grâce à*; *à l'aide de*

dans *danse* v; *sauterie* v ▾ de dans ontspringen *l'échapper belle*

dansen *danser*; ‹v. licht› *vaciller* ★ de tango ~ *danser le tango* ▾ ~ van blijdschap *sauter de joie*

danser *danseur* m [v: *danseuse*]

dansles *leçon* v *de danse*

dansorkest *orchestre* m *de danse*

dansschool *école* v *de danse*

dansvloer *piste* v *(de danse)*

danszaal *salle* v *de danse*

dapper I BNW *courageux* [v: *courageuse*]; *brave*; *vaillant* II BIJW *courageusement*; *bravement*; *vaillamment*

dapperheid *bravoure* v; *vaillance* v; *courage* m

dar *faux-bourdon* m [mv: *faux-bourdons*]

darm *intestin* m; ‹v. dieren› *boyau* m [mv: *boyaux*] ★ dikke darm *gros intestin* ★ dunne darm *intestin* m *grêle*

darmflora *flore* v *intestinale*

darmkanaal *tube* m *digestif*

darmklachten *affections* v mv *intestinales*; *troubles* m mv *intestinaux*

dartel I BNW speels *joueur* [v: *joueuse*]; *folâtre*; *pétulant* ★ een ~ dier *un animal gambadant* II BIJW *d'une façon folâtre*

dartelen *gambader*; *s'ébattre*; *caracoler*

darts *jeu* m *de fléchettes*

das • dier *blaireau* m [mv: *blaireaux*] • stropdas *cravate* v • sjaal *écharpe* v; *cache-nez* m [onv]

dashboard *tableau* m *de bord* [m mv: *tableaux ...*]

dashboardkastje *boîte* v *à gants*; *vide-poches* m

dashond *basset* m; *teckel* m

dasspeld *épingle* v *de cravate*

dat I AANW VNW *ce* [v: *cette*] [onr: *cet*]; *celui-là* [v: *celle-là*]; *cela* ★ dat alleen *rien que cela* ★ dit huis of dat *cette maison-ci ou celle-là* ★ is dat uw zus? *c'est votre sœur?* ★ is me dat een weer! *quel temps!* ★ dat is nog eens zingen *voilà ce qui s'appelle chanter!* ★ dat zijn mijn ouders *ce sont mes parents* II BETR VNW ‹als onderwerp› *qui*; ‹als lijdend voorwerp› *que*; ‹als meewerkend voorwerp› *à qui*; *lequel* [v: *laquelle*] III VW *que* ★ het vriest dat het kraakt *il gèle à pierre fendre*

DAT digital audio-taperecorder *audio-magnétophone* m *numérique*

data *données* v mv ★ data invoeren *entrer des données* ★ data opslaan *mémoriser des données* ★ data oproepen/opvragen *extraire/sortir des données*

databank *banque* v *de données*

datacommunicatie *télématique* v; *téléinformatique* v

datatransmissie *transmission* v *de données*

datatypist *mécanographe* m/v

dateren I OV WW van datum voorzien *dater* II ON WW stammen uit *dater (de)*

datgene *ce que*; *ce qui* ★ ~ wat je wilt, kan niet *ce que tu veux est impossible* ★ je neemt ~ wat het dichtst bij is *tu prends ce qui est le plus proche*

datief *datif* m

dato *à la date de* ★ twee maanden na dato *à deux mois de date*; *deux mois après cette date* ★ de dato *en date de*

DAT-speler *lecteur* m *de disque (audio)numérique*

datum *date* v ★ welke ~ hebben we vandaag? *quel jour sommes-nous?* ★ na dato *après cette date*

datumgrens *ligne* v *de changement de date*

datumstempel *(timbre* m*) dateur*; *timbre* m *à date*

datzelfde *ce même* [v: *cette même*]; *le même* [v: *la même*]

dauw *rosée* v

dauwtrappen *s'ébattre dans la nature*

daveren *retentir*

daverend *retentissant* ★ een ~ succes *un succès éclatant* ★ er was een ~ applaus *on applaudit à tout rompre*

davidster *étoile* v *de David*

dcc digitale compactcassette *cassette* v *numérique compacte*

dcc-speler *lecteur* m *de disque numérique compact*

DDR *RDA* v ★ in de DDR *en RDA*

de *le* [v: *la*] [v mv: *les*] [onr: *l'*] ★ willen de heren roken? *ces messieurs veulent-ils fumer?*

deadline *dernière limite* v; *date* v *butoir*

deal *marché* m

dealen *trafiquer*; *faire du trafic* ★ ~ in harddrugs *faire du trafic de drogues dures*
dealer • vertegenwoordiger *concessionnaire* m/v • handelaar in drugs *trafiquant* m [v: *trafiquante*]; *dealer* m
debacle *débâcle* v
debat *débat* m; *discussion* v ▾ er is gelegenheid tot ~ *un débat aura lieu*

D

debatteren *débattre*
debet I ZN • tegoed *somme* v *due*; *avoir* m ★ op uw ~ brengen *porter à votre débit*; *vous débiter de* • linkerkolom van balans *débit* m II BNW ★ hij is er ~ aan *c'est de sa faute*
debetnota *note* v *de débit*
debetrente *intérêts* m mv *débiteurs*
debetzijde *doit* m/*côté* m *du débit*
debiel I ZN *débile* m *mental* [m mv: *débiles mentaux*] [v: *débile mentale*]; *handicapé* m *mental* [m mv: *handicapés mentaux*] [v: *handicapée mentale*] II BNW *débile*; *arriéré*
debitant *débitant* m
debiteren • vertellen ★ dwaasheden ~ *dire des sottises* • als debet boeken *porter au débit* ★ ik heb u voor duizend gulden gedebiteerd *j'ai porté mille florins à votre débit*
debiteur *débiteur* m [v: *débitrice*]
debutant *débutant* m [v: *débutante*]
debuteren *débuter*; *faire ses débuts*
debuut *débuts* m mv
debuutroman *roman* m *de début*
deca- *déca-*
decaan ‹voor scholieren› *conseiller* m *scolaire*; ‹voor studenten› *conseiller* m *universitaire*
decadent *décadent*
decadentie *décadence* v
decafeïne *décaféine* v
decanteren *décanter*
december *décembre* m
decennium *décennie* v
decent *décent*
decentraliseren *décentraliser*
deceptie *déception* v
decharge ★ getuige à ~ *témoin* m *à décharge*
decibel *décibel* m
deciel *décile* m
deciliter *décilitre* m
decimaal I ZN *décimale* v II BNW *décimal* [m mv: *décimaux*]
decimeren *décimer*
decimeter *décimètre* m
decisief *décisif* [v: *décisive*]
declamatie *récitation* v
declameren *déclamer*; *réciter*
declarabel *déclarable*
declarant *déclarant(e)* m/v
declaratie • onkostennota *note* v *de frais* • aangifte *déclaration* v
declareren *déclarer*
declasseren • in lagere klasse zetten *déclasser* • overklassen *surclasser*
declinatie *déclinaison* v
decoder *décodeur* m
decoderen *décoder*
decolleté *décolleté* m
decompressie *décompression* v
deconfiture • mislukking *déconfiture* v • bankroet *faillite* v
decor *décor* m
decoratie *décoration* v
decoratief *décoratif* [v: *décorative*]
decoreren *décorer*
decorstukken *décors* m mv
decorum *décorum* m
decoupeerzaag *scie* v *à découper*
decreet *décret* m
decrescendo *decrescendo* m
dédain *dédain* m
de dato *daté du*
deduceren *déduire*
deductie *déduction* v
deeg *pâte* v
deegwaren *pâtes* v mv *(alimentaires)*
deejay *disc-jockey* m
deel I ZN (de) dorsvloer *aire* v II ZN (het) • gedeelte *partie* v; *portion* v; ‹aandeel› *part* v ★ deel uitmaken van *faire partie de* ★ voor het grootste deel *pour la plus grande part* ★ ten dele *en partie* • boekdeel *volume* m; *tome* m ▾ ten deel vallen *tomber en partage*; *revenir à*
deelachtig *participant* ★ ~ worden *obtenir* ★ ~ zijn *participer à*
deelbaar *divisible*
deelcertificaat *certificat* m *partiel*
deelgebied *secteur* m
deelgemeente ≈ *arrondissement* m
deelgenoot *participant* m; *associé* m [v: *associée*]
deellijn *bissectrice* v
deelname *participation* v
deelnemen • meedoen *prendre part*; *participer* • meevoelen *partager*
deelnemer *participant* m [v: *participante*]; ‹in wedstrijd› *concurrent* m [v: *concurrente*]
deelneming • meedoen *participation* v • medeleven *compassion* v; *sympathie* v; ‹bij rouw› *condoléances* v mv ★ zijn ~ betuigen *exprimer ses condoléances*
deels *en partie*; *partiellement*; *à moitié*
deelstaat *état* m *fédéré*
deelstreep *division* v; *barre* v *de division*
deeltal *dividende* m
deelteken WISK. *points* m mv *de division*; *signe* m *de division*
deeltijd *temps* m *partiel* ★ in ~ werken *travailler à temps partiel*
deeltijdarbeid *travail* m *à temps partiel*; *travail* m *à mi-temps*
deeltijdbaan *emploi* m *à temps partiel*
deeltijder *employé* m *à temps partiel*; *travailleur* m *à mi-temps*
deeltijds *à temps partiel*
deeltje *particule* v
deeltjesversneller *accélérateur* m *de particules*
deelverzameling *sous-ensemble* m [mv: *sous-ensembles*]
deelwoord *participe* m ★ onvoltooid ~ *participe présent* m
deemoed *humilité* v; *soumission* v
deemoedig I BNW *humble*; *soumis* II BIJW *humblement*; *avec humilité*
Deen *Danois* m [v: *Danoise*]
Deens I ZN *danois* m II BNW *danois*

deerlijk I BNW • jammerlijk *pitoyable*; *triste* • erg *grave* II BIJW erg *très*; *fort*
deernis *commisération* v
deerniswekkend *pitoyable*
defaitisme *défaitisme* m
defect I ZN *défaut* m; ‹in het functioneren› *panne* v II BNW *défectueux* [v: *défectueuse*]; *cassé*; ‹in het functioneren› *en panne* ★ ~ raken *tomber en panne*
defensie *défense* v
defensief I ZN *défensive* v II BNW *défensif* [v: *défensive*] III BIJW *défensivement*
defibrilleren MED. *défibriller*
deficiëntie *déficience* v
deficit *déficit* m
defilé *défilé* m
defileren *défiler*
definiëren *définir*
definitie *définition* v
definitief I BNW *définitif* [v: *définitive*] II BIJW *définitivement*
deflatie *déflation* v
deformeren *déformer*
deftig I BNW *distingué*; *digne*; *cérémonieux* [v: *cérémonieuse*] II BIJW *d'une façon distinguée*; *dignement*
degelijk I BNW • stevig *solide*; *de bonne qualité* ★ een ~e maaltijd *un repas substantiel* ★ wel ~ *effectivement* • betrouwbaar *honnête*; *sérieux* [v: *sérieuse*] II BIJW *solidement*; *bien*
degen *épée* v
degene *celui* [m mv: *ceux*] [v: *celle*] [v mv: *celles*]
degeneratie *dégénérescence* v
dégénéré *dégénéré* m [v: *dégénérée*]
degenereren *dégénérer*
degenslikker *avaleur* m *de sabres*
degradatie *dégradation* v; SPORT *relégation* v
degradatiewedstrijd ≈ *match* m *comptant pour la descente*
degraderen I OV WW in rang verlagen *dégrader* II ON WW rang verliezen *être dégradé*
dehydratie *déshydratation* v
deinen • golven ‹sterk› *être agité par la houle*; ‹zacht› *être bercé par la houle* • wiegen *se balancer*
deining • opschudding *mouvement* m; *agitation* v • golfbeweging *houle* v; *bercement* m
dek • bedekking *couverture* v • scheepsvloer *pont* m
dekbed *édredon* m; *couette* v; *duvet* m
dekbedovertrek *housse* v *d'édredon|de couette*
deken • bedekking *couverture* v • hoofd van groep *doyen* m [v: *doyenne*]
dekhengst *étalon* m; *cheval* m *reproducteur* [m mv: *chevaux reproducteurs*]
dekken • bedekken *couvrir*; *recouvrir* ★ de tafel ~ *mettre la table* ★ ~ voor drie personen *mettre trois couverts* • vergoeden *couvrir* • beschutten *couvrir*; *protéger* • paren *couvrir*; *saillir*
dekking • beschutting *abri* m ★ ~ zoeken *se mettre à l'abri* • (geld)middelen ‹bij verleend krediet› *couverture* v; ‹met betrekking tot cheques› *provision* v • bevruchting *saillie* v
deklaag ‹verf› *couche* v *de finition*; ‹steen› *couverture* v; ‹wegen› *revêtement* m
dekmantel *manteau* m [mv: *manteaux*]; *voile* m; *couvert* m ★ onder de ~ van *sous le couvert de*
deksel *couvercle* m
deksels I BNW *sacré* II BIJW *bigrement* III TW ★ ~! wat is het hier druk! *nom d'un chien, qu'il y a du monde ici!*
dekzeil *bâche* v
del *souillon* v
delegatie *délégation* v
delegeren *déléguer* ★ gedelegeerd commissaris *membre délégué du conseil de surveillance* m
delen I OV WW • splitsen *partager*; WISK. *diviser* ★ ~ door drie *diviser par trois* ★ in drieën ~ *partager en trois* • meevoelen *partager* ★ iets met iem. ~ *partager qc avec qn* II ON WW ~ **in** *partager*; *prendre part à*
deler *diviseur* m; *sous-multiple* m [mv: *sous-multiples*] ★ de grootste gemene ~ *le plus grand diviseur commun*
deleten COMP. *effacer*
delfstof *minéral* m [mv: *minéraux*]
delgen *amortir*
delibereren *délibérer*; *réfléchir*
delicaat I BNW • netelig *délicat* • teer *délicat* • CUL. *raffiné*; *fin* II BIJW *délicatement*; *avec tact*
delicatesse • lekkernij *régal* m • kiesheid *délicatesse* v; *tact* m
delicatessewinkel *épicerie* v *fine*
delict *délit* m
deling • het (ver)delen *partage* m • REKENK. *division* v
delinquent *délinquant* m [v: *délinquante*]
delirium *délirium* m
delta *delta* m
deltavliegen *faire du delta-plane*
Deltawerken *travaux* m mv *du plan Delta*
delven *creuser* ★ kolen ~ *extraire de la houille* ▾ het onderspit ~ *avoir le dessous*
demagogie *démagogie* v
demagoog *démagogue* m
demarcatielijn *ligne* v *de démarcation*
demarche *démarche* v
demarreren *s'échapper*
dement *sénile*
dementeren I OV WW logenstraffen *démentir* II ON WW dement worden *être atteint de démence sénile*
dementie *sénilité* v
demilitariseren *démilitariser*
demissionair *démissionnaire*
demo *démonstration* v ★ demodiskette *disquette* v *démo*
demobiliseren *démobiliser*
democraat *démocrate* m/v
democratie *démocratie* v
democratisch I BNW *démocratique* II BIJW *démocratiquement*
democratiseren *démocratiser*
demografie *démographie* v
demografisch I BNW *démographique* II BIJW *du point de vue démographique*

D

demon *démon* m
demonisch *démoniaque*
demonstrant *manifestant* m [v: *manifestante*]
demonstratie • het tonen *démonstration* v • betoging *manifestation* v
demonstratief I BNW *démonstratif* [v: *démonstrative*] II BIJW *démonstrativement*
demonstreren I OV WW aantonen *démontrer* II ON WW betoging houden *manifester*
demontabel *démontable*
demontage *démontage* m
demonteren *démonter*
demoralisatie *démoralisation* v
demoraliseren *démoraliser*
demotie *rétrogradation* v
demotiveren *démotiver*
dempen • dichtgooien *combler* • onderdrukken *étouffer* ★ gedempt licht *lumière tamisée* v
demper • MUZ. ‹sordino› *sourdine* v; ‹deel van toetsinstrument› *étouffoir* m • knalpot *silencieux* m • schokdemper *amortisseur* m
den *pin* m ▾ zo slank zijn als een den *être mince comme un fil*
denappel *pomme* v *de pin*
Den Bosch *Bois-le-Duc*
denderen *trépider* ★ de vrachtwagen denderde voorbij *le camion passa avec un bruit fracassant*
denderend *formidable* ★ een ~ applaus *des applaudissements étourdissants* ★ iets niet ~ vinden *ne pas trouver qc formidable*
Denemarken *le Danemark* ★ in ~ *au Danemark*
Den Haag *La Haye*
denigrerend I BNW *dénigrant* II BIJW *de façon dénigrante*; *par dénigrement*
denim® *jean* m
denkbaar *concevable*; *imaginable*; *possible*
denkbeeld • gedachte *idée* v; *pensée* v • plan *idée* v • mening *idée* v ★ zich een ~ vormen van *se faire une idée de*
denkbeeldig *imaginaire*
denkelijk I BNW *probable* II BIJW *probablement*
denken I OV WW van mening zijn *penser*; *croire*; *considérer* ★ dat kun je ~ *ah! bien oui*; *pensez-vous* ★ zou je dat ~? *croyez-vous?* ★ dat dacht ik wel *je m'y attendais* II ON WW • nadenken *penser*; *réfléchir* ★ over iets ~ *réfléchir sur qc* ★ te ~ geven *donner à réfléchir* ★ daar heb ik niet om gedacht *cela m'a échappé* • van plan zijn *songer (à)*; *penser* ★ kwaad ~ *penser à mal* • niet vergeten *penser* ▾ daar valt niet aan te ~ *il n'en est pas question*
denker *penseur* m
denkfout *raisonnement* m *faux*
denkpatroon *façon* v *de penser*
denksport *sport* m *cérébral* [m mv: *sports cérébraux*]
denktank *cellule* v *de réflexion*
denkvermogen *faculté* v *de penser*
denkwereld *univers* m *mental*
dennenappel *pomme* v *de pin*
dennenboom *pin* m
dennennaald *aiguille* v *de pin*
denotatie *dénotation* v
deodorant *déodorant* m
departement • ministerie *ministère* m • bestuursgebied *département* m
dependance *annexe* v; *dépendance* v
depersonalisatie PSYCH. *dépersonnalisation* v
deponeren • neerleggen *déposer* • in bewaring geven *donner en dépôt*
deportatie *déportation* v
deporteren *déporter*
deposito *dépôt* m ★ in ~ *en dépôt*
depositorekening *compte* m *de dépôt*
depot *dépôt* m
deppen *tamponner*
depreciëren *déprécier*
depressie *dépression* v
depressief *dépressif* [v: *dépressive*]
depri depressief *déprimé*
deprimeren *déprimer*
deprivatie PSYCH. *privation* v
deputatie *députation* v
der *du* [v: *de la*] [v mv: *des*] [onr: *de l'*] ▾ de laatste der mohikanen *le dernier des Mohicans*
derailleren *dérailler*
derailleur *dérailleur* m
derby SPORT *derby* m
derde I BNW *troisième* II TELW *troisième* ★ een ~ deel *un tiers*
derdegraads *de troisième degré*
derdegraadsverbranding *brûlure* v *au troisième degré*
derdegraadsverhoor ≈ *interrogatoire* m *très dur*
derderangs *de mauvaise qualité*
derdewereldland *pays* m *du tiers monde*
dereguleren *déréglementer*
deren *gêner*; *nuire à*
dergelijk *semblable*; *tel* [v: *telle*]; *pareil* [v: *pareille*] ★ en ~e *et ainsi de suite*
derhalve *c'est pourquoi*; *par conséquent*
derivaat *dérivé* m
dermate *tellement*; *à tel point*
dermatologie *dermatologie* v
derrie • laagveen *terre* v *argilo-tourbeuse* [v mv: *terres argilo-tourbeuses*] • viezigheid *gadoue* v
derrière *derrière* m
dertien I ZN *treize* m II TELW *treize*
dertiende I BNW *treizième* II TELW *treizième*
dertig I ZN *trente* m II TELW *trente*
dertiger *personne* v *dans la trentaine*
dertigste I ZN *trentième* m II BNW *trentième* III TELW *trentième*
derven *être privé de*; *manquer de* ★ winst ~ *subir un manque à gagner*
des I BIJW ★ des te beter *tant mieux* ★ des te meer *d'autant plus (que)* II LIDW *du*; *de l'*; *de la* ★ de vrouw des huizes *la maîtresse de maison*
desalniettemin *néanmoins*; *malgré cela*; *cependant*; *pourtant*
desastreus *désastreux* [v: *désastreuse*]
desavoueren *désavouer*
desbetreffend *relatif à* [v: *relative à*]
descendant ASTROL. *(signe* m*) descendant* m
descriptief *descriptif* [v: *descriptive*]
desem *levain* m

desensibilisatie MED. *désensibilisation* v
deserteren *déserter*
deserteur *déserteur* m
desertie *désertion* v
desgevraagd *si vous le désirez; sur demande; en cas de besoin*
desgewenst *si vous le désirez*
design I ZN (het) *design* m **II** BNW *design* [onv] ★ ~ meubels *des meubles design*
desillusie *désillusion* v
desinfecteermiddel *désinfectant* m
desinfecteren *désinfecter*
desinformatie *désinformation* v
desinteresse *désintérêt* m
desinvestering *désinvestissement* m
desktop publishing *publication* v *assistée par ordinateur (PAO)*
deskundig *expert*
deskundige *expert* m
desnoods *au besoin; si nécessaire; à la rigueur*
desolaat • troosteloos *désolé* • verwaarloosd *déplorable*
desondanks *cependant; malgré tout; malgré cela*
desoriëntatie *désorientation*
despoot *despote* m
dessert *dessert* m
dessertwijn *vin* m *de dessert*
dessin *dessin* m
destabiliseren *déstabiliser*
destijds *en ce temps-là; alors*
destil- → **distil-**
destructie *destruction* v
destructief *destructif* [v: *destructive*]
detachement *détachement* m
detacheren *détacher*
detacheringsbureau *bureau* m *de détachement*
detail *détail* m
detailhandel *commerce* m *de détail*
detailleren *détailler*
detaillist *détaillant* m [v: *détaillante*]
detailopname ≈ *prise* v *de vues d'un détail*
detectie *détection* v
detective • persoon *détective* m • roman *roman* m *policier*
detector *détecteur* m
detentie *détention* v
determinant *facteur* m *déterminant*
determineren *déterminer*
determinisme *déterminisme* m
detineren *détenir*
detoneren • vals klinken *détonner* • ontploffen *détoner* • uit de toon vallen *détonner*
deuce SPORT *égalité* v
deugd *vertu* v; *bonne qualité* v
deugdelijk I BNW • degelijk *solide* • gegrond *valable* **II** BIJW *dûment; solidement; bien*
deugdzaam I BNW *vertueux* [v: *vertueuse*]; *sage* **II** BIJW *vertueusement; sagement*
deugen • geschikt zijn *être bon (à)* [v: *être bonne*]; *être utile (à)* ★ niet ~ *ne valoir rien* • braaf zijn *se conduire bien*
deugniet *vaurien* m [v: *vaurienne*]; ‹die grappen uithaalt› *polisson* m [v: *polissonne*]; *galopin* m [v: *galopine*]
deuk • buts *bosse* v • knauw *coup* m
deuken I OV WW deuken maken *cabosser; bosseler* **II** ON WW deuken krijgen *être cabossé/bosselé*
deun *refrain* m; *air* m
deur *porte* v; ‹v. auto› *portière* v ★ glazen deur *porte vitrée* v ★ de deur achter iem. dichtdoen *fermer la porte sur qn* ★ doe de deur achter je dicht *ferme la porte derrière toi* ★ langs de deuren gaan *faire du porte-à-porte* ▾ de deur bij iemand platlopen *fréquenter beaucoup qn* ▾ dat doet de deur dicht *c'est le comble* ▾ met gesloten deuren *à huis clos* ▾ iemand de deur wijzen *mettre qn à la porte*
deurdranger *ferme-porte* m [onv]
deurknop *bouton* m *de porte; poignée* v *de porte*
deurpost *montant* m
deurwaarder *huissier* m
deuvel *goujon* m
deux-chevaux *deux-chevaux* v
deux-pièces *deux-pièces* m
devaluatie *dévaluation* v
devalueren I OV WW minder waard maken *dévaluer*; ‹papiergeld› *devaloriser* **II** ON WW minder waard worden *dévaluer; se devaloriser*
deviatie *déviation* v
devies • betaalmiddel ★ deviezen *devises* v mv • stelregel *devise* v
deviezenhandel *marché* m *des changes*
deviezenreserve *réserve* v *de devises*
Devoon *dévonien* m
devoot • vroom *dévot* • toegewijd *dévoué*
devotie *dévotion* v
dextrose *dextrose* m
deze ‹bijvoeglijk› *ce* [v: *cette*] [v mv: *ces*]; ‹zelfstandig› *celui-ci* [m mv: *ceux-ci*] [v: *celle-ci*] [v mv: *celles-ci*] ★ dezer dagen ‹toekomst› *un de ces jours*; ‹verleden› *l'autre jour* ★ in deze tijd *à l'heure actuelle* ▾ bij deze *par la présente*
dezelfde *le même* [v: *la même*] [v mv: *les mêmes*]
dia *diapositive* v; INF. *diapo* v
diabetes *diabète* m
diabeticus *diabétique* m/v
diabolo *diabolo* m
diacones *diaconesse* v
diadeem *diadème* m
diafragma *diaphragme* m ★ groter ~ nemen *ouvrir le diaphragme*
diagnose MED. *diagnostic* m ★ de ~ stellen *faire un diagnostic*
diagnosticeren *diagnostiquer*
diagnostisch *diagnostique*
diagonaal I ZN *diagonale* v **II** BNW *diagonal* [m mv: *diagonaux*] **III** BIJW *en diagonale*
diagram *diagramme* m
diaken *diacre* m
diakritisch *diacritique* ★ ~e tekens *des signes diacritiques*
dialect *dialecte* m; *patois* m
dialectiek *dialectique* v
dialectologie *dialectologie* v
dialoog *dialogue* m

D

dialyse *dialyse* v
diamant *diamant* m
diamantair *diamantaire* m/v
diamanten *de diamant*
diameter *diamètre* m
diametraal *diamétral* [m mv: *diamétraux*]
diapositief *diapositive* v
diaprojector *projecteur* m *(pour diapositives)*
diaraampje *cadre* m *pour diapositive*
diarree *diarrhée* v
dicht I BNW • gesloten *fermé*; *clos*; ‹geen vloeistof doorlatend› *étanche* • opeen *dense*; *compact*; ‹dicht ineen› *épais* [v: *épaisse*]; *serré* II BIJW • dichtbij *près*; *proche*; *de près* ★ ~ bij huis *près de chez nous* • opeen *dru* ★ ~ zaaien *semer dru*
dichtbegroeid *touffu*
dichtbevolkt *très peuplé* ★ een ~ gebied *une région à population dense*
dichtbij *tout près* ★ ~ iets/iem. *tout près de qc/qn* ★ van ~ *de près*
dichtbinden *attacher (pour fermer)*; *ficeler*
dichtbundel *recueil* m *de poèmes*
dichtdoen *fermer*
dichtdraaien ‹un robinet› *fermer*; *tourner*
dichten • in dichtvorm schrijven *mettre en vers* • dichtmaken *fermer*; ‹gat› *boucher*; ‹opvullen› *remplir*
dichter *poète* m
dichterbij I BNW *plus proche* II BIJW *plus près*
dichteres *(femme* v*) poète*; PEJ. *poétesse* v
dichterlijk *poétique*
dichtgaan *(se) fermer*
dichtgooien • met klap dichtdoen *fermer brusquement* ★ de deur ~ *claquer la porte* • dichtmaken *combler*
dichtheid *densité* v; ‹v. mist› *épaisseur* v
dichtklappen I OV WW hard dichtdoen *claquer*; *fermer d'un coup sec* ★ hij klapte de deur dicht *il a claqué la porte* II ON WW • hard dichtgaan *claquer*; *se fermer d'un coup sec* ★ de deur klapte dicht *la porte s'est fermée d'un coup sec* • zich niet uiten *se renfermer*; *se replier sur soi*
dichtknijpen *pincer* ★ een oogje ~ *fermer les yeux*
dichtkunst *poésie* v; *art* m *poétique*
dichtmaken *fermer*; ‹v. gat› *boucher*; ‹v. sloot› *combler*; ‹met knopen› *boutonner*
dichtnaaien *(re)coudre*
dichtplakken *coller*; ‹une enveloppe› *cacheter*
dichtregel *vers* m
dichtslaan I OV WW krachtig dichtdoen *claquer* ★ hij heeft de deur dichtgeslagen *il a claqué la porte* II ON WW • PSYCH. *se renfermer* • krachtig dichtgaan *claquer*
dichtslibben *s'envaser*; ‹v. riviermonding› *se colmater*
dichtspijkeren *clouer*
dichtstbijzijnd *le plus proche* ★ de ~e supermarkt *le supermarché le plus proche*
dichtstoppen *boucher*; ‹v. barsten› *colmater*
dichttimmeren *clouer*
dichttrekken I OV WW dichtdoen *fermer (en tirant)* ★ de deur achter zich ~ *fermer la porte derrière soi* II ON WW bewolkt worden *se couvrir*
dichtvriezen *(se) geler*; *(se) prendre* ★ de rivieren zijn dichtgevroren *les rivières sont prises*; *les rivières sont gelées*
dichtwerk • groot gedicht *poème* m • gedichten *œuvre* v *poétique*
dichtzitten • afgesloten zijn *être fermé* • niet zichtbaar zijn door mist *être bouché*
dictaat • aantekeningen *notes* v mv *(de cours)* • het gedicteerde *dictée* v
dictafoon *dictaphone* m
dictator *dictateur* m [v: *dictatrice*]
dictatoriaal *dictatorial* [m mv: *dictatoriaux*]
dictatuur *dictature* v
dictee *dictée* v
dicteerapparaat *dictaphone* m
dicteren *dicter*
dictie *diction* v
dictionaire *dictionnaire* m
didactiek *didactique* v
didactisch *didactique*
die I AANW VNW ‹bijvoeglijk› *ce* [m mv: *ces*] [v: *cette*] [v mv: *ces*] [onr: *cet*]; *celui* [m mv: *ceux*] [v: *celle*] [v mv: *celles*]; ‹benadrukt› *celui-là* [m mv: *ceux-là*] [v: *celle-là*] [v mv: *celles-là*] ★ die bloemen *ces fleurs* ★ die is goed *elle est bonne* ★ niet deze maar die *pas celui-ci mais celui-là* ★ Piet, die vergeet alles *Pierre, il oublie tout* ▾ Mijnheer die en die *Monsieur Untel* II BETR VNW ‹als onderwerp› *qui*; ‹als lijdend voorwerp› *que*; ‹na voorzetsel› *qui*; FORM. *lequel* [m mv: *lesquels*] [v: *laquelle*] [v mv: *lesquelles*]
dieet *régime* m; *diète* v ★ ~ houden *suivre un régime* ★ op ~ zijn *être au régime*
dieetmaaltijd *repas* m *diététique*
dief *voleur* m [v: *voleuse*]
diefstal *vol* m ★ ~ met braak *vol avec effraction*
diegene *celui-là* [m mv: *ceux-là*] [v: *celle-là*] [v mv: *celles-là*]
diehard *jusqu'au-boutiste* m/v; *réactionnaire* m/v
dienaangaande *à ce sujet*; *sur ce point*
dienaar *serviteur* m [v: *servante*]
dienblad *plateau* m [mv: *plateaux*]
diender *gardien* m *de l'ordre* ▾ een dooie ~ *un abruti*
dienen I OV WW • in dienst zijn van *servir*; ‹zich wijden aan› *se consacrer à*; *être au service de* • van dienst zijn *être utile à* ★ om u te ~ *à votre service* II ON WW • behoren *falloir*; *devoir* • als functie hebben *servir (de)* ★ waartoe dient die machine? *à quoi sert cette machine?* ★ dit vertrek dient als keuken *cette pièce sert de cuisine* ★ als voorbeeld ~ *servir d'exemple* • geschikt/bruikbaar zijn *servir (à)* ★ dat dient nergens toe *cela ne sert à rien* • soldaat zijn *servir* • eten opdienen *servir* ▾ daarvan is hij niet gediend *il n'en veut pas*
dienovereenkomstig *en conséquence de*
dienst • het dienen *service* m ★ wat is er van uw ~? *que puis-je pour vous?* ★ als ik u in iets van ~ kan zijn *si je peux vous être utile* ★ in ~ gaan bij *entrer au service de* • werkzaamheden *service* m ★ ~ hebben *être*

de service; ‹tijdelijk› *être de garde* ★ de ~ overnemen *prendre le service* • werking ★ ~ doen als *servir de* • behulpzame daad *service* m ★ iem. een ~ bewijzen *rendre service à qn* ★ zijn goede ~en aanbieden *offrir ses bons offices* • betrekking *emploi* m; *place* v ★ in ~ nemen *engager*; *embaucher* ★ iem. de ~ opzeggen *congédier qn* ★ ~ nemen *s'engager* • godsdienstoefening *service* m; *office* m; ‹protestants› *culte* m; ‹rooms-katholiek› *messe* v • het soldaat zijn *service* m ★ in ~ zijn *faire son service (militaire)* ★ uit ~ ontslaan *libérer*

dienstauto *voiture* v *de service*; *voiture* v *officielle*

dienstbaar ★ zich ~ maken *rendre service*

dienstbetrekking • het in dienst zijn *service* m *salarié* • functie *emploi* m

dienstbevel MIL. *ordre* m

dienstbode *domestique* m/v; *bonne* v

dienstdoend *de service*; *de garde*; *en fonctions*

dienstencentrum *centre* m *d'aide sociale*

dienstensector *secteur* m *tertiaire*

dienster *serveuse* v

dienstgeheim *secret* m *professionnel*

dienstig *utile (à)*; *bon (pour)* [v: *bonne*]

dienstijver *zèle* m

dienstjaar • jaar dat men in dienst is *année* v *de service*; *année* v *d'ancienneté* • geldingsduur *annuité* v

dienstklopper *fayot* m; *quelqu'un* m *qui fait du zèle auprès de ses supérieurs*

dienstmededeling *communication* v *de service*

dienstmeisje *(petite) bonne* v; *employée* v *de maison*

dienstplicht *service* m *obligatoire*

dienstplichtig *soumis aux obligations militaires*

dienstplichtige *appelé* m

dienstregeling • tijdregeling *horaire* m • werkrooster *tableau* m *de service* [m mv: *tableaux ...*] • gids van spoorwegen *indicateur* m *des chemins de fer*

dienstreis *déplacement* m *(professionnel)*; *mission* v

diensttijd • MIL. *service* m *(militaire)* • werktijd *(temps* m *de) service* m • arbeidsjaren voor pensioen *années* v mv *d'ancienneté*

dienstvaardig I BNW *serviable* II BIJW *d'une manière serviable*

dienstverband *contrat* m *de travail*

dienstverlener *prestataire* m/v *de services*

dienstverlening *prestations* v mv *de service*

dienstweigeraar *objecteur* m *de conscience*

dienstweigering *refus* m *de service*; ‹militair› *objection* v *de conscience*

dienstwoning *logement* m *de fonction*

dientengevolge *en conséquence*; *par conséquent*

diep I BNW • ver naar beneden/achteren/binnen *profond* ★ een diep bord *une assiette creuse* ★ hoe diep is *quelle est la profondeur de* ★ diep in de nacht *au milieu de la nuit* • intens *profond*; *intense*; ‹v. geluiden› *grave* ★ een diepe stem *une voix grave* ★ diepe rouw *grand deuil* m • -blauw *d'un bleu profond* • -treurig *navrant* II BIJW *profondément* ★ dat schip gaat drie meter diep *ce navire tire trois mètres (d'eau)* ★ diep doordringen in *pénétrer bien avant dans* ★ diep in de schulden *criblé de dettes* ★ diep medelijden hebben met *ressentir une vive pitié pour* ★ diep ademen *respirer à fond*

diep- ★ diepblauw *d'un bleu profond* ★ dieptreurig *navrant*

diepdruk *imprimerie* v *en taille-douce*

diepgaand I BNW • diep doordringend/-liggend *profond* • grondig *approfondi* ★ een ~ onderzoek *une étude/enquête approfondie* II BIJW *profondément*; *en profondeur* ★ iets ~ onderzoeken *étudier qc en profondeur*

diepgang SCHEEPV. *tirant* m *d'eau*; FIG. *profondeur* v

diepgeworteld *enraciné*; *ancré*; *tenace*

dieplader *camion* m *surbaissé*

diepliggend *profond*; *(r)enfoncé*; SCHEEPV. *à grand tirant d'eau* ★ ~e ogen *des yeux enfoncés*

diepte • het diep zijn *profondeur* v • onpeilbare diepte *abîme* m; *gouffre* m *insondable* • diepe plaats *enfoncement* m; *fond* m

dieptebom *grenade* v *anti-sous-marine* [v mv: *grenades anti-sous-marines*]

diepte-interview *interview* v *en profondeur*

diepte-investering *investissement* m *de productivité*

dieptepsychologie *psychologie* v *des profondeurs*

dieptepunt • laagste punt *point* m *le plus bas* ★ het ~ bereiken *être au plus bas* • slechtste toestand *creux* m *de la vague*

diepvries • het diepvriezen *congélation* v • vriezer *congélateur* m

diepvriesmaaltijd *repas* m *surgelé*

diepvriesproduct *produit* m *surgelé*

diepvriezen *congeler*; *surgeler*

diepvriezer *congélateur* m

diepzee *abysse* m

diepzeeduiken *plongée* v *sous-marine* ★ aan ~ doen *faire de la plongée sous-marine*

diepzinnig I BNW • diep denkend *perspicace* • grondig doordacht *profond* II BIJW *avec profondeur*; *avec perspicacité*

dier *animal* m [mv: *animaux*]; *bête* v

dierbaar *cher* [v: *chère*]; ‹ding› *précieux* [v: *précieuse*]

dierenarts *vétérinaire* m/v

dierenasiel *pension* v *pour animaux domestiques*

dierenbescherming • bescherming *protection* v *des animaux* • organisatie *la S.P.A.*; *la Société Protectrice des Animaux*

dierenbeul *persécuteur* m *d'animaux* [v: *persécutrice*]

dierendag *journée* v *(mondiale) des animaux*

dierenriem *zodiaque* m ★ de tekens van de ~ *les signes du zodiaque*

dierenrijk *règne* m *animal*

dierentemmer *dompteur* m [v: *dompteuse*]

dierentuin *parc* m *zoologique*; *zoo* m

dierenvriend *ami* m *des bêtes*; *zoophile* m

dierenwinkel *magasin* m *animalier*

diergeneeskunde *médecine* v *vétérinaire*

dierkunde *zoologie* v

dierlijk • als van dieren *animal* [m mv: *animaux*] • bestiaal *bestial* [m mv: *bestiaux*] ★ het ~e in de mens *la bête humaine*

diersoort *espèce* v *animale*

diesel • olie *gazole* m • voertuig ‹auto› *voiture* v *Diesel* [v mv: *voitures Diesel*]; ‹trein› *train* m *(à traction) Diesel*

dieselmotor *moteur* m *diesel*

dieselolie *gazole* m; *gasoil* m

diëtetiek *diététique* v

diëtist *diététicien* m [v: *diététicienne*]

dievegge *voleuse* v

dievenklauw *goujon* m *(antivol)*

dievenpoortje *détecteur* m *électronique*

dieventaal *argot* m

differentiaal *différentielle* v

differentiaalrekening *calcul* m *différentiel*

differentiatie • verscheidenheid *différenciation* v • WISK. *différentiation* v

differentiëren • onderscheid aanbrengen *différencier*; *faire une distinction* • WISK. *différencier*

diffuus *diffus*

difterie *diphtérie* v

digestie *digestion* v

digestief I ZN drankje *digestif* m II BNW *digestif* [v: *digestive*]

diggelen ★ aan ~ vallen *tomber en morceaux*

digitaal *digital* [m mv: *digitaux*]; *numérique*

digitaliseren COMP. *digitaliser*; *numériser*

dij *cuisse* v

dijbeen *fémur* m

dijenkletser *histoire* v *tordante*

dijk *digue* v ▾ iemand aan de dijk zetten *balancer qn*

dijkbreuk *rupture* v *de digue*

dijkdoorbraak *rupture* v *de digue*

dijkgraaf *surintendant* m *des digues*

dijklichaam *massif* m *de la digue*; *digue* v

dik I BNW • van grote omvang *épais* [v: *épaisse*]; *gros* [v: *grosse*]; *volumineux* [v: *volumineuse*]; ‹zwaarlijvig› *gros* [v: *grosse*]; *corpulent* ★ dik worden *s'épaissir*; ‹zwaarlijvig› *grossir* ★ dik maken *grossir*; ‹zwaarlijvig› *faire grossir* ★ een vinger dik *d'un doigt d'épaisseur* ★ dikke olie *huile grasse* v • gezwollen *enflé* • weinig vloeibaar *épais* [v: *épaisse*] • ruim *grand* ★ een dikke tien jaar geleden *il y a largement dix ans* • innig ★ dikke vrienden *amis intimes* m mv • dicht op elkaar *épais* [v: *épaisse*]; *dense* ▾ je moet het er niet te dik op leggen *il ne faut pas en rajouter* ▾ het ligt er dik op *c'est évident* ▾ zich dik maken over *se fâcher de*; *se faire du mauvais sang*; INF. *se biler* II BIJW *épais*

dikdoenerij *vantardise* v

dikhuidig • bot *obtus* • dik van huid *qui a la peau épaisse*; ‹m.b.t. zoogdieren› *pachyderme*

dikkerd ‹man› *bon gros* m; ‹jongen› *gros garçon* m; ‹meisje› *boulotte* v; ‹vrouw› *bonne grosse* v

dikkop • kikkervisje *têtard* m • persoon *personne* v *entêtée*

dikte • het dik zijn *corpulence* v; *embonpoint* m • afmeting ‹v. een laag› *épaisseur* v; ‹v. iets ronds› *grosseur* v ★ de ~ van een plank *l'épaisseur d'une planche*

dikwijls *souvent*; *fréquemment*

dikzak ‹man› *gros* m; ‹vrouw› *grosse dondon* v

dildo *gode(miché)* m

dilemma *dilemme* m ★ iem. voor een ~ plaatsen *placer qn devant un dilemme*

dilettant *dilettante* m/v; *amateur* m

diligence *diligence* v

dille *aneth* m

dimensie *dimension* v

dimlicht *feux* m mv *de croisement*; *phares* m mv *code*

dimmen • licht dempen ‹v. auto› *se mettre en code*; *baisser les phares* • inbinden *la mettre en veilleuse*

dimmer *variateur* m *(de lumière)*

diner *dîner* m

dineren *dîner*

ding • zaak/voorwerp *chose* v; *objet* m; INF. *machin* m; *truc* m ★ ik zal u zeggen wat een pen voor een ding is *je vais vous dire ce que c'est qu'un stylo* • jong meisje ★ een jong ding van 16 jaar *une jeune personne de seize ans* ★ dat kleine, ondeugende ding *cette petite polissonne* ▾ het is een heel ding om *il en coûte de*

dingen ~ **naar** ‹wedijveren› *se disputer*; *rivaliser*; *solliciter*; *postuler*

dinges *chose* v; *machin* m

dinosaurus *dinosaure* m

dinsdag *mardi* m ★ op een ~ *un mardi*

dinsdags I BNW *du mardi* II BIJW *le mardi*

diocees *diocèse* m

dionysisch *dionysiaque*

dioxine *dioxine* v

dip • depressie *dépression* ★ in een dip zitten *être découragé* • ECON. *récession* v/*régression* v *temporaire*

diploma *diplôme* m; SPORT *brevet* m; ‹vliegen› *brevet* m

diplomaat • ambassadeur *diplomate* m • tactvol persoon *diplomate* m

diplomatenkoffertje *porte-documents* m [onv]

diplomatie *diplomatie* v

diplomatiek *diplomatique*

diplomeren *diplômer*

dippen *tremper*

dipsaus *sauce* v

direct I BNW *direct* II BIJW *immédiatement*; *tout de suite* ★ hij vertrekt ~ *il part tout de suite*

directeur *directeur* m [v: *directrice*] ★ bij de ~ komen *être convoqué auprès du directeur*

directeur-generaal *directeur* m *général*

directie *direction* v

directielid *membre* m *de la direction*

directiesecretaresse *secrétaire* v *de direction* ★ de directiesecretaris *le secrétaire de direction*

direct mail *publicité* v *par courrier individuel*

direct marketing *marketing* m *direct*

directory *répertoire* m

dirigeerstok *baguette* v *de chef d'orchestre*

dirigent *chef* m *d'orchestre*

dirigeren *diriger*; *conduire*

dirty mind *qui a l'esprit mal tourné*
dis • tafel met eten *table* v • maaltijd *table* v • muzieknoot *ré* m *dièse*
discipel *disciple* m/v
disciplinair *disciplinaire*
discipline *discipline* v
discman *lecteur* m *CD portable à écouter*
disco • muziek *musique* v *disco* • discotheek *discothèque* v
discografie *discographie* v
disconteren *escompter; faire l'escompte de*
disconto *escompte* m ⋆ in ~ nemen *escompter*
discotheek *discothèque* v
discount *discount* m; *rabais* m
discountzaak *magasin* m *(de) discount*
discreet *discret* [v: *discrète*]
discrepantie • verschil *disparité* v; *décalage* m • tegenspraak *discordance* v
discretie *discrétion* v
discriminatie *discrimination* v
discrimineren *discriminer; être raciste*
discus *disque* m
discussie *discussion* v; *débat* m ⋆ in ~ treden met *entrer en discussion avec*
discussieleider *dirigeant* m *de la discussion*
discussiepunt *point* m *de discussion*
discussiëren *discuter*
discuswerpen *lancer le disque*
discutabel *discutable*
discuteren *discuter*
disgenoot *convive* m/v
disharmonie MUZ. *disharmonie* v
disk COMP. *disque* m *magnétique*
diskdrive *lecteur* m *de disquettes*
diskette *disquette* v
diskjockey *disc-jockey* m [mv: *disc-jockeys*]
diskrediet *discrédit* m ⋆ iem. in ~ brengen bij *discréditer qn auprès de*
diskwalificatie *disqualification* v
diskwalificeren *disqualifier*
dispensatie *dispense* v ⋆ ~ verlenen *accorder une dispense*
dispenser *distributeur* m
dispersie *dispersion* v
display • beeldscherm *visuel* m; *console* v *(de visualisation)*; *écran* m; ‹computer› *afficheur* m • weergave *affichage* m • reclamebord *présentoir* m; *display* m; *carton* m *publicitaire*
dispuut • discussie *débat* m • studentenclub ≈ *cercle* m *de débats et de discussions*
dissel • trekbalk *brancard* m • disselboom *timon* m
dissertatie • proefschrift *thèse* v • verhandeling *dissertation* v
dissident I ZN *dissident* m [v: *dissidente*] II BNW *dissident*
dissociatie *dissociation* v
dissonant I ZN *dissonance* v II BNW *dissonant*
distantie *distance* v
distantiëren (zich) *se distancier de* ⋆ zich ~ van een politieke daad *se désolidariser d'une action politique*
distel *chardon* m
distillatie *distillation* v
distilleerderij *distillerie* v
distilleren *distiller*
distinctie *distinction* v
distribueren *distribuer*
distributie • verdeling *distribution* v; ‹v. boeken› *diffusion* v • rantsoenering *rationnement* m
distributiekanaal *canal* m *de distribution*
district *district* m
dit ‹bijvoeglijk› *ce* [v: *cette*] [v mv: *ces*] [onr: *cet*]; ‹zelfstandig› *celui-ci* [v: *celle-ci*]; *ceci*
ditmaal *cette fois-ci*
dito I BNW *dito; idem* II BIJW *à temps partiel*
diva *diva* v
divan *divan* m
divergent *divergent*
divergentie *divergence* v
divergeren *diverger*
divers • verschillend *divers* • meerdere *plusieurs* ⋆ ~e kaassoorten *fromages assortis*
diversen *objets* m mv *divers*
diversificatie *diversification* v
diversifiëren *diversifier*
diversiteit *diversité* v
dividend *dividende* m ⋆ een ~ uitkeren *distribuer un dividende*
dividenduitkering *paiement* m/*répartition* v *d'un dividende*
divisie *division* v
divisionist *divisionniste* m/v
dixielandmuziek *dixieland* m
dizzy *pris de vertige*
dj *d.j.* m; *diskjockey* m
DNA *A.D.N.* m; *acide* m *désoxyribonucléique*
do MUZ. *do* m
dobbelen *jouer aux dés*
dobbelsteen *dé* m
dobber *bouchon* m; *flotteur* m ▾ hij zal een harde ~ hebben om *il aura bien de la peine à*
dobberen *flotter*
docent *professeur* m; *enseignant* m [v: *enseignante*]
docentenkamer *salle* v *des professeurs*
doceren *être professeur; donner des cours; enseigner*
doch *cependant; pourtant*
dochter *fille* v ⋆ ~ des huizes *fille de maison* v
dochteronderneming *filiale* v
dociel I BNW *docile* II BIJW *docilement*
doctor *docteur* m ⋆ tot ~ promoveren *soutenir sa thèse* ⋆ vrouwelijke ~ *femme docteur* v
doctoraal ≈ *maîtrise* v ⋆ zijn ~ doen *passer sa maîtrise* v
doctoraalstudent *étudiant* m *qui prépare la maîtrise* [v: *étudiante ...*]
doctoraat *doctorat* m
doctorandus ≈ *titulaire* m/v *d'une maîtrise*; ‹in België› *licencié* m [v: *licenciée*]
doctrine *doctrine* v
docudrama *docudrame* m
document *document* m
documentaire *documentaire* m
documentalist *documentaliste* m/v
documentatie *documentation* v
documenteren *documenter*
dode *mort* m [v: *morte*]; *défunt* m [v: *défunte*]
dodecaëder *dodécaèdre* m
dodelijk I BNW • dood veroorzakend *mortel*

D

[v: *mortelle*]; *fatal* [m mv: *fatals*] • erg, hevig *mortel* [v: *mortelle*] II BIJW *mortellement*; *à mort*
dodemansknop *homme-mort* m
doden *tuer* ▾ de tijd ~ *tuer le temps*
dodencel *cellule* v *de condamné*
dodendans *danse* v *macabre*
dodenherdenking *commémoration* v *des morts*
dodenlijst *nécrologie* v; ‹v. parochie› *nécrologe* m; *liste* v *des morts*
dodenmasker *masque* m *mortuaire*
dodenmis *messe* v *des morts*
dodenrijk *royaume* m *des morts*
dodenrit *course* v *à la mort*
dodensprong *saut* m *de la mort*
dodenstad *nécropole* v
dodental *nombre* m *de morts*
dodenwake *veillée* v *funèbre*
doedelzak *cornemuse* v; ‹in Bretagne› *biniou* m
doe-het-zelfzaak *magasin* m *de bricolage*
doe-het-zelver *bricoleur* m [v: *bricoleuse*]
doek I ZN (de) lap stof *morceau* m *de tissu* [m mv: *morceaux* ...] ★ zijn arm in een doek dragen *porter le bras en écharpe* ▾ een doekje voor het bloeden *palliatif* m ▾ uit de doeken doen *révéler* ▾ er geen doekjes om winden *parler franchement* II ZN (het) • schilderij *toile* v • projectiescherm *écran* m • toneelgordijn *rideau* m [mv: *rideaux*] ▾ een open doekje geven *acclamer à rideau levé*
doel • doeleinde *objectif* m; *but* m; *objet* m; *fin* v; ‹bestemming› *destination* v ★ zich ten doel stellen *se proposer (de)* ★ met dat doel *à cette fin* ★ ten doel hebben *avoir pour but* ★ zijn doel bereiken *parvenir à ses fins* ★ met het doel *dans le but* • doelwit *but* m ★ militair doel *objectif militaire* m • goal *but* m ▾ het doel heiligt de middelen *la fin justifie les moyens*
doelbewust I BNW *calculé* II BIJW *consciemment*; *volontairement*
doeleinde • oogmerk *but* m; *objectif* m • bestemming *destination* v
doelen *viser*; *faire allusion (à)*
doelgebied *surface* v *de but*
doelgemiddelde *goal* m *average*
doelgericht I BNW *direct*; *qui va droit au but* II BIJW *d'une façon pertinente*
doelgroep *groupe-cible* m [mv: *groupes-cibles*]; *groupe* m *visé*
doellijn *ligne* v *de but*
doelloos I BNW • zonder doel *sans but* • nutteloos *inutile* II BIJW • zonder doel *sans but*; *au hasard* • zonder nut *inutilement*
doelman *gardien* m *de but*
doelmatig I BNW *fonctionnel* [v: *fonctionnelle*]; *efficace* II BIJW *d'une manière efficace*; *efficacement*
doelpunt *but* m ★ een ~ maken *marquer un but*
doelsaldo • *goal* m *average* • *différence* v *de buts*
doelschop *coup* m *de pied de but*
doelstelling *objectif* m; *intention* v
doeltaal *langage* m *d'exécution*
doeltrap *penalty* m
doeltreffend I BNW *efficace* II BIJW *efficacement*
doelwit *but* m; *cible* v
doema *douma* v
doemdenken *défaitisme* m; *sinistrose* v
doemen ★ dit feest is gedoemd te mislukken *cette fête est vouée à l'échec*
doen I ZN ★ iemands doen en laten *les faits et gestes de qn* ▾ het is geen doen *c'est infaisable* ▾ bij hem is zeggen en doen twee *il est plus fort en parole qu'en acte* ▾ in goeden doen zijn *vivre dans l'aisance* ▾ voor zijn doen *pour lui* II OV WW • verrichten *faire* ★ niets aan te doen *rien à faire* ★ veel te doen hebben *être très occupé* ★ wat is hier te doen? *qu'y a-t-il?* ★ een examen doen *passer un examen* ★ in zijn broek doen *faire dans sa culotte* ★ ik doe het niet *je ne le ferai pas* ★ je moet 't maar eens doen *il faut le faire* ★ hij doet het toch *il le fait malgré tout* ★ hij heeft het meer gedaan *il n'en est pas à son coup d'essai* ★ zoiets doe je niet *cela ne se fait pas* ★ iets gedaan krijgen van iem. *obtenir qc de qn* ★ als je iets voor hem kunt doen *si tu peux qc pour lui* ★ hij wil me iets doen! *il veut me faire du mal!* ★ niet doen! *arrête! as-tu fini!* ★ is hier niets te doen? *il n'y a rien à faire ici?* ★ ik kan daar niets aan doen *je n'y peux rien* ★ doe maar wat je niet laten kunt *fais comme tu veux* ★ daar moeten we toch iets aan doen *il faudra y faire qc* ★ je moet er wat aan laten doen *il faut soigner ça* • functioneren *marcher*; *fonctionner* ★ mijn machine doet het niet *ma machine ne marche pas* ★ die bloemen zouden het daar beter doen *ces fleurs feraient mieux là* • plaatsen *poser*; *mettre* ★ zout in de soep doen *mettre du sel dans la soupe* • schoonmaken *ranger*; *nettoyer* • ertoe brengen *faire* ▾ met iemand samen doen *faire de moitié avec qn* ▾ dat doet iemand goed *cela fait du bien* ▾ ik doe het zonder *je m'en passe* ▾ ik kan het er mee doen *cela fait mon affaire* ▾ met vijftig gulden zal ik het wel kunnen doen *avec cinquante florins je saurai me tirer d'affaire* ▾ zich te goed doen *faire bonne chère* ▾ wat te doen? *que faire?* ▾ dat doet er niet toe *ça ne fait rien* ▾ wat doet het buiten? *quel temps fait-il?* ▾ met iemand te doen hebben *avoir pitié de qn* III ON WW • zich gedragen *faire*; *agir* ★ doen alsof *faire semblant* ★ je doet maar *fais comme tu veux* • ~ **aan** ★ aan sport doen *pratiquer un sport*; *faire du sport* ★ aan Frans doen *faire du français* ★ niets aan zijn godsdienst doen *ne pas être pratiquant* • ~ **in** ★ doen in textiel *être dans le textile* • ~ **over** ★ er een uur over doen *mettre une heure à*
doende ★ ik ben er mee ~ *je m'en occupe*
doener *homme* m *d'action*
doenlijk *réalisable*; *faisable* ★ niet ~ *irréalisable*; *impossible* ★ het is niet ~ om *il est impossible de*
doetje *chiffe* v *molle*

doezelen *somnoler*
doezelig • slaperig *somnolent* • vaag *vague*
dof I BNW • niet helder *terne*; *mat* ★ dof worden *se ternir*; *se voiler* • gedempt *sourd* ★ een doffe stem *une voix voilée* II BIJW ‹niet helder› *sans éclat*; ‹gedempt› *sourdement*
doffer *pigeon* m *mâle*
dog *dogue* m
dogma *dogme* m
dogmatisch I BNW *dogmatique* II BIJW *dogmatiquement*
dogmatiseren *dogmatiser*
dojo *dojo* m
dok *bassin* m; *dock* m; ‹droogdok› *cale* v *sèche*; ‹drijvend dok› *dock* m *flottant*
doka *chambre* v *noire*
dokken • betalen *cracher* • in dok brengen *mettre en cale sèche*
dokter *médecin* m; *docteur* m
dokteren • patiënt zijn *suivre un traitement* • als dokter optreden *pratiquer la médecine* • ~ **aan** *bricoler*
doktersadvies *avis* m *médical* [m mv: *avis médicaux*]
doktersassistente *secrétaire* v *médicale*
doktersroman ≈ *roman* m *à l'eau de rose*
doktersverklaring *attestation* v *du médecin*
dokwerker *docker* m; *débardeur* m
dol I BNW • gek ‹woest› *furieux* [v: *furieuse*]; *fou* [v: *folle*] [onr: *fol*]; *frénétique*; *absurde* [onv]; ‹hondsdol› *enragé* ★ dol worden *devenir fou* ★ iem. dol maken *faire enrager qn* • bezeten (van) ~ **op** *fou de* [v: *folle de*] ★ dol zijn op *être fou de* [v: *être folle de*]; *raffoler de* • versleten ★ de schroef is dol *la vis foire* II BIJW *follement* ★ dol verliefd op *amoureux fou de* [v: *amoureuse folle de*]
dolblij *fou de joie* [v: *folle de joie*]; *ravi*
dolby *(système* m*) Dolby* m
doldraaien • niet pakken van schroeven *foirer* • controle verliezen *perdre la tête*
doldriest *téméraire*; *d'une hardiesse folle*
dolen *errer*; FIG. *s'égarer*
dolfijn *dauphin* m
dolfinarium *bassin* m *aux dauphins*
dolgelukkig *fou de joie* [v: *folle de joie*]
dolgraag *bien volontiers*
dolk *poignard* m ★ met een dolk steken *poignarder*
dollar *dollar* m
dolleman *forcené* m; *enragé* m
dollemansrit *course* v *folle*
dollen *faire le fou* ★ ~ met *batifoler avec*; *faire le fou avec*
Dolomieten *Dolomites* v mv
dom I ZN kerk *cathédrale* v; *dôme* m II BNW niet slim *bête*; *stupide* ★ hij is niet zo dom als hij wel lijkt *il n'est pas si bête qu'il en a l'air* ★ een domme streek *une bêtise*
domein *domaine* m; *proprieté* v
domeinnaam *nom* m *de domaine*
domesticeren • PLANTK. *améliorer* • tot huisdier maken *domestiquer*
domheid *stupidité* v; *bêtise* v
domicilie *domicile* m ★ JUR. ~ kiezen *élire domicile*
dominant I ZN *dominateur* m [v: *dominatrice*]; ‹v. een kleur› *dominante* v II BNW *dominant*; *préponderant*
dominee *pasteur* m
domineren *dominer*
dominicaan *dominicain* m
Dominicaanse Republiek *République* v *dominicaine*
domino *dominos* m mv ★ ~ spelen *jouer aux dominos*
dominosteen *domino* m
dommekracht • werktuig *cric* m; *vérin* m; ‹hefboom› *levier* m • persoon *grosse brute* v; *gros butor* m
dommelen *somnoler*
dommerik *sot* m [v: *sotte*]
domoor *nigaud* m [v: *nigaude*]; *bêta* m [v: *bêtasse*]
dompelaar • verwarmingsstaaf *thermoplongeur* m • vogel *plongeon* m
dompelen *plonger*; *immerger*
domper *éteignoir* m ▾ een ~ zetten op *jeter un froid*
dompteur *dompteur* m [v: *dompteuse*]
domweg *tout bêtement*
donateur *donateur* m [v: *donatrice*]
donatie *donation* v
donder *tonnerre* m; *foudre* v ▾ iemand op zijn ~ geven ‹slaag› *rosser qn*; *flanquer une tripotée à qn*; ‹uitbrander› *passer un savon à qn* ▾ daar kun je ~ op zeggen *je vous en fiche mon billet* ▾ op zijn ~ krijgen *recevoir un bon savon*
donderbui *orage* m; *pluie* v *d'orage*; ‹fig› *torrent* m *de réprimandes*; *savon* m
donderdag *jeudi* m ▾ Witte Donderdag *Jeudi* m *saint*
donderdags I BNW *du jeudi* II BIJW *le jeudi*
donderen I OV WW gooien *flanquer*; *ficher* ▾ dat dondert niet *je m'en fiche* II ON WW • vallen *dégringoler*; *s'écrouler* ★ de trap af ~ *dégringoler dans l'escalier* • tekeergaan *fulminer* III ONP WW onweren *tonner*; *gronder* ▾ hij keek alsof hij het in Keulen hoorde ~ *il était là comme frappé de la foudre*
donderjagen *rebattre les oreilles (à)*; *faire le diable à quatre*
donderpreek *admonestation* v ★ een ~ houden *fulminer*
donders I BNW *satané*; *sacré*; *maudit* II TW *tonnerre*; *sapristi*; *nom d'une pipe*
donderslag *coup* m *de tonnerre*/*foudre* ★ als een ~ *comme un coup de foudre*; FIG. *comme un coup de tonnerre*
dondersteen *sacré gamin* m [v: *sacrée gamine*]
donderwolk *nuée* v *d'orage*; *nuage* m *orageux*
donker I ZN *obscurité* v ★ bij ~ *quand il fait noir* ★ voor het ~ *avant la nuit* ★ in het ~ *dans le noir*; *dans l'obscurité* II BNW • weinig verlicht *ténébreux* [v: *ténébreuse*]; *noir* ★ hij is bang in het ~ *il a peur dans le noir* ★ het is ~ *il fait nuit* ★ het is hier ~ *il fait noir ici* ★ ~ maken *obscurcir* ★ het wordt ~ *le jour baisse*; ‹bij onweer› *le ciel s'assombrit* • somber *foncé* ★ ~ rood *rouge foncé*
donker- ★ donkerrood *rouge foncé*

D

donor *donneur* m [v: *donneuse*]
donorcodicil *carte* v *de donneur d'organes*
donormoeder *mère* v *porteuse*
dons *duvet* m
donut *beignet* m
donzen *en duvet* ★ ~ dekbed *édredon en duvet*; *duvet* m
donzig *duveteux* [v: *duveteuse*]

D

dood I ZN *mort* v ★ een natuurlijke dood sterven *mourir de mort naturelle* ★ ter dood veroordelen *condamner à mort* ▼ de een zijn dood is de ander zijn brood *le malheur des uns fait le bonheur des autres* ▼ als de dood zijn voor *craindre comme la peste* II BNW • niet levend *mort*; *décédé*; *disparu* ★ dood of levend *mort ou vif* [v: *morte ou vive*] • niet meer functionerend *mort* • saai *mort* ▼ iemand dood verklaren *ignorer qn complètement* III BIJW • zeer, hevig ★ ik verveel me dood *je m'ennuie à mourir* ★ zich dood schamen *mourir de honte*
doodbloeden • sterven *mourir par suite d'une hémorragie* • aflopen *tomber dans l'oubli*
dooddoener *cliché* m; *lieu* m *commun*; *banalité* v
doodeenvoudig I BNW *simple comme bonjour*; *tout/très simple* II BIJW *tout simplement*
doodeng *terrifiant*
doodergeren (zich) *être profondément irrité*
doodgaan *mourir*; INF. *crever* ★ ~ van de honger *crever de faim*
doodgeboren *mort-né* [m mv: *mort-nés*] [v: *mort-née*] [v mv: *mort-nées*]
doodgewoon I BNW *très courant*; *très habituel* [v: *très habituelle*]; *très ordinaire*; *quelconque* II BIJW *tout simplement*
doodgooien • overstelpen *accabler (de)* • doden *lapider*
doodgraver • grafdelver *fossoyeur* m • kever *nécrophore* m
doodkalm I BNW *imperturbable* II BIJW *imperturbablement*
doodleuk *sans avoir l'air de rien*
doodlopen ‹op niets uitlopen› *aboutir à une impasse*; *ne mener à rien* ★ een ~de straat *une rue sans issue*
doodmoe *mort de fatigue*; *épuisé*; *rompu* ★ opeens ~ zijn *avoir un coup de barre*
doodop *crevé*; *claqué*
doodrijden I OV WW *écraser* II WKD WW ★ zich ~ *se tuer en voiture*
doods • niet levendig *mort*; *inanimé*; ‹verlaten› *désert* • akelig *lugubre*; *sinistre* ★ een ~e stilte *silence de mort* m
doodsangst • angst voor de dood *angoisse* v *de la mort*; *affres* v mv *de la mort* • grote angst *vive inquiétude* v ★ ~en uitstaan *être dans des transes mortelles*
doodsbang *terrifié* ★ ~ zijn *être mort de peur*
doodsbed *lit* m *de mort*
doodsbenauwd • angstig *pris d'une peur bleue* • geen adem krijgend MED. *atteint de dyspnée*
doodsbleek *livide*; *blême*; *pâle comme la mort*
doodschieten *fusiller*; *tuer (d'un coup de fusil)*; ‹met betrekking tot executie› *passer par les armes* ★ zichzelf ~ INF. *se brûler la cervelle*
doodseskader *escadron* m *de la mort*
doodsgevaar *danger* m *de mort*
doodshoofd *tête* v *de mort*
doodsklok *glas* m ▼ de ~ over iets luiden *sonner le glas de qc*
doodslaan *tuer*; *frapper à mort*; *assommer*
doodslag JUR. *homicide* m
doodsmak *chute* v *mortelle*
doodsnood • stervensnood *agonie* v • hevige nood *détresse* v
doodsschrik *frayeur* v *mortelle*
doodsstrijd *agonie* v
doodsteek *coup* m *mortel*
doodsteken *poignarder*
doodstil • zonder geluid *sans bruit*; *d'un silence de mort* • zonder beweging *immobile* ★ allen zaten ~ *personne ne bougeait*
doodstraf *peine* v *de mort*; *peine* v *capitale* ★ de veroordeling tot de ~ *la condamnation à mort*
doodsverachting *mépris* m *de la mort*
doodsvijand *ennemi* m *mortel* [v: *ennemie mortelle*]
doodtij *morte-eau* v [mv: *mortes-eaux*]; *marée* v *de morte-eau*
doodvallen *faire une chute mortelle*; *tomber raide mort*
doodverven *désigner à l'avance (qn pour qc)* ★ de gedoodverfde winnaar *le grand favori*
doodvonnis *arrêt* m *de mort*
doodziek *gravement malade*
doodzonde REL. *péché* m *mortel*; *faute* v *impardonnable* ★ een ~ begaan *pécher mortellement*
doodzwijgen *taire*; *garder le silence (sur)*
doof *sourd* ★ doof aan één oor *sourd d'une oreille*
doofheid *surdité* v
doofpot ▼ in de ~ stoppen *étouffer*; *enterrer*
doofstom *sourd-muet* [m mv: *sourds-muets*] [v: *sourde-muette*] [v mv: *sourdes-muettes*]
dooi *dégel* m
dooien *dégeler* ★ het dooit *le temps est au dégel*; *c'est le dégel*
dooier *jaune* m *d'œuf*
doolhof *labyrinthe* m; *dédale* m
doop *baptême* m ★ ten doop houden *tenir sur les fonts baptismaux*
doopceel *acte* m *de baptême* ▼ iemands ~ lichten *dire pis que pendre de qn*
doopjurk *robe* v *de baptême*
doopnaam *nom* m *de baptême*
doopsel *baptême* m
doopsgezind *anabaptiste*
doopvont *fonts* m mv *baptismaux*
door I BIJW • van a naar b ★ het hele jaar door *durant toute l'année* ★ tussen de auto's door *entre les voitures* ★ de zaal door lopen *traverser la salle* • versleten *usé* ★ die broek is door *ce pantalon est usé* ▼ iemand door en door kennen *connaître qn à fond* ▼ dat kan ermee door *ça peut aller* ▼ door en door koud *glacé jusqu'aux os* II VZ • van a naar b ★ hij liep door de kamer *il traversa la pièce* ★ door de week *pendant la semaine* ★ onder de brug door *sous le pont* ★ ergens niet door kunnen *ne pas pouvoir passer*

• oorzaak/middel ⟨gunstig⟩ *grâce à*; ⟨ongunstig⟩ *à cause de* ★ door hem ben ik gered *c'est lui qui m'a sauvé*; *c'est grâce à lui que j'ai été sauvé* ★ door te trainen word je sterk *en s'entraînant, on devient fort* • wegens/vanwege *pour* • vermenging *dans* ★ wat doe jij door de sla? *qu'est-ce que tu mets dans la salade?*
dooraderd *veiné (de)*
doorbakken *bien cuit*
doorbellen *téléphoner* ★ de correspondent belde een bericht door *le correspondant téléphonait une nouvelle*
doorberekenen *répercuter (sur)*
doorbetalen *payer*
doorbijten I OV WW stukbijten ⟨in twee stukken⟩ *couper avec les dents*; *ronger* II ON WW doorzetten *ne pas se décourager*; *persévérer*
doorbladeren *feuilleter*; *parcourir*
doorbloed *trempé de sang*; ⟨v. vlees⟩ *saignant*
doorborduren *épiloguer (sur)*
dóórboren *continuer à percer*
doorbóren *transpercer*; *perforer*; *traverser*
doorbraak • het doorbreken ⟨v. dijk⟩ *rupture* v; ⟨v. plaats⟩ *brèche* v; *percée* v; *trouée* v • begin van nieuwe situatie *percée* v ★ een politieke ~ *un tournant dans la politique*
doorbraakpolitiek *politique* v *offensive*
doorbranden • stuk gaan *griller*; ⟨v. zekering⟩ *sauter* • doorgaan met branden *continuer de brûler*; *brûler bien*; *prendre bien* ★ het vuur brandt door *le feu prend bien*
dóórbreken I OV WW in stukken breken *rompre*; *casser* II ON WW • kapotgaan *se rompre*; *se casser* ★ de dijken breken door *les digues cèdent* • aan de top komen *percer* • door iets breken *percer*; *crever* ★ de zon breekt door *le soleil apparaît*
doorbréken *rompre*; *casser*; *traverser*; *percer*
doorbrengen *passer*
doordacht *bien réfléchi*; *raisonné*; *bien pesé*; *médité* ★ wel ~e bewoordingen *des mots bien pesés*
doordat *parce que*; *comme*
dóórdenken *réfléchir mûrement*; *réfléchir longuement (à|sur)*
doordénken *calculer*
doordenkertje ≈ *remarque* v *sur laquelle il faut réfléchir deux fois*
doordeweeks *de la semaine* ★ een ~e dag *un jour de semaine* ★ ~e kleren *des vêtements de tous les jours*
doordouwen I OV WW ▼ zijn plannen ~ *faire passer ses projets* II ON WW doorzetten *persévérer* ★ ~ in het verkeer *conduire comme un fou*
doordraaien I OV WW • ECON. *retirer de la vente* • verkwisten *gaspiller*; *dilapider* II ON WW • verder draaien *continuer à tourner* • overspannen raken *perdre la tête* • dol draaien *foirer*
doordrammen *ressasser les mêmes choses*; *rabâcher*; *faire accepter* ★ zijn zin ~ *imposer sa volonté*
doordraven • verder draven *continuer de trotter* • overdrijven *pérorer*; *parler à tort et à travers* ★ wat draaf je weer door *comme tu y vas*
doordrenken *tremper*
doordrijven *faire accepter* ★ zijn zin ~ *imposer sa volonté*
dóórdringen *percer*; *pénétrer*; *entrer* ★ in een geheim ~ *pénétrer un secret*
doordríngen • binnendringen *pénétrer*; *entrer dans* • ~ **van** *convaincre (profondément)*
doordringend *pénétrant*; *perçant* ★ een ~e blik *un regard perçant*
doordrongen • ~ **van** *pénétré (de)* • FIG. *persuadé (de)*
doordrukken I OV WW doordrijven *faire accepter*; *imposer* II ON WW een doordruk maken *passer à travers*
doordrukstrip *emballage* m *à alvéoles*
dooreen *pêle-mêle*; *en désordre*; FIG. *en moyenne*
dooreten • gehaast eten *se dépêcher de manger* • verder eten *continuer à manger*
doorgaan • verder gaan *avancer*; ⟨zijn weg vervolgen⟩ *continuer son chemin*; ⟨met betrekking tot handeling⟩ *poursuivre*; *continuer* ★ laten we daarover niet ~ *n'en parlons plus* ★ dat gaat in één moeite door *c'est tout un* • voortduren *continuer* ★ moet dat zo ~? *est-ce qu'on n'en finira jamais?* • toch gebeuren *avoir lieu* ★ gaat het nog door? *cela tient toujours?* • gaan door iets *passer par* ★ gaan we door Parijs? *on passe par Paris?* ★ we zijn de hele stad doorgegaan *nous avons parcouru la ville de long en large* • ~ **voor** *passer pour*; *faire figure de*
doorgaand *continu*; *ininterrompu*; *continuel* [v: *continuelle*] ★ ~e reizigers *voyageurs en transit* ★ ~ verkeer *toutes directions* ★ ~e trein *train direct* m
doorgaans *généralement*; *le plus souvent*; *ordinairement*
doorgang • weg erdoor *passage* m; *ouverture* v • het plaatsvinden *poursuite* v
doorgangshuis *maison* v *de passage*
doorgeefluik *passe-plats* m [onv]
doorgestoken *percé*
doorgeven • verder geven *faire passer*; *faire circuler* • verder vertellen *passer*; *transmettre* ★ iets aan elkaar ~ *se passer qc*
doorgewinterd *rodé*
doorgroeimogelijkheid *possibilité* v *de promotion*
doorgronden *pénétrer*; *approfondir*
doorhalen • erdoor trekken *faire passer* • schrappen *rayer*; *biffer* ★ ~ wat niet van toepassing is *rayer les mentions inutiles* • bespotten *railler* ★ iem. erdoor halen *critiquer qn en plaisantant*
doorhaling • geschrapt woord *rature* v • het doorhalen *raturage* m; *biffage* m; ⟨met betrekking tot register/lijst⟩ *radiation* v
doorhebben *deviner*; *comprendre*; *saisir* ★ iem. ~ *voir venir qn*
doorheen *à travers* ★ ik ben door mijn werk heen *j'ai terminé mon travail* ★ ik ben door mijn geld heen *je n'ai plus d'argent*

doorkiesnummer *ligne* v *directe*

doorkijk *échappée* v; *trouée* v

doorkijken ‹v.e. les› *repasser*; ‹v.e. boek› *parcourir*; *feuilleter* ★ zijn post ~ *dépouiller son courrier*

doorkneed ▾ ergens in ~ zijn *être rompu à qc*

doorknippen *couper en deux*

doorkomen • door iets heen komen *traverser*; *passer par* • erdoor komen ★ haar tanden komen door *ses dents percent* • waarneembaar worden ★ de zon komt door *le soleil apparaît* • tot een eind brengen ‹bij examen› *être reçu (à)* ▾ er is geen ~ aan ‹er zijn teveel mensen› *il n'y a pas moyen de passer*; ‹de taak is te uitgebreid› *on n'en voit pas la fin*; FIG. *c'est la mer à boire*

doorkrassen *biffer*; *rayer*

dóórkruisen *biffer d'une croix*

doorkrúísen • dwarsbomen *contrecarrer*; *contrarier* • in vele richtingen gaan *sillonner*; *parcourir*

doorlaatpost *poste* m *de contrôle*

doorlaten *laisser passer* ★ geen water ~ *être imperméable*

doorleefd *vécu*

doorlekken • lekkend tevoorschijn komen *percer*; *filtrer* • lekkend doorlaten *laisser passer l'eau*

doorleren *continuer ses études*

doorleven *vivre*; *passer*; *traverser*

doorlezen I OV WW doornemen *lire d'un bout à l'autre*; *lire entièrement* ★ de krant vluchtig ~ *parcourir le journal*; *feuilleter le journal* ★ zijn post ~ *dépouiller son courrier* II ON WW verder lezen *continuer à lire*

doorlichten • met röntgenstralen onderzoeken *radiographier* • onderzoeken ★ een bedrijf ~ *passer une entreprise aux rayons X*

doorliggen *avoir des escarres*

dóórlopen I OV WW • stuklopen *percer à force de marcher*; *(s')écorcher les pieds en marchant* ★ sokken doorlopen *trouer ses chaussettes en marchant* • even inzien *parcourir* II ON WW • doorgaan *continuer* • verder lopen *continuer*; ‹te voet› *continuer à marcher* ★ zij liep tot het kruispunt door *elle poursuivit son chemin jusqu'au croisement* ★ doorlopen! *circulez!* ★ de koffie loopt door *le café est en train de passer* ★ de tijd loopt door *le temps s'écoule* • lopen door *traverser*; *passer (à travers qc)*; *marcher (à travers qc)*

doorlópen • volgen *passer par* • gaan door *parcourir*

doorlopend I BNW *continu*; *ininterrompu*; *continuel* [v: *continuelle*]; *suivi* ★ ~ krediet *crédit permanent* m ★ ~e rekening *compte courant* m ★ ~e voorstelling *séance permanente* v II BIJW *continuellement*

doorloper • puzzel *grille* v *muette* • schaats *patin* m *à glace de course*

doormaken *vivre*; *traverser*; *passer par*; *connaître* ★ een moeilijke tijd ~ *traverser une période difficile*

doormidden *en deux*

doormodderen *patauger*

doorn *épine* v; *piquant* m ▾ dat is hem een ~ in het oog *ça lui est insupportable*

doornat *trempé jusqu'aux os*

doornemen • doorlezen *lire*; *étudier* ★ een artikel vluchtig ~ *parcourir un article* • bespreken *traiter*; *parler de* ★ iets met elkaar ~ *parler ensemble de qc*

Doornroosje *la Belle au bois dormant*

doornummeren *continuer la numérotation*

dóórploeteren *continuer à peiner*; ‹v. student› *bûcher*

doorpraten I OV WW bespreken *discuter (quelque chose) à fond* II ON WW verder praten *continuer à parler*; *parler sans s'arrêter* ★ iem. laten ~ *laisser aller qn*

doorprikken *percer*; *perforer*; *poinçonner*; FIG. *percer à jour*; *démontrer l'inexactitude (de)* ★ een ballon ~ *crever un ballon*

doorregen *entrelardé* ★ ~ spek *lard maigre* m

doorreis *passage* m ★ op ~ zijn *être de passage*

doorrijden • verder rijden *poursuivre son chemin*; *continuer sa route* • sneller rijden *accélérer* ★ als je doorrijdt, haal je het in een uur *si tu roules vite, tu mettras une heure seulement*

doorrijhoogte *hauteur* v *maximale*

doorrookt *pénétré de fumée*

doorschakelen *passer ses vitesses*

doorschemeren *percer*; *transpararaître* ▾ iemand iets laten ~ *laisser entendre qc à qn*

dóórschieten • doorgaan met schieten *continuer à tirer* • te ver doorgroeien *monter (en graine)* ★ doorgeschoten slaplanten *des salades montées en graine*

doorschíéten *transpercer de balles*; *cribler de balles*

doorschijnend *transparent*; *translucide*

doorschuiven I OV WW verder schuiven *pousser plus loin* II ON WW schuivend verder gaan *glisser plus loin*

doorseinen *transmettre*

doorslaan I OV WW stukslaan *casser* II ON WW • verder slaan *continuer à frapper* • overhellen *pencher* • kortsluiten *sauter*; *griller* ★ de zekeringen zijn doorgeslagen *les fusibles ont sauté* • doordraven *dérailler*; *divaguer* • bekennen *lâcher le morceau*; *se mettre à table*

doorslaand *décisif* [v: *décisive*]; *concluant*; *convaincant*

doorslag *double* m; *copie* v ▾ de ~ geven *faire pencher la balance*; *être décisif*

doorslaggevend *décisif* [v: *décisive*]

doorslagpapier *papier* m *pelure*

doorslikken *avaler*

doorsmeren *graisser*; ‹v. auto› *faire un graissage complet*

doorsnede • tekening *section* v • diameter *diamètre* m

doorsnee I ZN • snijvlak *intersection* v • denkbeeldig vlak *coupe* v; *section* v ★ in ~ *en coupe* • diameter *diamètre* m ★ de ~ van een cirkel *le diamètre d'un cercle* II BNW *moyen* [v: *moyenne*]

dóórsnijden *couper*; *sectionner*; *trancher*

doorsníjden *traverser*

doorspekken *truffer (de)*
doorspelen *passer à*; *confier à* ★ de vraag aan een ander ~ *passer la demande à une autre personne*
doorspoelen *rincer*; *purger*; *nettoyer à grande eau*
doorspreken *discuter*
doorstaan *supporter*; *endurer*; *souffrir* ★ een storm ~ *essuyer une tempête*
dóórsteken I OV WW gaan/steken door ‹schoonmaken› *curer*; *déboucher*; *faire passer (à travers)* ★ een buis doorsteken *dégorger un tuyau* II ON WW kortere weg nemen *prendre un raccourci*
doorstéken *transpercer* ★ het hart ~ *transpercer le cœur*
dóórstoten *faire une percée*
doorstóten *transpercer*
doorstrepen *rayer*; *biffer*
dóórstromen • stromen door iets heen *s'écouler* • doorschuiven ★ ~ naar een duurder huis *déménager vers une maison plus chère* • verder stromen *continuer à couler*; *traverser*; *parcourir*
doorstrómen *parcourir*
doorstuderen *poursuivre ses études*
doortastend *énergique*; *dynamique*
doortimmerd *bien structuré*
doortocht • het doortrekken *traversée* v • doorgang *passage* m ★ de ~ versperren *barrer le passage*
doortrapt *rusé*; *malin* [v: *maligne*]
dóórtrekken I OV WW • verlengen *prolonger*; *continuer* ★ een weg ~ *prolonger une route* • verder verplaatsen *tirer (plus loin)* II ON WW • door iets heen trekken *passer par*; *traverser*; *parcourir* • doorgaan met trekken *continuer à tirer* • het toilet doorspoelen *tirer la chasse d'eau*
doortrékken *imprégner*; *imbiber*
doortrokken *imbibé (de)*
doorvaart *passage* m; *passe* v; *détroit* m
doorverbinden *passer la communication* ★ kunt u mij ~ met meneer X? *pouvez-vous me passer Monsieur X?*
doorverkopen *revendre*
doorvertellen • *propager*; *divulguer* • *continuer à raconter*
doorverwijzen *renvoyer* ★ hij werd doorverwezen naar een longarts *il a été renvoyé chez un pneumologue*
doorvoed *bien nourri*
doorvoer • het doorvoeren *transit* m • doorgevoerde waren *marchandises* v mv *en transit*
doorvoeren • ten uitvoer brengen *exécuter*; *appliquer* ★ een maatregel ~ *appliquer une mesure* • transporteren *transiter*
doorvoerhaven *port* m *de transit*
doorvoerrechten *droits* m mv *de transit*
doorvragen *insister*
doorwaadbaar *guéable* ★ doorwaadbare plek *gué* m
doorweekt *trempé*; ‹v. grond› *détrempé*
dóórwerken I OV WW geheel bestuderen *étudier à fond* II ON WW • verder werken *continuer à travailler*; *ne pas chômer* • voortgang maken met het werk *avancer* • verdere invloed hebben *exercer de l'influence*; *se faire sentir*
doorwérken *lamer*
doorworstelen *se frayer un passage à travers*; FIG. *venir péniblement à bout de* ★ hij worstelde het boek door *il venait péniblement à bout du livre*
doorwrocht *bien construit*; *bien structuré* ▾ een ~ betoog *un exposé bien construit*
doorzagen I OV WW • in tweeën zagen *scier en deux* • ondervragen ★ iem. ~ over iets *rabattre les oreilles de qn avec qc* II ON WW *rabâcher*; *radoter*
doorzakken • verzakken *s'affaisser* • lang/veel drinken *prendre une cuite*
doorzetten I OV WW laten doorgaan *faire passer malgré tout* II ON WW • volhouden *persévérer* • krachtiger worden *s'intensifier*; *aller en augmentant*
doorzetter *personne* v *tenace*; *accrocheur* m
doorzettingsvermogen *persévérance* v; *ténacité* v
doorzeven *cribler* ★ met kogels ~ *cribler de balles*
doorzichtig *transparent*; FIG. *clair*
dóórzien *parcourir*; *feuilleter* ★ een boek even ~ *parcourir rapidement un livre*
doorzíén *pénétrer*; *percevoir*
doorzitten I OV WW te veel zitten *user à force de s'y asseoir* II ON WW draf uitzitten *faire du trot assis*
dóórzoeken *continuer les recherches*
doorzóeken *fouiller*; ‹door de politie› *perquisitionner*
doorzonwoning ≈ *habitation* v *à double exposition*
doos *boîte* v; ‹v. karton› *carton* m; *étui* m ▾ uit de oude doos *vieux jeu*
dop • dekseltje *bouchon* m; *capsule* v; ‹v. pen› *capuchon* m • omhulsel ‹schaal› *coquille* v; *coque* v; ‹v. peulvruchten› *cosse* v; ‹schil› *gousse* v • oog *mirettes* v mv ▾ dokter in de dop *médecin* m *en herbe*
dopamine *dopamine* v
dope *drogue* v
dopen • de doop toedienen *baptiser* ★ iem. Hugo ~ *baptiser qn sous le nom de Hugues* • indompelen *tremper*
doperwt *petit pois* m
dopheide *bruyère* v *cendrée*
doping • middelen *stimulant* m • het toedienen *dopage* m; *doping* m
dopingcontrole *test* m *antidopage*; *contrôle* m *antidoping*
doppen *éplucher*; ‹v. noten› *écaler*; ‹v. peulvruchten› *écosser*
dopplereffect *effet* m *Doppler*
dopsleutel *clé* v *à douille*
dor I BNW • verdroogd *aride*; *sec* [v: *sèche*]; *mort*; *desséché* ★ dorre bladeren *des feuilles mortes* v mv • saai *mort* II BIJW ★ het gras ziet er dor uit *l'herbe a l'air desséchée*
dorp *village* m
dorpel *pas* m *de la porte*; *seuil* m
dorpeling *villageois* m [v: *villageoise*]
dorps I BNW *campagnard*; *villageois*; *rural*

D

[m mv: *ruraux*] **II** BIJW *comme à la campagne*
dorpsbewoner *villageois* m [v: *villageoise*]
dorpsgek *idiot* m *du village*
dorpsgenoot *pays* m [v: *payse*]
dorpshuis *salle* v *polyvalente*
dorpskern *centre* m *du village*
dorsen I ZN *battage* m **II** OV WW *battre*
dorsmachine *batteuse* v
dorst *soif* v ★ ~ hebben *avoir soif* ★ zijn ~ lessen *se désaltérer* ▾ de ~ naar goud *la soif de l'or*
dorsten *avoir soif (de)*; *être avide (de)*
dorstig *assoiffé*
dorsvlegel *fléau* m [mv: *fléaux*]
dorsvloer *aire* v; *aire* v *de battage*
doseren *doser*
dosis *dose* v ▾ een flinke ~ nemen *prendre une bonne dose*
dossier *dossier* m ★ een ~ aanleggen *constituer un dossier*
dot • plukje *touffe* v; ‹v. watten› *tampon* m • iets kleins, schattigs *amour* m; *chou* m; *ange* m
dotterbloem *populage* m
dotteren *utiliser l'angioplastie*; *traiter selon la technique de Grüntzig*
douane • grenspost *douane* v • beambte *douanier* m [v: *douanière*]
douanier *douanier* m [v: *douanière*]
doublé I ZN *doublé* m **II** BNW *en doublé*
double-breasted ★ ~ jasje *veste* v *croisée*
doubleren • verdubbelen *doubler* • blijven zitten *redoubler*
douceurtje *cadeau* m; *pourboire* m; *extra* m
douche *douche* v
douchecel *(cabine* v *de) douche*
douchegordijn *rideau* m *de douche* [m mv: *rideaux ...*]
douchen *prendre une douche*
douwen *pousser*; *bousculer*
dove *sourd* m [v: *sourde*] ▾ voor doven preken *prêcher dans le désert*
doven • uitdoen *éteindre*; *étouffer* • temperen ‹v. geluid› *étouffer*
dovenetel *lamier* m ★ gele ~ *ortie* v *jaune* ★ purperen ~ *ortie* v *rouge*
down *abattu*; *déprimé* ★ COMP. down gaan *se planter*
downloaden COMP. *transférer*; *télécharger*
downsyndroom *mongolisme* m
dozijn *douzaine* v
draad • lang en dun geheel *fil* m; ‹v. touw› *brin* m • vezel *fibre* v • schroefdraad *filet* m • samenhang *fil* m ★ de ~ van het verhaal kwijtraken *perdre le fil du récit* ▾ tegen de ~ in zijn *avoir l'esprit de contradiction* ▾ voor de ~ komen *s'expliquer* ▾ tegen de ~ in *à contre-fil* ▾ tot op de ~ versleten *usé jusqu'à la corde*
draadloos *sans fil* ★ draadloze besturing *télécommande* v
draadnagel *clou* m; *clou* m *à tête plate*; *pointe* v
draadtang *bec-de-corbeau* m; *bec-de-corbin* m
draagbaar I ZN *brancard* m; *civière* v **II** BNW *portatif* [v: *portative*]; ‹aan het lichaam› *portable*
draagkarton *pack* m
draagkracht *possibilités* v mv; *moyens* m mv; *moyens* m mv *financiers*
draagkrachtig *disposant de moyens financiers*
draaglijk *supportable*; *tolérable*
draagmoeder *mère* v *porteuse*
draagraket *lanceur* m *de satellite*
draagstoel *chaise* v *à porteurs*
draagtijd *gestation* v
draagvermogen *limite* v *de charge*; *force* v *portative*; ‹v. een balk› *portée* v
draagvlak • vlak *surface* v *portante* • ondersteunende groep *base* v
draagwijdte *portée* v
draai • draaiing *tour* m • klap ★ een ~ om de oren *une gifle* • wending *tournure* v
draaibaar *tournant*; *mobile*
draaibank *tour* m
draaiboek *scénario* m
draaicirkel ‹v. auto› *rayon* m *de braquage*
draaideur *porte* v *à tambour*
draaien I OV WW • in het rond doen gaan *faire tourner*; *tourner* • keren/wenden *tourner*; *retourner* • bewerken *tourner* ★ een sjekkie ~ *rouler une cigarette* • afspelen ★ een film ~ *tourner un film* ★ een plaat ~ *passer un disque* • telefoneren *composer/faire un numéro* **II** ON WW • in het rond gaan *tourner*; *pivoter* • wenden *tourner*; ‹scheep-/luchtvaart› *virer* ★ naar links ~ *tourner à gauche* • functioneren *marcher*; *fonctionner* • vertoond worden *passer* ★ die film draait in Saskia *ce film passe au Saskia* • uitvluchten zoeken *tourner autour (de)*; *se dérober* ★ eromheen ~ *tourner autour du pot* ▾ daar draait alles om *c'est là le nœud de l'affaire*
draaierig • duizelig *qui a la tête qui tourne* ★ ik ben wat ~ *j'ai le vertige*; *j'ai la tête qui tourne* • met veel bochten *tortueux*
draaiing *rotation* v; ‹v.d. wind› *changement* m
draaikolk *tourbillon* m
draaikont *faux-jeton* m [mv: *faux-jetons*]
draaimolen *manège* m ★ in de ~ gaan *monter sur le manège*
draaiorgel *orgue* m *de Barbarie*
draaischijf • kiesschijf *cadran* m • pottenbakkersschijf *tour* m
draaitafel *platine* v *d'un tourne-disques*
draaitol *toupie* v
draak • beest *dragon* m • akelig mens *dragon* m; *monstre* m • voorwerp *horreur* v • melodrama *mélodrame* m ▾ de ~ steken met *se moquer de*
drab • modder *boue* v • bezinksel *dépôt* m; ‹v. koffie› *marc* m; ‹v. wijn› *lie* v
dracht • drachtig zijn *portée* v • kleding *costume* m mv; *habits* m mv
drachtig *pleine*
draf • het hard lopen ★ op een drafje *vite*; *en courant* • gang van paard *trot* m ★ in draf *au trot* ★ gestrekte draf *grand trot* m ★ korte draf *petit trot* m
drafsport *courses* v mv *au trot attelé*
dragee *dragée* v
dragen I OV WW • aan/bij zich hebben *porter*;

avoir sur soi ★ ge~ kleren *habits usagés* ★ dat wordt veel ge~ *cela se porte beaucoup* • op zich nemen *porter*; *assumer* ★ zorg ~ voor *avoir soin de* • ondersteunen *porter*; *soutenir* • voortbrengen *porter*; *rapporter* • zwanger zijn *porter* • verdragen *supporter* **II** ON WW reikwijdte hebben *porter*
drager • wezen ‹houder› *titulaire* m/v; *porteur* m [v: *porteuse*] • voorwerp *support* m; *portant* m
dragline *dragline* m
dragon *estragon* m
dragonder *dragon* m
drain *drain* m
draineren *assainir*; OOK MED. *drainer*
dralen *tarder*; *temporiser*; *traînasser*
drama *drame* m
dramatiek *dramaturgie* v
dramatisch **I** BNW *dramatique* **II** BIJW *dramatiquement*
dramatiseren *dramatiser*
dramaturg *auteur* m *dramatique*; *dramaturge* m/v
drammen *rebattre les oreilles à*
drammerig *tenace*; *avec ténacité*
drang • druk *poussée* v • aandrang *envie* v; *impulsion* v; *penchant* m *(à)*; *désir* m
dranger *ferme-porte* m [onv]
dranghek *barrière* v *mobile*; *barrière* v *de Nadar*
drank • vocht *boisson* v; MED. *potion* v; *breuvage* m • alcoholische drank *boisson* v *alcoolisée* ★ aan de ~ raken *s'adonner à la boisson*; *être alcoolique*
drankje • geneesmiddel *potion* v • glaasje drank *petit verre* m
drankmisbruik *abus* m *de l'alcool*; *alcoolisme* m
drankorgel *soiffard* m [v: *soiffarde*]
drankvergunning *licence* v *d'exploitation d'un débit de boisson*
draperen *draper*
draperie *draperie* v
drassig *marécageux* [v: *marécageuse*]
drastisch *drastique*; *rigoureux* [v: *rigoureuse*]; *radical* [m mv: *radicaux*]
draven *trotter*; *aller au trot*; ‹fig› *courir*
draver *trotteur* m [v: *trotteuse*]
draverij *course* v *de trot*
dreadlocks *nattes* v mv *rasta*
dreef *allée* v; *avenue* v ▾ op ~ komen *se mettre en train* ▾ niet op ~ zijn INF. *ne pas être dans son assiette*; *ne pas être en forme*
dreg *grappin* m
dreggen *(re)pêcher*; *draguer*
dreigbrief *lettre* v *de menaces*; *lettre* v *comminatoire*
dreigement *menace* v
dreigen **I** OV WW bedreigen *menacer* **II** ON WW staan te gebeuren *menacer (de)*; *risquer (de)* ★ ik dreigde te vallen *je pensai tomber* ★ het dreigt te gaan regenen *la pluie menace* ★ hij dreigde hem te slaan *il menaçait de le frapper*
dreigend • dreiging uitdrukkend *menaçant*; *comminatoire* • dat staat te gebeuren *menaçant*; *imminent* ★ ~ gevaar *péril imminent* m
dreiging *menace* v
dreinen *pleurnicher*; *geindre*
drek ‹v. runderen› *bouse* v; ‹v. vogels› *fiente* v; ‹v. paarden› *crottin* m; *excréments* m mv; *merde* v; *crotte* v; *matières* v mv *fécales*
drempel *seuil* m
drempelvrees ≈ *peur* v *d'entrer*
drempelwaarde *seuil* m *absolu*
drenkeling *noyé* m [v: *noyée*]
drenken • drinken geven *abreuver*; *donner à boire*; *faire boire* • nat maken *tremper*
drentelen *flâner*; *marcher à petits pas*; *se balader*
dresseren • *dresser* ★ gedresseerde hond *chien savant* m • drillen ★ iem. voor een examen ~ *chauffer qn à un examen*
dressing *assaisonnement* m
dressman *mannequin* m; *dressman* m
dressoir *buffet* m
dressuur *dressage* m
dreumes *petit* m [v: *petite*]; *gosse* m/v; *mioche* m; *petiot* m [v: *petiote*]
dreun • het dreunen *grondement* m • eentonig geluid *rythme* m *monotone*; *bourdonnement* m; *ronron* m • klap *coup* m *violent*; INF. *gnon* m
dreunen **I** ZN • het dof klinken *grondement* • gebons *ébranlement* m **II** ON WW weerklinken *trembler*; *gronder*; *être ébranlé*
drevel *chasse-clou* m [mv: *chasse-clous*]; *poinçon* m; *mandrin* m
dribbel *dribble* m
dribbelen • lopen *aller à petits pas pressés*; *trottiner* • SPORT *dribbler*
drie **I** ZN *trois* m **II** TELW *trois* → **acht**
driebaansweg *route* v *à trois voies*
driedaags *de trois jours*
driedimensionaal *à trois dimensions*; *tridimensionnel* [v: *tridimensionnelle*]
driedubbel **I** BNW *triple* **II** BIJW *triplement*
drie-eenheid *trinité* v ▾ de Drie-eenheid *la Trinité*
driehoek *triangle* m
driehoekig *triangulaire*
driehoeksruil *échange* m *tripartite*; *échange* m *de maisons entre trois familles*
driehoeksverhouding *ménage* m *à trois*
driekamerflat *trois-pièces* m [onv]
drieklank TAALK. *triphtongue* v
driekleur *drapeau* m *tricolore* [m mv: *drapeaux* ...]; *tricolore* m ★ de nationale ~ *le drapeau tricolore*
Driekoningen *Épiphanie* v; *fête* v *des Rois*; *Jour* m *des Rois*
driekoningenfeest *fête* v *des Rois*
driekwart **I** BNW *trois quarts* **II** BIJW *aux trois quarts*
driekwartsmaat *mesure* v *à trois temps*
drieledig *triple*; *tripartite*; CHEM. *ternaire*
drieletterwoord *mot* m *de cinq lettres*
drieling *triplés* m mv; *triplées* v mv
drieluik *triptyque* m
driemaal *trois fois*
driemanschap *triumvirat* m
driemaster *trois-mâts* m

D

driepoot *trépied* m
driespan *attelage* m *à trois*
driesprong *carrefour* m *de trois chemins; patte* v *d'oie*
driest • roekeloos *hardi; téméraire* • brutaal *effronté; impertinent*
driestemmig *à trois voix*
driesterrenhotel *hôtel* m *à trois étoiles*
drietal *trois* m; *trio* m
drietand *trident* m
drietonner *camion* m *trois-tonnes; trois-tonnes* m
drietrapsraket *fusée* v *à trois étages*
drievoud *triple* m
drievoudig *triple*
driewegstekker *prise* v *multiple*
driewieler *tricycle* m
driezitsbank *canapé* m *à trois places*
drift • woedeaanval *accès* m *de colère; emportement* m ⋆ door ~ *dans un accès de colère* • neiging *instinct* m; *passion* v; *ardeur* v • het afdrijven *dérive* v ⋆ op ~ *à la dérive*
driftbui *accès* m *de colère*
driftig I BNW • opvliegend *coléreux* [v: *coléreuse*]; *irritable* ⋆ ~ van aard zijn *avoir le sang chaud* • kwaad *en colère; furieux* [v: *furieuse*] ⋆ ~ maken *mettre en colère* II BIJW heftig *passionnément; impétueusement*
driftkikker *tête* v *chaude*
driftkop *tête* v *chaude*
drijfgas *gaz* m *propulseur*
drijfhout *bois* m *flottant*
drijfjacht *battue* v
drijfkracht *force* v *motrice*; FIG. *énergie* v
drijfnat *tout mouillé; trempé*; ‹v. zweet› *en nage*
drijfnet *filet* m *dérivant*
drijfveer *motif* m; *mobile* m; *raison* v
drijfzand *sables* m mv *mouvants; lise* v ⋆ in ~ wegzinken *s'enliser*
drijven I OV WW • opjagen *mener*; ‹v. wild› *traquer; rabattre* • aanzetten *pousser à; inciter à* • uitoefenen *faire* ⋆ handel ~ *faire du commerce* ▾ te ver ~ *pousser trop loin; exagérer* ▾ uit elkaar ~ *disperser* II ON WW • niet zinken *flotter* • kletsnat zijn *être inondé*; ‹v. personen› *être trempé*; ‹v. zweet› *être en nage*
drijver • opjager *gardien* m [v: *gardienne*]; ‹v. koeien› *vacher* m [v: *vachère*]; ‹v. wild› *rabatteur* m; *traqueur* m • voorwerp dat drijft *flotteur* m
drilboor *drille* v
drillen • africhten *dresser; exercer* • boren *forer*
dringen I OV WW duwen *pousser; bousculer* ⋆ iem. in een hoek ~ *pousser qn dans un coin* ▾ de tijd dringt *le temps presse* II ON WW krachtig voortgaan *se frayer un chemin en jouant des coudes*
dringend I BNW • met aandrang *instamment* ⋆ op ~ verzoek van *sur les instances de* • urgent *urgent; pressant* ⋆ ~e omstandigheden *circonstances impérieuses* v mv II BIJW met aandrang *avec insistance*

drinkbaar • niet schadelijk *potable* ⋆ ~ water *de l'eau potable* • te drinken *buvable* ⋆ een drinkbare wijn *un vin buvable*
drinkebroer *ivrogne* m/v
drinken I ZN *boisson* v II OV WW *boire; prendre* ⋆ thee~ *prendre le thé* ⋆ ~ uit *boire dans* ⋆ uit de fles ~ *boire à même la bouteille* ⋆ wat ~ *boire un coup; prendre un verre* ⋆ op iem. gezondheid ~ *boire à la santé de qn* ⋆ daar moet op gedronken worden! *ça s'arrose!*
drinkgelag *bacchanale* v; *beuverie* v
drinklied *chanson* v *à boire*
drinkwater *eau* v *potable*
drinkyoghurt *yaourt* m *à boire*
drive SPORT *drive* m
drive-inwoning ≈ *habitation* v *avec garage au rez-de-chaussée*
droef *triste; affligé*
droefenis *affliction* v
droefgeestig I BNW *mélancolique; morose* II BIJW *avec mélancolie; mélancoliquement*
droesem *dépôt* m; ‹v. wijn of bier› *lie* v; ‹v. koffie› *marc* m
droevig I BNW • verdrietig *triste; malheureux* [v: *malheureuse*]; *affligé; misérable* • bedroevend *déplorable; navrant* II BIJW *tristement*
drogen I OV WW droog maken *sécher; essuyer* II ON WW droog worden *sécher* ⋆ te ~ hangen *mettre/faire sécher; mettre à sécher*
drogeren I OV WW *doper* II WKD WW *se doper*
drogist • *marchand* m *de couleurs* • verkoper *droguiste* m/v • winkel *droguerie* v
drogisterij *droguerie* v
drogreden *sophisme* m
drol *crotte* v
drom *foule* v; *multitude* v; *masse* v ⋆ in drommen *en rangs serrés*
dromedaris *dromadaire* m
dromen I OV WW droom hebben *rêver* ⋆ wat heb je vannacht gedroomd? *qu'as-tu rêvé cette nuit?* ▾ een tekst kunnen ~ *connaître un texte par cœur* ▾ wie had dat kunnen ~? *qui aurait pu imaginer cela?* ▾ dat had hij nooit kunnen ~ *il ne s'en serait jamais douté* II ON WW • droom hebben *rêver* ⋆ ik heb van hem gedroomd *j'ai rêvé de lui* ⋆ ik heb akelig gedroomd *j'ai fait un mauvais rêve* • mijmeren *rêver; être dans la lune*
dromenland *pays* m *des songes*
dromer *rêvasseur* m [v: *rêvasseuse*]; *rêveur* m [v: *rêveuse*]
dromerig I BNW • mijmerend *rêveur* [v: *rêveuse*]; *pensif* [v: *pensive*] • onwerkelijk *de rêve* II BIJW • als in een droom *comme dans un rêve* • mijmerend *rêveusement; pensivement*
drommel ⋆ een arme ~ *un pauvre diable/bougre*
drommels I BNW *sacré; du diable* ⋆ die ~e Philippe *ce sacré Philippe* II BIJW *vachement; diablement*
drommen *arriver en foule; se précipiter*
dronk ⋆ een ~ uitbrengen op iemands gezondheid *porter un toast à la santé de qn; boire à la santé de qn*
dronkaard *ivrogne* m/v; *buveur* m [v:

buveuse]; INF. *poivrot* m; *pochard* m
dronkelap *poivrot* m
dronken *ivre*; *soûl*; INF. *bourré* ★ ~ worden *s'enivrer*; *se soûler*
dronkenschap ‹toestand› *ivresse* v; ‹gewoonte› *ivrognerie* v
droog • niet nat *sec* [v: *sèche*]; ‹grond› *aride* ★ ~ zitten *être à/au sec*; *être à l'abri de la pluie* ★ het is ~ *il ne pleut plus* ★ ~ bewaren! *craint l'humidité!* • niet zoet *sec* • saai *assommant*; *ennuyeux* [v: *ennuyeuse*] ★ ~ onderwerp *sujet ennuyeux* m ▾ ~ element *pile* v *sèche* ▾ die koe staat ~ *cette vache est sèche*
droogbloem *fleur* v *séchée*
droogdoek *torchon* m
droogdok *cale* v *sèche*; *bassin* m *de radoub*
droogje ▾ men liet ons op een ~ zitten *on ne nous a rien offert à boire*
droogkap *casque* m *sèche-cheveux* [m mv: *casques ...*]
droogkloot ≈ *emmerdeur* m
droogkomiek *pince-sans-rire* m [onv]
droogkuisen Z-N *nettoyer à sec*
droogleggen • droogmaken *mettre à sec*; ‹een moeras› *assécher*; ‹met buizen› *drainer* • alcoholverkoop verbieden *mettre au régime sec*
drooglijn *corde* v *à linge*; *étendoir* m
droogmaken *sécher*; *essuyer*
droogmolen *séchoir* m *en forme de parapluie*
droogpruim *raseur* m
droogrek *séchoir* m *à linge*
droogshampoo *shampooing* m *sec*
droogstaan • zonder water zijn *être à sec* ★ de greppel staat droog *le fossé est à sec* • geen alcohol meer drinken ★ ik sta droog *je suis à sec*
droogstoppel *personne* v *fastidieuse*
droogte • het droog zijn *sécheresse* v; ‹v. grond/klimaat› *aridité* v • periode *sécheresse* v
droogtrommel *séchoir* m
droogvallen *émerger*; *se découvrir*
droogzwemmen FIG. *faire son apprentissage*; *se faire la main*
droogzwierder Z-N *essoreuse* v
droom *rêve* m ★ een ~ hebben *faire un rêve* ★ uit de ~ ontwaken *revenir à la réalité* ▾ iemand uit de ~ helpen *détromper qn*
droombeeld • voorstelling uit een droom *vision* v • hersenschim *illusion* v; *rêve* m
droomreis *voyage* m *de rêve*
droomwereld *royaume* m *du rêve*
drop • snoep *réglisse* m • druppel *goutte* v
dropje *pastille* v *de réglisse*
drop-out *marginal* m [v: *marginale*]
droppen • neerlaten *parachuter* • afzetten *déposer*
dropping • het uitwerpen *parachutage* m • spel *droppage* m
dropshot *amorti* m
dropwater *jus* m *de réglisse*
drug *stupéfiant* m; *drogue* v ★ hard drugs *drogues dures* ★ soft drugs *drogues douces* v ★ drugs gebruiken *se droguer*
druggebruiker *drogué* m [v: *droguée*]
drugsbaron *baron* m *de la drogue*
drugsdealer *dealer* m; *revendeur* m *de drogue(s)*
drugskartel *cartel* m *de drogues*
drugsscene *milieu* m *de la drogue/came*
drugsverslaafde *toxicomane* m/v
druïde *druide* m [v: *druidesse*]
druif *raisin* m ★ blauwe ~ *raisin noir* m
druilen *faire gris*; *crachiner*
druilerig • regenachtig ★ ~ weer *temps maussade/gris/pourri* m • lusteloos INF. *mollasse*; *avachi*
druiloor *lambin* m [v: *lambine*]
druipen • druppelen *tomber goutte à goutte*; *dégoutter* ★ het zweet druipt van zijn gezicht *son front est ruisselant de sueur* ★ de kaars druipt *la bougie coule* • nat zijn *être trempé* ★ zijn kleren ~ *ses habits ruissellent*
druiper *chaude-pisse* v [mv: *chaude-pisses*]
druipnat *trempé jusqu'aux os*; *ruisselant*; *dégouttant*
druipneus *nez* m *qui coule*
druipsteen ‹hangend› *stalactite* v; ‹staand› *stalagmite* v
druivensap *jus* m *de raisin*
druivensuiker *glucose* m; *dextrose* m
druiventros *grappe* v *(de raisin)*
druk I ZN • het duwen *pression* v • drukkende kracht *pression* v • aandrang *pression* v • het boekdrukken *impression* v; ‹v. boeken› *édition* v • oplage *tirage* m II BNW • met veel werk *occupé*; *affairé* ★ het druk hebben *être occupé*; *être affairé* ★ het te druk hebben *être débordé* • levendig ‹v. kinderen› *turbulent*; *agité*; *remuant*; ‹luidruchtig› *bruyant* ★ het is mij hier te druk *c'est trop bruyant ici* ★ hij is erg druk *il ne tient pas en place* • goed bezocht *animé*; ‹v. straat› *animé*; *fréquenté* ★ een drukke winkel *une boutique où il vient beaucoup de clients* ★ drukke uren *heures d'affluence*; *heures de pointe* v mv ★ het is er druk *il y vient beaucoup de monde* ★ druk verkeer *circulation intense* • opgewonden *excité* ★ zich niet druk maken *ne pas s'en faire*; *se la couler douce* ★ zich druk maken over *se faire du souci pour*; *se faire du mauvais sang à cause de* ▾ het druk hebben over *parler avec animation de* III BIJW • intensief *très intensément* ★ druk bezig zijn met iets *être très occupé à faire qc* • luidruchtig *bruyamment*
drukdoenerij ≈ *fait* m *de se donner des airs importants*
drukfout *faute* v *d'impression*; *coquille* v
drukinkt *encre* v *d'imprimerie*; ‹voor steendruk› *encre* v *lithographique*
drukken I OV WW • duwen *presser*; *pousser*; *serrer* ★ iem. iets in de hand ~ *glisser qc dans la main de qn* ★ iem. de hand ~ *serrer la main à qn* ★ iem. aan het hart ~ *presser qn sur son cœur* ★ zich dicht ~ tegen *se serrer contre* • afdrukken *imprimer* • verlagen *presser*; *enfoncer* II ON WW • kracht uitoefenen *peser*; *appuyer* ★ op iets ~ *appuyer sur qc* ★ tegen iets ~ *(s')appuyer contre qc* • als iets zwaars liggen op *faire*

D

pression sur ★ de koersen ~ *peser sur les cours* • poepen *faire caca* III WKD WW *tirer au flanc*
drukkend • bezwarend *écrasant*; ‹v. belasting› *lourd* • benauwd *lourd*; *accablant* ★ ~e warmte *chaleur étouffante* ▾ ★ ~ weer *un temps lourd*
drukker *imprimeur* m
drukkerij *imprimerie* v
drukknoop *bouton-pression* m [mv: *boutons-pression*]
drukkunst *imprimerie* v; *typographie* v
drukletter *caractère* m *d'imprimerie* ★ in ~s schrijven *écrire en caractères d'imprimerie*
drukmiddel *moyen* m *de pression*
drukpers *presse* v ▾ vrijheid van ~ *liberté* v *de la presse*
drukproef *épreuve* v
drukte • veel werk *occupations* v mv • leven, bedrijvigheid *agitation* v; *animation* v; *remue-ménage* m [onv] • ophef *chichis* m mv ★ ~ veroorzaken *donner de l'embarras* ★ wat een ~ *voilà bien des histoires* ★ veel ~ over iets maken *faire toute une affaire de qc.* ★ ~ maken om niets *faire des chichis*; *faire des histoires pour rien* • veel mensen ★ grote ~ *encombrement* m
druktechniek *technique* v *d'imprimerie*; *procédé* m *d'impression*
druktemaker *tapageur* m [v: *tapageuse*]; *faiseur* m *d'embarras* [v: *faiseuse ...*]
druktoets *touche* v ★ ~telefoon *poste* m *à clavier*
drukverband *bandage* m *compressif*
drukwerk *imprimés* m mv [mv]; ‹één stuk› *imprimé* m
drum • instrument *batterie* v • vat *fût* m
drumband *fanfare* v
drummen *jouer de la batterie*
drummer *batteur* m
drumstel *batterie* v
drumstick *pilon* m; *partie* v *d'une cuisse (de poulet)*
drup *goutte* v
druppel *goutte* v
druppelen I OV WW in druppels laten vallen *verser goutte à goutte* II ON WW druipen *couler*|*tomber goutte à goutte*; *dégoutter* III ONP WW ★ het druppelt *il tombe quelques gouttes*
druppelflesje *compte-gouttes* m [onv]
druppelsgewijs *goutte à goutte*
druppen • druppelen *dégoutter* • lekken *goutter*
dry ‹v. wijn enz.› *sec*; *(champagne) brut*
dtp'en *faire de la publication assistée par ordinateur*
dtp'er *qn qui fait de la publication assistée par ordinateur*
D-trein *train* m *international à supplément*
duaal *dual* [m mv: *duals*] ★ ~ werken *travailler en alternance*
dualistisch *dualiste*
duatlon *sport* m *combinant la course à pied, le cyclisme et encore la course à pied sans pause*
dubbel I ZN (het) SPORT *double* m II BNW • *double* ★ ~e ramen *fenêtres* v mv *à double paroi* • tweemaal ★ de ~e punt *les deux-points* III BIJW *doublement*; *deux fois*; *double*; *en double* ★ ~ betalen *payer le double du prix*; *payer deux fois plus* ★ ~ hebben *avoir en double* ▾ ~ parkeren *stationner en double file*
dubbel-cd *deux disques* m mv *compacts en album*
dubbeldekker • bus *autobus* m *à étage* • trein *train* m *à étage* • vliegtuig *biplan* m
dubbeldeks ★ een ~ schip *un navire à deux ponts*
dubbelganger *sosie* m; *double* m
dubbelhartig *hypocrite*; *faux* [v: *fausse*]; *jésuite*
dubbelleven *double vie* v
dubbelop *en double*
dubbelparkeerder ≈ *automobiliste* m/v *garé en double file*
dubbelrol *double* m *rôle* ★ een ~ spelen *jouer deux rôles*
dubbelspel *double* m ★ gemengd ~ *double mixte*
dubbelspion *agent* m *double*
dubbelspoor *double* v *voie*
dubbelster *étoile* v *double*
dubbeltje ≈ *pièce* v *néerlandaise de dix cents*
dubbelvouwen *plier en deux*
dubbelzijdig I BNW *bilatéral* [m mv: *bilatéraux*] II BIJW *de part et d'autre*
dubbelzinnig *ambigu* [v: *ambiguë*]; *équivoque*; *à double sens*
dubbelzout *sel* m *double*
dubben *hésiter*
dubieus *douteux* [v: *douteuse*]; *incertain* ★ een ~ geval *un cas douteux* ★ dubieuze vordering *créance douteuse* v
dubio ★ in ~ staan *hésiter*; *être indécis*
duchten *craindre*; *redouter*; *appréhender*
duchtig I BNW *grand*; *fort* II BIJW *vertement*
duel • tweegevecht *duel* m • (wed)strijd *rencontre* v; *match* m
duelleren *se battre en duel*
duet *duo* m ★ een duet zingen *chanter en duo*
duf • muf *moisi*; *qui sent le moisi* ★ duffe smaak *goût de moisi* m • saai *terne*; *fade*
dug-out *banc* m/*abri* m *de touche*
duidelijk I BNW *clair*; *explicite*; *évident* ★ ~ maken *expliquer*; *expliciter* ★ ~er worden *s'accentuer* ★ ~ te verstaan geven *préciser* II BIJW *clairement*; *distinctement*; *nettement*
duidelijkheid • waarneembaarheid *clarté* v • begrijpelijkheid *clarté* v; *netteté* v
duiden I OV WW verklaren *expliquer* II ON WW wijzen *montrer*; *signaler*; *indiquer* ★ ~ op *indiquer*; *suggérer* ★ erop ~ dat *faire présumer*
duif *pigeon* m; *colombe* v ▾ onder iemands duiven schieten *aller sur les brisées de qn*
duig *douve* v ▾ in duigen vallen *s'effondrer*; *échouer*
duik • duikvlucht *piqué* m • het duiken *plongeon* m
duikboot *sous-marin* m [mv: *sous-marins*]
duikbril *lunettes* v mv *de plongée*
duikelaar *acrobate* m/v [v: *singulière*]; *bilboquet* m
duikelen • buitelen *faire la culbute* • vallen

dégringoler
duiken I ZN *plongée* v ★ het ~ gaat je nog niet al te goed af *tu ne sais pas encore très bien plonger* II ON WW • duik maken *plonger* • duiksport beoefenen *faire de la plongée* • wegkruipen *se baisser*; *se courber* • zich verdiepen in *se plonger*
duiker • persoon *plongeur* m [v: *plongeuse*]; ‹in duikerpak› *scaphandrier* m • watergang *ponceau* m [mv: *ponceaux*]
duikersziekte *maladie* v *des caissons*
duikklok *cloche* v *à plongeur*
duikplank *plongeoir* m
duiksport *plongée* v *sous-marine*
duikuitrusting *équipement* m *de plongeur*
duikvlucht *descente* v *en piqué* ★ in ~ *en piqué*
duim • vinger *pouce* m • lengtemaat *pouce* m ▾ duimen draaien *se tourner les pouces* ▾ onder de duim houden *tenir en bride* ▾ op zijn duimpje kennen *savoir/connaître sur le bout du doigt* ▾ uit zijn duim zuigen *inventer de toutes pièces* ▾ Klein Duimpje *Petit Poucet* m
duimbreed ★ geen ~ wijken *ne pas céder d'un pouce*; *camper sur ses positions*
duimdik *de l'épaisseur d'un pouce*
duimen • geluk afdwingen *croiser les doigts*; *penser (à)* • duimzuigen *sucer son pouce*
duimendik ▾ dat ligt er ~ bovenop *ça crève les yeux*; *c'est cousu de fil blanc*
duimendraaien *se tourner les pouces*
duimschroef ▾ iemand de duimschroeven aandraaien *mettre qn sur la sellette*
duimstok *mètre* m *pliant*
duimzuigen • duimen *sucer son pouce* • fantaseren *inventer de toutes pièces*
duin I ZN (de) *dune* v II ZN (het) streek *dunes* v mv
duindoorn *argousier* m
Duinkerken *Dunkerque*
duinlandschap *paysage* m *de dunes*
duinpan *cuvette* v *dans les dunes*
duister I ZN *obscurité* v ▾ in het ~ tasten *nager en plein mystère* II BNW • donker *obscur*; *sombre*; *ténébreux* [v: *ténébreuse*]; *noir* • onduidelijk *obscur* • onguur *louche*; *douteux* [v: *douteuse*] III BIJW *obscurément*
duisternis *obscurité* v mv; *nuit* v; *ténèbres* v mv
duit • munt *liard* m • geld *sou* m ★ duiten *de la galette* ▾ een duit in het zakje doen *placer son mot*
duitendief *grippe-sou* m [mv: *grippe-sou(s)*]
Duits I ZN *allemand* m II BNW *allemand*
Duitser *Allemand* m [v: *Allemande*]
Duitsland *l'Allemagne* v ★ in ~ *en Allemagne*
Duitstalig *germanophone*
duivel *diable* m; *démon* m; *Satan* ▾ des ~s zijn *être enragé* ▾ om de ~ niet *jamais de la vie* ▾ de ~ in persoon *le diable en personne* ▾ als men van de ~ spreekt, trapt men op zijn staart *quand on parle du loup, on en voit la queue*
duivelin *diablesse* v
duivels • als van een duivel *diabolique*; *démoniaque*; *infernal* [m mv: *infernaux*]; *satanique* • woedend *furieux* [v: *furieuse*]; *enragé* ★ iem. ~ maken *faire enrager qn*
duivelskunstenaar • tovenaar *magicien* m [v: *magicienne*]; *sorcier* m [v: *sorcière*] • erg handig mens *magicien* m [v: *magicienne*]
duivenmelker *colombophile* m/v
duiventil *pigeonnier* m
duizelen *avoir le vertige* ★ het duizelt me *j'ai la tête qui tourne* ★ doen ~ *donner le vertige*
duizelig *pris de vertige* ★ ik word ~ *j'ai la tête qui tourne* ★ gauw ~ worden *avoir des étourdissements* ★ je maakt me ~ *tu me donnes le tournis*
duizelingwekkend *vertigineux* [v: *vertigineuse*]
duizend I ZN *millier* m ★ enige ~en soldaten *quelques milliers de soldats* II TELW *mille*; ‹in jaartallen› *mil* ★ het jaar ~ *l'an mille* ★ drie~ *trois mille* ▾ ~-en-een-nacht *les Mille et Une Nuits*
duizendje *billet* m *de mille (florins)*
duizendkunstenaar *homme-orchestre* m [mv: *hommes-orchestres*]
duizendmaal *mille fois*
duizendpoot • dier *mille-pattes* m [onv]; *scolopendre* v • iemand die alles kan *homme-orchestre* m [mv: *hommes-orchestre*]
duizendschoon *œillet* m *de poète*
duizendste I BNW *millième* II TELW *millième*
duizendtal *millier* m
dukaat *ducat* m
dukdalf *duc-d'Albe* m [mv: *ducs-d'Albe*]
dulden • verdragen *supporter* • toelaten *tolérer*; *endurer*; *supporter*
dummy • demonstratiemodel *maquette* v • blinde in kaartspel *mort* m
dump • winkel *magasin* m *de surplus* • opslagplaats *dépôt* m
dumpen • verkopen *faire du dumping* • storten *décharger* • in de steek laten *laisser tomber*
dumping *vente* v *à perte*
dumpprijs *prix-choc* m ★ goederen tegen dumpprijzen verkopen *vendre des produits à prix-chocs*
dun • niet dik *fin*; *maigre*; *mince* ★ dunne benen *jambes* v mv *grêles* • niet dicht opeen *clairsemé* ★ mijn haar is dun *j'ai les cheveux fins* • zeer vloeibaar *liquide*; *clair*
dunbevolkt *à faible densité démographique*
dundruk *impression* v *sur papier bible*; *édition* v *en papier bible*
dunk *opinion* v ★ een hoge dunk hebben van *avoir une haute opinion de*
dunken *penser*; *sembler* ★ mij dunkt dat *il me semble que*
dunnetjes *en couche mince*
duo I ZN (de) *tansad* II ZN (het) • twee personen *couple* m • duet *duo* m
duobaan ≈ *poste* m *de travail occupé par deux travailleurs à temps partiel*
duopassagier *passager* m *d'un tansad* [v: *passagère ...*]
dupe *dupe* m
duperen *duper*
duplicaat *double* m; *duplicata* m [onv]
dupliceren *répondre à une réplique*
duplo ★ in ~ *en double* ★ in ~ opgemaakt

dressé en double
duren • voortgaan *continuer; se prolonger* ★ het duurt lang voor hij komt *il tarde à venir; il est lent à venir* • tijd in beslag nemen *durer* ★ hoe lang duurt het? *combien de temps cela prendra-t-il?* ★ het duurde een week voor ik vertrok *j'ai mis une semaine à partir*

D

durf *courage* m; *audace* v
durfal *risque-tout* m [onv]
durven *oser* ▾ jij durft! *tu n'as pas froid aux yeux*
dus I BIJW *ainsi; de cette manière* II VW *donc; alors; par conséquent*
dusdanig I BIJW *de telle sorte que; si bien que* II AANW VNW *tel* [v: *telle*]; *pareil* [v: *pareille*]
duster *peignoir* m; *robe* v *de chambre*
dusver ★ tot ~ *jusqu'ici; jusque-là*
dutje ★ een ~ doen *faire un (petit) somme*
dutten *faire un somme; faire la sieste; sommeiller*
duty free shop *boutique* v *hors taxes*
duur I ZN tijdsruimte *durée* v II BNW • niet goedkoop *cher* [v: *chère*]; *coûteux* [v: *coûteuse*] ★ hoe duur is dat *ça vaut combien?* ★ het is hier duur *la vie est chère ici* ★ duurder worden *augmenter* • gewichtig *ostentatoire* ★ een dure eed *un serment solennel* ★ een dure plicht *un devoir sacré* III BIJW *cher;* FIG. *chèrement* ★ duur te staan komen *coûter cher* ★ zijn leven duur verkopen *vendre chèrement sa vie* ★ zijn waren duur verkopen *vendre cher ses marchandises*
duurloop *course* v *d'endurance*
duursport *sport* m *d'endurance*
duurte *cherté* v
duurzaam I BNW • lang goed blijvend *stable; durable* • lang durend *prolongé; permanent* II BIJW *longtemps*
duw *coup* m; *poussée* v; *choc* m; *heurt* m ★ iem. een duw geven *bousculer qn* ★ iem. een duwtje geven FIG. *donner un coup de pouce*
duwen *pousser* ★ in elkaar ~ *écraser; enfoncer* ★ opzij ~ *écarter; pousser de côté* ★ iem. ~ *bousculer qn*
dvd-speler *lecteur* m *de DVD*
dwaalleer *hérésie* v
dwaallicht *feu* m *follet*
dwaalspoor *fausse piste* v ★ op een ~ raken *se retrouver sur une fausse piste* ▾ iemand op een ~ brengen *induire qn en erreur; dérouter qn*
dwaas I ZN *fou* m [v: *folle*]; *idiot* m [v: *idiote*] II BNW *fou* [v: *folle*] [onr: *fol*]; *idiot;* ‹v. handeling› *bizarre; idiot* III BIJW *sottement; follement*
dwaasheid *idiotie* v; *stupidité* v; *bêtise* v; *folie* v
dwalen • dolen *errer; traîner; marcher au hasard; rôder* • zich vergissen *se tromper*
dwaling *erreur* v; FIG. *égarement* m
dwang *pression* v; *contrainte* v ★ ~ uitoefenen *exercer des pressions*
dwangarbeid *travaux* m mv *forcés*
dwangbevel *contrainte* v; *sommation* v
dwangbuis *camisole* v *de force*
dwangmatig *compulsif* [v: *compulsive*]
dwangneurose *névrose* v *obsessionnelle*
dwangsom *astreinte* v
dwangvoorstelling *obsession* v
dwarrelen *voltiger*
dwars I BNW • haaks op *transversal* [m mv: *transversaux*] • scheef *oblique* • onwillig *récalcitrant; bourru* II BIJW scheef *de travers; de biais* ★ ~ door *à travers; au travers de* ▾ iemand ~ zitten *embêter qn*
dwarsbomen *contrecarrer; contrarier; se mettre en travers de (quelque chose)*
dwarsdoorsnede *coupe* v *transversale*
dwarsfluit *flûte* v *traversière*
dwarskop *forte* v *tête*
dwarslaesie *interruption* v *médullaire*
dwarsliggen *se mettre en travers de*
dwarsligger • biels *traverse* v • dwarsdrijver *forte tête* v
dwarsligging MED. *position* v *transversale*
dwarsstraat *rue* v *transversale*
dwarsverband • SCHEEPV. *liaison* v *transversale* • onverwachte verbinding *lien* m
dwarszitten • tegenwerken *contrarier* • hinderen *gêner*
dweepziek *fanatique; exalté*
dweil • lap *serpillière* v • slons *chiffe* v *molle; loque* v
dweilen *passer la serpillière*
dwepen • overdreven bewonderen *adorer; se passionner (pour)* • weglopen met iets *s'engouer (de)*
dwerg *nain* m [v: *naine*]
dwergachtig *nain; lilliputien* [v: *lilliputienne*]
dwergvolk *peuple* m *nain*
dwingeland *tyran* m; *despote* m
dwingelandij *despotisme* m; *tyrannie* v
dwingen *forcer (à); obliger (à); contraindre (à); nécessiter*
dynamica *dynamique* v
dynamiek • MUZ. *dynamique* v • vaart *dynamique* v
dynamiet *dynamite* v
dynamisch *dynamique*
dynamo *dynamo* v
dynastie *dynastie* v
dysenterie *dysenterie* v
dyslectisch *dyslexique*
dyslexie *dyslexie* v
dystrofie *dystrophie* v

E

e • letter *e* m • muzieknoot *mi* m
eau de cologne *eau* v *de Cologne*
eb • laag tij *marée* v *basse* ⋆ eb en vloed *flux et reflux* m ⋆ bij eb *à marée basse* • afnemend tij *reflux* m
ebbenhout *ébène* v; *bois* m *d'ébène*
eb-en-vloedenergie *énergie* v *marémotrice*
e.c.g. → **elektrocardiogram**
echec *échec* m ⋆ ~ lijden *subir un échec; essuyer un échec*
echelon *échelon* m ⋆ het hoogste ~ *l'échelon le plus élevé*
echo *écho* m
echoën *faire écho*
echolood *sondeur* m *à ultrasons*
echoscopie *échografie* v
echt I ZN *mariage* m II BNW • onvervalst *véritable; vrai;* ‹authentiek› *authentique* ⋆ echt goud *or* m *pur* ⋆ echte kleur *couleur* v *authentique* ⋆ een echte pionier *un vrai pionnier* • wettig *légitime* III BIJW *vraiment* ⋆ nu gaat hij echt weg *maintenant il part pour de bon* ⋆ echt? *c'est vrai?*; INF. *sans blague?*
echtbreuk *adultère* m
echtelijk *conjugal* [m mv: *conjugaux*]
echter *cependant; pourtant; toutefois* ⋆ ik veronderstel ~ dat *je suppose toutefois|cependant que*
echtgenoot *époux* m [v: *épouse*]; *conjoint* m [v: *conjointe*]; *mari* m [v: *femme*]
echtheid *authenticité* v
echtpaar *couple* m; *conjoints* m mv
echtscheiding *divorce* m
eclatant I BNW schitterend *éclatant* II BIJW schitterend *avec éclat*
eclips *éclipse* v
ecologie *écologie* v
ecologisch *écologique*
e-commerce *é-commerce* m
econometrie *économétrie* v
economie *économie* v ⋆ geleide ~ *économie dirigée* v; *dirigisme* m ⋆ vrije markt ~ *économie de marché* v
economisch *économique*
econoom *économiste* m/v
ecosysteem *écosystème* m
ecotaks *écotaxe* v
ecstasy *(droque* v *causant l')extase|(le) ravissement*
ecu *écu* m
Ecuador *l'Equateur* m ⋆ in ~ *en Equateur*
eczeem *eczéma* m
e.d. en dergelijke *etc.; et d'autres du même acabit*
ede → **eed**
edel I BNW • adellijk *noble* • zeer goed *noble; généreux* [v: *généreuse*]; ‹metalen› *précieux* [v: *précieuse*] ▾ edele delen *parties* v mv*nobles* II BIJW *noblement*
edelachtbaar ‹rechter› *Monsieur le Juge; Monsieur*
edele *noble* m
edelhert *cerf* m
edelman *gentilhomme* m [mv: *gentilshommes*]
edelmetaal *métal* m *précieux* [m mv: *métaux précieux*]
edelmoedig I BNW *magnanime; généreux* [v: *généreuse*] II BIJW *magnanimement; généreusement*
edelmoedigheid *magnanimité* v; *générosité* v
edelsmid *orfèvre* m
edelsteen *pierre* v *précieuse*
editen *rédiger*; COMPUTER *éditer*
editie *édition* v
editor *rédacteur* m
EDP electronic data processing *informatique* v
educatie *éducation* v; *formation* v
educatief I BNW *éducatif* [v: *éducative*] II BIJW *dans un but éducatif*
eed *serment* m ⋆ eed van trouw *serment de fidélité* ⋆ een eed afleggen *prêter serment* ⋆ iem. een eed afnemen *faire prêter serment à qn* ⋆ zijn eed breken *ne pas tenir un serment* ⋆ onder ede *sous serment* ⋆ onder ede staan *témoigner sous serment*
EEG *CEE* v; *Communauté* v *économique européenne*
e.e.g. → **elektro-encefalogram**
eega *conjoint* m [v: *conjointe*]; *époux* m [v: *épouse*]
eekhoorn *écureuil* m
eekhoorntjesbrood *cèpe* m
eelt *cal* m; *cals* m mv ▾ eelt op zijn ziel hebben *être blindé*
een I ZN *un* m ⋆ drie enen *trois un* II ONB VNW ▾ dat is een *et d'un!* III TELW *un* [v: *une*] ⋆ een voor een *un à un* ⋆ een mei *le premier mai* ⋆ Willem I *Guillaume Ier (uitspraak: premier)* ⋆ een of twee boeken *un livre ou deux* ▾ een en dezelfde persoon *une seule et même personne* ▾ een blijven *rester unis* ▾ een zijn met *faire corps avec* ▾ mijn ene broer *un de mes frères* IV LW *un* [v: *une*]
eenakter *pièce* v *en un acte*
eend • watervogel *canard* m; ‹wijfje› *cane* v; ‹jonge eend› *caneton* m • auto *deux-chevaux* v • domoor *bête* v
eendagsvlieg • insect *éphémère* m • iets tijdelijks *quelque chose* m *d'éphémère*
eendekroos *lentille* v *d'eau*
eendelig *en une pièce; d'une pièce;* ‹boek› *en un volume*
eendenkooi *canardière* v
eender I BNW *pareil* [v: *pareille*] ⋆ dat is net ~ *c'est tout à fait la même chose* II BIJW *pareillement*
eendracht *concorde* v; *harmonie* v; *union* v ▾ ~ maakt macht *l'union fait la force*
eendrachtig I BNW *unanime; uni* II BIJW *unanimement*
eenduidig *univoque*
eeneiig *univitellin*
eenentwintigen ≈ *faire une partie de vingt-et-un*
eengezinswoning *maison* v *individuelle; pavillon* m
eenhedenstelsel *système* m *des unités*
eenheid • geheel *unité* v; ‹ideeën/gedachten› *suite* v; *continuité* v ⋆ de ~ herstellen *rétablir*

l'unité • maat, grootheid *unité* v
eenheidsprijs • gelijke prijs *prix* m *unique* [onv] • prijs per artikel *prix* m *à l'unité*
eenheidsworst *grisaille* v
eenhoorn *licorne* v
eenieder *chacun*
eenjarig *d'un an*; PLANTK. *annuel* [v: *annuelle*]
eenkennig *farouche*; *sauvage*
eenling • eenzelvig persoon *solitaire* m • enkeling *individu* m
eenmaal • één keer *une (seule) fois* • ooit *un jour* ★ als hij ~ geslaagd is *une fois qu'il aura réussi* • daaraan is niets te veranderen ★ dat is nu ~ zo *le fait est là* ★ omdat er nu ~ examens bestaan *puisque examens il y a* ▾ ~, andermaal, voor de derde maal, verkocht! *une fois, deux fois, trois fois, adjugé!* ▾ het is nu ~ niet anders *c'est comme ça, que voulez-vous*
eenmalig I BNW *unique* II BIJW *en une seule fois*
eenmanszaak *entreprise* v *unipersonnelle*
eenoudergezin *famille* v *monoparentale*
eenpansmaaltijd *repas* m *à plat unique*
eenparig I BNW • gelijkmatig *uniforme*; *égal* [m mv: *égaux*] ★ ~e beweging *mouvement uniforme* m • eenstemmig *unanime*; *d'un commun accord* II BIJW • gelijkmatig *uniformément* ★ een ~ versnelde beweging *un mouvement uniformément accéléré* • eenstemmig *unanimement*
eenpersoons *pour une personne* ★ ~ bed *lit à une place* m ★ ~ kamer *chambre* v *individuelle*
eenpersoonsbed *lit* m *à une place*
eenrichtingsverkeer *sens* m *unique* ★ straat met ~ *rue à sens unique* v
eens I BNW akkoord *d'accord* ★ het eens zijn *être d'accord* ★ het eens worden *tomber d'accord* ★ het met iem. eens zijn *être de l'avis de qn* ★ het eens worden over de prijs *convenir du prix* ★ daar ben ik het (niet) mee eens *je (ne) suis (pas) d'accord*; ‹voorstel› *ça (ne) me va (pas)* II BIJW • als versterking ★ voor eens en altijd *une fois pour toutes* ★ luister eens *écoutez un peu* ★ kijk maar eens *regarde plutôt* • één keer *une (seule) fois* ★ dat is eens, maar nooit weer *c'est la première et la dernière fois* • ooit *un jour* ▾ wel eens ‹in vraag› *jamais*; ‹in bevestiging› *quelquefois* ▾ nu eens ... dan weer *tantôt ... tantôt* ▾ niet eens *même pas*
eensgezind I BNW *unanime* ★ ~ zijn *être unanime* II BIJW • *unanimement*; *d'un commun accord* ★ ~ handelen *agir de concert*
eensklaps *tout à coup*; *soudain*; *subitement*
eenslachtig *unisexué*
eensluidend *conforme*
eenstemmig I BNW • MUZ. *à une voix* • unaniem *unanime* II BIJW *unanimement*; *d'une seule voix* ★ zij verklaren ~ dat *ils déclarent d'un commun accord que*
eentalig *monolingue*
eentje *un* [v: *une*] ▾ in zijn ~ *tout seul*
eentonig I BNW *monotone* II BIJW *avec monotonie*; *d'une voix monotone*
een-tweetje SPORT *une-deux* m [onv]
eenverdiener ‹dans une famille› *salarié* m *unique*
eenvormig *uniforme*
eenvoud *simplicité* v
eenvoudig I BNW *simple* ★ ~e maaltijd *repas frugal* m II BIJW *simplement*
eenvoudigweg *tout bonnement*; *simplement*
eenwording *unification* v; *union* v ★ Europese ~ *union européenne* v
eenzaam • alleen *seul*; *solitaire* • stil, afgelegen *isolé*; *désert* ★ ~ en verlaten ‹plaats› *désolé*
eenzaamheid *solitude* v; *isolement* m
eenzelvig *solitaire*; *replié sur lui-même*
eenzijdig I BNW • van/aan één zijde *unilatéral* [m mv: *unilatéraux*]; ‹beperkt› *étroit*; *simpliste* • partijdig *partial* [m mv: *partiaux*] II BIJW • van/aan één zijde *unilatéralement* • partijdig *d'une manière partiale* • beperkt *de façon simpliste*
eer I ZN *honneur* m ★ hij ging met de eer strijken ≈ *c'est lui qui a récolté les lauriers* II VW ▾ eer dat *avant que*; *avant de*
EER Europese Economische Ruimte *EEE* m; *espace* m *économique européen*
eerbaar *respectable*; *honnête*
eerbetoon *honneur* m; *hommage* m
eerbewijs *honneurs* m mv
eerbied *respect* m; *considération* v; *déférence* v ★ gebrek aan ~ *irrévérence* v ★ met verschuldigde ~ *humblement* ★ uit ~ voor *par respect pour*; ‹formeel› *par déférence pour*
eerbiedig I BNW *respectueux* [v: *respectueuse*] II BIJW *respectueusement*
eerbiedigen *respecter*; REL. *vénérer*; *honorer*
eerbiedwaardig *respectable*
eerdaags *un de ces jours*; *prochainement*
eerder • vroeger *plus tôt* • liever *plutôt* • waarschijnlijker *plutôt*
eergevoel *sens* m *de l'honneur*; *dignité* v
eergisteren *avant-hier*
eerherstel *réhabilitation* v
eerlijk *honnête*; *loyal* [m mv: *loyaux*] ★ dat is niet ~ *ce n'est pas juste*
eerlijkheid *honnêteté* v; *loyauté* v
eerlijkheidshalve *par souci d'honnêteté*
eerloos I BNW *honteux* [v: *honteuse*]; *sans honneur* II BIJW *honteusement*; *avec honte*
eerst • vóór de rest *en premier*; ‹voor iets anders› *d'abord* • in het begin *au début*
eerste I ZN persoon *premier* m [v: *première*] ★ zij is de ~ geweest die gezongen heeft *elle a été la première à chanter* II TELW *premier* [v: *première*] ★ ten ~ *premièrement*; *tout d'abord* ▾ de ~ de beste *le premier venu* → **achtste**
eerstegraads ★ ~ verbranding *brûlure* v *au premier degré* ★ ~ lesbevoegdheid *CAPES* m
eerstehulpdienst *service* m *des urgences*
eerstejaars I ZN *étudiant* m *de première année* II BNW *de première année*
eersteklas *de premier ordre* ★ een ~ kok *un fin cuisinier*
eerstelijns ★ ~ gezondheidszorg ≈ *services* m mv *de santé à libre accès*
eersterangs *de (tout) premier ordre* ★ ~ hotel

hôtel de première catégorie m
eerstkomend *prochain*
eervol *honorable*
eerwaard *révérend* ▾ ~e vader *mon père; révérend père*
eerwaarde *mon père* m; *révérend père* m [v: *révérende mère*]
eerzaam *honnête; honorable; respectable*
eerzucht *ambition* v
eerzuchtig I BNW *ambitieux* [v: *ambitieuse*] II BIJW *ambitieusement*
eetbaar *mangeable; bon (à manger); comestible*
eetcafé *brasserie* v
eetgelegenheid *restaurant* m
eetgerei *couvert* m
eethoek *coin-repas* m [mv: *coins-repas*]
eethuis *restaurant* m; *bistrot* m
eetkamer *salle* v *à manger*
eetlepel *cuiller* v; *cuillère* v; ‹inhoudsmaat› *cuillerée* v ★ een ~ suiker *une cuillerée de sucre*
eetlust *appétit* m
eetstokje *baguette* v
eetstoornis *dérangement* m; *trouble* m *de l'appétit*
eettent *restaurant* m
eetzaal *salle* v *à manger*; ‹klooster, school› *réfectoire* m; ‹bedrijf, school› *cantine* v
eeuw • periode *siècle* m ★ 18e eeuw *XVIIIème siècle* • tijdperk *âge* m • lange tijd *siècle* m ★ ik heb je in geen eeuwen gezien *il y a des siècles/une éternité que je ne t'ai vu* ▾ de Gouden Eeuw *le siècle* m *d'or*
eeuwenoud *séculaire*
eeuwfeest *centenaire* m
eeuwig I BNW *éternel* [v: *éternelle*]; *perpétuel* [v: *perpétuelle*] ★ voor ~ *pour toujours; à jamais* II BIJW *éternellement; pour toujours*
eeuwigdurend *éternel* [v: *éternelle*]
eeuwigheid *éternité* v ★ in geen ~ *jamais de la vie*
eeuwigheidswaarde *valeur* v *éternelle*
eeuwwisseling *changement* m *de siècle* ★ rond de ~ *au tournant du siècle*
effect • uitwerking *effet* m; TECHN. *rendement* m ★ aardig ~ geven *faire bien; être d'un joli effet* ★ ~ sorteren *produire de l'effet* ★ dat heeft geen ~ gehad *cela n'a eu aucun effet* • ECON. *valeur* v *(mobilière); titre* m; *effet* m *de commerce* • SPORT *effet* m ★ een bal ~ geven *donner de l'effet à une balle*
effectbal *balle* v *travaillée*
effectenbeurs *bourse* v *des valeurs; marché* m *des valeurs*
effectenmakelaar *agent* m *de change*
effectenmarkt *marché* m *des titres/valeurs*
effectief I BNW • doeltreffend *effectif* [v: *effective*] • werkelijk *effectif* [v: *effective*]; *réel* [v: *réelle*] II BIJW *effectivement*
effen I BNW • vlak *égal* [m mv: *égaux*]; *uni* • eenkleurig *uni* • zonder uitdrukking *froid* ★ met een ~ gezicht *sans sourciller* II BIJW eventjes *un instant*
effenen *aplanir; égaliser; lisser*
efferent *efférent*
efficiënt *efficace*
eg *herse* v
EG *CE* v; *Communauté* v *européenne*
egaal • vlak *égal* [m mv: *égaux*] • eenkleurig *uni* ★ egale kleur *couleur unie* v
egaliseren *égaliser*
egalitair I BNW *égalitaire* II BIJW *d'une manière égalitaire*
egard *égard* m ★ iem. met ~s behandelen *traiter qn avec beaucoup d'égards*
Egeïsche Zee *mer* v *Egée*
egel *hérisson* m
eggen *herser*
ego *ego* m ★ iemands ego strelen *flatter qn* ▾ alter ego *alter ego* m
egocentrisch I BNW *égocentrique* II BIJW *d'une façon égocentrique*
egoïsme *égoïsme* m
egoïst *égoïste* m
egoïstisch *égoïste*
egotrip *satisfaction* v *d'amour propre; egotrip* m
egotrippen *être narcissique*
egotripper *égotiste* m/v
egyptologie *égyptologie* v
EHBO *secourisme* m; ‹in ziekenhuis› *service* m *des urgences*
ei • BIOL. *œuf* m ★ gebakken eieren *œufs sur le plat* ★ vers ei *œuf du jour* ★ rauw ei *œuf cru* ★ zachtgekookt ei *œuf à la coque* ★ hardgekookt ei *œuf dur* ★ gepocheerde eieren *œufs pochés* ★ eieren leggen *pondre (des œufs)* • doetje *cloche* v
EIB Europese InvesteringsBank *BEI* v; *Banque* v *européenne d'investissements*
eicel *ovule* m
eidereend *eider* m
eidooier *jaune* m *d'œuf*
eierdop • eierschaal *coquille* v • eierbekertje *coquetier* m
eierkoek *gâteau* m *aux œufs*
eierschaal *coquille* v *d'œuf*
eierstok *ovaire* m
eierwekker *minuteur* m
eigeel *jaune* m *d'œuf*
eigen • van iemand of iets *propre; à lui* ★ zij heeft een ~ kamer *elle a une chambre à elle* ★ een ~ huis hebben *être propriétaire d'une maison* ★ ~ voordeur *entrée indépendante* v • vertrouwd *familier* [v: *familière*] ★ zich ~ maken *se familiariser avec*; ‹kennis› *assimiler* • kenmerkend *propre (à)*
eigenaar *propriétaire* m/v
eigenaardig I BNW • kenmerkend *particulier* [v: *particulière*]; *caractéristique* • zonderling *curieux* [v: *curieuse*] II BIJW *d'une façon bizarre; d'une façon particulière*
eigenaardigheid • vreemde eigenschap *trait* m *curieux* • eigenheid *particularité* v; *singularité* v
eigenbelang *intérêt* m *(personnel)* ★ uit ~ *par intérêt*
eigendom *propriété* v ★ blijft ~ van de onderneming *reste acquis à l'entreprise* ★ in ~ hebben *avoir en propriété*
eigendomsrecht *droit* m *de propriété*
eigendunk *présomption* v [v: *première*];

E

suffisance v
eigengebakken *(fait) maison*
eigengemaakt *fait main*; ‹v. jam› *que l'on a fait soi-même*; ‹v. eten› *maison*
eigengereid *entêté*
eigenhandig *de sa propre main*; *autographe* ★ een ~ geschreven bedankje *une lettre de remerciement écrite de sa propre main*
eigenliefde *amour-propre* m
eigenlijk I BNW *véritable*; *proprement dit* ★ het ~e centrum *le centre proprement dit* ★ de ~e betekenis *le sens propre* ★ de ~e rede *la véritable raison* II BIJW *au fond*; *à vrai dire*

E

eigenmachtig I BNW *arbitraire* II BIJW *arbitrairement*; *de sa propre autorité*
eigennaam *nom* m *propre*
eigenrichting *action* v *de s'instituer son propre juge* ★ ~ plegen *se faire justice*
eigenschap ‹v. dingen› *propriété* v; ‹v. mensen› *trait* m *de caractère*; ‹positief› *qualité* v
eigentijds *contemporain*
eigenwaan *suffisance* v
eigenwaarde *amour-propre* m ★ gevoel van ~ *dignité* v; *respect de soi* m
eigenwijs I BNW • betweterig *suffisant*; ‹kind› *drôle*; *prétentieux* [v: *prétentieuse*]; *présomptueux* [v: *présomptueuse*] • koppig *têtu* II BIJW • betweterig *avec suffisance* • grappig *avec un petit air*
eigenzinnig I BNW *volontaire*; *entêté*; *obstiné* II BIJW *obstinément*
eik *chêne* m
eikel • vrucht *gland* m • deel van penis *gland* m • kluns *abruti* m
eiken *en (bois de) chêne*; *de chêne*
eikenhout *bois* m *de chêne*
eiland *île* v ★ ~je *îlot* m ★ op een ~ *dans une île*
eilandengroep *archipel* m
eileider ‹mensen› *trompe* v *(utérine)*; ‹dieren› *oviducte* m
eind • slot/afloop *fin* v; *résultat* m; *terme* m ★ tot een goed einde brengen *mener à bonne fin* ★ er komt geen eind aan *cela n'en finit pas* ★ eind mei *fin mai* ★ op zijn eind lopen *tirer à sa fin* • laatste stuk ‹m.b.t. plaats› *bout* m; *extrémité* v; ‹m.b.t. tijd› *fin* v ★ bij het einde van *à la fin de* ★ er moet een einde aan komen *il faut en finir* ★ een einde maken aan *en finir avec* • stuk van beperkte lengte *bout* m ★ een eind touw *un bout de ficelle* • doel *but* m ▾ eind goed, al goed *tout est bien qui finit bien* ▾ er een eind aan maken *se suicider*; *mettre fin à ses jours* ▾ aan het kortste eind trekken *avoir le dessous* ▾ hij heeft het bij het rechte eind *il a raison* ▾ ten einde *afin que*; *afin de*
eindbedrag *total* m
eindbestemming *terminus* m; FIG. *objectif* m
eindcijfer *moyenne* v; *note* v *définitive*
einddiploma ‹v. middelbare school› *certificat* m *d'études secondaires*; ‹v. vwo› *diplôme* m *de bachelier*
eindejaarsuitkering *prime* v *de fin d'année*
eindelijk *finalement*; *à la fin*; *enfin*
eindeloos I BNW • geweldig *super* [onv] • zonder einde *infini*; *sans fin*; ‹onophoudelijk› *interminable* II BIJW • zeer *infiniment* • zonder einde *interminablement*
einder *horizon* m
eindexamen ‹vwo› *baccalauréat* m; ‹middelbare school› *examen* m *de fin d'études (secondaires)*; INF. *bac* m ★ slagen voor het ~ *être reçu au bac*
eindfase *dernière* v *phase*; ‹v. ziekte› *phase* v *terminale*
eindig *limité* ★ het ~e *le fini*
eindigen I OV WW een eind maken aan *finir*; *achever*; *terminer* II ON WW ophouden *finir*; *se terminer*; *prendre fin* ★ ~ met *finir par* ★ ~ op een klinker *se terminer par une voyelle* ★ de werkwoorden die op -er ~ *les verbes qui se terminent en -er*
eindje *bout* m ★ iem. een ~ wegbrengen *reconduire qn* ★ een ~ oplopen met iem. *faire un bout de chemin avec qn* ▾ de ~s aan elkaar knopen *joindre les deux bouts*
eindklassement *classement* m *final*
eindproduct • product *produit* m *fini*; *article* m *fabriqué* • resultaat *résultat* m *final*
eindpunt *terme* m; ‹openbaar vervoer› *terminus* m; *fin* v
eindrapport ‹m.b.t. school› *bulletin* m *(scolaire) de fin d'année*; *rapport* m *final*
eindredactie *rédaction* v *définitive*
eindspurt *sprint* m
eindstadium *stade* m *final*; *phase* v *terminale*
eindstand *score* m *final*
eindstation • eindhalte *gare* v *terminus*; *terminus* m • eindfase *phase* v *finale*
eindstreep *ligne* v *d'arrivée*
eindstrijd SPORT *finale* v
eis • het dwingend verlangde *exigence* v; ‹m.b.t. rechten› *revendication* v; ‹voorwaarde› *condition* v ★ de exameneisen *les conditions d'un examen* ★ eisen stellen *poser des conditions*; *stipuler des conditions* ★ de eis inwilligen *donner satisfaction à la demande* ★ te hoge eisen stellen *être trop exigeant* • vordering *demande* v; JUR. *réquisitoire* m ★ eis tot schadevergoeding *réclamation* v *d'indemnité*
eisen • JUR. *requérir* • dwingend verlangen *exiger*; ‹m.b.t. rechten› *revendiquer*; *demander* • vergen *nécessiter* ▾ de rellen hebben doden geëist *les troubles ont fait des morts*
eisenpakket *liste* v *de revendications*
eiser *demandeur* m [v: *demanderesse*]; *partie* v *civile*
eisprong *ovulation* v
eivol *bondé*
eiwit • wit van ei *blanc* m *d'œuf* • proteïne *protéine* v
ejaculatie *éjaculation* v
EK Europees Kampioenschap *championnat* m *d'Europe*
ekster *pie* v
eksteroog *cor* m
el *aune* v
elan *élan* m
eland *élan* m; ‹Canadese› *orignal* m [mv: *orignaux*]

elandtest *test* m *de la baïonnette*; ‹v.e. auto› *test* m *de la tenue de route*; *rude épreuve* v; MIL. *épreuve* v *du feu*
elasticiteit *élasticité* v
elastiek *élastique* m
elastisch *élastique*
elders *ailleurs*; *autre part*
eldorado *eldorado* m
electoraal *électoral* [m mv: *électoraux*]
electoraat *électorat* m
elegant I BNW *élégant* II BIJW *élégamment*
elegie *élégie* v
elektra • stroom *électricité* v • apparaten *appareils* m mv *électriques*
elektricien *électricien* m
elektriciteit *électricité* v; INF. *courant* m ★ door waterkracht opgewekte ~ *hydro-électricité* v
elektriciteitsbedrijf *compagnie* v *d'électricité*
elektriciteitscentrale *centrale* v *électrique*
elektriciteitsmast *pylône* m *électrique*
elektrisch I BNW *électrique* ★ ~e installatie *équipement électrique* m II BIJW *électriquement* ★ ~ verlichten *éclairer à l'électricité* ★ ~ koken *faire la cuisine à l'électricité*
elektrocardiogram *électrocardiogramme* m
elektrocuteren *électrocuter*
elektrode *électrode* v
elektro-encefalogram *électro-encéphalogramme* m [mv: *électro-encéphalogrammes*]
elektrolyse *électrolyse* v
elektromagneet *électro-aimant* m [mv: *électro-aimants*]
elektromonteur *monteur* m *électricien*
elektromotor *moteur* m *électrique*
elektron *électron* m
elektronica *électronique* v
elektronisch *électronique* ★ electronic banking *monétique* v
elektroshock *électrochoc* m
elektrotechniek *électrotechnique* v
element *élément* m ▾ ongewenste ~en *des personnes indésirables* ▾ hij is in zijn ~ *il est dans son élément*
elementair *élémentaire*
elf I ZN • getal *onze* m • sprookjesfiguur *elfe* m II TELW *onze* → **acht**
elfde I BNW ★ de ~ april *le onze avril* II TELW *onzième* → **achtste**
elfendertigst ▾ voor de ~e keer *pour la énième fois* ▾ op zijn ~ *sans se presser*
elft *alose* v
elftal *équipe* v; *onze* m mv
eliminatie *élimination* v
elimineren *éliminer*
elitair • van de elite *élitaire* • de massa minachtend *élitiste*
elite *élite* v
elixer *élixir* m
elk ‹zelfstandig gebruikt› *chacun*; *tout le monde*; ‹als bijvoeglijk naamwoord› *chaque*; *tout* ★ hij kan elk ogenblik komen *il peut venir d'un moment à l'autre*
elkaar *se*; *l'un l'autre* [m mv: *les uns les autres*] [v: *l'une l'autre*] [v mv: *les unes les autres*]; *mutuellement* ★ zij keken ~ aan *ils se regardaient* ★ ~ helpen *s'entraider* ★ bij ~ komen *se joindre*; ‹m.b.t. mensen› *se réunir* ★ het ligt door ~ *c'est en désordre* ★ onder ~ spreken zij Frans *ils parlent français entre eux* ★ uit ~ gaan *se séparer* ★ het is voor ~ *c'est réglé* ▾ dat is voor ~ *voilà qui est arrangé*; *ça y est*
ellebogenwerk *jeu* m *des coudes*
elleboog *coude* m ▾ met de ellebogen werken *jouer des coudes*
ellende *misère* v ★ een diepe bron van ~ *une source de misère*
ellendeling *misérable* v
ellendig I BNW *misérable* II BIJW *misérablement* ★ een ~ schouwspel *un spectacle navrant*
ellenlang *interminable*
ellepijp *cubitus* m
ellips *ellipse* v
elliptisch *elliptique*
elpee *(disque* m*) 33-tours* m
els • boom *aune* m; *aulne* m • priem *alène* v
El Salvador *le Salvador* ★ in ~ *au Salvador*
Elzas *l'Alsace* v ★ ~-Lotharingen *l'Alsace-Lorraine* v
Elzasser *Alsacien* m [v: *Alsacienne*]
Elzassisch *alsacien* [v: *alsacienne*]
email *émail* m
e-mail *courrier* m *électronique*; *e-mail* m
e-mailadres *adresse* v *postale électronique*
e-mailbericht *message* m *(postal) électronique*
e-mailen I ZN *envoi* m/*distribution* v *par courrier électronique* II OV + ON WW *annoncer par poste électronique*
emailleren *émailler*
emancipatie *émancipation* v
emancipatorisch *émancipateur* [v: *émancipatrice*]
emanciperen *émanciper*
emballage *emballage* m
embargo *embargo* m ★ ~ leggen op *mettre l'embargo sur* ★ het ~ opheffen *lever l'embargo*
embleem *emblème* m
embolie *embolie* v
embouchure MUZ. *embouchure* v
embryo *embryon* m
embryonaal *embryonnaire* ★ in embryonale toestand *à l'état embryonnaire*/*d'ébauche*
emeritaat *retraite* v
emeritus *en retraite*; *retraité*
EMF Europees Monetair Fonds *FME* m; *Fonds* m *monétaire européen*
emfyseem *emphysème* m
emigrant *émigrant* m [v: *émigrante*]; *émigré* m [v: *émigrée*]
emigratie *émigration* v
emigreren *émigrer*
eminent I BNW *éminent* II BIJW *éminemment*
eminentie *éminence* v
emir *émir* m
emiraat *émirat* m
emissie *émission* v
emissiekoers *cours* m/*prix* m/*taux* m *d'émission*
emitteren ECON. *émettre*
emmer *seau* m
emmeren *être rasant*

emoe *émeu* m
emolumenten *émoluments* m mv; *revenus* m mv *occasionnels*
emotie *émotion* v ⋆ ~s oproepen/losmaken *susciter des émotions*
emotionaliteit *émotivité* v
emotioneel *émotionnel* [v: *émotionnelle*]; ‹vatbaar voor emotie› *émotif* [v: *émotive*]
empathie *empathie* v
empirisch I BNW *empirique* II BIJW *de façon empirique*

E

emplacement *site* m; ‹spoorwegen› *voies* v mv
emplooi *emploi* m ⋆ zonder ~ *sans emploi*
employé *employé* m [v: *employée*]
EMU Economische en Monetaire Unie *UEM* v; *Union* v *économique et monétaire*
emulgator *émulsifiant* m
emulsie *émulsion* v
en *et*
en bloc *en bloc*
encefalogram *encéphalogramme* m
enclave *enclave* v
encycliek *encyclique* v
encyclopedie *encyclopédie* v
encyclopedisch *encyclopédique*
endeldarm *rectum* m
endemisch *endémique*
endocrinologie *endocrinologie* v
endogeen *endogène*
endossement *endossement* m
ene ‹voor vrl. zelfstandig nw.› *une certaine*; ‹voor mnl. zelfstandig nw.› *un certain* ⋆ ene Jansen heeft gebeld *un certain Jansen a téléphoné*
enenmale ▾ dat is ten ~ onmogelijk *c'est absolument impossible*
energetica *énergétique* v
energetisch *énergétique*
energie *énergie* v
energiebedrijf *Compagnie* v *distributrice d'énergie*
energiebesparend *qui consomme peu d'énergie*; *à économie d'énergie*
energiebesparing *économie* v *d'énergie*
energiebron *source* v *d'énergie*
energiek *énergique*
energieverbruik *consommation* v *d'énergie*
enerverend *énervant*
enerzijds *d'une part*
en face *de face* ⋆ een foto ~ *une photo prise de face*
enfant terrible *enfant* m/v *terribile*
enfin *enfin*
eng • nauw *serré*; *étroit* ⋆ enger maken *rétrécir* ⋆ steeds enger worden *aller en se rétrécissant* ⋆ het is mij hier te eng *je me sens à l'étroit ici* • griezelig *lugubre*; *sinistre*
engagement *engagement* m
engageren *engager*
engel *ange* m ▾ gevallen ~ *ange déchu*
Engeland *l'Angleterre* v
engelbewaarder *ange* m *gardien*
engelenbak *paradis* m
engelengeduld *patience* v *d'ange*
engelenhaar *cheveux* m mv *d'ange*
Engels I ZN *anglais* m II BNW *anglais* ⋆ ~e ziekte *rachitisme* m
Engelstalig *anglophone*
engerd *horreur* v
engineering *ingénierie* v
en gros *en gros*
engte • het nauw zijn *étroitesse* v • nauwe doorgang ‹op zee› *détroit* m; ‹in bergen› *défilé* m
engtevrees *claustrophobie* v; *phobie* v *des lieux clos*
enig I BNW • enkel *unique*; *seul* • leuk *unique* ⋆ hij is enig *il est unique (en son genre)* II ONB VNW *quelque* ⋆ zonder enige reden *sans aucune raison*
enigerlei *quelconque*; *quelque* ⋆ op ~ wijze *de quelque façon/manière que ce soit*
enigermate *quelque peu*
enigma *énigme* v
enigszins *un peu*; *tant soit peu*
enkel I ZN *cheville* v ⋆ zijn ~ verstuiken *se fouler la cheville* II BNW *simple*; *seul* ⋆ een ~e reis *un aller (simple)* ⋆ geen ~ *pas un (seul)* III BIJW *ne ... que*; *seulement* ⋆ ~ en alleen om ... *dans le seul but de ...*
enkeling *individu* m mv; ‹met onbep lw› *quelques-uns* m mv [v mv: *quelques-unes*] ⋆ het gaat maar een ~ aan *ça ne concerne que quelques personnes*
enkelspel *simple* m ⋆ dames~ *simple dames*
enkeltje *aller* m *simple* ⋆ een ~ Tilburg alstublieft *un aller simple pour Tilburg s'il vous plaît*
enkelvoud *singulier* m ⋆ dit werkwoord staat in het ~ *ce verbe est au singulier*
enkelvoudig • TAALK. *au singulier* • niet samengesteld *simple*
en masse *en masse*
enorm I BNW *énorme* II BIJW *énormément*
enormiteit *énormité* v
en passant *en passant*
en plein public *en plein public*
en profil *de profil*
enquête *enquête* v ⋆ een ~ houden *mener une enquête*
enquêteren • enquête houden *enquêter* • ondervragen *enquêter*
enquêteur *enquêteur* m [v: *enquêtrice*]
ensceneren *mettre en scène*
enscenering *mise* v *en scène*; PEJ. *manigances* v mv
ensemble *ensemble* m
ent *ente* v; *greffe* v; *greffon* m
enten • een ent aanbrengen *greffer* • inenten *vacciner*; *inoculer*
enteren *aborder*; *se lancer à l'abordage*
entertainen *amuser*
entertainment *divertissement* m; *amusement* m; *distraction* v
entertoets *touche* v *d'entrée*
enthousiasme *enthousiasme* m
enthousiasmeren *enthousiasmer*
enthousiast I BNW *enthousiaste* II BIJW *avec enthousiasme*
entiteit *entité* v
entomologie *entomologie* v
entourage *entourage* m
entr'acte *entracte* m

entrecote *entrecôte* v
entree *entrée* v
entreegeld *(prix* m *d')entrée* v
entrepot *entrepôt* m
entstof *vaccin* m
E-nummer ★ E100 tot E200 zijn kleurstoffen *E100 jusqu'à E200 sont les symboles des matières colorantes*
envelop *enveloppe* v
enzovoorts *et ainsi de suite*
enzym *enzyme* m
eon *éon* m
epaulet *épaulette* v
epicentrum *épicentre* m
epidemie *épidémie* v
epidemisch *épidémique*
epiek • leer *étude* v *de la poésie épique* • epische poëzie *poésie* v *épique*
epifyse MED. *épiphyse* v
epigoon *épigone* m
epigram *épigramme* v
epilepsie *épilepsie* v
epilepticus *épileptique* m/v
epileren *épiler*
epiloog *épilogue* m
episch *épique*
episcopaat *épiscopat* m
episode *épisode* m
epistel *épître* v; IRON. *missive* v
epitaaf *épitaphe* v
epitheel MED. *épithélium* m
epo erytropoëtine *érythropoïétine* v
eponiem *éponyme* m
epos *épopée* v; *poème* m *épique*
equator *équateur* m
equatoriaal *équatorial* [m mv: *équatoriaux*]
Equatoriaal-Guinea *la Guinée Équatoriale*
equipe *équipe* v
equiperen *équiper*
equivalent I ZN *équivalent* m II BNW *équivalent (à)*
er I BIJW • daar *y*; *là* ★ er is *il y a* ★ we kunnen er met zijn vijven in *nous y tiendrons à cinq* • zonder betekenis ★ er wordt gebeld *on sonne* II PERS VNW *en* ★ er zijn er vijf *il y en a cinq*
eraan *y* ★ wat kan ik er nou aan doen? *que voulez-vous que j'y fasse?* ★ ik kom ~! *j'arrive!*
erachter *derrière* ▾ ~ zijn *avoir compris*
eraf • los *détaché* • bevrijd van ★ eraf zijn *en être libéré*
erbarmelijk • slecht *misérable*; *lamentable* • meelijwekkend *pitoyable*
erbarmen I ZN *pitié* v II WKD WW *avoir pitié (de)*
erbij • aanwezig *présent*; ‹m.b.t. zaken› *y* ★ is de brief ~? *y a-t-il la lettre?* • tot het bedoelde ★ ik blijf ~ dat *je maintiens que* ★ ~ doen *ajouter*
erboven *au-dessus*
erdoor ▾ ~ zijn *avoir réussi* ▾ iets ~ krijgen *faire passer qc*
ere *honneur* m
erectie *érection* v
eredienst *culte* m
eredivisie *première division* v
eredoctoraat *doctorat* m *honoris causa*
erekwestie *question* v *d'honneur*
erelid ‹zonder verplichtingen› *membre* m *honoraire*; ‹op grond van verdiensten› *membre* m *d'honneur*
eremetaal *médaille* v
eren *honorer*; *rendre hommage à*; REL. *adorer*
ereplaats *place* v *d'honneur*
erepodium *podium* m
ereprijs *prix* m *d'honneur*
ereschuld *dette* v *d'honneur*
eretitel *titre* m *d'honneur*
eretribune *tribune* v *d'honneur*
erewacht *garde* v *d'honneur*
erewoord *parole* v *d'honneur*
erf *cour* v
erfdeel *part* v *d'héritage*; *héritage* m ★ vaderlijk ~ *patrimoine paternel* m
erfelijk *héréditaire*
erfelijkheid *hérédité* v
erfelijkheidsleer *génétique* v
erfenis *héritage* m; *succession* v
erfgenaam *héritier* m [v: *héritière*] ★ universeel ~ *légataire* m *universel*; *légataire* v *universelle*
erfgoed *bien* m *héréditaire* ★ het culturele ~ *le patrimoine culturel*
erflater *testateur* m [v: *testatrice*]; *légateur* m [v: *légatrice*]
erfopvolger *successeur* m
erfopvolging *succession* v
erfpacht *bail* m *emphytéotique*; JUR. *emphytéose* v ★ grond in ~ geven *donner un fonds à bail*
erfrecht • erfelijk recht *droits* m mv *successoraux* • recht om te erven *droit* m *de succession*
erfstuk *objet* m *hérité* ★ dit schilderij is een ~ *c'est un tableau de famille*
erfzonde *péché* m *originel*
erg I ZN (het) besef ★ zonder er erg in te hebben *sans s'en rendre compte* II BNW • schandelijk *grave*; *honteux* [v: *honteuse*] • zeer vervelend *mal* ★ nog erger *encore pire* • ernstig *grave*; *sévère* ★ dat is niet erg *cela n'a aucune importance*; *ce n'est rien* ★ er erg aan toe zijn *être bien mal* ★ zo erg is het nog niet *nous n'en sommes pas encore là* ★ dat is niet zo erg *ce n'est pas très grave* ★ het erg vinden te *se désoler de* III BIJW *très* ★ erg goed *très bien* ★ het was erg vervelend *c'était très ennuyeux* ★ het spijt me erg *je suis désolé* ★ ik hou erg van hem *je l'aime de tout mon cœur*; *je l'aime beaucoup*
ergens • op een plaats *quelque part* ★ ~ anders *ailleurs* ★ daar ~ *quelque part là-bas* • in enig opzicht *d'une certaine manière* • iets *quelque chose* ★ ~ in *dans qc* ★ ~ naar zoeken *chercher qc*
ergeren I OV WW *énerver*; *irriter* II WKD WW *s'irriter (de)*
ergerlijk *agaçant*; *énervant*; *irritant*
ergernis *irritation* v; *agacement* m ★ ~ geven *irriter*
ergonomie *ergonomie* v
erheen *y* ★ ~ gaan *y aller*
erin *y*; *dedans*
erkend • algemeen bekend *reconnu*

• officieel toegestaan *agréé* ★ de ~e godsdienst *une religion officielle*
erkennen • als wettig aanvaarden *reconnaître*; SPORT *homologuer* ★ een land ~ *reconnaître un pays* • inzien, toegeven *avouer*; *reconnaître*
erkenning *reconnaissance* v
erkentelijk *reconnaissant*
erkentelijkheid *reconnaissance* v
erker *oriel* m; *bow-window* m [mv: *bow-windows*]

E

erlangs *par là* ★ een rivier met bomen ~ *une rivière bordée d'arbres*
ermee *avec* ▾ het kan ~ door *ça peut aller* ▾ je hebt jezelf ~ *tu seras le seul à en souffrir*
erna *après*
ernaar *y*
ernaast *à côté* ▾ ~ zitten *se tromper*
ernst • serieusheid *sérieux* m ★ het is hem ~ *il parle sérieusement* ★ in ~ *pour de bon* • zwaarte *gravité* v ★ de ~ van een toestand *la gravité de la situation*
ernstig I BNW serieus *sérieux* [v: *sérieuse*]; *grave* II BIJW *sérieusement* ★ ~ gewond *grièvement blessé* ★ iets ~ opnemen *prendre qc au sérieux* ★ niets ~ nemen *prendre tout à la légère*
erogeen *érogène*
eromheen *autour*; *entouré de*
eronder *là-dessous*; *en dessous*
erop • op iets *dessus* ★ iets erop doen *mettre qc* • volgend *suivant* ★ de maand erop *le mois suivant* ▾ erop of eronder *vaincre ou périr*
eropaan ★ nu komt het ~ *maintenant ça devient sérieux* ★ u kunt ~ *vous pouvez compter dessus*
eropaf ★ ~ gaan *y aller*
eropna ★ ~ houden *avoir*; *disposer de*
eropuit ★ ~ zijn *vouloir*
eroscentrum *eroscentre* m
erosie *érosion* v
erotiek *érotisme* m
erotisch *érotique*
erotiseren *érotiser*
erover *par-dessus*
eroverheen *par-dessus*
erratum *erratum* m
ertegen *contre* ★ ik kan er niet meer tegen *je ne le supporte plus*
ertegenin *contre*
ertegenop *contre*; *à contre-courant* ★ ~ zien *s'en faire une montagne*
ertegenover *en face*
ertoe ★ wat doet het ~? *qu'est-ce que ça fait?*
erts *minerai* m
ertsader *filon* m
ertussen ‹twee› *entre les deux*; ‹meer dan twee› *parmi eux* [v mv: *parmi elles*]
ertussendoor *entre les deux*
ertussenin *entre les deux*
ertussenuit *en* ★ met moeite kwam ik ~ *je m'en suis sorti avec peine*
erudiet *érudit*
eruit *dehors*; *en* ★ iem. ~ gooien *mettre qn dehors*
eruitzien • voorkomen hebben *avoir l'air* ★ ~ als *avoir l'air de* ★ er slecht uitzien *avoir mauvaise mine* ★ er goed uitzien *avoir bonne mine* ★ er kerngezond uitzien *avoir l'air en très bonne santé* ★ wat zie je eruit! *tu as l'air de quoi!* • de indruk wekken te *avoir l'air (de)* ★ hij ziet er jonger uit dan hij is *il ne paraît pas son âge* ★ daar ziet het niet naar uit *on ne dirait pas* ★ het ziet ernaar uit dat het gaat regenen *on dirait qu'il va pleuvoir* ★ het ziet er slecht voor ons uit *nous voilà dans de beaux draps* ▾ het ziet er niet uit *ça ne ressemble à rien*
eruptie *éruption* v
ervandaan *en*
ervandoor ★ ~ gaan *filer*
ervaren I BNW *expérimenté*; *expert (en)*; FORM. *versé (dans)* II OV WW ondervinden *éprouver*; *faire l'expérience de*; *voir*
ervaring *expérience* v ★ uit ~ *par expérience* ★ de ~ leert dat *l'expérience montre que*
erven *hériter* ★ iets van iem. ~ *hériter qc de qn*
ervoor • *devant* • bestemming *pour*
erwt *pois* m
erwtensoep *soupe* v *aux pois*
es • boom *frêne* m • muzieknoot *mi* m *bémol*
escalatie *escalade* v
escaleren *s'aggraver*; *aller en s'aggravant*
escapade *escapade* v; *fugue* v
escapetoets *touche* v *d'échappe(ment)*
escort *escorte* v
escorte *escorte* v
escorteren *escorter*
esculaap *caducée* m
esdoorn *érable* m
eskader *escadre* v
eskimo *Eskimo* m; *Esquimau* m [mv: *Esquimaux*] [v: *Esquimaude*]
esoterie *ésotérisme* m
esp *tremble* m
espadrille *espadrille* v
esplanade *esplanade* v
espresso *café* m *espresso*
espressoapparaat *percolateur* m
esprit *esprit* m
essay *essai* m
essence *essence* v
essenhout *bois* m *de frêne*
essentie *essence* v
essentieel *essentiel* [v: *essentielle*]
establishment *establishment* m
estafette *course* v *de relais*
estafetteploeg *équipe* v *de relais*
ester CHEM. *ester* m
estheet *esthète* m
esthetica *esthétique* v
esthetisch *esthétique*
Estland *l'Estonie* v ★ in ~ *en Estonie*
estrogeen *(o)estrogène* m
etablissement *établissement* m
etage *étage* m
etalage ‹raam› *devanture* v; *vitrine* v; *étalage* m
etalagepop *mannequin* m
etaleren *étaler*
etaleur *étalagiste* m/v
etappe *étape* v
eten I ZN • voedsel *nourriture* v; *manger* m

⋆ het warme eten *le repas chaud* • maaltijd *repas* m ⋆ het eten is opgediend *le dîner est servi* II OV WW nuttigen *manger*; VULG. *bouffer* III ON WW de maaltijd gebruiken *manger*; INF. *casser la croûte*; ‹'s middags› *déjeuner*; ‹'s avonds› *dîner*; ‹'s avonds laat› *souper* ⋆ uit eten gaan *dîner en ville*

etensresten *rogatons* m mv

etenstijd *heure* v *du repas*

etenswaar *nourriture* v

etentje *(petit) dîner* v

eter • iemand die veel eet *mangeur* m ⋆ hij is een flinke eter *c'est un gros/grand mangeur* • gast *invité* m [v: *invitée*]

ethaan *éthane* m

ethanol *ethanol* m

ether • CHEM. *éther* v mv • lucht *ondes* v mv ⋆ in de ~ komen *passer sur les ondes*

etherreclame *publicité* v *télévisée/radiophonique*

ethiek *éthique* v ⋆ medische ~ *déontologie* v *médicale*

Ethiopië *l'Ethiopie* v ⋆ in ~ *en Ethiopie*

ethisch *éthique*

ethisch *éthique*

ethologie *éthologie* v

ethyl *éthyle* m

etiket *étiquette* v

etiquette *étiquette* v ⋆ de ~ in acht nemen *suivre l'étiquette*

etmaal *espace* m *de vingt-quatre heures*; *vingt-quatre heures* v mv; *jour* m ⋆ binnen een ~ *dans les 24 heures*

etniciteit *ethnicité* v

etnisch *ethnique*

etnografie *ethnographie* v

etnologie *ethnologie* v

Etruskisch *étrusque*

ets *gravure* v; *eau-forte* v [mv: *eaux-fortes*]

etsen *graver (à l'eau-forte)*

ettelijke *plusieurs*

etter • pus *pus* m • naarling *connard* m [v: *connarde*]

etterbuil *abcès* m

etteren • etter afscheiden *suppurer* • klieren *faire chier*

etude *étude* v

etui *étui* m; ‹school› *trousse* v

etymologie *étymologie* v

EU Europese Unie *UE* v; *Union* v *européenne*

eucalyptus *eucalyptus* m

eucharistie *eucharistie* v ⋆ de ~ vieren *célébrer l'eucharistie*

eufemisme *euphémisme* m

eufemistisch *euphémique*

euforie *euphorie* v

euforisch I BNW *euphorique* II BIJW *euphoriquement*

eugenese, eugenetica *eugénisme* m

eunuch *eunuque* m

Euratom *Euratom* m; *Communauté* v *européenne de l'énergie atomique*

euro *euro* m

eurocheque *eurochèque* m

eurodollar *eurodollar* m

euroland *zone* v *où l'euro est l'unité monétaire principale*

euromarkt *Marché* m *commun (européen)*

euromunt *monnaie* v *européenne*

Europeaan *Européen* m [v: *Européenne*]

Europees *européen* [v: *européenne*]

eustachiusbuis *trompe* v *d'Eustache*

euthanasie *euthanasie* v

eutroof *eutrophe*

euvel *mal* m; *défaut* m

Eva *Eve* v

evacuatie *évacuation* v

evacué *évacué* m; *évacuée* v

evacueren *évacuer*

evaluatie *évaluation* v

evalueren *évaluer*

evangelie *évangile* m

evangelisatie *évangélisation* v

evangelisch *évangélique*

evangelist *évangéliste* m

even I BNW deelbaar door twee *pair* ⋆ de even plaatsen *les places à numéro pair* II BIJW • net zo *aussi*; *également* ⋆ even groot als *aussi grand que* • een korte tijd *un instant*; *un moment* ⋆ even telefoneren *donner un coup de fil* ▾ het is mij om het even *peu m'importe*; *cela m'est égal*

evenaar *équateur* m

evenals *de même que*; *comme*

evenaren *égaler*

evenbeeld *image* v; *portrait* m ⋆ naar Gods ~ *à l'image de Dieu*

eveneens *également*; *de même*; *aussi*

evenement *évènement* m

evengoed *aussi bien* ⋆ je kunt ~ meteen opnieuw beginnen *autant recommencer tout de suite* ⋆ ~ bij ons als in Amerika *autant chez nous qu'en Amérique*

evenknie *pareil* m [v: *pareille*]

evenmin *non plus* ⋆ hij is ~ ... als ... *il est tout aussi peu ... que ...* ⋆ ~ als ne ... *pas plus que*; *non plus ... que*

evenredig I BNW *proportionnel (à)* [v: *proportionnelle (à)*] ⋆ recht ~ met/aan *directement proportionnel à* ⋆ omgekeerd ~ met/aan *inversement proportionnel à* ⋆ ~ (aan)deel *quote-part* v II BIJW *proportionnellement*

evenredigheid WISK. *proportion* v

eventjes *un instant*

eventualiteit *éventualité* v

eventueel I BNW *éventuel* [v: *éventuelle*] II BIJW *éventuellement*

evenveel *autant*; *tout autant*

evenwel *cependant*; *pourtant*; *toutefois*

evenwicht *équilibre* m ⋆ zijn ~ verliezen *perdre l'équilibre* ⋆ in ~ houden *tenir en équilibre* ⋆ uit zijn ~ *déséquilibré* ⋆ het ~ herstellen *rétablir l'équilibre*

evenwichtig *équilibré*

evenwichtsbalk *poutre* v *d'équilibre*

evenwichtsleer *statique* v

evenwichtsorgaan *organe* m *équilibreur*

evenwichtsstoornis *trouble* m *de l'équilibre*

evenwijdig I BNW *parallèle* II BIJW *parallèlement (à)*

evenzeer • in gelijke mate *également*; *(tout) autant* • ook *également*; *aussi*

evenzo *de la même manière*; *de même*

evergreen • *chant* m *qui ne vieillit pas* • FIG. *sujet* m *de conversation éternel*
evident I BNW *évident* II BIJW *à l'évidence*
evocatie *évocation* v
evolueren *évoluer*
evolutie *évolution* v
evolutieleer *théorie* v *évolutionniste*; *évolutionnisme* m
ex I ZN INF. *ex* m/v; *ex-mari* m; *ex-femme* v II VZ ★ ex works *(prix) départ usine*
ex- *ancien* [v: *ancienne*] ★ de ex-directeur *l'ancien directeur*
exact I BNW *exact* ★ ~e wetenschappen *sciences* v mv *exactes* II BIJW *exactement*
exaltatie *exaltation* v
examen *examen* m ★ mondeling ~ *épreuves* v mv *orales*; *(examen) oral* m ★ schriftelijk ~ *épreuves* v mv *écrites*; *écrit* m ★ ~ afleggen *passer un examen* ★ ~ afnemen *faire passer un examen* ★ voor een ~ opgaan *se présenter à un examen* ★ door een ~ komen *être reçu à un examen* ★ voor een ~ zakken *échouer à un examen*; *être refusé à un examen*
examenkoorts *trac* m
examenvrees *trac* m
examinator *examinateur* m [v: *examinatrice*]
examineren *faire passer un examen*
excellent I BNW *excellent* II BIJW *d'une manière excellente*
excellentie *excellence* v
excelleren *exceller*
excentriek *excentrique*
excentrisch *excentrique*
exceptie *exception* v
exceptioneel I BNW *exceptionnel* [v: *exceptionnelle*] II BIJW *exceptionnellement*
exces • overschrijding van bevoegdheid *abus* m *de pouvoir* • buitensporigheid *excès* m
excessief I BNW *excessif* [v: *excessive*] II BIJW *avec excès*
exclusief *exclusif* [v: *exclusive*]
excommunicatie *excommunication* v
excommuniceren *excommunier*
excrement *excrément* m
excursie *excursion* v
excuseren *excuser*
excuus *excuse* v ★ zijn excuses aanbieden *présenter ses excuses*; *s'excuser*
executeren *exécuter*
executeur *exécuteur* m [v: *exécutrice*]
executeur-testamentair *exécuteur* m *testamentaire*
executie • terechtstelling *exécution* v • *exécution* v *(forcée)*; *recouvrement* m *forcé*
executiewaarde *valeur* v *en vente forcée*
exegese *exégèse* v
exemplaar *exemplaire* m; ‹kopie› *copie* v; *spécimen* m
exemplarisch *exemplairement*
exerceren *manœuvrer*
exercitie *exercice* m
exhaleren *exhaler*
exhibitionisme *exhibitionnisme* m
exhibitionist *exhibitionniste* m/v
existentialisme *existentialisme* m
existentie *existence* v
existeren *exister*
exit *exit* m; *sortie* v
exobiologie *astrobiologie* v
exodus *exode* m; *émigration* v/*départ* m *en masse*
exogeen *exogène*
exorbitant I BNW *exorbitant* II BIJW *d'une manière exorbitante*
exorcisme *exorcisme* m
exotisch *exotique*
expanderen I OV WW uitbreiden *étendre* II ON WW zich uitbreiden *s'étendre*
expansie *expansion* v; ‹v. gas› *détente* v
expansiedrang *désir* m *d'expansion*
expansievat *vase* m *d'expansion*
expatriate *expatrié* m [v: *expatriée*]
expatriëren *(s')expatrier*
expediëren *expédier*
expediteur *expéditeur* m [v: *expéditrice*]
expeditie *expédition* v
experiment *expérience* v
experimenteel I BNW *expérimental* [m mv: *expérimentaux*] II BIJW *expérimentalement*
experimenteren *expérimenter*
expert *expert* m
expertise *expertise* v
expiratiedatum *date* v *d'expiration*
expireren *expirer*
explicatie *explication* v
expliciet *explicite*
expliciteren *expliciter*
exploderen *faire explosion*; *exploser*
exploitabel *exploitable*
exploitant *exploitant* m
exploitatie • uitbuiting *exploitation* v • het winstgevend maken *exploitation* v; *mise* v *en valeur*
exploiteren • gebruik maken van *exploiter*; LANDB. *cultiver* • uitbuiten *exploiter*
exploot *exploit* m ★ iem. een ~ betekenen *signifier*/*notifier un exploit à qn*
exploratie *exploration* v
exploreren *explorer*
explosie *explosion* v
explosief I ZN (het) TAALK. *explosif* m II BNW • ontplofbaar *explosif* [v: *explosive*] • plotseling sterk toenemend *effréné* III BIJW *de façon explosive*
exponent • vertegenwoordiger *représentant* m • WISK. *exposant* m
exponentieel *exponentiel* [v: *exponentielle*]
export *exportation* v
exporteren *exporter*
exporteur *exportateur* m
exportkredietverzekering *assurance* v *contre les risques du crédit à l'exportation*
exportvolume *volume* m *des exportations*
exposant *exposant* m
exposé *exposé* m
exposeren *exposer*
expositie *exposition* v
expositieruimte *(lieu* m *d')exposition* v
exposure *présentation* v
expres *exprès*; *délibérément* ★ iets ~ doen *faire qc exprès*
expresbrief *lettre* v *exprès*

expresse *exprès* m
expressie *expression* v ★ zonder ~ *inexpressif* [v: *inexpressive*]
expressief I BNW *expressif* [v: *expressive*] II BIJW *d'une manière expressive*; *expressivement*
expressionisme *expressionnisme* m
exprestrein *(train* m*) express*; *(train* m*) rapide*
exquis *exquis*
extase *extase* v
extatisch *extatique*
extensie *extension* v
extensief *extensif* [v: *extensive*] ★ extensieve landbouw *culture* v *extensive*
extenso ★ in ~ *in extenso*
exterieur I ZN *extérieur* m II BNW *extérieur*
extern • van buiten komend *extérieur*; *externe* • uitwonend *externe*
extra *en plus* [onv]; *supplémentaire* ★ ~-editie *édition spéciale* v ★ iets ~'s *qc en plus* ★ ~trein *train supplémentaire* m ★ ~ onkosten *frais* m mv *supplémentaires* ★ ~ les *leçon* v *supplémentaire*
extraatje *petit extra* m; *aubaine* v
extract • uittreksel *extrait* m • aftreksel *extrait* m; *essence* v
extramuraal ★ extramurale gezondheidszorg *soins* m mv *médicaux hors de l'hôpital*
extraneus *candidat* m *libre*
extrapoleren *extrapoler*
extravagant I BNW *extravagant* II BIJW *d'une façon extravagante*
extravert *extraverti*; *extroverti*
extreem I BNW *extrême* II BIJW • uiterst *à l'extrême* • in de hoogste graad *extrêmement*
extreem-links *d'extrême gauche*
extreem-rechts *d'extrême droite*
extremist *extrémiste* m/v
extremiteit • uiterste *extrémité* v • ledematen *extrémités* v mv
extrovert → **extravert**
exuberant *exubérant*
eyeliner *eye-liner* m [mv: *eye-liners*]
ezel • dier *âne* m • schildersezel *chevalet* m ▾ een ezel stoot zich geen tweemaal aan dezelfde steen *un homme averti en vaut deux*
ezelsbruggetje *truc* m

F

f • letter *f* m • muzieknoot *fa* m
fa *fa* m
faalangst *angoisse* v *d'échec*
faam *réputation* v; *renommée* v
fabel • vertelling *fable* v • verzinsel *fable* v; *conte* m
fabelachtig I BNW *fabuleux* [v: *fabuleuse*] II BIJW *fabuleusement*
fabricage *fabrication* v
fabriceren • knutselen *fabriquer*; *faire* • vervaardigen *produire*; *fabriquer*; *faire*
fabriek *usine* v; *fabrique* v
fabrieksfout *défaut* m *de fabrication*
fabrieksgeheim *secret* m *de fabrication*
fabrieksprijs *prix* m *de fabrique*
fabrikaat • product *produit* m *manufacturé* • maaksel ★ eigen ~ *produit de la maison*
fabrikant *fabricant* m [v: *fabricante*]; *industriel* m [v: *industrielle*]
fabuleus *fabuleux* [v: *fabuleuse*]; *prodigieux* [v: *prodigieuse*]
façade *façade* v
facet *facette* v
facetoog *œil* m *à facettes* [m mv: *yeux ...*]
facilitair ★ ~ bedrijf *services* m mv *techniques*
faciliteit *facilité* v
faciliteren *faciliter*
factie *faction* v
factor • medeoorzaak *facteur* m; *élément* m • WISK. *facteur* m; *sous-multiple* m [mv: *sous-multiples*]
factoranalyse *analyse* v *factorielle*
factoring ECON. *affacturage* m
factotum *factotum* m
factureren *facturer*; *porter sur la facture* [onv]
factuur *facture* v
facultair *facultaire*
facultatief *facultatif* [v: *facultative*]
faculteit *faculté* v
fade-out • *s'afflaiblir*; *tomber* • FILM *fermer en fondu*
Faeröer *îles* v mv *Féroé*
fagot • muziekinstrument *basson* m • fagotblazer *bassoniste* m
Fahrenheit *Fahrenheit* ★ 20 graden ~ *20 degrés Fahrenheit*
failliet I ZN (het) *faillite* v II BNW *en faillite* ★ ~ gaan *faire faillite* ★ iem. ~ verklaren *déclarer qn en faillite*
faillissement *faillite* v; *dépôt* m *de bilan* ★ ~ aanvragen *déposer son bilan*
faillissementsaanvraag *requête* v *en*/*demande* v *de déclaration en faillite*
fair *honnête*; *loyal* [m mv: *loyaux*]
faken • *simuler*; *falsifier* • SPORT *feindre*; *faire semblant (de)*
fakir *fakir* m
fakkel *flambeau* m [mv: *flambeaux*]; *torche* v
falen I ZN *échec* m II ON WW niet slagen *échouer*; *subir un échec*
falie ▾ iemand op zijn ~ geven *flanquer une rossée à qn* ▾ op zijn ~ krijgen *recevoir une raclée*

faliekant *carrément; franchement* ★ ergens ~ tegen zijn *être carrément contre qc*
fallisch *phallique*
fallus *phallus* m
falset I ZN • stemregister *voix* v *de fausset* • zanger *fausset* m II BIJW *en fausset*
falsetstem *voix* v *de fausset*
falsificatie *falsification* v
falsificeren • vervalsen *falsifier* • weerleggen *falsifier; réfuter*
fameus • befaamd *fameux* [v: *fameuse*] • verbazend *fabuleux* [v: *fabuleuse*]
familiair I BNW • ongedwongen *familier* [v: *familière*] • vrijpostig *insolent* ★ een ~e toon aanslaan *prendre un ton familier* II BIJW *familièrement*

F

familie • gezin *famille* v • alle verwanten *famille* v; *parents* m mv ★ ~ worden van *s'apparenter à* ★ zij is ~ van mij *elle est de ma famille* ★ zij zijn ~ van *ils sont apparentés à* ▾ van je ~ moet je het hebben *on n'est jamais trompé que par les siens* ▾ van goede ~ *de bonne famille*
familiebedrijf *entreprise* v *familiale*
familiegraf *caveau* m *de famille* [m mv: *caveaux ...*]
familiehotel *hôtel* m *de famille*
familiekring *cercle* m *familial* ★ in de ~ *en famille*
familielid *parent* m
familienaam *nom* m *de famille; patronyme* m
familiestuk ‹sieraad› *bijou* m *de famille; souvenir* m *de famille;* ‹schilderij› *tableau* m *de famille* [m mv: *tableaux ...*]
familieziek *entiché de sa famille*
fan • liefhebber *fan* m/v • ventilator *ventilateur* m
fanaat *fana* m/v
fanatiek *fanatique*
fanatiekeling *fanatique* m/v
fanatisme *fanatisme* m
fanclub *fanclub* m
fancy-fair *bazar* m *de charité; vente* v *de charité*
fanfare *fanfare* v
fanmail *courrier* m *d'admirateurs*
fantaseren I OV WW verbeelden *inventer; imaginer* II ON WW • MUZ. *improviser* • verzinnen *s'adonner à son imagination*
fantasie *imagination* v
fantasieloos *dépourvu de fantaisie*
fantasienaam *nom* m *inventé*
fantast *fabulateur* m [v: *fabulatrice*] ★ het is een ~ *il a trop d'imagination*
fantastisch • verzonnen *fantastique* • schitterend *fantastique*
fantoom *fantôme* m
fantoompijn *sensation* v *douloureuse localisée dans un membre amputé*
farao *pharaon* m
farce *farce* v
farceren *farcir*
farizeeër *pharisien* m
farmaceutisch *pharmaceutique*
farmacie *pharmacie* v ★ ~ studeren *faire des études de pharmacie*
farmacologie *pharmacologie* v
fascinatie *fascination* v
fascineren *fasciner*
fascisme *fascisme* m
fascist *fasciste* m/v
fase *phase* v ▾ in fasen *en plusieurs phases*
faseren *échelonner; répartir*
fastfoodrestaurant *restauration* v *rapide*
fat *fat* m; *dandy* m
fataal *funeste; fatal*
fatalistisch *fataliste*
fata morgana *mirage* m
fatsoen • goede manieren *tenue* v; *savoir-vivre* m ★ zijn ~ houden *se conduire comme il faut* ★ met goed ~ *décemment* ★ houd een beetje je ~ *un peu de tenue!* • vorm *forme* v ▾ een hoed in zijn ~ brengen *rendre sa forme à un chapeau*
fatsoeneren *façonner*
fatsoenlijk I BNW • behoorlijk *convenable* • welgemanierd *bien élevé; honnête* ★ ~e mensen *des gens bien* ★ hij ziet er heel ~ uit *il a l'air très bien* II BIJW • behoorlijk *convenablement* • welgemanierd *décemment*
fatsoenshalve *par politesse*
fatsoensrakker *moraliste* m/v; *moralisateur* m [v: *moralisatrice*]
faun *faune* m
fauna *faune* v
fauteuil *fauteuil* m
favoriet I ZN *favori* m; *préféré* m [v: *préférée*] II BNW *favori* [v: *favorite*]; *préféré*
fax • bericht *fax* m; *télécopie* v • apparaat *télécopieur* m
faxen *télécopier; faxer*
faxnummer *numéro* m *de télécopieur/de fax*
fazant *faisan* m
februari *février* m
federaal *fédéral* [m mv: *fédéraux*]
federalisme *fédéralisme* m
federatie *fédération* v
fee *fée* v
feedback *feed-back* m [onv]
feeëriek *féerique*
feeks *mégère* v ★ kleine ~ *chipie* v
feeling *sens* m *de quelque-chose* ★ ergens ~ voor hebben *avoir le sens de quelque-chose*
feest *fête* v ★ een ~je geven *donner une fête*
feestdag • dag waarop feest gevierd wordt *jour* m *de fête* • gedenkdag, vrije dag *jour* m *férié*
feestelijk *de fête* ★ alles zag er ~ uit *tout avait un air de fête* ★ iem. ~ onthalen *faire fête à qn* ▾ dank je ~ *merci bien*
feesten *faire la fête; festoyer*
feestganger *participant* m *à la fête; fêtard* m
feestmaal *festin* m; *banquet* m
feestneus • masker *faux-nez* m [onv] • persoon *fêtard* m [v: *fêtarde*]
feestnummer • gangmaker *fêtard* m [v: *fêtarde*] • blad *numéro* m *spécial*
feestvarken *héros* m *de la fête*
feestvieren *faire la fête*
feilbaar *faillible*
feilen *se tromper*
feilloos *infaillible; sans faute*
feit *fait* m ★ het is een feit dat *le fait est que*
feitelijk I BNW *réel* [v: *réelle*] ★ ~e situatie

état m *de fait* II BIJW *à vrai dire*; *en fait*

fel I BNW • vurig *acharné* ★ een fel verzet *une opposition acharnée* • hevig *vif* [v: *vive*]; *violent*; *aigu* [v: *aiguë*]; *rude*; ‹opvallend van kleur› *vif* [v: *vive*] ★ een felle winter *un rude hiver* ★ fel rood *rouge vif* ★ een felle kou *un froid vif* ★ een felle pijn *une douleur aiguë* ★ een felle strijd *un combat violent* II BIJW • hevig *violemment* • vurig *avec acharnement*; *âprement* ★ fel debatteren *débattre âprement*

felbegeerd *désiré intensément/avec passion*

felicitatie *félicitations* v mv

feliciteren *présenter ses félicitations*; *féliciter* ★ iem. met iets ~ *féliciter qn de qc*

feminien *féminin*

feminisme *féminisme* m

feministe *féministe* v

feministisch I BNW *féministe* II BIJW *en féministe*

feniks *phénix* m

fenomeen *phénomène* m

fenomenaal *phénoménal* [m mv: *phénoménaux*]

feodaal *féodal* [m mv: *féodaux*] ★ een feodale bezitting *fief* m

feodalisme *féodalisme* m

ferm I BNW flink *ferme*; *vigoureux* [v: *vigoureuse*]; *décidé* II BIJW flink *avec fermeté*

fermenteren *fermenter*

fervent I BNW *fervent* II BIJW *avec ferveur*

fes *fa* m *bémol*

festijn *fête* v

festival *festival* m [mv: *festivals*]

festiviteit *fête* v; *festivités* v mv

feston *feston* m

fêteren *fêter*

fetisjisme *fétichisme* m

fetisjist *fétichiste* m/v

feuilleton *feuilleton* m

feut *bizuth* m

fez *fez* m

fiasco *fiasco* m ★ een ~ zijn *échouer*; *tomber à plat*; ‹v. toneel› *faire un four*

fiat *accord* m; *autorisation* v *bancaire* ★ zijn fiat aan iets verlenen *donner le feu vert pour qc*

fiatteren *autoriser*

fiber *fibre* v

fiberglas *fibre* v *de verre*

fiche *fiche* v

fichu *fichu* m

fictie *fiction* v

fictief I BNW *fictif* [v: *fictive*] II BIJW *fictivement*

fictioneel *fictionnel* [v: *fictionnelle*]

ficus *ficus* m

fideel I BNW gezellig *jovial* [m mv: *joviaux*]; *cordial* [m mv: *cordiaux*] II BIJW *jovialement*

fiducie *confiance* v ★ geen ~ hebben in *se méfier de*

fielt *crapule* v

fier I BNW *fier* [v: *fière*] II BIJW *fièrement*

fiets *vélo* m; *bicyclette* v; INF. *bécane* v ★ op een ~ zitten/rijden *faire du vélo*

fietsen I ZN *cyclisme* m II ON WW *aller en/à vélo*; *faire du vélo* ★ naar X ~ *aller à X en bicyclette*

fietsenmaker *réparateur* m *de bicyclettes* [v: *réparatrice*]

fietsenrek *râtelier* m *à vélos*

fietsenstalling *garage* m *de cycles*; *remise* v *à vélos*

fietser *cycliste* m/v

fietspad *piste* v *cyclable*

fietspomp *pompe* v *à vélo*

fietstocht *randonnée* v *en vélo*; *promenade* v *à bicyclette*

fietsvakantie *vacances* v mv *à bicyclette*

fifty-fifty ★ ~ delen met iem. *faire/partager moitié-moitié avec qn*

figurant • acteur *figurant* m; *figurante* v • onbetekenend persoon *figurant* m; *figurante* v; *comparse* m/v

figuratief • beeldend *figuratif* [v: *figurative*] ★ figuratieve kunst *arts* m mv *figuratifs* • versierend *décoratif* [v: *décorative*]

figureren • optreden als *faire fonction de* • optreden als figurant *figurer*

figuur • gestalte *ligne* v; *corps* m ★ een slank ~ hebben *être mince* ★ zij heeft een aardig ~tje *elle est bien faite* • personage *personnage* m; *figure* v • afbeelding *figure* v • indruk, houding ★ een goed/slecht ~ slaan *faire bonne/mauvaise impression*

figuurlijk I BNW *figuré* II BIJW *au figuré*

figuurzaag *scie* v *à découper*

figuurzagen *découpage* m

Fiji *îles* v mv *Fidji* ★ op de Fiji-eilanden *aux îles Fidji*

fijn I BNW • in kleine deeltjes *fin* • niet grof *mince*; ‹fijngevormd› *délicat*; *élégant* • zeer goed, precies *recherché*; *exquis*; ‹v. smaak› *raffiné* ★ fijne manieren *manières* v mv *distinguées* II BIJW • aangenaam *agréablement* • goed *bien* ★ zij heeft fijn gesproken *elle a bien parlé* III TW *chouette*

fijnbesnaard *délicat*

fijngebouwd *svelte et gracile*

fijngevoelig *délicat*; *sensible*

fijnhakken *hacher fin*

fijnkauwen *bien mâcher*

fijnknijpen *écraser*

fijnmaken I ZN *broyage* m; ‹tot poeder› *pulvérisation* v II OV WW ‹tot poeder› *réduire en poudre*; ‹fijnhakken› *écraser*; *broyer*

fijnmalen *moudre*

fijnproever *gourmet* m; *connaisseur* m

fijnschrijver *pointe* v *fine*

fijntjes I BNW nogal fijn *fin*; ‹teer› *délicat* II BIJW • op fijne wijze *finement*; *délicatement* • op slimme wijze *finement*; *subtilement* ▾ ~ lachen *sourire d'un air entendu*

fijnzinnig *subtil*

fijt *panaris* m

fik • brand ↑ *feu* m • hond *loulou* m ▾ blijf er met je fikken af! *bas les pattes!*

fikken *cramer*

fiks I BNW • krachtig *fort*; *vigoureux* [v: *vigoureuse*] • stevig van gestalte *fort*; *robuste* II BIJW *bien*; *vigoureusement*; *fermement*

fiksen *goupiller*

filantroop *philanthrope* m/v

filatelie *philatélie* v

file I ZN (de) rij *queue* v; *embouteillage* m; *bouchon* m ⋆ in de file staan *se trouver dans un embouteillage*; ‹voor een stoplicht› *faire la queue devant un feu rouge* ⋆ in file parkeren *faire un créneau* II ZN (de/het) gegevensbestand *fichier* m
fileren *découper en filets*; ‹v. vis› *lever*
filet *filet* m
filevorming *ralentissement* m; *début* m *de bouchon*
filharmonisch *philharmonique*
filiaal *succursale* v
filiaalhouder *gérant* m *de succursale*; *gérante* v *de succursale*
filigraan *filigrane* m
Filippijnen *Philippines* v mv ⋆ op de ~ *aux Philippines*
film • fotorolletje *pellicule* v • bewegende beelden *film* m ⋆ korte film *film de court métrage* m ⋆ stomme film *film muet* m ⋆ de film wordt opgenomen *on tourne le film* ⋆ de film wordt hier vertoond *le film passe ici*
filmacademie ≈ *école* v *de cinéma*; ‹in Frankrijk› *Institut* m *des hautes études cinématographiques*
filmcamera *caméra* v
filmen *filmer*; *tourner*
filmer *cinéaste* m/v
filmhuis *ciné-club* m [mv: *ciné-clubs*]
filmkeuring *censure* v *cinématographique*
filmkritiek *critique* v *cinématographique*
filmmaker *cinéaste* m/v
filmopname *prise* v *de vues*
filmploeg *équipe* v *de tournage*
filmrol • filmband ‹kleine band› *pellicule* v; ‹grote band› *bobine* v • rol in een film *rôle* m
filmrolletje *pellicule* v; *bobine* v *de film*
filmster *vedette* v *du cinéma*
filmstudio *studio* m *de cinéma*
filologie *philologie* v
filosoferen *philosopher*
filosofie *philosophie* v
filosofisch I BNW *philosophique* II BIJW *philosophiquement*
filosoof *philosophe* m/v
filter *filtre* m
filteren *filtrer*
filterkoffie *café-filtre* m
filtersigaret *cigarette* v *filtre*
filterzakje *filtre* m
filtratie *filtration* v; *filtrage* m
filtreren *filtrer*
Fin *Finlandais* m [v: *Finlandaise*]
finaal I BNW • uiteindelijk *final* [m mv: *finaux*] • algeheel *total* [m mv: *totaux*] II BIJW *totalement*
finale SPORT *finale* v ⋆ in de ~ komen *arriver en finale*
finaleplaats ⋆ een ~ hebben *être arrivé en finale*
finalist *finaliste* m/v
financieel I BNW *financier* [v: *financière*] ⋆ het financiële *la question financière* II BIJW *financièrement*
financiën *finances* v mv; *état* m *des finances*
financier *financier* m ⋆ een goed ~ zijn *savoir administrer ses finances*
financieren *financer*
financiering *financement* m ⋆ voorlopige ~ *préfinancement* m
financieringstekort *impasse* v *budgétaire*
fineer *placage* m
fineliner *pointe* v *fine*
fineren *plaquer*
finesse *finesse* v ⋆ in ~s treden *entrer dans le détail*
fingeren *simuler* ⋆ een gefingeerd adres *une fausse adresse*
fingerspitzengefühl *doigté* m; *tact* m
finish *ligne* v *d'arrivée*
finishen *arriver*
finishfoto *photo-finish* v [mv: *photos-finish*]
finishing touch *dernière touche* v ⋆ de broche geeft de ~ aan haar bloes *cette broche met la dernière touche à sa robe*
Finland *la Finlande*
Fins I ZN *finlandais* m II BNW *finlandais*
FIOD ≈ *justice* v *fiscale*
firma *maison* v; *société* v; ‹bij v.o.f.› *firme* v
firmament *firmament* m
firmant *associé* m
first lady *(la) grande dame*
fis *fa* m *dièse*
fiscaal *fiscal* [m mv: *fiscaux*]
fiscalisering *fiscalisation* v
fiscalist *fiscaliste* m/v
fiscus *fisc* m
fistel *fistule* v
fit *en (bonne) forme*; *en bonne condition physique*
fitness *mise* v *en condition*; *fitness* m
fitnesscentrum *centre* m *de (re)mise en forme*; *centre* m *de fitness*
fitter *plombier* m
fitting • deel van gloeilamp *culot* m ⋆ gloeilamp met smalle ~ *ampoule à petit culot* v • houder voor gloeilamp *douille* v • verbindingsstuk *raccord* m
fixatie *fixation* v
fixeerbad *bain* m *de fixage*
fixen (zich) *se piquer*; *se shooter*
fixeren • vastmaken/-stellen *fixer* • onuitwisbaar maken *fixer* • strak aankijken *fixer*; *dévisager*; *regarder fixement*
fjord *fiord/fjord* m
flacon *flacon* m
fladderak *citronnelle* v
fladderen *voleter*
flageolet *flageolet* m
flagrant *flagrant*
flair *flair* m
flakkeren ‹beelden› *trembler*; ‹vlam› *vaciller*
flamberen *flamber*
flambouw *flambeau* m [mv: *flambeaux*]
flamboyant *flamboyant*
flamingo *flamant* m
flanel *flanelle* v
flaneren *flâner*
flank *flanc* m ⋆ de vijand in de ~ aanvallen *prendre l'ennemi de flanc* ⋆ links uit de ~ *par le flanc gauche*
flankeren *flanquer*

flansen *bâcler*
flap ‹v. boek› *rabat* m *de la jaquette*; *rabat* m
flapdrol *couille* v *molle*
flapoor *oreille* v *en feuille de chou*
flap-over *flip-chart* m [mv: *flip-charts*]
flappen *jeter avec fracas* ★ zij flapt er alles uit *elle dit tout ce qui lui passe par la tête*
flappentap INF. *billetterie* v
flaptekst *texte* m *de la jaquette*
flapuit *bavard* m [v: *bavarde*]
flard • fragment *bribe* v ★ ~en van een gesprek *des bribes de conversation* • lap *lambeau* m [mv: *lambeaux*]; *loque* v ★ aan ~en scheuren *mettre en lambeaux*
flashback *flash-back* m [mv: *flash-backs*]
flat • flatgebouw *immeuble* m • etagewoning *appartement* m
flater *bévue* v; *gaffe* v ★ een ~ slaan *commettre une bévue*
flatgebouw *immeuble* m
flatteren *flatter*; *embellir*
flatteus I BNW *flatteur* [v: *flatteuse*] II BIJW *flatteusement*
flauw I BNW • met weinig smaak *fade*; *insipide* • ECON. *terne*; *inactif* • zwak gebogen *léger* [v: *légère*] ★ een ~e bocht *un léger virage* • zwak *faible* ★ hij heeft er geen ~ vermoeden van *il ne se doute de rien* • kinderachtig *puéril* ★ ~e uitvluchten *de mauvaises excuses* • niet geestig *pas drôle*; *insipide* II BIJW *faiblement*; *fadement*; *vaguement* ★ ~ doen *faire l'enfant*
flauwekul *foutaise* v
flauwerd *mauvais plaisant* m; *poltron* m [v: *poltronne*]
flauwiteit *niaiserie* v; *plaisanterie* v *de mauvais goût*
flauwte *évanouissement* m; *défaillance* v
flauwvallen *se trouver mal*; *s'évanouir*
flebitis *phlébite* v
flebologie *phlébologie* v
flegma *flegme* m
flegmatiek *flegmatique*
flemen *flatter*; *dire des cajoleries*
flensje *crêpe* v
fles *bouteille* v; ‹stopflesje, flacon› *flacon* m
flesopener *ouvre-bouteille(s)* m; *décapsuleur* m
flessen *escroquer* ★ iem. ~ *avoir qn*
flessentrekker *escroc* m; *resquilleur* m
flessentrekkerij *escroquerie* v; *resquille* v
flesvoeding *allaitement* m *au biberon* ★ ~ geven *nourrir un enfant au biberon*
flets • dof *terne* ★ ~e kleuren *des couleurs passées* • ongezond *pâle*
fleur *éclat* m; *fraîcheur* v ★ de ~ is eraf *c'est défraîchi* ▾ de fine ~ *la fine fleur* ▾ in de ~ van zijn leven *dans la fleur de l'âge*
fleurig • bloeiend *florissant*; *bien portant* • fris, vrolijk *gai*
flexibel *flexible* ★ ~ plastic *plastique souple* ★ mijn baas is erg ~ *mon patron est très flexible* ★ ~e werktijden *horaires de travail flexibles*
flexibiliteit *flexibilité* v ★ de ~ van plastic *la flexibilité du plastique* ★ de ~ van mijn baas is groot *la flexibilité de mon patron est très grande*
flexie *flexion* v
flexwerk *horaire* m *à la carte/mobile/variable*
flexwerker *personne* v *qui travaille d'après un horaire variable*
flierefluiten *bambocher*
flierefluiter *bambocheur* m
flikflooien • vleien *passer de la pommade (à)* • een beetje vrijen *peloter (qn)*
flikken • klaarspelen *réussir son coup* • streek leveren *jouer un tour (à)* ★ hoe heb je 'm dat geflikt? *comment tu t'y es pris?* ★ als je me dat nog eens flikt *si tu me refais ce coup-là*
flikker • homo *pédé* m • donder ★ iem. op zijn ~ geven *casser la gueule à qn* ▾ geen ~ doen *ne rien foutre*
flikkeren I OV WW smijten *foutre*; *flanquer* ★ iem. de deur uit ~ *flanquer qn à la porte* II ON WW schitteren ‹v. licht› *vaciller*; *scintiller*
flikkering *scintillement* m; *étincellement* m; *vacillement* m
flikkerlicht *feu* m *clignotant*
flink I BNW • stevig *fort*; *solide*; *ferme* • behoorlijk *gros* [v: *grosse*] • moedig *courageux* [v: *courageuse*]; *énergique* II BIJW *vaillamment*; *énergiquement* ★ iem. ~ de waarheid zeggen *dire à qn ses quatre vérités* ★ ~ werken *travailler dur* ★ ~ optreden *ne pas y aller de main morte*
flinter *tranche* v *très fine*
flinterdun *très mince*
flip-over *flip-chart* m [mv: *flip-charts*]
flippen *flipper*
flipperen *jouer au flipper*
flipperkast *flipper* m
flirt • het flirten *flirt* m • voorbijgaande verliefdheid *amourette* v • persoon *flirteur* m [v: *flirteuse*]
flirten *flirter*
flits ‹v. fototoestel› *flash* m/v [m mv: *flashes*]; *éclair* m
flitsen FOTO. *flasher*
flitsend *branché*
flitser *flash* m/v
flitslamp *lampe* v *flash*
flitslicht *flash* m/v
flodder *douille* v ★ losse ~ *cartouche à blanc* v
flodderen *flotter*
flodderig I BNW ruim, slordig *flottant*; *négligé* II BIJW • knoeierig *comme un cochon* • ruim, slordig *de manière flottante*
floep *plouf!*; *vlan!*
floepen *échapper* ★ het glas floepte uit zijn handen *le verre lui a échappé des mains*
floers • stof *crêpe* m • waas *voile* m; *nuage* m
flonkeren *étinceler*; ‹steen, kleur› *resplendir*
floorshow *spectacle* m *de variétés*
flop *flop* m; *bide* m; ‹theater› *four* m
floppen *faire fiasco*; ‹theater› *faire un four*
floppydisk *disquette* v
flora *flore* v
floreren *être florissant*; *prospérer*
floret *fleuret* m
florissant *florissant*
flossen *se nettoyer les dents avec un fil dentaire*
flowerpower *flower-power* m
fluctueren *flotter*; *fluctuer*

fluïdum *fluide* m
fluim • speeksel *crachat* m • vent van niks *salaud* m
fluimen *cracher; vomir des glaires*
fluistercampagne *campagne* v *d'insinuations*
fluisteren *chuchoter*; ‹stiekem› *souffler* ★ iem. iets in het oor ~ *glisser qc à l'oreille de qn*
fluistertoon ★ iets op ~ zeggen *chuchoter qc*
fluit • blaasinstrument *flûte* v • fluitsignaal *sifflet* m
fluitconcert • concert *concerto* m *pour flûte* • afkeuring *sifflets* m mv
fluiten I ov ww • fluitend spelen *siffler* • roepen *siffler* • SPORT *arbitrer* ▼ hij kan naar zijn geld ~ *il peut mettre une croix sur son argent* II ON WW • fluitgeluid maken *siffler* • op fluit spelen *jouer de la flûte*

F

fluitenkruid *persil* m *sauvage*
fluitist *flûtiste* m/v
fluitje • instrument *flûteau* m [mv: *flûteaux*] • signaal *coup* m *de sifflet* ★ men wachtte op het ~ van de scheidsrechter *on attendait le coup de sifflet de l'arbitre* ▼ een ~ van een cent *simple comme bonjour*
fluitketel *bouilloire* v *à sifflet*
fluor *fluor* m
fluoresceren *fluorescer*
fluorescerend *fluorescent*
fluoride *fluorure* m
fluortablet *comprimé* m *de fluor*
flut- *mauvais*
flutboek *livre* m *sans intérêt*
flûte *flûte* v
fluweel *velours* m
fluweelzacht *velouté*
fluwelen *de velours*
fluwelig *velouté*
flyer *tract* m
FM *modulation* v *de fréquence; F.M.* v
fnuikend *funeste (à); nuisible (à)*
fobie *phobie* v
focaal *focal* [m mv: *focaux*]
focaliseren *focaliser*
focus *foyer* m
focussen • scherp stellen *mettre au point* • aandacht richten op *focaliser*
foedraal • etui *étui* m • overtrek *gaine* v; *fourreau* m [mv: *fourreaux*]
foefje *truc* m; *combine* v
foei *fi!; fi donc!*
foeilelijk *hideux* [v: *hideuse*]; *affreux* [v: *affreuse*]; *laid à faire peur*
foerageren *fourrager*
foeteren *rager; râler*
foetsie *volatilisé*
foetus *foetus* m
föhn® • wind *foehn* m • haardroger *sèche-cheveux* m [onv]
föhnen I ZN *brushing* m II OV WW *sécher les cheveux*
fok • voorzeil *foc* m • bril *besicles* v mv
fokken *élever*
fokkenmaat *manieur* m *du foc*
fokkenmast *mât* m *de misaine*
fokker *éleveur* m [v: *éleveuse*]
fokkerij • het fokken *élevage* m • fokbedrijf *station* v *d'élevage*
fokvee *bétail* m; *animaux* m mv *d'élevage*
folder *dépliant* m
folie *feuille* v *d'aluminium*
folio *folio* m
folioformaat *(format* m*) in-folio* m
foliumzuur *acide* m *folique*
folklore *folklore* m
folkloristisch *folklorique*
folkmuziek *musique* v *folk*
follikel MED. *follicule* m *(ovarien)*
follow-up *suite* v; *continuation* v; MED. *traitement* m *suivi médicinal* ★ ~brief *lettre* v *de poursuite/de relance/de rappel*
folteraar *tortionnaire* m/v
folteren *torturer*; FIG. *tourmenter*
foltering *torture* v; FIG. *tourment* m
folterwerktuig *instrument* m *de torture*
fond *fond* m; *arrière-plan* m
fondant *fondant* m
fonds • geld *fonds* m mv; *capital* m [mv: *capitaux*] • stichting *fonds* m mv; *société* v *mutuelle; mutualité* v ★ internationaal monetair ~ *fonds monétaire international* • waardepapier *fonds* m ★ publieke ~en *fonds* m mv *publics; valeurs* v mv *mobilières*
fondsenwerving *acquisition* v/*collecte* v *de fonds*
fondslijst *catalogue* m *d'éditeur*
fondspatiënt *assuré* m *social* [m mv: *assurés sociaux*]; *assurée* v *sociale*
fondue *fondue* v
fonduen *faire une fondue*
fonduestel *service* m *à fondue*
foneem TAALK. *phonème* m
fonetiek *phonétique* v
fonetisch I BNW *phonétique* II BIJW *phonétiquement*
fonkelen *étinceler; scintiller*
fonkelnieuw *flambant neuf*
fonologie *phonologie* v
fonotheek *phonothèque* v
font *fonte* v
fontanel *fontanelle* v
fontein • omhoog spuitend water *jet* m *d'eau* • waterinrichting *fontaine* v
foodprocessor *robot-Marie* m [mv: *robots-Marie*]
fooi *pourboire* m
fooienpot *tirelire* v *à pourboire*
fopartikel *attrape-nigaud* m [mv: *attrape-nigauds*]
foppen *attraper*
fopspeen *tétine* v; *sucette* v
forceren • doordrijven *forcer; brusquer* ★ zijn stem ~ *se casser la voix* • door geweld openen *forcer*
forel *truite* v
forens *banlieusard* m [v: *banlieusarde*]
forensisch ★ ~e geneeskunde *médecine* v *légale*
forenzen *faire la navette*
forfait *forfait* m
formaat *format* m ★ in groot ~ *de grand format* ▼ iemand van ~ *qn de (grande) classe*
formaliseren • *formaliser* • *normaliser*
formalisme *formalisme* m
formaliteit *formalité* v ★ de ~en in acht

nemen *tenir compte des formalités* ★ de ~en vervullen *remplir les formalités*
formateur *personne* v *chargée de constituer un gouvernement*
formatie • vorming *formation* v • groep *formation* v
formatieplaats *poste* m
formatteren *formater*
formeel I BNW • de vorm betreffend *formel* [v: *formelle*] • officieel *officiel* [v: *officielle*] II BIJW *formellement*
formeren *former*
formica *formica* m
formidabel *formidable*
formule *formule* v
formuleren *formuler*
formulering *formulation* v; *tournure* v; ‹schriftelijk› *rédaction* v
formulier *formule* v; *formulaire* m
fornuis *fourneau* m [mv: *fourneaux*]; *cuisinière* v
fors I BNW aanzienlijk *fort*; *robuste*; *vigoureux* [v: *vigoureuse*] II BIJW *fortement*; *vigoureusement*
forsgebouwd *solidement charpenté*
forsythia *forsythia* m
fort *fort* m
fortificatie *fortification* v
Fortran *fortran* m
fortuin I ZN (de) (nood)lot *fortune* v; *sort* m II ZN (het) vermogen *fortune* v
fortuinlijk • geluk hebbend *qui a de la chance* • voorspoedig *fortuné*; *prospère*
fortuinzoeker *aventurier* m [v: *aventurière*]
forum • GESCH. *forum* m • discussie *réunion-débat* v [mv: *réunions-débats*] • deskundigen *groupe* m *d'experts*
forumdiscussie *réunion-débat* v [mv: *réunions-débats*]
fosfaat *phosphate* m
fosfaatvrij *sans phosphate*
fosfor *phosphore* m
fosforesceren *être phosphorescent*
fosforhoudend *phosphorique*
fossiel I ZN *fossile* m II BNW *fossile* ★ ~e brandstoffen *combustibles fossiles* m
foto *photo* v
fotoalbum *album* m *de photos*
fotoboek *album* m *de photos*
foto-elektrisch *photoélectrique*
fotofinish *photo-finish* v
fotogeniek *photogénique*
fotograaf *photographe* m/v
fotograferen *photographier*
fotografie *photographie* v
fotografisch *photographique*
fotohandelaar *photographe* m/v
fotojournalist *reporter* m *photographe*
fotokopie *photocopie* v
fotokopiëren *photocopier*
fotomodel *modèle* m; *mannequin* m
fotomontage *photomontage* m
foton *photon* m
fotonica *photonique* v
fotoreportage *reportage* m *photographique*
fotorolletje *pellicule* v *photo*
fotosynthese *photosynthèse* v
fototoestel *appareil* m *photo*
fotozaak ★ naar de ~ gaan *aller chez le photographe*
fouilleren *fouiller*
foulard *foulard* m
foundation • crème *crème* v *de base* • lingerie *fond* m *de robe*; *combinaison* v
fourneren *fournir*
fournituren *fournitures* v mv
fout I ZN • onjuistheid *faute* v; *erreur* v • gebrek *défaut* m; *imperfection* v • misslag *faute* v; *erreur* v II BNW *incorrect* III BIJW ★ dat is fout *c'est une erreur*; *ce n'est pas bien*
foutief I BNW *faux* [v: *fausse*] II BIJW *fautivement*
foutloos I BNW *correct* II BIJW *sans fautes*; *correctement*
foutmelding ‹comp.› *signal* m *d'erreur* [m mv: *signaux*]
foutparkeren *stationnement* m *illégal*
foxtrot *fox-trot* m
foyer *foyer* m
fraai I BNW mooi *beau* [m mv: *beaux*] [v: *belle*] [onr: *bel*]; *joli* ★ dat is ~ *en voilà du propre*; *c'est du joli* II BIJW *joliment*
fractal *fractale* v
fractie • POL. *groupe* m *parlementaire* • onderdeel *fraction* v
fractieleider *chef* m *du groupe parlementaire*
fractievoorzitter *président* m *du groupe parlementaire*; *présidente* v *du groupe parlementaire*
fractuur *fracture* v
fragiel *fragile*
fragment *fragment* m
fragmentarisch *fragmentaire*
fragmentatie *fragmentation* v
fragmentatiebom *bombe* v *à fragmentation*
fragmenteren *fragmenter*
framboos • vrucht *framboise* v • struik *framboisier* m
frame ‹v. fiets› *cadre* m; *châssis* m; *armature* v; ‹v. machine› *bâti* m
franc *franc* m
Française *Française* v
franchise *franchise* v
franchisegever *franchiseur* m
franchisenemer *franchisé* m; *agent* m *en franchise*
franciscaan *Franciscain* m [v: *Franciscaine*]
franco *franco de port* ★ ~ zending *envoi* m *en port payé*
francofiel I ZN *francophile* m/v II BNW *francophile*
francofoon *francophone*
franje • versiering *frange* v ★ met ~ *avec des franges* • bijzaken *fioriture* v
frank I ZN *franc* m II BNW *franc* [v: *franche*]
frankeermachine *machine* v *à affranchir/timbrer*
frankeren *affranchir (à)*
Frankrijk *la France*
Frans I ZN (het) *français* m ★ in het ~ *en français* ★ ~ spreken *parler français* II BNW *français* ★ ~e titel *faux-titre* m; *avant-titre* m ★ typisch ~ *franco-français*
Fransman *Français* m ★ de Fransen *les*

Français
Franstalig *francophone*
frappant *frappant*
frapperen *frapper*
frase *phrase* v
fraseren *phraser*
frater *frère* m
fratsen *blagues* v mv; *farces* v mv
fraude *fraude* v
fraudebestendig *à l'épreuve des fraudes*
frauderen *frauder*
fraudeteam *brigade* v *chargée de la répression de fraudes*
fraudeur *fraudeur* m; *fraudeuse* v
frauduleus I BNW *frauduleux* [v: *frauduleuse*] II BIJW *frauduleusement*
freak • fanatiekeling *fana* m/v ★ auto~ *fana de voitures* • zonderling persoon *marginal* m [mv: *marginaux*]
freelance *indépendant*; *free-lance* ★ op ~basis werken *travailler en free-lance*
freelancen *travailler en free-lance*
freelancer *employé* m *free-lance* [v: *employée* ...]
frees *fraise* v
freewheelen • het kalm aan doen *ne pas se fatiguer* • in vrijloop fietsen *être en roue libre*
fregat *frégate* v
frêle *frêle*; *fragile*
frequent I BNW *fréquent* II BIJW *fréquemment*
frequenteren *fréquenter*
frequentie *fréquence* v
fresco *fresque* v
fresia *freesia* m
fret • dier *furet* m • boor *foret* m; *vrille* v
freudiaans *freudien* [v: *freudienne*] ★ ~e verspreking *lapsus* m
freule *demoiselle* v; *mademoiselle* v
frezen *fraiser*
fricandeau *fricandeau* m [mv: *fricandeaux*]
frictie *friction* v
friemelen *tripoter* ★ aan iets ~ *tripoter qc*
fries *frise* v
Fries I ZN (de) *Frison* m II ZN (het) *frison* m
Friesland *la Frise*
frietkraam *friterie* v
frietsaus *sorte* v *de mayonnaise pour les frites*
frietsnijder ≈ *appareil* m *qui coupe les frites*
friettent *friterie* v
Friezin *Frisonne* v
frigide *frigide*
frik *instit* m; *pédant* m [v: *pédante*]
frikadel *fricadelle* v
fris I ZN *boisson* v *fraîche* II BNW *frais* [v: *fraîche*] ★ het is fris *il fait frais* III BIJW *fraîchement*
frisbee ® *frisbee* m
frisbeeën *jouer au frisbee*
frisdrank *rafraîchissement* m
frisheid *un peu* m *d'air*; *fraîcheur* v
frisjes *frisquet* [v: *frisquette*] ★ het is ~ *il fait frisquet*
frites *frites* v mv ★ zakje ~ *cornet* m *de frites*
friteuse *friteuse* v
frituren *faire frire*
frituur • gefrituurd voedsel *friture* v • patatkraam *friterie* v
frituurpan *friteuse* v
frituurvet *friture* v; *huile* v *à friture*
frivoliteit *frivolité* v
frivool *frivole*
fröbelen *bricoler*
frommelen • kreukelen *chiffonner*; *friper*; *froisser* • friemelen *tripoter*
frondeel *frontail* m
frons *ride* v; *pli* m
fronsen I ZN *froncement* m II OV WW *froncer*; ‹v. voorhoofd› *plisser*
front • eerste gelid *front* m • voorzijde *front* m; *devant* m • voorste linie *front* m • verschijnsel m.b.t. weer *front* m
frontaal *frontal* [m mv: *frontaux*] ★ frontale botsing *collision frontale* v ★ ~ op elkaar botsen *se percuter de front*
frontlijn *ligne* v *de feu*
frontlinie *ligne* v *de front*
frontsoldaat *soldat* m *de front*
fructose *fructose* m
fruit *fruits* m mv
fruitautomaat *machine* v *à sous*
fruitboom *arbre* m *fruitier*
fruiten *faire revenir*; *rissoler*
fruitig *fruité*
fruitmes *couteau* m *à fruits* [m mv: *couteaux* ...]
fruitsalade *salade* v *de fruits*
fruitschaal *compotier* m
frunniken → **frutselen**
frustratie *frustration* v
frustreren *frustrer*
frutselen • friemelen *tripoter* • knutselen *bricoler* ★ iets in elkaar ~ *bricoler qc*
f-sleutel *clef* v *de fa*
fuchsia *fuchsia* m
fuga *fugue* v
fuif *fête* v; *surprise-partie* v [mv: *surprises-parties*]
fuifnummer *fêtard* m; *fêtarde* v
fuik *nasse* v ▾ in de fuik lopen *donner dans le piège*
fuiven *faire la fête*; *faire la noce*
fullcolour *en quadrichromie*; INF. *en quadri*
fullspeed *à toute vitesse*
fulltime *à plein temps* [onv]
fulmineren *fulminer (contre)*
functie • taak *fonction* v • betrekking *fonction* v; *poste* m ★ zijn ~ neerleggen *donner sa démission* ★ in ~ *en exercice* • WISK. *fonction* v
functiebeschrijving *description* v *de poste*
functietoets *touche* v *de fonction*
functionaris *fonctionnaire* m
functioneel I BNW *fonctionnel* [v: *fonctionnelle*] II BIJW *fonctionnellement*
functioneren *fonctionner*
functioneringsgesprek *entretien* m *d'appréciation*
fundament • fundering *fondation* v • grondslag *fondement* m
fundamentalisme *fondamentalisme* m
fundamentalistisch • REL. *intégriste* • POL. *extrémiste*
fundamenteel *fondamental* [m mv:

fondamentaux]
funderen • fundering aanbrengen *creuser les fondations* • baseren *fonder*
fundering • fundament *fondation* v • grondslag *fondement* m
fundraising *collecte* v *de fonds*
funest *funeste (à)*
fungeren • in functie zijn *être en fonction* • dienst doen *faire fonction de*
funk *funk* m
furie *furie* v
furieus I BNW *furieux* [v: *furieuse*] II BIJW *furieusement*
furore ★ ~ maken *faire fureur*
fuseren *fusionner*
fusie ECON. *fusion* v
fusilleren *fusiller*; *passer par les armes*
fust *fût* m; *barrique* v ★ de fusten *la futaille* ★ op fust *en barriques* ★ een fust wijn *un fût de vin*
fut *force* v; *énergie* v; *ressort* m
futiel *futile*; *insignifiant*
futiliteit • kleinigheid *futilité* v; *vétille* v • zinloosheid *futilité* v
futloos *mou* [v: *molle*] [onr: *mol*]; *faible*; *mollasse*; *sans énergie*
futurisme *futurisme* m
futuristisch I BNW m.b.t. toekomst *futuriste* II BIJW *de façon futuriste*
fuut *grèbe* m
fysica *physique* v
fysicus *physicien* m [v: *physicienne*]
fysiek I ZN *physique* m II BNW lichamelijk *physique* III BIJW *physiquement* ★ ~ onmogelijk *matériellement impossible*
fysiologie *physiologie* v
fysiotherapeut *kinésithérapeute* m/v
fysiotherapie *kinésithérapie* v
fyto-oestrogenen *phyto-oestrogènes* m mv

G

g • letter *g* m • muzieknoot *sol* m
gaaf I BNW • prachtig *terrible* • ongeschonden *intact*; *sain* II BIJW *entièrement* III TW ★ gaaf! *chouette!*; *terrible!*
gaai *geai* m
gaan I ON WW • in beweging zijn *aller*; *passer*; ‹lopend› *marcher* ★ ga erheen *vas-y* ★ naar een dokter gaan *aller voir un médecin* ★ van X naar Y gaan via Z *aller de X à Y en passant par Z* ★ naar huis gaan *rentrer* • weggaan *s'en aller* ★ de boot gaat pas over een kwartier *le bateau ne part que dans un quart d'heure* ★ u kunt gaan *vous pouvez disposer* • beginnen *commencer à*; *aller* ★ gaan liggen *se coucher*; ‹v. wind› *tomber*; ‹bij ziekte› *s'aliter* ★ gaan staan *se lever* ★ het gaat sneeuwen *il va neiger* ★ gaan huilen *se mettre à pleurer* • functioneren *marcher*; *fonctionner* ★ de bel gaat *on sonne* • gekleed zijn ★ in het rood gaan *porter du rouge* • ~ **met** *sortir avec* ★ Caroline gaat met Hans *Caroline est la petite amie/copine de Hans* • ~ **over** ‹handelen› *traiter (de)*; ‹de zorg hebben over› *s'occuper de*; *être chargé de* ★ het gaat over *il s'agit de* ★ daar gaat het niet om *ce n'est pas là la question* • ~ **voor** *passer avant* ★ boven alles gaan *passer avant tout* II ONP WW • gesteld zijn *aller* ★ hoe gaat het? *(comment) ça va?*; FORM. *comment allez-vous?* ★ het gaat *ça ne va pas trop mal*; *comme ci, comme ça* • gebeuren *aller* ★ dat gaat vanzelf *cela va tout seul* ★ zo gaat het altijd *il en va toujours ainsi* ★ het is mij ook zo gegaan *j'en ai vu autant* • ~ **om** *s'agir (de)* ★ het gaat om je leven *il y va de ta vie*
gaande • in beweging *en mouvement* • aan de gang ★ wat is er ~? *que se passe-t-il?* ★ ~ houden *continuer*; ‹v. gesprek› *alimenter*; ‹v. zaak› *maintenir*
gaanderij → **gallerij**
gaandeweg *peu à peu*; *au fur et à mesure*
gaap *bâillement* m
gaar • voldoende toebereid *cuit*; *cuit à point* • duf *éreinté*; *épuisé*
gaarkeuken *soupe* v *populaire*; FIG. *gargote* v
gaarne *volontiers*; *de bon cœur* ★ ik zou ~ ophouden *je voudrais bien en finir* ★ ik zou ~ zien dat *j'aimerai que* [+ subj.]
gaas • weefsel *gaze* v • vlechtwerk van metaal *grillage* m
gaasje *pansement* m *de gaze*
gabber *pote* m
gabberhouse *house music* v *à rythme très fort*
Gabon *le Gabon* ★ in ~ *au Gabon*
gade *époux* m [v: *épouse*]
gadeslaan *observer*
gadget *gadget* m
gading ★ zit er iets van je ~ bij? *il y a qc qui te plaît?* ★ iets naar mijn ~ *qc qui me convient*
gadsie/gadver/gadverdamme *pouah!*
gaffel *fourche* v

gage *cachet* m
gajes *populace* v; *racaille* v
GAK *Bureau* m *commun d'administration*
gal ‹v. dieren› *fiel* m; FIG. *amertume* v; *bile* v
gala • feest *gala* m • kleding ★ in gala *en grande tenue*
galabal *bal* m *officiel*
galant I BNW hoffelijk *galant* II BIJW *galamment*
galapremière *grande première* v; *gala* m
galavoorstelling *représentation* v *de gala*
galblaas *vésicule* v *biliaire*
galei *galère* v
galerie *galerie* v
galeriehouder *exploitant* m *d'une galerie*
galerij • *galerie* v ★ een overdekte ~ *un passage* • tribune in theater *paradis* m
galerijflat *immeuble* m *à galeries extérieures*
galg • paalwerk met strop *gibet* m; *potence* v • bretel *bretelles* v mv
galgenhumor *plaisanterie* v *macabre*
galgenmaal *dernier repas* m; *repas* m *d'adieu*
galjoen *galion* m
gallicisme *gallicisme* m
gallisch *gaulois* ▾ ~ van iets worden *s'irriter de qc*
galm • klank *résonance* v; *son* m *résonant* • echo *résonance* v
galmen I OV WW zingen *chanter à pleine voix* II ON WW • luid klinken *retentir*; *résonner* • weerkaatsen *retentir*
galon *galon* m
galop *galop* m ★ in ~ *au galop*
galopperen *galoper*
galsteen *calcul* m *biliaire*
galvanisch *galvanique*
galvaniseren *galvaniser*
galzuur *acide* m *stéroïde*
gamba *gamba* v
Gambia *la Gambie* ★ in ~ *en Gambie*
game *jeu* m [mv: *jeux*]
gamma • Griekse letter *gamma* m • reeks *gamme* v
gammaglobuline *gammaglobuline* v
gammastraling *radiation* v *gamma*
gammel • niet stevig *déglingué* ★ een ~e stoel *une chaise branlante* • slap, lusteloos *patraque*; *indisposé*
gang • doorloop *corridor* m; *couloir* m • manier van gaan *allure* v; *démarche* v • verloop *train* m; *marche* v ★ iem. zijn gang laten gaan *laisser faire qn* ★ ga je gang *vas-y* ★ ga je gang maar *tu peux y aller*; *je t'en prie* ★ op gang helpen *mettre en branle*/*en train* ★ op gang komen *se mettre en train* • deel van menu *plat* m • beweging ★ aan de gang gaan *se mettre à la besogne* ★ weer op gang brengen *relancer* • gedrag, handelen ★ iemands gangen nagaan *suivre les allées et venues de qn*
gangbaar *courant* ★ een gangbare uitdrukking *une expression usuelle*
gangboord *coursive* v
gangenstelsel *réseau* m *de couloirs* [m mv: *réseaux ...*]
gangetje ★ het gaat zo zijn ~ *ça va*
gangkast *placard* m *(dans le couloir)*
gangmaker • SPORT *entraîneur* m • ijveraar *animateur* m [v: *animatrice*]; *boute-en-train* m [onv]
gangpad *passage* m
gangreen MED. *gangrène* v
gangster *gangster* m
gangsterfilm *film* m *policier*
gans I ZN • vogel *oie* v • persoon ★ onnozele gans *oie blanche* ▾ Moeder de Gans *ma Mère l'Oie* II BNW *tout*; *entier* [v: *entière*] ★ van ganser harte *de tout cœur* III BIJW *entièrement*
ganzenbord *jeu* m *de l'oie*
ganzenlever *foie* m *d'oie*
ganzenpas MIL. *pas* m *de l'oie* ★ in de ~ *à la queue leu leu*/*en file indienne*
ganzenveer *plume* v *d'oie*
ganzerik • PLANTK. *herbe* v *aux oies* • mannetjesgans *jars* m
gapen • geeuwen *bâiller* • dom toekijken *bâiller aux corneilles* • dreigend geopend zijn *bâiller*
gaping • opening *bâillement* m • leemte *lacune* v; *hiatus* m
gappen *chiper*; *piquer*
garage *garage* m
garagehouder *garagiste* m/v
garanderen *garantir*; *se porter garant de* ★ gegarandeerd voor onderdelen en werkloon *garanti pièces et main-d'œuvre*
garant ★ zich ~ stellen voor *se porter garant de*
garantie *garantie* v ★ met een jaar ~ *avec un an de garantie*
garantiebewijs *certificat* m *de garantie*
garantiefonds *fonds* m *de garantie*
garde • keukengerei *fouet* m • lijfwacht *garde* m
garderobe • klerenbewaarplaats *vestiaire* m • kleren *garde-robe* v [mv: *garde-robes*]
gareel FIG. *carcan* m; *collier* m; *joug* m ▾ iemand weer in het ~ brengen *remettre qn au pas*
garen I ZN *fil* m II BNW *de fil*; *en fil*
garenklos *bobine* v *de fil*
garnaal *crevette* v
garnalencocktail *salade* v *de crevettes*
garneren *garnir*
garnituur *garniture* v
garnizoen *garnison* v ★ in ~ liggen *être en garnison*
gas *gaz* m ★ vloeibaar gas *gaz liquéfié* ★ met gas verlicht *éclairé au gaz* ★ gas geven *appuyer sur l'accélérateur* ★ vol gas *pleins gaz*
gasaansteker ‹gevuld met gas› *briquet* m *à gaz*; ‹om gas aan te steken› *allume-gaz* m [onv]
gasbedrijf *compagnie* v *du gaz*; ‹in Frankrijk› *G.D.F.* m; *Gaz* m *de France*
gasbel • in vloeistof *bulle* v *de gaz* • in aarde *poche* v *de gaz*
gasbrander *brûleur* m; *bec* m *à gaz*
gasexplosie *explosion* v *de gaz*
gasfabriek *usine* v *à gaz*
gasfitter *plombier-zingueur* m [mv: *plombiers-zingueurs*]
gasfles *bouteille* v *à gaz*; ‹gevuld› *bouteille* v *de gaz*

gasfornuis *cuisinière* v *à gaz*
gaskachel *poêle* m *à gaz*
gaskamer *chambre* v *à gaz*
gaskraan *robinet* m *du gaz*
gasleiding ‹over land› *gazoduc* m; *conduite* v *de gaz*; *canalisation* v *de gaz*
gaslek *fuite* v *de gaz*
gasmasker *masque* m *à gaz*
gasmeter *compteur* m *à gaz*
gasoven *four* m *à gaz*
gaspedaal *accélérateur* m; INF. *champignon* m
gaspit *feu* m [mv: *feux*]
gasslang *tuyau* m *à gaz* [m mv: *tuyaux ...*]
gasstel *réchaud* m *à gaz*
gast • bezoeker *hôte* m/v; *invité* m [v: *invitée*]; ‹voor het eten› *convive* m/v • gozer *individu* m
gastarbeider *travailleur* m *immigré/étranger*
gastcollege ≈ *cours* m *donné par un professeur visiteur* ★ een ~ geven/verzorgen *faire un cours*
gastdocent *professeur* m *visiteur*; *conférencier* m *de l'extérieur*
gastenboek • boek ter herinnering *livre* m *d'or* • in een hotel *registre* m *de réception*
gastenverblijf *hôtellerie* v
gastgezin *famille* v *d'accueil*
gastheer *hôte* m/v; *maître* m *de maison* ★ zijn plicht als ~ vervullen *faire les honneurs de la maison*
gasthuis *hôpital* m [mv: *hôpitaux*]; ‹voor ouden van dagen› *hospice* m
gastland *pays* m *d'accueil*
gastmaal *banquet* m
gastoevoer *(tuyaux d') amenée* v *de gaz*
gastoptreden *représentation* v *d'artiste invité(e)*
gastouder *parent* m *d'accueil*
gastrol *rôle* m *que qn est invité à jouer*
gastronomie *gastronomie* v
gastspreker *orateur* m [v: *oratrice*]; ‹op congres› *conférencier* m [v: *conférencière*]
gastvrij I BNW *hospitalier* [v: *hospitalière*] II BIJW *avec hospitalité*
gastvrijheid *hospitalité* v
gastvrouw *hôtesse* v; *maîtresse* v *de maison* ★ als ~ optreden *faire les honneurs de la maison*
gasvlam *flamme* v *du gaz*
gat • opening *trou* m; *ouverture* v; ‹holte› *creux* m; *cavité* v ★ een gat/gaten maken in *trouer* • gehucht *trou* m • achterwerk *derrière* m; *postérieur* m ▾ iets in de gaten hebben *s'apercevoir de qc* ▾ hij heeft een gat in zijn hand *l'argent lui fond dans les mains*
gatenkaas *fromage* m *à trous*
gatenplant *philodendron* m
gauw I BNW *rapide*; FORM. *prompt* II BIJW • snel *vite*; FORM. *promptement* • binnenkort *vite*; *bientôt*
gauwdief *filou* m
gauwigheid *précipitation* v ★ in de ~ *à la hâte*
gave • talent *talent* m; *don* m • geschenk *don* m; *présent* m
gay *gai/gay* m; *homosexuel* m; PEJ. *pédé* m
gazelle *gazelle* v
gazon *pelouse* v; *gazon* m
ge *vous*
geaard • met aardleiding *mis à la terre* • van nature *d'une nature*
geaardheid *nature* v; *naturel* m; *caractère* m
geaccidenteerd *accidenté*
geacht *respecté*; *estimé*
geadresseerde *destinataire* m/v
geaffecteerd I BNW *affecté* II BIJW *avec affectation*
geagiteerd I BNW *agité*; *fébrile* II BIJW *avec agitation*
geallieerd *allié*
geallieerden *Alliés* m mv [mv]
geamuseerd *d'un air amusé*
geanimeerd *animé*; *vif* [v: *vive*] ★ een ~ gesprek *une conversation animée*
gearmd *bras dessus, bras dessous*
geavanceerd *avancé*
gebaar *geste* m ★ gebaren maken *gesticuler*
gebak *gâteau* m [mv: *gâteaux*]; *pâtisserie* v
gebakje *petit gâteau* m [mv: *petits gâteaux*]
gebakstel *service* m *à gâteaux*
gebaren *gesticuler*
gebarentaal *langage* m *gestuel*; *mimique* v ★ in ~ uitdrukken *mimer*
gebed *prière* v
gebedsgenezer *guérisseur* m *opérant par la prière*
gebeente *os* m mv; *squelette* m; *ossements* m mv
gebeiteld *planqué* ▾ ik zit ~ *j'ai trouvé une bonne planque*
gebekt ▾ goed ~ zijn *avoir la langue bien pendue*
gebelgd *fâché*; *vexé*
gebergte *montagne* v; *monts* m mv
gebeten ▾ hij is erop ~ om *il tient à*
gebeuren I ZN *événement* m; *fait* m II ON WW • plaatsvinden *arriver*; *se passer*; *se faire* ★ er is een ongeluk gebeurd *il est arrivé un accident* ★ alsof er niets gebeurd was *comme si de rien n'était* • overkómen ★ wat is er met jou gebeurd? *qu'est-ce qui t'est arrivé?*
gebeurtenis *événement* m; *fait* m
gebied • streek *région* v • grondgebied *territoire* m; *terrain* m • kennisterrein *domaine* m; *ressort* m ★ op het ~ van *en matière de*
gebieden I OV WW voorschrijven *commander*; *ordonner* ★ iem. ~ iets te doen *commander/ordonner à qn de faire qc* II ON WW heersen *commander*
gebit • tanden en kiezen *dentition* v • kunstgebit *dentier* m
gebitsverzorging *hygiène* v *dentaire*
gebladerte *feuillage* m
geblesseerd *blessé*
gebloemd *à fleurs*; *fleuri*
geblokt *à carreaux*
gebocheld *bossu*
gebod *ordre* m; *commandement* m
gebodsbord *signal* m *d'obligation*
gebogen • WISK. ★ een ~ lijn *une (ligne) courbe* • krom *voûté*; *courbé*
gebonden • niet vrij *lié*; *engagé*; *attaché* ★ aan regels ~ zijn *être soumis à des règles* ★ aan handen en voeten ~ *pieds et poings liés*

★ niet aan tijd ~ zijn *avoir tout son temps* • ingebonden *relié* • niet dun *lié*
geboomte *arbres* m mv
geboorte • het geboren worden *naissance* v • afkomst ★ hij is Fransman van ~ *il est Français de naissance*
geboorteakte *acte* m/*extrait* m *de naissance*
geboortebeperking *limitation* v *des naissances*
geboortecijfer *taux* m *de natalité*
geboortedag *jour* m *de naissance*
geboortedatum *date* v *de naissance*
geboortegolf *poussée* v *démographique*; *vague* v *de naissances*
geboortejaar *année* v *de naissance*
geboortekaartje *faire-part* m *de naissance* [onv]

G

geboorteoverschot *excédent* m *des naissances*
geboorteplaats *lieu* m *de naissance*
geboorteregeling *planning* m *familial*; *contrôle* m/*régulation* v *des naissances*
geboorteregister *registre* m *des naissances*
geboren • ter wereld gebracht *né* ★ ~ worden *naître*; FORM. *voir le jour* • van nature *de nature* ★ ~ optimist *né optimiste*
geborgen *en sécurité* [onv] ★ zich ~ voelen *se sentir en sécurité*
geborgenheid *sécurité* v ★ het huis gaf hem een gevoel van ~ *cette maison le sécurisait*
gebouw *bâtiment* m; ‹groot› *édifice* m; *immeuble* m
gebraad *rôti* m
gebrand *brûlé*; ‹v. noten› *grillé*; ‹v. koffie› *torréfié*
gebrek • gemis *manque* m; *pénurie* v ★ bij ~ aan *faute de*; *à défaut de* • mankement *défaut* m; *imperfection* v; ‹lichamelijk› *infirmité* v ▾ in ~e blijven *omettre de faire qc*
gebrekkig I BNW • onvolkomen *défectueux* [v: *défectueuse*]; *imparfait* • invalide *infirme* II BIJW *défectueusement*
gebroeders *Frères* m mv
gebroken • stuk *cassé*; *brisé*; *rompu* • onderbroken *interrompu* ★ een ~ lijn *une ligne brisée* • gebrekkig ★ in ~ Frans *en mauvais français* • uitgeput *rompu*; *brisé* ★ een ~ man *un homme fini* • niet zuiver ★ ~ wit *blanc cassé* ▾ een ~ getal *un nombre fractionnaire*
gebrouilleerd *brouillé* ★ hij is ~ met haar *il s'est brouillé avec elle*
gebruik • het benutten *emploi* m; *usage* m; *utilisation* v ★ ~ maken van *profiter de* ★ in ~ nemen *mettre en service* ★ voor uitwendig/inwendig ~ *à usage externe/interne* ★ voor het ~ schudden *agiter avant de s'en servir* • gewoonte *usage* m; *coutume* v
gebruikelijk *usuel* [v: *usuelle*]; *d'usage* ★ op de ~e wijze *conformément à l'usage*
gebruiken • aanwenden *utiliser*; *employer*; *se servir de* • nuttigen *prendre* ★ wilt u iets ~? *puis-je vous offrir qc?*
gebruiker ‹v. weg/taal› *usager* m; ‹v. apparaat› *utilisateur* m [v: *utilisatrice*]; ‹consument› *consommateur* m [v: *consommatrice*]
gebruikersvriendelijk *facile/agréable d'emploi*
gebruikmaking *utilisation* v ★ met ~ van *en utilisant*
gebruiksaanwijzing *mode* m *d'emploi*
gebruiksklaar *prêt à l'emploi*
gebruiksvoorwerp *objet* m *d'usage courant*
gecharmeerd *charmé* ★ ~ zijn van iem. *être sous le charme de qn*
geciviliseerd *civilisé*
gecommitteerde *délégué* m [v: *déléguée*]
gecompliceerd *compliqué*
geconcentreerd *concentré*
gedaagde *assigné* m [v: *assignée*]; ‹tegenpartij› *défendeur* m [v: *défenderesse*]; ‹in hoger beroep› *intimé* m [v: *intimée*]
gedaan • klaar *achevé*; *fait* ★ iets van iem. ~ krijgen *obtenir qc de qn* • beëindigd *fini*
gedaante • uiterlijk *aspect* m ★ de ~ aannemen van *prendre la forme de* • verschijning *forme* v
gedaanteverandering *métamorphose* v
gedaanteverwisseling *métamorphose* v; ‹biologie› *mue* v
gedachte • het denken *pensée* v • wat gedacht wordt *idée* v; *pensée* v ★ van ~ veranderen *se raviser* ★ op de ~ komen om *avoir l'idée de*
gedachtegang *raisonnement* m
gedachtekronkel *manière* v *biscornue de penser*
gedachteloos I BNW onnadenkend *irréfléchi*; *étourdi* II BIJW • onnadenkend *d'une manière irréfléchie* • werktuiglijk *machinalement*
gedachtenis • aandenken *souvenir* m • nagedachtenis *mémoire* v; *souvenir* m ★ ter ~ van *en mémoire de*
gedachtesprong ★ een ~ maken *passer du coq-à-l'âne*
gedachtestreep *tiret* m
gedachtewereld *monde* m *des idées*
gedachtewisseling *échange* m *d'idées*
gedachtig ★ ~ zijn aan *se souvenir de*
gedag ★ iem. ~ zeggen *dire au-revoir à qn*
gedagzeggen *dire au revoir*
gedateerd • met datum *daté* ★ een brief ~ 11 april *une lettre datée du 11 avril* • verouderd *vieilli* ★ een ~ standpunt *un point de vue périmé*
gedecideerd I BNW *décidé* II BIJW *d'une manière décidée*
gedeelte *partie* v; *part* v ★ voor een ~ *en partie*
gedeeltelijk I BNW *partiel* [v: *partielle*] II BIJW *partiellement*; *en partie*
gedegen *solide*
gedeisd ▾ zich ~ houden *la boucler*
gedekt • niet fel ★ een ~e kleur *une couleur discrète* • gevrijwaard tegen risico *couvert* ★ zich ~ houden *se tenir à carreau*
gedelegeerde *délégué* m [v: *déléguée*]
gedenkboek *Mémorial* m; *annales* v mv
gedenkdag *(jour* m*) anniversaire*
gedenken • herdenken *commémorer* • niet vergeten *se souvenir de*
gedenksteen *pierre* v *commémorative*
gedenkteken *monument* m
gedenkwaardig *mémorable*

gedeprimeerd *déprimé*
gedeputeerde *député* m
gedesillusioneerd *désillusionné*
gedesoriënteerd *désorienté* ★ ~ raken *être désorienté*
gedetailleerd I BNW *détaillé* II BIJW *en détail*
gedetineerde *détenu* m [v: *détenue*]
gedicht *poème* m; *poésie* v
gedichtenbundel *recueil* m *de poésies*
gedienstig I BNW *serviable*; *empressé*; *obligeant* II BIJW *avec empressement*; *obligeamment*
gedierte • dieren *animaux* m mv; *bêtes* v mv • een beest *animal* m
gedijen *réussir*; *se plaire*; FIG. *prospérer*
geding *procès* m ★ in kort ~ uitspraak doen *juger en référé* ▾ in het ~ brengen *mettre en cause*
gediplomeerd *diplômé*
gedisciplineerd *discipliné*
gedistilleerd I ZN *spiritueux* m mv II BNW *distillé*
gedistingeerd *distingué*
gedoe *agissements* m mv; *manigances* v mv ★ wat een ~! *quelles histoires!*
gedoemd ★ ~ tot *condamné à*
gedogen *tolérer*; *souffrir*
gedonder • het donderen *tonnerre* m • ellende *embêtements* m mv • gezeur ★ hou op met dat ~! *as-tu fini de m'embêter?!*
gedoodverfd *désigné à l'avance* ★ de ~e winnaar *le grand favori*
gedoogde ≈ *personne* v *ayant un statut d'étranger toléré*
gedoogstatus *statut* m *d'étranger toléré*
gedoogzone *quartier* m *d'une ville où la prostitution (etc.) est tolérée*
gedrag *conduite* v; *comportement* m ★ slecht ~ *inconduite*; *mauvaise conduite*
gedragen I BNW • plechtstatig *solennel* [v: *solennelle*] • al eerder gebruikt *porté* II BIJW *solennellement* III WKD WW *se conduire*; *se comporter*
gedragsgestoord *d'un comportement déviant*
gedragslijn *ligne* v *de conduite* ★ een aangegeven ~ POL. *un mandat impératif*
gedragspatroon *type* m *de comportement*
gedrang • het dringen *cohue* v • mensenmassa *foule* v ★ in het ~ komen *être entraîné par la foule* ▾ in het ~ komen *se trouver dans l'embarras*
gedreven *enthousiaste*
gedrieën *à trois*
gedrocht *monstre* m
gedrongen • kort en breed *trapu*; *ramassé* • summier *concis*; *serré*
gedrukt • neerslachtig *accablé*; *déprimé*; ★ de markt was ~ *le marché était lourd* • afgedrukt *imprimé*
geducht I BNW • gevreesd *redoutable* • flink *formidable* II BIJW *formidablement*
geduld *patience* v ★ ~ hebben *patienter*
geduldig I BNW *patient* II BIJW *patiemment*
geduldwerkje *travail* m *de patience*
gedurende *pendant*
gedurfd *osé*; *audacieux* [v: *audacieuse*]
gedurig I BNW • voortdurend *permanent* • telkens weer *continuel* [v: *continuelle*] II BIJW voortdurend *continuellement*; *sans cesse*; *sans relâche*
geduvel *emmerdements* m mv [mv] ★ daar begint het ~ weer! *ça recommence, les emmerdements!*
gedverderrie *pouah!*
gedwee I BNW *docile*; *obéissant* II BIJW *docilement*
gedwongen • verplicht *forcé*; *contraint* ★ ertoe ~ worden te *être forcé à* • gekunsteld *forcé*
geef ★ te geef *pour rien* ★ het is te geef *c'est donné*
geëigend *approprié*; *adéquat*
geel I ZN • kleur *jaune* m • eidooier *jaune* m *(d'œuf)* II BNW *jaune* ★ geel maken/worden *jaunir*
geelkoper *laiton* m
geeltje *billet* m *de 25 (florins)*
geelzucht *jaunisse* v
geëmancipeerd *émancipé*
geëmotioneerd I BNW *ému* II BIJW *avec émotion*
geen ★ ik heb geen brood *je n'ai pas de pain* ★ zij heeft geen bloemen meer *elle n'a plus de fleurs* ★ geen ander *nul autre* ★ geen van beiden *ni l'un ni l'autre*; *aucun des deux* ▾ het is geen stijl *ce ne sont pas des manières*
geëngageerd *engagé*
geenszins *nullement*; *aucunement*
geest • ziel *âme* v • vermogen om te denken, voelen, willen *esprit* m; *intellect* m • groot denker *génie* m • onstoffelijk wezen *esprit* m; ‹spook› *revenant* m ★ de Heilige Geest *le Saint-Esprit* ★ een boze ~ *un démon* ★ goede ~ *bon génie* • denkwijze, sfeer ★ in de ~ van het verdrag *dans l'esprit de l'accord* ▾ voor de ~ roepen *évoquer*
geestdodend *abrutissant*
geestdrift *enthousiasme* m; *ardeur* v
geestdriftig I BNW *enthousiaste* II BIJW *avec enthousiasme*
geestelijk I BNW • mentaal *intellectuel* [v: *intellectuelle*]; *moral* [m mv: *moraux*] • kerkelijk *religieux* [v: *religieuse*] ★ in de ~e stand treden *entrer dans les ordres* • godsdienstig *religieux* [v: *religieuse*]; *spirituel* [v: *spirituelle*] ★ ~e gezangen *des cantiques* m mv *spirituels* II BIJW • mentaal *intellectuellement* • godsdienstig *spirituellement*
geestelijke ‹rooms-katholiek› *prêtre* m; ‹protestants› *pasteur* m; *ecclésiastique* m
geestelijkheid • de geest betreffend *spiritualité* v • de geestelijken *clergé* m
geestesgesteldheid • wijze van denken *mentalité* v • stemming *état* m *d'esprit*
geesteskind *œuvre* v
geestesoog *vision* v *intérieure* ★ iets aan zijn ~ zien voorbijtrekken *faire défiler qc dans son esprit*
geestesproduct *produit* m *de pensée*; *conception* v
geesteswetenschappen *sciences* v mv *humaines*
geesteszick *atteint de troubles mentaux*
geestgrond *lande* v *sablonneuse*; ‹m.b.t.

bollenvelden› *sol* m *de sablière*
geestig I BNW grappig *spirituel* [v: *spirituelle*]; *plein d'esprit* ★ een ~e inval *un trait d'esprit* ★ een ~ man *un homme d'esprit* ★ ~ zijn *avoir de l'esprit* II BIJW *spirituellement*
geestigheid • het geestig zijn *esprit* m • geestige opmerking *bon mot* m; *trait* m *d'esprit*
geestkracht *force* v *d'esprit/de caractère*; *fermeté* v
geestrijk • geestig *spirituel* [v: *spirituelle*] • alcoholrijk *alcoolisé*
geestverruimend *psychédélique* ★ ~e middelen *drogues* v mv *psychédéliques*
geestverschijning *vision* v; *apparition* v
geestverwant *partisan* m *de la même doctrine*; REL. *coreligionnaire* m/v
geestverwantschap *affinité* v *d'esprit*; *affinité* v *intellectuelle*
geeuw *bâillement* m
geeuwen *bâiller*
geeuwhonger *fringale* v; *faim* v *de loup*
gefingeerd *fictif* [v: *fictive*]
gefixeerd *fixe* ★ ~ zijn op *ne penser qu'à*
geflatteerd *flatteur* [v: *flatteuse*]
geflikflooi *flagorneries* v mv
geforceerd I BNW • ingespannen *forcé* • gekunsteld *forcé* ★ een ~e vergelijking *une comparaison tirée par les cheveux* II BIJW *d'une manière forcée*
gefortuneerd *aisé*; *fortuné*; *riche*
gefrustreerd I BNW *frustré* ★ ~e idealen *des idéaux contrariés* II BIJW *de manière frustrée*
gefundeerd *fondé*
gegadigde *intéressé* m [v: *intéressée*]; ‹voor koop› *acheteur* m [v: *acheteuse*]
gegarandeerd I BNW *garanti* II BIJW *sûrement* ★ ik kom ~ *je viendrai, c'est sûr et certain*
gegeven I ZN • feit, geval *donnée* v • onderwerp *thème* m II BNW bepaald *donné* ★ ~ een gelijkbenige driehoek *soit un triangle isocèle*
gegevensbank *base* v *de données*
gegijzelde *otage* m
gegoed *aisé* ★ een ~e familie *une famille aisée*
gegroefd *rayé* ★ een ~ gezicht *un visage sillonné de rides*
gegrond *fondé*; *juste*; *légitime* ★ om ~e redenen *pour cause*; *non sans raison*
gehaaid *roublard*
gehaast I BNW *pressé* II BIJW *avec précipitation*
gehaat *haï*; *détesté*
gehakt *viande* v *hachée*
gehaktbal *boulette* v *de viande hachée*
gehaktmolen *hache-viande* m [onv]
gehalte • hoeveelheid *teneur* v; *richesse* v; ‹v. metalen› *titre* m ★ het alcohol~ *le degré d'alcool* • hoedanigheid *valeur* v; *mérite* m
gehandicapt *handicapé*
gehandicapte *handicapé* m [v: *handicapée*] ★ de verstandelijk ~ *le handicapé mental* ★ de lichamelijk ~ *le handicapé physique*
gehandicaptenzorg *protection* v *des handicapés*
gehannes *ergotages* m mv; *bâclage* m
gehard *endurci*; ‹m.b.t. staal› *trempé*
geharrewar *chamailleries* v mv [mv]
gehavend *endommagé* ★ deerlijk ~ *en piteux état*
gehecht *attaché (à)*
geheel I ZN *tout* m; *ensemble* m ★ in het ~ *au total* ★ in het ~ niet *pas du tout*; *nullement* ★ een ~ vormen *former un tout* II BNW *tout*; *complet* [v: *complète*]; *entier* [v: *entière*] ★ het gehele land *tout le pays* ★ de gehele wereld *le monde entier* III BIJW *tout à fait*; *complètement*; *entièrement*
geheelonthouder *abstinent* m [v: *abstinente*]; *abstème* m/v
geheelonthouding *abstinence* v
geheid I BNW *certain* II BIJW *assurément* ★ dat is ~ waar *c'est absolument vrai*
geheim I ZN *secret* m; REL. *mystère* m ★ in het ~ *en secret*; *secrètement* II BNW • verborgen *caché*; *secret* [v: *secrète*] ★ een ~ agent *un agent secret* ★ een ~ telefoonnummer hebben *être sur la liste rouge* • geheimzinnig *secret* [v: *secrète*]; *mystérieux* [v: *mystérieuse*] III BIJW *en secret*
geheimhouden *tenir secret*; *cacher*
geheimhouding *secret* m ★ onder ~ *sous le sceau du secret* ★ onder de striktste ~ *sous la plus absolue discrétion*
geheimhoudingsplicht *secret* m *imposé*
geheimschrift *écriture* v *chiffrée*
geheimtaal *langage* m *chiffré*
geheimzinnig I BNW *mystérieux* [v: *mystérieuse*] II BIJW *mystérieusement*
geheimzinnigheid *mystère* m
gehemelte *palais* m ★ het zachte ~ *le palais mou*; *le voile du palais*
geheugen *mémoire* v ★ zich iets in het ~ prenten *se fixer qc dans la mémoire*
geheugensteuntje *moyen* m *mnémotechnique*; *pense-bête* m [mv: *pense-bêtes*]
geheugenverlies *amnésie* v
gehoor • het horen *audition* v ★ op het ~ spelen *jouer d'oreille* • geluid *son* m ★ ik krijg geen ~! *ça ne répond pas!* • zintuig *ouïe* v ★ muzikaal ~ *oreille* v *musicienne* • aandacht *attention* v ★ ~ geven aan *écouter*; *prêter l'oreille à* • toehoorders *auditoire* m ★ ik was onder zijn ~ *j'étais parmi ses auditeurs*
gehoorapparaat *appareil* m *auditif*
gehoorbeentje *osselet* m *de l'oreille*; *ossicule* m
gehoorgestoord *malentendant*
gehoororgaan *organe* m *auditif*
gehoorsafstand *distance* v *auditive*
gehoorzaal ‹voor audiëntie› *salle* v *d'audience*; ‹voor lezing› *amphithéâtre* m
gehoorzaam *obéissant*; *docile*
gehoorzaamheid *obéissance* v; REL. *obédience* v
gehoorzamen *obéir à* ★ niet ~ *désobéir*
gehorig *mal isolé (du bruit)* ★ het is hier erg ~ *on entend tout ce qui se passe à côté*
gehouden *tenu (de)*; *obligé (de)*
gehucht *hameau* m [mv: *hameaux*]
gehumeurd ★ goed/slecht ~ zijn *être de bonne/mauvaise humeur*
gehuwd *marié*

geigerteller *compteur* m *Geiger*
geijkt • gebruikelijk ★ de ~e term *le terme consacré* • voorzien van ijkmerk *étalonné*
geil I BNW wellustig *lubrique*; INF. *chaud* II BIJW *lubriquement*; *lascivement*
geilen ~ **op** *prendre son pied*
geïllustreerd *illustré*
gein • lol *plaisir* m ★ gein hebben *rigoler* • grapje *blague* v
geinig I BNW *marrant* ★ een ~ dingetje *un truc marrant* II BIJW *de façon marrante*
geinponem *petit rigolo* m [v: *petite rigolote*]
geïnteresseerd *intéressé*
geiser • warme bron *geyser* m • toestel *chauffe-eau* m [onv]; ‹groot› *chauffe-bain* m [mv: *chauffe-bains*]
geisha *geisha* v
geit *chèvre* v ▾ vooruit met de geit *allons-y gaîment*
geitenbok *bouc* m
geitenkaas *fromage* m *de chèvre*
gejaagd I BNW *agité*; *inquiet* [v: *inquiète*] II BIJW *avec agitation*
gejammer *gémissements* m mv
gek I ZN *fou* m [v: *folle*] ★ voor de gek houden *se moquer de*; *railler* II BNW • krankzinnig *fou* [v: *folle*] [onr: *fol*]; *dément* ★ hij is gek als hij dat doet *il serait bien fou de le faire* ★ gek worden *s'affoler* • dwaas *ridicule* • vreemd *drôle* ★ een gekke gedachte *une drôle d'idée* • ~ **op** ★ gek zijn op *adorer* ▾ te gek! *super!*; *terrible!* ▾ (dat is) te gek *c'est le pied* ▾ dat is te gek om los te lopen *c'est trop bête*; *c'est insensé* III BIJW *follement*; *avec folie*; *comme un fou*
gekant ★ ~ zijn tegen iets *s'opposer à qc*
gekheid • dwaasheid *sottise* v • grapje *blague* v; *raillerie* v ★ ~ maken *plaisanter* ★ uit ~ *pour rire* ▾ zonder ~ *sans blague*; *sérieusement*
gekkekoeienziekte *maladie* v *de la vache folle*; *encéphalite* v *spongiforme bovine*
gekkenhuis *maison* v *de santé*; FIG. *maison* v *de fous*
gekkenwerk *folie* v
gekleed *habillé* ★ netjes ~ *bien mis* ★ een geklede japon *une robe habillée*
geklets *bavardage* m mv; *ragots* m mv
gekleurd • met bepaalde kleur *coloré*; *de couleur* • niet neutraal *tendancieux* [v: *tendancieuse*]
geknipt ▾ hij is er voor ~ *c'est l'homme qu'il vous faut*
geknoei • gepruts *bousillage* m • bedrog *traficotage* m; ‹fraude› *intrigues* v mv
gekonkel *intrigues* v mv; *machinations* v mv
gekostumeerd *costumé*
gekruid • pikant *relevé* • met kruiden *assaisonné*
gekscheren I ZN *plaisanterie* v II ON WW *plaisanter*
gekte *folie* v
gekunsteld I BNW *affecté*; *artificiel* [v: *artificielle*] II BIJW *d'une façon maniérée*
gekwalificeerd • gerechtigd *qualifié* ★ een ~ advocaat *un avocat qualifié* • bekwaam *qualifié* ★ een ~ timmerman *un menuisier qualifié*
gel *gel* m
gelaagd *stratifié* ★ een voorruit van ~ glas *un pare-brise feuilleté*
gelaarsd *botté* ▾ ~ en gespoord *prêt à partir* ▾ de ~e kat *Le Chat botté*
gelaat *visage* m; *figure* v
gelaatskleur *teint* m
gelaatstrekken *traits* m mv
gelaatsuitdrukking *physionomie* v
gelach *rires* m mv [mv]; *éclats* m mv *de rire*
geladen *chargé* ★ een ~ sfeer *une ambiance lourde*
gelag *consommation* v ▾ het ~ betalen *payer les pots cassés*
gelagkamer *salle* v *de café*
gelang ★ naar ~ *selon* ★ naar ~ dat *à mesure que* [+ ind.] ★ naar ~ van omstandigheden *selon les circonstances*
gelasten *ordonner* ★ iem. ~ iets te doen *ordonner à qn de faire qc*
gelaten I BNW *résigné* II BIJW *avec résignation*
gelatenheid *résignation* v
gelatine *gélatine* v
gelazer *emmerdements* m mv [mv]
geld *argent* m; INF. *fric* m ★ half geld *demi-tarif* ★ geld bij zich hebben *avoir de l'argent sur soi* ★ te gelde maken *convertir en argent* ★ contant geld *argent liquide* m ★ gemunt geld *numéraire* m ★ (af)gepast geld *la monnaie juste*; *le compte rond* ★ met gepast geld betalen a.u.b. *faites l'appoint s.v.p.* ★ geen geld hebben *manquer d'argent* ★ geld kosten *coûter de l'argent* ★ geld steken in *investir dans*
geldautomaat *distributeur* m *automatique de billets (de banque)*; *billetterie* v
geldbelegging *placement* m; *investissement* m
geldboete *amende* v; *peine* v *pécuniaire*
geldcirculatie *circulation* v *de l'argent*
geldelijk I BNW *pécuniaire*; *financier* [v: *financière*] ★ ~e hulp *secours en argent* ★ de ~e omstandigheden *la situation financière* II BIJW *financièrement*
gelden • van kracht zijn *être en vigueur* ★ de meeste stemmen ~ *la majorité des voix décide* ★ zijn rechten doen ~ *faire valoir ses droits* ★ zich doen ~ *s'affirmer* ★ dat geldt niet *cela ne compte pas* • aangaan *regarder*; *concerner* • beschouwd worden als *passer pour*; *compter*
geldgebrek *manque* m *d'argent*
geldig *valable*; *légitime* ★ ~ verklaren *valider* ★ ~ zijn *être valable*
geldigheid *validité* v
geldigheidsduur *durée* v *de validité*
geldingsdrang *besoin* m *de s'affirmer*
geldkoers • rentestand *taux* m *de l'argent* • wisselkoers *taux* m *de change*
geldkraan *robinet* m
geldmarkt *marché* m *monétaire*
geldmiddelen • financiële situatie *finances* m mv • inkomsten *moyens* m mv
geldnood *pénurie* v *d'argent*
geldomloop *circulation* v *de l'argent*
geldontwaarding *inflation* v
geldschieter *prêteur* m [v: *prêteuse*];

G

bailleur m *de fonds* [v: *bailleresse*]
geldsom *somme* v *d'argent*
geldsoort *monnaie* v
geldstroom *flux* m *monétaire*
geldstuk *pièce* v *de monnaie*
geldverkeer *circulation* v *de l'argent*
geldwezen *finances* v mv
geldwolf *homme* m *d'argent*; *marchand* m *de soupe*
geldzorgen *soucis* m mv *financiers* ★ ~ hebben *avoir des ennuis d'argent*
geldzucht *passion* v *de l'argent*
geleden ★ enige weken ~ *il y a quelques semaines* ★ het is lang ~ *il y a longtemps*
gelederen *rangs* m mv ★ de ~ sluiten *serrer les rangs*

G

geleding • gewricht *articulation* v; *jointure* v • verbindingsplaats *jointure* v; PLANTK. *nœud* m
geleed *articulé*; PLANTK. *noueux* [v: *noueuse*]
geleedpotig *anthropode*
geleerd I BNW erudiet *savant*; *érudit* ★ dat is mij te ~ *cela me dépasse* ★ het ~e *ce qu'on a appris* II BIJW *savamment*
geleerde *savant* m
geleerdheid *savoir* m; *érudition* v
gelegen • liggend *situé* ★ hoog~ *élevé*; *haut* ★ laag~ *bas* [v: *basse*] ★ vlak aan zee ~ *situé au bord de la mer* • geschikt *opportun* ★ dat komt hem ~ *cela lui convient* ★ je komt juist ~ *tu viens à propos*
gelegenheid • gebeurtenis *occasion* v • gunstige toestand *occasion* v; *opportunité* v ★ bij ~ *à l'occasion* ★ van de ~ gebruik maken om *profiter de l'occasion pour* ★ er is geen ~ om *il n'y a pas moyen de* ★ in de ~ zijn om *être en mesure de*; *avoir l'occasion de* ★ bij elke ~ *en toute occasion*; *à tout propos* • eet/slaapgelegenheid *endroit* m; ‹m.b.t. horeca› *restaurant* m; *café* m
gelegenheidsdrinker *buveur* m *occasionnel*
gelegenheidskleding *habits* m mv *de circonstance*
gelei *gelée* v
geleide • het vergezellen *conduite* v • personen *escorte* v ▾ ten ~ *en guise d'introduction*; *un mot d'introduction*
geleidehond *chien* m *d'aveugle*
geleidelijk I BNW *graduel* [v: *graduelle*]; *progressif* [v: *progressive*] II BIJW *graduellement*; *progressivement*
geleidelijkheid *progressivité* v
geleiden • begeleiden *accompagner*; *escorter* • NAT. *conduire*
geleider • NAT. *conducteur* m • begeleider *guide* m
geleiding • het geleiden *conduite* v • NAT. *conduction* v
geletterd *lettré*
geleuter • onzin *blablabla* m • geklets *bavardage* m
gelid • gewricht *articulation* v; *jointure* v • rij *rang* m ★ in het ~ gaan staan *se ranger*
geliefd • bemind *chéri*; *cher* [v: *chère*] • favoriet *favori* [v: *favorite*]; *préféré*
geliefde • beminde *bien-aimé* m [mv: *bien-aimés*] [v: *bien-aimée*] • minnaar *amant* m; ‹minnares› *maîtresse* v
geliefkoosd *favori* [v: *favorite*]; *préféré*
gelieven *vouloir*; *daigner* ★ gelieve *veuillez*
gelig *jaunâtre*
gelijk I ZN *raison* v ★ ~ hebben *avoir raison* ★ ~ geven *donner raison* II BNW • hetzelfde *égal* [m mv: *égaux*]; *pareil* [v: *pareille*]; *semblable*; *identique*; *même* ★ ~ zijn aan *être égal à*; *égaler* ★ in ~e porties verdelen *partager en portions égales* ★ ~ en gelijkvormig *égal* [m mv: *égaux*]; *superposable* ★ met drie doelpunten ~ *trois buts à trois* • vlak *égal* [m mv: *égaux*]; ‹effen› *uniforme*; *uni* III BIJW • hetzelfde ‹in tijd› *en même temps*; *pareillement*; *également*; ‹op dezelfde plaats› *ensemble* ★ ~ spelen *faire match nul* • dadelijk *tout de suite*; *immédiatement*
gelijkbenig *isocèle*
gelijke *égal* m [mv: *égaux*] [v: *égale*]; *pareil* m [v: *pareille*] ★ met iem. omgaan als zijn ~ *traiter qn d'égal à égal*
gelijkelijk *pareillement*; *également*
gelijken *ressembler (à)*
gelijkenis • overeenkomst *ressemblance* v; *similitude* v; REL. *image* v • parabel *parabole* v
gelijkgerechtigd *jouissant des mêmes droits*
gelijkgericht *convergent*
gelijkgestemd *de mêmes opinions* ★ ~ zijn *avoir les mêmes opinions*
gelijkgezind *de même opinion*
gelijkheid *égalité* v; *identité* v
gelijklopen ‹m.b.t. plaats› *être parallèle*; ‹in tijd› *être à l'heure* ★ de klok loopt niet gelijk *l'horloge n'est pas à l'heure*
gelijkluidend • hetzelfde klinkend *homonyme* • eensluidend *conforme*
gelijkmaken • op één hoogte brengen *égaliser*; *niveler* ★ de hele wijk is met de grond gelijkgemaakt *tout le quartier a été rasé* • effenen van de grond *égaliser*; *aplanir*
gelijkmaker *but* m *égalisateur*
gelijkmatig I BNW *égal* [m mv: *égaux*] ★ een ~e beweging *un mouvement uniforme* II BIJW *uniformément*
gelijkmoedig I BNW *d'humeur égale*; *serein*; *placide* II BIJW *avec sérénité*
gelijknamig *de même nom*; *homonyme*; WISK. *de même dénominateur* ★ ~ maken *réduire au même dénominateur*
gelijkschakelen • TECHN. *connecter à un même circuit électrique* ★ beeld en geluid ~ *synchroniser les images et le son* • op dezelfde wijze behandelen *niveler*; *aligner*
gelijksoortig *similaire*; *identique*
gelijkspel *match* m *nul*
gelijkspelen *faire match nul*
gelijkstaan • overeenkomen met *être égal à*; *égaler* • evenveel punten hebben *être à égalité*
gelijkstellen *assimiler (à)*; *mettre sur le même plan (que)* ★ zich ~ met *se mettre au niveau de*
gelijkstroom *courant* m *continu*
gelijktijdig I BNW *simultané* II BIJW

simultanément; en même temps
gelijktrekken *rajuster* ⋆ lonen ~ *rajuster les salaires*
gelijkvloers *au rez-de-chaussée; de plain-pied*
gelijkvormig *uniforme; semblable*
gelijkwaardig *équivalent; de même valeur;* WISK. *équipollent*
gelijkzetten *régler*
gelijkzijdig *équilatéral* [m mv: *équilatéraux*]
geloei • geluid van runderen *mugissement* m; *beuglement* m • gierend, huilend geluid *hurlement* m
gelofte *engagement* m; *vœu* m [mv: *voeux*] ⋆ de ~ doen om *faire vœu de*
geloof • overtuiging *foi* v ⋆ ~ hechten aan *ajouter foi à* • vertrouwen *foi* v • godsdienst *foi* v; *religion* v ⋆ zijn ~ verliezen *perdre la foi*
geloofsafval *apostasie* v
geloofsartikel *article* m *de foi*
geloofsbelijdenis • verklaring *confession* v; *profession* v *de foi* • artikelen *confession* v
geloofsbrief *lettre* v *de créance* ⋆ het onderzoek der geloofsbrieven *la vérification des pouvoirs*
geloofsgenoot *coreligionnaire* m/v
geloofsleer *doctrine* v; *dogmatique* v
geloofsovertuiging *conviction* v *religieuse*
geloofsvrijheid *liberté* v *de conscience*
geloofwaardig *crédible; digne de foi*
geloven I OV WW • vertrouwen *croire* ⋆ als men hem ~ mag *à l'en croire* • menen, aannemen *penser; croire* II ON WW ~ **in** *croire (en/à)* ⋆ in God ~ *croire en Dieu* ▾ hij zal eraan moeten ~ *il (en) passera par là; il y passera à son tour*
gelovig *croyant; fidèle* ⋆ de ~e *le/la fidèle; le croyant* [v: *la croyante*]
geluid *bruit* m; *son* m ⋆ ~ geven *proférer une parole*; ‹v. toestel› *émettre un son* ⋆ sneller dan het ~ *supersonique*
geluiddicht *isolé du bruit; insonorisé* ⋆ ~ maken *insonoriser*
geluidloos *silencieux* [v: *silencieuse*]; *muet* [v: *muette*]
geluidsbarrière *mur* m *du son*
geluidseffect *effet* m *sonore*
geluidsfilm *film* m *parlant*
geluidsgolf *onde* v *sonore*
geluidsinstallatie *sonorisation* v; INF. *sono* v
geluidskaart COMP. *carte* v *son*
geluidsoverlast *nuisance* v *sonore*
geluidssnelheid *vitesse* v *du son*
geluidstechnicus *ingénieur* m *de son; sonoriste* m/v
geluidswagen *voiture-radio* v [mv: *voitures-radios*]
geluidswal *mur* m *antibruit* [m mv: *murs ...*]
geluidwerend *antibruit*
geluimd *disposé* ⋆ goed ~ *de bonne humeur;* INF. *bien luné*
geluk • gunstig toeval, omstandigheid *fortune* v; *chance* v; *hasard* m ⋆ hij mag van ~ spreken *il peut se féliciter* ⋆ ~ hebben *avoir de la chance* • aangename toestand *bonheur* m ⋆ ~ brengen *porter bonheur*
gelukkig I BNW *heureux* [v: *heureuse*] II BIJW *heureusement*
geluksdag *jour* m *de chance*
geluksgevoel *sentiment* m *de bonheur*
geluksnummer *chiffre* m *porte-bonheur*
gelukstelegram *télégramme* m *de félicitations*
gelukstreffer *coup* m *de chance*
geluksvogel *veinard* m [v: *veinarde*]
gelukwens *vœux* m mv; *félicitations* v mv ⋆ mijn ~en *(toutes) mes félicitations*
gelukwensen *féliciter* ⋆ iem. ~ met *féliciter qn de* ⋆ iem. ~ met zijn verjaardag *souhaiter un bon anniversaire à qn*
gelukzalig *bienheureux* [v: *bienheureuse*]
gelukzoeker *aventurier* m [v: *aventurière*]
gelul *conneries* v mv
gemaakt I BNW • geveinsd *affecté; feint* • gekunsteld *artificiel* [v: *artificielle*] II BIJW • gekunsteld *artificiellement* • geveinsd *d'une manière affectée; avec affectation*
gemaal I ZN (de) *époux* m ⋆ de Prins Gemaal *le Prince consort* II ZN (het) *pompe* v *d'épuisement*
gemachtigde *fondé* m *de pouvoir*
gemak • gemakkelijkheid ⋆ voor het ~ *pour plus de facilité* ⋆ met ~ *facilement; sans peine* • kalmte *aise* v ⋆ op zijn ~ *à son aise* ⋆ houd je ~ *ne t'énerve pas; doucement* • gerief *confort* m; *commodité* v ⋆ van alle ~ken voorzien *muni de tout confort*
gemakkelijk I BNW • niet moeilijk *facile; aisé* ⋆ hij is niet ~ in de omgang *il n'est pas commode* • onbezorgd ⋆ jij hebt ~ praten *tu en parles à ton aise* • geriefelijk *commode; confortable* II BIJW *facilement; aisément*
gemakshalve *pour plus de commodité*
gemakzucht *indolence* v; *paresse* v
gemakzuchtig *indolent*
gemalin *épouse* v
gemanierd • zich correct gedragend *poli; bien élevé* • geaffecteerd *maniéré*
gemankeerd *manqué; raté*
gemaskerd *masqué*
gematigd I BNW zonder uitersten *modéré; tempéré* II BIJW *avec modération; modérément*
gember *gingembre* m
gemberkoek *gâteau* m *au gingembre*
gemeen I BNW • slecht *méchant* ⋆ een gemene jongen *un vilain garçon* • laag, vals *ignoble;* FORM. *vil* • gewoon *ordinaire; vulgaire* • gemeenschappelijk *commun* ⋆ de grootste gemene deler *le plus grand commun diviseur* II BIJW • laag, vals *ignoblement* • zeer *rudement*
gemeend I BNW *sincère* II BIJW *sincèrement* ⋆ zijn woorden klonken ~ *il parlait sincèrement*
gemeengoed *bien* m *commun; domaine* m *public* ⋆ ~ worden *tomber dans le domaine public* ⋆ tot ~ maken *vulgariser* ⋆ dat is ~ *cela court les rues*
gemeenplaats *lieu* m *commun*
gemeenschap • het gemeenschappelijk hebben *communauté* v ⋆ in ~ van goederen *sous le régime de la communauté* • omgang *relation* v; *rapport* m ⋆ seksuele ~ hebben *avoir des rapports (sexuels)* • groep, maatschappij *communauté* v

G

gemeenschappelijk I BNW • van meer dan 1 persoon *commun*; *collectif* [v: *collective*] • gezamenlijk *commun* II BIJW *en commun*
gemeente • bestuurlijke eenheid *commune* v • gelovigen *communauté* v *(chrétienne)*
gemeenteambtenaar *fonctionnaire* m *municipal* [m mv: *fonctionnaires municipaux*]
gemeentearchief *archives* v mv *municipales*
gemeentebedrijf *régie* v *communale*
gemeentebestuur *municipalité* v
gemeentehuis *mairie* v; ‹in grote steden› *hôtel* m *de ville*
gemeentelijk *municipal* [m mv: *municipaux*]
gemeentepils *château* m *la pompe* [m mv: *châteaux ...*]
gemeenteraad *conseil* m *municipal* [m mv: *conseils municipaux*]
gemeentereiniging *voirie* v
gemeentesecretaris *secrétaire* m/v *de mairie*
gemeenteverordening *arrêté* m *municipal* [m mv: *arrêtés municipaux*]
gemeentewerken *travaux* m mv *publics (de la municipalité)*
gemeenzaam I BNW *familier* [v: *familière*] ★ zich ~ maken met *se familiariser avec* II BIJW *familièrement*
gemêleerd *mêlé* ★ een ~ gezelschap *une assistance mêlée*
gemelijk I BNW *morose*; *maussade* II BIJW *de façon maussade*
gemenebest *république* v; ‹m.b.t. Groot-Brittannië› *commonwealth* m
gemenerik *canaille* v
gemengd *mêlé*; *mélangé*; *mixte* ★ ~ nieuws *faits* m mv *divers*
gemiddeld I BNW *moyen* [v: *moyenne*] II BIJW *en moyenne*
gemiddelde *moyenne* v
gemis • het missen van wat men niet bezit *manque* m; *défaut* m; *absence* v • verlies *perte* v
gemoed *cœur* m; *âme* v ★ op iemands ~ werken *prendre qn par les sentiments*
gemoedelijk *cordial* [m mv: *cordiaux*]
gemoedsaandoening *émotion* v
gemoedsrust *sérénité* v
gemoedstoestand *état* m *d'âme*
gemoeid *être en jeu* ★ zijn leven is er mee ~ *il y va de sa vie*
gemotoriseerd *motorisé*
gems *chamois* m; ‹in de Pyreneeën› *isard* m
gemunt *monnayé* ▼ het ~ hebben op iemand *viser qn*
gemutst ▼ goed/slecht ~ *de bonne/mauvaise humeur*
gen *gène* m
genaamd • hetend *nommé*; *appelé* • bijgenaamd *dit*
genade • barmhartigheid *grâce* v ★ ~ vragen *demander grâce* • gave, gunst *grâce* v • vergiffenis *pardon* m; *grâce* v ★ ~ schenken *faire grâce à*; *gracier* ▼ goeie ~! *bonté divine!*
genadebrood *pain* m *de charité*
genadeloos *sans merci*
genadeslag *coup* m *de grâce*
genadig I BNW vol genade *clément*; *miséricordieux* [v: *miséricordieuse*] ★ een ~e straf *une peine légère* ▼ ~e hemel! *juste ciel!* II BIJW *avec clémence*; *gracieusement* ★ hij is er ~ afgekomen *il l'a échappé belle*
gênant I BNW *gênant* II BIJW *avec gêne*
gendarme *gendarme* m
gene *celui-là* [m mv: *ceux-là*] [v: *celle-là*] [v mv: *celles-là*] ★ aan gene zijde van *au delà de*; *de l'autre côté de* ★ deze of gene *qn*; *l'un ou l'autre*
gêne *gêne* v
genealogie *généalogie* v
geneesheer *médecin* m ★ behandelende ~ *médecin traitant*
geneesheer-directeur *médecin-chef* m [mv: *médecins-chefs*]
geneeskrachtig *médicinal* [m mv: *médicinaux*]; *médicamenteux* [v: *médicamenteuse*]
geneeskunde *médecine* v ★ de toegepaste ~ *la thérapeutique*
geneeskundig I BNW *médical* [m mv: *médicaux*] ★ de ~e dienst *le service médical* ★ een ~ adviseur *un médecin-conseil* ★ een ~e *un médecin*; *une femme médecin* II BIJW *thérapeutiquement*
geneesmiddel *remède* m; *médicament* m
geneesmiddelenindustrie *industrie* v *pharmaceutique*
geneeswijze *thérapie* v
genegen • geneigd *disposé (à)*; *enclin (à)* • goedgezind *favorable (à)* ★ iem. ~ zijn *être bien disposé envers qn*
genegenheid *affection* v; *bienveillance* v
geneigd *enclin (à)*; *porté (à)* ★ ik ben ~ om *j'incline à*
geneigdheid *inclination* v *(à)*; *tendance* v *(à)*; *penchant* m
generaal I ZN *général* m [mv: *généraux*] II BNW *général* [m mv: *généraux*] ★ ~ pardon *amnistie générale* v
generalisatie *généralisation* v
generaliseren *généraliser*
Generaliteitslanden *pays* m mv *de la généralité*
generatie *génération* v
generatiekloof *fossé* m *des générations*
generator *génératrice* v; *générateur* m
generen (zich) *se gêner*
genereren *générer*
genereus *généreux* [v: *généreuse*] ★ een ~ gebaar *un geste généreux*
generiek *générique*
generlei *aucun*
genetica *génétique* v
genetisch *génétique* ★ ~e manipulatie *manipulation* v *génétique*
geneugte *plaisir* m ★ de ~n des levens *les joies* v mv *de la vie*
genezen I OV WW beter maken *guérir* II ON WW beter worden *guérir*; *recouvrer la santé*; *se rétablir*
genezing *guérison* v
geniaal I BNW *de génie*; *génial* [m mv: *géniaux*] ★ een ~ mens *un (homme de) génie* II BIJW *d'une façon géniale*

genialiteit *génialité* v
genie I ZN (de) MIL. *génie* m II ZN (het) *génie* m
geniep ★ in het ~ *à la dérobée*
geniepig *sournoisement*
genieten I OV WW • ontvangen *avoir*; *recevoir* ★ zij heeft een goede opvoeding genoten *elle a reçu une bonne éducation* • plezierig in de omgang zijn ★ hij is niet te ~ *il est d'une humeur exécrable* II ON WW vreugde beleven *jouir (de qc)* ★ wij hebben erg van het concert genoten *nous avons écouté le concert avec beaucoup de plaisir*
genitaliën *organes* m mv *génitaux*
genocide *génocide* m
genodigde *invité* m [v: *invitée*]
genoeg I BIJW *assez* ★ vreemd ~ zei hij dat *chose étrange, il a dit que* II ONB VNW voldoende *assez*; *suffisamment* ★ ~ geld *assez d'argent* ★ ~ hebben om van te leven *avoir de quoi vivre* ★ een is ~ *un seul suffira* ▾ er schoon ~ van hebben *en avoir assez*; INF. *en avoir marre*
genoegdoening *satisfaction* v
genoegen • voldoening *satisfaction* v; *contentement* m ★ ~ nemen met *se contenter de* ★ je zult veel ~ aan hem beleven *il vous donnera beaucoup de satisfaction* • plezier *plaisir* m ★ iem. een ~ doen *faire plaisir à qn* ★ ~ scheppen in *prendre plaisir à*
genoeglijk I BNW *agréable* II BIJW *agréablement*; *avec satisfaction*
genoegzaam I BNW *suffisant* II BIJW *suffisamment*
genoom *génome* m
genootschap *société* v; *association* v; *compagnie* v; ‹broederschap› *confrérie* v ★ een geleerd ~ *une société savante*; *une académie savante*
genot • het genieten *jouissance* v • genoegen *délice* m; *plaisir* m; *jouissance* v ★ onder het ~ van *en savourant* • vruchtgebruik ★ in het ~ stellen van *mettre en possession de*
genotmiddel *stimulant* m
genotzucht *soif* v *de jouissance*
genotzuchtig *avide de jouissances*; *voluptueux* [v: *voluptueuse*]
genre *genre* m
genrestuk *scène* v *de genre*
Gent *Gand*
gentiaan *gentiane* v
gentleman *gentleman* m
gentlemen's agreement *gentlemen's agreement* m
genuanceerd I BNW *nuancé* II BIJW *de manière nuancée* ★ ~ (over iets) denken *avoir des opinions nuancées (sur qc)*
genus *genre* m
geoefend • door gebruik gevoelig *exercé* • ervaren *expert*; *expérimenté* ★ een ~ leger *une armée bien entraînée*
geograaf *géographe* m/v
geografie *géographie* v
geografisch *géographique*
geologie *géologie* v
geologisch *géologique*
geoloog *géologue* m
geometrie *géométrie* v
geoorloofd *permis*
georganiseerd *organisé*
Georgië *la Géorgie* ★ in ~ *en Géorgie*
geoutilleerd *outillé*
gepaard • een paar vormend *accouplé*; *par couples*; *par paires* • vergezeld ★ ~ gaan met *s'accompagner de*; ‹tot gevolg hebben› *entraîner*
gepakt ▾ ~ en gezakt *tout équipé*; *prêt à partir*
gepassioneerd *passionné* ★ een ~ voetballer *un footballeur passionné*
gepast I BNW • afgepast *juste* ★ ~ geld a.u.b. *on est prié de faire l'appoint* • fatsoenlijk *convenable*; *décent* II BIJW *convenablement*; *comme il faut*
gepeins *méditation* v; *réflexion* v
gepensioneerd *en retraite* ★ een ~e *un retraité*; *une retraitée*
gepeperd *poivré*; FIG. *pimenté* ★ een ~e rekening *une note salée*
gepeupel *populace* v
gepikeerd *froissé*; *irrité*
geploeter • geplas, gespetter *barbotage* m • gezwoeg *efforts* m mv *stériles*
geprikkeld • overgevoelig *excité* • gepikeerd *irrité*
geprononceerd *prononcé*; ‹v. gelaatstrekken› *(bien) accusé*
geproportioneerd *proportionné*
geraakt • gepikeerd *offusqué* • ontroerd *touché*
geraamte • skelet *squelette* m • constructie ‹v. boek› *grandes lignes* v mv; ‹v. gebouw› *charpente* v
geraas *vacarme* m; *fracas* m
geradbraakt I BNW *courbaturé*; *brisé* ★ na de lange reis was zij ~ *ce long voyage l'a brisée* II BIJW *d'un air courbaturé*
geraden *prudent*; *recommandé*; *convenable* ★ het is u ~ *je vous le conseille*
geraffineerd • gezuiverd *raffiné* • verfijnd *raffiné*; *subtil*; *sophistiqué* • doortrapt *rusé*
geraken *parvenir à*; *arriver à* ★ in onbruik ~ *tomber en désuétude*
geranium *géranium* m
gerant *gérant* m
gerecht • eten *plat* m; *mets* m • rechtbank *cour* v; *tribunal* m [mv: *tribunaux*] ★ voor het ~ verschijnen *comparaître (devant le tribunal)*
gerechtelijk *judiciaire*
gerechtigd • recht hebbend *autorisé* ★ ~ zijn tot *avoir droit à*; *être autorisé à* • bevoegd *compétent*; *qualifié*
gerechtigheid *justice* v ★ iem. ~ doen wedervaren *rendre justice à qn*
gerechtsgebouw *palais* m *de justice*
gerechtshof • hogere rechtbank *cour* v *d'appel*; ‹voor criminele zaken› *cour* v *d'assises* • gebouw *palais* m *de justice*
gerechtvaardigd I BNW *légitime* II BIJW *légitimement*
gereedheid ★ in ~ brengen *préparer*
gereedkomen *être achevé*
gereedmaken *préparer*
gereedschap *outils* m mv
gereedschapskist *caisse* v *à outils*

gereedstaan ~ **om te** ‹met betrekking tot iets› *être prêt (à)*; ‹met betrekking tot iemand› *se tenir prêt (à|pour)*
gereformeerd *réformé*
geregeld I BNW • regelmatig *régulier* [v: *régulière*] ★ een ~e bezoeker van *un habitué de* • ordelijk *méthodique*; *en ordre* II BIJW • regelmatig *régulièrement* • ordelijk *méthodiquement*
gerei • gereedschap *outils* m mv • benodigdheden *accessoires* m mv • keukengerei *ustensiles* m mv
geremd *inhibé*; *complexé*
gerend ★ een ~e rok *une jupe évasée*
gerenommeerd *renommé*
gereserveerd *réservé*

G

geriatrie *gériatrie* v
gericht I ZN *justice* v II BNW *ponctuel* [v: *ponctuelle*] III BIJW *ponctuellement*
gerief • gemak *commodité* v; *confort* m; *plaisir* m • benodigdheden *nécessaire* m
geriefelijk I BNW *commode*; *confortable*; *pratique* II BIJW *commodément*; *confortablement*
gerieven *aider*; *être utile à*; *rendre service à*
gering I BNW onbeduidend *futile*; *de peu d'importance* II BIJW *faiblement*; *médiocrement*
geringschatten *dédaigner*; *faire peu de cas de*
Germaan *Germain* m [v: *Germaine*]
Germaans I ZN *germain* m II BNW *germanique* ★ ~e talen *langues germaniques*
germanisme *germanisme* m
geroezemoes *brouhaha* m
geronnen *coagulé*; ‹v. melk› *caillé*
geroutineerd *expérimenté (dans)*; *rompu (à)*
gerst *orge* v
gerstenat *cervoise* v
gerucht *bruit* m ★ het ~ gaat dat *le bruit court que*
geruchtmakend *sensationnel* [v: *sensationnelle*]
geruim *assez long* [v: *assez longue*]
geruis *bruit* m *léger*; *murmure* m; *froufrou* m
geruisloos • onhoorbaar *silencieux* [v: *silencieuse*] • zonder ophef *sans bruit*
geruit *à carreaux*; ‹v. papier› *quadrillé*
gerust I BNW *tranquille*; *calme* ★ ik ben er niet ~ op *je ne suis pas rassuré* II BIJW • zonder vrees *sans crainte* ★ doe het ~ *vas-y*; *tu peux le faire si tu le veux* • zonder haast *tranquillement*
geruststellen *rassurer*
geruststelling ‹woorden› *propos* m mv *rassurants*; ‹gedachte› *pensée* v *rassurante*
geschenk *cadeau* m [mv: *cadeaux*]; *don* m; *présent* m ★ iem. iets ten ~e geven *faire cadeau de qc à qn*
geschenkverpakking *emballage-cadeau* m [mv: *emballages-cadeaux*]
geschieden • overkomen *advenir*; *arriver* • gebeuren *arriver*; *se passer*; *avoir lieu* ▾ uw wil geschiede *que votre volonté soit faite*
geschiedenis • gebeurtenis *événement* m; *histoire* v • historie *histoire* v ★ algemene ~ *histoire universelle* ★ bijbelse ~ *histoire sainte* ★ nieuwste ~ *histoire contemporaine* • verhaal *histoire* v
geschiedkundig *historique* ★ ~e *historien* m [v: *historienne*]
geschiedschrijver *historien* m [v: *historienne*]; *chroniqueur* m; ‹officieel› *historiographe* m
geschiedvervalsing *falsification* v *de l'histoire*
geschift • uiteengevallen ★ ~e melk *lait caillé* m; *lait tourné* m • getikt *toqué*; *cinglé*
geschikt I BNW • bruikbaar *propre (à)*; *convenable*; *approprié* ★ hij is ~ voor dit vak *il est bon pour ce métier* • aardig *facile*; *peu exigeant*; *bon enfant* ★ hij was heel ~ *il était fort aimable* II BIJW *proprement*
geschil *différend* m; *conflit* m ★ het ~ beslechten *régler le différend* ★ een ~ hebben over *avoir un différend sur*
geschillencommissie *commission* v *du contentieux*
geschilpunt *point* m *litigieux*
geschoold *qualifié*
geschreeuw *cris* m mv; *clameur* v ▾ veel ~ en weinig wol *beaucoup de bruit pour rien*
geschrift *écrit* m; *document* m ★ valsheid in ~e *faux en écritures* m
geschubd *couvert d'écailles*; *écailleux* [v: *écailleuse*]
geschut *artillerie* v ★ een stuk ~ *une pièce d'artillerie* ★ met grof ~ beginnen *faire donner l'artillerie lourde*; FIG. *employer les grands moyens*
gesel • zweep/stok *fouet* m • plaag *fléau* m [mv: *fléaux*]
geselen *fouetter*; *flageller*
geseling *flagellation* v
geserreerd I BNW *concis* II BIJW *avec concision*
gesetteld *en place*
gesitueerd *situé*
gesjochten *fauché*
geslaagd • succesvol *réussi* • bevredigend van uitkomst *bienvenu*
geslacht • soort *genre* m ★ het menselijk ~ *le genre humain* • familie *famille* v; *race* v • generatie *génération* v ★ van ~ tot geslacht *d'âge en âge* • sekse *sexe* m • geslachtsorgaan *sexe* m • TAALK. *genre* m
geslachtelijk I BNW • wat het geslacht betreft *générique* • seksueel *sexuel* [v: *sexuelle*] II BIJW *sexuellement*
geslachtloos • zonder geslachtelijk kenmerk *asexué* • aseksueel *asexuel* [v: *asexuelle*]
geslachtsdaad *acte* m *sexuel*
geslachtsdeel *parties* v mv *génitales*
geslachtsdrift *instinct* m *sexuel*
geslachtsgemeenschap *rapports* m mv *sexuels*
geslachtshormoon *hormone* v *sexuelle*
geslachtsorgaan *organe* m *génital*
geslachtsrijp *pubère*
geslachtsverkeer *rapports* m mv *sexuels*
geslachtsziekte *maladie* v *vénérienne*
geslepen ‹v. edelsteen› *taillé*; FIG. *fin*; *rusé*; ‹v. mes› *aiguisé* ★ schuin ~ *biseauté*
gesloten • dicht *fermé* ★ met ~ deuren *à huis clos* • in zichzelf gekeerd *fermé*; *réservé*; *peu communicatif* [v: *peu communicative*] ★ een ~ karakter *un caractère renfermé*
gesluierd *voilé*
gesmeerd • geolied *graissé* • probleemloos

bien huilé
gesodemieter *emmerdements* m mv
gesoigneerd *soigné*
gesorteerd *assorti* ★ goed ~ in *avec un grand assortiment de*
gesp *boucle* v
gespannen *tendu*; *contracté*
gespeend *dépourvu (de)* ★ zij was ~ van talent *elle était dépourvue de talents*
gespen *boucler*
gespierd *musclé*
gespikkeld *tacheté*; *moucheté*
gespitst ~ **op** *attentif (à)* [v: *attentive*] ★ hij was ~ op elk geluid *il était attentif à chaque son*
gespleten *fendu*
gesprek *conversation* v; *entretien* m ★ het ~ een andere wending geven *détourner la conversation* ★ het ~ gaande houden *soutenir la conversation* ★ in ~ *occupé*; *pas libre* ★ een ~ aanknopen *lier conversation*
gespreksgroep *groupe* m *de discussion*
gesprekskosten *coût* m *de la communication*
gespreksonderwerp *sujet(s)* m (mv) *de conversation*
gesprekspartner *interlocuteur* m [v: *interlocutrice*]
gespreksstof *sujet* m *de conversation*
gespuis *racaille* v; *vermine* v
gestalte • gedaante *forme* v • lichaamsbouw *stature* v; *taille* v ★ slanke ~ *taille svelte*
gestand ▾ zijn belofte ~ doen *tenir sa promesse*
geste *geste* m
gesteente *pierre* v; *roche* v; ‹edelgesteente› *pierreries* v mv
gestel • samengesteld geheel *construction* v; *composition* v • lichaamsgesteldheid *constitution* v • karakter *tempérament* m
gesteld • aangewezen ★ binnen de ~e tijd *dans les délais voulus* ★ ~ dat *supposé que* [+ subj.] • toestand ★ het is daarmee ~ als met *il en est de cela comme de* ★ hoe is het ~ met? *comment va?*; *où en est?* • ~ **op** ★ ~ zijn op *tenir à*; *aimer*
gesteldheid *état* m ★ lichamelijke ~ *physique* m
gestemd *disposé*
gesternte *astre* m; *constellation* v ★ een gelukkig ~ *une bonne étoile*
gesticht *asile* m
gesticuleren *gesticuler*
gestoord *perturbé*; ‹v. communicatie› *brouillé*; ‹v. personen› *dérangé* ★ de zender werd ~ *l'émetteur était brouillé* m ★ geestelijk ~ zijn *avoir l'esprit dérangé*
gestreept *rayé*; *à rayures* ★ rood ~ *rayé de rouge*
gestrest *stressé*
gestroomlijnd *caréné*; *aérodynamique*
getaand *basané* ★ een ~ gezicht *un visage basané*
getailleerd *ajusté à la taille*; *resserré à la taille*
getal *nombre* m ★ in groten ~e *en grand nombre* ★ ten ~e van *au nombre de*
getalenteerd *talentueux* [v: *talentueuse*]
getalsterkte *force* v *numérique*; *effectifs* m mv
getand • met tanden *denté* • met insnijdingen *en dents de scie*
getapt *aimé*; *populaire*
geteisem *racaille* v
getekend *marqué*
getijdenboek *bréviaire* m
getikt *toqué*; *timbré*
getimmerte • stellage *échafaudage* m • timmerwerk *ouvrage* m *de charpente*
getint *teinté*
getiteld ‹v. boek› *intitulé*; ‹v. mensen› *titré*
getogen ★ geboren en ~ zijn in *être né et avoir grandi à*
getourmenteerd *tourmenté*
getralied *grillagé* ★ een ~ hek *une grille*
getrapt *par paliers*; *par degrés* ★ een ~e raket *une fusée à étages*
getroosten (zich) • doorstaan *s'imposer* ★ zich veel moeite ~ *se donner beaucoup de peine* • zich schikken in *se résigner (à)*
getrouw I BNW • nauwkeurig *fidèle* • trouw *fidèle*; *loyal* [m mv: *loyaux*] II BIJW *fidèlement*; *loyalement*
getrouwd *marié*
getruct *plein de trucs*; *astucieux* [v: *astucieuse*]
getto *ghetto* m
gettoblaster *ghettoblaster* v; *grosse radiocassette* v
gettovorming *genèse* v/*formation* v *de ghetto*
getuige *témoin* m ★ tot ~ nemen *prendre à témoin* ★ ~ zijn van *assister à*; *être témoin de*
getuigen I OV WW verklaren *témoigner*; *attester* II ON WW • blijk geven *témoigner de* ★ dat getuigt tegen *cela parle contre* • getuigenis afleggen *témoigner*
getuigenbank *barre* v
getuigenis • bewijs *témoignage* m • getuigenverklaring *témoignage* m; *déposition* v ★ ~ afleggen van *porter témoignage de*
getuigenverhoor *audition* v *des témoins* ★ een ~ afnemen *entendre les témoins*
getuigenverklaring *déposition* v *du témoin*
getuigschrift *certificat* m; *attestation* v
getweeën *à deux*
geul • gleuf *rainure* v • vaargeul *chenal* m [mv: *chenaux*] • gootje *caniveau* m [mv: *caniveaux*]
geur *odeur* v; *parfum* m
geuren *sentir bon*
geurig • met geur *odorant* • lekker ruikend *qui sent bon*
geurstof *aromatisant* m
geurtje • lichte stank *odeur* v *déplaisante* • reukwater *parfum* m
geurvreter *désodorisant* m
geus • GESCH. *gueux* m • TECHN. *gueuse* v
geuzennaam ≈ *surnom* m
gevaar • gevaarlijke toestand *danger* m; *péril* m ★ ~ lopen *être en danger* ★ in ~ brengen *mettre en danger* • risico *risque* m ★ groot ~ lopen te *risquer fort de* ★ op ~ af *au risque de*
gevaarlijk I BNW *dangereux* [v: *dangereuse*]; *périlleux* [v: *périlleuse*] II BIJW *dangereusement*; *périlleusement*
gevaarte *masse* v *énorme*; ‹m.b.t. mens›

colosse m
geval • toestand *cas* m ★ in ~ van *en cas de* ★ in elk ~ *en tout cas*; *de toute façon* ★ dat is het ~ met *c'est le cas de* ★ voor het ~ dat hij niet slaagt *au cas où il ne réussirait pas* • voorval *cas* m; *aventure* v • toeval *hasard* m
gevangen *prisonnier* [v: *prisonnière*]; JUR. *détenu* ★ iem. ~ zetten *emprisonner qn*
gevangenbewaarder *gardien* m *de prison* [v: *gardienne de prison*]
gevangene *prisonnier* m [v: *prisonnière*]
gevangenhouden *détenir*
gevangenis *prison* v
gevangenisstraf *peine* v *de prison*; JUR. *réclusion* v ★ levenslange ~ *réclusion à perpétuité*
gevangeniswezen *régime* m *pénitentiaire*
gevangennemen *arrêter*; *appréhender*
gevangenschap • het gevangen zijn *détention* v • toestand van gevangene *captivité* v
gevangenzitten *être détenu*; *être en prison*
gevarendriehoek *triangle* m *de signalisation*
gevarenzone *zone* v *dangereuse*
gevarieerd *varié* ★ een ~ aanbod *une offre variée*
gevat *prompt à la riposte*; *à propos* ★ een ~ antwoord *une repartie*
gevecht *combat* m ★ buiten ~ stellen *mettre hors de combat*
gevechtsklaar *prêt au combat*
gevechtslinie *ligne* v *de combat*
gevechtspak *tenue* v *de combat*
gevechtsvliegtuig *avion* m *de combat*
gevechtszone *zone* v *de combat*
gevederd *emplumé* ★ onze ~e vrienden *le peuple aérien*
geveinsd • huichelachtig *hypocrite* • niet gemeend *feint*; *dissimulé*
gevel *façade* v
gevelkachel *radiateur* m *gaz modulable*
gevelsteen *plaque* v *commémorative*
geveltoerist *cambrioleur* m [v: *cambrioleuse*]
geven I OV WW *donner* ★ iets cadeau ~ *faire cadeau de qc* ★ kun je me het zout even ~? *tu me passes le sel, s'il te plaît?* ★ iem. een cijfer ~ *donner une note à qn* II ON WW • hinderen ★ wat geeft het? *qu'est-ce que cela fait?* ★ het geeft niets *cela ne fait rien* • ~ **om** *être attaché à* ★ veel ~ om *tenir beaucoup à*; *se soucier de*
gever *donneur* m [v: *donneuse*]; REL. *dispensateur* m; *donateur* m [v: *donatrice*]
geverseerd ~ **in** *versé (dans)*; *ferré (en)*
gevestigd *établi*; *installé* ★ maatschappij ~ te Y *société dont le siège social est à Y*
gevierd *célèbre*; *illustre*
gevlamd *flammé*; *ondé*; ‹v. stoffen› *moiré*
gevlekt *tacheté*; *moucheté*
gevleugeld *ailé* ▾ een ~ woord *un mot historique*
gevlij ▾ in het ~ komen bij *gagner les bonnes grâces de*
gevoeglijk *convenablement*
gevoel • gewaarwording *sensation* v • indruk *sensation* v; ‹mening› *avis* m; *opinion* v • emotie *sentiment* m ★ met ~ spelen *jouer avec âme* ★ op zijn ~ afgaan *se laisser guider par ses sentiments* • zintuig *toucher* m ★ op het ~ *au toucher*; *à tâtons* • begrip *sensibilité* v ★ veel ~ hebben *être d'une grande sensibilité*
gevoelen *sentir*; *ressentir*; *éprouver* ★ pijn ~ *éprouver des douleurs*
gevoelig I BNW • ontvankelijk *sensible* ★ ~ zijn voor *être sensible à* • lichtgeraakt *susceptible* • pijnlijk ★ een ~e slag *un rude coup* II BIJW • met veel gevoel *d'une manière touchante* • op heftige wijze *sensiblement*
gevoeligheid • het gevoelig zijn *sensibilité* v ★ ~ verminderen *désensibiliser* • lichtgeraaktheid *susceptibilité* v
gevoelloos I BNW • hardvochtig *insensible*; *impassible* • zonder gevoel *insensible*; MED. *anesthésié* ★ ~ maken *insensibiliser* II BIJW *impassiblement*
gevoelloosheid *insensibilité* v; MED. *anesthésie* v; FIG. *insensibilité* v; *impassibilité* v
gevoelsarm *pauvre en sentiments*
gevoelsleven *vie* v *affective*
gevoelsmatig I BNW *instinctif* [v: *instinctive*] II BIJW *instinctivement*
gevoelsmens *émotif* m [v: *émotive*]; *impulsif* m [v: *impulsive*]
gevoelstemperatuur *sensation* v *de froid éprouvée par le corps*
gevoelswaarde *valeur* v *sentimentale*; TAALK. *connotation* v
gevogelte • de vogels *oiseaux* m mv • eetbare vogels *volaille* v
gevolg • resultaat *suite* v; *conséquence* v; MED. *séquelle* v; WISK. *corollaire* m ★ ergens de ~en van ondervinden *se ressentir de qc* ★ bij ~ *par conséquent*; *donc* ★ met goed ~ *avec succès* ★ ~ geven aan een verzoek *donner suite à une demande* ★ tot ~ hebben *avoir pour conséquence* • personen *cortège* m; *suite* v; *escorte* v
gevolgtrekking *déduction* v; *conclusion* v ★ een ~ maken *tirer une conclusion*
gevolmachtigd *autorisé* ★ een ~e *un mandataire*; *une mandataire*; *un plénipotentiaire*; *un fondé de pouvoir*; *un délégué*; *une déléguée*
gevorderd *avancé* ★ verder ~ dan *en avance sur* ★ beginners en ~en *débutants et initiés*
gevreesd *redouté*
gevuld • dik, mollig *potelé* ★ ~e lippen *des lèvres* v mv *charnues* • met vulling *rempli*; CUL. *farci* ★ ~e bonbons *des bonbons* m mv *fourrés*
gewaad *vêtements* m mv; *habit* m
gewaagd *osé*; *audacieux* [v: *audacieuse*] ★ een ~ spel spelen *jouer gros jeu* ▾ zij zijn aan elkaar ~ *ils se valent*
gewaarworden • zich bewust worden van *s'apercevoir de* • (op)merken *apercevoir*; *découvrir*
gewaarwording *sensation* v; *perception* v
gewag *mention* v
gewagen ~ **van** *faire mention (de)*
gewapend • versterkt *armé* ★ ~ beton *béton*

armé m • bewapend *armé*
gewas • plant *plante* v; *végétal* m [mv: *végétaux*] • oogst *récolte* v; ‹v. wijn› *cru* m
gewatteerd *matelassé*
geweer *fusil* m
geweerschot *coup* m *de fusil* ★ op ~safstand *à portée de fusil*
geweervuur *fusillade* v
gewei *bois* m mv; *ramure* v
geweld *violence* v ★ met ~ *de force*; *par la force* ★ met ~ openen *forcer* ★ ~ gebruiken *recourir à la violence* ★ ~ aandoen *violenter* ★ zinloos ~ *violence vide de sens* ▾ met alle ~ *par tous les moyens* ▾ zichzelf ~ aandoen *se faire violence*
gewelddaad *acte* m *de violence* ★ een verzekering tegen gewelddaden *une assurance anti-violence*
gewelddadig I BNW *violent* II BIJW *violemment*; *de force*
geweldenaar *tyran* m
geweldig I BNW • hevig *violent* • groot *énorme*; *formidable* • goed *formidable*; INF. *terrible* II BIJW *violemment*; *énormément*
geweldpleging *violence* v ★ openbare ~ *acte de violence sur la voie publique*
geweldsspiraal *engrenage* m *de la violence*
gewelf *voûte* v ★ een onderaards ~ ‹in kerk› *une crypte*; *un souterrain*
gewelfd • gebogen *galbé* • met gewelf *voûté*
gewend *habitué (à)*; *accoutumé (à)* ★ ik ben eraan ~ *j'ai l'habitude*
gewennen I OV WW gewoon maken *accoutumer*; *habituer* II ON WW gewoon worden *s'habituer*
gewenning *accoutumance* v
gewenst • wenselijk *desirable* • verlangd *voulu*; *desiré*
gewerveld *vertébré*
gewest *région* v; *contrée* v
gewestelijk *régional* [m mv: *régionaux*]; *provincial* [m mv: *provinciaux*]
geweten *conscience* v ★ een gerust ~ hebben *avoir la conscience tranquille|nette* ★ om zijn ~ gerust te stellen *par acquit de conscience*
gewetenloos *sans scrupules*
gewetensbezwaar *scrupule* m; ‹v. dienstplichtige› *objection* v *de conscience* ★ een ~de *un objecteur de conscience*
gewetensnood *détresse* v *morale* ★ in ~ komen *souffrir de détresse morale*
gewetensvol *consciencieux* [v: *consciencieuse*]
gewetensvraag *cas* m *de conscience*
gewetenswroeging *remords* m
gewetenszaak *cas* m *de conscience* ★ een ~ maken van *se faire scrupule de*
gewettigd *autorisé*; *légitime*; *licite*
gewezen *ancien* [v: *ancienne*]; *ex-* ★ haar ~ echtgenoot *son ex-mari*
gewicht • zwaarte *poids* m ★ soortelijk ~ *poids spécifique* • voorwerp *poids* m ★ maten en ~en *poids et mesures* • belang *importance* v ▾ ~ in de schaal leggen *peser dans la balance* ▾ zijn ~ in goud waard zijn *valoir son pesant d'or*
gewichtheffen I ZN *haltérophilie* v II ONV WW *faire des poids et des haltères*
gewichtig I BNW *important*; *considérable* II BIJW *d'un air important* ★ ~ doen *faire l'important*
gewichtigdoenerij *prétention* v
gewichtloos *en état d'apesanteur*
gewichtsklasse *catégorie* v *de poids*
gewichtsverlies *perte* v *de poids*
gewiekst *déluré*; *débrouillard*
gewijd • geheiligd *consacré* ★ ~e aarde *terre sainte* v • met betrekking tot liturgie ★ ~e muziek *musique sacrée*; *musique spirituelle*
gewild • in trek *demandé*; *en vogue* • gekunsteld *recherché*; *voulu*
gewillig I BNW *docile*; *complaisant* II BIJW *docilement*; *de plein gré*
gewin *gain* m ★ groot ~ *bénéfice* m *important*
gewis *certain*
gewoel • drukte *foule* v • het woelen *agitation* v; *tumulte* m
gewond *blessé* ★ ~ raken *être blessé*
gewonde *blessé* m ★ een licht ~ *un blessé léger* ★ een ernstig ~ *un grand blessé*
gewoon I BNW • alledaags *ordinaire*; *commun* • gewend *accoutumé à*; *habitué à* ★ ~ zijn om *avoir l'habitude de* II BIJW • normaal *normalement*; *comme à l'ordinaire* • gewoonweg *simplement*; *franchement* ★ het is ~ niet te geloven *c'est tout simplement incroyable*
gewoonlijk *ordinairement*; *communément* ★ zoals ~ *comme d'habitude*
gewoonte • wat men gewoon is *routine* v; *habitude* v ★ dat is mijn ~ niet *ce n'est pas dans mes habitudes* ★ ~ worden *tourner en habitude* ★ een ~ aanleren/afleren *prendre|quitter une habitude* ★ uit ~ *par habitude* • gebruik *coutume* v; *usage* m ★ dat is hier zo de ~ *c'est l'usage* ★ een oude ~ *une vieille tradition*
gewoontedier ≈ *routinier* m [v: *routinière*]
gewoontedrinker *buveur* m *invétéré* [v: *buveuse invétérée*]
gewoontegetrouw *fidèlement à ses habitudes*
gewoonterecht *droit* m *coutumier*
gewoontjes *simple*
gewoonweg • eenvoudigweg *tout simplement* • ronduit *tout bonnement*
geworteld *enraciné*
gewricht *articulation* v; *jointure* v
gewrocht *création* v
gewrongen *artificiel* [v: *artificielle*]; *recherché* ★ een ~ stijl *un style tourmenté*
gezag • macht *puissance* v; *autorité* v • bevoegdheid *autorité* v ★ het ~ uitoefenen *exercer le pouvoir*
gezagdrager *représentant* m *de l'Autorité*
gezaghebbend *qui fait autorité*; *dont l'autorité est reconnue* ★ ~ zijn *faire autorité*
gezaghebber *autorité* v
gezagsgetrouw *fidèle au pouvoir*
gezagsorgaan *organe* m *du pouvoir*
gezagsverhoudingen *rapports* m mv *hiérarchiques*
gezagvoerder *patron* m; ‹op schip› *capitaine* m; ‹in vliegtuig› *commandant* m *de bord*
gezamenlijk I BNW • alle(n) samen *complet* [v:

complète] • verenigd *collectief* [v: *collective*] ⋆ voor ~e rekening *à frais communs*; *de compte à demi* ⋆ een ~e actie *une action concertée* II BIJW *ensemble*; *collectivement*
gezang • het zingen *chant* m • lied *chant* m; REL. *cantique* m
gezanik *rabâchage* m
gezant *représentant* m; *envoyé* m; *attaché* m *d'ambassade* ⋆ de pauselijke ~ *le légat*; *le nonce*
gezantschap • legatie *légation* v; ‹v.d. paus› *nonciature* v • gebouw *légation* v
gezapig *mollasse* ⋆ een ~ mens *un mollasson*; *une mollassonne*
gezegde • zegswijze *expression* v • uitlating *dires* m mv; *paroles* v mv • TAALK. *prédicat* m
gezegend *heureux* [v: *heureuse*]
gezeglijk *docile*
gezel • makker *compagnon* m; *camarade* m/v • leerling-vakman *compagnon* m; *garçon* m
gezellig I BNW • aangenaam *intime*; *confortable*; *agréable* ⋆ het is hier ~ *on est bien ici* ⋆ een ~ mens *une femme agréable* • sociaal *sociable* II BIJW *intimement*; *confortablement*
gezelligheid *ambiance* v *agréable*/*intime*; *bonne ambiance* v
gezelligheidsdier *personne* v *sociable*
gezelligheidsvereniging *club* m
gezellin *compagne* v
gezelschap • samenzijn *compagnie* v ⋆ iem. ~ houden *tenir compagnie à qn* • groep *compagnie* v; *société* v ⋆ een besloten ~ *un cercle (privé)*; *un club (privé)*
gezelschapsreis *voyage* m *organisé*
gezelschapsspel *jeu* m *de société* [m mv: *jeux* ...]
gezet • dik *corpulent* • geregeld *déterminé* ⋆ op ~te tijden *à heure fixe*
gezeten • met vaste woonplaats *établi*; *sédentaire* • welgesteld *aisé*
gezeur *rabâchage* m
gezicht • aanblik, uitzicht *vue* v ⋆ uit het ~ verliezen *perdre de vue* ⋆ op het eerste ~ *à première vue*; *de prime abord* • uiterlijk *aspect* m ⋆ ik ken hem van ~ *je le connais de vue* • aangezicht *visage* m; *figure* v ⋆ ik heb haar recht in het ~ gezegd dat *je lui ai carrément dit que* ⋆ ik zie hier allemaal bekende ~en *je suis ici en pays de connaissance* • zintuig *vue* v ▾ het is geen ~, die broek van je *t'as l'air ridicule dans ce pantalon*
gezichtsafstand • reikwijdte *portée* v *de vue* • oogafstand *distance* v *visuelle*
gezichtsbedrog *illusion* v *d'optique*; *trompe-l'œil* m [onv]
gezichtshoek *angle* m *optique*
gezichtspunt *point* m *de vue*; *optique* v
gezichtsuitdrukking *mine* v
gezichtsveld *champ* m *visuel*
gezichtsverlies • verlies van gezichtsvermogen *perte* v *de la vue* • verlies van prestige *perte* v *de prestige*
gezichtsvermogen *vue* v; *faculté* v *visuelle*
gezien I BNW *estimé* ⋆ zij is zeer ~ bij haar collega's *elle est très estimée de ses collègues* II VZ *vu* ⋆ ~ zijn staat van dienst *vu son état de service*
gezin *famille* v ⋆ een ~ stichten *fonder une famille* ⋆ groot ~ *famille nombreuse*
gezind *disposé*; *intentionné* ⋆ hij is u goed ~ *il vous veut du bien* ⋆ vijandig ~ *malintentionné*
gezindheid • stemming *disposition* v • overtuiging *opinions* v mv; REL. *religion* v
gezindte *confession* v; *secte* v; *culte* m
gezinsauto *familiale* v
gezinsfles *flacon* m *familial*
gezinshereniging *regroupement* m *familial*
gezinshoofd *chef* m *de famille*
gezinshulp • hulpverlening *aide* v *sociale* • hulpverlener *aide* v *familiale*
gezinsleven *vie* v *de famille*
gezinsplanning *planning* m *familial*
gezinsuitbreiding *agrandissement* m *de la famille*
gezinsverpakking *emballage* m *familial*
gezinsverzorgster *aide* v *familiale*
gezinszorg *service* m *social familial*; *assistance* v *sociale*
gezocht I BNW • gewild *recherché*; *en vogue* • gekunsteld *affecté* II BIJW *avec affectation*
gezond I BNW • niet ziek *bien portant*; *en bonne santé* ⋆ ~ en wel *sain et sauf* [v: *saine et sauve*] ⋆ (weer) ~ worden *se rétablir* ⋆ zo ~ zijn als een vis *se porter comme un charme* ⋆ er ~ uitzien *avoir bonne mine* • heilzaam *sain*; *salubre* ⋆ een ~ oordeel *un jugement sain* ⋆ dat is ~ voor je *cela te fera du bien* ⋆ het ~ verstand *le bon sens*; *le sens commun* II BIJW *sainement* ⋆ ~ wonen *habiter dans un endroit salubre*
gezondheid I ZN ‹v. persoon› *santé* v; ‹v. plaats› *salubrité* v ⋆ op de ~ drinken van *porter un toast à*; *boire à la santé de* ⋆ een officier van ~ *un médecin militaire*; *un médecin de marine* II TW ‹bij niezen› *à tes*/*vos souhaits*
gezondheidscentrum *centre* m *médico-social* [m mv: *centres médico-sociaux*]
gezondheidsredenen *raisons* v mv *de santé* ⋆ om ~ *pour des raisons de santé*
gezondheidszorg *organisation* v *sanitaire*
gezusters ⋆ ~ Dubois *Dubois sœurs*
gezwel • opzwelling *enflure* v • tumor *tumeur* v
gezwind I BNW *véloce* II BIJW *avec vélocité*
gezwollen *ampoulé*; *emphatique*
gezworen *assermenté*; *juré* ⋆ een ~ vijand *un ennemi mortel*
gezworene *juré* m; *jurée* v
gft-afval *déchets* m mv *organiques*
gft-bak *boîte* v *à déchets organiques*
Ghana *le Ghana* ⋆ in ~ *au Ghana*
ghostwriter *nègre* m
Gibraltar *Gibraltar* ⋆ in ~ *à Gibraltar*
gids *guide* m
gidsen *guider*
gidsland *pays* m *pilote*
giechelen *rire tout bas*; *ricaner*
giek *yole* v
gier • vogel *vautour* m • mest *purin* m
gieren • lachen *se tordre de rire* ⋆ het is om te

~ *il y a de quoi se tordre* • bemesten *fumer au purin* • geluid maken *crier*; ‹v. wind› *siffler*
gierig *avare*; *chiche*; INF. *radin*
gierigaard *avare* m
gierigheid *avarice* v
gierst *millet* m
gierzwaluw *martinet* m *noir*
gietbui *averse* v; *ondée* v
gieten I OV WW • schenken *verser* ★ vol ~ *remplir* • vormgeven *couler* ★ het ~ *la fonte*; *le moulage* II ONP WW *pleuvoir à verse* ★ het giet *il pleut à seaux*
gieter *arrosoir* m
gieterij *fonderie* v
gietijzer *fonte* v
gif *poison* m; ‹v. dieren› *venin* m; CHEM. *toxique* m
gifbeker *coupe* v *empoisonnée*
gifbelt *décharge* v *de produits toxiques*
gifgas *gaz* m *toxique*
gifgroen *vert* m *cru*
gifgrond *terrain* m *pollué*
gifkikker *râleur* m [v: *râleuse*]
gifklier *glande* v *à venin*
gifschandaal *scandale* m *de déchets toxiques*
gifslang *serpent* m *venimeux*
gift ‹geld› *donation* v; *don* m; *cadeau* m [mv: *cadeaux*]
giftig • vergiftig ‹v. plant› *vénéneux* [v: *vénéneuse*]; ‹v. dier› *venimeux* [v: *venimeuse*] • venijnig ★ ~ worden *se mettre en colère*
gifwijk *quartier* m *pollué*
gifwolk *nuage* m *toxique*
gigabyte *gigoctet* m
gigant • topfiguur *géant* m • omvangrijk iemand/iets *géant* m
gigantisch *gigantesque*
gigolo *gigolo* m
gij *vous*; ‹alleen onderwerp› *tu*; *toi*
gijzelaar *otage* m
gijzelen JUR. *arrêter pour dettes*; *détenir*; *prendre en otage*
gijzelhouder *ravisseur* m [v: *ravisseuse*]
gijzeling *prise* v *d'otages* ★ iem. in ~ houden *tenir qn en otage*
gijzelingsactie *prise* v *d'otage(s)*
gil *cri* m *perçant* ★ een gil geven *pousser un cri*
gilde *corps* m *de métier*; *corporation* v
gilet *gilet* m
gillen I OV WW schreeuwen *crier*; *hurler* II ON WW *pousser des cris*
giller ▾ wat een ~! *c'est dingue!*
gimmick *truc* m
gin *gin* m
ginds *là-bas*; *là*
ginnegappen *ricaner*
gips • mineraal *gypse* m • gipsverband *plâtre* m ★ in het gips liggen *être dans le plâtre*
gipsen *en plâtre*
gipskruid *gypsophile* m
gipsplaat *carreau* m *de plâtre* [m mv: *carreaux ...*]
gipsverband *plâtre* m
giraal ★ ~ geld *monnaie* v *scripturale*
giraffe *girafe* v
gireren *virer* ★ gireer het bedrag op mijn rekening *virez la somme sur mon compte*
giro *virement* m *postal* ★ per giro betalen *payer par virement postal*
girobetaalkaart ≈ *chèque* m *postal garanti* [m mv: *chèques postaux garantis*]; *chèque* m *visé*
girocheque *chèque* m *postal de virement* [m mv: *chèques postaux ...*]
girodienst *service* m *de comptes postaux*
girokaart *chèque* m *postal* [m mv: *chèques postaux*]
girokantoor *centre* m *des chèques postaux*
giromaat *distributeur* m *automatique de C.C.P.*
gironummer *numéro* m *de compte chèque postal*; *numéro* m *de C.C.P.*
giropas *carte* v *de garantie*
girorekening *compte* m *chèque postal*; *C.C.P.* m
giroverkeer *virements* m mv *postaux*
gis • gissing *estimation* v • muzieknoot *sol* m *dièse*
gissen ~ **naar** *deviner*; *présumer*; *estimer* ★ naar iets ~ *deviner*
gissing *supposition* v; *estimation* v; SCHEEPV. *estime* v
gist • stof *levure* v; *levain* m • microbe *ferment* m
gisten *fermenter*; FIG. *s'agiter*
gisteravond *hier soir*
gisteren *hier* ▾ ik ben niet van ~ *je ne suis pas né d'hier*
gistermiddag *hier après-midi*
gistermorgen *hier matin*
gisternacht *hier dans la nuit*
gisting *fermentation* v; FIG. *effervescence* v; *agitation* v
git *jais* m
gitaar *guitare* v
gitzwart *noir comme jais*; *de jais*
glaceren *glacer*
glad I BNW • effen ‹onbehaard› *glabre*; *lisse*; *uni*; ‹gepolijst› *poli* • glibberig *glissant* ★ het is hier glad *ça glisse ici* • sluw *rusé*; *déluré* II BIJW • makkelijk *facilement*; *sans la moindre difficulté* • totaal ★ hij is het glad vergeten *il l'a complètement oublié*
gladgeschoren *rasé de près*
gladharig *à poil lisse*
gladheid • effenheid ‹glanzigheid› *poli* m • glibberigheid *verglas* m
gladiator *gladiateur* m
gladiool *glaïeul* m [mv: *glaïeuls*]
gladjanus *faux jeton* m
gladjes I BNW • glad *assez glissant* • slim *malin* [v: *maligne*] • met gemak *facile* II BIJW • glad *en glissant* • slim *avec ruse* • met gemak *rapidement* • totaal *complètement*
gladstrijken • *lisser*; *défroisser* • FIG. *aplanir (des obstacles)*
gladweg *carrément*
glamour *glamour* m ★ de ~wereld *le beau monde*; *la haute société*
glans • (weer)schijn *éclat* m; *brillant* m; *lueur* v ★ de ~ op zijn gezicht *le rayonnement de sa figure* • luister

splendeur v ★ met ~ slagen *être reçu avec distinction*

glansmiddel *lustre* m

glanspapier *papier* m *glacé*

glansperiode ‹kort› *heure* v *de gloire*; ‹lang› *âge* m *d'or*

glansrijk I BNW *brillant*; *glorieux* [v: *glorieuse*] II BIJW *brillamment*; *glorieusement*

glansrol *rôle* m *de premier rang*

glanzen *briller*; *resplendir*; *reluire*

glas • materiaal *verre* m ★ geslepen glas *verre poli* • drinkglas *verre* m ★ uit een glas drinken *boire dans un verre* • ruit *vitre* v; *carreau* m [mv: *carreaux*] ★ gebrand glas *verre de vitrail* • brillenglas *verre* m ▾ zijn eigen glazen ingooien *gâter son affaire*

glasafval *verre* m *concassé*

glasbak *conteneur* m *spécial verre*

glasblazen *souffler du verre*

glasfiber *fibre* v *de verre*

glasgordijn *vitrage* m

glashard *dur comme le fer*; *dur*; FIG. *froid* ▾ iets ~ ontkennen *nier carrément*

glashelder I BNW • doorzichtig *transparent*; *limpide* • duidelijk *clair* II BIJW *clairement*

glas-in-loodraam *vitrail* m [mv: *vitraux*]; ‹groot› *verrière* v

glasnost *glasnost* v

glasplaat *plaque* v *de verre*

glasschade *bris* m *de glaces*

glasservies *service* m *de verres*

glastuinbouw *culture* v *en serres*

glasverzekering *assurance* v *contre les bris de glace*

glasvezel *fibre* v *de verre*

glaswerk • glazen *verrerie* v • ruiten *vitrage* m

glaswol *laine* v *de verre*

glazen • van glas *en verre*; *de verre* • glazig *vitreux* [v: *vitreuse*]

glazenwasser *laveur* m *de vitres* [v: *laveuse ...*]

glazig *vitreux* [v: *vitreuse*]

glazuren *émailler*; *vernir*

glazuur • tandglazuur *émail* m • taartglazuur *glace* v • glasachtige laag *vernis* m; *glaçure* v; *émail* m

gletsjer *glacier* m ★ van de ~s *glaciaire*

gletsjerdal *vallée* v *glaciaire*

gleuf • spleet *fente* v; *crevasse* v • groef *cannelure* v; *rainure* v

glibberen *glisser*

glibberig *glissant*; *visqueux* [v: *visqueuse*]

glijbaan • speeltuig *toboggan* m • baan van ijs *glissoire* v

glijden *glisser* ★ het ~ *le glissement* ★ in zijn zak laten ~ *glisser dans sa poche*

glijmiddel *lubrifiant* m

glijvlucht *vol* m *plané*

glimlach *sourire* m

glimlachen *sourire*

glimmen *luire*; *reluire*; *briller* ★ ~de schoenen *des souliers bien cirés*

glimp *lueur* v ★ een ~ van iets laten zien *laisser entrevoir qc*

glimworm *ver* m *luisant*; *lampyre* m

glinsteren *étinceler*; *briller*

glinstering *étincellement* m; *éclat* m

glippen *glisser*; *déraper*; FIG. *échapper*

glitter • iets dat glinstert *paillette* v • schone schijn *éclat* m *illusoire* ★ ~ en glamour *la pompe et le prestige*

globaal I BNW *approximatif* [v: *approximative*]; *global* [m mv: *globaux*] II BIJW *approximativement*; *globalement*

globaliseren *mondialiser*

globalisering *mondialisation* v

globe *globe* m

globetrotter *globe-trotter* m [mv: *globe-trotters*]

gloed • schijnsel *ardeur* v; *chaleur* v • warmte *chaleur* v • bezieling *ardeur* v; *ferveur* v

gloednieuw *flambant neuf* [v: *flambant neuve*]

gloedvol I BNW *enflammé*; *passionné* II BIJW *avec flamme*

gloeien • branden zonder vlam *être chauffé au rouge*; *être chauffé à blanc*; *être enflammé*; *brûler* ★ van liefde ~ *brûler d'amour* • stralen van hitte *rougir*

gloeiend I BNW • heet *(chauffé au) rouge*; *brûlant* ★ ~ worden *s'embraser* • hartstochtelijk *ardent* II BIJW *ardemment* ★ zich ~ vervelen *s'ennuyer à mourir*

gloeilamp *ampoule* v *électrique*

glooien *descendre/aller en pente*

glooiing • talud *talus* m • helling *pente* v ★ een zachte ~ *une pente douce*

gloren *poindre* ★ bij het ~ van de ochtend *à l'aube*

glorie *gloire* v; *splendeur* v

glorietijd *période* v *de gloire*; *grands jours* m mv

glorieus *glorieux* [v: *glorieuse*]

glossarium *glossaire* m

glossy ★ een ~ tijdschrift *un magazine de luxe*; *un magazine sur papier couché/glacé*

glucose *glucose* m

glühwein *vin* m *chaud*

gluiperd *sournois* m

gluiperig I BNW vals, geniepig *sournois* II BIJW *sournoisement*

glunder I BNW zichtbaar voldaan *rayonnant* II BIJW zichtbaar voldaan *d'un air rayonnant*

glunderen *rayonner*

gluren *épier*; *guetter*

gluten *gluten* m

gluton *colle* v *de pâte*

gluurder *voyeur* m [v: *voyeuse*]

glycerine *glycérine* v

gniffelen *rire sous cape*

gnoe *gnou* m

gnoom *gnome* m

gnostiek *gnostique* m/v

gnostisch *gnostique*

gnuiven *rire sous cape*

goal • doel *buts* m mv • doelpunt *but* m ★ een goal maken *marquer un but*

gobelin • wandtapijt *tapisserie* v • meubelstof *tissu* m *d'ameublement*

god *dieu* m ▾ zich aan God noch gebod storen *vivre sans foi ni loi*

God • *Dieu* ★ God de Heer *le Seigneur Dieu* ★ God beware me er voor *Dieu m'en préserve* ★ God verhoede *à Dieu ne plaise*

⋆ hoe is het Gods mogelijk? *est-ce Dieu possible* ⋆ om Gods wil *pour l'amour de Dieu* • Schepper *Dieu* m ▾ leven als God in Frankrijk *vivre comme un coq en pâte*
goddank *Dieu merci*
goddelijk I BNW *divin* II BIJW *divinement*
goddeloos I BNW zondig *dépravé; sacrilège*; FORM. *impie* II BIJW *d'une façon impie; affreusement*
goddomme *sacré bon Dieu*
godendom *panthéon* m
godendrank *nectar* m
godgans ▾ de ~e dag *toute la sainte journée*
godgeklaagd *scandaleux* [v: *scandaleuse*]
godgeleerdheid *théologie* v
godheid *divinité* v
godin *déesse* v
godsdienst *religion* v
godsdienstig • vroom *pieux* [v: *pieuse*] • religieus *religieux* [v: *religieuse*]
godsdienstoefening *culte* m; *service* m *divin*; *office* m
godsdienstoorlog *guerre* v *de religion*
godsdienstvrijheid *liberté* v *des cultes*
godsdienstwaanzin *fanatisme* m *religieux*
godsgeschenk *don* m *divin*
godsgruwelijk I BNW *atroce* II BIJW *atrocement*
godshuis • kerk ‹rooms-katholiek› *église* v; ‹protestants› *temple* m • gesticht *hospice* m; *Hôtel-Dieu* m
godslastering *blasphème* m
godslasterlijk *blasphématoire; sacrilège*
godsnaam ⋆ in ~ *au nom de Dieu* ⋆ doe in ~ niet zo moeilijk *pour l'amour de Dieu, ne fais pas le difficile*
godswonder *miracle* m ⋆ het is een ~ dat ze nog kwam *c'est un miracle qu'elle soit venue*
godverdomme *Nom de Dieu*
godvergeten *atroce*
godvruchtig I BNW *dévot; pieux* [v: *pieuse*] II BIJW *dévotement; pieusement*
goed I ZN • wat goed is *bien* m ⋆ goed en kwaad *le bien et le mal* ⋆ goed doen *faire du bien* ⋆ iets/wat goeds *qc de bon* ⋆ je zou er goed aan doen hem meteen te bellen *tu ferais bien de lui téléphoner tout de suite; tu as intérêt à lui téléphoner tout de suite* • bezit *biens* m mv ⋆ onroerend goed *biens immeubles* • waren *marchandise* v • kleren *vêtements* m mv ▾ zich te goed doen aan *se régaler de* II BNW • niet slecht *bon* [v: *bonne*] ⋆ zij zijn goed in Engels *ils sont bons/forts en anglais* • zoals het behoort *bon* [v: *bonne*]; INF. *sensas(s)* ⋆ zich goed houden *retenir ses larmes* ⋆ zo is het goed *c'est bien* ⋆ alles goed thuis? *ça va bien chez vous?* ⋆ mij goed *je veux bien* ⋆ ook goed *comme vous voulez* ⋆ erg goed *très bien* • gepast, geschikt, nuttig ⋆ waar is dat goed voor? *à quoi est-ce que cela sert?* • gunstig *favorable* ⋆ het is maar goed dat *heureusement que* • vriendelijk ⋆ wees zo goed om *veuillez; ayez la bonté de* • gezond ⋆ hij voelt zich niet goed *il ne se sent pas bien* • ruim ⋆ een goed uur *un peu plus d'une heure* ▾ goed praten hebben *en parler à son aise* ▾ die is goed *elle est bien bonne, celle-là* ▾ zo goed als niets *autant dire rien* ▾ zo goed en zo kwaad als het gaat *tant bien que mal* III BIJW *bien* ⋆ hij is goed bij *elle est à la page*; ‹mentaal› *elle a encore toutes ses facultés mentales* ⋆ wij hebben hem goed gekend *nous l'avons bien connu* ⋆ je bent niet goed wijs *t'es malade; t'es fou* ⋆ zo goed als ik kan *de mon mieux* ⋆ zo goed mogelijk *le mieux possible* ⋆ dat is goed te zien *cela se voit très bien* ⋆ we treffen het goed *on tombe bien* ▾ het werk is zo goed als klaar *le travail est fait ou peu s'en faut* ▾ er was zo goed als niemand op het kerkhof *il n'y avait presque personne au cimetière*
goedaardig I BNW • goedig *doux* [v: *douce*] • MED. *bénin* [v: *bénigne*] II BIJW *bénignement*
goeddeels *en bonne partie*
goeddoen *faire du bien*
goeddunken I ZN • toestemming *accord* m • believen *gré* m II ON WW • goed toeschijnen *sembler bon* • behagen *plaire*
goedemiddag *bonjour*
goedemorgen *bonjour*
goedenacht *bonne nuit*
goedenavond *bonsoir*
goedendag ‹bij begroeting› *bonjour*; ‹bij afscheid› *au revoir; adieu* ⋆ iem. ~ zeggen ‹bij afscheid› *dire adieu à qn*; ‹bij begroeting› *dire bonjour à quelqu'un*
goederen • bezittingen *biens* v mv • koopwaar *marchandises* v mv ⋆ een partij ~ *un lot de marchandises*
goederenlift *monte-charge* m [onv]
goederentrein *train* m *de marchandises*
goederenverkeer *transport* m *des marchandises; trafic* m
goederenwagen • treinwagon *wagon* m *de marchandises; fourgon* m ⋆ een open ~ *un truck* • vrachtauto *camion* m
goederenwagon *wagon* m *de marchandises*
goedertieren I BNW *miséricordieux* [v: *miséricordieuse*] II BIJW *miséricordieusement*
goedgebekt *ayant la langue bien pendue*
goedgeefs *généreux* [v: *généreuse*]
goedgehumeurd *de bonne humeur*
goedgelovig *crédule*
goedgemutst *de bonne humeur*
goedgezind *bien intentionné*
goedgunstig I BNW *bienveillant; favorable* II BIJW *avec bienveillance*
goedhartig I BNW met goed hart *bon* [v: *bonne*] II BIJW *avec bonté*
goedheid *bonté* v ⋆ met ~ *en douceur* ▾ grote ~! *bonté divine!*
goedheilig man *homme* m *saint et bon*
goedig I BNW *doux* [v: *douce*]; *bon enfant* II BIJW *avec douceur*
goedje • stof *substance* v • spullen *affaires* v mv
goedkeuren • in orde bevinden *accepter*; ‹v. mensen› *juger apte (à)*; ‹voor mil. dienst› *reconnaître apte au service militaire* ⋆ officieel goedgekeurd *homologué* • instemmen met *approuver*; ‹v. verdrag› *ratifier*
goedkeuring *approbation* v; ‹v. verdrag› *ratification* v

G

goedkoop I BNW niet duur *bon marché* [onv]; *pas cher* [v: *pas chère*] ★ goedkoper *(à) meilleur marché* [onv]; *moins cher* [v: *moins chère*] ★ ~st *le moins cher* ★ goedkoper worden *diminuer*; *baisser de prix* II BIJW *à bon compte*; *à peu de frais*
goedlachs *rieur* [v: *rieuse*]; *enjoué*
goedmaken *réparer*
goedmakertje *effort* m/*action* v *de rattrapage*
goedmoedig I BNW goedig *bonhomme* [onv] II BIJW *avec bonhomie*
goedpraten *justifier*; *excuser*
goedschiks *de bon gré* ★ ~ of kwaadschiks *bon gré, mal gré*; *de gré ou de force*
goedvinden I ZN • goedkeuring *approbation* v; *permission* v • goeddunken ★ naar ~ *à volonté*; *à discrétion* II OV WW • nuttig vinden *approuver* • goedkeuren *consentir (à)*; *agréer*
goedzak *bonne pâte* v
goegemeente *Monsieur* m *Tout-le-Monde*
goeierd *brave cœur* m
goeroe *gourou* m
gok • het gokken *pari* m • risico *coup* m *de dés* • grote neus *pif* m ▾ op de gok *au jugé*
gokautomaat *machine* v *à sous*
gokken • speculeren *spéculer*; *boursicoter* • om geld spelen *jouer*
goklust *amour* m *du jeu*
goktent *maison* v *de jeu*
gokverslaafde *joueur* m [v: *joueuse*]
gokverslaving *dépendance* v *des jeux de hasard*
golf I ZN (de) • NAT. *onde* v • waterbeweging *vague* v • golflengte *onde* v ★ lange golf *grandes ondes* ★ middengolf *petites ondes* ★ korte golf *ondes courtes* • golving in het haar *ondulation* v • baai *golfe* m II ZN (het) SPORT *golf* m ★ golfspeler *golfeur* m [v: *golfeuse*]
golfbaan *terrain* m *de golf*
golfbad *piscine* v *à vagues*
golfbeweging *ondulation* v; NAT. *mouvement* m *ondulatoire*
golfbreker *brise-lames* m [onv]
golfclub *club* m *de golf*
golfen *faire du golf*
golfkarton *carton* m *ondulé*
golflengte *longueur* v *d'onde*
golflijn *ondulation* v
golfplaat *tôle* v *ondulée*
golfslag *houle* v
golfslagbad *piscine* v *à vagues artificielles*
golfstaat *émirat* m *du Golfe*
Golf van Biskaje *golfe* m *de Gascogne*
golven *onduler*; FORM. *ondoyer*
gom *gomme* v
gommen *gommer*
gondel *gondole* v
gondelier *gondolier* m [v: *gondolière*]
gong *gong* m
gongslag *coup* m *de gong*
goniometrie *goniométrie* v
gonorroe *gonorrhée* v
gonzen *bourdonner* ★ het ~ *le bourdonnement*
goochelaar *prestidigitateur* m [v: *prestidigitatrice*]
goochelen • toveren *faire des tours de passe-passe* • handig omspringen met *jongler* ★ ~ met cijfers *jongler avec les chiffres*
goocheltruc *tour* m *de magie*/*de prestidigitation*
goochem *rusé*; INF. *roublard*; *à la coule*
goodwill • goede naam *sympathie* v; *bienveillance* v • commerciële waarde *actif* m *incorporel*
goodwillambassadeur *qn qui essaye d'éveiller de la bienveillance pour...*
gooi *jet* m ▾ een gooi doen naar *faire des efforts pour*
gooien *jeter*; *lancer* ★ het ~ *le jet*; *le lancement* ★ met de deur ~ *faire claquer la porte*
gooi- en smijtwerk ≈ *gags* m mv *grotesques*
goor • onsmakelijk *dégoûtant*; INF. *dégueulasse* • vuil *sale*; *dégoûtant*; INF. *dégueulasse*
goot • straatgoot *caniveau* m [mv: *caniveaux*] • dakgoot *gouttière* v
gootsteen *évier* m ★ dubbele ~ *évier à double bac*
gordel • riem *ceinture* v; ⟨militair⟩ *ceinturon* m • kring *ceinture* v • GEO. *zone* v
gordeldier *tatou* m
gordelroos *zona* m
gordijn *rideau* m [mv: *rideaux*]; ⟨rolgordijn⟩ *store* m; ⟨deurgordijn⟩ *portière* v
gordijnrail *tringle* v *à glissière*
gordijnroe *tringle* v *à rideaux*
gorgelen *se gargariser*
gorgonzola *gorgonzola* m
gorilla *gorille* m
gors I ZN (de) vogel *bruant* m II ZN (de/het) kwelder *terrain* m *d'alluvions*
gort *gruau* m
gortdroog • droog *sec comme une allumette* [v: *sèche ...*] • saai *assommant*
gortig ▾ het al te ~ maken *dépasser les bornes*; *aller trop loin*
GOS *CÉI* v; *Communauté* v *des États indépendants*
gospel *gospel* m
gospelmuziek *musique* v *(pop) inspirée de l'Évangile*
gospelsong *gospel* m
gossiemijne ≈ *mon Dieu*
GOS-staten *états* m mv *membres de la C.É.I.*
gotiek *(style* m*) gothique*
gotisch *gothique*
gotspe *gotspe* m
gouache *gouache* v
goud *or* m ★ een kies met goud vullen *aurifier une dent* ▾ het is niet alles goud wat er blinkt *tout ce qui brille n'est pas or* ▾ eerlijk als goud *franc comme l'or*
goudader *filon* m *d'or*
goudblond *blond doré* [onv]
goudbruin *mordoré*
goudeerlijk *franc comme l'or* [v: *franche ...*]
gouden • van goud *d'or*; *en or* ★ ~ standaard *étalon-or* m ★ een ~ koets *un carrosse d'or* • goudkleurig *doré*
goudenmedaillewinnaar *gagnant* m *de la médaille d'or*
goudenregen *cytise* m
goudhaantje • vogel *roitelet* m • kever

chrysomèle m ▾ eruitzien als een ~ *être tiré à quatre épingles*
goudkleurig *doré*
goudkoorts *fièvre* v *de l'or*
goudmijn • mijn *mine* v *d'or* • iets dat voordeel oplevert *affaire* v *d'or* • onuitputtelijke bron *mine* v
goudprijs *prix* m *(de l') or*
goudrenet *reinette* v
goudsbloem *souci* m
goudsmid *orfèvre* m
goudstuk *pièce* v *d'or*
goudvink *bouvreuil* m
goudvis *poisson* m *rouge*; *cyprin* m *(doré)*
goudwinning *extraction* v *de l'or*
goudzoeker • goudgraver *chercheur* m *d'or* • gelukzoeker *aventurier* m [v: *aventurière*]
goulash *goulash* m
gourmet *gourmet* m
gourmetstel ≈ *appareil* m *à raclette*
gouvernante *gouvernante* v
gouvernement *gouvernement* m
gouverneur *gouverneur* m
gouverneur-generaal *gouverneur-général* m [mv: *gouverneurs-généraux*]
gozer *gars* m; *mec* m
graad • meeteenheid *degré* m ★ de ~ Celsius *le degré Celsius* ★ we hebben 15 graden vorst *il fait 15 degrés au-dessous de zéro*; *il fait moins 15 (degrés)* • WISK. *degré* ★ een vergelijking van de tweede ~ *une équation du second degré* • rang, trap *grade* m ★ een academische ~ *un grade universitaire* • mate *degré* m ★ de ~ van bezetting *le taux d'occupation* ★ in de hoogste ~ *au dernier degré*
graadmeter *indicateur* m
graaf *comte* m
graafschap *comté* m
graafwerktuig *engin* m *de terrassement*
graag *volontiers*; *avec plaisir* ★ ~ zingen *aimer chanter* ★ ~ hebben *aimer* ★ ~ mogen *tenir beaucoup à* ★ ~ of niet *c'est à prendre ou à laisser* ★ ik zou ~ enige inlichtingen ontvangen *je voudrais recevoir quelques informations*
graaien I ov ww stelen *chiper* II on ww grabbelen *fouiller*
graal *Graal* m
graan • gewas *blé* m • koren *grain* m
graanjenever *genièvre* m
graanoogst • opbrengst *moisson* v; *récolte* v • het oogsten *moisson* v
graanschuur *grange* v *à blé*
graansilo *silo* m
graantje • borrel *verre* m *de genièvre* ★ een ~ pikken *siffler un verre* • graankorrel *grain* m ▾ een ~ meepikken *en profiter*
graat *arête* v ▾ niet zuiver op de ~ zijn *jouer un rôle équivoque* ▾ zuiver op de ~ *loyal* ▾ van de ~ vallen *mourir de faim*
grabbel ★ te ~ gooien *disperser*; FIG. *dégrader* ▾ zijn goede naam te ~ gooien *compromettre sa réputation*
grabbelen *fouiller* ★ in een laatje ~ *fouiller dans un tiroir*
grabbelton ≈ *tonneau* m *dont il faut retirer des objets cachés* [m mv: *tonneaux ...*]
gracht • waterweg *canal* m [mv: *canaux*]; ‹rond vesting› *fossé* m *(de fortification)*; *douve* v • straat langs gracht *quai* m
grachtenhuis *maison* v *au bord d'un canal*
grachtenpand *immeuble* m *en bordure d'un canal*
grachtwater *eau* v *de canal*
gracieus I BNW *gracieux* [v: *gracieuse*] II BIJW *avec grâce*; *gracieusement*
gradatie *gradation* v
gradenboog *rapporteur* m
gradueel I BNW *graduel* [v: *graduelle*] II BIJW *par degrés*; *graduellement*
graf ‹onder de grond› *fosse* v; *tombe* v; ‹zichtbare deel› *tombeau* m [mv: *tombeaux*]; FORM. *sépulcre* m ★ ten grave dragen *enterrer* ★ het Heilig graf *le Saint-Sépulcre* ★ een eigen graf *une concession à ... ans*; *une concession à perpétuité* ▾ zijn eigen graf graven *creuser sa fosse*; *se perdre* ▾ zich in zijn graf omkeren *se retourner dans sa tombe* ▾ aan gene zijde van het graf *outre-tombe*
grafdicht *épitaphe* v
graffiti *graffiti* m; *tags* m mv
graffitispuiter *bombeur* m [v: *bombeuse*]
graficus *graphiste* m/v; *dessinateur* m [v: *dessinatrice*]
grafiek *graphique* m
grafiet *graphite* m
grafisch *graphique*
grafkelder *caveau* m [mv: *caveaux*]
grafkist *cercueil* m
grafologie *graphologie* v
grafrede *oraison* v *funèbre*
grafschennis *violation* v *de sépulture*
grafschrift *épitaphe* v
grafsteen *pierre* v *tombale*
grafstem *voix* v *caverneuse*
graftombe *tombeau* m [mv: *tombeaux*]
grafzerk *pierre* v *tombale*
gram *gramme* m
grammatica *grammaire* v
grammaticaal *grammatical* [m mv: *grammaticaux*]
grammofoon *électrophone* m
grammofoonplaat *disque* m
gramschap *courroux* m; *colère* v
granaat I ZN (de) • boom *grenadier* m • projectiel *grenade* v; ‹v. kanon› *obus* m II ZN (het) delfstof *grenat* m
granaatappel • vrucht *grenade* v • boom *grenadier* m
grandioos I BNW *grandiose* II BIJW *avec grandeur*
graniet *granit* m
granieten *de granit*; *granitique*; *en granit*
grap • mop *plaisanterie* v ★ flauwe grap *mauvaise plaisanterie* ★ daarover moet je geen grapjes maken *il ne faut pas rigoler avec cela* • geintje *farce* v ★ grappen maken *faire des farces* ★ voor de grap *pour rire*; *par jeu*
grapefruit *pamplemousse* m
grapjas *blagueur* m [v: *blagueuse*]
grappenmaker *farceur* m [v: *farceuse*]

grappig I BNW vermakelijk ‹v. personen› *comique*; *facétieux* [v: *facétieuse*]; ‹v. zaken› *plaisant* ★ het ~e is dat... *ce qui est marrant c'est que* [+ subj.] **II** BIJW *comiquement*; *plaisamment*
gras *herbe* v; ‹v. weide› *herbage* m ▾ iemand het gras voor de voeten wegmaaien *couper l'herbe sous le pied de qn* ▾ ergens geen gras over laten groeien *ne pas laisser refroidir qc*
grasboter *beurre* m *de mai*
grasduinen *fouiller*
graskaas ≈ *fromage* m *frais de printemps*
grasklokje *campanule* v
grasland *pâturage* m; *pré* m; *prairie* v
grasmaaien *tondre l'herbe*; *tondre le gazon*
grasmaaier *tondeuse* v *à gazon*
grasmat *pelouse* v
grasperk *pelouse* v; *gazon* m
graspol *motte* v *d'herbe*
grasveld *gazon* m; *pré* m; *pelouse* v
grasvlakte *plaine* v *herbeuse*
graszode *plaque* v *de gazon*
gratie *grâce* v ★ iem. ~ verlenen *faire grâce à qn* ★ in de ~ komen bij *gagner les bonnes grâces de* ★ bij de ~ van *par la faveur de*; *par la grâce de*
gratieverzoek *recours* m *en grâce*
gratificatie *gratification* v
gratineren *gratiner*
gratis I BNW *gratuit* **II** BIJW *gracieusement*; INF. *à l'œil*; *gratuitement*; *gratis*
gratuit *gratuit*
grauw I ZN (de) *coup* m *de bec* **II** BNW *gris* ★ een ~e lucht *un ciel couvert*
grauwen *rudoyer*; *rabrouer*
grauwsluier *voile* m *gris*
grauwtje *grison* m
graveerder → **graveur**
graveerkunst *gravure* v
gravel *terre* v *battue*
graven *creuser (le sol)* ★ een tunnel ~ *percer un tunnel* ★ een kuil ~ *creuser une fosse*
graveren *graver*
graveur *graveur* m [v: *graveuse*]
gravin *comtesse* v
gravure *gravure* v
grazen *paître* ★ het schaap graasde in de wei *le mouton broutait l'herbe du pré*
grazig *herbeux* [v: *herbeuse*]
greep • houvast *prise* v ★ ~ krijgen op iets *avoir prise sur qc* • keus *choix* m • handvol *poignée* v • graai *prise* v; *saisie* v • handvat *poignée* v • MUZ. *doigté* m
gregoriaans *grégorien* [v: *grégorienne*] ★ de ~e zang *le chant grégorien*; *le plain-chant*
grein • korrelstructuur *grain* m • gewichtseenheid *grain* m ▾ geen ~tje respect *pas une once de respect* ▾ hij heeft geen ~tje verstand *il n'a pas un grain de bon sens*
Grenada *la Grenade* ★ in ~ *en Grenade*
grenadier *grenadier* m
grenadine *grenadine* v
grendel ‹knip› *targette* v; ‹v. deur› *verrou* m ★ de ~ op de deur doen *pousser le verrou* ▾ achter slot en ~ *sous les verrous*
grendelen *verrouiller*
grenen *en pin*
grens • scheidingslijn *frontière* v • limiet *limite* v ★ de grenzen van het mogelijke *les limites du possible* ★ een lijn is de ~ van een vlak *une ligne est le terme du plan* ★ de grenzen verleggen *reculer les bornes* ★ de grenzen te buiten gaan *dépasser les bornes*
grensconflict *conflit* m *frontalier*
grensdocument *document* m *douanier*
grensgebied *zone* v *frontalière*
grensgeval *cas* m *limite*
grenskantoor *bureau* m *de douane*
grenslijn *ligne* v *de démarcation*
grensovergang *passage* m *de la frontière*
grenspost *poste* m *de douane*
grensrechter *juge* m *de touche*
grensstreek *zone* v *frontalière*
grensverleggend *qui ouvre de nouvelles perspectives*
grenswisselkantoor *bureau* m *de change près de la douane*
grenzeloos I BNW *infini*; *immense* **II** BIJW *infiniment*; *sans bornes*
grenzen *toucher à*; *être limitrophe de*; FIG. *friser* ★ dat grenst aan het wonderbaarlijke *cela tient du prodige* ★ dat grenst aan onbeschaamdheid *cela frise l'impertinence*
greppel *fossé* m; ‹klein› *rigole* v
gretig I BNW *avide (de)*; *âpre (à)* **II** BIJW *avec empressement*; *avidement*
gribus • buurt *quartier* m *de taudis* • woning *taudis* m
grief *douleur* v; *peine* v
Griek *Grec* m [v: *Grecque*]
Griekenland *la Grèce* ★ in ~ *en Grèce*
Grieks I ZN *grec* m ★ een kenner van het ~ *un helléniste* **II** BNW *grec* [v: *grecque*]
griend • rijshout *osier* m • bos van rijshout *oseraie* v
grienen *pleurnicher*
griep *grippe* v ★ ~ krijgen *attraper la grippe* ★ een ~prik *une piqûre antigrippe*
grieperig *grippé*
gries • kiezelzand *gravier* m • griesmeel *semoule* v
griesmeel *semoule* v
griet • meid *nana* v • vis *barbue* v • vogel *barge* v
grieven *blesser*; *offenser*
griezel • engerd *type* m *répugnant*; INF. *horreur* v • afkeer *horreur* v
griezelen *frissonner* ★ het is om van te ~ *c'est à vous donner le frisson*; *c'est à vous donner la chair de poule*
griezelfilm *film* m *d'épouvante*
griezelig *horrible*; *qui donne le frisson*
griezelverhaal ≈ *histoire* m *d'horreur*
grif *promptement*
griffie *greffe* m
griffier *greffier* m
griffioen *griffon* m
grijns *grimace* v
grijnzen *grimacer*
grijpen I OV WW pakken *saisir*; *empoigner* ★ iem. in zijn kraag ~ *prendre qn au collet* ★ dat ligt voor het ~ *cela abonde*; *cela surabonde* ★ uit het leven ~ *prendre sur le*

vif; peindre d'après nature ▾ uit de lucht ~ *inventer* **II** ON WW tastende beweging maken *saisir* ★ de tanden van de raderen ~ in elkaar *les dents des roues s'engrènent* ★ naar iets ~ *tendre la main vers qc* ★ naar de wapens ~ *recourir aux armes*
grijper *benne* v *preneuse; grappin* m
grijpstuiver • vingers/handen *patte* v; *paluche* v • klein bedrag *sou* m
grijs *gris* ★ ~ worden *grisonner; blanchir* ★ grijze haren *des cheveux blancs*
grijsaard *vieillard* m
grijsblauw *bleu gris*
grijsrijden *resquiller*
grijzen *grisonner*
gril *lubie* v; *caprice* m
grill *rôtissoire* v; *gril* m
grillen **I** OV WW grilleren *griller* **II** ON WW huiveren *frissonner*
grillig **I** BNW • wispelturig *capricieux* [v: *capricieuse*]; *fantasque* • onregelmatig *bizarre* **II** BIJW • wispelturig *capricieusement* • onregelmatig *bizarrement*
grilligheid • wispelturigheid *caprice* m • onregelmatigheid *bizarrerie* v
grimas *grimace* v; *singerie* v ★ ~sen maken *grimacer; faire des grimaces*
grime *maquillage* m
grimeren *maquiller; grimer*
grimeur *maquilleur* m [v: *maquilleuse*]
grimmig **I** BNW *furieux* [v: *furieuse*] **II** BIJW *furieusement*
grind *gravier* m ★ grof ~ *pierraille* v
grinniken *ricaner*
griotte *griotte* v
grip • greep *poignée* v; ⟨v. racket⟩ *manche* m • houvast *prise* v; *adhérence* v ★ grip op de weg *adhérence à la route*
grissen *arracher*; INF. *rafler*
groef • gleuf *rainure* v; *cannelure* v • rimpel *ride* v
groei • het groeien *croissance* v • toename *développement* m; ⟨snel⟩ *essor* m ★ de ~ van de koopkracht *l'augmentation du pouvoir d'achat*
groeien *croître; pousser; grandir*; ⟨toenemen⟩ *augmenter; s'accroître* ★ uit zijn kleren ~ *devenir trop grand pour ses vêtements* ★ iem. boven het hoofd ~ *dépasser qn*
groeihormoon *hormone* v *de croissance*
groeikern *pôle* m *de croissance*; ⟨in stedenbouw⟩ *zône* v *d'aménagement concerté*
groeimarkt *marché* m *en expansion*
groeiproces *processus* m *de croissance*
groeisector *secteur* m *de croissance*
groeistuip *crise* v *de croissance*
groeizaam *fertile*
groen **I** ZN kleur *vert* m **II** BNW • kleur *vert* ★ ~ maken *verdir* ★ ~ verven *peindre en vert* ★ ~e golf *feux synchronisés* • milieuvriendelijk *écologiste; vert* ▾ de ~e kaart *la carte verte (d'assurance internationale)* ▾ ~e handen hebben *avoir les main vertes*
groenblijvend *persistant*
groene • nieuweling *vert* m • lid van milieupartij *vert* m
Groenland *le Groenland* ★ in ~ *au Groenland*
groenstrook ⟨v. weg⟩ *terre-plein* m [mv: *terre-pleins*]; *espace* m *vert*
groente *légume* m ★ jonge ~n *primeurs* v mv
groenteboer *marchand* m *de légumes*
groentesoep *soupe* v *aux légumes; julienne* v
groentetuin *jardin* m *potager*
groentijd *bizutage* m
groentje ⟨op school⟩ *bizuth* m; ⟨in militaire dienst⟩ *bleu* m
groenvoer *fourrage* m *vert*
groenvoorziening *espaces* m mv *verts*
groep • meerdere personen/dingen *groupe* m; *groupement* m ★ vergaderen in ~en *se réunir par groupes* • leerjaar *groupe* m
groeperen *grouper*
groepering • het groeperen *groupement* m; *regroupement* m • groep *groupement* m; *groupe* m
groepsfoto *photo* v *de groupe*
groepsgeest *esprit* m *d'équipe*
groepsgesprek *conversation* v *en groupe*
groepspraktijk *cabinet* m *de groupe*
groepsreis *voyage* m *collectif*
groepstaal *jargon* m *de métier*
groepstherapie *thérapie* v *de groupe*
groepsverband *équipe* v ★ in ~ *en équipe* ★ werk in ~ *travail d'équipe*
groet *salutations* v mv; *salut* m ★ doe hem de ~en *dis-lui bonjour de ma part* ★ mijn ~en aan uw vrouw *mes respects|mes hommages à Madame* ★ met vriendelijke ~en *bien à vous; recevez mes salutations amicales*
groeten *saluer* ★ zonder ~ weggaan *filer à l'anglaise* ★ gegroet! *salut!* ▾ wees gegroet *je vous salue*
groeve • grafkuil *fosse* v • afgraving *carrière* v
groeven • een groef maken *rainurer* • ingriffen *canneler*
groezelig *malpropre; sale* ★ ~ wasgoed *du linge douteux*
grof **I** BNW • niet fijn *gros* [v: *grosse*] • ernstig *grave* • ongemanierd *grossier* [v: *grossière*]; *rude; lourd* ▾ grof geld verdienen *gagner gros* **II** BIJW • in het groot ★ grof spelen *jouer gros* • ongemanierd *grossièrement*
grofgebouwd *qui a une grosse ossature*
grofheid *grossièreté* v; *impertinence* v
grofvuil *objets* m mv *encombrants*
grofweg *grossièrement*
grog *grog* m
grogstem *voix* v *de rogomme*
grommen **I** OV WW morren *grommeler* **II** ON WW geluid maken *gronder*; ⟨v. dieren⟩ *grogner*
grond • aarde *terre* v; *sol* m ★ op de ~ *à terre; par terre* ★ de vaste ~ *la terre ferme* ★ aan de ~ lopen *échouer* ★ geen ~ onder zijn voeten voelen *perdre pied* ★ tegen de ~ gaan *tomber (par terre)* ★ op de begane ~ *au rez-de-chaussée* • aardoppervlakte *fond* m • bouwland *terrain* m • grondslag *base* v; *fondement* m ★ van de ~ af *à partir des fondements* ★ in de ~ (van de zaak) *au fond* • reden *raison* v; *motif* m ★ op ~ daarvan *de ce fait* ★ op ~ van *pour; à cause de; en vertu*

G

de ★ op ~ hiervan *pour cette raison* ▾ de ~ in boren *descendre; ruiner* ▾ te ~e gaan *se perdre* ▾ te ~e richten *ruiner* ▾ door de ~ willen zinken *vouloir rentrer sous terre* ▾ uit de ~ van zijn hart *du fond de son cœur* ▾ van de koude ~ *de plein vent; de pleine terre*
grondbedrijf *entreprise* v *foncière*
grondbeginsel *principe* m
grondbegrip *idée* v *fondamentale* ★ ~pen van een wetenschap *éléments* m mv *d'une science*
grondbelasting *impôt* m *foncier*
grondbetekenis • oorspronkelijke betekenis *sens* m *originel* • hoofdbetekenis *sens* m *principal*

G

grondeigenaar *propriétaire* m *foncier*
gronden • baseren op *fonder; établir* ★ zijn mening ~ op *fonder/appuyer son opinion sur* • grondverven *donner la première couche (à)*
grondgebied *territoire* m; *domaine* m
grondgedachte *idée* v *fondamentale*
grondgetal *nombre* m *de base*
grondhouding *position* v *de base*
grondig I BNW • degelijk *solide* • diepgaand *approfondi* II BIJW • diepgaand *profondément; à fond* ★ een kwestie ~ bestuderen *approfondir une question* • degelijk *solidement*
grondlaag • onderste laag *couche* v *inférieure* • verf *couche* v *d'apprêt*
grondlegger *fondateur* m [v: *fondatrice*]
grondlegging *fondation* v
grondoffensief *offensive* v *de l'armée de terre*
grondoorzaak *cause* v *initiale*
grondpersoneel *personnel* m *non navigant; personnel* m *au sol*; INF. *rampants* m mv
grondrecht • mensenrechten *droits* m mv *de l'homme* • rechtssysteem *droit* m *fondamental*
grondregel • belangrijke regel *règle* v *fondamentale* • principe *principe* m
grondslag • fundament *fondement* m; *base* v ★ de ~ leggen *jeter les bases* • JUR. beginsel *base* v; ‹ook jur.› *assiette* v ★ ten ~ liggen aan *être à la base de*
grondstewardess *hôtesse* v *non navigante/au sol*
grondstof *matière* v *première*
grondtoon • MUZ. *tonique* v • leidende gedachte *note* v *fondamentale*
grondverf *première* v *couche; couche* v *de fond*
grondvesten I ZN fundamenten *fondations* v mv ★ op zijn ~ schudden *être ébranlé* II OV WW *fonder; établir*
grondvlak *base* v
grondvorm *prototype* m
grondwater *eaux* v mv *souterraines* ★ het ~peil *le niveau de la nappe phréatique*
grondwet *constitution* v
grondwoord *mot* m *primitif*
grondzeil *tapis* m *de sol*
Groningen ‹stad› *Groningue*; ‹provincie› *la Groningue*
groot I ZN ★ in het ~ *en grand*; ECON. *en gros* II BNW • niet klein *grand; gros* [v: *grosse*]; ‹ruim› *vaste* ★ een ~ complex *un vaste complexe* ★ een grote appel *une grosse pomme* ★ een grote man *un homme grand* ★ ~ worden *grandir* ★ grote groepen *groupes nombreux* • met genoemde afmeting ★ driemaal zo ~ als *trois fois grand comme* • belangrijk *grand* • volwassen *adulte; grand* ▾ Karel de Grote *Charlemagne* III BIJW *en grand; grandement*
grootbeeld *grand écran* m
grootboek *grand-livre* m [mv: *grands-livres*]
grootboekrekening *compte* m *du grand-livre*
grootbrengen *élever*
Groot-Brittannië *la Grande-Bretagne* ★ in Groot-Brittanië *en Grande-Bretagne*
grootdoenerij *grands airs* m mv
grootgrondbezit *grande propriété* v *foncière*
grootgrondbezitter *grand propriétaire* m *(foncier)*
groothandel *commerce* m *de gros*
groothandelaar *marchand* m *en gros; négociant* m
groothandelsprijs *prix* m *de gros*
grootheid • WISK. *quantité* v ★ een onbekende ~ *une inconnue* • persoonlijkheid *puissance* v; *dignité* v • het groot zijn *grandeur* v
grootheidswaan *mégalomanie* v
groothertog *grand-duc* m [mv: *grands-ducs*]
groothertogdom *grand-duché* m [mv: *grands-duchés*]
groothoeklens *grand-angle* m [mv: *grands-angles*]
groothouden (**zich**) *se montrer fort*
grootindustrieel *chef* m *de grande entreprise*
grootje • grootmoeder *grand-mère* v [mv: *grands-mères*] • oma *mamie* v • vrouwtje *mémé* v ▾ iets naar zijn ~ helpen *détraquer qc*
grootkapitaal *grand capital* m
grootmeester *grand maître* m
grootmoeder *grand-mère* v [mv: *grands-mères*]
grootmoedig I BNW *généreux* [v: *généreuse*] II BIJW *généreusement*
grootouders *grands-parents* m mv; ‹voorouders› *aïeuls* m mv
groots I BNW indrukwekkend *grandiose; imposant* II BIJW prachtig *magnifiquement; sublimement; superbement*
grootschalig *à grande échelle*
grootscheeps I BNW ruim opgezet *important* ★ een ~e actie *une action de grande envergure* II BIJW *en grand*
grootspraak *vantardise* v; *fanfaronnade* v
grootsteeds I BNW *caractéristique des grandes villes* II BIJW *à l'échelle des grandes villes*
grootte *grandeur* v; ‹omvang› *étendue* v; *ampleur* v; ‹dikte› *grosseur* v; ‹lengte› *taille* v ★ ter ~ van *gros comme* [v: *grosse comme*] ★ op ware ~ *grandeur nature* ★ naar ~ rangschikken *classer pas ordre de dimension* ★ van gelijke ~ *de même taille*
grootvader *grand-père* m [mv: *grands-pères*]
grootverbruik *grande consommation* v
grootverbruiker *grand consommateur* m [v: *grande consommatrice*]
grootwinkelbedrijf *magasin* m *à succursales*

multiples
grootzeil *grand-voile* v [mv: *grand(s)-voiles*]
gros • 12 dozijn *grosse* v • merendeel *majorité* v ★ het gros van de aanwezigen *la plupart des personnes présentes*
grossier *marchand* m *en gros*; *grossiste* m/v
grossieren *accumuler*; *collectionner*
grot *grotte* v
grotemensenwerk *travail* m *propre aux grandes personnes*
grotendeels *en grande partie*; *en majeure partie*
Grote Oceaan *Océan* m *Pacifique*
grotesk *grotesque*
grotestadsleven *manière* v *de vivre dans les grandes villes*
grotestedenbeleid *politique* v *concernant les grandes villes*
grotschildering *peinture* v *rupestre*
groupie *groupie* m/v
gruis *débris* m mv; ‹v. kolen› *poussier* m
grut *marmaille* v; *marmots* m mv
gruwel • gruwelijke daad *atrocité* v; *abomination* v • afkeer *horreur* v
gruweldaad *atrocité* v
gruwelen *être horrifié* ★ van iets ~ *avoir horreur de qc*
gruwelijk I BNW afschuwwekkend *horrible*; *atroce* II BIJW in erge mate *horriblement*; *atrocement* ★ zich ~ vervelen *s'ennuyer à mourir*
gruwen *frémir d'horreur*; *avoir horreur de quelque chose* ★ ik gruw van hem *je l'ai en horreur*
gruzelementen *débris* m mv ★ iets aan ~ slaan *briser qc en mille morceaux*
g-sleutel *clef* v *de sol*
gsm *(téléphone* m*) portable* m; INF. *poche* m
g-snaar *sol* m
Guatemala *le Guatemala* ★ in ~ *au Guatemala*
guerrilla *guérilla* v
guerrillabeweging *mouvement* m *de guérilla*
guerrillaoorlog *guérilla* v
guerrillastrijder *guérillero* m
guillotine *guillotine* v
Guinee *la Guinée* ★ in ~ *en Guinée*
Guinee-Bissau *la Guinée-Bissau* ★ in ~ *en Guinée-Bissau*
guirlande *guirlande* v
guit *fripon* m; *polisson* m
gul I BNW • vrijgevig *généreux* [v: *généreuse*]; *large* ★ gul zijn *avoir la main large* • hartelijk *cordial* [m mv: *cordiaux*] II BIJW • vrijgevig *généreusement* • hartelijk *cordialement*
gulden I ZN *florin* m II BNW *d'or*
guldenteken *symbole* m *du florin*
gulheid • hartelijkheid *cordialité* v • vrijgevigheid *générosité* v; *libéralité* v
gulp • sluiting *braguette* v • straal *flot* m
gulpen *couler à flots*
gulweg *franchement*
gulzig I BNW *glouton* [v: *gloutonne*]; *goulu*; FIG. *avide (de)* II BIJW *gloutonnement*; *goulûment*
gulzigaard *glouton* m [v: *gloutonne*]
gum *gomme* v
gummen *gommer*
gummi I ZN *caoutchouc* m II BNW *de/en caoutchouc*
gummiknuppel *matraque* v
gunman *bandit* m *armé*
gunnen • verlenen *permettre*; *accorder* ★ iem. de tijd ~ om *laisser à qn le temps de* ★ een bedrijf een order ~ *accorder une commande à une entreprise* • toewensen *souhaiter* ★ iem. iets ~ *souhaiter qc à qn* ★ ik gun het je van harte dat je die baan krijgt *je souhaite pour toi que tu auras ce poste* ★ iem. alle goeds ~ *vouloir du bien à qn*
gunst *faveur* v ★ bij wijze van ~ *par faveur* ★ ten ~e van *en faveur de* ★ uit de ~ *en disgrâce*
gunsteling *protégé* m [v: *protégée*]; *favori* m [v: *favorite*]
gunstig I BNW • goedgezind *favorable (à)* • voordelig *avantageux* [v: *avantageuse*]; *propice (à)* • vriendelijk *sympathique* II BIJW *favorablement* ★ ~ over iem. denken *avoir bonne opinion de qn* ★ zich ~ laten aanzien *s'annoncer bien* ★ de dingen ~ voorstellen *montrer les choses sous un jour favorable* ★ iem. ~ gezind zijn *favoriser qn*; *protéger qn*
guppy *guppy* m
guts *gouge* v
gutsen I OV WW werken met een guts *gouger*; *travailler à la gouge* II ON WW plenzen *ruisseler*; *jaillir*
guur *rude*; *âpre* ★ guur weer *un froid âpre*
Guyana *la Guyane* ★ in ~ *en Guyane*
gym I ZN (de) gymnastiek *gymnastique* v II ZN (het) gymnasium *lycée* m *classique* ★ hij zit op 't gym *il va au lycée classique*
gymmen *faire de la gym*
gymnasiast *lycéen* m [v: *lycéenne*]
gymnasium ≈ *lycée* m *classique*
gymnastiek *gymnastique* v; INF. *gym* v
gympie *tennis* m
gymschoen *chaussure* v *de gym*
gymzaal *gymnase* m
gynaecologie *gynécologie* v
gynaecoloog *gynécologue* m/v

h *h* m

haag *haie* v ★ de groene haag *la haie vive*

haai *requin* m

haaibaai ≈ *dragon* m

haaienvinnensoep *potage* m *aux ailerons de requin*

haak • gebogen voorwerp *crochet* m; *croc* m; ‹kleerhaak› *patère* v; ‹schippersboom› *gaffe* v ★ op de haak hangen *accrocher* ★ van de haak nemen *décrocher* • bevestigingshaak ‹met oog› *agrafe* v; ‹sluithaak› *fermoir* m • vishaak *hameçon* m • leesteken ‹vierkant› *crochet* m; ‹rond› *parenthèse* v ▾ aan de haak slaan *draguer* ▾ er zitten veel haken en ogen aan *il y a des complications* ▾ dat is niet in de haak *il y a qc qui cloche*

H

haaknaald *crochet* m

haakneus *nez* m *crochu*

haaks I BNW *perpendiculaire* ▾ hou je ~! *tiens-toi bien!* II BIJW *perpendiculairement* ★ ~ op *d'équerre avec*

haakwerk *(ouvrage* m *au) crochet*

haal • het halen/trekken *coup* m; *secousse* v ★ met een flinke haal trok hij het schip aan de wal *d'une secousse énergique, il tira le bateau sur la rive* • streep *trait* m ▾ aan de haal gaan *décamper* ▾ iemand een haal geven *donner un coup à qn*

haalbaar *réalisable*

haalbaarheid *faisabilité* v

haalbaarheidsonderzoek *étude* v *de faisabilité*

haan • dier *coq* m • weerhaan *girouette* v • pal in wapen *chien* m ★ de haan spannen *armer son fusil* ▾ daar kraait geen haan naar *ni vu ni connu* ▾ hij is haantje de voorste *c'est un meneur; c'est lui le chef de bande*

haar I ZN (de) ‹v. lichaam› *poil* m; ‹hoofdhaar› *cheveu* m [mv: *cheveux*] ▾ zijn wilde haren verliezen *s'assagir* ▾ elkaar in de haren vliegen *se chamailler; se prendre aux cheveux* ▾ zich de haren uit het hoofd trekken *s'arracher les cheveux* ▾ op een haar na *à un cheveu près* ▾ met de haren erbij gesleept *tiré par les cheveux* ▾ het scheelde geen haar of ... *il s'en est fallu d'un cheveu* ▾ geen haar op mijn hoofd die eraan denkt *jamais de la vie* II ZN (het) haardos *chevelure* v; ‹v. varken› *soie* v; ‹v. paard› *crin* m; *cheveux* m mv ★ het haar van iem. opmaken *peigner qn* ★ borstelig haar *des cheveux en brosse* ▾ haar op de tanden hebben *ne pas avoir froid aux yeux* III PERS VNW ‹lijdend voorwerp› *la*; ‹lijdend voorwerp; voor klinker of stomme 'h'› *l'*; ‹meewerkend voorwerp› *lui*; ‹na voorzetsel› *elle* IV BEZ VNW ‹voor mannelijk znw› *son*; ‹voor vrouwelijk znw› *sa*; ‹voor mv› *ses*

haarband *serre-tête* m [onv]; *bandeau* m [mv: *bandeaux*]; *ruban* m

haard • stookplaats *cheminée* v • middelpunt *foyer* m ★ de ~ van opstand *le foyer de l'insurrection*

haardos *chevelure* v; INF. *tignasse* v

haardracht *coiffure* v

haardroger *sèche-cheveux* m [onv]

haardvuur *feu* m *(de l'âtre)*

haarfijn *dans les moindres détails; minutieusement*

haargroei *pousse* v *des cheveux*

haarkloverij *chicane* v

haarlak *laque* v

haarlok *mèche* v

haarnetje *résille* v; *filet* m *à cheveux*

haarscherp I BNW *très net* [v: *très nette*] II BIJW *de façon très précise*

haarscheurtje ‹oppervlakkig› *craquelure* v; ‹diep› *fissure* v

haarspeld *épingle* v *à cheveux*

haarspeldbocht *virage* m *en épingle à cheveux*

haarspray *laque* v

haarstukje *postiche* m

haaruitval *chute* v *des cheveux*; MED. *alopécie* v

haarvat *vaisseau* m *capillaire* [m mv: *vaisseaux capillaires*]

haarversteviger *fixatif* m

haarverzorging *soins* m mv *des cheveux*

haarwater *lotion* v *capillaire*

haarwortel *racine* v *des cheveux* ▾ blozen tot in zijn ~s *rougir jusqu'aux oreilles*

haarzakje *follicule* m *pileux*

haas • dier *lièvre* m • vlees *filet* m

haasje-over *saute-mouton* m ★ ~ spelen *jouer à saute-mouton*

haaskarbonade *côtelette* v *première*

haast I ZN • drang tot spoed *urgence* v ★ is er ~ bij? *c'est pressé?* ★ er is geen ~ bij *rien ne presse* ★ heb je er ~ mee? *vous êtes pressé?* • snelheid *hâte* v; *précipitation* v; *empressement* m ★ in der ~ *à la hâte* ★ ~ maken *se dépêcher; se presser; faire vite* ★ ~ maken om te vertrekken *se dépêcher de partir; se presser de partir* II BIJW • bijna *presque* ★ hij is ~ gevallen *il a failli tomber* • spoedig *bientôt*

haasten I OV WW *presser* II WKD WW *se dépêcher; se hâter; se précipiter* ★ hij haast zich met zijn werk *il se dépêche de finir son travail*

haastig I BNW gehaast *pressé; hâtif* [v: *hâtive*]; *précipité* II BIJW *précipitamment; à la hâte*

haastje-repje *dare-dare*

haastklus • klus die snel af moet *travail* m *urgent* [m mv: *travaux urgents*] • snel afgemaakte klus *travail* m *bâclé* [m mv: *travaux bâclés*]

haastwerk • urgent werk *travail* m *urgent* • haastig gedaan werk *travail* m *exécuté à la hâte*

haat *haine* v ★ haat koesteren *éprouver de la haine pour qn* ★ uit haat jegens *par haine envers*

haatdragend *haineux* [v: *haineuse*]; *rancunier* [v: *rancunière*]

haat-liefdeverhouding *rapport* m *amour-haine*

habbekrats *bagatelle* v ★ voor een ~ kopen *acheter pour une bouchée de pain*

habijt *froc* m; *habit* m
hachelijk • gewaagd *hasardeux* [v: *hasardeuse*]; *périlleux* [v: *périlleuse*] • moeilijk *délicat*; *précaire*
hachje *peau* v ★ zijn ~ wagen *risquer sa peau* ★ bang zijn voor zijn ~ *craindre pour sa peau* ★ alleen aan zijn eigen ~ denken *ne penser qu'à soi-même*
hacken I ZN *piratage* m II ON WW *faire effraction dans*
hacker *pirate* m/v
hagedis *lézard* m
hagel • neerslag *grêle* v • jachthagel *chevrotine* v; *plomb* m
hagelbui *giboulée* v *de grêle* ★ een ~ van stenen *une grêle de pierres*
hagelen *grêler*
hagelslag • inslag van hagel ★ door ~ vernield *grêlé* • broodbeleg ★ chocolade~ *vermicelles* m mv *de chocolat*
hagelsteen *grêlon* m
hagelstorm *bourrasque* v *de grêle*
hagelwit *blanc comme la neige* [v: *blanche ...*]
haiku *haïku* m
hairspray *laque* v
Haïti *la république d'Haïti* ★ op ~ *à Haïti*
hak • hiel *talon* m • gereedschap *hoyau* m [mv: *hoyaux*] ▾ van de hak op de tak springen *passer du coq à l'âne* ▾ iemand een hak zetten *jouer un tour à qn* ▾ met de hakken over de sloot *de justesse*
hakbijl *hachette* v
hakblok *billot* m
haken I OV WW • vastmaken *accrocher* • handwerken *faire au crochet* II ON WW • vastzitten *s'accrocher (à)* • handwerken *faire du crochet*
hakenkruis *croix* v *gammée*; *svastika* m
hakhout *taillis* m
hakkelen *bredouiller*; *bégayer*
hakken I ZN *taille* v; *coupe* v; *abattage* m II OV WW stuk/los hakken *hacher*; *couper*; *tailler*; ‹v. bomen› *abattre* ▾ een leger in de pan ~ *tailler une armée en pièces* III ON WW • houwen *donner des coups de hache (sur)* • vitten ★ op iem. ~ *taper sur qn* ▾ dat hakt erin *c'est une grosse dépense*
hakkenbar *service* m *talon-minute* [m mv: *services talons-minute*]
hakmes *hachoir* m; ‹voor groente› *coupe-légumes* m [onv]; ‹in de jungle› *machette* v
hal • vestibule *entrée* v • zaal *hall* m; ‹verkoopruimte› *halle* v
halen • op-/afhalen *chercher*; *aller chercher* ★ komen ~ *venir prendre* • bereiken *atteindre* ★ de trein ~ *attraper le train* ★ de eindstreep ~ *atteindre la ligne d'arrivée* ★ de zieke zal de morgen niet ~ *le malade ne passera pas la nuit* • naar zich toetrekken *retirer (de)*; *tirer (de)* ★ iets uit een kast ~ *prendre qc dans une armoire* ★ iets uit een zak ~ *tirer qc d'un sac* ★ naar beneden ~ *descendre* • behalen *obtenir*; *acquérir* ★ daar is wat te ~ *on y trouve à grapiller* ▾ alles door elkaar ~ *mettre tout sens dessus dessous*; *bouleverser tout* ▾ dat haalt het niet bij *cela n'est rien auprès de*
half I BNW *demi* ★ MUZ. een halve noot *une blanche* ★ half één *midi et demie*; ‹'s nachts› *minuit et demie* ★ het slaat half *la demie sonne* ★ kinderen betalen half geld *les enfants paient demi-tarif* ★ half juni *la mi-juin* ★ half vier *trois heures et demie* ★ halve dagen werken *travailler à mi-temps* ★ baan voor halve dagen *poste à mi-temps* II BIJW *à moitié*; *à demi* ★ half open *entrouvert* ★ half en half *un peu*; *presque*
halfbakken *incompétent* ★ ~ geleerde *demi-savant*; *soi-disant savant*
halfbloed • mens *métis* m [v: *métisse*] • paard *demi-sang* m [onv]
halfbroer *demi-frère* m [mv: *demi-frères*]; ‹v. vaderszijde› *frère* m *consanguin*; ‹v. moederszijde› *frère* m *utérin*
halfdonker I ZN *pénombre* v; *demi-obscurité* v; *demi-jour* m II BNW *à moitié obscur*
halfdood *à moitié mort*
halfedelsteen *pierre* v *semi-précieuse* [v mv: *pierres semi-précieuses*]
halffabrikaat *produit* m *semi-fini*; *produit* m *semi-ouvré*
halfgaar • niet helemaal gaar *à moitié cuit*; ‹v. vlees› *saignant* • niet goed wijs *(un peu) toqué*; *cinglé*
halfgeleider *semi-conducteur* m [mv: *semi-conducteurs*]
halfgod *demi-dieu* m [mv: *demi-dieux*]
halfhartig I BNW *peu enthousiaste* II BIJW *sans enthousiasme*
halfjaar *six mois* m mv [mv]; *semestre* m
halfjaarlijks *semestriel* [v: *semestrielle*]
halfleeg *à moitié vide*
halfpension *demi-pension* v
halfrond I ZN *hémisphère* m II BNW *semi-circulaire* [m mv: *semi-circulaires*]; *demi-circulaire* [m mv: *demi-circulaires*]
halfslachtig I BNW *irrésolu*; *indécis*; *ambigu* [v: *ambiguë*] II BIJW *d'une manière ambiguë*
halfstok *en berne* ★ de vlaggen hangen ~ *les drapeaux ont été mis en berne* ★ ~ hijsen *mettre en berne*
halftint *demi-teinte* v [mv: *demi-teintes*]
halfuur *demi-heure* v [mv: *demi-heures*]
halfvol • half vet ★ ~le melk *du lait demi-écrémé* • half gevuld *à moitié plein*
halfwas I ZN • halfvolwassen mens *freluquet* m • halfvolwassen haas *levraut* m • halfvolwassen konijn *lapereau* m [mv: *lapereaux*] • aankomend vakman *apprenti* m [v: *apprentie*] • snotneus *morveux* m [v: *morveuse*] II BNW • nog niet volwassen *jeunet* [v: *jeunette*] • nog niet volleerd *en apprentissage*
halfweg *à mi-chemin (de)*
halfzacht • tussen hard en zacht ‹v. ei› *à la coque* • verwijfd, slap *mou* [v: *molle*] [onr: *mol*]
halfzuster *demi-sœur* v [mv: *demi-soeurs*]; ‹v. vaderszijde› *sœur* v *consanguine*; ‹v. moederszijde› *sœur* v *utérine*
halleluja *alléluia*
hallo ‹groet› *salut*; ‹telefoon› *allô* ★ ~! Met wie spreek ik? *allô! Qui est à l'appareil?*
hallucinatie *hallucination* v

H

hallucineren *avoir des hallucinations*
halm *tige* v; ‹stro-/grashalm› *brin* m
halo *halo* m
halogeen *halogène* m
halogeenlamp *lampe* v *à halogène*
hals • lichaamsdeel *cou* m; ‹keel› *gorge* v; ‹nek› *nuque* v ★ de hals omdraaien *tordre le cou (à)* • halsopening *encolure* v ★ blote hals *cou dégagé* • dun gedeelte *col* m; ‹v. viool› *manche* m • sukkel *gogo* m; *nigaud* m ▾ iemand om de hals vliegen *se jeter au cou de qn* ▾ iemand iets op de hals schuiven *rejeter qc sur qn* ▾ zich moeilijkheden op de hals halen *s'attirer des ennuis* ▾ zich een verkoudheid op de hals halen *attraper un rhume* ▾ zich iets op de hals halen *s'attirer qc*
halsband *collier* m
halsbrekend *périlleux* [v: *périlleuse*]; *à se casser le cou*
halsdoek *fichu* m; *foulard* m
halsketting *collier* m; *chaîne* v
halsmisdaad *crime* m *capital* [m mv: *crimes capitaux*]
halsoverkop *précipitamment*; *en catastrophe*
halsslagader *carotide* v
halssnoer *chaîne* v; *collier* m
halsstarrig I BNW *obstiné*; *opiniâtre* II BIJW *obstinément*; *opiniâtrement* ★ ~ vasthouden aan *s'obstiner à*
halster *licou* m
halswervel *vertèbre* v *cervicale*
halszaak *cas* m *pendable*
halt I ZN (het) *halte* v ★ halt houden *stopper* ★ een halt toeroepen aan de bevolkingsexplosie *mettre un frein à l'explosion démographique* II TW *halte!*
halte *arrêt* m ★ vaste ~ *arrêt obligatoire*
halter *haltère* m ★ met de ~s werken *faire des haltères*
halvarine *margarine* v *demi-grasse*
halvemaan *croissant* m; ‹militair› *demi-lune* v [mv: *demi-lunes*]
halveren • in tweeën delen *partager en deux*; *diviser en deux* • tot de helft verminderen *réduire de moitié*
halveringstijd *demi-vie* v [mv: *demi-vies*]
halverwege • halfweg *à mi-chemin* • midden in een bezigheid ★ ~ blijven steken *s'arrêter à mi-chemin*
ham *jambon* m
hamburger *hamburger* m
hamer *marteau* m [mv: *marteaux*] ★ houten ~ *maillet* m ▾ onder de ~ brengen *mettre aux enchères*
hameren I OV WW met hamer slaan *marteler*; *travailler au marteau* II ON WW ~ **op** *insister sur*
hamerstuk ≈ *proposition* v *acceptée sans conditions*
hamerteen *orteil* m *en marteau*
hamlap *tranche* v *de porc*
hamster *hamster* m
hamsteren *faire des provisions*; ‹speculatie› *accaparer*
hamstringblessure *blessure* v *du tendon du jarret*/*de la patte d'oie*
hamvraag *question-clé* v [mv: *questions-clés*]
hand • lichaamsdeel *main* v ★ in de handen klappen ‹om te roepen› *frapper des mains*; *battre des mains*; *applaudir* ★ iem. de hand drukken *serrer la main à qn*; *donner une poignée de main à qn* ★ op handen en voeten *à quatre pattes* ★ de pen ter hand nemen *prendre la plume* ★ een werk ter hand nemen *entreprendre un ouvrage* ★ uit de hand eten *manger dans la main* ★ handen omhoog! *haut les mains!* ★ de hand opsteken *lever la main* ★ handen thuis! *bas les pattes!* ★ hand in hand *la main dans la main* ★ iem. iets in handen geven *mettre qc entre les mains de qn* ★ met de hand gemaakt *fait (à la) main* ★ uit de hand lopen *déraper* • handschrift *écriture* v • macht *main* v ★ een advocaat de zaak in handen geven *remettre l'affaire à un avocat* ★ in handen vallen van *tomber entre les mains de* ★ dat tijdschrift is in handen van *cette revue est entre les mains de* ★ in verkeerde handen zijn *être en mauvaises mains* ★ van hoger hand *d'en haut* • manier *main* v ★ een vaste hand hebben *avoir la main ferme* ▾ de handen vrij hebben *avoir les mains libres* ▾ geen hand voor ogen kunnen zien *n'y voir goutte* ▾ iemand een idee aan de hand doen *suggérer une idée à qn*; *apporter des suggestions* ▾ aan de hand van die gegevens *sur la base de ces données* ▾ er is iets aan de hand *il se passe qc* ▾ alsof er niets aan de hand was *comme si de rien n'était* ▾ iets achter de hand hebben *avoir qc en réserve* ▾ iets bij de hand hebben *avoir qc sous la main* ▾ in de derde hand *en main tierce* ▾ met beide handen aangrijpen *ne pas laisser passer l'occasion* ▾ met hand en tand verdedigen *défendre énergiquement* ▾ onder de hand *en attendant* ▾ onder handen nemen *entreprendre qc* ▾ van de hand wijzen *refuser*; *rejeter*; ‹v. uitnodiging› *décliner* ▾ iemand iets ter hand stellen *remettre qc à qn (en mains propres)* ▾ voor de hand liggen *être évident*; *être manifeste* ▾ het zijn twee handen op één buik *ils sont comme les deux doigts de la main*; *les deux font la paire* ▾ iemand de behulpzame hand bieden *prêter main-forte à qn*; *tendre une main secourable* ▾ hij heeft er de hand in gehad *il y est pour qc* ▾ de hand houden aan *surveiller* ▾ de handen in de schoot leggen *baisser les bras* ▾ de handen ineenslaan *unir ses efforts*; *agir de concert* ▾ hand over hand *de plus en plus* ▾ met de hand op het hart *la main sur la conscience* ▾ iets in de hand werken *aider à qc* ▾ iets onder handen hebben *s'occuper de qc* ▾ zijn handen in onschuld wassen *s'en laver les mains* ▾ iemand de hand boven het hoofd houden *protéger qn* ▾ wat is er aan de hand? *que se passe-t-il?*; *qu'y a-t-il?* ▾ op handen zijn *approcher*; *être imminent* ▾ iemand onder handen nemen *passer un savon à qn* ▾ uit de hand lopen *déraper* ▾ met de handen in het haar zitten *ne savoir à quel saint se vouer* ▾ met lege

handen *les mains vides* ▾ de hand leggen op *mettre la main sur*; *faire main basse sur* ▾ er de hand op leggen *mettre la main dessus* ▾ de hand ophouden *mendier* ▾ de handen uit de mouwen steken *mettre la main à la pâte* ▾ zijn handen niet thuis kunnen houden *toucher à tout* ▾ geen hand uitsteken om *ne pas remuer le doigt pour*

handalfabet *alphabet* m *de signes*; *alphabet* m *des sourds-muets*

handappel *pomme* v *à couteau*

handarbeider *travailleur* m *manuel* [v: *travailleuse manuelle*]

handbagage *bagage* m *à main*

handbal *hand-ball* m

handballen *jouer au hand-ball*

handbediening *commande* v *manuelle*

handbereik ⋆ binnen ~ *à portée de la main*; *sous la main*

handbeweging *geste* m *de la main*

handboei *menottes* v mv

handboek *manuel* m; *traité* m

handbreed *largeur* v *de la main*

handcrème *crème* v *pour les mains*

handdoek ‹badhanddoek› *serviette* v *de toilette*; *essuie-mains* m [onv]

handdruk *poignée* v *de main* ▾ gouden ~ *prime* v *de départ*

handel • in- en verkoop *commerce* m; *échange* m; *trafic* m ⋆ ~ drijven in *faire le commerce de* ⋆ in de ~ brengen *mettre sur le marché*; *commercialiser* ⋆ in de ~ gaan *entrer dans le commerce* ⋆ vrije ~ *libre échange* m ⋆ illegale/zwarte ~ *marché noir* m ⋆ ~ in granen *le commerce des blés* ⋆ ~ in blanke slavinnen *la traite des blanches* ⋆ niet in de ~ *hors commerce* • zaak *commerce* m

handelaar *marchand* m *(de)*; ‹in het groot› *négociant* m; *commerçant* m *(en)*; PEJ. *trafiquant* m ⋆ ~ in tweedehands boeken *bouquiniste*

handelbaar • handzaam *maniable* • meegaand *souple*; *traitable*; ‹m.b.t. persoon› *flexible*; *accommodant*

handelen I ZN *action* v ⋆ vrijheid van ~ *liberté* v *d'action* II ON WW • handel drijven *faire du commerce*; *faire le commerce (de)* • te werk gaan *agir* ⋆ het ogenblik van ~ *le moment d'agir* • ~ **over** *traiter (de)* ⋆ over een onderwerp ~ *traiter d'un sujet*

handeling *acte* m; *action* v; *opération* v ⋆ de Handelingen der Apostelen *les Actes des Apôtres*

handelingsbekwaam *compétent*; *capable*

handelsakkoord *accord* m *commercial* [m mv: *accords commerciaux*]

handelsbalans *balance* v *commerciale*; ‹t.o.v. andere landen› *balance* v *des paiements*

handelsbetrekkingen *relations* v mv *commerciales*

handelsboycot *boycottage* m *commercial*

handelscentrum *centre* m *d'affaires*

handelscorrespondentie *correspondance* v *commerciale*

handelsembargo *embargo* m *sur les activités de commerce*

handelsgeest *esprit* m *des affaires*; *bosse* v *du commerce*

handelskennis *connaissances* v mv *commerciales*

handelsmerk *marque* v *commerciale* ⋆ gedeponeerd ~ *marque déposée*

handelsmissie *mission* v *commerciale*

handelsonderneming *entreprise* v *commerciale*; *société* v *commerciale*

handelsoorlog *guerre* v *commerciale*

handelsregister *registre* m *du commerce*

handelsreiziger *commis* m *voyageur* [m mv: *commis voyageurs*]; *représentant* m

handelsverkeer *commerce* m; *échanges* m mv *commerciaux*

handelsvloot *marine* v *marchande*

handelswaar *marchandise* v

handeltje • handel op kleine schaal *petit commerce* m ⋆ hij heeft een ~ in antiek *il a un petit commerce d'antiquités* • spullen *attirail* m

handelwijze • gedrag *façon* v *d'agir* • wijze van handelen *procédé* m

handenarbeid • werk met de handen *travail* m *manuel* • schoolvak *travaux* m mv *manuels*

hand- en spandiensten *besognes* v mv ⋆ ~ verrichten *abattre de la besogne*

handenwringend *en se tordant les mains de désespoir*

handgebaar *geste* m *de la main*

handgeklap *applaudissements* m mv

handgeld *avance* v; *arrhes* v mv; *prime* v *d'engagement*

handgemaakt *fait (à la) main*

handgemeen *corps à corps* m

handgeschilderd *peint à la main*

handgeschreven • *écrit à la main* • *manuscrit*

handgranaat *grenade* v *à main*

handgreep • handigheid ⋆ de handgrepen van het geweer *le maniement du fusil* • handvat *poignée* v • handvol *poignée* v

handhaven I OV WW *maintenir*; *défendre* II WKD WW *se maintenir*

handicap *handicap* m

handig • gemakkelijk te hanteren *maniable*; *pratique*; *commode* • vaardig *habile*; *adroit* • gewiekst *habile*

handigheid • het handig zijn *adresse* v; *habileté* v; *savoir-faire* m ⋆ de ~ hebben om *avoir le tour de main pour* • foefje *truc* m

handigheidje *astuce* v

handjeklap • kinderspel *main-chaude* v ⋆ ~ spelen *jouer à la main-chaude* • gebaar *marchandage* m

handkar *charrette* v *à bras*

handkus *baisemain* m

handlanger *complice* m/v; *homme* m *de main*

handleiding • gebruiksaanwijzing *mode* m *d'emploi* • leerboek *manuel* m; *instructions* v mv

handlezen *chiromancie* v

handomdraai ⋆ in een ~ *en un tour de main*

handoplegging *imposition* v *des mains*

handopsteken ⋆ met ~ *à main levée*

hand-out *handout* m

handpalm *paume* v

handreiking *coup* m *de main*
handrem *frein* m *à main*
hands SPORT *il y a main!*
handschoen *gant* m ★ zijn ~en aantrekken *mettre ses gants*; *se ganter*
handschrift • manier van schrijven *écriture* v • tekst *manuscrit* m
handsfree ★ ~ bellen *téléphoner mains libres*
handspiegel *miroir* m *à main*
handstand *arbre* m *droit*
handtas *sac* m *à main*
handtastelijk *tripoteur* [v: *tripoteuse*]; *peloteur* [v: *peloteuse*] ★ ~ worden *jouer des mains*; *prendre des libertés avec qn*
handtekening *signature* v ★ gedrukte ~ *griffe* v
handvaardigheid • bedrevenheid *habileté* v *manuelle* • schoolvak *travaux* m mv *manuels*
H
handvat *poignée* v; ‹v. gereedschap, bestek› *manche* m; ‹oor› *anse* v; ‹hendel› *manette* v
handvest *charte* v
handvol *poignée* v
handwas *lessive* v *à la main*
handwerk • wat met de hand gemaakt is ★ dat is ~ *c'est fait à la main* • ambacht *métier* m *manuel*; *travail* m *manuel* • naaldwerk ★ fraaie ~en *travaux d'agrément*; *ouvrages d'agrément*
handwerken *faire un ouvrage de dames*
handzaam • handelbaar *maniable* • praktisch *pratique*
hanenbalk *entrait* m; *tirant* m ★ in de ~en *dans les combles*
hanenkam • kam van haan *crête* v *de coq* • kapsel *crête* v • cantharel *chanterelle* v
hanenpoot *pattes* v mv *de mouche*; *griffonnage* m
hang *penchant* m *(pour)*; *attirance* v *(pour)* ★ een hang hebben tot *avoir un penchant pour*
hangar *hangar* m
hangborst *poitrine* v *tombante*
hangbrug *pont* m *suspendu*
hangbuik *bedaine* v; *panse* v
hangen I OV WW • bevestigen *pendre*; *suspendre*; *accrocher* • iemand hangen *pendre* **II** ON WW • af-/neerhangen *pendre*; ‹hellen› *s'incliner*; *pencher* ★ aan de muur ~ *pendre au mur* ★ vol ~ met *être chargé de*; *être couvert de* • slap hangen ★ het hoofd laten ~ *baisser la tête* ★ staan te ~ *se tenir appuyé* • als straf opgehangen zijn *être pendu* • vastzitten *pendre*; *être suspendu*; *être accroché* • niet afgedaan zijn *être en suspens* ▾ bij iemand blijven ~ *s'attarder chez qn* ▾ aan iemands lippen ~ *être suspendu aux lèvres de qn* ▾ blijven ~ *rester accroché*
hangende *pendant* ★ ~ het onderzoek *pendant l'enquête*
hang- en sluitwerk *serrurerie* v *de bâtiment*
hanger • sieraad ‹voor oor› *pendant* m *d'oreille*; ‹aan ketting› *pendentif* m • kleerhaak *cintre* m
hangerig *apathique*; *mal en forme*; *indolent*
hangglider *delta-plane* m
hangijzer *crémaillère* v ▾ dat is een heet ~ *c'est un problème épineux*
hangkast *penderie* v; *garde-robe* v [mv: *garde-robes*]
hangklok *horloge* v *murale*; *pendule* v
hangmap *dossier* m *suspendu*
hangmat *hamac* m
hangplant *plante* v *retombante*
hangslot *cadenas* m ★ met een ~ sluiten *cadenasser*
hangsnor ≈ *moustaches* v mv *tombantes à la gauloise*
hangwang *bajoue* v
hanig • agressief *agressif* [v: *agressive*] • wellustig *lascif* [v: *lascive*]
hannes *empoté* m; *andouille* v
hannesen *s'empêtrer*
hansop ≈ *salopette* v
hansworst *polichinelle* m; *arlequin* m
hanteerbaar *maniable*
hanteren • met de handen gebruiken *manipuler* • omgaan met *manier*
hap • stuk *morceau* m [mv: *morceaux*] • beet *coup* m *de dent* • afgehapt stuk *bouchée* v
haperen • blijven steken ‹spreken› *bafouiller*; ‹motor› *avoir des ratés* • mankeren ★ wat hapert er aan? *qu'est-ce-qui ne va pas?* ★ er hapert iets *il y a qc qui cloche*
hapje *bouchée* v; *amuse-gueule* m [onv] ★ een lekker ~ *un bon morceau*
hapjespan *sauteuse* v
hapklaar *prêt à croquer*
happen • bijten *mordre*; ‹dieren› *happer* ★ in een appel ~ *mordre à belles dents dans une pomme* • reageren *mordre* ▾ naar lucht ~ *être essoufflé*
happening *happening* m; *évènement* m
happig *avide* ★ ik ben er niet ~ op *ça ne me tente pas*
happy *heureux* [v: *heureuse*] ★ ergens niet ~ mee zijn *ne pas se sentir heureux de qc*
happy end *happy end* m/v
happy few *rares privilégiés* m mv
happy hour *heure* v *pendant laquelle les prix sont reduits*; *heure* v *de l'apéritif*
haptonomie *haptonomie* v
hard I BNW • niet zacht *dur*; *ferme*; ‹moeilijk› *pénible*; *difficile* ★ op de harde grond slapen *coucher sur la dure* ★ harde acties *actions* v mv *directes* ★ harde lijn *ligne dure* • luid, schel *fort*; *haut* ★ een harde stem *une voix forte* • meedogenloos *insensible*; *dur* ★ je bent hard voor hem *vous êtes dur envers lui* • vaststaand ★ harde afspraken *conventions* v mv *bien précises* ★ harde gegevens *données* v mv *irréfutables* ▾ hard maken *prouver*; *réaliser* **II** BIJW • snel *vite* ★ harder rijden *rouler plus vite*; *accélérer* • luid *fort* ★ hard spreken *parler haut* • hevig ★ het regent hard *il pleut à verse* ★ hard werken *travailler dur* ★ hard lachen *rire aux éclats* ★ hard neerkomen *tomber lourdement* ★ het hard nodig hebben *en avoir grandement besoin* • meedogenloos *durement*; *dur* ★ hard zijn voor iem. *traiter qn durement* ▾ om het hardst *à qui mieux mieux*

hard- *cru*; ‹kleur› *clair* ★ hardblauw *bleu cru* ★ hardgeel *jaune cru*
hardboard *isorel* m
harddisk *disque* m *dur*
harddraven *prendre part à une course au trot*; *courir*
harddrug *drogue* v *dure*
harden • hard maken *durcir*; ‹m.b.t. metaal› *tremper* • iemand sterk maken *endurcir*; ‹manschappen› *aguerrir* ★ zich ~ tegen *s'endurcir à* • uithouden *souffrir*; *supporter*; *endurer* ★ ik kon het niet langer ~ *je n'y tenais plus*
hardgekookt ‹v. ei› *dur*
hardhandig I BNW *brutal* [m mv: *brutaux*]; *qui a la main dure* II BIJW *brutalement*
hardheid *dureté* v; ‹v. personen› *rudesse* v; ‹v. stoffen› *résistance* v
hardhorend *dur d'oreille*
hardhout *bois* m *dur*
hardleers • eigenwijs *têtu* ★ ~ zijn *avoir la tête dure* • moeilijk lerend *lent d'esprit*; *obtus*
hardlopen I ZN *course* v *à pied* II ON WW *courir*
hardloper *coureur* m [v: *coureuse*]
hardmaken *prouver*
hardnekkig I BNW • koppig *obstiné*; *acharné*; *entêté* • aanhoudend *persistant* ★ ~e koorts *fièvre* v *rebelle* II BIJW *obstinément*; *avec acharnement* ★ ~ volhouden *s'obstiner à*
hardop *tout haut*; *à haute voix*
hardrijden *courir*; *prendre part à une course* ★ het ~ ‹mbt schaatsen› *le patinage de vitesse*
hardrijder *coureur* m [v: *coureuse*] ★ ~ op de lange baan *coureur de fond*; *stayer* m ★ ~ op de korte baan *coureur de vitesse*; *sprinter* m
hardrock *hard-rock* m
hardvochtig I BNW *dur*; *insensible*; *impitoyable* ★ ~ zijn *avoir le cœur sec* II BIJW *durement*; *sans pitié*; *impitoyablement*
hardware *hardware* m; *matériel* m
harem *harem* m
harig *velu*; ‹met hoofdhaar› *chevelu*; *poilu*
haring • vis *hareng* m ★ de gerookte ~ *le hareng saur* ★ nieuwe ~ *hareng frais* • pin van tent *piquet* m
haringkaken I ZN *caquage* m II OV WW *caquer le hareng*
haringrokerij *saurisserie* v
haringvangst *pêche* v *du hareng*
hark • gereedschap *râteau* m [mv: *râteaux*] • stijf persoon ★ stijve hark *empaillé* m; *personne gauche* v
harken *ratisser*; *râteler*
harkerig *raide*; *gauche*
harlekijn *arlequin* m
harmonica • trekharmonica *accordéon* m • mondharmonica *harmonica* m
harmonicabed ≈ *lit* m *pliant*
harmonicadeur *porte* v *accordéon*
harmonie *harmonie* v
harmoniemodel ≈ *manière* v *d'agir visant le consensus*
harmonieorkest *harmonie* v
harmoniëren *s'harmoniser*; ‹v. kleuren› *s'accorder (avec)*; *s'entendre (avec qn)*
harmonieus I BNW *harmonieux* [v: *harmonieuse*] II BIJW *harmonieusement*
harmonisatie *harmonisation* v
harmonisatiewet *loi* v *réglant la durée du droit à une bourse d'étude*
harmonisch I BNW • welluidend *harmonieux* [v: *harmonieuse*] • harmonie/evenwicht tonend *harmonique* II BIJW • welluidend *harmonieusement* • harmonie/evenwicht tonend *harmoniquement*
harmoniseren I OV WW harmonisch maken *harmoniser*; *accorder* II ON WW harmonisch zijn ‹m.b.t. zaken› *s'harmoniser*; ‹m.b.t. personen› *s'accorder*
harmonium *harmonium* m
harnas *cuirasse* v; *armure* v ▾ iemand tegen zich in het ~ jagen *se mettre qn à dos*
harp MUZ. *harpe* v
harpist *harpiste* m/v
harpoen *harpon* m
harpoeneren *harponner*
harpoengeweer *fusil* m *à harpon*
harrewarren *se chicaner*
hars *résine* v; ‹v. strijkstok› *colophane* v
harsen *traiter à la résine*
hart *cœur* m ★ aan het hart drukken *presser/serrer sur/contre son cœur* ★ een man naar mijn hart *un homme selon mon cœur* ★ in haar hart is zij Franse *elle est Française de cœur* ★ met de hand op het hart *en conscience* ★ hart- en vaatziekten *maladies* v mv *cardio-vasculaires* ▾ iets ter harte nemen *prendre qc à cœur* ▾ op het hart drukken *recommander vivement* ▾ dat ging mij aan het hart *cela m'a été droit au cœur* ▾ dat lag haar na aan het hart *cela lui tenait à cœur* ▾ in zijn hart was hij ermee eens *au fond il était d'accord* ▾ het hart niet hebben om *ne pas avoir le cœur/courage de* ▾ geen hart hebben voor zijn werk *il ne prend pas son travail à cœur* ▾ een goed hart hebben *avoir bon cœur* ▾ zijn hart luchten *vider son cœur* ▾ zijn hart ophalen aan iets *s'en donner à cœur joie* ▾ van harte *de bon cœur*; *de grand cœur* ▾ met hart en ziel *corps et âme* ▾ niet van harte *à contrecœur* ▾ van harte gefeliciteerd! *mes félicitations!* ▾ iemands hart stelen *voler le cœur de qn* ▾ iemand een goed/kwaad hart toedragen *vouloir du bien/du mal à qn* ▾ waar het hart van vol is, loopt de mond van over *de l'abondance du cœur la bouche parle* ▾ zijn hart aan iets ophalen *s'en donner à cœur joie* ▾ iemand een hart onder de riem steken *remettre du cœur au ventre à qn* ▾ van zijn hart geen moordkuil maken *dire ce qu'on a sur le cœur*
hartaandoening *affection* v *du cœur*
hartaanval *crise* v *cardiaque*
hartafwijking ‹aangeboren› *malformation* v *cardiaque*; ‹ontstaan› *lésion* v *cardiaque*
hartbewaking *surveillance* v *continue*
hartboezem *oreillette* v
hartbrekend *déchirant*; *navrant*
hartchirurg *chirurgien* m/v *cardiologue*
hartelijk I BNW *chaleureux* [v: *chaleureuse*]; *cordial* [m mv: *cordiaux*]; *affectueux* [v: *affectueuse*] II BIJW *cordialement*; *de tout*

H

cœur ★ ~ lachen *rire de bon cœur* ★ ~ gefeliciteerd *toutes mes félicitations*
harteloos *sans cœur*
hartelust ★ naar ~ *à cœur joie*; *tant qu'on voudra*; INF. *à gogo*
harten *cœur* m ★ ~heer/vrouw/boer/tien *roi/dame/valet/dix de cœur*
hartenaas *as* m *de cœur*
hartenboer *valet* m *de cœur*
hartenbreker *don* m *Juan*
hartendief *amour* m; *ange* m; *chéri* m
hartenheer *roi* m *de cœur*
hartenjagen *chasse-cœur* m
hartenkreet *cri* m *du cœur*
hart- en vaatziekten *maladies* v mv *cardio-vasculaires*
hartenvrouw *dame* v *de cœur*
hartenwens *désir* m *le plus cher* ★ naar ~ *à souhait*

H

hartgrondig I BNW *cordial*; *profond* II BIJW *profondément*; *cordialement*
hartig • zout *relevé*; ‹sterk gezouten› *salé* • krachtig ★ ik zal eens een ~ woordje met hem spreken *je vais lui dire deux mots*
hartinfarct *infarctus* m *(du myocarde)*
hartkamer *ventricule* m
hartklep *valvule* v *cardiaque*
hartklopping *palpitation* v
hartkwaal *affection* v *cardiaque*; *maladie* v *de cœur*
hart-longmachine *cœur-poumon* m *artificiel* [m mv: *coeurs-poumons artificiels*]
hartmassage *massage* m *cardiaque*
hartoperatie *opération* v *cardiaque*; *opération* v *du cœur*
hartpatiënt *cardiaque* m
hartritme *rythme* m *cardiaque*
hartritmestoornis *rythme* m *cardiaque perturbé*
hartroerend *émouvant*; *touchant*; *pathétique*
hartruis *souffle* m *au cœur* ★ ~ hebben *avoir un souffle au cœur*
hartsgeheim *secret* m *intime*
hartslag *battement* m *de cœur*; MED. *pulsation* v
hartspier *myocarde* m
hartstikke *rudement* ★ hij is ~ dood *il est raide mort* ★ ~ bedankt *un grand merci*
hartstilstand *arrêt* m *du cœur*
hartstocht *passion* v
hartstochtelijk I BNW *passionné* ★ ~ muziekliefhebber *passsionné de musique*; *mélomane* II BIJW *passionnément*
hartstoornis *trouble* m *cardiaque*
hartstreek *région* v *précordiale*
hartsvriend *ami* m *intime*
hartsvriendin *amie* v *très proche*
harttransplantatie *greffe* v *du cœur*; *transplantation* v *cardiaque*
hartvergroting *dilatation* v *cardiaque*
hartverlamming *paralysie* v *cardiaque*
hartveroverend *adorable*
hartverscheurend *déchirant*; *désespérant*
hartverwarmend *réconfortant*
hartzeer *peine* v; *chagrin* m
hasjhond *chien* m *dressé à détecter le haschich*
hasjiesj *haschich* m
haspel *dévidoir* m; *enrouleur* m
haspelen • met haspel winden *enrouler*; ‹v. garen› *bobiner* • verwarren *embrouiller*; *confondre*
hatchback *coupé* m *avec hayon arrière*
HAT-eenheid ≈ *appartement* m *pour une ou deux personnes*
hatelijk I BNW • boosaardig *détestable*; *odieux* [v: *odieuse*]; *haïssable* • krenkend *méchant*; *blessant* II BIJW *odieusement*; *méchamment*
hatelijkheid *méchanceté* v
haten *haïr*; *détester*
hattrick *hat-trick* m
hausse • prijs-, koersstijging *hausse* v • opleving *reprise* v
hautain I BNW *hautain* II BIJW *d'une façon hautaine*
haute couture *haute-couture* v
have *biens* m mv
haveloos • sjofel *misérable*; *miteux* [v: *miteuse*]; *dépenaillé* ★ haveloze kleren *guenilles* v mv • berooid *misérable*; *pauvre*
haven *port* m; ‹toevlucht› *refuge* m; *havre* m ★ een ~ aandoen *faire escale dans un port* ★ in behouden ~ *à bon port*; *en sécurité* ★ de ~ *le havre*
havenarbeider *docker* m; *débardeur* m
havengeld *droits* m mv *de port*
havenhoofd *jetée* v
havenmeester *capitaine* m *de port*; *directeur* m *de port*
havenstad *port* m; *ville* v *maritime*
havenstaking *grève* v *des dockers*
havenwijk *quartier* m *du port*
haver *avoine* v ▼ van ~ tot gort *de bout en bout*; *de A à Z*
haverklap ▼ om de ~ van mening veranderen *changer d'avis comme une girouette*
havermout • haver *flocons* m mv *d'avoine* • pap *bouillie* v *de flocons d'avoine*
havik • vogel *vautour* m • POL. *faucon* m
haviksneus *nez* m *aquilin*; *nez* m *crochu*
haviksogen *regard* m *perçant*; FIG. *yeux* m mv *d'aigle*
havo ≈ *enseignement* m *du second degré*
hazelaar *noisetier* m; *coudrier* m
hazelnoot *noisette* v
hazenhart *froussard* m [v: *froussarde*]
hazenlip *bec-de-lièvre* m [mv: *becs-de-lièvre*]
hazenpad ▼ het ~ kiezen *détaler comme un lapin*; *déguerpir*
hazenpeper *civet* m *de lièvre*
hazenrug *râble* m *de lièvre*
hazenslaapje *sommeil* m *de lièvre* ★ een ~ doen *ne dormir que d'un œil*
hazewind *lévrier* m [v: *levrette*]
hazewindhond *lévrier* m [v: *levrette*]
hbo ≈ *enseignement* m *professionnel supérieur*
HDTV *télévision* v *haute définition*
hé *hé*
hè ‹uiting van pijn› *aïe!*; ‹teken van opluchting› *ouf!*; ‹teken van verbazing› *oh!*; ‹zucht› *han!*; ‹vraag om bevestiging› *hein?*; *n'est-ce pas?*
headbangen *hocher violemment la tête au son du rock*
headhunter *chasseur* m *de têtes*; *recruteur* m

de cadres
headline *manchette* v
heao ≈ *enseignement* m *économique et administratif supérieur*
hearing *audition* v
hebbedingetje *gadget* m
hebbelijkheid *habitude* v; *manie* v
hebben *avoir* ★ daar ~ we niet veel aan *cela ne nous sert pas à grand-chose* ★ het over iem. ~ *parler de qn* ★ heb je het tegen mij? *c'est à moi que tu parles?* ★ nu zul je het ~! *nous y voici!* ★ hoe laat ~ we het? *quelle heure est-il?* ★ hij wil het zo ~ *il le veut ainsi* ★ hij heeft iets aan zijn voet *il a mal au pied* ★ iets graag ~ *bien aimer avoir qc* ★ zij kan zoiets niet ~ *elle ne peut pas supporter ça* ★ iets over zich ~ *avoir un certain air* ★ iets bij zich ~ *avoir qc sur soi* ★ hij heeft niet veel (weg) van zijn vader *il ne ressemble pas beaucoup à son père* ★ wij ~ alle tijd *nous avons tout le temps* ★ men weet niet wat men aan hem heeft *il se cache*; *on ne sait jamais à quoi s'en tenir avec lui* ★ hij had het niet meer van de pijn *il n'en pouvait plus de douleur* ★ wat heb ik daaraan! *ça ne m'avance à rien* ★ hij kan niet veel ... ~ *il supporte mal ...* ★ nu weet ik wat ik aan hem heb *me voilà fixé sur son compte* ★ willen ~ *vouloir*; *désirer* ★ terug willen ~ *réclamer* ★ zijn hele ~ en houden *tout son saint-frusquin* ★ ik kan hem best ~ *je peux le supporter* ★ zij moet niets van hem ~ *elle ne veut pas de lui*; *elle ne l'aime pas* ★ nou heb ik het! *j'y suis!* ★ het armoedig ~ *vivre misérablement* ★ het goed ~ *vivre bien*
hebberd *égoïste* v
hebberig *avide*; *égoïste* ★ hij is ontzettend ~ *il veut toujours tout avoir*
hebbes *ça y est!*; *et voilà!*
Hebreeuws I ZN *hébreu* m II BNW *hébraïque*; *hébreu*
Hebriden *îles* v mv *Hébrides* ★ op de ~ *aux Hébrides*
hebzucht *cupidité* v
hebzuchtig *cupide*; *égoïste*
hecht I BNW • onverbrekelijk *solide* • solide, vast *solide*; *résistant* II BIJW *solidement*
hechtdraad *fil* m *de suture*
hechten I OV WW • vastmaken *attacher*; *fixer*; ‹lijmen› *coller*; ‹naaien› *recoudre*; MED. *suturer* • toekennen ★ zijn zegel ~ aan *apposer son sceau sur* II ON WW • vastkleven *coller*; *tenir* • gesteld zijn op *tenir (à)* ★ waarde ~ aan *accorder/attacher de la valeur à* III WKD WW ~ **aan** *s'attacher (à)*
hechtenis *détention* v ★ voorlopige ~ *détention préventive* v ★ in ~ nemen *arrêter* ★ in ~ zijn *être détenu* ★ in ~ houden *détenir*
hechting *suture* v ★ ~en aanbrengen *faire des points de suture*
hechtpleister *sparadrap* m
hectare *hectare* m
hectisch *agité*; *fiévreux* [v: *fiévreuse*]; *survolté*
hectogram *hectogramme* m
hectoliter *hectolitre* m
hectometer *hectomètre* m
heden I ZN *présent* m II BIJW *aujourd'hui*; *à présent*; *actuellement* ★ ~avond *ce soir*
hedendaags *d'aujourd'hui*; *contemporain*; *moderne*; *actuel* [v: *actuelle*]
hedonisme *hédonisme* m
hedonist *hédoniste* m/v
heel I BNW • geheel *tout*; *entier* [v: *entière*] ★ de hele wereld *le monde entier* ★ hele dagen werken *travailler à plein temps* • niet kapot *intact*; *en bon état*; *complet* [v: *complète*]; ‹genezen› *guéri* • veel, groot ★ heel wat mensen *bien du monde* ★ het is een hele geschiedenis *c'est toute une histoire* II BIJW • zeer, erg *très*; *fort* ★ heel klein *tout petit* ★ heel wat sympathieker *bien plus sympathique* • geheel en al *complètement*
heelal *univers* m
heelhuids *sain et sauf* [v: *saine et sauve*] ★ er ~ afkomen *s'en tirer indemne*; *l'échapper belle*
heelkunde *chirurgie* v
heemkunde *connaissance* v *du milieu régional*
heen ★ heen en terug *aller et retour* ★ waar ga je heen? *où est-ce-que tu vas?* ★ nergens heen *nulle part* ★ er heen *y* ★ heen en weer gaan *aller et venir*; *courir çà et là* ★ heen en weer reizen *faire la navette* ★ overal heen *partout* ★ er heen gaan *y aller* ★ over de muur heen *par-dessus le mur* ★ ik begrijp waar u heen wilt *je vois où vous voulez en venir*; *je vois à quoi vous faites allusion*
heen-en-weer ▼ ik krijg het ~ van haar *elle me donne la colique*
heengaan • weggaan *s'en aller*; *partir* • sterven *décéder* • verstrijken *passer*
heenkomen ★ een goed ~ zoeken *s'enfuir*; *se sauver*
heenreis *aller* m ★ op de ~ *à l'aller*
heenweg ★ op de ~ *à l'aller*
heer • man *monsieur* m [mv: *messieurs*]; *homme* m ★ de heer X *monsieur X* ★ Geachte Heer *Monsieur* ★ de dames en heren *les dames et les messieurs* ★ de oude heer *le vieux monsieur* • meester *maître* m; ‹begeleider van dame› *cavalier* m; ‹landsheer› *suzerain* m; *seigneur* m ★ de heer des huizes *le maître de maison* • God *Seigneur* m; *Dieu* m ★ onze lieve Heer *le bon Dieu* • figuur in kaartspel *roi* m ▼ haar heer en meester *son seigneur et maître* ▼ mijn oude heer *mon paternel*
heerlijk I BNW • prachtig, aangenaam *superbe*; ‹aangenaam› *agréable* ★ ~e inval *idée* v *superbe* • lekker *délicieux* [v: *délicieuse*]; *excellent*; *exquis* II BIJW *délicieusement* ★ ~ vinden *adorer*
heerlijkheid • iets heerlijks *chose* v *délicieuse* • gelukzaligheid *délices* v mv
heerschap *maître* m; *type* m; *monsieur* m
heerschappij *pouvoir* m; *domination* v; *autorité* v ★ ~ hebben over *régner sur*
heersen • regeren *régner (sur)*; *gouverner*; ‹de overhand hebben› *dominer* • aanwezig zijn *régner*; ‹v. ziekte› *sévir* ★ de ~de denkbeelden *les pensées qui sont à la mode*
heerser *souverain* m; *dominateur* m [v: *dominatrice*]; *maître* m [v: *maîtresse*]
heerszuchtig *dominateur* [v: *dominatrice*]; *dictatorial*

H

hees ‹v. persoon› *enroué*; ‹v. stem› *rauque* ★ hees worden *s'enrouer* ★ zich hees schreeuwen *s'égosiller* ★ een stem hees van woede *une voix étranglée de colère*

heester *arbuste* m

heet I BNW • warm *très chaud*; *bouillant*; *brûlant*; *ardent* ★ hete luchtstreek *zone torride* v ★ heet van de pan *tout chaud*; *tout bouillant* ★ lange hete zomer *été brûlant* m ★ hete koorts *fièvre ardente* v • scherp *piquant*; *pimenté* • hitsig *passionné*; *lascif* [v: *lascive*] • heftig ★ in het heetst van de strijd *au plus fort de la mêlée* II BIJW • warm ★ heet drinken/eten *boire/manger chaud* ★ heet! ‹spel› *tu brûles!* • heftig ★ het ging er heet aan toe *l'affaire fut chaude*; *ça a chauffé*

heetgebakerd *vif* [v: *vive*]; *irascible*

heethoofd • driftkop *soupe* v *au lait* • enthousiasteling *exalté* m [v: *exaltée*] ★ de ~en van de partij *les têtes brûlées du parti*

hefboom *levier* m; *commande* v

hefbrug *pont* m *levant*; ‹v. garage› *pont* m *élévateur*

heffen • tillen *lever*; *élever* ★ een gewicht ~ *soulever un poids* • opleggen *percevoir (des impôts)*; *lever* ★ te veel geheven bedrag *trop-perçu* m

heffing *levée* v *(des impôts)*; *perception* v; *prélèvement* m ★ ~ bij de bron *retenue* v *à la source*

heft *manche* m ▾ het heft in handen hebben *avoir la haute main dans (une affaire)*; *prendre/tenir la barre* ▾ het heft uit handen geven *se dessaisir de son autorité*

heftig I BNW • onstuimig *violent*; *véhément* • hevig *violent* II BIJW *violemment*; *avec véhémence*

heftruck *chariot* m *élévateur*

hefvermogen *puissance* v *de levage*

heg • haag *haie* v • afscheiding van kreupelhout *taillis* m ▾ ergens heg noch steg weten *ne pas s'y retrouver quelque part*

hegemonie *hégémonie* v; *suprématie* v

heggenschaar *cisaille* v *à haies*; *sécateur* m *à haie*

hei • vlakte *lande* v • plant *bruyère* v • heiblok *mouton* m *de sonnette*; *sonnette* v

heibel • ruzie *bagarre* v • lawaai *raffut* m

heiblok *mouton* m *de sonnette*

heidebloem *fleur* v *de bruyère*

heiden *païen* m [v: *païenne*]; ‹bijbel› *gentil* m

heidens • niet-christelijk *païen* [v: *païenne*] • ontzettend *infernal* [m mv: *infernaux*] ★ een ~ kabaal maken *faire un bruit infernal*

heideveld *bruyère* v

heien *enfoncer des pieux à la sonnette*; *enfoncer des pilotis*

heiig *nébuleux* [v: *nébuleuse*]; *brumeux* [v: *brumeuse*]

heikel *délicat*

heikneuter • pummel *péquenot* m • vogel *linotte* v

heil • welzijn *bonheur* m; *félicité* v ★ iem. veel heil en zegen wensen *souhaiter à qn une bonne et heureuse année* ★ het Leger des Heils *l'Armée* v *du Salut* • redding *salut* m ★ tot heil strekken *être salutaire*

Heiland *Sauveur* m

heilbot *flétan* m

heildronk *santé* v; *toast* m ★ een ~ uitbrengen op *porter un toast à*; *boire à la santé de*

heilgymnastiek *gymnastique* v *corrective*

heilig I BNW • zonder zonde *saint* • gewijd *sacré*; *saint* ★ ~e dag *jour de fête* m ★ het ~ Avondmaal *la Sainte Cène* ★ de ~e Geest *le Saint-Esprit* ★ de ~e stad *la Ville Sainte* ★ de ~e Vader *le Saint-Père* ★ het Heilig Hart *le Sacré-Cœur* ★ de Heilige Stoel *le Saint-Siège* • oprecht, onverbrekelijk ★ bij al wat ~ is *par tout ce qu'il y a de plus sacré* II BIJW *saintement* ▾ zich ~ voornemen *être fermement décidé de*

heiligbeen *sacrum* m

heiligdom • voorwerp *relique* v • plaats *sanctuaire* m

heilige *saint* m [v: *sainte*]

heiligen • wijden *consacrer* • louteren *purifier* • eerbiedigen *vénérer*

heiligenleven *vie* v *de saint*

heiligschennis *sacrilège* m; *profanation* v

heiligverklaring *canonisation* v

heilloos I BNW • geen geluk brengend *funeste*; *fatal* • verderfelijk *infâme* II BIJW *fatalement*

heilsoldaat *salutiste* m/v

heilstaat *pays* m *idéal*; *Utopie* v

heilzaam I BNW *salutaire*; *bienfaisant* II BIJW *salutairement*; *efficacement*

heimelijk I BNW *secret* [v: *secrète*]; *inavoué* II BIJW *secrètement*; *furtivement*

heimwee *mal* m *du pays*; *nostalgie* v ★ ~ krijgen naar *être pris de la nostalgie de*

heinde ★ van ~ en verre *de tous côtés*

heipaal *pilotis* m

heisa *tintouin* m ★ een ~ maken *faire du tintouin* ★ het is een hele ~ *c'est toute une affaire*

hek • omheining ‹v. hout› *palissade* v; *barrière* v; ‹v. ijzer› *grille* v • deur ‹v. hout› *barrière* v; *portail* m ▾ het hek is van de dam *c'est la porte ouverte à tous les excès* ▾ de hekken zijn verhangen *les choses ont changé de face*

hekel *aversion* v ★ een ~ hebben aan iem. *avoir de l'aversion pour qn*; *détester qn* ★ een ~ krijgen aan iem. *prendre qn en grippe* ▾ over de ~ halen *déchirer (qn) à belles dents*

hekeldicht *poème* m *satirique*

hekelen *critiquer vivement*; *fustiger*

hekje ‹#› *signe* m *de numéro*

hekkensluiter *dernier* m [v: *dernière*]

heks • tovenares *sorcière* v • bijdehand meisje *chipie* v

heksen *être sorcier/sorcière*; *faire des miracles* ★ ik kan niet ~ *je ne suis pas sorcier/sorcière*; *patience!*

heksenjacht *chasse* v *aux sorcières*

heksenketel *tohu-bohu* m; *pandémonium* m

heksenkring *rond* m *de sorcières*

heksentoer *tour* m *de force*

hekwerk *grillage* m; *treillage* m

hel *enfer* m ★ het is zo donker als de hel *il fait noir comme dans un four*

hel- *vif*; ‹kleur› *clair* ★ helblauw *bleu vif*

hela *holà*
helaas I BIJW *hélas; malheureusement* II TW *hélas!*
held *héros* m [v: *héroïne*] ⋆ hij is geen held *il ne brille pas par le courage* ⋆ hij is een held in *il est fort en; il excelle à*
heldendaad *exploit* m; *haut fait* m; *action* v *héroïque*
heldendicht *poème* m *épique; épopée* v
heldenmoed *héroïsme* m; *courage* m *héroïque; héroïsme* m
heldenrol *rôle* m *principal*
helder I BNW • duidelijk *clair* • licht *clair; vif* [v: *vive*]; ‹v. de lucht› *limpide*; ‹v. hemel› *serein* • zuiver *propre* ⋆ ~ linnen *du linge impeccable* • met volle klank *clair; pur* • scherpzinnig *lucide; pénétrant; perspicace* II BIJW • duidelijk *clairement* • licht *clairement* ⋆ ~ blauw *bleu clair* ⋆ ~ rood *rouge vif* ⋆ ~ verlicht *vivement éclairé* • met volle klank ⋆ ~ klinken *sonner clair* • scherpzinnig *lucidement*
helderheid • duidelijkheid *clarté* v; *limpidité* v; *sérénité* v • scherpzinnigheid *lucidité* v; *netteté* v • zindelijkheid *propreté* v
helderziend *extralucide*
helderziende *voyant* m [v: *voyante*]
heldhaftig I BNW *heroïque* II BIJW *héroïquement*
heldin *héroïne* v
heleboel ⋆ een ~ *beaucoup; un grand nombre de; plein de; une quantité*
helemaal *entièrement; complètement; tout à fait* ⋆ ~ niet *pas du tout* ⋆ ~ niet slecht *pas mal du tout*
helen I OV WW gestolen goederen kopen *receler* II ON WW genezen *guérir; se cicatriser*
heler *receleur* m [v: *receleuse*]
helft *moitié* v; ‹v. wedstrijd› *mi-temps* v ⋆ voor de ~ van de prijs *(à) moitié prix* ⋆ voor de ~ *à demi; à moitié* ⋆ de ~ duurder *plus cher de moitié* ⋆ de ~ verschillen *varier du simple au double*
helihaven *héliport* m
helikopter *hélicoptère* m
heling • het genezen *guérison* v; *cicatrisation* v • kopen van gestolen goed *recel* m
helium *hélium* m
hellebaard *hallebarde* v
Helleens *hellénique*
hellen • schuin aflopen *être en pente* • overhangen *pencher; s'incliner* • neigen ⋆ ~ naar *être incliné à*
hellenisme *hellénisme* m
helleveeg *furie* v; *mégère* v
hellevuur *feu* m *d'enfer*
helling • het hellen *inclinaison* v • glooiing *rampe* v; ‹v. berg› *versant* m; *côte* v; *pente* v ⋆ tegen de ~ aan *à flanc de coteau* ⋆ tegen een ~ opgaan *monter une côte; gravir une côte* • SCHEEPV. *cale* v; *chantier* m
hellingproef *démarrage* m *en côte*
hellingsgraad *degré* m *d'inclinaison*
helm • hoofddeksel *casque* m ⋆ integraalhelm *casque intégral* • duingras PLANTK. *oyat* m; *élyme* m ▾ met een helm geboren *né coiffé*
helmgras *oyat* m
helmstok *barre* v
help *au secours!*
helpdesk *(service* m *d')assistance* v *téléphonique*
helpen • bijstaan *aider; dépanner; assister (qn)* ⋆ iem. een handje ~ *donner un coup de main à qn* ⋆ ~ onthouden *rappeler (qc à qn)* ⋆ iem. aan een betrekking ~ *procurer une place à qn* ⋆ iem. bij zijn werk ~ *aider qn à faire son travail* ⋆ ben je daarmee geholpen? *est-ce-que ça te suffit?* ⋆ iem. uit de auto ~ *aider qn à descendre de voiture* ⋆ elkaar ~ *s'entraider* • baten *aider; être efficace* ⋆ alle beetjes ~ *tout peut servir* ⋆ wat helpt het? *à quoi bon?* ⋆ dat middel heeft hem geholpen *ce remède lui a fait du bien* ⋆ niets hielp *rien n'y faisait* ⋆ dat helpt tegen hoofdpijn *c'est bon pour|contre les maux de tête* • bedienen *servir* ⋆ een klant ~ *servir un client* • dienst verlenen *aider; rendre service* ▾ ik kan het niet ~ *ce n'est pas de ma faute; je n'y peux rien*
helper *aide* m/v
helpscherm *fenêtre* v *d'aide*
hels I BNW • van, uit de hel *d'enfer; infernal; diabolique* • afschuwelijk ⋆ een hels kabaal maken *faire un tapage d'enfer* • woedend *furieux* [v: *furieuse*] ⋆ hels worden *se fâcher tout rouge; enrager (de qc)* II BIJW *de façon infernale; furieusement*
hem ‹na voorzetsel› *lui*; ‹lijdend voorwerp› *le*; ‹voor klinker of stomme 'h'› *l'*
hematocriet *hématocrite* m
hemd • onderhemd *maillot* m *de corps* • overhemd *chemise* v ⋆ een ander hemd aantrekken *changer de chemise* ⋆ nat tot op het hemd *trempé|mouillé jusqu'aux os* ▾ het hemd is nader dan de rok *charité bien ordonnée commence par soi-même*
hemdsmouw *manche* v *de chemise* ⋆ in zijn ~en *en bras de chemise*
hemel *ciel* m [mv: *cieux*] ⋆ bewolkte ~ *ciel couvert* ⋆ onder de blote ~ slapen *dormir à la belle étoile* ▾ ~ en aarde bewegen *remuer ciel et terre* ▾ in de zevende ~ zijn *être aux anges; être au septième ciel* ▾ iemand de ~ in prijzen *porter qn aux nues* ▾ lieve ~! *juste ciel!; bon Dieu!*
hemelbed *lit* m *à baldaquin*
hemelbestormer ≈ *personne* v *qui veut refaire le monde*
hemelhoog *qui s'élève jusqu'au ciel; très haut; énorme*
hemellichaam *astre* m; *corps* m *céleste*
hemelpoort *porte* v *du paradis*
hemelrijk *royaume* m *des cieux*
hemels I BNW • van de hemel *céleste* • goddelijk *divin* II BIJW *divinement*
hemelsblauw *bleu* m *ciel*
hemelsbreed I BNW zeer groot *immense; énorme; du tout au tout* II BIJW • in rechte lijn *à vol d'oiseau* • enorm *immensément; énormément*
hemelsnaam ▾ in 's ~! *au nom du ciel!*
hemelvaartsdag *Ascension* v; *jour* m *de*

l'Ascension
hemisfeer *hémisphère* m
hemofilie *hémophilie* v
hen I ZN *poule* v **II** PERS VNW • lijdend voorwerp *les* • meewerkend voorwerp *leur*; ‹na voorzetsel› *eux* [v mv: *elles*]
hendel *levier* m
Hendrik *Henri* ▾ een brave ~ *un petit saint*
hengel *canne* v *à pêche*
hengelaar *pêcheur* m *à la ligne* [v: *pêcheuse*]
hengelen • vissen *pêcher à la ligne* • ~ **naar** *quémander*
hengsel • beugel ‹v. kist› *portant* m; ‹v. tas› *poignée* v; ‹v. mand› *anse* v • scharnier *gond* m
hengst • paard *étalon* m • harde klap *beigne* v; *gnon* m
hengsten • hard slaan *cogner*; *frapper* • hard leren *piocher*; *bûcher*
H
henna *henné* m
hennep *chanvre* m; *cannabis* m
hens ★ alle hens aan dek! *tout le monde sur le pont!*
hepatitis *hépatite* v
her I ZN *examen* m *de rattrapage* ▾ van hot naar her gaan *aller partout* **II** BIJW • geleden *depuis* • hier ★ her en der *ici et là*
her- ‹voor medeklinker› *re-*; ‹voor klinker› *ré-*
herademen *reprendre haleine*; *respirer*
heraldiek I ZN *(science* v*) héraldique* v **II** BNW *héraldique*
heraut *héraut* m
herbarium *herbier* m
herbebossen *reboiser*
herbenoemen *réélire*; *renommer*
herberg *hôtellerie* v; ‹kroeg› *bar* m; *auberge* v
herbergen • huisvesten *héberger*; *loger* • bevatten *contenir*
herbergier *aubergiste* m/v
herbewapenen *réarmer*
herbivoor *herbivore* m
herboren *régénéré* ★ ~ worden *renaître*
herdenken • de herinnering vieren *commémorer*; *remémorer* • terugdenken aan *repenser (à)*
herdenking *commémoration* v
herdenkingsdag *journée* v *de commémoration*
herdenkingsdienst *service* m/*office* m *commémoratif*
herdenkingsfeest *fête* v *commémorative*
herder • hoeder *berger* m [v: *bergère*]; ‹geestelijke› *pasteur* m ★ de Goede Herder *le Bon Berger* • hond *(chien* m *de) berger* m
herderlijk *pastoral* [m mv: *pastoraux*]; *bucolique* ★ ~ schrijven *lettre* v *pastorale*
herdershond *(chien* m *de) berger* m
herderstasje *bourse-à-pasteur* v [mv: *bourses-à-pasteur*]
herdruk *nouvelle édition* v; *réimpression* v ★ in ~ zijn *être en réimpression*
herdrukken *rééditer*; *réimprimer*
heremiet *ermite* m
heremietkreeft *bernard-l'hermite* m [onv]
herenakkoord *gentleman's agreement* m [m mv: *gentlemen's agreements*]
herenboer *gros fermier* m; *gentleman-farmer* m [mv: *gentlemen-farmers*]
herenfiets *bicylette* v *d'homme*; *vélo* m *pour hommes*
herenhuis *hôtel* m *(particulier)*
herenigen *réunir*; *réunifier*; ‹les troupes› *rallier*
hereniging *réunion* v; *ralliement* m; ‹v. afgescheiden gebied› *rattachement* m; *réunification* v ★ de ~ van Duitsland *la réunification de l'Allemagne*
herenkapper *coiffeur* m *pour hommes*
herenkleding *vêtements* m mv *homme*
herentoilet *toilettes* v mv *pour hommes*; ‹opschrift› *messieurs*
herexamen *examen* m *de rattrapage*
herformuleren *reformuler*
herfst *automne* m ★ in de ~ *en automne*
herfstblad *feuille* v *d'automne*
herfstdag *jour* m/*journée* v *d'automne*
herfstkleur *couleur* v *d'automne*
herfstmaand • maand in de herfst *mois* m *d'automne* • september *septembre* m
herfststorm *tempête* v *automnale*
herfsttint *ton* m *automnal*
herfstvakantie *vacances* v mv *d'automne*
hergebruik • recycling *recyclage* m • het opnieuw gebruiken *réemploi* m
hergebruiken *réemployer*
hergroeperen *regrouper*
herhaald *répété*; *renouvelé*; *réitéré* ★ ~e malen *à plusieurs reprises*; *plusieurs fois* ★ zich aan ~ misdrijf schuldig maken *récidiver*
herhaaldelijk *à plusieurs reprises* ★ ~ voorkomen *se produire fréquemment*
herhaaltoets *touche* v *de répétition*
herhalen ‹opnieuw doen› *répéter*; *recommencer*; *refaire*; ‹weer zeggen› *répéter*; *redire* ★ kort ~ *résumer*; *récapituler* ★ tot vervelens toe ~ *rabâcher*
herhaling ‹zeggen› *récapitulation* v; ‹tv› *reprise* v; *répétition* v; ‹zeggen› *redite* v ★ bij ~ *plus d'une fois* ★ in ~en vervallen *se répéter*
herhalingsoefening ‹militair› *période* v *d'instruction*
herhalingsrecept *ordonnance* v *à renouveler*
herindelen *procéder à une nouvelle répartition*
herindeling *nouvelle répartition* v
herinneren I OV WW *rappeler (qc à qn)* ★ er wordt aan herinnerd dat *il est rappelé que* **II** WKD WW *se souvenir (de)*; *se rappeler (qn, qc)*
herinnering • wat men herinnert *souvenir* m ★ ter ~ aan *en souvenir de*; *en mémoire de* ★ de ~ aan haar *son souvenir* • wat doet herinneren *rappel* m • geheugen *mémoire* v ★ iets in ~ brengen *remettre qc en mémoire*; *remettre qc à l'esprit* • souvenir *souvenir* m
herinterpreteren *interpréter autrement*
herintreding *réinsertion* v *professionnelle*
herkansen *repêcher*
herkansing *examen* m *de rattrapage*; FIG. *repêchage* m; *épreuve* v *de repêchage*
herkauwen • opnieuw kauwen *ruminer* • herhalen *rabâcher*
herkauwer *ruminant* m
herkenbaar *reconnaissable*
herkennen *reconnaître*; *identifier*
herkenning *reconnaissance* v

herkenningsmelodie *indicatif* m
herkeuring *nouveau contrôle* m [m mv: *nouveaux contrôles*]
herkiesbaar *rééligible* ★ zich ~ stellen *solliciter le renouvellement de son mandat*; *être de nouveau candidat à une élection* ★ zich niet ~ stellen *refuser le renouvellement de son mandat*
herkiezen *réélire*
herkomst *origine* v; *provenance* v
herleidbaar *réductible (à)*
herleiden *réduire (à)*
herleven *revivre*; *renaître*; FIG. *se ranimer* ★ doen ~ FIG. *ranimer*
herleving *renaissance* v
hermafrodiet *hermaphrodite* m/v
hermelijn *hermine* v
hermetisch I BNW *hermétique* II BIJW *hermétiquement*
hernemen *reprendre*
hernia *hernie* v
hernieuwen *renouveler*; *revitaliser*; *régénérer* ★ de vriendschap ~ *renouer amitié*
heroïek *héroïque*; *épique*
heroïne *héroïne* v ★ aan ~ verslaafde *héroïnomane* m/v
heroïnehandel *trafic* m *de l'héroïne*
heroïnehoer *toxicomane-prostituée* v [mv: *toxicomanes-prostituées*]
herontdekken *redécouvrir*
heropenen *rouvrir*
heropvoeden *rééduquer*
heropvoeding *rééducation* v
heroriëntatie • *réorientation* v • ECON. *redéploiement* m
heroriënteren • *réorienter* • ECON. *redéployer*
heroveren *reconquérir*; *reprendre*
heroverwegen *reconsidérer*
herpes *herpès* m
herrie • lawaai *tapage* m; *boucan* m; ‹pop› *raffut* m; *barouf* m ★ ~ maken bij een leraar *chahuter* • ruzie *bagarre* v; *histoires* v mv ★ ~ krijgen met iem. *avoir des histoires avec qn*
herrieschopper *tapageur* m [v: *tapageuse*]; ‹m.b.t. school› *chahuteur* m [v: *chahuteuse*]
herrijzen *se relever*; *ressusciter*
herrijzenis *résurrection* v
herroepen *révoquer*; *désavouer*
herscheppen *refaire*; *recréer*
herschikken *réarranger* ★ ECON. ~ over x jaar *rééchelonner sur x ans*
herscholen *recycler*
herscholing *recyclage* m; *rééducation* v
herschrijven *réécrire*
hersenbeschadiging *lésion* v *cérébrale*
hersenbloeding *hémorragie* v *cérébrale*
hersendood *coma* m *dépassé*
hersenen • orgaan *cerveau* m; *cervelle* v ★ kleine ~ *cervelet* m • hersenpan *crâne* m ★ iem. de ~ inslaan *casser la tête à qn* ★ (zich) een kogel door de ~ jagen *se faire sauter la cervelle*
hersengebied *zone* v *cérébrale*
hersengymnastiek *gymnastique* v *cérébrale*
hersenhelft *hémisphère* m *cérébral*
hersenkronkel *raisonnement* m *tortueux*
hersenloos I BNW *écervelé*; *étourdi* ★ ~ maken *décerveler* II BIJW *sans cervelle*
hersenoedeem *oedème* m *cérébral*
hersenpan *boîte* v *crânienne*
hersenschim *chimère* v; *vision* v
hersenschimmig *chimérique*; *illusoire*
hersenschudding *commotion* v *cérébrale*
hersenspinsel *chimère* v
hersenspoelen *bourrer le crâne à quelqu'un*
hersenspoeling *lavage* m *de cerveau* ★ ~ toepassen *lessiver la cervelle*
hersentumor *tumeur* v *cérébrale*
hersenverweking *ramollissement* m *cérébral*
hersenvlies *méninge* v
hersenvliesontsteking *méningite* v
herstel • het weer instellen *reprise* v; ‹in eer› *réhabilitation* v • beterschap ‹v. munt› *redressement* m; *rétablissement* m; *convalescence* v; ‹economie› *reprise* v *économique* • reparatie *réparation* v; *remise* v *en état*
herstelbetalingen *réparations* v mv
herstellen I OV WW • repareren *réparer*; *remettre en état* • in de oude staat brengen *rétablir*; *remettre en état* • goedmaken *réparer* II ON WW genezen *guérir*; *se rétablir*; *se remettre* III WKD WW in de oude toestand komen *se rétablir*
herstellingsoord *maison* v *de repos*; *maison* v *de santé*; *sana(torium)* m
herstelwerkzaamheden *travaux* m mv *de réfection*
herstructureren *restructurer*
herstructurering • *restructuration* v • ECON. *redéploiement* m
hert *cerf* m ★ hertje *faon* m
hertenjacht *chasse* v *au cerf*
hertenkamp *parc* m *aux cerfs*
hertenleer *daim* m
hertog *duc* m
hertogdom *duché* m
hertogin *duchesse* v
hertrouwen *se remarier*
hertshoorn *corne* v *de cerf*
hertz *hertz* m
heruitgave *réédition* v
hervatten *reprendre*
herverdelen *redistribuer*
herverkaveling *remembrement* m
herverkiezing *réélection* v
herverzekeren *réassurer*
hervormd *réformé*
hervormen *réformer*; *rénover*
hervorming • het hervormen *réforme* v • REL. *Réforme* v
herwaarderen *revaloriser*; *réévaluer*
herwinnen • uit recycling verkrijgen *récupérer* • heroveren *regagner*; *reprendre*
herzien *revoir*; *réviser*
herziening *révision* v ★ ~ der lonen *réajustement des salaires* m
hes *blouse* v
het I PERS VNW ‹als lijdend voorwerp› *le* [v: *la*]; ‹meewerkend voorwerp› *lui*; ‹als onderwerp› *ça* [onr: *l'*] ★ hij is het *c'est lui* ★ daar heb je het (al) *ça y est* II ONB VNW *la chose*; *il*; ‹aanwijzend vnw› *ça* ★ het moet *il le faut* ★ het is jammer *c'est dommage* ★ het

H

sneeuwt *il neige* ⋆ dat is hèt antwoord *c'est la bonne réponse* ▾ je van hèt *le fin du fin* **III** LIDW *le* [v: *la*]; ‹voor een klinker of stomme 'h'› *l'*
heteluchtballon *montgolfière* v
heteluchtkachel *calorifère* m *à air chaud*
heteluchtmotor *moteur* m *à air chaud*
heteluchtoven *four* m *à chaleur pulsée*
heten **I** OV WW noemen *appeler*; *nommer* ⋆ iem. welkom ~ *souhaiter la bienvenue à qn* **II** ON WW • een naam dragen *s'appeler*; *se nommer*; ‹v. boek› *être intitulé*; *s'intituler* ⋆ het boek heet *le livre s'intitule* ⋆ hoe heet hij? *comment s'appelle-t-il?* • beweerd worden ⋆ het heet dat hij onschuldig is *on le dit innocent* ⋆ zoals het heet *comme on dit*
heterdaad ⋆ op ~ betrappen *prendre sur le fait*; *prendre en flagrant délit*
hetero **I** ZN *hétérosexuel* m [v: *hétérosexuelle*] **II** BNW *hétérosexuel* [v: *hétérosexuelle*]
heterogeen *hétérogène*
hetgeen **I** AANW VNW ‹als onderwerp› *ce qui*; ‹als lijdend voorwerp› *ce que* **II** BETR VNW ‹als onderwerp› *ce qui*; ‹als lijdend voorwerp› *ce que* ⋆ ~ ik niet verwachtte *ce à quoi je ne m'attendais pas* ⋆ ~ ik nodig had *ce dont j'avais besoin*
hetze *campagne* v ⋆ een ~ voeren tegen *mener une campagne contre*
hetzelfde *le même* [v: *la même*]; *la même chose* ⋆ het is mij ~ *cela m'est égal* ⋆ op ~ neerkomen *revenir au même* ⋆ zou jij ~ kunnen zeggen? *sauriez-vous en dire autant?* ⋆ dat is voor hen ~ *c'est pareil pour eux*
hetzij *soit* ⋆ ~ dat *soit que* [+ subj.]
heug *goût* m ▾ tegen heug en meug *à contrecœur*
heugen *se souvenir (de)*; *se rappeler (qc|qn)* ⋆ het heugt mij dat *je me rappelle que* ⋆ dat zal je ~ *tu t'en souviendras*
heuglijk • verheugend *joyeux* [v: *joyeuse*]; *heureux* [v: *heureuse*] • gedenkwaardig *mémorable*
heulen *collaborer*
heup *hanche* v ⋆ het op zijn heupen hebben *avoir une lubie*
heupbroek *pantalon* m *à taille basse*
heupfles *flasque* v
heupgordel *ceinture* v *abdominale*; INF. *banane* v
heuptasje *banane* v
heupwiegend *(se) dandinant*
heupwijdte *tour* m *de hanches*
heupzwaai *mouvement* m *de hanche*
heus **I** BNW • echt *vrai*; *véritable* ⋆ een heuse edelsteen *une véritable pierre précieuse* ⋆ een heuse gravin *une vraie comtesse* • beleefd *poli*; *honnête*; *courtois* **II** BIJW • beleefd *honnêtement*; *poliment*; *avec courtoisie*; *avec bienveillance* • echt *vraiment*; *pour de bon* ⋆ het is heus waar *je vous assure que c'est vrai* ⋆ ik bewonder hem, heus! *je l'admire, mais beaucoup!* ⋆ heus? *bien sûr?*; *sûr?*
heuvel *colline* v
heuvelachtig *vallonné*
heuvelland *région* v *accidentée*
heuvelrug • rij heuvels *chaîne* v *de collines* • heuvelrand *crête* v
hevel *siphon* m
hevig **I** BNW • intens *violent*; *fort*; *vif* [v: *vive*] ⋆ ~e pijn *douleur aiguë*; *vive douleur* • heftig *violent*; *fort* **II** BIJW *violemment*; *fortement*; *vivement*
hexaëder *hexaèdre* m
hexagram *hexagramme* m
hiaat • leemte *lacune* v; *omission* v; *manque* m • TAALK. *hiatus* m
hiel *talon* m ⋆ op de hielen zitten *talonner*; *serrer de près*; *être sur les talons de qn* ▾ de hielen lichten *mettre les voiles*; *décamper*
hielenlikker *lécheur* m [v: *lécheuse*]; *flatteur* m [v: *flatteuse*]
hier • op deze plaats *ici* ⋆ hier ben ik *me voici* ⋆ hier te lande *dans ce pays*; *chez nous* ⋆ tot hier toe *jusqu'ici* ⋆ hier rust *ci-gît*; *ici repose* • alsjeblieft ⋆ hier heb je je boek *tiens, voici ton livre*
hieraan *à ceci*; *à cela*; *y*; *en* ⋆ denk ~ *pensez-y* ⋆ ~ valt niet te twijfelen *il n'y a pas de doute là-dessus*
hierachter *derrière* ▾ wat steekt ~? *qu'y a-t-il derrière tout cela?*; *qu'y a-t-il là-dessous?*
hiërarchie *hiérarchie* v
hiërarchisch **I** BNW *hiérarchique* **II** BIJW *hiérarchiquement*
hierbij *par la présente*; *à ceci*; *près d'ici*; ‹hierbij ingesloten› *ci-joint*; *ci-inclus*; *sous ce pli* ⋆ wij zullen het ~ laten *nous en resterons là* ⋆ u gelieve ~ aan te treffen *veuillez trouver ci-joint* ⋆ ~ komt nog dat *à ceci s'ajoute que*
hierbinnen *à l'intérieur*
hierboven *au-dessus*; ‹in teksten› *ci-dessus*; *plus haut* ⋆ zie ~ *voir ci-dessus*; *voir plus haut*
hierbuiten *à l'extérieur*
hierdoor • daardoor *c'est pourquoi*; *par conséquent*; *de cette manière* • hier doorheen *par ici*
hierheen *par ici*; *de ce côté-ci*
hierin • ergens in *ici*; *là-dedans* • wat dit betreft *sur ce point*; *en ceci*
hierlangs *par ici*
hiermee *avec ceci*; *avec cela*
hierna *après cela*; *ensuite* ⋆ ~ te noemen/hierna volgend *ci-après* ⋆ de dag ~ *le lendemain*
hiernaar *d'après ceci*; *conformément à ceci*
hiernaast *à côté (de)*; *tout près d'ici*; ‹op bladzijde hiernaast› *ci-contre*
hiernamaals *au-delà* m [onv]; *autre monde* m
hiëroglief *hiéroglyphe* m
hierom • daarom *c'est pourquoi* • hier omheen *autour de qc*
hieromheen *(tout) autour (de)*
hieromtrent *à cet égard*; *à ce sujet*
hieronder • erbij zijnd *parmi eux* [v: *parmi elles*] • onder het genoemde ⋆ wat verstaat u ~ *qu'entendez-vous par là?* • onder deze plaats *en-dessous*; *au-dessous* ⋆ zie ~ *voir plus bas*; *voir ci-dessous* • verderop *ci-dessous*; *plus loin*
hierop • hier bovenop *là-dessus*; *sur* • hierna *après*; *là-dessus*; *ensuite*
hierover • hier overheen *là-dessus* • omtrent *à*

ce sujet
hiertegen *contre cela* ★ zich ~ verzetten *s'y opposer*
hiertoe • tot dit doel *pour cela*; *à cet effet* • tot hier toe *jusqu'ici*
hiertussen *entre ceux-ci*; *entre les deux*
hieruit • uit deze plaats *hors d'ici*; *d'ici* • uit het genoemde *de ceci*; *de cela*; *en* ★ ~ volgt dat *il s'ensuit que*
hiervan *en* ★ ~ heb ik nog nooit gehoord *je n'en ai jamais entendu parler avant*
hiervandaan *d'ici*
hiervoor • in ruil voor *en échange*; *pour cela* • vóór het genoemde ‹plaats› *devant*; ‹plaats in tekst› *ci-dessus*; *plus haut*; ‹tijd› *auparavant* ★ zoals ik ~ gezegd heb *comme je l'ai dit plus haut*; *comme je l'ai dit avant* • hiertoe *pour cela*; *à cet effet*
hifi *à haute fidélité*; *hi-fi* [onv]
hifi-apparatuur *installation* v *hi-fi/à haute fidélité*
hifi-installatie *chaîne* v *hi-fi/à haute fidélité*
high *défoncé* ★ high worden *se défoncer*
high society *haute société* v
hightech- *high-tech* [onv]
hightech *high-tech* m; *technologie* v *de pointe*
hij I ZN ‹v. kind› *garçon* m; ‹v. dier› *mâle* m; *homme* m II PERS VNW *il*; ‹met nadruk› *lui* ★ hij heeft het gedaan *c'est lui qui l'a fait* ★ de auto (hij) start niet *la voiture (elle) ne démarre pas*
hijgen *souffler*; *haleter*
hijger ≈ *obsédé* m *sexuel tenant des propos obscènes au téléphone*
hijs *guindage* m ▾ het is een hele hijs *c'est tout un travail*
hijsblok *poulie* v
hijsen • omhoog trekken *hisser* • stevig drinken *lever le coude*; INF. *picoler*
hijskraan *grue* v
hik *hoquet* m
hikken *avoir le hoquet*; *hoqueter*
hilarisch *hilare*; *hilarant*
hilariteit *hilarité* v
hinde *biche* v
hinder *embarras* m; *gêne* v ★ de ~ van het autoverkeer *les nuisances causées par la circulation*
hinderen • belemmeren *faire obstacle*; *gêner* • bezwaarlijk zijn *gêner*; *être gênant* ★ dat hindert niet *cela ne fait rien* • ergeren *déranger*; *incommoder* ★ hij hindert je toch niet? *il ne vous dérange pas, au moins?*
hinderlaag *guet-apens* m [mv: *guets-apens*]; *piège* m; *embuscade* v ★ een ~ leggen *dresser une embuscade (à qn)*
hinderlijk I BNW • belemmerend *gênant*; *embarrassant* • storend *ennuyeux* [v: *ennuyeuse*]; *irritant*; *agaçant* II BIJW *de façon gênante*; *de façon agaçante*
hindernis *entrave* v; *obstacle* m; FIG. *empêchement* m
hindernisbaan *parcours* m *d'obstacles*
hindernisloop *course* v *d'obstacles*
hinderpaal *obstacle* m
hinderwet *législation* v *sur les nuisances*
hindoeïsme *hindouisme* m
hinkelen *aller/sauter à cloche-pied*; ‹spel› *jouer à la marelle*
hinken *boiter* ▾ op twee gedachten ~ *ne savoir sur quel pied danser*
hinkepoot *boiteux* m [v: *boiteuse*]
hink-stap-sprong SPORT *triple* m *saut*
hinniken *hennir*
hint *suggestion* v ★ een goede hint *un bon tuyau* [m mv: *de bons tuyaux*] ★ iem. een hint geven *faire du pied à qn*
hip *dans le vent*
hiphop *hip-hop* m
hippen *sautiller*
hippie *baba* m/v; *hippie* m/v
hippodroom *hippodrome* m
historicus *historien* m [v: *historienne*]
historie *histoire* v
historieschilder *peintre* m *d'histoire*
historiestuk • schilderij *tableau* m *historique* [m mv: *tableaux historiques*] • toneelstuk *pièce* v *historique*
historisch I BNW *historique* II BIJW *historiquement*
hit • succesnummer *tube* m • paard *poney* m; *petit cheval* m [m mv: *petits chevaux*]
hitparade *hit-parade* m [mv: *hit-parades*]; *palmarès* m
hitsig I BNW • driftig *ardent* • geil *lubrique* ★ een ~ type zijn *être un chaud lapin* II BIJW • driftig *ardemment* • geil *lubriquement*
hitte *chaleur* v; *ardeur* v ★ in de ~ van het gevecht *au fort de la bataille* ★ een bloed~ *une chaleur infernale*
hittebestendig *réfractaire*; *résistant à la chaleur*; TECHN. *thermorésistant*
hittegolf *vague* v *de chaleur*; *canicule* v
hitteschild *bouclier* m *thermique*
hiv human immunodeficiency virus *VIH* m; *virus* m *de l'immunodéficience humaine*
ho *holà*; *halte-(là)!* ★ zeg maar 'ho' *dis 'stop'*
hobbel *bosse* v
hobbelen *cahoter*
hobbelig *cahoteux* [v: *cahoteuse*]; *inégal* [m mv: *inégaux*]
hobbelpaard *cheval* m *à bascule*
hobbezak • kledingstuk *vêtement* m *informe* • persoon *personne* v *ficelée comme un sac*
hobby *hobby* m
hobo *hautbois* m
hoboïst *hautboïste* m/v
hockey *hockey* m
hockeyen *jouer au hockey*
hockeystick *crosse* v *de hockey*
hocus-pocus I ZN *abracadabra* m II TW *abracadabra*
hoe • op welke wijze *comment*; *de quelle manière* ★ hoe dan ook *de toute façon*; *quoi qu'il en soit* ★ het hoe en waarom willen weten *chercher le pourquoi et le comment* • op welke grond *comment* ★ hoe komt het dat ... *comment se fait-il que* [+ subj.] ★ hoe langer, hoe beter *de mieux en mieux* • in welke mate *combien*; *à quel point*; *comme*; *que* ★ hoe oud is hij? *quel âge a-t-il?* ★ hoe kan iem. zo stom zijn! *comment peut-on être aussi bête!* ★ hoe eerder, hoe beter *le plus tôt sera le mieux* ★ hoe laat is het? *quelle heure*

H

est-il? ⋆ hoe ver is het naar Y? *combien y a-t-il d'ici à Y?* ⋆ hoe meer ..., des te meer ... *plus ..., plus ...* ⋆ hoe hij ook studeert *il a beau étudier* ⋆ hoe lang is *de quelle longueur est* ⋆ hoe lang is het geleden dat *il y a combien de temps que* ⋆ hoe lang woont u hier al? *depuis combien de temps habitez-vous ici?* • als voegwoord *comment*

hoed *chapeau* m [mv: *chapeaux*]; ‹vilten hoed› *feutre* m; ‹bolhoed› *melon* m ⋆ hoge hoed *haut-de-forme* m ⋆ zijn hoed afzetten *se découvrir* ⋆ z'n hoed afnemen voor iem. *donner un coup de chapeau à qn* ⋆ zijn hoed ophouden *rester couvert*; *garder son chapeau* ⋆ zijn hoed opzetten *mettre son chapeau*; *se couvrir*

hoedanigheid *qualité* v

hoede • voorzichtigheid ⋆ op zijn ~ zijn *se tenir sur ses gardes*; *se méfier (de)* • bescherming *garde* m ⋆ onder zijn ~ hebben/nemen *avoir/prendre sous sa garde*; *veiller sur*

H

hoeden I OV WW *garder* II WKD WW *se méfier (de)*

hoedenplank *porte-chapeaux* m [onv]; ‹in auto› *plage* v *arrière*

hoef *sabot* m

hoefdier *ongulé* m

hoefgetrappel *piétinement* m; *bruit* m *de sabots*

hoefijzer *fer* m *à cheval*

hoefslag • spoor *piste* v • geluid *battue* v

hoefsmid *maréchal-ferrant* m [mv: *maréchaux-ferrants*]

hoegenaamd • volstrekt *absolument* ⋆ ~ niets *absolument rien* • nauwelijks *à peine*; *pratiquement*; *pour ainsi dire*

hoek • ruimte *coin* m ⋆ het huis op de hoek *la maison du coin* ⋆ de hoek omslaan *tourner au coin de la rue* ⋆ dode hoek *angle mort* ⋆ een hoek maken met *faire angle (avec)* • WISK. *angle* m ⋆ aanliggende hoek *angle adjacent* ⋆ inspringende hoek *angle rentrant* ⋆ overeenkomstige hoek *angle correspondant* ⋆ overstaande hoek *angle opposé par le sommet* ⋆ rechte hoek *angle droit* ⋆ scherpe hoek *angle aigu* ⋆ stompe hoek *angle obtus* ⋆ uitspringende hoek *angle saillant* • kant *coin* m ⋆ een hoek van een kaartje omvouwen *corner une carte* ▾ in alle hoeken en gaten *dans tous les coins et recoins* ▾ flink uit de hoek komen *dire les choses carrément* ▾ zien uit welke hoek de wind waait ‹m.b.t. tegenwerking› *savoir d'où vient le vent*

hoekhuis *maison* v *qui fait l'angle*

hoekig *anguleux* [v: *anguleuse*]

hoekkast *armoire* v *de coin*

hoekman ECON. *teneur* m *de marché*

hoekplaats *place* v *de coin*

hoekpunt *sommet* m *d'un angle*

hoekschop *corner* m ⋆ een ~ nemen *tirer un corner*

hoeksteen *pierre* v *angulaire*

hoektand *canine* v

hoekwoning *maison* v *qui fait l'angle*

hoelang *combien de temps?* ⋆ tot ~? *jusqu'à quand?*

hoen *poule* v ⋆ vetgemest hoentje *poularde* v

hoenderhok *poulailler* m

hoepel *cerceau* m [mv: *cerceaux*]; *cercle* m

hoepelrok *crinoline* v

hoepla *hop!*

hoer *prostituée* v; VULG. *pute* v; *putain* v

hoera *hourra*

hoerastemming *humeur* v *joyeuse*; *allégresse* v

hoerenbuurt *quartier* m *des prostituées*; VULG. *quartier* m *des putes*

hoerenjong *fils* m *de garce*

hoerenkast *bordel* m

hoerenloper *habitué* m *des bordels*

hoerenmadam *maquerelle* v

hoereren *mener une vie de débauche*

hoerig I BNW *de putain* ⋆ ~e laarzen *des bottes de putain* II BIJW *comme une putain*

hoes *housse* v; ‹v. grammofoonplaat› *pochette* v; ‹v. auto› *bâche* v

hoeslaken *drap-housse* m [mv: *draps-housses*]

hoest *toux* v

hoestbui *accès* m *de toux*

hoestdrank *sirop* m *pectoral*

hoesten *tousser*

hoestpastille *pastille* v *contre la toux*

hoeve *ferme* v

hoeveel *combien* ⋆ ~ boeken? *combien de livres?* ⋆ ~ kost dat? *c'est combien?* ⋆ ~ is dat samen? *ça fait combien?* ⋆ om de ~? *tous les combien?*

hoeveelheid *quantité* v

hoeveelste *combien* ⋆ de ~ is het vandaag? *le combien sommes-nous?* ⋆ de ~ ben je? *le combien êtes-vous?* ⋆ de ~ ben je jarig? *c'est quel jour, ton anniversaire?*

hoeven I OV WW (niet) moeten *devoir* II ON WW nodig zijn *être nécessaire* ⋆ het hoeft niet *ne vous dérangez pas*; *ce n'est pas la peine*

hoewel *quoique*; *bien que*

hoezeer I BIJW *à quel point*; *combien* ⋆ je weet ~ ik van je houd *tu sais combien je t'aime* II VW *bien que*; [+ subj.] *quoique*

hoezo *comment ça?* ⋆ ~ moeilijk? *comment ça, difficile?*

hof I ZN (de) *jardin* m; *enclos* m II ZN (het) *cour* v ▾ iemand het hof maken *faire la cour à qn*

hofdame *dame* v *d'honneur*

hoffelijk I BNW *courtois* II BIJW *courtoisement* ⋆ overdreven ~ *obséquieux* [v: *obséquieuse*]

hoffelijkheid *courtoisie* v ⋆ hoffelijkheden *des politesses* v mv ⋆ overdreven ~ *obséquiosité* v

hofhouding *cour* v

hofje ≈ *maison* v *de retraite*

hofkapel • muzikanten *musique* v *de la chambre du roi* • kerkje *chapelle* v *palatine*

hofkringen *cour* v; *entourage* m *du roi*

hofleverancier *fournisseur* m *de la cour*

hofmaarschalk *chambellan* m

hofmeester *intendant* m

hofnar *bouffon* m *du roi*

hoge • duikplank *grand plongeoir* m • persoon *grand* m; INF. *grosse légume* v

hogedrukgebied *anticyclone* m

hogedrukpan *autocuiseur* m

hogedrukreiniger *nettoyeur* m *haute pression*
hogedrukspuit *pistolet* m *haute pression*
hogepriester *grand prêtre* m
hogerhand ★ van ~ *de la part des autorités*
hogerop • hoger *plus haut* • bij een hogere instantie *en appel*
hogeschool ‹hoger onderwijs› *grande école* v; ‹paardensport› *haute école* v
hogesnelheidslijn *train* m *à grande vitesse*; *TGV* m
hogesnelheidstrein *train* m *à grande vitesse*; *TGV* m
hoi • hallo *salut!* • hoera *bravo!*
hok • bergplaats *cagibi* m; *remise* v • kot *taudis* m; *bouge* m • dierenhok *cabane* v; ‹v. hond› *niche* v; ‹v. kippen› *poulailler* m
hokje • vakje *compartiment* m ★ iedereen in een ~ zetten *coller une étiquette sur le dos de tout le monde* • klein hok *cabine* v
hokjesgeest *esprit* m *classificateur*
hokken *vivre ensemble*
hol I ZN (de) ▾ op hol slaan *prendre le mors aux dents*; *s'emballer* II ZN (het) • verblijf van dier *tanière* v; ‹v. muis› *trou* m; ‹v. leeuw› *antre* m; ‹v. konijn› *terrier* m • grot *caverne* v; *grotte* v III BNW • leeg *creux* [v: *creuse*]; *vide*; *futile* ★ holle stem *voix caverneuse* v ★ holle kies *dent creuse* v ★ holle ogen *des yeux* m mv *caves* • niet bol *creux* [v: *creuse*]; *cave*; *vide*; ‹v. lens› *concave* ★ hol geslepen *concave* ▾ in het holst van de nacht *au milieu de la nuit* IV BIJW ★ hol klinken *sonner creux*
holbewoner *troglodyte* m
holding *holding* m
hollen *courir* ▾ het is met hem ~ of stilstaan *il passe d'une extrémité à l'autre*
holletje ▾ op een ~ *au pas de course*
holocaust *holocauste* m
hologram *hologramme* m
holrond *concave*
holster *gaine* v; ‹v. zadel› *fonte* v
holte • holle ruimte *creux* m; *cavité* v; ‹oogholte› *orbite* v • uitholling *excavation* v
hom *laite* v *de poisson*; *laitance* v
homecomputer *micro-ordinateur* m; *ordinateur* m *individuel*; *P.C.* m
homeopaat *homéopathe* m/v
homeopathie *homéopathie* v
homerisch *homérique* ★ een ~e vergelijking *une comparaison homérique*
homerun *home-run* m
hometrainer *home-trainer* m [mv: *home-trainers*]
hommage *hommage* m
hommel *bourdon* m
homo *homosexuel* m
homobar *bar* m *fréquenté par les homos*
homobeweging *mouvement* m *homo*
homofilie *homophilie* v
homofoob I ZN *homophobe* m II BNW *homophobe*
homogeen *homogène*
homohuwelijk *homogamie* v
homoniem I ZN *homonyme* m II BNW *homonyme*
homonymie *homonymie* v
homoscene *milieu* m *homosexuel*
homoseksualiteit *homosexualité* v
homp *gros morceau* m [m mv: *gros morceaux*]; ‹brood› *quignon* m *de pain*
hond *chien* m [v: *chienne*]; ‹in kindertaal› *toutou* m ▾ rodehond *rubéole* v ▾ blaffende honden bijten niet *chien qui aboie ne mord pas* ▾ men moet geen slapende honden wakker maken *il ne faut pas réveiller le chat qui dort* ▾ de hond in de pot vinden *dîner par cœur* ▾ wie een hond wil slaan, vindt licht een stok *qui veut noyer son chien l'accuse de la rage*
hondenasiel • *chenil* m • *fourrière* v
hondenbaan *métier* m *de chien*
hondenbelasting *taxe* v *sur les chiens*
hondenbrokken *croquettes* v mv
hondenhok *niche* v; *chenil* m
hondenleven *vie* v *de chien*
hondenpenning *médaille* v *de chien*
hondenpoep *crotte* v *de chien*
hondentrimmer *spécialiste* m/v *du nettoyage des chiens*
hondenweer *temps* m *de chien*
honderd I ZN *centaine* v ★ bij ~en *par centaines* ★ in negentien~ achttien *en mille neuf cent dix-huit* ★ het loopt in de ~en *cela va compter dans les centaines* ▾ de boel in het ~ laten lopen *faire tout échouer* ▾ dat loopt in het ~ *tout va de travers*; *tout s'embrouille*; *rien ne va plus* ▾ ~uit praten *ne pas arrêter de parler* ▾ ~uit vragen *poser mille questions* II TELW *cent* ▾ het is ~ tegen één *il y a cent contre un à parier*
honderdduizend *cent mille* ★ ~en *des centaines de mille*
honderdduizendste I ZN *cent-millième* m II TELW *cent millième* → **achtste**
honderdje *billet* m *de cent (florins)*
honderdste *centième* → **achtste**
honds I BNW *insolent*; *éhonté* II BIJW *insolemment* ★ ~brutaal *très grossier*
hondsberoerd *patraque*
hondsbrutaal *grossier* [v: *grossière*]
hondsdagen *canicule* v
hondsdolheid *rage* v ★ tegen de ~ *antirabique*
hondsdraf *lierre* m *terrestre*
hondsmoe *crevé*
Honduras *le Honduras* ★ in ~ *au Honduras*
honen *insulter*; *outrager*
honend I BNW *sarcastique*; *humiliant*; *outrageant* II BIJW *d'une façon outrageante*
Hongaar *Hongrois* m [v: *Hongroise*]
Hongaars I ZN *hongrois* m II BNW *hongrois*
Hongarije *la Hongrie* ★ in ~ *en Hongrie*
honger *faim* v ★ ik heb niet veel ~ *je n'ai pas très faim* ★ grote ~ hebben *avoir très faim* ★ ~ lijden *souffrir de la faim* ★ van ~ sterven *mourir de faim* ▾ ~ hebben als een paard *avoir une faim de loup*
hongerdood *mort* v *d'inanition*
hongeren *avoir faim (de)*; *être affamé* ★ zich dood ~ *se laisser mourir de faim*
hongergevoel *faim* v
hongerig *affamé* ★ iem. ~ maken *donner faim à qn*
hongerlijder • armoedzaaier *miséreux* m

H

• iemand die honger lijdt *affamé* m
hongerloon *salaire* m *de misère*; *salaire* m *de famine*
hongeroedeem *oedème* m *de carence*; *oedème* m *de dénutrition*
hongersnood *famine* v
hongerstaking *grève* v *de la faim*
hongerwinter *hiver* m *de disette*
honing • nectar *nectar* m ★ ~ winnen *butiner* • bijenproduct *miel* m ▾ het land van melk en ~ *le pays de l'abondance*
honingblond *doré*
honingraat *rayon* m
honingzoet I BNW • zeer zoet *sucré* • vleierig *mielleux* [v: *mielleuse*] II BIJW *mielleusement*
honk • thuis *chez soi* m ★ bij honk blijven *rester chez soi*; *être casanier* ★ van honk zijn *être absent* • SPORT *base* v
honkbal *base-ball* m
honkbalknuppel *batte* v *de base-ball*
honkballen *jouer au base-ball*
honkvast *casanier* [v: *casanière*]; *sédentaire*
honnepon *mignon(ne)* m/v
honneurs *honneurs* m mv ★ de ~ waarnemen *faire les honneurs de la maison*
honorair *honoraire*
honorarium *honoraires* m mv
honoreren • belonen *rétribuer*; *rémunérer* • accepteren *honorer* ★ een wissel ~ *honorer une lettre de change*
hoofd • lichaamsdeel *tête* v ★ zich voor het ~ schieten *se brûler la cervelle* ★ met opgeheven ~ *la tête haute* ★ met het ~ tegen de muur lopen *donner de la tête contre le mur* ★ een ~ groter zijn dan iem. *dépasser qn d'une tête* • verstand ★ het is mij door het ~ gegaan ‹vergeten› *cela m'est complètement sorti de la tête*; ‹plotseling ingevallen› *cela m'est passé par la tête* ★ te veel aan het ~ hebben *avoir trop de choses en tête* ★ niet goed bij het ~ zijn *ne pas avoir toute sa tête* ★ zich in het ~ halen *se mettre dans la tête* ★ hoe haalt hij zich het in zijn ~ *qu'est-ce qu'il va chercher là* ★ het in zijn ~ krijgen om *s'aviser de* ★ iets uit zijn ~ kennen/leren *savoir/apprendre qc par cœur* ★ iem. iets uit het ~ praten *ôter qc de la tête à qn* • voorste/bovenste gedeelte *tête* v *(de)*; ‹titel› *titre* m ★ aan het ~ der tafel zitten *présider la table* • leiding *chef* m ★ ~ van het gezin *chef de famille* ★ ~ van een school *directeur d'école* ★ aan het ~ staan van *être à la tête de* • briefhoofd *en-tête* m [mv: *en-têtes*] ★ aan het ~ van de brief *en tête de la lettre* ▾ iemand voor het ~ stoten *offenser qn*; *offusquer qn* ▾ iemand het ~ op hol brengen *tourner la tête à qn* ▾ het ~ laten hangen *être abattu* ▾ de ~en bij elkaar steken *comploter*; *se concerter* ▾ iets over het ~ zien *ne pas remarquer qc* ▾ zich het ~ breken met *se casser la tête à (qc)* ▾ wat ons boven het ~ hangt *ce qui nous attend* ▾ het ~ verliezen *perdre la tête* ▾ het ~ stoten *être refusé* ▾ het ~ bieden aan *tenir tête à*; *affronter* ▾ naar het ~ stijgen *monter à la tête* ▾ het ~ boven water houden *tenir bon*
hoofd- *principal* [m mv: *principaux*]
hoofdagent *brigadier* m
hoofdartikel *article* m *principal*; ‹in krant› *article* m *de fond*; ‹v. redactie› *éditorial* m [mv: *éditoriaux*]
hoofdbestuur *direction* v *générale*; *bureau* m *central* [m mv: *bureaux centraux*]; *conseil* m *d'administration*
hoofdbewoner *locataire* m *principal*
hoofdbreken *casse-tête* m ★ dat heeft me veel ~s gekost *c'était vraiment un casse-tête*
hoofdbureau *siège* m *central* [m mv: *sièges centraux*]; *bureau* m *principal* [m mv: *bureaux principaux*]
hoofdcommissaris *commissaire* m *principal*
hoofdconducteur *chef* m *de train*
hoofddeksel *couvre-chef* m [mv: *couvre-chefs*]
hoofddocent *professeur* m *principal*
hoofddoek *fichu* m; *foulard* m
hoofdeinde *tête* v; ‹bed› *tête* v *du lit*
hoofdelijk *par tête*; *individuel* [v: *individuelle*] ★ ~e stemming *vote nominal* m ★ zonder ~e stemming *par acclamation*
hoofdfilm *grand film* m
hoofdgebouw *bâtiment* m *principal* [m mv: *bâtiments principaux*]
hoofdgerecht *plat* m *de résistance*
hoofdhaar *chevelure* v
hoofdhuid *cuir* m *chevelu*
hoofdingang *entrée* v *principale*
hoofdinspecteur *inspecteur* m *général* [v: *inspectrice générale*]; ‹wetenschappelijk› ≈ *recteur* m *(d'académie)* [v: *rectrice*]; *inspecteur* m *(de l'enseignement) primaire*
hoofdje • klein hoofd *petite tête* v • opschrift *en-tête* m [mv: *en-têtes*] • bloeiwijze *capitule* m
hoofdkantoor *siège* m *(social)* [m mv: *sièges sociaux*]
hoofdkraan *robinet* m *d'arrêt*; *robinet* m *principal* [m mv: *robinets principaux*]
hoofdkussen *oreiller* m
hoofdkwartier *quartier* m *général* [m mv: *quartiers généraux*]
hoofdleiding • opperste leiding *direction* v *générale* • toevoerbuis *conduite* v *principale*
hoofdletter *majuscule* v
hoofdlijn *ligne* v *principale* ★ in ~en *en grandes lignes*
hoofdmacht *gros* m *(de l'armée)*
hoofdmoot *(la) plus grande part* v
hoofdofficier *officier* m *supérieur*
hoofdonderwijzer *instituteur* m *en chef* [v: *institutrice*]
hoofdpersoon *personnage* m *principal* [m mv: *personnages principaux*]; *héros* m [v: *héroïne*]
hoofdpijn *mal* m *de tête* ★ schele ~ *migraine* v ★ ~ hebben *avoir mal à la tête*
hoofdprijs ‹eerste prijs› *premier prix* m; ‹in loterij› *gros lot* m
hoofdredacteur *rédacteur* m *en chef*
hoofdrekenen I ZN *calcul* m *mental* II ONV WW *calculer de tête*
hoofdrol *rôle* m *principal* [m mv: *rôles principaux*]; *premier rôle* m
hoofdrolspeler • *premier rôle* m • FIG. *protagoniste* m/v

hoofdschotel *plat* m *principal*
hoofdschuddend *hochant la tête*
hoofdsponsor *parraineur* m *principal*; *sponsor* m *principal*
hoofdstad *capitale* v
hoofdstedelijk *métropolitain*
hoofdstel *bride* v
hoofdsteun *appuie-tête* m [onv]
hoofdstraat *rue* v *principale*; *grande rue* v
hoofdstuk *chapitre* m
hoofdtelwoord *nombre* m *cardinal* [m mv: *nombres cardinaux*]
hoofdvak *discipline* v *principale* ★ dit is mijn ~ *c'est ma spécialité*
hoofdvestiging *siège* m *principal*
hoofdwasmiddel *lessive* v *principale*
hoofdwond *blessure* v *à la tête*
hoofdzaak *principal* m; *essentiel* m ★ in ~ *sur l'essentiel*; *au fond*; *en gros*; *en substance* ★ laat ons tot de ~ komen *venons-en à l'essentiel*
hoofdzakelijk *essentiellement*; *avant tout*
hoofdzin *proposition* v *principale*
hoofs *courtois*
hoog I BNW • niet laag *haut*; *élevé* ★ hoge temperatuur *température élevée* ★ hoog water *marée haute* ★ hij woont één hoog *il demeure au premier* ★ hoge koorts *forte fièvre* v ★ hoge leeftijd *âge avancé* m • reikend tot *haut (de)* ★ twee meter hoog *haut de deux mètres* • aanzienlijk *important*; *grand*; *élevé*; *haut* ★ hoge eer *grand honneur* m ▾ het hoge woord is eruit *le grand mot est lâché* II BIJW *haut*; *hautement* ★ hoog zingen *chanter haut* ★ hoog aangeschreven *bien noté* ★ het hoog nodige *le strict nécessaire* ★ het is hoog tijd *il est grand temps de*
hoogachten *vénérer*; *estimer*; *considérer*
hoogachtend ‹t.a.v. de heer› *Je vous prie d'agréer, Monsieur, l'expression de mes sentiments distingués*; ‹t.a.v. mevrouw› *Veuillez recevoir, Madame, l'assurance de ma respectueuse considération*
hoogachting *estime* v; *considération* v; *respect* m
hoogbegaafd *surdoué*
hoogbejaard *fort âgé*
hoogblond *blond doré*
hoogbouw *buildings* m mv
hoogconjunctuur *conjoncture* v *favorable*; *boom* m ★ de ~ *la haute conjoncture*
hoogdravend I BNW *pompeux* [v: *pompeuse*]; *emphatique*; ‹stijl/toon› *déclamatoire* II BIJW *avec emphase*
hoogfrequent *à haute fréquence*
hooggeacht *très estimé*; *honoré*
hooggebergte *haute montagne* v
hooggeëerd *très honoré*
hooggeleerd *très savant*
hooggeplaatst *haut placé*
hooggerechtshof *haute cour de justice* v
hooggespannen *exalté* ▾ ~ verwachtingen *de grandes espérances*
hooggewaardeerd *très apprécié*
hoogglanslak *vernis* m *brillant*
hooghartig I BNW *supérieur*; *arrogant*; *hautain* II BIJW *d'un air arrogant*; *de haut*
hoogheemraadschap *charge* v *de membre de l'administration des eaux, des digues et des polders*
hoogheid ★ Zijne/Hare Koninklijke Hoogheid *Son Altesse Royale*
hoogland *massif* m *montagneux*; *hautes terres* v mv ★ de Schotse ~en *les Highlands*
hoogleraar *professeur* m *de faculté* ★ buitengewoon ~ *chargé de cours* m
Hooglied *Cantique* m *des Cantiques*
hooglijk *extrêmement*
hooglopend *violent*
hoogmis *grand-messe* v [mv: *grand(s)-messes*]
hoogmoed *orgueil* m; *arrogance* v
hoogmoedig I BNW *hautain*; *arrogant*; *orgueilleux* [v: *orgueilleuse*] II BIJW *orgueilleusement*; *avec arrogance*
hoogmoedswaan(zin) *mégalomanie* v
hoognodig I BNW *urgent*; *indispensable*; *pressé* II BIJW *d'urgence* ★ iets ~ hebben *avoir grand besoin de qc*; *avoir besoin d'urgence de qc*
hoogoplopend *violent* ★ ~e ruzie *querelle* v *violente* ★ ~e prijzen *prix montant en flèche*
hoogoven *haut fourneau* m [mv: *hauts fourneaux*]
hoogrendementsketel *chaudière* v *à rendement supérieur/à haute performance*
hoogrood ‹gelaat› *haut en couleur*; *rubicond*; *rouge foncé*
hoogschatten *estimer*
hoogseizoen *haute-saison* v [mv: *hautes-saisons*]
hoogslaper *lit* m *surélevé*
hoogspanning *haute tension* v *(HT)*
hoogspanningsmast *pylône* m *à haute tension*
hoogspringen *faire du saut en hauteur*
hoogst I ZN ‹beste› *mieux* m; ‹top› *point* m *culminant*; ‹v. berg› *sommet* m; ‹meest› *maximum* m ★ op zijn ~/ten hoogste *tout au plus* ★ op het ~ *à son comble* II BNW *le plus haut* [v: *la plus haute*] ★ zijn ~e kaart *sa carte maîtresse* III BIJW *au plus haut point*; *extrêmement* ★ ~ gewichtig *de la dernière/de la plus haute importance*
hoogstaand *éminent*
hoogstandje *prouesse* v; *exploit* m
hoogsteigen ▾ in ~ persoon *en personne*
hoogstens *tout au plus*
hoogstwaarschijnlijk I BNW *très probable* II BIJW *selon toute probabilité*
hoogte • peil, niveau *niveau* m [mv: *niveaux*] • hoog boven de grond *hauteur* v ★ op gelijke ~ met *au même niveau que* • klank *hauteur* v • GEO. *altitude* v • verheffing *hauteur* v ▾ op de ~ brengen *mettre au courant* ▾ iemand in de ~ steken *élever qn aux nues* ▾ tot op zekere ~ *jusqu'à un certain point* ▾ uit de ~ zijn *être distant*; *avoir un air hautain* ▾ geen ~ hebben van *n'avoir aucune idée de* ▾ zich op de ~ stellen *se renseigner* ▾ goed op de ~ zijn *être bien informé (de)*
hoogtelijn • WISK. *hauteur* v • GEO. *courbe* v *de niveau*
hoogtepunt *sommet* m; *point* m *culminant*; *apogée* v; *summum* m

H

hoogteverschil • *différence* v *de niveau* • *dénivellation* v
hoogtevrees MED. *acrophobie* v
hoogtezon *lampe* v *à rayons ultraviolets* ★ met ~ behandelen *traiter avec des rayons ultraviolets*
hoogtij *âge* m *d'or* ▾ ~ vieren *triompher*
hooguit *tout au plus*
hoogverraad *haute trahison* v
hoogvlakte *haut plateau* m [mv: *hauts plateaux*]
hoogvlieger *esprit* m *supérieur*
hoogwaardig • zeer verheven ★ het ~e Sacrament *le Saint Sacrement* • van hoge waarde *supérieur*
hoogwaardigheidsbekleder *haut dignitaire* m
hoogwater • hoge waterstand ‹m.b.t. rivier› *crue* v • hoogste vloedstand *marée* v *haute*
hoogwerker *camion* m *à nacelle*
hoogzwanger *sur le point d'accoucher*
hooi *foin* m ▾ men moet niet te veel hooi op zijn vork nemen *qui trop embrasse, mal étreint* ▾ te hooi en te gras *de loin en loin*; *de temps à autre*
hooiberg *meule* v *de foin*
hooien I ZN *foins* m mv; *fenaison* v II ON WW gras laten drogen *faire les foins*
hooikoorts *rhume* m *des foins*
hooimijt *tas* m *de foin*; *meule* v
hooivork *fourche* v
hooiwagen • kar *charrette* v *à foin* • spinachtig dier *faucheur* m
hooizolder *grenier* m *à foin*
hooligan *hooligan* m; *houligan* m
hoon *dérision* v; *moquerie* v
hoongelach *ricanement* m; *rire* m *moqueur*
hoop • verwachting *espoir* m; *espérance* v ★ de hoop opgeven *perdre l'espoir* ★ de hoop op *l'espoir de (qc)* ★ zijn hoop is vervlogen *son espoir s'est évanoui* ★ zijn hoop vestigen op *mettre son espoir dans* ★ in de hoop *dans l'espoir de*; *dans l'espoir que* ★ in zijn hoop beschaamd worden *être déçu dans ses espérances* • stapel *tas* m; *amas* m ★ bij hopen *des tas de* • veel *foule* v; *masse* v; *troupe* v • drol *crotte* v ★ in een hoop trappen *marcher dans la crotte* ▾ te hoop lopen *s'attrouper*; *s'ameuter* ▾ op hoop van zegen *à la grâce de Dieu*; *en espérant le mieux* ▾ de grote hoop *la masse*
hoopgevend *qui donne de l'espoir* ★ dat klinkt ~ *cela s'annonce bien*
hoopvol *prometteur* [v: *prometteuse*]; *qui promet*; *plein d'espoir*
hoor *tu sais*; *vous savez* ★ nee hoor! *mais non!*
hoorapparaat *audiophone* m
hoorbaar *audible*; *perceptible*; *distinct*
hoorcollege *cours* m *magistral* [m mv: *cours magistraux*]
hoorn I ZN (de) • uitsteeksel aan kop *corne* v • blaasinstrument *cor* m; ‹militair› *clairon* m ★ op de ~ blazen *sonner du cor* • telefoonhoorn *récepteur* m; *combiné* m ▾ ~ van overvloed *corne d'abondance* II ZN (het) *corne* v
hoorndol *dingue* ★ ik word er ~ van! *cela me rend dingue!*
hoornen *de corne*
hoornlaag *couche* v *cornée*
hoornvlies *cornée* v
hoornvliesontsteking *kératite* v
hoorspel *pièce* v *radiophonique*
hoorzitting *séance* v *d'audition*
hoos *tourbillon* m
hoosbui *douche* v; *averse* v
hop *houblon* m
hopelijk *j'espère que*
hopeloos I BNW uitzichtloos *désespéré*; *sans espoir* II BIJW *désespérément*
hopen *espérer* ★ ik hoop van niet ‹spreektaal› *j'espère bien que non* ★ het beste (ervan) ~ *espérer le mieux* ★ ik hoop het *je l'espère bien* ★ ik hoop dat hij u betaald heeft *j'espère qu'il vous a payé* ★ ~ dat *espérer que* [+ ind.] ★ ik hoop dat ze gauw schrijft *j'espère qu'elle écrira bientôt* ★ ~ op God *espérer en Dieu*
hopman *capitaine* m; ‹v. verkennerij› *chef* m *scout*
hor *moustiquaire* v
horde • bende *bande* v; *troupe* v; ‹v. verkennerij› *meute* v • SPORT *haie* v
hordeloop *course* v *de haies* ★ de honderd meter horden *le 100 mètres haies*
horeca *secteur* m *des cafés, hôtels, restaurants*
horen I OV WW • met gehoor waarnemen *entendre* ★ goed/slecht ~ *entendre clairement/mal* • vernemen *entendre*; *apprendre* ★ dat heb ik gehoord *je l'ai entendu dire* ★ iets van zich laten ~ *donner de ses nouvelles* ★ dat heeft hij van ~ zeggen *il le sait par ouï-dire* • luisteren *entendre*; *écouter* ★ hij wil daar niet van ~ *il ne veut pas en entendre parler* ★ ik ga eens even ~ *je vais aux nouvelles* ★ als men hem zo hoort ... *à l'entendre ...* ★ ik heb hem ~ zingen *je l'ai entendu chanter* ★ hoor eens *écoute (un peu)* • verhoren *entendre*; *interroger* II ON WW • betamen ★ dat hoort niet *ça ne se fait pas* • zijn plaats hebben ★ ~ bij *appartenir à*; *faire partie de* ▾ wie niet ~ wil, moet maar voelen *vous l'aurez voulu Georges Dandin*
horige *serf* m; *serve* v
horizon *horizon* m
horizontaal I BNW *horizontal* [m mv: *horizontaux*] II BIJW *horizontalement*
hork *rustre* m
horkerig *rustre*; *grossier* [v: *grossière*]
horloge *montre* v ★ op zijn ~ kijken *regarder l'heure*
horlogebandje *bracelet* m *de montre*
hormonaal *hormonal* [m mv: *hormonaux*]
hormoon *hormone* v
hormoonpreparaat *préparation* v *hormonale*
horoscoop *horoscope* m ★ iemands ~ trekken *établir l'horoscope de qn*
horrelvoet *pied* m *bot*
horror *épouvante* v
horrorfilm *film* m *d'horreur*
hors-d'oeuvre *hors-d'œuvre* m [onv]
hort *heurt* m; *choc* m ▾ met horten en stoten *par saccades*; *par à-coups* ▾ de hort opgaan *faire la fête*
horten *cahoter* ★ ~d spreken *bégayer*

hortensia *hortensia* m
hortus *jardin* m *botanique*
horzel *taon* m; *frelon* m
hospes • kamerverhuurder *logeur* m • gastheer *hôte* m/v
hospita *logeuse* v
hospitaal *hôpital* m [mv: *hôpitaux*]
hospitant *(professeur* m/v*) stagiaire* m/v
hospiteren *faire son stage (pédagogique)*; *assister à une leçon*
hossen ≈ *danser*; *gambader*
hostess • gastvrouw *hôtesse* v • stewardess *hôtesse* v *de l'air*
hostie *hostie* v
hot I BNW *chaud* ★ hot line *téléphone rouge* II BIJW ▾ van hot naar her rennen *courir à gauche et à droite*
hotdog *hot-dog* m [mv: *hot-dog(s)*]
hotel *hôtel* m
hotelaccommodatie *équipement* m *hôtelier*
hoteldebotel • verliefd *amoureux fou (de)* [v: *amoureuse folle*]; *follement amoureux* [v: *follement amoureuse*] • stapelgek *cinglé*
hotelgast *client* m *(d'hôtel)*
hotelhouder *hôtelier* m [v: *hôtelière*]
hôtelier → **hotelhouder**
hotelketen *chaîne* v *d'hôtels*
hotel-restaurant *hôtel-restaurant* m [mv: *hôtels-restaurants*]
hotelschakelaar *va-et-vient* m [onv]
hotelschool *école* v *hôtelière*
hotemetoot • *grosse légume* v • *imbécile* m; *andouille* v
hot item *sujet* m *qui attire l'attention*
hotline *ligne* v *rouge*
hot news *des informations* v mv *toutes fraîches*
hotpants *mini-short* m [mv: *mini-shorts*]
houdbaar • te bewaren *qui se garde*; *qui se conserve*; *non périssable* • te verdragen *supportable*; *tenable* • verdedigbaar *défendable*
houden I OV WW • vast-, tegenhouden *retenir*; *garder* ★ zijn gedachten erbij ~ *avoir la tête à son travail* ★ hij houdt haar bij zich *il la garde auprès de lui* ★ ze uit elkaar ~ *les distinguer* ★ ze van elkaar ~ *les tenir éloignées l'une de l'autre* ★ houdt de dief! *au voleur!* • behouden *garder*; *tenir*; ‹in acht nemen› *observer* ★ zijn woord ~ *tenir parole* • handhaven *garder* ★ contact ~ met iem. *respirer le grand air* ★ de prijzen laag ~ *maintenir les prix bas* • niet verlaten ★ links/rechts ~ *serrer à gauche/à droite* • doen plaatsvinden *faire*; ‹uitspreken› *prononcer* • uithouden *tenir* ★ zijn lachen niet kunnen ~ *ne pas pouvoir se retenir de rire* • ~ **aan** ★ iem. aan zijn woord ~ *prendre qn au mot* • ~ **voor** ★ waar houdt u mij voor? *vous me prenez pour qui?* ▾ iets voor zich ~ *taire qc*; *garder qc pour soi* II ON WW • niet stukgaan *tenir* • ~ **van** *aimer* ★ veel ~ van *aimer beaucoup*; *adorer* III WKD WW blijven *s'en tenir (à)*
houder • klem *support* m • beheerder *porteur* m [v: *porteuse*]; ‹v. winkel e.d.› *tenancier* m [v: *tenancière*]; ‹v. recht/postrekening e.d.› *titulaire* m/v; ‹v. aandelen› *détenteur* m [v: *détentrice*]
houdgreep *clé* v
houding • lichaamshouding *position* v; *attitude* v; *tenue* v ★ in de ~ gaan staan *se mettre au garde-à-vous* • gedragslijn *contenance* v; *maintien* m ★ zich een ~ geven *se donner une contenance*
housemuziek *house music* v
houseparty *rave* v
housewarming *pendaison* v *de la crémaillère*
hout • materiaal *bois* m ★ hout bewerken *travailler le bois* • stuk hout *morceau* m *de bois* [m mv: *morceaux de bois*]; *bout* m *de bois* ▾ alle hout is geen timmerhout *il y a fagot et fagot* ▾ dat snijdt geen hout *ça ne prouve rien*; *ce n'est pas un argument*
houtduif *pigeon* m *ramier*
houten *de/en bois* ★ ~ vloer *plancher* m
houterig I BNW *raide*; *gauche* II BIJW *avec raideur*
houtgravure *gravure* v *sur bois*
houthakken *abattre des arbres*
houthakker *bûcheron* m
houthandel *commerce* m *de/du bois*
houthoudend ★ ~ papier *papier* m *avec bois/ligneux*
houtje *morceau* m *de bois* [m mv: *morceaux de bois*] ▾ op een ~ moeten bijten *n'avoir rien à se mettre sous la dent* ▾ iets op zijn eigen ~ doen *faire qc de sa propre initiative*
houtje-touwtjejas *duffel-coat* m [mv: *duffel-coats*]
houtlijm *colle* v *à bois*
houtskool *charbon* m *de bois*; ‹brandende houtskool› *braise* v; ‹om te tekenen› *fusain* m
houtskooltekening *(dessin* m *exécuté au) fusain* m
houtsnijwerk *sculpture* v *en bois*
houtsnip *bécasse* v *des bois*
houtvester *garde* m *forestier*
houtvrij ★ ~ papier *papier* m *sans bois/sans lignine*
houtwal *talus* m *boisé*
houtwerk • houten delen *boiserie* v • constructie ‹aan gebouw› *charpente* v; ‹in mijn› *boisage* m
houtwol *fibre* v *de bois*; *laine* v *de bois*
houtworm *perce-bois* m [onv]
houvast *point* m *d'appui*; *prise* v ★ ~ hebben aan *avoir prise sur*
houw • slag *coup* m • snee *blessure* v; *balafre* v
houwdegen *espadon* m
houweel *houe* v; *pioche* v
houwen • hakken *couper*; *hacher* • vormen *sculpter*; ‹v. steen› *tailler*
houwitser *obusier* m
hoveling *courtisan* m
hovenier *horticulteur* m [v: *horticultrice*]; *jardinier* m [v: *jardinière*]
hovercraft *aéroglisseur* m
hozen I OV WW *écoper* II ONP WW *pleuvoir à verse*
hts ≈ *école* v *technique supérieure*
hufter *plouc* m
huichelaar *hypocrite* m

huichelachtig I BNW *hypocrite* II BIJW *hypocritement*
huichelen I OV WW veinzen *feindre*; *simuler* II ON WW zich anders voordoen *faire l'hypocrite*
huid • vel *peau* v; ‹opperhuid› *épiderme* m • pels *peau* v ▾ iemand de huid vol schelden *accabler qn d'injures*; *engueuler qn*; *en dire de toutes les couleurs à qn* ▾ iemand op de huid zitten *s'acharner contre qn*
huidarts *dermatologiste* m/v; *dermatologue* m/v
huidig *présent*; *actuel* [v: *actuelle*] ★ tot op de ~e dag *jusqu'à présent*; *jusqu'à aujourd'hui*
huidkanker *cancer* m *de la peau*
huidkleur *couleur* v *de la peau*; ‹v. gezicht› *teint* m
huidmondje *stomate* m
huidtransplantatie *greffe* v *de (la) peau*
huiduitslag *éruption* v; ‹v. puistjes› *acné* v
huidverzorging *soins* m mv *de la peau*
huidziekte *affection* v *cutanée*; MED. *dermatose* v
huif *bâche* v
huifkar *charrette* v *bâchée*
huig *luette* v ★ TAALK. met de huig gevormd *uvulaire*
huilbui *crise* v *de larmes*
huilebalk *pleurnicheur* m [v: *pleurnicheuse*]
huilen I ZN *pleurs* m mv; *larmes* v mv; ‹v. wolven/wind› *hurlement* m II ON WW • wenen *pleurer*; INF. *chialer* • janken ‹v. wolven› *hurler*; ‹v. wind› *gémir*; *hurler*
huilerig I BNW geneigd tot huilen *pleureur* [v: *pleureuse*]; *larmoyant* II BIJW *d'une manière larmoyante*
huis • woning *domicile* m; *demeure* v • huisgezin *maison* v ★ ten huize van *chez* ★ heer des huizes *maître de maison* ★ vrouw des huizes *maîtresse de maison* ★ iem. het huis uitzetten *mettre qn à la porte* ★ naar huis gaan *rentrer* • geslacht *famille* v ★ van goeden huize *de bonne famille* • handelshuis *maison* v
huis-aan-huisblad *périodique* m *toutes boîtes*
huisadres *adresse* v *personnelle*
huisapotheek *armoire* v *à pharmacie*
huisarrest *résidence* v *forcée* ★ iem. ~ geven *priver qn de sortie*; JUR. *assigner qn en résidence forcée* ★ ~ hebben *être en résidence surveillée*
huisarts *médecin* m *de famille*; *médecin* m *généraliste*
huisbaas *propriétaire* m/v
huisbezoek *visite* v *à domicile*
huisdier *animal* m *domestique* [m mv: *animaux ...*]
huiseigenaar *propriétaire* m/v
huiselijk I BNW • het huis betreffend *domestique* • graag thuis zijnd *casanier* [v: *casanière*] • gezellig *familial* [m mv: *familiaux*] II BIJW *en famille*
huisgenoot *colocataire* m
huisgezin *famille* v
huishoudbeurs *salon* m *des arts ménagers*
huishoudboekje *livre* m *de comptes*
huishoudelijk • het huishouden betreffend *de maison*; *ménager* [v: *ménagère*]; *domestique* ★ ~e artikelen *articles* m mv *de ménage* ★ winkel voor ~e artikelen *quincaillerie* v ★ voor ~ gebruik *pour l'usage quotidien* ★ ~ werk *travaux* m mv *ménagers* • dagelijkse zaken betreffend ★ ~ reglement *règlement intérieur* m
huishouden I ZN *ménage* m ★ zijn ~ opzetten *monter son ménage* ★ het ~ doen *faire le ménage* ★ het ~ waarnemen *s'occuper du ménage* ★ driepersoons ~ *ménage à trois* II ON WW • de huishouding doen *faire le ménage* • tekeergaan *se livrer à des excès*; *faire des dégâts*
huishoudgeld *argent* m *du ménage*
huishouding *ménage* m ★ de ~ leren *apprendre à faire le ménage*
huishoudkunde *économie* v *domestique*
huishoudschool *école* v *ménagère*
huishoudster *ménagère* v; *aide* v *ménagère*; *femme* v *de ménage*
huishoudtrapje *escabeau* m [mv: *escabeaux*]
huisje • klein huis *petite maison* v • wachthuisje ‹bij halte› *abri* m ▾ een heilig ~ *un sujet sacré*
huisjesmelker ≈ *vampire* m
huiskamer *salle* v *de séjour*; *séjour* m; *living* m
huisknecht *domestique* m; *valet* m *de chambre*
huisman *homme* m *au foyer*
huismeester *gardien* m *d'immeuble*
huismerk *marque* v *de distributeur*
huismiddel *remède* m *de bonne femme*
huismijt *acarien* m
huismoeder *mère* v *de famille*
huismus • persoon *personne* v *casanière* • vogel *moineau* m [mv: *moineaux*]
huisnummer *numéro* m *de maison*
huisraad *équipement* m *ménager*; *meubles* m mv
huisschilder *peintre* m *en bâtiments*
huissleutel *clef* v *de la maison*
huisstijl *style* m *maison*
huistelefoon • *téléphone* m *intérieur* • *interphone®* m
huisvader *père* m *de famille*
huisvesten *loger*; *héberger*
huisvesting • het huisvesten *logement* m • verblijf *logement* m ★ ~ vinden *trouver à se loger* • huisvestingsbureau *bureau* m *de logement*
huisvlijt *travaux* m mv *du foyer*; *bricolage* m
huisvredebreuk *violation* v *de domicile*
huisvriend *ami* m *de la maison*
huisvrouw *mère* v *de famille*; *femme* v *au foyer*
huisvuil *ordures* v mv *ménagères*
huiswaarts *à la maison* ★ ~ gaan *rentrer (chez soi)*
huiswerk • schoolwerk *devoirs* m mv • huishoudelijk werk *travaux* m mv *ménagers*
huiswijn *vin* m *du patron*
huiszoeking *perquisition* v ★ een ~ doen *perquisitionner*
huiszwaluw *hirondelle* v *de fenêtre*
huiveren • rillen *frissonner*; *frémir* • terugschrikken *hésiter (à)*

huiverig • rillerig *frileux* [v: *frileuse*] • angstig *hésitant*
huivering • rilling *frisson* m; *frémissement* m • aarzeling *hésitation* v
huiveringwekkend I BNW *effrayant*; *terrifiant* II BIJW *épouvantablement*
huizen *demeurer*; *habiter*
huizenblok *pâté* m *de maisons*
huizenhoog *haut comme une montagne*; *énorme*
huizenmarkt *marché* m *de maisons|d'immeubles*
hulde *hommage* m
huldebetoon *hommages* m mv [mv]
huldeblijk *témoignage* m *de respect*
huldigen • eren *rendre hommage à* • aanhangen *souscrire à* ★ een mening ~ *souscrire à une opinion*
hullen *envelopper (dans|de)* ▾ zich in stilzwijgen ~ *se renfermer*
hulp • het helpen *aide* v; *assistance* v; *secours* m ★ hulp aan het buitenland *aide à l'étranger* ★ de eerste hulp verlenen bij een ongeluk *apporter les premiers secours|soins lors d'un accident* ★ onderlinge hulp *secours mutuel* ★ hulp bieden *apporter de l'aide*; *secourir (qn)* ★ iemands hulp inroepen *demander à qn de venir aider* ★ met Gods hulp *Dieu aidant*; *avec l'aide de Dieu* ★ om hulp roepen *appeler qn à son secours* ★ te hulp komen *venir en aide à qn*; *venir au secours de qn* • persoon *aide* v ★ hulp in de huishouding *aide familiale*; *femme de ménage*
hulpbehoevend *nécessiteux* [v: *nécessiteuse*]; ‹gebrekkig/invalide› *infirme*; *invalide*
hulpbron *ressource* v
hulpdienst *secourisme* m; *service* m *de secours* ★ technische ~ *service de dépannage* ★ medische ~ voor spoedgevallen ≈ *service d'aide médicale d'urgence (S.A.M.U.)* m
hulpeloos *dans le besoin*; *sans ressources*; *délaissé*
hulpmiddel • middel *moyen* m • uitkomst *remède* m
hulporganisatie *organisation* v *d'aide (humanitaire)*
hulppost *poste* m *de secours*
hulpstuk *accessoire* m
hulptransport *transport* m *auxiliaire*
hulpvaardig *serviable*; *empressé*
hulpverlener *assistant* m [v: *assistante*]; ‹in geestelijke verzorging› *thérapeute* m/v
hulpverlening *assistance* v ★ belangeloze vrijwillige ~ *bénévolat* m
hulpwerkwoord *(verbe* m*) auxiliaire* m
huls • omhulsel *enveloppe* v; ‹v. fles› *paillon* m • patroonhuls *douille* v • peul *cosse* v
hulst *houx* m
hum *humeur* v
humaan I BNW *humain* II BIJW *humainement*
humanisme *humanisme* m
humanist *humaniste* m/v
humanistisch *humanistique*
humanitair I BNW *humanitaire* II BIJW *avec humanité*
humbug • bluf *bluff* m • larie *balivernes* v mv ★ dat is toch allemaal ~! *façade que tout cela !*; *façade!*
humeur • stemming *humeur* v ★ uit zijn ~ brengen *mettre qn de mauvaise humeur* ★ in een goed/slecht ~ zijn *être de bonne|mauvaise humeur* ★ iem. in een goed ~ brengen *mettre qn de bonne humeur* • temperament *tempérament* m
humeurig *de mauvaise humeur*
hummel *gamin* m; *bambin* m; *mioche* m
humor *humour* m
humorist *humoriste* m/v
humoristisch I BNW ‹m.b.t. zaken› *humoristique*; ‹m.b.t. personen› *humoriste* II BIJW *avec humour*
humus *humus* m; *terreau* m
humuslaag *couche* v *humifère*
hun I PERS VNW ‹meewerkend voorwerp› *leur*; ‹na voorzetsel› *à eux* [v: *à elles*] II BEZ VNW *leur* [m mv: *leurs*]

H

hunebed ≈ *dolmen* m
hunkeren *aspirer (à)*; *être avide (de)*
hup *allez!*
huppeldepup *Machin* m *Chouette*
huppelen *sautiller*; *gambader*
huren I ZN *location* v II OV WW ‹iets› *louer*; ‹iemand› *engager*
hurken I ZN ▾ op je ~ zitten *être accroupi* II ON WW *s'accroupir*
hurktoilet *toilettes* v mv *à la turque*
hurkzit *accroupissement* m
husselen *mélanger*; *secouer* ★ kaarten ~ *mélanger les cartes* ★ groenten ~ *mélanger les légumes*
hut • huisje *cabane* v; *hutte* v; ‹strohut› *paillotte* v • cabine op schip *cabine* v
hutkoffer *malle* v
hutspot *plat* m *à base de pommes de terre, de carrottes, d'oignons et de viande de bœuf*
huur • het huren *location* v ★ te huur *à louer* • huursom *loyer* m ★ de huur betalen *payer le loyer*
huurachterstand *arriéré* m *de loyer*
huuradviescommissie *commission* v *des rapports locatifs*
huurauto *voiture* v *de location*
huurbelasting *droit* m *de bail*
huurbescherming *protection* v *des locataires*
huurcommissie *commission* v *des loyers*
huurcontract *contrat* m *de location*; *bail* m
huurder *locataire* m/v
huurhuis *maison* v *en location*
huurkamer *chambre* v *de location*
huurkoop *location-vente* v [mv: *locations-ventes*]
huurleger *armée* v *de mercenaires*
huurling *mercenaire* m
huurmoordenaar *tueur* m *à gages* [v: *tueuse*]
huurovereenkomst *bail* m *(d'une maison)*
huurprijs *prix* m *de location*
huurschuld *arriérés* m mv *de loyer*
huursubsidie *allocation* v *de logement*
huurverhoging *augmentation* v *de loyer*
huurwaardeforfait *valeur* v *locative annuelle*
huwbaar *en âge de se marier*; *à marier* ★ huwbare leeftijd *âge de se marier* m

huwelijk • verbintenis *mariage* m ★ in het ~ treden *se marier* ★ burgerlijk ~ *mariage civil* ★ kerkelijk ~ *mariage religieux* ★ ~ sluiten ‹stadhuis› *conclure un mariage*; ‹kerk› *célébrer un mariage* ★ ten ~ geven *donner en mariage* ★ ten ~ vragen *demander en mariage* ★ kind uit het eerste ~ *un enfant du premier mariage* ★ gemengd ~ *mariage mixte* ★ verstands~ *mariage de raison* ★ ~ uit liefde *mariage d'amour* • huwelijksvoltrekking *mariage* m; *noce* v
huwelijksaankondiging *faire-part* m onv *de mariage*; ‹in krant› *annonce* v *de mariage*
huwelijksaanzoek *demande* v *en mariage*
huwelijksadvertentie *annonce* v *matrimoniale*
huwelijksbootje ▾ in het ~ stappen *convoler en justes noces*
huwelijksbureau *agence* v *matrimoniale*
huwelijksfeest *noces* v mv
huwelijksgeschenk *cadeau* m *de mariage*
huwelijksnacht *nuit* v *de noces*
huwelijksreis *voyage* m *de noces*
huwelijksvoltrekking *célébration* v *du mariage*; *mariage* m; *noce* v
huwelijksvoorwaarden *régime* m *matrimonial* ★ trouwen met ~ *se marier sous le régime matrimonial*
huwen *se marier (avec)*; *épouser*
huzaar *hussard* m
huzarensalade ≈ *salade* v *russe*
huzarenstukje *exploit* m
hyacint *jacinthe* v
hybride *hybride* m
hydrateren *hydrater*; *introduire de l'eau dans*
hydraulisch *hydraulique*
hydrologie *hydrologie* v
hydroloog *hydrologue* m/v
hyena *hyène* v
hygiëne *hygiène* v
hygiënisch I BNW *hygiénique* II BIJW *hygiéniquement*
hymne *hymne* m
hype *campagne* v *publicitaire*
hypen *lancer à grand renfort de publicité*
hyper- *hyper-*
hyperbool *hyperbole* v
hypermarkt *hypermarché* m
hypermodern I BNW *ultramoderne* II BIJW *de façon ultramoderne*
hypertensie *hypertension* v
hyperventileren *faire de l'hyperventilation*
hypnose *hypnose* v ★ onder ~ *en état d'hypnose* ★ iem. onder ~ brengen *hypnotiser qn*
hypnotiseren *hypnotiser*
hypnotiseur *hypnotiseur* m [v: *hypnotiseuse*]
hypochonder I ZN *hypocondriaque* m II BNW *hypocondriaque* III BIJW *en hypocondriaque*
hypocriet I ZN *hypocrite* v II BNW *hypocrite* III BIJW *avec hypocrisie*
hypocrisie *hypocrisie* v
hypotenusa *hypothénuse* v
hypothecair *hypothécaire*
hypotheek *hypothèque* v ★ eerste ~ *première hypothèque* ★ ~ aflossen *purger les hypothèques*; *rembourser un prêt hypothécaire* ★ vrij van ~ *franc d'hypothèque* ★ belast met ~ *grevé d'une hypothèque* ★ ~ nemen op een huis *emprunter en hypothéquant une maison*
hypotheekbank *banque* v *hypothécaire*
hypotheekrente *rente* v *hypothécaire*
hypothese *hypothèse* v
hypothetisch I BNW *hypothétique* II BIJW *hypothétiquement*
hystericus *hystérique* m/v
hysterie *hystérie* v

I

i *i* m
ibs inbewaringstelling *prise* v *de corps*
iconografie *iconographie* v
icoon *icône* m
ICT Informatie- en Communicatietechnologie *technologie* v *d'information et de communication*
ideaal I ZN *idéal* m II BNW *idéal* [m mv: *idéals/idéaux*]
ideaalbeeld *idéalisation* v
idealiseren *idéaliser*
idealisme *idéalisme* m
idealist *idéaliste* m/v
idealistisch I BNW *idéaliste* II BIJW *avec idéalisme*; *en idéaliste*
idealiter *idéalement*; *dans l'idéal*
idee *idée* v; *opinion* v ★ ik heb zo het idee dat *j'ai idée que* ★ hoe kom je op het idee? *tu n'y penses pas!* ★ iem. op 'n idee brengen *suggérer une idée à qn* ★ hij kwam op het idee *il lui est venu l'idée*
ideëel *idéel* [v: *idéelle*] ★ een ~e instelling *une organisation à but non-lucratif*
ideeënbus *boîte* v *à idées*
idee-fixe *idée* v *fixe*
idem *idem*
identiek *identique*
identificatie *identification* v
identificatieplicht *obligation* v *de justifier son identité*
identificeren • identiteit vaststellen *identifier* ★ zich ~ *justifier de son identité* • vereenzelvigen *identifier (à)* ★ hij identificeerde zich altijd met zijn vader *il s'identifiait toujours à son père*
identiteit *identité* v
identiteitsbewijs *pièce* v *d'identité*; *carte* v *d'identité*
identiteitscrisis *crise* v *d'identité*
identiteitsplaatje *plaque* v *d'identité*
ideogram *idéogramme* m
ideologie *idéologie* v
ideologisch I BNW *idéologique* II BIJW *idéologiquement*
idiomatisch *idiomatique*
idioom *idiome* m
idioot I ZN *idiot*; *fou* m [v: *folle*] II BNW *idiot*
idiosyncratisch *idiosyncratique*
idioterie *idiotie* v
ID-kaart *carte* v *d'identité*
idolaat *idolâtre* ★ ~ zijn van iem. *idolâtrer qn*
idool *idole* v
idylle *idylle* v
idyllisch *idyllique*
ieder • zelfstandig gebruikt *chacun* [v: *chacune*] • bijvoeglijk gebruikt *chaque*; *tout* ★ hij kan ~e dag komen *il peut venir d'un jour à l'autre*
iedereen *tout le monde*; *tous* [v: *toutes*]; ‹ieder afzonderlijk› *chacun* [v: *chacune*] ★ ~ was aanwezig *tous étaient présents*
iel *frêle*; *délicat*
iemand ‹bevestigend› *quelqu'un*; ‹ontkennend› *ne ... personne* ★ heeft ~ mijn bril soms gezien? *qn aurait vu mes lunettes?*; *personne n'a vu mes lunettes?* ★ is er niet ~ die mij wil helpen? *est-ce qu'il n'y a personne qui veut m'aider?*
iep *orme* m ★ een haag van jonge iepen *une ormille*
Ier *Irlandais* m [v: *Irlandaise*]
Ierland *l'Irlande* v ★ in ~ *en Irlande*
Iers *irlandais*
iets I BIJW *un peu* ★ iets meer *un peu plus* II ONB VNW een ding, wat ‹bevestigend› *quelque chose*; ‹ontkennend› *rien* ★ iets goeds *qc de bon* ★ dat is iets anders *c'est autre chose* ★ iets te eten *de quoi manger* ★ heb je ooit iets mooiers gezien? *as-tu jamais vu qc de plus beau?* ★ zonder iets te doen *sans rien faire*
ietsje *rien* m *(de)* ★ een ~ water *une lichette d'eau* v; *un doigt d'eau* m
ietwat *un peu*
iglo *igloo* m
i-grec *upsilon* m
ijdel I BNW • pronkzuchtig *vaniteux* [v: *vaniteuse*]; *prétentieux* [v: *prétentieuse*] ★ wat is die Jan toch ~ *qu'est-ce qu'il est vaniteux, Jean* • vergeefs *vain*; *inutile* ★ ~e hoop *vain espoir* m II BIJW vergeefs *vainement*; *inutilement*; *en vain*
ijdelheid *prétention* v; *vanité* v; *coquetterie* v
ijdeltuit *vaniteux* m [v: *vaniteuse*]
ijken *étalonner*
ijkpunt *point* m *de référence avec lequel on compare ce qui est à poinçonner*; *étalon* m
ijkwezen *administration* v *des poids et mesures*
ijl I ZN ★ in aller ijl *en toute hâte* ★ in aller ijl eten *manger sur le pouce* II BNW ★ ijle lucht *air raréfié* m ★ de lucht wordt ijler *l'air se raréfie*
ijlbode *courrier* m *spécial*; *estafette* v
ijlen • onzin uitkramen *délirer*; *divaguer*; ‹bij koorts› *avoir un délire* • haasten *se dépêcher*
ijlings *au plus vite*; *en toute hâte*; *promptement*
ijltempo *allure* v *effrénée*
ijs • bevroren water *glace* v ★ in ijs, met ijs gekoeld *à la glace*; *frappé* • lekkernij *glace* v ★ een portie ijs *une glace* ▾ onbeslagen ten ijs komen *être mal préparé* ▾ het ijs breken *rompre la glace* ▾ hij gaat niet over één nacht ijs *il ne se risque pas à la légère*
ijsafzetting *givrage* m
ijsbaan *patinoire* v; *piste* v *de patinage*
ijsbeer *ours* m *blanc*
ijsberen *faire les cent pas*; *tourner comme un ours en cage*
ijsberg *iceberg* m
ijsbergsla *salade* v *batavia*
ijsbloemen *arborisations* v mv; *fleurs* v mv *de glace*
ijsblokje *glaçon* m; *cube* m *de glace*
ijsbreker *brise-glace(s)* m [onv]
ijscoman *vendeur* m *de glaces* [v: *vendeuse ...*]
ijscoupe *coupe* v *de glace*
ijselijk I BNW *affreux* [v: *affreuse*]; *horrible* II BIJW *affreusement*; *horriblement*
ijsgang *débâcle* v
ijshockey *hockey* m *sur glace*

ijshockeyen *faire du hockey sur glace*
ijsje *glace* v
ijskar *voiture* v *à glace*
ijskast *réfrigérateur* m; INF. *frigo* m
ijsklomp *bloc* m *de glace*
ijsklontje *glaçon* m
ijskoud • zeer koud *glacial* [m mv: *glacials*|*glaciaux*]; *glacé* • emotieloos *glacial*
ijskristal *cristal* m *de glace*
IJsland *l'Islande* v ★ in ~ *en Islande*
IJslander *Islandais* m [v: *Islandaise*]
IJslands I ZN *islandais* m II BNW *islandais*
ijslolly *glace* v; *esquimau* m [mv: *esquimaux*]
ijsmachine • machine voor consumptieijs *sorbetière* v • machine voor kunstijs *machine* v *frigorifique*
ijsmuts ≈ *bonnet* m
ijspegel *stalactite* m *de glace*
ijspret *joies* v mv *du patinage*
ijssalon *pâtissier-glacier* m [mv: *pâtissiers-glaciers*]
ijstaart *gâteau* m *glacé* [m mv: *gâteaux glacés*]; *bombe* v *glacée*
ijstijd *période* v *glaciaire*
ijsverkoper *glacier* m
ijsvogel *martin-pêcheur* m [mv: *martins-pêcheurs*]; *alcyon* m
ijsvrij *congé* m *de patinage* ★ ~ krijgen *être en congé de patinage*
ijswater *eau* v *glacée*
ijszee *mer* v *glaciale* ★ Noordelijke IJszee *océan Arctique* m ★ Zuidelijke IJszee *océan Antarctique* m
ijszeilen *faire de la voile sur glace*
ijver • vlijt *zèle* m • geestdrift *assiduité* v; *ardeur* v ★ blinde ~ *un excès de zèle*
ijveren ★ tegen iets ~ *militer contre qc* ★ voor iets ~ *militer pour qc*
ijverig I BNW • vlijtig *zélé*; *appliqué* • geestdriftig *zélé*; *fervent* II BIJW • vlijtig *avec zèle*; *avec application* • geestdriftig *avec ferveur*; *avec empressement*
ijzel ‹op bomen› *givre* m; *verglas* m
ijzelen *faire du verglas* ★ het ijzelt *il y a du verglas*
ijzen *être glacé d'effroi*; *être saisi d'horreur* ★ ~ voor iets *frémir à l'idée de qc*
ijzer *fer* m ★ oud ~ *ferraille* v ▼ men kan geen ~ met handen breken *à l'impossible nul n'est tenu*
ijzerdraad *fil* m *de fer*
ijzeren *de fer*
ijzererts *minerai* m *de fer*
ijzergaren *fil* m *glacé (de coton)*
ijzerhandel *quincaillerie* v
ijzerhoudend • m.b.t. erts *ferreux* [v: *ferreuse*] • als oxide *ferrique*
ijzerpreparaat *médicament* m *ferrugineux*
ijzersterk *très solide*; *incassable*; *inusable* ★ ~e kousen *des bas inusables* ★ een ~ gestel *une santé de fer*
ijzertijd *Age* m *du fer*
ijzervijlsel *limaille* v *de fer*
ijzervreter • geharde vechtjas *bagarreur* m • MIL. *sabreur* m
ijzerwaren *quincaillerie* v
ijzerzaag *scie* v *à métaux*

I

ijzig • zeer koud *glacial* [m mv: *glacials*|*glaciaux*] • gevoelloos *froid* ★ een ~e blik *un regard glacial* • ijselijk *terrifiant*; *horrible*
ijzingwekkend *terrifiant*; *épouvantable*
ik I ZN *moi* m; *ego* m ★ mijn tweede ik *mon autre moi-même* II PERS VNW ‹onderwerp› *je*; ‹beklemtoond› *moi* ★ ik ben het *c'est moi* ★ ík ben wel het met je eens *moi, je suis d'accord avec toi* ★ ik kom eraan! *j'arrive!*
ik-figuur *narrateur* m [v: *narratrice*]
illegaal I ZN • buitenlander *clandestin* m; *travailleur* m *immigré clandestin*; *sans-papiers* m • verzetsstrijder *résistant*; *maquisard* m II BNW *illicite*; *clandestin*; *illégal* [m mv: *illégaux*]
illegaliteit *illégalité* v; *clandestinité* v; ‹v. werk› *travail* m *clandestin*; ‹m.b.t. verzet› *résistance* v
illusie *illusion* v ★ zich geen ~s meer maken over *ne plus se faire d'illusions sur* ★ de ~ was verstoord *le charme était rompu*
illusionist *illusionniste* m/v
illuster *illustre*
illustratie • afbeelding *illustration* v • toelichting *illustration* v ★ ter ~ *à titre d'illustration*
illustratief *illustratif* [v: *illustrative*] ★ een ~ voorbeeld *un exemple illustratif*
illustrator *illustrateur* m [v: *illustratrice*]
illustreren • toelichten *illustrer* • van afbeeldingen voorzien *illustrer*
image *réputation* v; *image* v *de marque*
imagebuilding ★ aan ~ doen *se créer une image de marque*
imaginair *imaginaire*
imago *image* v
imam *imam* m
imbeciel I ZN • dom persoon *imbécile* v • zwakzinnige *arriéré* m *mental* [m mv: *arriérés mentaux*] [v: *arriérée mentale*] II BNW *imbécile*
IMF *F.M.I.* m; *Fonds* m *monétaire international*
imitatie *imitation* v
imitatieleer *similicuir* m
imitator *imitateur* m [v: *imitatrice*]
imiteren *imiter*
imker *apiculteur* m [v: *apicultrice*]
immanent *immanent*
immaterieel *immatériel* [v: *immatérielle*]
immatuur *immature*
immens I BNW *immense* II BIJW *immensément*
immer • ooit *jamais* • altijd *toujours* ★ voor ~ *à jamais*
immers • toch *puisque*; *n'est-ce pas?* ★ ik ben toch ~ je vriendje *puisque je suis ton ami*; *je suis ton ami, n'est-ce pas?* • want *car*; *c'est que*
immigrant *immigrant* m [v: *immigrante*]
immigratie *immigration* v
immigratiebeleid *politique* v *d'immigration*
immigreren *immigrer*
immoreel I BNW *immoral* [m mv: *immoraux*] II BIJW *immoralement*
immuniseren *immuniser*
immuniteit *immunité* v
immuun • onvatbaar *immunisé* ★ ~ maken

immuniser • onschendbaar *inviolable* • ongevoelig *insensible (à)* ★ ~ voor beledigingen *insensible aux insultes*
impact *impact* m; *effet* m
impasse *impasse* v ★ zich in een ~ bevinden *être dans une impasse*
imperatief I ZN *impératif* m II BNW *impératif* [v: *impérative*]
imperfectum *imparfait* m
imperiaal *porte-bagages* m [onv]
imperialisme *impérialisme* m
imperialistisch *impérialiste*
imperium *empire* m
impertinent I BNW *impertinent* II BIJW *avec impertinence*
implantaat *implant* m
implanteren MED. *implanter*
implementeren *impliquer*
implicatie *implication* v
impliceren *impliquer*
impliciet *implicite*
imploderen *imploser*
implosie *implosion* v
imponeren *impressionner*; *imposer du respect* ★ zij imponeert mij *elle m'en impose*
impopulair *impopulaire*
import *importation* v
importantie *importance* v
importeren *importer*
importeur *importateur* m [v: *importatrice*]
imposant I BNW *imposant* II BIJW *de façon imposante*
impotent *impuissant*
impotentie *impuissance* v
impregneren *imprégner*
impresariaat *bureau* m *d'un impresario*
impressie *impression* v
impressionisme *impressionnisme* m
improductief *improductif* [v: *improductive*]
improvisatie *improvisation* v
improviseren *improviser* ★ een geïmproviseerd dak *un abri de fortune*
impuls *impulsion* v
impulsaankoop *achat* m *impulsif*
impulsief *impulsif* [v: *impulsive*]
impulsiviteit *impulsivité* v
in I BIJW • binnen *dans* ★ zij loopt het huis in *elle entre dans la maison* ★ er zit niets in *il n'y a rien dedans* • populair *branché* ★ rokjes zijn in *les jupes sont très à la mode* II VZ • op een bepaalde plaats *à*; *en*; *dans* ★ in huis *à la maison* ★ in bed *au lit* ★ hij woont in de Scheldestraat *il habite rue Schelde* ★ in een kist *dans une caisse* ★ in Rome *à Rome* ★ in Italië *en Italie* • op/binnen een bepaalde tijd ★ in een week of twee *dans 15 jours* ★ in de zomer *en été* ★ in het begin *au début* ★ in de veertig (jaar) *40 ans bien sonnés* ★ in 1993 *en 1993* • per *à* • bezig met/te *en* ★ in bloei *en fleurs* ★ in opkomst *en vogue*
inachtneming • het in acht nemen *observation* v • nakoming *considération* v ★ met ~ van *en considération de*
inademen *respirer*; *inhaler*
inadequaat *inadéquat*
inauguratie *inauguration* v
inaugureel *inaugural* [m mv: *inauguraux*]; *d'ouverture*
inaugureren *inaugurer*; *installer*
inbaar *encaissable*; *percevable*
inbedden *encastrer*
inbeelden (zich) • verkeerde voorstelling maken *s'imaginer* • hoge dunk hebben van *se faire des idées* ★ wat beeldt hij zich wel in? *pour qui se prend-il?*
inbeelding • hersenschim *illusion* v; *chimère* v; *hallucination* v • verwaandheid *prétention* v; *présomption* v
inbegrepen *compris* ★ bediening ~ *service* m *compris*
inbegrip ★ met ~ van *y compris*; *inclus*
inbeslagneming *saisie* v
inbewaringstelling *prise* v *de corps*
inbinden I OV WW • in band binden *relier* ★ een boek ~ *relier un livre* • beteugelen *retenir*; *réprimer* II ON WW zich matigen *baisser de ton*
inblazen *insuffler* ★ iem. moed ~ *insuffler du courage à qn*
inblikken *mettre en conserve*
inboedel *mobilier* m
inboedelverzekering *assurance* v *mobilier*
inboeten *perdre*; *laisser*; *repiquer* ★ aan betekenis ~ *perdre son sens*
inboezemen *inspirer* ★ afkeer ~ *dégoûter* ★ ontzag ~ *imposer du respect* ★ iem. angst ~ *angoisser qn*
inboorling *indigène* m/v; *autochtone* v
inborst *naturel* m; *nature* v ★ een zachtzinnige ~ hebben *être d'un naturel doux*
inbouw- • inbouwbaar *encastrable* • ingebouwd *encastré*
inbouwen • met gebouwen omgeven *entourer de bâtiments*; *entourer de murs* • in iets anders bouwen *incorporer*; *encastrer (dans)* ★ ingebouwde speakers *des haut-parleurs incorporés* ★ een ingebouwde badkuip *une baignoire encastrée* • in een regeling opnemen *inclure*; *introduire* ★ veiligheidsmaatregelen ~ *inclure des mesures de sécurité*
inbouwkeuken *cuisine* v *par éléments à encastrer*
inbraak *cambriolage* m; *effraction* v
inbraakpreventie *(protection* v*) antivol* m
inbranden *fixer à haute température*; ‹v. merkteken› *marquer au fer rouge*; ‹op hout› *pyrograver*
inbreken *cambrioler*
inbreker *cambrioleur* m [v: *cambrioleuse*]
inbreng • bijdrage *contribution* v • inleg *mise* v *de fonds*; ‹bij spaarbank› *dépôt* m; JUR. *apport* m • gift *contribution* v
inbrengen • naar binnen brengen *rentrer*; *introduire* • bijdragen *contribuer*; ‹in huwelijk› *apporter* • aanvoeren *opposer (à)*; *alléguer* ★ niets in te brengen hebben *ne pas avoir voix au chapitre* ★ daar valt niets tegen in te brengen *il n'y a rien à objecter*
inbreuk *violation* v *(de)*; *infraction* v *(à)* ★ ~ doen op iemands privéleven *porter atteinte à la vie privée de qn* ★ een ~ op de wet *une infraction à la loi*; *une violation de la loi*

inburgeren *s'acclimater; s'intégrer*
inburgeringscursus *cours* m *de naturalisation*
Inca *Inca* m/v
incalculeren • in de berekening opnemen *calculer dans; inclure dans* • in overweging opnemen *prévoir*
incapabel I BNW *inapte (à)* **II** BIJW *avec inaptitude*
incarnatie *incarnation* v
incasseren • geld innen *encaisser*; ‹v. belasting› *percevoir* • moeten verduren *encaisser; endurer*
incasseringsvermogen ⋆ een groot ~ hebben *savoir encaisser*
incasso • innen van geld *encaissement* m; *recouvrement* m • te innen bedrag *somme* v *à recouvrer*
incassobureau *bureau* m *de recouvrement* [m mv: *bureaux ...*]
incassokosten *frais* m mv *d'encaissement*
incest *inceste* m
incestslachtoffer *victime* v *d'inceste*
incestueus *incestueux* [v: *incestueuse*]
incestzaak *cas* m *d'inceste*
inch *pouce* m
incheckbalie *enregistrement* m *(des bagages)*
inchecken *se faire enregistrer*
incident *incident* m
incidenteel I BNW • nu en dan *occasionnel* [v: *occasionnelle*]; *accidentel* [v: *accidentelle*] • terloops *accidentel* [v: *accidentelle*] **II** BIJW • terloops *accidentellement* • nu en dan *occasionnellement; accidentellement*
incluis *y compris; inclusivement*
incognito I ZN *incognito* m **II** BIJW *incognito*
incoherent I BNW *incohérent* **II** BIJW *de manière incohérente*
in-companytraining *formation* v/*instruction* v *interne (à l'entreprise)*
incompatibel *incompatible*
incompatibiliteit *incompatibilité* v
incompetent • onbevoegd *incompétent* • onbekwaam *incapable*
incompleet I BNW *incomplet* [v: *incomplète*] **II** BIJW *incomplètement*
in concreto *concrètement*
incongruent *dissemblable; inégal* [m mv: *inégaux*]
inconsequent I BNW *inconséquent* **II** BIJW *de façon inconséquente*
inconsistent *inconsistant*
incontinent *incontinent*
incorporeren *incorporer (dans)*
incorrect • onnauwkeurig *inexact* • ongepast *incorrecte*
incourant ‹v. geld› *non coté*; ‹v. artikelen› *peu courant*
incrowd *noyau* m *fermé*
incubatietijd *incubation* v; *période* v *d'incubation*
indammen • met dam insluiten *endiguer* • inperken *maîtriser*
indekken (zich) *se protéger* ⋆ zich ~ tegen *s'assurer contre; assurer ses arrières contre*
indelen • rangschikken ‹in groepen› *diviser (en); répartir (en); classer* ⋆ opnieuw ~ *reclasser* • onderbrengen *incorporer (dans); affecter (à)* ⋆ iem. ~ bij de stoottroepen *affecter qn aux unités de choc*
indeling • rangschikking *répartition* v; *division* v ⋆ de ~ van een flat *la division intérieure d'un logement* ⋆ nieuwe ~ op loonschaal *reclassement professionnel* m • MIL. *incorporation* v *(dans)*
indenken (zich) *s'imaginer*
inderdaad *en effet; en réalité* ⋆ dat is ~ waar *c'est vrai en effet*
inderhaast *à la hâte; précipitamment*
indertijd *dans le temps; à l'époque*
indeuken *cabosser; bosseler*
index • inhoudsopgave *index* m • indexcijfer *indice* m ⋆ ~ van de kosten van levensonderhoud *indice du coût de la vie*
indexcijfer *indice* m
indexeren • koppelen aan indexcijfer *indexer* • een index maken op *faire l'index (de)* • in een index opnemen *mettre dans l'index; répertorier*
India *l'Inde* v ⋆ in ~ *en Inde*
indiaan *Indien* m [v: *Indienne*]
Indiaas *indien* [v: *indienne*]
indicatie *indication* v; ‹juridisch› *indice* m
indicator *indicateur* m
indien *si; supposé que* ⋆ wat zullen we doen ~ hij niet komt? *que ferons-nous s'il ne vient pas?*
indienen *présenter; déposer* ⋆ een wetsontwerp ~ *présenter un projet de loi* ⋆ zijn ontslag ~ *donner sa démission* ⋆ een klacht ~ *déposer une plainte*
indiensttreding *entrée* v *en service*
Indiër *Indien* m [v: *Indienne*]
indigestie *indigestion* v
indigo I ZN (de) *indigo* m **II** ZN (het) kleur *indigo* m
indijken *endiguer*
indikken • dik worden *s'épaissir* • dik maken *épaissir; concentrer; réduire* ⋆ ingedikt vruchtensap *jus* m *de fruit réduit*
indirect I BNW *indirect* **II** BIJW *indirectement*
Indisch *indien* [v: *indienne*]
Indische Oceaan *océan* m *Indien*
indiscreet I BNW *indiscret* [v: *indiscrète*] **II** BIJW *indiscrètement*
individu *individu* m
individualiseren *individualiser*
individualisme *individualisme* m; *goût* m *de l'indépendence*
individualist *individualiste* m/v
individualistisch *individualiste*
individueel I BNW *individuel* [v: *individuelle*] **II** BIJW *individuellement*
indoctrinatie *endoctrinement* m; *bourrage* m *de crâne*
indoctrineren *endoctriner*
indolent *indolent*
indolentie *indolence* v; *apathie* v
indommelen *s'assoupir*
Indonesië *l'Indonésie* v ⋆ in ~ *en Indonésie*
Indonesiër *Indonésien* m [v: *Indonésienne*]
Indonesisch *indonésien* [v: *indonésienne*]
indoor *en salle*
indoorwedstrijd *match* m *en salle/indoor*
indraaien I OV WW in iets draaien *faire entrer*

en tournant (dans); introduire en tournant ★ een schroef ~ *serrer une vis* **II** ON WW ingaan *entrer (dans)* ▾ de gevangenis ~ *se faire embarquer*
indringen I OV WW erin duwen *faire entrer (dans)* **II** ON WW binnendringen *entrer (dans); pénétrer (dans); s'insinuer (dans)* **III** WKD WW zich opdringen *s'imposer (à)*
indringend *profond; pénétrant*
indringer *intrus* m; *personne* v *envahissante*
indruisen ★ ~ tegen *être contraire à; aller à l'encontre de*
indruk • in-/uitwerking *impression* v; *sensation* v ★ de ~ maken te *avoir l'air de* ★ dat maakt op mij de ~ van ... *cela me fait l'effet de ...* ★ ~ maken op *faire impression sur; impressionner* ★ onder de ~ van *sous le coup de* • spoor *marque* v; *empreinte* v
indrukken • drukken op *pousser* ★ een toets ~ *appuyer sur une touche* ★ ingedrukt blijven *rester enclenché* • kapotdrukken *enfoncer* ▾ een opstand de kop ~ *réprimer une révolte*
indrukwekkend *impressionnant; imposant*
in dubio ★ ~ staan *hésiter*
induceren *induire*
inductie *induction* v; ‹in de taalkunde› *métaphonie* v
inductiemotor *moteur* m *à induction*
inductiestroom *courant* m *induit*
industrialisatie *industrialisation* v
industrialiseren *industrialiser*
industrie *industrie* v ★ zware ~ *industrie lourde*
industrieel I ZN *industriel* m **II** BNW *industriel* [v: *industrielle*]
industrieland *pays* m *industriel*
industrieterrein *zone* v *industrielle*
indutten *s'assoupir*
ineen • in elkaar *l'un dans l'autre* • dichter naar elkaar toe *ensemble*
ineenduiken *se recroqueviller*
ineengedoken *recroquevillé; blotti*
ineenkrimpen *se recroqueviller; se crisper* ★ hij kromp ineen van de pijn *il se tordit de douleur* ▾ zijn hart kromp ineen *son cœur se serra*
ineens • opeens *soudain; tout à coup* • in één keer *en une fois; d'un seul coup*
ineenschrompelen *se ratatiner; se racornir*
ineenschuiven *(s')emboîter*
ineenstorten *s'effondrer; s'écrouler*
ineenzakken *s'affaisser*
ineffectief *sans effet*
inefficiënt *inefficace*
inenten *vacciner; inoculer*
inenting *vaccination* v; *inoculation* v
inert I BNW *inerte* **II** BIJW *avec inertie*
in extenso *in extenso*
infaam I BNW *infâme* **II** BIJW *de manière infâme*
infaden *(faire) apparaître en fondu*
infanterie *infanterie* v ★ bij de ~ *dans l'infanterie*
infanterist *fantassin* m
infantiel I BNW *infantile* **II** BIJW *de manière infantile*
infantiliseren *infantiliser*
infarct *infarctus* m
infecteren *infecter*
infectie *infection* v
infectiehaard *foyer* m *d'infection*
infectueus *infectieux* [v: *infectieuse*]; *contagieux* [v: *contagieuse*]
inferieur I BNW minderwaardig *inférieur* ★ een ~ product *un produit de qualité inférieure* **II** BIJW *inférieurement*
infernaal *infernal* [m mv: *infernaux*]
infiltrant *personne* v *qui s'infiltre*
infiltratie *infiltration* v
infiltreren *s'infiltrer*
infinitesimaalrekening *calcul* m *infinitésimal* [m mv: *calculs infinitésimaux*]
infinitief *infinitif* m
inflatie *inflation* v
inflatiecorrectie *correction* v *d'inflation/de dépréciation monétaire*
inflexibel *inflexible*
influenza *grippe* v; *influenza* v
influisteren • fluisterend zeggen *glisser à l'oreille; chuchoter;* ‹souffleren› *souffler* • suggereren *insinuer; suggérer*
informant *informateur* m [v: *informatrice*]
informateur *informateur* m [v: *informatrice*]
informatica *informatique* v
informaticus *informaticien* m [v: *informaticienne*]
informatie • inlichtingen *renseignements* m mv ★ ~ aanvragen *demander des renseignements* • het geven van kennis *information* v ★ ~ verstrekken *renseigner*
informatiebalie *renseignements* m mv
informatiedrager *support* m *d'information; porteur* m *de données*
informatief *informatif* [v: *informative*]
informatiestroom *circulation* v *de l'information*
informatisering *informatisation* v
informeel I BNW • niet formeel *informel* [v: *informelle*] • vrijblijvend *non officiel* [v: *non officielle*] ★ informele besprekingen *entretiens* m mv *non officiels* **II** BIJW *à titre non officiel*
informeren I OV WW inlichten *informer; renseigner* ★ iem. over iets ~ *informer qn de qc; renseigner qn sur qc* **II** ON WW inlichtingen inwinnen *s'informer; se renseigner* ★ ~ naar *s'informer de; se renseigner sur*
infotainment *amusement* m *informatif à la radio/à la télévision*
infrarood *infrarouge*
infrastructuur *infrastructure* v
infusiediertjes *infusoires* m mv
infuus *perfusion* v ★ aan een ~ liggen *être (placé) sous perfusion*
ingaan • binnengaan *entrer (dans); pénétrer (dans qc/chez qn)* ★ een bocht ~ *prendre un virage* • beginnen *commencer* ★ de reisverzekering gaat in op 2 maart *l'assurance voyage commence le 2 mars* • ~ **op** *réagir (à);* ‹inwilligen› *donner suite (à)* ★ op een voorstel ~ *donner suite à une proposition* ★ ik kan nu niet op je vraag ~ *je ne peux pas répondre à ta question maintenant* ★ op een brutaliteit ~ *relever*

une impertinence ★ ik zal er verder niet op ~ *je n'insisterai pas là-dessus* ★ op een verzoek ~ *accorder une demande* • ~ **tegen** *s'opposer (à)*
ingaande I BNW ★ in- en uitgaande rechten *droits d'entrée et de sortie* m II VZ *à partir de; depuis* ★ rente ~ op *intérêt compté à partir du*
ingang • toegang *entrée* v; *accès* m • begin *commencement* m ★ met ~ van *à partir de* ★ datum van ~ *date d'effet* v • trefwoord *entrée* v ▾ ~ vinden *avoir du succès* ▾ ~ doen vinden *faire accepter; introduire*
ingebakken *inhérent; inné*
ingebeeld • denkbeeldig *imaginaire* • verwaand *prétentieux* [v: *prétentieuse*]
ingebonden ‹v. boek› *relié*
ingebrekestelling *constitution* v *en demeure*
ingebruikneming *mise* v *en service*
ingeburgerd *intégré*; FIG. *consacré*
ingekleurd *colorié*
ingenieur *ingénieur* m
ingenieus I BNW *ingénieux* [v: *ingénieuse*] II BIJW *astucieusement*
ingenomen ★ ~ met *content de; satisfait de* ★ met zich zelf ~ *satisfait de sa personne* ★ ~ tegen *prévenu contre*
ingesleten *usé* ▾ ~ gewoonte *habitude* v *qui depuis longtemps ne change plus*
ingespannen I BNW • met inspanning *intensif* [v: *intensive*] • geconcentreerd *concentré* II BIJW • geconcentreerd *avec concentration* • met inspanning *intensivement*
ingetogen I BNW niet uitbundig *réservé; modeste* II BIJW *avec réserve; modestement*
ingeval *au cas où (+ cond.); dans le cas où (+ cond.)*
ingeven • doen innemen *faire prendre; faire avaler; donner* • in gedachten geven *inspirer; suggérer*
ingeving *inspiration* v; *suggestion* v ★ een ~ krijgen *avoir une idée géniale*
ingevolge *en conséquence (de)* ★ ~ uw verzoek *suite à votre demande*
ingewanden • inwendige organen *intestins* m mv; ‹culinair› *tripes* v mv • het binnenste *entrailles* v mv
ingewijde *initié* m [v: *initiée*]
ingewikkeld *compliqué; embrouillé; sophistiqué* ★ een ~e som *un problème ardu*
ingeworteld *ancré; enraciné*
ingezetene *habitant* m [v: *habitante*]; *résidant* m [v: *résidante*]; *administré* m [v: *administrée*]
ingooi *remise* v *en jeu*
ingooien • kapotgooien *casser; briser* ★ een ruit ~ *casser une vitre* • erin gooien *jeter dans*; SPORT *remettre en jeu*
ingraven *enterrer; enfouir* ★ zich in de grond ~ *se terrer*
ingraveren *graver (dans)*
ingrediënt *ingrédient* m
ingreep *intervention* v ★ operatieve ~ *intervention chirurgicale*
ingrijpen *intervenir; s'interposer* ★ ~ bij een conflict *intervenir dans un conflit* ▾ die gebeurtenis heeft diep ingegrepen in mijn leven *cet événement a été d'une importance capitale dans ma vie; cet événement a bouleversé ma vie*
ingrijpend *énergique; profond; radical* [m mv: *radicaux*] ★ ~e wijzigingen *des changements radicaux*
ingroeien *pousser (dans); entrer (dans)*; ‹in het vlees› *s'incarner* ★ ingegroeide nagels *des ongles qui se sont incarnés*
inhaalmanoeuvre *dépassement* m
inhaalrace *course* v *de rattrapage*
inhaalstrook *voie* v *de dépassement*
inhaalverbod *interdiction* v *de dépasser*
inhaken • een arm geven *prendre par le bras* • ~ **op** *ajouter; enchaîner (sur)* ★ hij haakte in op een opmerking *il enchaîna à la suite d'une remarque*
inhakken *enfoncer (à coups de hache)*; ‹m.b.t. personen› *foncer sur*
inhalen • naar binnen halen *rentrer* ★ de zeilen ~ *amener les voiles* ★ de loopplank ~ *retirer la passerelle* ★ het ~ van een visnet *la levée d'un filet* • verwelkomen *recevoir solennellement* • gelijk komen met *rejoindre* • voorbijgaan *doubler; dépasser* ★ verboden in te halen *dépassement interdit* ★ het ~ van een auto *le dépassement d'une voiture* • goedmaken *rattraper* ★ de verloren tijd ~ *rattraper le temps perdu* ★ achterstand ~ *combler un retard*
inhaleren *inhaler*
inhalig *cupide; avide*
inham *anse* v; *crique* v; *baie* v
inhechtenisneming *arrestation* v
inheems *indigène; du pays* ★ ~e ziekte *maladie* v *endémique*
inherent *inhérent (à)*
inhoud • dat wat erin zit *contenu* m • dat wat erin kan zitten *capacité* v; *contenance* v; *volume* m • inhoudsopgave *index* m; *table* v *des matières* • strekking *sens* m; *signification* v • datgene waarover iets handelt *contenu* m; *sujet* m; *matière* v ★ korte ~ *résumé* m
inhoudelijk *du contenu* ★ ~e opmerkingen *des remarques* v mv *portant sur le contenu*
inhouden • bevatten *contenir; renfermer* • betekenen *vouloir dire* • bedwingen *retenir; contenir* ★ zijn woede ~ *contenir sa colère* ★ je adem ~ *retenir sa respiration* • niet betalen *retenir; déduire* ★ een percentage ~ *déduire un pourcentage*
inhouding • bedrag *prélèvement* m; *retenue* v • handeling *retenue* v; ‹v. het rijbewijs› *retrait* m
inhoudsmaat *mesure* v *de capacité*
inhoudsopgave *table* v *des matières*
inhuldigen *installer*; ‹v. koning› *sacrer; introniser*
inhuldiging *installation* v *solennelle*; ‹v. koning› *intronisation* v; *sacrement* m
inhuren *engager*
initiaal *initiale* v
initiatie *initiation* v
initiatief *initiative* v ★ het ~ nemen tot *prendre l'initiative de* ★ op ~ van *sur l'initiative de* ★ op eigen ~ *de sa propre*

initiative
initiatiefnemer *initiateur* m [v: *initiatrice*]
initiatierite *rite* m *initiatique*
initieel *initial* [m mv: *initiaux*] ⋆ initiële kosten *frais* m mv *initiaux*
initiëren • inwijden *initier* • invoeren *introduire*
injecteren *injecter*
injectie • prik *piqûre* v; *injection* v ⋆ een ~ geven *faire une piqûre* • materiële hulp *injection* v ⋆ een financiële ~ *une injection financière*
injectiemotor *moteur* m *à injection*
injectienaald *aiguille* v
inkapselen *envelopper*
inkeer *retour* m *sur soi-même*; *repentir* m ⋆ tot ~ komen *se repentir*
inkeping *encoche* v
inkijk *regards* m mv *des passants*
inkijken • naar binnen kijken *regarder dans* • vluchtig bekijken *compulser*; *parcourir (du regard)* ⋆ een boek vluchtig ~ *jeter un coup d'œil dans un livre*
inkjetprinter *imprimante* v *à jet d'encre*
inklappen I OV WW naar binnen vouwen *rabattre* **II** ON WW in(een)storten *s'effondrer (psychiquement)*
inklaren *dédouaner*; *déclarer*
inklaring *dédouanement* m; *déclaration* v
inkleden • in een vorm gieten *présenter*; *formuler*; *tourner* ⋆ een verzoek ~ *présenter une demande* • REL. *faire prendre l'habit (à)*
inkleuren *colorier*
inkoken *réduire* ⋆ de saus laten ~ *faire réduire la sauce*
inkomen I ZN *rentrée* v *d'argent*; *revenu* m; *salaire* m ⋆ zuiver ~ *revenu net* ⋆ nationaal ~ *revenu national* **II** ON WW binnenkomen ‹v. geld› *rentrer*; *entrer (dans)*; *arriver* ⋆ ingekomen stukken *courrier reçu* m ▾ daar komt niets van in! *il n'en sera rien!* ▾ daar kan ik ~ *ça, je le comprends bien*
inkomensafhankelijk *proportionnel aux revenus* [v: *proportionnelle*]
inkomensderving *perte* v *de revenus*
inkomensgrens ‹i.v.m. premie› *plafond* m *de la Sécurité sociale*
inkomensgroep *catégorie* v *salariale*
inkomsten *revenu* m; ‹uit vermogen› *rentes* v mv
inkomstenbelasting *impôt* m *sur le revenu*
inkomstenbron *source* v *des revenus*
inkoop • daad *achat* m • het ingekochte *achat* m; *course* v; *commission* v ⋆ inkopen doen *faire des courses* ⋆ ~prijs *prix* m *d'achat*
inkoopcombinatie *groupement* m *d'achats*; *coopérative* v *d'achats*
inkoopprijs *prix* m *d'achat*
inkopen • kopen *acheter*; ‹v. boodschappen› *faire des courses*; ‹v. kleding e.d.› *faire des achats* • rechthebbende worden op *racheter*
inkoper *acheteur* m
inkorten • korter maken *raccourcir*; *abréger* ⋆ een verhaal ~ *abréger un récit* • verminderen *réduire*; *diminuer* ⋆ een straf ~ *réduire une peine*
inkrimpen I OV WW geringer maken *rétrécir*; *réduire* **II** ON WW geringer worden *se rétrécir*; *se contracter*
inkrimping *rétrécissement* m; *réduction* v
inkt *encre* v ⋆ Oost-Indische inkt *encre de Chine*
inktlint *ruban* m *encreur*
inktpatroon *cartouche* v *d'encre*
inktpot *encrier* m
inktvis *seiche* v; ‹achtarmig› *pieuvre* v
inktvlek *tache* v *d'encre*; *pâté* m
inktzwart *noir comme de l'encre*
inkuilen *ensiler* ⋆ het ~ *l'ensilage* m
inkwartieren *cantonner*
inkwartiering *cantonnement* m
inladen *charger*; *embarquer*
inlander *indigène* v
inlands *du pays*
inlassen • invoegen *intercaler*; *insérer* ⋆ een nieuwsuitzending ~ *insérer un flash d'informations* • met een las invoegen *emboîter*
inlaten I OV WW binnenlaten *laisser entrer*; *faire entrer*; *admettre* **II** WKD WW *s'ingérer (dans)*; *s'occuper (de)*; ‹m.b.t. personen› *fréquenter* ⋆ zich ~ met duistere praktijken *s'occuper d'affaires louches*
inleg • ingelegd geld ‹bij spel› *mise* v; ‹bij bank› *dépôt* m • zoom *rentré* m
inleggen • erin-/tussen leggen *mettre dans* • versieren *marqueter*; *incruster* ⋆ het ~ *la marqueterie*; *l'incrustation* v • geld inbrengen ‹bij een bank› *déposer*; ‹bij een gokspel› *miser*
inlegkruisje *protège-slip* m [mv: *protège-slips*]
inlegvel *feuille* v *intercalaire*; *encart* m
inleiden *introduire*; *présenter* ⋆ een spreker ~ *introduire un conférencier*
inleiding • voorbereiding tot kennis *introduction* v • voorwoord *introduction* v; *préface* v • inleidende verhandeling *introduction* v; *présentation* v; ‹v. rede› *préambule* m
inleven (zich) *se mettre dans la peau de quelqu'un* ⋆ zich ~ in een boek *vivre un livre*
inleveren • afgeven *remettre* ⋆ een verzoek ~ *présenter une requête* • minder verdienen *accepter une réduction de pouvoir d'achat*
inlevingsvermogen *intuition* v; *empathie* v
inlezen I OV WW *mettre en mémoire* **II** WKD WW *se familiariser avec un sujet par des lectures*
inlichten *informer (de)*; *renseigner (sur)*; *mettre au courant (de)* ⋆ je bent slecht ingelicht *tu es mal renseigné*
inlichting • informatie *renseignement* m; *information* v ⋆ voor ~en kunt u zich richten tot *pour tous renseignements s'adresser à* ⋆ ~en inwinnen over iets *s'informer de qc* • toelichting *éclaircissements* m mv
inlichtingendienst • informatiedienst *bureau* m *de renseignements* [m mv: *bureaux* ...] • geheime dienst *services* m mv *secrets*
inlijsten *encadrer*
inlijven ‹v. personen› *embrigader*; ‹in leger› *incorporer*; ‹v. land› *annexer*
inlikken (zich) *faire de la lèche*
inloggen *se connecter sur*; *se brancher sur*

inloopspreekuur *consultation* v *à entrée-libre*
inloopzaak *magasin* m *à entrée libre*
inlopen I OV WW inhalen *rattraper; remonter* ★ achterstand ~ *rattraper un retard* II ON WW binnenlopen *entrer*; ‹v. water› *inonder* ★ een straat ~ *prendre une rue* ▼ hij loopt er niet in *il ne s'y laisse pas prendre* ▼ iemand erin laten lopen *mettre qn dedans; faire marcher qn*
inlossen • aflossen *dégager* • nakomen ★ zijn woord ~ *tenir sa promesse*
inloten *être désigné par le sort* ★ ingeloot zijn voor een studie *être admis à une faculté par tirage au sort*
inluiden • door klokgelui aankondigen *carillonner* • het begin markeren van *inaugurer*
inmaak • het inmaken *conservation* v • het ingemaakte *conserve* v; ‹in zout› *salaison* v
inmaakgroente *légume* m *pour faire les conserves*
inmaken • conserveren *mettre en conserve*; ‹in suiker› *confire*; ‹in zout› *saler* • SPORT ★ iem. ~ *écraser qn*
in memoriam → **memoriam**
inmengen (**zich**) *intervenir (dans); s'ingérer (dans)*
inmenging *ingérence* v; *intrusion* v; *intervention* v ★ een ~ in de binnenlandse aangelegenheden van een land *une ingérence dans les affaires intérieures d'un pays*
inmiddels *en attendant; entre-temps*
innaaien *coudre (dans)*; ‹v. boek› *brocher*
innemen • binnenhalen *s'approvisionner; se ravitailler (en)* ★ water ~ *prendre de l'eau* ★ het ~ van brandstof *l'approvisionnement en carburant* m • slikken *prendre; avaler* ★ zijn medicijnen ~ *prendre ses médicaments* • innaaien *rétrécir; raccourcir* • veroveren *prendre*; FIG. *gagner* • (on)gunstig stemmen ★ iem. voor zich ~ *gagner la sympathie de qn* ★ iem. tegen zich ~ *se mettre qn à dos* • beslaan, bezetten *occuper* ★ iemands stoel ~ *prendre la chaise de qn*
innemend I BNW *engageant; aimable; charmant* II BIJW *d'une manière charmante*
innen *encaisser; toucher*; ‹v. belasting› *percevoir*
innerlijk I ZN *âme* v; *cœur* m II BNW van binnen *interne*; ‹in het gemoed› *intérieur* III BIJW *intérieurement; intimement*
innig I BNW • diep van gevoel *intime; profond; sincère* • vurig *intense* ★ een ~e kus *un baiser ardent* • intiem *intime; tendre* ★ een ~e vriendschap *une tendre amitié* II BIJW *intimement; profondément; tendrement; sincèrement*
inning • het innen *encaissement* m; *recouvrement* m; ‹v. belasting› *perception* v • SPORT *tour* m *de batte*
innovatie *innovation* v
innovatief *innovateur* [v: *innovatrice*]
innoveren *innover*
inpakken • verpakken *emballer*; ‹pakje maken› *empaqueter*; ‹in koffer› *mettre dans une valise* ★ de koffers ~ *faire ses valises* • warm kleden *emmitoufler* • inpalmen *enjôler; entortiller* ▼ ~ en wegwezen *il n'y a plus qu'à plier bagage*
inpakpapier *papier* m *d'emballage*
inpalmen • zich toe-eigenen *s'emparer (de); accaparer*; INF. *empaumer; s'approprier* • voor zich winnen *enjôler* ★ iem. ~ *enjôler qn*
inpandig *incorporé dans le bâtiment* ★ een ~e garage *un garage intégré dans le corps du logis*
inparkeren *(se) garer*; ‹achterwaarts› *faire un créneau*
inpassen *insérer*; ‹v. personen› *intégrer*
inpeperen *faire payer (cher) à qn* ★ ik zal het je ~ *tu me le paieras*
inperken *restreindre; limiter*
inpikken *rafler; ratiboiser; chiper*
inplakken *coller* ★ foto's ~ in een album *coller des photos dans un album*
inplannen *introduire dans le planning*
inplanten • planten *planter* • inprenten *inculquer* • MED. *implanter*
inpolderen *poldériser; endiguer* ★ het ~ *la poldérisation; l'endiguement* m
inpoldering *poldérisation* v
inpompen *inculquer (à)*; INF. *fourrer dans la tête de*
inpraten ~ **op** *convaincre; persuader* ★ op iem. ~ *convaincre qn*
inprenten *inculquer* ★ iem. iets ~ *inculquer qc à qn*
inproppen • proppen van eetbare zaken ‹bij kinderen› *bourrer (qn de qc); forcer à manger* • proppen van niet-eetbare zaken *fourrer (qc dans qc)*
input *input* m; *entrée* v
inquisitie *inquisition* v
inregenen ★ het regent in *la pluie pénètre*
inrekenen *mettre sous les verrous*; INF. *pincer; écrouer*
inrichten • regelen *régler; organiser* ★ het zo ~ dat *faire en sorte que* [+ subj.] • toerusten *aménager; arranger; installer*; ‹v. huis› *aménager; meubler*
inrichting • aankleding *aménagement* m; *arrangement* m; *décoration* v • instelling *institution* v; *établissement* m
inrijden I OV WW • naar binnen rijden *rentrer* • geschikt maken ‹v. paard› *accoutumer*; ‹v. auto› *roder* ★ deze auto wordt ingereden *cette voiture est en rodage* II ON WW naar binnen rijden *entrer (dans)* ★ een straat ~ *s'engager dans une rue* ★ verboden in te rijden *sens interdit* m
inrijperiode *rodage* m
inrit *passage* m; *entrée* v
inroepen *appeler; réclamer; invoquer; faire appel à*
inroesten *se rouiller* ★ ingeroeste gewoonten *des habitudes bien ancrées*
inroosteren *introduire dans l'horaire*
inruil ‹v. artikel› *reprise* v; *échange* m
inruilen *échanger (contre); changer (pour); troquer (contre)*
inruilwaarde *valeur* v *de reprise*
inruilwagen *voiture* v *d'occasion*

inruimen *céder*; *libérer* ⋆ plaats ~ voor *faire place à*
inrukken • afmarcheren *rompre les rangs* ⋆ ingerukt, mars! *rompez!* • binnentrekken *pénétrer (dans)* ⋆ het leger is de stad ingerukt *l'armée a pénétré dans la ville*
inschakelen • in werking stellen *mettre en marche*; *mettre le contact*; *mettre en circuit*; *brancher* • doen meewerken *faire appel à*
inschalen *insérer dans la grille des salaires*
inschaling *insertion* v
inschatten *estimer*; *évaluer* ⋆ verkeerd ~ *mésestimer*
inschatting • *appréciation* v; *évaluation* v • *estimation* v
inschattingsfout *méconnaissance* v
inschenken *remplir les verres* ⋆ iem. iets ~ *verser qc à qn* ⋆ wat mag ik u ~? *qu'est-ce-que je vous sers?* ⋆ ik heb ingeschonken *j'ai servi à boire*
inschepen *embarquer*
inscheuren *se déchirer*; *se fendre* ⋆ mijn nagel is ingescheurd *je me suis fendu l'ongle*
inschieten I OV WW SPORT *shooter*; *tirer/envoyer le ballon dans le but* II ON WW • met vaart binnengaan *se précipiter dans* • verliezen ⋆ zij dreigen er het leven bij in te schieten *ils risquent d'y perdre la vie* ⋆ hij is er zijn geld bij ingeschoten *il en est pour son argent*
inschikkelijk I BNW *accommodant*; *conciliant* II BIJW *avec complaisance*
inschikkelijkheid *indulgence* v; *complaisance* v
inschikken • inschuiven *se serrer* • toegeven *montrer de la complaisance*
inschoppen • stuk schoppen *enfoncer à coups de pied* • schoppen in iets *lancer à coups de pied (dans)*; *envoyer (dans)*
inschrijfformulier *fiche* v *d'inscription*; *feuille* v *d'inscription*
inschrijfgeld *droits* m mv *d'inscription*
inschrijven I OV WW • opschrijven *inscrire*; *enregister*; ‹v. auto› *immatriculer* • opgeven *inscrire* ⋆ zich laten ~ *se faire inscrire* II ON WW • intekenen op iets *souscrire (à)* • prijsopgave doen *soumissionner (à)*
inschrijving • intekening *souscription* v • registratie *inscription* v; *enregistrement* m; ‹v. auto› *immatriculation* v
inschuiven I OV WW naar binnen schuiven *glisser dans* II ON WW • naar binnen schuiven *se glisser dans* • inschikken *se pousser*; *se serrer*
inscriptie *inscription* v
insect *insecte* m
insectenbeet *piqûre* v *d'insecte*
insectendodend *insecticide*
insecteneter *insectivore* m
insectenpoeder *poudre* v *insecticide*
insecticide *insecticide* m
inseinen *donner un tuyau (à qn)*
inseminatie *insémination* v ⋆ kunstmatige ~ *insémination artificielle*
insemineren *inséminer*
ins en outs *les tenants et les aboutissants*; *les détails*
insgelijks *pareillement*; *de même*
insider *initié* v; *initiée*
insigne *insigne* m; *badge* m
insinuatie • bedekte verdachtmaking *insinuation* v • gerechtelijke aanzegging *notification* v
insinueren • beschuldigend zinspelen op *insinuer* • gerechtelijk aanzeggen *notifier*
inslaan I OV WW • erin slaan *enfoncer*; *planter* • stukslaan *enfoncer*; *briser*; *casser* • in voorraad nemen *faire provision (de)*; *s'approvisionner (en)* II ON WW • met kracht doordringen *frapper* ⋆ de bliksem is in een boom geslagen *la foudre est tombée sur l'arbre* • ingaan *prendre*; *s'engager dans* • indruk maken *avoir de l'effet (sur)*; *faire impression (sur)*; *porter (sur)*
inslag • het inslaan *impact* m • karakter(trek) *tendance* v • dwarsdraad *trame* v • zoom *ourlet* m; *rempli* m
inslapen • in slaap vallen *s'endormir* ⋆ doen ~ *endormir* • sterven *s'éteindre* ⋆ een dier laten ~ *faire piquer un animal*
inslikken • naar binnen slikken *avaler*; *déglutir* • slecht uitspreken *avaler*; *manger* ⋆ zijn woorden ~ *ravaler ses paroles* • verbijten *retenir*
insluimeren *s'assoupir* ⋆ doen ~ *assoupir*
insluipen *se glisser dans*; *entrer furtivement dans*; *se faufiler dans*
insluiper *cambrioleur* m [v: *cambrioleuse*]
insluiten • opsluiten *enfermer*; *mettre sous clef* • omgeven ‹omsingelen› *assiéger*; *investir*; *cerner*; *entourer*; *ceindre*; *environner* • bijsluiten *joindre à*; *inclure dans*; *ajouter à* ⋆ iets bij een brief ~ *joindre qc à une lettre* • inhouden *comprendre*; *englober*
insmeren *enduire (de)*; ‹met vet› *graisser*; ‹met olie› *huiler*; ‹met zeep› *savonner*
insneeuwen I ON WW ⋆ ingesneeuwd zijn *être enneigé*; *être bloqué par la neige* II ONP WW ⋆ het sneeuwt in *la neige entre*
insnijden *inciser*; *entailler*; *encocher*
insnoeren • vernauwen *rétrécir*; *resserrer* • inrijgen *lacer*; *serrer*
inspannen I OV WW • aanspannen *atteler* • moeite geven ⋆ ingespannen bezig *tendu sur* ⋆ zijn hersens ~ *tendre son esprit* ⋆ zijn krachten ~ *faire un effort* II WKD WW *faire des efforts* ⋆ zich tot het uiterste ~ *faire tout son possible*
inspannend *fatiguant*; *épuisant*
inspanning *effort* m ⋆ met ~ van alle krachten *en faisant un violent effort*
inspecteren *inspecter*; *faire une inspection de*; *passer en revue* ⋆ de troepen ~ *passer les troupes en revue*
inspecteur *inspecteur* m [v: *inspectrice*]
inspecteur-generaal *inspecteur* m *général* [m mv: *inspecteurs généraux*] [v: *inspectrice générale*]
inspectie *inspection* v; *revue* v ⋆ op ~ *en tournée d'inspection* ⋆ ~gebied *circonscription d'un inspecteur* v
inspelen I OV WW MUZ. *essayer* II ON WW ~ **op** *réagir (à)*; *répondre (à)*; ‹vooruitlopen op› *anticiper*
inspiratie *inspiration* v

I

inspirator *inspirateur* m [v: *inspiratrice*]
inspireren *inspirer*
inspraak *participation* v ★ ~ hebben *avoir voix consultative*
inspraakprocedure *procédure* v *de participation*
inspreken • tekst inspreken *enregistrer* • inboezemen ★ iem. moed ~ *encourager qn*
inspringen • erin springen *sauter (dans)* • invallen *suppléer* ★ voor iem. ~ *remplacer qn*; *suppléer qn* • terugwijken *entrer (dans)*; *renfoncer* ★ ~de regel *alinéa* m • ~ **op** *donner suite à*
inspuiten I OV WW inbrengen *injecter* **II** ON WW naar binnen komen *gicler* ★ het water spoot de kamer in *l'eau jaillit dans la pièce*
instaan *garantir*; *répondre de* ★ voor iets ~ *répondre de qc.*
instabiel *instable*
instabiliteit *instabilité* v
installateur *installateur* m
installatie • apparatuur *équipement* m; *installation* v • stereo *chaîne* v
installatiekosten *frais* m mv *d'installation*
installeren *installer*
instampen • erin stampen *enfoncer* • kapotmaken *défoncer* • inprenten *faire entrer dans la tête (qc à qn)*
instandhouding *maintien* m; *préservation* v
instant- *instantané*; *immédiat*
instantie • orgaan *instance* v; *service* m; *organisme* m • JUR. *instance* v ▼ in laatste ~ *en dernier ressort*
instappen *entrer dans*; ‹in een voertuig› *monter* ★ in een auto stappen *monter en voiture* ★ in de trein stappen *monter dans le train* ★ ~! *en voiture!* ★ niet ~ *montée* v *interdite*
insteekhaven • parkeerplaats *place* v *de stationnement* • kleine haven ≈ *darse* v
insteken *introduire (dans)* ★ een draad ~ *enfiler une aiguille* ★ de stekker ~ *brancher*
instellen • beginnen ★ een onderzoek ~ *ouvrir une enquête* ★ een vervolging ~ *engager des poursuites* • afstellen *mettre au point*; *régler*; *ajuster* • oprichten *instituer*; *créer*; *établir*
instelling • mentaliteit *mentalité* v; *attitude* v • instituut *institution* v; *organisme* m
instemmen *donner son accord*; *être d'accord* ★ ~ met *être d'accord avec*; *se ranger de l'avis de*
instemmend *approbateur* [v: *approbatrice*]
instemming *accord* m; *adhésion* v; *approbation* v ★ ~ betuigen *approuver* ★ met ~ begroeten *accueillir favorablement*
instigatie *instigation* v ★ op ~ van *à l'instigation de*
instigeren *être l'instigateur de*
instinct *instinct* m ★ het ~ tot zelfbehoud *l'instinct de conservation*
instinctief I BNW *instinctif* [v: *instinctive*]; ‹in psychologie› *instinctuel* [v: *instinctuelle*] **II** BIJW *instinctivement*
instinker *piège* m
institutionaliseren *institutionnaliser*
institutioneel *institutionnel* [v: *institutionnelle*]
instituut • genootschap *institut* m • instelling *institution* v
instoppen • indoen *fourrer (dans)* • toedekken *border*
instorten • in elkaar vallen *tomber en ruine*; *s'écrouler*; *s'effondrer* • afknappen ‹lichamelijk› *tomber malade*; ‹geestelijk› *craquer*
instorting • *écroulement* m; ‹ook fig.› *effondrement* m • MED. *rechute* v
instroom *afflux* m
instructeur *instructeur* m [v: *instructrice*]; ‹v. rijles› *moniteur* m [v: *monitrice*]
instructie • aanwijzing *ordre* m; *instructions* v mv • onderricht *instruction* v • JUR. *instruction* v
instructiebad *bassin* m *réservé aux leçons de natation*
instructief I BNW *instructif* [v: *instructive*] **II** BIJW *instructivement*
instrueren • instructies geven *donner des instructions* • onderrichten *instruire*
instrument • verfijnd werktuig *instrument* m; *appareil* m • muziekinstrument *instrument* m
instrumentaal *instrumental* [m mv: *instrumentaux*]
instrumentalist *instrumentiste* m/v
instrumentarium *instrumentation* m mv; *instruments* m mv
instrumentenpaneel *tableau* m *de bord*
instrumentmaker *fabricant* m *d'instruments*
instuderen *étudier* ★ een muziekstuk ~ *travailler un morceau de musique*
instuif *surprise-partie* v [mv: *suprises-parties*]; INF. *surboum* v; *boum* v
insturen *envoyer (à)*; *adresser (à)*
insubordinatie *insubordination* v
insuline *insuline* v
insult • belediging *insulte* v • MED. *crise* v
intact *intact*
intakegesprek *entretien* m *préliminaire*
intapen *bander*
inteelt *endogamie* v; ‹v. dieren› *croisement* m *consanguin*
integendeel *au contraire*
integer *intègre*
integraal *intégral* [m mv: *intégraux*]
integraalhelm *casque* m *intégral*
integraalrekening *calcul* m *intégral* [m mv: *calculs intégraux*]
integratie *intégration* v
integreren *intégrer*
integriteit *intégrité* v
intekenen *souscrire (à)* ★ ~ op een boek *souscrire à un livre*
intekenlijst *liste* v *de souscription*
intekenprijs *prix* m *de souscription*
intellect • intellectuelen *intellectuels* m mv • verstand *intellect* m
intellectualistisch I BNW *intellectualiste* **II** BIJW *intellectuellement*; *de manière intellectuelle*
intellectueel I ZN *intellectuel* m; *intellectuelle* v **II** BNW *intellectuel* [v: *intellectuelle*] **III** BIJW *intellectuellement*
intelligent I BNW *intelligent* **II** BIJW

intelligemment
intelligentie *intelligence* v
intelligentiequotiënt *quotient* m *intellectuel*; *Q.I* m
intelligentietest *test* m *d'intelligence*
intelligentsia *intelligentia* v
intens I BNW *intense* II BIJW *intensément*
intensief I BNW *intensif* [v: *intensive*] ★ bij ~ gebruik *en cas d'utilisation intensive* II BIJW *intensivement*
intensiteit *intensité* v
intensive care *surveillance* v *continue*
intensiveren *intensifier*
intentie *intention* v
intentieverklaring *déclaration* v *d'intention*
intentioneel *intentionnel* [v: *intentionnelle*]; *volontaire*
interactie *interaction* v
interactief *interactif* [v: *interactive*]
interbancair *interbancaire*
interbellum *entre-deux-guerres* m
intercedent *intermédiaire* m/v
intercity *express* m
intercom *interphone* m
intercontinentaal *intercontinental* [m mv: *intercontinentaux*]
intercultureel *interculturel* [v: *interculturelle*]
interdependentie *interdépendance* v
interdisciplinair I BNW *interdisciplinaire* II BIJW *sur le plan interdisciplinaire*
interen *diminuer* ★ op zijn kapitaal ~ *manger son capital*; *consumer son capital*
interessant I BNW *intéressant* II BIJW *de façon intéressante*
interesse *intérêt* m ★ gebrek aan ~ *indifférence* v ★ ~ hebben voor *s'intéresser à*
interesseren I OV WW *intéresser (qn à qc)* ★ iem. voor iets ~ *intéresser qn à qc* II WKD WW *s'intéresser à* ★ ik interesseer me voor postzegels *je m'intéresse aux timbres-poste*
interest *intérêt* m ★ samengestelde ~ *intérêt composé*
interface *interface* v
interfaculteit *faculté* v *pluridisciplinaire*
interferentie *interférence* v
interfereren *interférer* ★ golven die met elkaar ~ *des ondes interférentes*
interieur *intérieur* m
interieurverzorger *préposé* m *à l'entretien des bâtiments* [v: *préposée ...*]
interim *intérim* m ★ ad ~ *par intérim*
interimmanager *manager* m *par intérim*
interkerkelijk *oecuménique*
interland *match* m *international*
interlinie *interligne* m
interlokaal *interurbain*
intermediair I ZN bemiddelaar *intermédiaire* m/v II BNW bemiddelend *intermédiaire*
intermenselijk *interhumain*
intermezzo *intermède* m; MUZ. *intermezzo* m; *interlude* m
intern *interne*
internaat *internat* m
internationaal *international* [m mv: *internationaux*]
interneren *interner*
internering *internement* m
interneringskamp *camp* m *d'internement*
internet *Internet* m
internetcafé *café* m *où l'on peut s'informer à l'Internet*
internetgebruiker *internaute* m/v
internetprovider *service* m *en ligne*; *serveur* m
internetten *surfer sur l'Internet*
internist *interniste* m/v
interpellatie *interpellation* v
interpelleren *interpeller*
interpretabel *interprétable*
interpreteren *interpréter*
interpunctie *ponctuation* v
interrumperen *interrompre*
interruptie *interruption* v
interval *intervalle* m
intervaltraining *entraînement* m *fractionné*
interveniëren *intervenir*
interventie *intervention* v
interventietroepen *forces* v mv *d'intervention*
interview *interview* v
interviewen *interviewer*
interviewer *interviewer* m [v: *intervieweuse*]; *intervieweur* m [v: *intervieweureuse*]
intiem I BNW *intime* II BIJW *intimement*
intifada *intifada* v
intimidatie *intimidation* v
intimideren *intimider*
intimiteit • het intiem zijn *intimité* v • vertrouwelijkheid *confidences* v mv • vrijpostigheid ★ ongewenste ~en *harcèlement* m *sexuel*
intocht *entrée* v
intoetsen *introduire (des données)* ★ een pincode ~ *taper son code secret*
intolerant *intolérant*
intolerantie *intolérance* v
intomen *refréner*; *brider*
intonatie *intonation* v
intransitief I BNW *intransitif* [v: *intransitive*] II BIJW *intransitivement*
intrappen *enfoncer*
intraveneus *intraveineux* [v: *intraveineuse*]
intrede • ambtsaanvaarding *entrée* v *en fonctions* • begin *début* m
intreden • een aanvang nemen *se produire* • non/monnik worden *entrer dans (les ordres)*
intrek ★ zijn ~ nemen in *s'installer dans* ★ zijn ~ nemen bij iem. *s'installer chez qn*
intrekken I OV WW • naar binnen trekken *retirer* ★ zijn buik ~ *rentrer le ventre* • herroepen *révoquer*; JUR. *abroger* ★ zijn woorden ~ *se dédire*; *se rétracter* II ON WW • binnentrekken *entrer (dans)*; *pénétrer (dans)* • gaan inwonen ★ bij iem. ~ *aller vivre chez qn* • opgezogen worden *être absorbé (par)*; *s'infiltrer*
intrigant *intrigant* m [v: *intrigante*]
intrige *intrigue* v
intrigeren *intriguer*
introducé *invité* m [v: *invitée*]
introduceren • voorstellen *introduire*; *présenter* • in omloop brengen *introduire*
introductie *introduction* v
introductiedag *jour* m *d'introduction*

introspectie *introspection* v
introvert *introverti*
intuinen *tomber dans le panneau; se faire avoir*
intuïtie *intuition* v
intuïtief I BNW *intuitif* [v: *intuitive*] II BIJW *intuitivement*
intussen *en attendant; entre-temps*
intypen *taper*
inval • het binnenvallen *invasion* v • idee *idée* v *subite; inspiration* v ★ geestige ~ *idée* v *heureuse* ▾ de ~ van de winter *le commencement de l'hiver*
invalide *invalide* v
invalidenwagen *fauteuil* m *roulant*
invaliditeit *invalidité* v
invalkracht *intérim* m; *substitut* m
invallen • binnenvallen *envahir; faire une invasion* • instorten *s'écrouler; s'effondrer* • beginnen *commencer* ★ de dooi is ingevallen *il commence à dégeler* • MUZ. *entrer; partir* • in gedachte komen *revenir* • vervangen *remplacer* ★ voor een ander ~ *remplacer qn* ▾ ingevallen wangen *joues* v mv *creuses*
invaller • iemand die een inval doet *envahisseur* m • plaatsvervanger *remplaçant* m [v: *remplaçante*]; *bouche-trou* m [mv: *bouche-trous*]
invalshoek • gezichtshoek *angle* m; *point* m *de vue* • NAT. *angle* m *d'incidence*
invalsweg *voie* v *d'accès; voie* v *d'entrée*
invasie *invasion* v; ‹v. 1944› *débarquement* m
inventaris *inventaire* m
inventarisatie *inventaire* m
inventariseren *inventorier; faire l'inventaire*
inventief *inventif* [v: *inventive*]
invers *inverse*
inversie *inversion* v
investeerder *investisseur* m
investeren *investir*
investering *investissement* m
investeringsbank *banc* m *d'investissement*
invetten *graisser*
invitatie *invitation* v
in-vitrofertilisatie *fécondation* v *in vitro*
invloed *influence* v ★ ~ hebben op iem. *influencer qn* ★ ~ uitoefenen op iets *avoir de l'influence sur qc* ★ de beslissende ~ van het loslaten van de prijzen *l'impact de la libération des prix* ▾ onder ~ *en état d'ébriété*
invloedrijk *influent; puissant*
invloedssfeer *zone* v *d'influence*
invoegen I OV WW inlassen *insérer; intercaler* II ON WW tussenvoegen bij verkeer *se rabattre*
invoegstrook *bretelle* v *d'accès; voie* v *d'accélération*
invoer • import *importation* v • input *entrée* v
invoerbelasting *taxe* v *à l'importation*
invoeren • introduceren *introduire*; ‹v. mode› *lancer*; ‹v. systeem› *adopter* ★ een wet ~ *adopter une loi* • importeren *importer*
invoerrecht *droit* m *de douane; droit* m *à l'importation*
invoerverbod *interdiction* v *d'importation*
invorderen ‹v. geld› *encaisser*; ‹v.e. schuld› *recouvrer*; ‹v. belasting› *percevoir*
invreten *ronger; mordre*
invriezen I OV WW conserveren *congeler; surgeler* II ON WW vastvriezen *être pris dans les glaces*
invrijheidstelling *mise* v *en liberté; libération* v
invullen *remplir*
invulling • het invullen *remplissage* m • interpretatie *interprétation* v
invuloefening *exercice* m *à trous*
inwaarts *vers l'intérieur; en dedans*
inweken *faire tremper*
inwendig *intérieur; interne* ★ het ~e *l'intérieur* m
inwerken I OV WW • aanbrengen *faire entrer* • vertrouwd maken *mettre au courant* II ON WW invloed hebben *influer (sur)*
inwerkingtreding *entrée* v *en vigueur*
inwerktijd *période* v *de rodage*
inwijden • in gebruik nemen *inaugurer*; REL. *consacrer* • initiëren *initier* ★ iem. in iets ~ *initier qn à qc*
inwijding • ingebruikneming *inauguration* v; REL. *consécration* v • initiatie *initiation* v
inwilligen *consentir (à); accorder (qc à qn); accepter*
inwilliging *consentement* m; *assentiment* m
inwinnen *rattraper; recueillir; prendre* ★ inlichtingen ~ *recueillir des informations*
inwisselbaar *interchangeable; convertible*
inwisselen *échanger (contre); convertir (en)*
inwonen *habiter (chez); loger (chez)*
inwonend • wonend in gebied *habitant* • intern in een ziekenhuis *interne*
inwoner *habitant* m [v: *habitante*]; *résidant* m [v: *résidante*]
inwoneraantal *nombre* m *d'habitants*
inworp *mise* v *en jeu* ★ de ~ ging gepaard met veel boegeroep *la mise en jeu se fit sous les huées*
inwrijven *frotter*; ‹met zalf› *frictionner*; ‹met was› *cirer*
inzaaien • uitzaaien *semer* • bezaaien *ensemencer*
inzage *communication* v; *compulsation* v ★ ~ geven in *communiquer* ★ ter ~ zenden *envoyer en communication*
inzake *en ce qui concerne; concernant*
inzakken • in elkaar zakken *s'affaisser*; ‹instorten› *s'effondrer* • lager worden *s'effondrer*
inzamelen *recueillir; collecter* ★ giften ~ *faire la quête*
inzameling *collecte* v; *quête* v; ‹v. afval› *récupération* v
inzamelingsactie *collecte* v
inzegenen *bénir; consacrer*
inzegening *consécration* v; ‹v. priester› *ordination* v
inzenden *envoyer*
inzending *envoi* m; *présentation* v
inzepen *savonner*
inzet • MUZ. *attaque* v • inspanning *ardeur* v; *enthousiasme* m • bod *mise* v; ‹eerste bod› *mise* v *à prix* • wat op het spel staat *enjeu* m
inzetbaar *disponible*
inzetten I OV WW • erin zetten *mettre (dans)*;

poser; ‹v. diamant› *monter*; *enchâsser* • in actie brengen *engager* • beginnen *déclencher* ★ het seizoen zet goed in *la saison s'annonce bien* • bod doen *offrir* • MUZ. *attaquer*; *entonner* • wedden *miser* II WKD WW *s'engager*

inzicht • besef *notion* v ★ ~ hebben in *voir clair dans* • begrip *compréhension* v; *perspicacité* v • mening *opinion* v; *conviction* v ★ naar zijn ~ *à son avis*

inzichtelijk *compréhensible*

inzien I ZN ★ bij nader ~ *réflexion faite* ★ zijns ~s *à son avis* II OV WW • inkijken *voir*; *compulser*; *parcourir* • beseffen *comprendre*; *reconnaître* ★ zij ziet niet in dat *elle ne comprend pas que* • beoordelen ★ het somber ~ *voir en noir*

inzinken • lager komen te liggen *s'affaisser*; *s'effondrer* • geestelijk instorten *s'effondrer* • minder worden *s'effondrer*

inzinking • instorting *dépression* v; INF. *déprime* v; ‹ook fig.› *affaissement* m • het inzakken *effondrement* m

inzitten ~ **over** *s'inquiéter (de qc)*

inzittende *passager* m [v: *passagère*]; *occupant* m [v: *occupante*]

inzoomen *faire un zoom sur* ★ op iets ~ *faire un zoom sur qc*

inzwachtelen *bander*; *emmailloter*

ion *ion* m

Ionische Zee *mer* v *Ionique*

ioniseren *ioniser*

IQ *Q.I.* m; *quotient* m *intellectuel*

Irak *l'Irak* m ★ in Irak *en Irak*

Iran *l'Iran* m ★ in Iran *en Iran*

iris *iris* m

iriscopie *iridoscopie* v

ironie *ironie* v

ironisch I BNW *ironique* II BIJW *ironiquement*

ironiseren *ironiser (sur)*

irrationeel I BNW *irrationnel* [v: *irrationnelle*] II BIJW *irrationnellement*

irreëel *irréel* [v: *irréelle*]

irrelevant *non pertinent*

irrigatie *irrigation* v

irrigator *irrigateur* m

irrigeren *irriguer*

irritant *irritant*

irritatie *irritation* v

irritatiegrens *seuil* m *d'irritation*

irriteren *irriter*

ischias *sciatique* v

ISDN Integrated Service Digital Network *RNIS* m; *Réseau Numérique à Intégration de Services*

isgelijkteken *signe* m *d'égalité*

islam • geloof *islam* m • de islamitische volkeren *Islam* m

islamiet *musulman* m [v: *musulmane*]

islamisering *islamisation* v

islamitisch *islamique*

ISO International Standardization Organization *Organisation* v *internationale de standardisation*

ISO-gecertificeerd *certifié par l'Organisation internationale de standardisation*

isolatie *isolement* m

isolatieband *ruban* m *isolant*

isolatielaag *couche* v *isolante*

isolatiemateriaal *(matériau* m*) isolant* m

isoleercel *cabanon* m

isoleerkan *thermos* m

isolement *isolement* m

isoleren *isoler* ★ dubbel geïsoleerd *surisolé*

Israël *Israël* v ★ in ~ *en Israël*

issue *question* v *actuelle*

IT *informatique* v; *technologie* v *de l'information*

Italiaan *Italien* m [v: *Italienne*]

Italiaans I ZN *italien* m II BNW *italien* [v: *italienne*]

Italië *l'Italie* v ★ in ~ *en Italie*

IT-branche *branche* v *de l'informatique*

item *question* v; *point* m

IT'er *informaticien* m [v: *informaticienne*]; *spécialiste* m *de l'informatique*

ivoor *ivoire* m

Ivoorkust *la Côte-d'Ivoire*

Ivriet *hébreu* m

J

j *j* m
ja I ZN *oui* m **II** TW *oui*; *certainement*; ‹na ontkenning› *si* ★ ja graag *oui, merci* ★ ja antwoorden *répondre (par) oui*; *accepter* ★ o ja, dat is waar ook *à propos, j'y songe* ★ zo ja, dan ... *si oui, ...*; *s'il en est ainsi ...* ▾ wel ja! *dis donc!*
jaap *entaille* v; ‹in gezicht› *balafre* v
jaar *an* m; *année* v; ‹leeftijd› *an* m ★ jaar in, jaar uit *d'année en année* ★ een half jaar *six mois* ★ over twee jaar *dans deux ans* ★ in drie jaar *en trois ans* ★ in het jaar 2050 *en 2050* ★ in het jaar onzes Heren *en l'an de grâce* ★ per jaar *par an* ★ hij is vijftig jaar *il a cinquante ans*; *il est âgé de cinquante ans* ★ in mijn jonge jaren *dans ma jeunesse* ★ op zijn achttiende jaar *à dix-huit ans*
jaarbeurs • gebouw *hall* m *d'exposition* • tentoonstelling *salon* m; *foire-exposition* v
jaarboek • kroniek *chronique* v • annalen *annales* v mv
jaarcijfers *chiffres* m mv *annuels*
jaarclub ≈ *promotion* v
jaarcontract *contrat* m *annuel*
jaargang *année* v
jaargenoot *camarade* m/v *de fac*
jaargetijde *saison* v
jaarkaart *carte* v *annuelle*
jaarlijks I BNW *annuel* [v: *annuelle*] ★ ~e aflossing *annuité* v **II** BIJW *annuellement*; *tous les ans*; *chaque année*
jaarmarkt *foire* v
jaaropgaaf *relevé* m *annuel*
jaarring *cerne* m
jaartal *date* v; *année* v
jaartelling *ère* v
jaarvergadering *assemblée* v *annuelle*
jaarverslag *rapport* m *annuel*
jaarwisseling ≈ *Nouvel An* m
jacht I ZN (de) • het jagen *chasse* v ★ op ~ gaan *aller à la chasse* ★ ~ maken op *pourchasser* • het najagen *poursuite* v ★ ~ naar roem *la poursuite de la célébrité* • jachttijd *chasse* v • jachtpartij *chasse* v **II** ZN (het) *yacht* m
jachten *se presser*; *ne pas arrêter de courir*
jachtgebied *(terrain* m *de) chasse* v
jachtgeweer *fusil* m *de chasse*
jachthaven *port* m *de plaisance*
jachthond *chien* m *de chasse*
jachtig I BNW *pressé*; *précipité* **II** BIJW *précipitamment*
jachtluipaard *guépard* m
jachtopziener *garde-chasse* m [mv: *gardes-chasse(s)*]
jachtschotel *hachis* m *parmentier*
jachtseizoen *saison* v *de la chasse*
jachttafereel *scène* v *de chasse*
jachtverbod *interdiction* v *de chasse*
jack *blouson* m
jacket *jaquette* v
jackpot *jackpot* m
jacquet *jaquette* v
jacuzzi ® *jacuzzi* m; *bain* m *à remous*
jade *jade* m
jagen I OV WW *chasser* ▾ iemand de schrik op het lijf ~ *faire une peur bleue à qn*; *effrayer qn* **II** ON WW • streven *courir après*; *poursuivre* • snel bewegen *se presser*; *se hâter* ★ gejaagd zijn *être agité*; *être pressé*
jager *chasseur* m
jaguar *jaguar* m
jak *blouson* m
jakhals *chacal* m [mv: *chacals*]
jakkeren *aller à fond de train*; *faire de la vitesse*
jakkes *berk*
jakobsschelp *coquille* v *Saint-Jacques*
jaloers I BNW *jaloux* [v: *jalouse*] **II** BIJW *avec jalousie*
jaloezie • jaloersheid *jalousie* v • zonwering *jalousie* v; *store* m
jam *confiture* v
Jamaica *la Jamaïque* ★ op Jamaïca *à la Jamaïque*
jambe *iambe* m
jamboree *jamboree* m
jammen *faire une jam session*
jammer I BNW *dommage* **II** TW *(c'est) dommage!* ★ ~ dan! *tant pis!*
jammeren *se lamenter*; *gémir*
jammerklacht *lamentations* v mv
jammerlijk *lamentable*; *pitoyable* ★ ~ einde *fin tragique* v
jampot ‹leeg› *pot* m *à confiture*; ‹vol› *pot* m *de confiture*
jamsession *jam session* v
janboel *pagaille* v ★ het is hier een echte ~! *c'est le bordel ici!*
janboerenfluitjes ▾ op z'n ~ *à la va comme je te pousse*
janken *pleurnicher*; *chialer*; ‹v. honden› *hurler*
jantje-van-leiden ▾ zich er met een ~ van afmaken *faire qc par-dessus la jambe*
januari *janvier* m
januskop *tête* v *à double visage*
jan-van-gent *fou* m *de Bassan*
Japan *le Japon* ★ in ~ *au Japon*
Japanner *Japonais* m [v: *Japonaise*]
japon *robe* v
jarenlang I BNW *de plusieurs années* **II** BIJW *pendant des années*; *pendant plusieurs années*
jargon *jargon* m
jarig • zijn verjaardag vierend *qui fête son anniversaire* ★ ik ben vandaag ~ *aujourd'hui c'est mon anniversaire* ★ de ~e *la personne qui fête son anniversaire* • een jaar oud *d'un an*
jarige *celui/ celle qui fête son anniversaire*
jarretelle *jarretelle* v
jas • overjas *pardessus* m • colbert *veston* m
jasbeschermer *filet* m *de roue arrière*
jasmijn *jasmin* m
jassen *éplucher*
jasses *berk*
jaszak *poche* v *de manteau*
jatten *faucher*
jawoord *consentement* m ★ het ~ geven *prononcer le grand oui*
jazz *jazz* m

jazzballet *danse* v *jazz*
jazzband *jazz-band* m [mv: *jazz-bands*]
jazzclub *club* m *de jazz*
jazzfestival *festival* m *de jazz*
je I PERS VNW jij ‹onderwerp› *tu*; ‹geen onderwerp› *te*; *t'* II WKD VNW *te*; ‹na gebiedende wijs› *toi* III BEZ VNW *ton*; *ta*; *tes* IV ONB VNW men *on*
jeans *jean* m; *blue-jean* m [mv: *blue-jeans*]
jee ▾ o jee *ah mon Dieu*
jeep *jeep* v
jegens *envers*
jekker *vareuse* v
Jemen *le Yémen*
jenever *genièvre* m; *schiedam* m
jeneverbes • bes *baie* v *de genièvre* • struik *genévrier* m
jengelen *pleurnicher*; *geindre*
jennen *enquiquiner*
jeremiëren *se lamenter*
jerrycan *jerrycan* m
jersey *jersey* m
jet *jet* m; *avion* m *à réaction*
Jet ▾ de jarige Jet *celle/celui qui fête son anniversaire* ▾ hem van Jetje geven *mettre les bouchées doubles*
jetlag *troubles* m mv/*fatigue* v *dus/due au décalage horaire*
jetset *jet-set* m [mv: *jet-sets*]
jetski *jet ski* m; *scooter* m *des mers*
jeu *charme* m ★ voor de jeu *pour la beauté de la chose* ★ de jeu is eraf *le charme s'est envolé*
jeugd • jonge leeftijd *jeunesse* v ★ tweede ~ *seconde jeunesse* ★ van zijn vroegste ~ af *dès son plus jeune âge* • jonge mensen *jeunes* m mv ★ studerende ~ *jeunesse étudiante* ★ ontspoorde ~ *jeunesse dépravée* ▾ bron van eeuwige ~ *fontaine* v *de jouvence*
jeugdherberg *auberge* v *de jeunesse*
jeugdherinnering *souvenir* m *d'enfance/de jeunesse*
jeugdig I BNW • jong *jeune* ★ er ~ uitzien *avoir l'air jeune* • van de jeugd *jeune*; *juvénile* II BIJW *(de façon) jeune*
jeugdliefde *amour* m *de jeunesse*
jeugdloon *salaire* m *des jeunes*
jeugdpuistjes *acné* v *juvénile*
jeugdsentiment *souvenirs* m mv *de jeunesse*
jeugdzonde *erreur* v *de jeunesse*
jeuk *démangeaison* v
jeuken • jeuk hebben *démanger (à qn)* • aandrang hebben ★ mijn handen ~ *les mains me démangent*
je welste ▾ een herrie van ~ *un de ces chahuts*
jezelf I PERS VNW *toi-même*; ‹beleefde vorm› *vous-même*; ‹in algemene zin› *soi-même* II WKD VNW *toi-même*; ‹beleefde vorm› *vous-même*; ‹in algemene zin› *soi-même* ★ je hebt het aan ~ te danken *c'est de ta (propre) faute*
jezuïet *jésuite* m
Jezus *Jésus* ★ ~ Christus *Jésus-Christ*
jicht *goutte* v
Jiddisch *yiddish* m; *judéo-allemand* m
jihad *(d)jihad* m
jij ‹onderwerp› *tu*; ‹beklemtoond› *toi* ★ met jij en jou aanspreken *tutoyer*
jijbak *réplique* v; *répartie* v
jijen ★ ~ en jouen *(se) tutoyer*
jingle *jingle* m
jiven *danser le swing*
job *job* m
Job • man *Job* • boek *Livre* m *de Job* ▾ zo arm als Job *pauvre comme Job* ▾ zo geduldig zijn als Job *avoir une patience d'ange*
jobhoppen *changer souvent d'emploi (pour s'améliorer)*
jobhopper *personne qui change souvent d'emploi (pour s'améliorer)*
jobsharing *partage* m *du travail*
jobstijding *nouvelle* v *désastreuse*
joch *gosse* m/v
jockey *jockey* m
jodelen *jodler*; *iodler*
jodendom • volk *peuple* m *juif* • leer *judaïsme* m
jodenster *étoile* v *de David*; ‹in Tweede Wereldoorlog› *étoile* v *jaune*
jodenvervolging *persécution* v *des Juifs*
jodin *Juive* v
jodium *iode* m
jodiumtinctuur *teinture* v *d'iode*
Joegoslavië *la Yougoslavie* ★ in ~ *en Yougoslavie*
joekel *mastodonte* m ★ een ~ van een vis *un poisson énorme*
joelen *pousser des cris*
jofel *chouette*
joggen *faire du jogging*
jogger *joggeur* m [v: *joggeuse*]
joggingpak *survêtement* m
joie de vivre *joie* v *de vivre*
joint *joint* m
joint venture *coentreprise* v; *joint-venture* v
jojo *yo-yo* m [onv]
jojoën *faire du yo-yo*
joker *joker* m ▾ voor ~ staan *avoir l'air d'un imbécile* ▾ iemand voor ~ zetten *ridiculiser qn*
jokken *mentir*
jol *yole* v
jolig I BNW *gai*; *plein d'entrain*; *jovial* [m mv: *joviaux*] II BIJW *gaiement*
jong I ZN *petit* m ★ jongen krijgen *faire des petits* II BNW • niet oud *jeune* ★ weer jong worden *rajeunir* ★ van jongs af aan *dès l'enfance* ★ niet zo jong meer *d'un certain âge* • recent *nouveau* [m mv: *nouveaux*] [v: *nouvelle*]; *jeune*
jonge *eh ben mon vieux!*
jongedame *demoiselle* v
jongeheer • jongeman *jeune homme* m • penis *quéquette* v
jongelui *jeunes gens* m mv
jongeman *jeune homme* m
jongen I ZN • kind *garçon* m; *gamin* m • jongeman *jeune homme* m; INF. *gars* m; *mec* m ★ hallo ~s *salut les gars* ▾ kom ouwe ~! *allez, mon vieux!* II ON WW *faire des petits*
jongensachtig I BNW ‹v. meisjes› *garçonnier* [v: *garçonnière*]; *de garçon*; *gamin* II BIJW ‹v. meisjes› *en garçon*; *comme un garçon*
jongensboek *livre* m *pour garçons*

jongensgek *coureuse* v
jongere *jeune* m ★ werkende ~n *jeunes travailleurs* m mv ★ oudere ~ *vieux baba* m
jongerejaars *jeune étudiant(e)* m/v
jongerencentrum *centre* m *de la jeunesse*
jongerentaal *langage* m *des jeunes*
jongerenwerk *encadrement* m *des jeunes*
jonggehuwd *qui vient de se marier* ★ de ~en *les jeunes mariés*
jonggestorven *mort jeune*
jongleren *jongler*
jongleur *jongleur* m [v: *jongleuse*]
jongmens *jeune homme* m
jongstleden *dernier* [v: *dernière*] ★ uw brief van 26 augustus ~ *votre lettre du 26 août dernier*
jonk *jonque* v
jonker • jonkheer *gentilhomme* m; *noble* m • landjonker *noble* m *de campagne*
jonkheer *jonkheer* m; ‹aanspreekvorm› *Jonkheer*
jonkie • mens *jeunot* m • jenever *verre* m *de genièvre jeune* • dier *petit* m
jonkvrouw *demoiselle* v; *jeune fille* v *noble*; ‹aanspreekvorm› *Mademoiselle*
jood *Juif* m ▾ de wandelende jood *le Juif errant*
joods *juif* [v: *juive*]; *judaïque*
Joost ▾ ~ mag het weten *Dieu seul le sait*
jopper *vareuse* v
Jordanië *la Jordanie* ★ in ~ *en Jordanie*
jota *iota* m ▾ ergens geen jota van snappen *n'y rien comprendre*
jou *te*; *t'*; ‹benadrukt› *toi*; ‹beleefde vorm› *vous* ★ jóú wil ik hier niet meer zien *toi, je ne veux plus te voir ici*
joule *joule* m
journaal • nieuws *informations* v mv; ‹op tv› *journal* m *télévisé* [m mv: *journaux ...*] • dagboek ‹reisverslag› *journal* m *de bord*; ADM. *livre* m *d'ordre*
journalist *journaliste* m/v
journalistiek *journalisme* m
jouw *ton* [m mv: *tes*] [v: *ta*]; ‹zelfstandig gebruikt› *le tien* [v: *la tienne*]
jouwen *huer*
joviaal *jovial* [m mv: *joviaux*]
jovialiteit *jovialité* v
joyriden *faire une virée (dans une voiture volée)*
joystick *manche* m *à balai*; *manette* v
jubelen *jubiler*; *pousser des cris de joie*; *exulter*
jubelstemming *jubilation* v
jubeltenen *orteils* m mv *retroussés*
jubilaris *celui* m/*celle* v *qui fête l'anniversaire de quelque chose*
jubileren *célébrer un anniversaire*; *fêter un anniversaire*
jubileum *anniversaire* m; ‹vijftigjarig› *jubilé* m
juchtleer *cuir* m *de Russie*
judas • treiteraar *tourmenteur* m [v: *tourmenteuse*] • verrader *judas* m
judaskus *baiser* m *de Judas*
judaspenning *monnaie-du-pape* v [mv: *monnaies-du-pape*]
judassen *agacer*; *faire enrager*
judasstreek *coup* m *perfide*
judo *judo* m
judoën *faire du judo*
judoka *judoka* m/v
juf *maîtresse* v
juffrouw • ongehuwde vrouw *demoiselle* v; ‹aanspreekvorm› *Mademoiselle* • onderwijzeres *maîtresse* v
juichen *pousser des cris de joie*; *jubiler*
juist I BNW • correct *exact*; *juste*; *correct*; *bon* [v: *bonne*] ★ het ~e antwoord *la bonne réponse* • waar *exact*; *vrai* • precies *juste*; *exact* • geschikt *juste* ★ het ~e ogenblik *le bon moment* ★ het ~e woord *le mot qu'il faut* • billijk *juste* II BIJW • correct *exactement*; *justement*; *correctement* • precies *juste* ★ nog ~ de tijd hebben *avoir tout juste le temps (de)* • zojuist *à l'instant* ★ ik heb hem ~ geschreven *je viens de lui écrire*
juistheid *exactitude* v; *précision* v; *justesse* v
juk *joug* m ▾ onder het juk brengen *mettre sous le joug*
jukbeen *os* m *de la pommette*; *pommette* v
jukebox *juke-boxe* m [mv: *juke-boxes*]
juli *juillet* m
jullie I PERS VNW *vous*; ‹met nadruk› *vous autres* II BEZ VNW ‹met znw ev› *votre*; ‹met znw mv› *vos*
jumbojet *avion* m *gros-porteur* [m mv: *avions gros-porteurs*]; *jumbo-jet* m [mv: *jumbo-jets*]
jungle *jungle* v
juni *juin* m
junior I ZN *junior* m II BNW *junior* [onv]; *jeune*; ‹zoon› *fils* ★ de heer Jansen ~ *Monsieur Jansen fils*
junk, junkie *junkie* m; *camé* m
junkfood *cochonneries* v mv
junta *junte* v
jureren *être membre d'un jury*; *être juré*
juridisch I BNW *juridique* ★ ~e faculteit *faculté de droit* v ★ ~ adviseur *conseiller juridique* m II BIJW *juridiquement*
jurisdictie *juridiction* v
jurisprudentie *jurisprudence* v
jurist • rechtsgeleerde *juriste* m/v • student in de rechten *étudiant* m *en droit*
jurk *robe* v
jury *jury* m
jurylid *juré* m; *membre* m *du jury*
juryrapport *rapport* m *du jury*
jus • vruchtensap *jus* m • vleessaus *jus* m *de viande*
jus d'orange *jus* m *d'orange*
justificeren *justifier*
justitie *justice* v
justitieel *judiciaire*
Jut ★ de kop van Jut *la tête de Turc* ★ Jut en Jul *un couple singulier*
jute *jute* m
jutezak *sac* m *de jute*
jutten *piller*; *écumer*
jutter *pilleur* m *d'épaves*
juweel • sieraad *bijou* m [mv: *bijoux*]; *joyau* m [mv: *joyaux*]; ‹v. edelgesteente› *pierre* v *précieuse* • prachtexemplaar *perle* v
juwelenkistje *coffret* m *à bijoux*
juwelier *bijoutier* m [v: *bijoutière*]; *joaillier* m

[v: *joaillière*]
juxtapositie *juxtaposition* v

K

k *k* m
kaaiman *caïman* m
kaak • wang *joue* v • kaakbeen *mâchoire* v ▾ iets aan de kaak stellen *dénoncer qc*
kaakbeen *os* m *maxillaire*
kaakchirurg *chirurgien* m *dentiste*
kaakchirurgie *odonto-stomatologie* v
kaakholte *cavité* v *maxillaire*
kaakje *biscuit* m
kaakslag *gifle* v
kaakstoot *coup* m *à la mâchoire*
kaal • onbegroeid *nu* ★ een kale vlakte *une plaine aride/nue* • zonder haar *nu* ★ kaal knippen *couper ras* ★ kaal worden *perdre ses cheveux* ★ een kaal voorhoofd *un front dégarni* • zonder bladeren *nu*; *dépouillé* ★ de bomen worden kaal *les arbres se dépouillent de leur feuillage* • onbedekt *nu* • afgesleten *usé*; *râpé*; *élimé* • armoedig *pauvre*
kaalknippen *raser*; *tondre les cheveux*
kaalkop *crâne* m *chauve*
kaalscheren *raser*
kaalslag *coupe* v *rase*
kaap *cap* m ★ een kaap omzeilen *doubler un cap*
Kaapverdische Eilanden *îles* v mv *du Cap-Vert*
kaars *bougie* v; ‹v. vet› *chandelle* v; ‹in kerk› *cierge* m
kaarslicht *lumière* v *d'une bougie* ★ bij ~ *à la bougie*; *aux chandelles*
kaarsrecht *droit comme un cierge*
kaarsvet *suif* m
kaart • stuk karton *carte* v; ‹systeemkaart› *fiche* v; ‹menukaart› *menu* m; *carte* v; ‹ansichtkaart› *carte* v *postale* • toegangsbewijs *billet* m • speelkaart *carte* v *à jouer* ★ de ~en schudden *battre les cartes* ★ zijn ~en openleggen *abattre ses cartes* • landkaart *carte* v *(géographique)* ★ een land in ~ brengen *dresser la carte d'un pays* • plattegrond *plan* m ▾ open ~ spelen *jouer cartes sur table* ▾ alles op één ~ zetten *jouer le tout pour le tout* ▾ dat is doorgestoken ~ *c'est un coup monté* ▾ de gele/rode ~ *le carton jaune/rouge* ▾ groene ~ *carte verte (d'assurance internationale)* ▾ iemand in de ~ spelen *faire le jeu de qn* ▾ zich niet in de ~ laten kijken *cacher son jeu*
kaarten *jouer aux cartes*
kaartenbak *fichier* m
kaartenhuis *château* m *de cartes* [m mv: *châteaux*] ★ als een ~ instorten *s'écrouler comme un château de cartes*
kaartje • plaatsbewijs *billet* m; ‹v. metro, bus, tram› *ticket* m • toegangsbewijs *billet* m • visitekaartje *carte* v *(de visite)* ★ zijn ~ afgeven *donner sa carte de visite*
kaartlezen I ZN *lecture* v *des cartes* II ON WW *lire les cartes*
kaartspel *jeu* m *de cartes* [m mv: *jeux de cartes*]

kaartspelen *jouer aux cartes*
kaartsysteem *classement* m *par fiches*; *fichier* m
kaarttelefoon *téléphone* m *à cartes* ★ ~cel *publiphone* m
kaartverkoop *vente* v *des billets*
kaas *fromage* m ★ volvette kaas *fromage gras* ★ geraspte kaas *(fromage) râpé* ▾ heeft hij er kaas van gegeten? *s'y entend-il?* ▾ zich de kaas van het brood laten eten *se laisser marcher sur les pieds*
kaasboer *fromager* m [v: *fromagère*]
kaasbroodje *sandwich* m *au fromage*
kaasburger *hamburger* m *au fromage*; *cheeseburger* m
kaasfondue *fondue* v *savoyarde*
kaasfonduen *faire une fondue au fromage*
kaaskop BELEDIGEND ≈ *batave* m
kaasschaaf *raclette* v *à fromage*
kaassoufflé *soufflé* m *au fromage*
kaasstolp *cloche* v *à fromage*
kaatsen • SPORT *jouer à la paume* • terugstuiten *rebondir*
kabaal *vacarme* m; *chahut* m ★ een hels ~ maken *faire un tapage d'enfer*
kabbelen *murmurer*; *clapoter*
kabel • (staal)draad *câble* m *(d'acier)* • elektriciteitsdraad *fil* m *électrique*
kabelaansluiting • *branchement* m *au câble* • *abonnement* m *au câble*
kabelaar *câblodistributeur* m
kabelbaan *téléphérique* m; ‹met meerdere cabines› *télécabine* v
kabelexploitant *câblodistributeur* m
kabeljauw *morue* v; *cabillaud* m
kabelkrant *journal* m *transmis par câble*
kabelnet • elektriciteitsnet *réseau* m *électrique* • kabeltelevisienet *réseau* m *câblé*
kabelomroep *chaîne* v *câblée*
kabelslot *câble* m *antivol*
kabeltelevisie *télévision* v *par câble*; *télédistribution* v
kabeltouw *câble* m
kabinet *cabinet* m
kabinetsberaad *conseil* m *des ministres*
kabinetsbeslissing *décision* v *ministérielle*
kabinetsbesluit *décision* v *ministérielle*
kabinetscrisis *crise* v *ministérielle*
kabinetsformateur *formateur* m *de gouvernement*; *formatrice* v *de gouvernement*
kabinetsformatie *formation* v *gouvernementale*
kabinetszitting *séance* v *du cabinet*
kabouter • sprookjesdwerg *nain* m; *gnome* m • kind *lutin* m; *marmot* m
kachel I ZN *poêle* m ★ de ~ aanzetten *allumer le poêle* II BNW INF. *pompette*
kadaster *cadastre* m
kadastraal I BNW *cadastral* [m mv: *cadastraux*] ★ ~ bekend *cadastré* II BIJW *dans le cadastre*
kadastreren *cadastrer*
kadaver *cadavre* m
kade *quai* m
kader • lijst *cadre* m; ‹in tekst› *encadré* m • verband *cadre* m ★ buiten het ~ vallen *dépasser le cadre* • staf *cadres* m mv
kaderfunctie *fonction* v *de cadre*
kadetje *petit pain* m
kadreren *encadrer*
kaduuk *foutu*; *cassé*
kaf *balle* v ▾ het kaf van het koren scheiden *séparer le bon grain de l'ivraie*
kaffer *lourdaud* m; *butor* m
kaft *couverture* v; ‹v. papier› *chemise* v
kaftan *caftan* m
kaften *couvrir*
kaftpapier *papier* m *à couvrir*
kajak *kayak* m ★ ~varen *faire du kayak*
kajuit *cabine* v
kak • kapsones *esbroufe* v • poep *merde* v
kakelbont *bariolé*; *bigarré*
kakelen • kwebbelen *jacasser* • roepen van kip *caqueter*
kakelvers *de la dernière couvée* ★ ~e eieren *des œufs de la dernière couvée*
kaken *caquer*
kaki I ZN (de) vrucht *kaki* m II ZN (het) kleur, stof *kaki* m
kakken *chier*; *faire caca*
kakkerlak *cafard* m; *blatte* v
kakofonie *cacophonie* v
kalend *avec un début de calvitie*
kalender *calendrier* m
kalenderjaar *année* v *civile*
kalf *veau* m [mv: *veaux*] ▾ als het kalf verdronken is, dempt men de put *il est trop tard pour fermer l'écurie quand les chevaux sont dehors*
kalfslapje *escalope* v *de veau*; *tranche* v *de veau*
kalfsleer *cuir* m *de veau*
kalfsmedaillon *médaillon* m *de veau*
kalfsoester *escalope* v *de veau panée*
kalfsvlees *veau* m
kali *potasse* v
kaliber • diameter *calibre* m • formaat, aard *envergure* v
kalief *calife* m
kalium *potassium* m
kalk • bouwmateriaal *plâtre* m • calcium *calcium* m ★ gebluste kalk *chaux éteinte* v ★ ongebluste kalk *chaux vive* v
kalkaanslag *dépôt* m *calcaire*; *tartre* m
kalkafzetting *dépôt* m *calcaire*
kalken • met kalk besmeren *plâtrer* • schrijven *gribouiller*
kalkhoudend *calcaire*
kalkoen ‹haan› *dindon* m; ‹als gerecht› *dinde* v
kalkrijk *riche en calcaire*
kalksteen *calcaire* m
kalligrafie *calligraphie* v
kalm I BNW *calme*; *tranquille* ★ blijf maar kalm *ne t'en fais pas* II BIJW *tranquillement* ★ kalm aan! *doucement!*; INF. *mollo!*; INF. *vas-y mollo!*
kalmeren I OV WW kalm maken *calmer*; *apaiser* II ON WW kalm worden *se calmer*
kalmeringsmiddel *sédatif* m; *calmant* m
kalmpjes • onbewogen *impassiblement* • rustig *calmement*; *paisiblement* ★ ~ leven *vivre paisiblement*
kalmte *calme* m; *tranquillité* v; *sérénité* v
kaltstellen *mettre (qn) sur une voie de garage*

kalven *vêler* ⋆ het ~ *le vêlage*
kalverliefde *amour* m *d'adolescent*
kam • haarkam *peigne* m ⋆ een grove kam *un démêloir* • kamvormige zaak ‹v. haar/berg› *crête* v; ‹v. viool› *chevalet* m ▾ over één kam scheren *mettre dans le même sac*
kameel *chameau* m [mv: *chameaux*]
kameleon *caméléon* m
kameleontisch *caméléonesque*
kamer • vertrek *pièce* v; *chambre* v; ‹werkkamer› *bureau* m [mv: *bureaux*] ⋆ op zijn ~ *dans sa chambre* ⋆ donkere ~ *chambre noire* ⋆ op ~s wonen *habiter une chambre*; ‹met eigen keuken/toilet› *habiter un studio* • college *chambre* v • POL. ⋆ Eerste Kamer *Sénat* m ⋆ Tweede Kamer ‹in Frankrijk› *Assemblée nationale* v • hartholte *ventricule* m
kameraad *camarade* m/v; *copain* m [v: *copine*]
kameraadschappelijk I BNW *de camarades* II BIJW *en (bons) camarades*
kamerbewoner *locataire* m/v
kamerbreed *grande largeur* ⋆ ~ tapijt *tapis* m *grande largeur*
kamerdebat *débat* m *parlementaire*
kamerfractie *groupe* m *parlementaire*
kamergeleerde *homme* m *de cabinet*; PEJ. *rat* m *de bibliothèque*
kamergenoot *camarade* m *de chambre*
kamerheer ‹v. vorst› *chambellan* m; ‹v. paus› *camérier* m
kamerkoor ≈ *chorale* v
kamerlid ‹v. Tweede Kamer› *député* m; *parlementaire* m/v
kamermeerderheid *majorité* v *parlementaire*
kamermeisje *femme* v *de chambre*
kamermuziek *musique* v *de chambre*
Kameroen *le Cameroun* ⋆ in ~ *au Cameroun*
kamerorkest *orchestre* m *de chambre*
kamerplant *plante* v *d'appartement*
kamerreces *vacances* v mv *parlementaires*
kamerscherm *paravent* m
kamertemperatuur *température* v *ambiante* ⋆ op ~ brengen *chambrer* ⋆ op ~ houden *garder à la température ambiante*
kamerverhuur *location* v *de chambres*
kamerverkiezing *élection* v *législative*
kamerzetel *siège* m
kamerzitting ‹v. Tweede Kamer› *séance* v *de l'Assemblée nationale*; ‹v. Eerste Kamer› *séance* v *du Sénat*
kamfer *camphre* m
kamgaren • garen *laine* v *peignée* • stof *peigné* m
kamikaze *kamikaze* m
kamikazeactie *action* v *kamikaze*
kamille *camomille* v
kamillethee *infusion* v *de camomille*
kammen *peigner* ⋆ wol ~ *carder la laine*
kamp • tijdelijk verblijf *campement* m; *camp* m ⋆ het kamp opbreken *lever le camp* • partij *camp* m
kampbeul *bourreau* m *de camp* [m mv: *bourreaux de camp*]
kampeerauto *camping-car* m [mv: *camping-cars*]
kampeerboerderij *camping* m *à la ferme*
kampeerbus *camping-car* m [mv: *camping-cars*]
kampeerder *campeur* m [v: *campeuse*]
kampeerterrein *terrain* m *de camping*
kampement *camp(ement)* m
kampen *lutter*; *combattre* ⋆ te ~ hebben met *être aux prises avec* ⋆ met moeilijkheden te ~ hebben *se débattre contre des difficultés*; *devoir faire face à des difficultés*
kamperen *camper*; *faire du camping* ⋆ het ~ *le camping*
kamperfoelie *chèvrefeuille* m
kampioen *champion* m [v: *championne*]
kampioenschap *championnat* m
kampioenstitel *titre* m *de champion*
kampleiding *direction* v *du camp*
kampvuur *feu* m *de camp*
kan *broc* m; *pot* m; *pichet* m ▾ wie het onderste uit de kan wil hebben, krijgt het lid op de neus *qui veut tout, n'a rien*
kanaal • gegraven water *canal* m [mv: *canaux*] • zee-engte *détroit* m • frequentieband *canal* m [mv: *canaux*] • buis *conduit* m; *tube* m • weg, middel *voie* v; *source* v
Kanaal *Manche* v
Kanaaleilanden *îles* v mv *Anglo-Normandes*
Kanaaltunnel *tunnel* m *sous la Manche*
kanaliseren *canaliser*
kanarie *canari* m
kanariegeel *jaune canari*
kandelaar *chandelier* m
kandidaat • gegadigde *candidat* m [v: *candidate*]; *aspirant* m [v: *aspirante*] ⋆ zich ~ stellen *se porter candidat* • deelnemer quiz *candidat* m [v: *candidate*] • academische titel *licence* v
kandidaats ≈ *licence* v ⋆ hij is geslaagd voor z'n ~ *il a obtenu sa licence*
kandidatenlijst *liste* v *de(s) candidats*
kandidatentoernooi SPORT *tournoi* m *éliminatoire*
kandidatuur *candidature* v
kandij *sucre* m *candi*
kandijkoek *gâteau* m *au candi*
kaneel *cannelle* v
kaneelpijp *bâton* m *de cannelle*
kaneelstok • snoepgoed ≈ *sucre* m *d'orge à la cannelle* • pijpkaneel *bâton* m *de cannelle*
kangoeroe *kangourou* m
kanis *caboche* v; *ciboulot* m ▾ houd je ~! *ferme ta gueule!*
kanjer • groot exemplaar ⋆ een ~ van een vis *un poisson énorme* • uitblinker *as* m
kanker *cancer* m
kankeraar *rouspéteur* m [v: *rouspéteuse*]
kankerbestrijding *lutte* v *contre le cancer*
kankeren *rouspéter*
kankergezwel *tumeur* v *cancéreuse*; *cancer* m
kankerpatiënt *cancéreux* m [v: *cancéreuse*]
kankerverwekkend *cancérogène*
kannibaal *cannibale* m/v; *anthropophage* m/v
kannibalisme *cannibalisme* m
kano *canoë* m
kanoën *faire du canoë*
kanon *canon* m

K

kanonnade *canonnade* v
kanonnenvlees *chair* v *à canon*
kanonschot *coup* m *de canon*
kanonskogel *boulet* m *de canon*
kanovaarder *canoéiste* m/v
kanovaren *faire du canoë*
kans • waarschijnlijkheid *chance* v; *possibilité* v ⋆ kans hebben te *avoir des chances de* ⋆ kans hebben op *être en passe de* • risico, gok *risque* m ⋆ kans lopen te zakken *risquer d'échouer* ⋆ een kans wagen *tenter la chance* • gelegenheid *chance* v; *occasion* v ⋆ de kans waarnemen *saisir l'occasion* ⋆ de kans is verkeken *il n'y a plus moyen* ⋆ de kansen zijn gekeerd *la chance a tourné* ⋆ ergens kans toe zien *avoir les moyens de faire qc* ⋆ zie je er kans toe? *penses-tu que c'est faisable?*
kansarm *défavorisé*
kansel *chaire* v ⋆ de ~ betreden *monter en chaire* ⋆ vanaf de ~ *du haut de la chaire*
kanselarij *chancellerie* v
kanselier *chancelier* m
kanshebber *favori* m [v: *favorite*] ⋆ hij is een ~ *il a des chances*; *il est le favori* ⋆ de grootste ~ *le mieux placé*; *le grand favori*
kansloos *sans aucune chance de réussite*
kansrekening *calcul* m *des probabilités*
kansrijk *prometteur* [v: *prometteuse*]
kansspel *jeu* m *de hasard* [m mv: *jeux de hasard*]
kant I ZN (de) • uiterste rand, zijkant *bord* m; *côté* m; ‹v. bladzijde› *marge* v; ‹oever› *rive* v; *bord* m ⋆ aan de kant van de weg *au bord de la route* • zijde *côté* m ⋆ aan twee kanten te dragen *réversible* ⋆ aan die kant *de ce côté* ⋆ op zijn smalle kant zetten *mettre de chant* ⋆ scherpe kant *arête* v • richting *direction* v; *côté* m ⋆ van alle kanten *de tous les côtés* ⋆ de kant opgaan van *se diriger vers* ⋆ je kunt veel kanten op met rechten *les études de Droit offrent beaucoup de possibilités* • zienswijze *côté* m ⋆ aan de ene kant ..., aan de andere (kant) *d'une part ..., d'autre part*; *d'un côté ..., de l'autre* ⋆ van mijn kant *de mon côté* • weefsel *dentelle* v ⋆ met kant afzetten *garnir de dentelle* ▾ de kamer aan kant maken *ranger la chambre* ▾ de scherpe kanten afnemen *arrondir les angles* ▾ iets niet over zijn kant laten gaan *ne pas accepter qc* ▾ van kant maken *tuer*; *supprimer* **II** BNW ▾ alles is kant en klaar *tout est prêt*
kanteel *créneau* m [mv: *créneaux*]
kantelen I OV WW omdraaien *retourner*; *verser*; *basculer*; *renverser* ⋆ niet ~! *debout!* **II** ON WW omvallen *verser*; *basculer*; ‹v. schip› *chavirer*
kantelraam *fenêtre* v *basculante*
kanten I BNW *de/en dentelle* **II** WKD WW *s'opposer (à)*
kant-en-klaar *tout prêt* [m mv: *tout prêts*] [v: *toute prête*] [v mv: *toutes prêtes*]
kant-en-klaarmaaltijd *plat* m *cuisiné*
kantine *cantine* v
kantje • uiterste rand *bord* m • bladzijde *page* v • lapje van kant ⋆ de scherpe ~s eraf halen *arrondir les angles* ▾ op het ~ af *tout juste*; *de justesse*
kantlijn *marge* v
kanton *canton* m
kantongerecht *tribunal* m *d'instance* [m mv: *tribunaux ...*]
kantonrechter *juge* m *d'instance*
kantoor ‹v. advocaat› *cabinet* m; *bureau* m [mv: *bureaux*]; ‹v. notaris› *étude* v ⋆ zij werkt op een ~ *elle travaille dans un bureau* ▾ ~ houden *avoir son bureau*; *avoir son siège social*
kantooragenda *agenda* m *de bureau*
kantoorautomatisering *bureautique* v
kantoorbaan *emploi* m *de bureau*
kantoorbehoeften *fournitures* v mv *de bureau*
kantoorboekhandel *librairie-papeterie* v [mv: *librairies-papeteries*]
kantoorgebouw *immeuble* m *de bureaux*
kantoorpand *immeuble* m *de bureaux*
kantoortijd *heures* v mv *de bureau*
kantoortuin *bureau-paysage* m [mv: *bureaux-paysages*]
kanttekening • opmerking *observation* v • aantekening *note* v *marginale*; *apostille* v
kantwerk *dentelle* v
kanunnik *chanoine* m
kap • bedekking, bovenstuk ‹v. huis› *combles* m mv; *toiture* v; ‹v. auto› *capote* v; ‹v. vrachtwagen› *bâche* v; ‹v. lamp› *abat-jour* m [onv] ⋆ met open kap *décapotable* • hoofdbedekking *coiffe* v
kapel • kerkje *chapelle* v • muziekkorps REL. *chapelle* v; MIL. *musique* v *militaire* • insect *papillon* m
kapelaan *vicaire* m
kapelmeester ‹in leger› *chef* m *de musique*; ‹in kerk› *maître* m *de chapelle*; ‹v. orkest› *chef* m *d'orchestre*
kapen • gappen *chiper*; *piquer* • overmeesteren *détourner*
kaper • zeerover *corsaire* m; *pirate* m • ontvoerder *terroriste* m/v ⋆ vliegtuig~ *pirate de l'air* m
kaping *détournement* m
kapitaal I ZN (de) *capitale* v **II** ZN (het) *capital* m [mv: *capitaux*] ⋆ maatschappelijk ~ *capital social* ⋆ omlopend ~ *capital en circulation* **III** BNW zeer groot *capital* [m mv: *capitaux*] ⋆ van een ~ belang zijn *être primordial* [m mv: *primordiaux*]
kapitaalgoederen *biens* m mv *d'équipement*
kapitaalkrachtig *disposant de moyens financiers importants*; ‹v. personen› *riche*
kapitaalmarkt *marché* m *des capitaux*
kapitaalvlucht *fuite* v *de(s) capitaux*; *évasion* v *des capitaux*
kapitalisme *capitalisme* m
kapitalist *capitaliste* m/v
kapiteel *chapiteau* m [mv: *chapiteaux*]
kapitein *capitaine* m
kapitein-ter-zee *capitaine* m *de vaisseau*
kapittel *chapitre* m ▾ stem in het ~ hebben *avoir voix au chapitre*
kapittelen *tancer*; *chapitrer*
kapje • hoofddeksel *petite coiffe* v; ‹kalotje›

calotte v • uiteinde van brood *entame* v
kaplaars *botte* v
kapmeeuw *mouette* v *rieuse*
kapmes *machette* v
kapok *capoc* m
kapot • stuk ‹gebroken› *en morceaux*; ‹gescheurd› *déchiré*; ‹defect› *détraqué*; *en panne*; ‹beschadigd› *abîmé*; ‹met gaten› *troué* ★ ~ maken *abîmer*; *détruire* ★ ~ vallen *tomber en morceaux* ★ ~ gaan *casser* • afgemat *crevé*; *mort de fatigue* ★ ik ben ~ *je suis brisé* ★ zich ~ werken *s'éreinter*; *se crever au travail* • onder de indruk *bouleversé* ★ ik ben er ~ van *cela m'a bouleversé* ★ ik ben er niet ~ van *cela ne m'emballe pas*
kapotgaan ▾ ergens aan ~ *crever de qc*
kapotgooien *briser*; *casser*
kapotje *capote* v *(anglaise)*
kapotmaken *démolir*; ‹in stukken› *briser*
kapotslaan *briser*; *casser*
kappen I OV WW • hakken *couper*; *abattre* • haar opmaken *coiffer* II ON WW ~ **met** *arrêter (de)*
kapper *coiffeur* m [v: *coiffeuse*]
kappertje *câpre* v
kapsalon *salon* m *de coiffure*
kapseizen *chavirer*; *capoter*
kapsel *coiffure* v
kapsones *chichis* m mv
kapstok *portemanteau* m [mv: *portemanteaux*] ▾ iets als ~ gebruiken *se servir de qc comme point de départ*
kapucijner • monnik *capucin* m • erwt *pois* m *gris*
kar *charrette* v
karaat *carat* m
karabijn *carabine* v
karaf *carafe* v
karakter • aard *caractère* m; ‹v. dingen› *spécificité* v ★ een zwak ~ hebben *manquer de caractère* ★ een slecht ~ hebben *avoir mauvais caractère* • letterteken *caractère* m
karaktereigenschap *trait* m *de caractère*
karakteriseren *caractériser*
karakteristiek *caractéristique* ★ ~ voor iets *caractéristique de qc*
karakterloos *sans caractère*
karakterrol *rôle* m *de composition*
karaktertrek *trait* m *de caractère*
karaktervast *ferme*
karamel *caramel* m
karaoke *karaoké* m
karate *karaté* m
karavaan *caravane* v
karbonade *côtelette* v; *côte* v
kardinaal I ZN *cardinal* m [mv: *cardinaux*] II BNW *cardinal* [m mv: *cardinaux*]
karig I BNW • niet talrijk *rare* • sober *modeste*; *sobre* ★ een ~e maaltijd *un repas frugal* • zuinig *parcimonieux* [v: *parcimonieuse*] II BIJW • sober *sobrement* • zuinig *chichement*; *parcimonieusement*
karikaturaal *caricatural* [m mv: *caricaturaux*]
karikaturiseren *caricaturer*
karikatuur *caricature* v
karkas • geraamte *carcasse* v; *squelette* m • gestel *armature* v
karma *karma* m
karmijn *carmin* m
karnemelk *babeurre* m
karnen ‹v. boter› *battre*; ‹v. melk en room› *baratter* ★ boter ~ *battre le beurre*
karos *carrosse* m
Karpaten *Carpates* v mv ★ op de ~ *aux Carpates*
karper *carpe* v
karpet *carpette* v; *tapis* m
karren • fietsen *pédaler* • rijden *rouler*
karrenvracht *charretée* v
kartel I ZN (de) *cannelure* v II ZN (het) ECON. *cartel* m
kartelen I OV WW kartels maken *entailler*; *denteler*; ‹v. munten› *créneler* II ON WW kartels hebben/krijgen *se denteler*
kartelrand ‹v. muntstuk› *crénelage* m; ‹v. breiwerk› *feston* m
kartelvorming *cartellisation* v
karton *carton* m ★ gegolfd ~ *carton ondulé*
kartonnen *en carton*; *de carton*
karwats *cravache* v ★ met de ~ slaan *cravacher*
karwei *travail* m [mv: *travaux*]; ‹m.b.t. aannemer e.d.› *ouvrage* m; ‹als taak› *tâche* v; ‹vervelend› *corvée* v ★ het is een heel ~ *c'est toute une affaire*
karwij *carvi* m
kas • kassa *caisse* v; ‹betaalloket› *guichet* m ★ de kas opmaken *faire sa caisse* ★ er met de kas vandoor gaan *partir avec la caisse* • geldmiddelen *caisse* v ★ slecht bij kas zitten *être à court d'argent* • broeikas *serre* v • holte ‹voor edelsteen› *chaton* m; ‹oogkas› *orbite* v
kasbloem *fleur* v *de serre*
kasboek *livre* m *de caisse*
kascheque *chèque* m *de retrait*
kascommissie *commission* v *de vérification des comptes*
kasgeld *encaisse* v; *espèces* v mv
kashba *casbah* v
kaskraker *produit* m *qui rapporte beaucoup d'argent*
kasoverschot *surplus* m/*excédent* m *de caisse*
Kaspische Zee *mer* v *Caspienne*
kasplant *plante* v *de serre*
kasreserve *réserves* v mv *obligatoires*
kassa *caisse* v; ‹betaalloket› *guichet* m
kassabon *ticket* m *de caisse*
kassaldo *encaisse* v
kassier *caissier* m [v: *caissière*]
kassiewijle *crevé*
kasstroom *marge* v *brute d'autofinancement*; *cash-flow* m
kasstuk ADM. *justificatif* m *de paiement*
kassucces *spectacle* m/*film* m *à succès*
kast • bergmeubel *armoire* v; ‹vast› *placard* m • groot bouwsel ★ een kast van een huis *une maison énorme*
kastanje • vrucht ‹v. tamme kastanje› *châtaigne* v; ‹v. wilde kastanje› *marron* m/v ★ gepofte ~s *marrons grillés* • boom ‹tam› *châtaigner* m; ‹wild› *marronier* m
kastanjebruin ‹roodachtig› *auburn* [onv];

K

châtain; *marron* [onv] ★ ~e haren *des cheveux châtains*
kaste *caste* v
kasteel *château* m [mv: *châteaux*]
kastekort *déficit* m *de caisse*
kastelein *aubergiste* m/v; *cafetier* m
kastijden *châtier*
kastje • kleine kast *petite armoire* v; ‹in schoolbank› *casier* m; *cabinet* m • televisie ★ ~ kijken *regarder la télé* ▾ iemand van het ~ naar de muur sturen *envoyer qn d'un service à un autre*
kat • huisdier *chat* m [v: *chatte*] • snibbige vrouw *chipie* v ▾ de kat de bel aanbinden *attacher le grelot*; *faire le premier pas dans une affaire délicate* ▾ de kat in het donker knijpen *cacher son jeu* ▾ als een kat in een vreemd pakhuis *dépaysé*
katachtig *félin*
katalysator *catalyseur* m; ‹v. auto› *pot* m *catalytique*
katapult *lance-pierre(s)* m [onv]
Katar *le Qatar* ★ in ~ *au Qatar*
katenspek *lard* m *poché et fumé*
kater • mannetjeskat *matou* m • gevolg van drankgebruik *gueule* v *de bois* ★ een ~ hebben *avoir la gueule de bois* • teleurstelling *désillusion* v

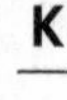

katern *cahier* m
katheder *chaire* v
kathedraal *cathédrale* v
kathode *cathode* v
katholicisme *catholicisme* m
katholiek I ZN *catholique* m/v II BNW *catholique*
katje *chaton* m
katoen *coton* m; ‹draad› *fil* m *de coton*
katoenen *de/en coton*
katrol *poulie* v
kattebelletje *bafouille* v; *petit mot* m; *petit billet* m
katten *taquiner* ★ gaan we ~? *tu cherches la bagarre?*
kattenbak • bak voor de kat *bac* m *à chat*; *plat* m *à chat* • ruimte in auto *spider* m
kattenbelletje *grelot* m
kattenkop • kop van een kat *tête* v *de chat* • kattige dame *garce* v
kattenkwaad *malice* v; *polissonnerie* v ★ ~ uithalen *faire des bêtises*
kattenoog • oog van kat *œil* m *de chat* [m mv: *yeux de chat*] • lichtreflector *catadioptre* m • siersteen *œil-de-chat* m [mv: *oeils-de-chat*]
kattenpis *pisse* v *de chat* ▾ dat is geen ~ *ce n'est pas de la petite bière*
katterig • een kater hebbend *qui a la gueule de bois* • beroerd *patraque*
kattig I BNW *hargneux* [v: *hargneuse*]; *acerbe* II BIJW *hargneusement*
katzwijm *pâmoison* v
kauw *choucas* m
kauwen I ZN *mastication* v II OV WW *mâcher*
kauwgom *chewing-gum* m [mv: *chewing-gums*]
kauwgombal *boule* v *de chewing-gum*
kavel *lot* m
kavelen *diviser en lots*; *lotir*
kaviaar *caviar* m
Kazakstan *le Kazakhstan* ★ in ~ *au Kazakhstan*
kazerne *caserne* v
kazuifel *chasuble* v
kebab *chiche-kebab* m [mv: *chiches-kebabs*]
keel *gorge* v; ‹keelgat› *gosier* m ★ zijn keel smeren *se rincer la dalle* ▾ het hangt me de keel uit *j'en ai par-dessus la tête*; *j'en ai marre* ▾ een keel opzetten *crier à tue-tête* ▾ de woorden bleven hem in de keel steken *les mots s'étranglaient dans sa gorge* ▾ hij vloog me naar de keel *il m'a sauté à la gorge* ▾ dat hangt me de keel uit *j'en ai par-dessus la tête*; *j'en ai soupé*
keel-, neus- en oorarts *oto-rhino-laryngologiste* m/v [m mv: *oto-rhino-laryngologistes*]
keelgat *gorge* v; *gosier* m ★ er is hem wat in het verkeerde ~ gekomen *il a avalé qc de travers* ▾ dat is hem in het verkeerde ~ geschoten *il l'a mal pris*
keelholte *pharynx* m; *arrière-bouche* v [mv: *arrière-bouches*]
keelklank *son* m *guttural* [m mv: *sons gutturaux*]
keelontsteking *angine* v
keelpijn *mal* m *de gorge* ★ ~ hebben *avoir mal à la gorge*
keep *encoche* v; *entaille* v
keepen *défendre le but*
keeper *gardien* m *de but* [v: *gardienne ...*]
keer • maal *fois* v ★ keer op keer *coup sur coup* ★ in één keer *en une fois*; *d'un seul coup* ★ op een keer *un jour* ★ drie keer vier is twaalf *trois fois quatre font douze* • wending *tour* m; *tournure* v ★ een gunstige keer nemen *prendre une tournure favorable* ▾ te keer gaan tegen *engueuler*; *tonner contre* ▾ binnen de kortste keren *en moins de rien*
keerkring *tropique* m
keerpunt *tournant* m; SPORT *virage* m
keerzijde ‹v. munt› *revers* m; ‹v. papier› *verso* m; ‹v. stof› *envers* m; FIG. *revers* m; *inconvénient* m ★ de ~ van de medaille *le revers de la medaille*
keeshond *loulou* m
keet • schuurtje *baraque* v • chaos *pagaille* v; *chahut* m ★ keet schoppen *faire du chahut*; *chahuter*
keffen *japper*; *glapir*
kefir *képhir/kéfir* m
kegel • WISK. *cône* m • figuur in kegelspel *quille* v ★ ~s omgooien *abattre des quilles*
kegelbaan *bowling* m; *jeu* m *de quilles*
kegelen I OV WW gooien ★ iem. eruit ~ *flanquer/ficher qn dehors* II ON WW SPORT *jouer aux quilles*; *jouer au bowling*
kei • steen *caillou* m [mv: *cailloux*]; ‹straatsteen› *pavé* m ★ met keien bestraten *caillouter* • uitblinker *as* m ★ een kei zijn in wiskunde *être fort en mathématiques*
keihard I BNW • heel hard *dur comme un caillou*; ‹hevig› *violent* • onaandoenlijk *impitoyable*; *sans cœur* • heel luid *étourdissant* ★ de muziek ~ zetten *mettre la*

musique à pleins tubes **II** BIJW • heel luid *à tue-tête* • heel snel *à toute vitesse* ★ ~ voorbijrijden *passer à toute vitesse* • heel hard *violemment*
keilbout *boulon* m *à cheville*
keilen • gooien met steentjes *faire des ricochets; faire ricocher* • smijten *flanquer*
keizer *empereur* m [v: *impératrice*] ▾ geef de ~ wat des keizers is *rendez à César ce qui est à César*
keizerlijk *impérial* [m mv: *impériaux*]
keizerrijk *empire* m
keizersnede *césarienne* v
kelder *cave* v; *cellier* m ▾ het schip gaat naar de ~ *le bateau coule* ▾ naar de ~ helpen *conduire aux abîmes*
kelderen I OV WW doen zinken *couler* **II** ON WW • vergaan *couler* • in waarde dalen ‹v. aandelen› *dégringoler*; ‹v. prijzen› *s'écrouler*
keldertrap *escalier* m *qui descend à la cave*
kelen *couper la gorge à; égorger*
kelim I ZN (de) tapijt *kilim* m **II** ZN (het) stof ≈ *tapisserie* v
kelk • PLANTK. *calice* m • beker *coupe* v
kelner *serveur* m [v: *serveuse*]
Kelt *Celte* m/v
Keltisch I ZN *celtique* m; *celte* m **II** BNW *celtique; celte*
kemphaan • vogel *combattant* m • ruziezoeker *batailleur* m [v: *batailleuse*]; *bagarreur* m [v: *bagarreuse*]
kenau *virago* v; *gendarme* m ★ zijn vrouw is een echte ~ *sa femme, c'est un vrai gendarme*
kenbaar • te herkennen *reconnaissable* • bekend ★ zijn wensen ~ maken *exprimer ses vœux; faire connaître ses vœux*
kendo *kendo* m
kengetal • kenmerkend getal *indicateur* m • netnummer *indicatif* m *(d'appel)*
Kenia *le Kenya* ★ in ~ *au Kenya*
kenmerk • kenteken *caractéristique* v; *signe* m; MED. *symptôme* m • karaktertrek *caractère* m
kenmerken *caractériser*
kenmerkend *caractéristique*
kennel *chenil* m
kennelijk I BNW *évident; manifeste* **II** BIJW *manifestement* ★ hij is ~ vergeten hoe laat het is *il a dû oublier l'heure*
kennen • vertrouwd zijn met *connaître* ★ wij hebben elkaar in Amsterdam leren ~ *nous nous sommes connus à Amsterdam* • weten, beheersen *savoir; connaître* ★ niet ~ *ignorer* • herkennen *reconnaître* • ~ **in** ★ iem. in iets ~ *consulter qn au sujet de qc; demander l'avis de qn au sujet de qc* ▾ zich laten ~ *se trahir* ▾ te ~ geven *exprimer; faire connaître*
kenner *connaisseur* m [v: *connaisseuse*]; ‹deskundige› *spécialiste* m/v
kennersblik *regard* m *connaisseur*
kennis • bewustzijn *connaissance* v ★ buiten ~ raken *perdre connaissance* ★ weer bij ~ komen *reprendre connaissance* ★ hij is bij ~ *il a toute sa connaissance* ★ buiten ~ *sans connaissance* • wat men weet *connaissance* v ★ met ~ van zaken *en connaissance de cause* ★ ~ dragen van *être informé de* ★ ~ geven van *faire part de; informer de* • bekendheid met *connaissance* v ★ ~ maken met *faire la connaissance de* ★ aangenaam met u ~ te maken *je suis ravi de vous connaître* • bekende *connaissance* v ★ een ~ van mij *une de mes connaissances*
kennisgeven *faire part de; informer de*
kennisgeving *avis* m; *communication* v; ‹v. geboorte e.d.› *faire-part* m [onv] ★ iets voor ~ aannemen *prendre acte de qc*
kennismaken *faire connaissance* ★ hebt u al met hem kennisgemaakt? *vous le connaissez déjà?* ★ aangenaam kennis te maken *enchanté de faire votre connaissance* ★ ~ met de wetenschap *prendre connaissance de la science*
kennismaking *première rencontre* v
kennisneming • het kennis nemen *connaissance* v • inzage en oordeel *examen* m ★ ter ~ *à titre d'information*
kennisoverdracht *transfert* m *de connaissances*
kennissenkring *cercle* m *des connaissances*
kennissysteem *structure* v *de connaissances*
kenschetsen *caractériser; peindre*
kenteken • kenmerk *caractéristique* v; *signe* m; *marque* v; *indice* m • registratienummer *numéro* m *d'immatriculation*
kentekenbewijs ‹deel II› *carte* v *grise*; ‹deel III› *vignette* v
kentekenplaat *plaque* v *d'immatriculation*
kenteren • kapseizen *chavirer* • veranderen *changer; se modifier*; ‹v. wind, tij› *tourner*
kentering *changement* m; ‹v. weer› *renversement* m; ‹v. meningen› *revirement* m; ‹in geschiedenis› *tournant* m
keper I ZN (de) weefpatroon *chevron* m ▾ op de ~ beschouwd *tout bien considéré* **II** ZN (het) stof *tissu* m *croisé*
keppeltje *kippa* v
keramiek *céramique* v; *poterie* v
kerel • man *type* m; *individu* m; ‹informeel› *mec* m ★ een arme ~ *un pauvre diable* ★ een goeie ~ *un brave type* ★ beste ~! *mon cher!; mon vieux!* • forse man *gaillard* m
keren I OV WW • omdraaien *retourner* ★ u mag hier niet ~ *vous n'avez pas le droit de faire demi-tour ici* ★ zijn broek binnenstebuiten ~ *retourner son pantalon* ★ de politie heeft het huis binnenstebuiten gekeerd *la police a mis la maison sens dessus dessous* • tegenhouden *détourner; parer; prévenir* ★ het tij kon niet meer gekeerd worden *il n'y avait plus moyen de retourner la situation* **II** ON WW • omslaan, veranderen *tourner* • omkeren *tourner* **III** WKD WW • ~ **tot** *se tourner vers* • ~ **tegen** *se tourner contre*
kerf *coche* v; *entaille* v
kerfstok ▾ hij heeft veel op zijn ~ *il a un casier judiciaire bien chargé*
kerk • gebouw *église* v; ‹protestants› *temple* m • instituut *Église* v ▾ de lijdende, strijdende, zegepralende kerk *l'église souffrante, militante, triomphante*
kerkboek *livre* m *de prières*
kerkdienst ‹rooms-katholiek› *office* m;

service m *religieux*; ‹protestants› *culte* m
kerkelijk I BNW • verbonden aan kerk *ecclésiastique* ★ Kerkelijke Staat *les États pontificaux* • behorend bij gebruiken *religieux* [v: *religieuse*] ★ de ~e plechtigheid *la cérémonie religieuse* ★ ~e kunst *art chrétien* m ★ ~ jaar *année liturgique* v II BIJW *religieusement* ★ een huwelijk ~ inzegenen *bénir un mariage*
kerkenraad ‹bestuur› *consistoire* m; *conseil* m *presbytéral*; ‹vergadering› *réunion* v *du conseil presbytéral*
kerker *cachot* m
kerkganger *fidèle* v ★ een trouwe ~ *un/une fidèle*
kerkgenootschap *Église* v; *communauté* v *religieuse* ★ tot geen ~ behorend *sans confession*
kerkhof *cimetière* m ▾ de dader ligt op het ~ *le coupable s'est envolé*
kerkklok • uurwerk *horloge* v *(d'église)* • luiklok *cloche* v *(d'église)*
kerkkoor *chœur* m
kerkmuziek *musique* v *sacrée*; *musique* v *religieuse*
kerkorgel *orgue* m *d'église*
kerkprovincie *province* v *ecclésiastique*
kerkrat ▾ zo arm zijn als een ~ *être pauvre comme Job*
kerkrecht *droit* m *canon*
kerks *pratiquant* ★ ~ zijn *être pratiquant*
kerktoren *tour* v *d'une église*; ‹klok› *clocher* m
kerkuil *chouette* v *effraie*
kerkvader *Père* m *de l'Eglise*
kermen *gémir*; *se lamenter* ★ niem. reageerde op zijn ~ *personne ne répondait à ses gémissements*
kermis *fête* v *foraine*; ‹ook fig.› *foire* v; ‹in Benelux› *kermesse* v
kermisattractie *attraction* v *de fête foraine*
kermisvolk *forains* m mv
kern • binnenste *noyau* m [mv: *noyaux*]; *centre* m; *cœur* m; ‹v. pit› *amande* v • essentie *(point* m*) essentiel* m; *substance* v; *essence* v ★ in de kern van de zaak denk ik dat *au fond des choses je pense que* [+ ind.]
kernachtig I BNW *concis*; *lapidaire* II BIJW *de façon lapidaire*; *sans détours*
kernafval *déchets* m mv *nucléaires*
kernbewapening *armement* m *nucléaire*
kernbom *bombe* v *atomique*
kerncentrale *centrale* v *nucléaire*
kernenergie *énergie* v *nucléaire*
kernfusie *fusion* v *thermonucléaire*
kernfysica *physique* v *nucléaire*
kerngezond *sain*; *en parfaite santé* ★ er ~ uitzien *respirer la santé*
kernkop *tête* v *nucléaire*
kernlichaampje *nucléole* v
kernmacht *puissance* v *nucléaire*
kernoorlog *guerre* v *nucléaire*
kernploeg *sélection* v *de base*
kernproef *essai* m *nucléaire*; *expérience* v *nucléaire*
kernpunt *point* m *essentiel*
kernraket *missile* m *nucléaire*
kernreactor *réacteur* m *nucléaire*
kernstop *limitation* v *de l'armement nucléaire*
kernwapen *arme* v *nucléaire* ★ proef met ~ *expérience nucléaire* v
kerosine *kérosène* m
kerrie *curry* m
kerriepoeder *curry* m
kers • vrucht *cerise* v • boom *cerisier* m
kersenbonbon *bouchée* v *cerise*
kersenboom *cerisier* m
kersenhout *(bois* m *de) cerisier* m
kersenjam *confiture* v *de cerises*
kersenpit *noyau* m *de cerise*
kerst *Noël* m ★ met de ~ *à Noël* ★ een witte ~ *un Noël sous la neige*
kerstavond *veillée* v *de Noël*
kerstboodschap • boodschap *allocution* v *de Noël* • evangelie *Évangile* m *de Noël*
kerstboom *arbre* m *de Noël*
kerstconcert *concert* m *de Noël*
kerstdag *jour* m *de Noël*
kerstdiner ‹'s nachts› *repas* m *de Noël*; *réveillon* m
kerstenen *christianiser*
kerstfeest *fête* v *de Noël*; *Noël* m ★ vrolijk ~ *joyeux Noël*
kerstgratificatie *gratification* v *de Noël*; *prime* v *de fin d'année*
kerstkaart *carte* v *de Noël*
kerstkind *enfant* m *né à Noël* [v: *enfant née à Noël*]
Kerstkind *Enfant* m *Jésus*
kerstkrans(je) *gâteau* m *de Noël*; *chocolat* m *de Noël en forme d'anneau*
kerstlied *chant* m *de Noël*
kerstman *Père* m *Noël*
Kerstmis *Noël* m
kerstnacht *nuit* v *de Noël*
kerstpakket *colis* m *de Noël*
kerstroos *rose* v *de Noël*
kerststal *crèche* v *de Noël*
kerstster • kerstversiering *étoile* v • plant *poinsettia* m
Kerstster *étoile* v *de Bethléem*
kerststol ≈ *pain* m *aux raisins et à la pâte d'amandes qu'on mange à Noël*
kerststukje *composition* v *de Noël*
kerstvakantie *vacances* v mv *de Noël*
kersvers I BNW zeer vers *tout frais* [v: *toute fraîche*] II BIJW *tout juste* ★ ~ van school *frais émoulu de l'école*
kervel *cerfeuil* m
kerven *entailler*; *graver*
ketchup *ketchup* m
ketel • kookketel *chaudron* m; ‹waterketel› *bouilloire* v • stoomketel *chaudière* v
ketelsteen *tartre* m; CHEM. *incrustation* v
keten I ZN *chaîne* v II ON WW *faire du chahut*
ketenen *enchaîner*
ketjap *sauce* v *de soja*
ketsen • afschampen *ricocher*; *rebondir* • niet afgaan *s'enrayer*
ketter *hérétique* m/v ▾ roken als een ~ *fumer comme un pompier*
ketteren *tempêter*
ketterij *hérésie* v
ketters I BNW *hérétique* II BIJW *comme un hérétique*

K

ketting *chaîne* v
kettingbotsing *carambolage* m; *collision* v *en chaîne*
kettingbrief *chaîne* v
kettingformulier *lettre* v *en chaîne*
kettingkast *carter* m
kettingpapier *papier* m *en continu*; *rouleau* m *de papier*
kettingreactie *réaction* v *en chaîne*
kettingroker *fumeur* m *invétéré* [v: *fumeuse invétérée*]
kettingslot *antivol* m
kettingsteek *point* m *de chaînette*
kettingzaag ‹bosbouw› *tronçonneuse* v; *scie* v *à chaîne*
keu *queue* v
keuken *cuisine* v
keukenblok *bloc* m *cuisine*
keukengeheim *secret* m *du chef*
keukengerei *utensiles* m mv *de cuisine*
keukenkastje *buffet* m *de cuisine*
keukenmachine *robot* m *(ménager)*
keukenmeid *fille* v *de cuisine*
keukenmeidenroman *roman* m *de quatre sous*
keukenpapier *essuie-tout* m [onv]
keukenprinses *cordon-bleu* m [mv: *cordons-bleus*]
keukenrol *essuie-tout* m
keukenzout *sel* m *de cuisine*
keur • keuze *choix* m • waarmerk *poinçon* m; *marque* v ★ een keur aanbrengen *apposer un poinçon*
keuren *contrôler*; *examiner*; ‹een keurmerk geven› *poinçonner*; MED. *faire subir un examen médical à*
keurig I BNW • zorgvuldig *soigné* ★ een ~ handschrift *une écriture soignée* ★ een ~e man *un homme très correct* • correct *correct*; *élégant* ★ een ~e vertaling *une écriture soignée* II BIJW *correctement*; *d'une façon exquise*; *élégamment* ★ zij gaat ~ gekleed *elle s'habille très comme il faut*
keuring *examen* m ★ medische ~ *examen médical* ★ technische ~ *révision* v; *contrôle* m *technique*
keuringsarts *médecin* m *de contrôle*
keuringsdienst *service* m *de contrôle* ★ ~ van waren *inspection* v *des denrées*
keurkorps *corps* m *d'élite*
keurmeester *contrôleur* m [v: *contrôleuse*]; ‹v. voedingswaar› *inspecteur* m [v: *inspectrice*]; ‹v. goud› *essayeur* m [v: *essayeuse*]
keurmerk *poinçon* m
keurstempel *marque* v; *poinçon* m
keurtroepen *troupes* v mv *d'élite*
keus • het kiezen *choix* m ★ zijn keus op iets laten vallen *choisir qc* ★ naar keuze *au choix* • mogelijkheid tot kiezen *option* v; ‹tussen twee dingen› *alternative* v ★ je hebt geen keus *tu n'as pas le choix* ★ voor een keus gesteld worden *devoir choisir* • sortering *sélection* v ★ een ruime keus aan artikelen *un grand choix d'articles*; *toute une gamme d'articles* • wat gekozen is *choix* m
keutel *crotte* v
keuterboer *petit cultivateur* m
keuvelen *faire la causette*; *causer*
keuze → **keus**
keuzecommissie *comité* m *de sélection* ★ lid van de ~ *sélectionneur* m [v: *sélectionneuse*]
keuzemenu *menu* m
keuzemogelijkheid *option* v
keuzepakket *matières* v mv *à option (d'un examen)*; ‹tv-kanalen› *bouquet* m *(de programmes)*
keuzevak *matière* v *à option*
kever • insect *coléoptère* m • auto *coccinelle* v
kevlar *kevlar* m
keyboard *clavier* m; MUZ. *orgue* m *électronique*
kibbelen *se chamailler*
kibbeling CUL. *joue* v *de cabillaud*
kibboets *kibboutz* m
kickboksen *boxe* v *française*
kicken ~ **op** *se passionner (pour)*
kidnappen *kidnapper*
kidnapper *kidnappeur* m [v: *kidnappeuse*]
kiekeboe *coucou*
kiekendief *busard* m
kiekje *photo* v
kiel • SCHEEPV. *quille* v • kledingstuk *blouse* v
kiele-kiele *guili-guili* ▾ het was ~ *c'était tout juste*
kielhalen *faire subir la grande cale à*
kielwater *sillage* m; *remous* m
kiem *germe* m ▾ in de kiem smoren *étouffer dans l'œuf*
kiemen *germer*
kien I BNW • pienter *malin* [v: *maligne*] • ~ **op** ★ kien op iets zijn *adorer qc* II BIJW *avec astuce*
kiepauto *camion* m *à benne mobile*
kiepen I OV WW neergooien ★ iets op de grond ~ *renverser qc par terre* II ON WW vallen ★ van tafel ~ *tomber de la table*
kieperen *dégringoler*
kier *fente* v; *entrebâillement* m ★ op een kier zetten *entrebâiller*; *entrouvrir* ★ de deur op een kier laten staan *laisser la porte entrouverte*
kierewiet *dingue*
kies I ZN (de) *molaire* v; *dent* v ★ iem. een kies trekken *arracher une dent à qn* II BNW • fijngevoelig *délicat* ★ ik vind het niet kies om te niezen in gezelschap *je ne trouve pas de bon goût d'éternuer en société* • kieskeurig *difficile* III BIJW *délicatement*
kiesdeler *quotient* m *électoral*
kiesdistrict *circonscription* v *électorale*
kiesdrempel *seuil* m *électoral*
kiesgerechtigd *qui est inscrit sur les listes électorales*; *qui a le droit de vote* ★ ~e leeftijd *âge électoral* m
kieskauwen *chipoter*
kieskeurig *délicat*; *difficile*; *exigeant*
kieskring *circonscription* v *électorale*
kiespijn *mal* m *de dents* ★ ~ hebben *avoir mal aux dents*
kiesplicht *devoir* m *d'électeur*
kiesrecht *droit* m *de vote* ★ het algemeen ~ *le suffrage universel*
kiesschijf *cadran* m
kiestoon *tonalité* v
kietelen *chatouiller*
kieuw *branchie* v; *ouïes* v mv

kieviet *vanneau* m [mv: *vanneaux*] ▾ lopen als een ~ *courir comme un lévrier*
kiezel I ZN (de) steen *caillou* m [mv: *cailloux*]; ‹vuursteen› *silex* m II ZN (het) • silicium *silicium* m; ‹vuursteen› *silex* m • grind *gravillon* m; *gravier* m
kiezelsteen *caillou* m [mv: *cailloux*]; ‹vuursteen› *silex* m
kiezelstrand *plage* v *de galets*
kiezen *élire* ★ het ~ van een nieuwe president *l'élection d'un nouveau président*
kiezer *électeur* m [v: *électrice*] ★ de ~s *le corps électoral*
kiften *se chamailler*
kijk • het kijken *vue* v • uitzicht ★ daar is geen kijk op *il ne faut pas y compter* • inzicht ★ (een goede) kijk hebben op *s'y connaître en* • gezichtspunt *optique* v; *point* m *de vue* ▾ iemand te kijk zetten *tourner qn en ridicule* ▾ te kijk zitten *se donner en spectacle* ▾ tot kijk *au revoir*
kijkcijfer *taux* m *d'audience*
kijkdag *jour* m *d'exposition*
kijkdichtheid *audience* v ★ een onderzoek naar ~ *un sondage d'audience*
kijkdoos *boîte* v *à images*
kijken I OV WW bekijken *regarder* ★ televisie ~ *regarder la télé* II ON WW • de ogen gebruiken *regarder* ★ laat eens ~ *voyons* ★ gaan ~ *aller voir* ★ op zijn horloge ~ *regarder sa montre* ★ uit het raam ~ *regarder par la fenêtre* ★ voor zich ~ *regarder devant soi* • eruitzien *avoir l'air* ★ kijk niet zo dom! *ne regarde pas aussi bêtement!* ▾ daar komt heel wat bij ~ *cela ne se fait pas tout seul* ▾ ik sta ervan te ~ *j'en suis stupéfait* ▾ kijk! *tiens!* ▾ ~ kost niets *regarder n'engage à rien* ▾ pas komen ~ *sortir de l'œuf* ▾ hij kijkt niet zo nauw *il n'y regarde pas de si près* ▾ hij kijkt niet op een honderd gulden *il n'en est pas à cent florins près*
kijk- en luisterdichtheid(smeter) *audimat®* m
kijker • verrekijker *jumelles* v mv • persoon *spectateur* m [v: *spectatrice*] • oog *mirette* v
kijkgedrag ≈ *écoute* v *des programmes de la télévision*
kijkgeld *redevance* v ★ kijk- en luistergeld *redevance* v *radio et télé*
kijkje *coup* m *d'œil* ★ een ~ gaan nemen *jeter un coup d'œil*; *voir un peu ce qui se passe*
kijkoperatie ‹v. buik› *laparoscopie* v
kijven *se quereller*
kik ★ geen kik geven *ne pas souffler mot*; ‹bij pijn› *ne pas pousser cri*
kikken *piper* ★ niet ~ *ne pas piper mot*
kikker *grenouille* v
kikkerbad *pataugeoire* v
kikkerbilletjes *cuisses* v mv *de grenouille*
kikkerdril *œufs* m mv *de grenouille*
kikkervisje *têtard* m
kikvorsman *homme-grenouille* m [mv: *hommes-grenouilles*]
kil I BNW • fris *frais* [v: *fraîche*] • onhartelijk *glacial* ★ een kille blik *un regard glacial* II BIJW *froidement*
killer *tueur* m *à gages* [v: *tueuse* ...]
killersinstinct *instinct* m *de meurtrier*
kilo *kilo* m
kilobyte *kilobyte* m; *kilo-octet* m
kilocalorie *kilocalorie* v
kilohertz *kilohertz* m
kilojoule *kilojoule* m
kilometer *kilomètre* m ★ honderd ~ per uur rijden *rouler à cent kilomètres à l'heure*; *faire du cent à l'heure*
kilometerpaal *borne* v *kilométrique*
kilometerteller *compteur* m *(kilométrique)*
kilometervergoeding *indemnité* v *kilométrique*
kilometervreter *bouffeur* m *de kilomètres* [v: *bouffeuse* ...]
kilowatt *kilowatt* m
kilowattuur *kilowattheure* v
kilt *kilt* m
kilte • frisheid *fraîcheur* v • onhartelijkheid *froideur* v
kim *horizon* m
kimono *kimono* m
kin *menton* m
kind • jeugdig persoon *enfant* m/v; INF. *gosse* m/v; ‹klein› *marmot* m • nakomeling *enfant* m/v ★ een kind krijgen *accoucher* ▾ kind noch kraai hebben *n'avoir ni enfants, ni parents* ▾ hij is het kind van de rekening *il est le dindon de la farce* ▾ ergens kind aan huis zijn *être un familier de la maison*
kinderachtig I BNW • als kind *d'enfant*; *enfantin* • flauw *puéril* ★ wat ben jij ~! *que tu es enfant!* II BIJW *puérilement*; *comme un enfant* ★ zich ~ aanstellen *faire l'enfant*
kinderarbeid *travail* m *des enfants*
kinderarts *pédiatre* m
kinderbescherming *protection* v *de l'enfance*
kinderbijbel *bible* v *pour les enfants*
kinderbijslag *allocations* v mv *familiales*; INF. *allocs* v mv
kinderboek *livre* m *pour enfants*
kinderboerderij *ferme* v *pour enfants*
kinderdagverblijf *crèche* v; *pouponnière* v
kinderhand *menotte* v ▾ een ~ is gauw gevuld *un enfant est facile à contenter*
kinderjaren *enfance* v; *années* v mv *d'enfance*
kinderkaart *ticket* m *à tarif réduit pour enfants*
kinderkamer *chambre* v *d'enfants*
kinderkleding *vêtements* m mv *d'enfants*
kinderkoor *chœur* m *d'enfants*
kinderlijk I BNW • als een kind *enfantin*; *d'enfant*; ‹voor ouders› *filial* [m mv: *filiaux*] • naïef *ingénu*; *naïf* [v: *naïve*] II BIJW • als een kind *comme un enfant*; *d'une façon enfantine* • naïef *naïvement*
kinderlokker ≈ *satyre* m
kinderloos *sans enfants*
kindermeisje *bonne* v *d'enfants*; *nounou* v
kinderopvang *crèche* v
kinderporno *pornographie* v *pédophile*
kinderpostzegel ≈ *timbre-poste* m *émis au profit de l'enfance* [m mv: *timbres-poste* ...]
kinderrechter *juge* m *des enfants*
kinderschoen *soulier* m *d'enfants* ▾ in de ~en staan *être encore dans l'enfance*
kinderslot *serrure* v *de sécurité*
kinderspel *jeu* m *d'enfant* [m mv: *jeux* ...] ▾ dat is geen ~ *c'est sérieux*

kinderstoel *chaise* v *d'enfant*
kindertehuis *home* m *d'enfants*
kindertelefoon ≈ *S.O.S.* m *enfance maltraitée*
kindertijd *enfance* v
kinderverlamming *polio* v; *poliomyélite* v
kindervoeding *nutrition* v *des enfants*
kindervriend *ami* m *des enfants*
kinderwagen *landeau* m [mv: *landeaux*]; ‹wandelwagen› *poussette* v
kinderwens • wens kinderen te krijgen *rêve* m *d'enfants* • wens van een kind *désir* m *d'avoir des enfants*
kinderwerk • werk van kinderen *travail* m *d'enfants* [m mv: *travaux ...*] • onbeduidend werk *jeu* m *d'enfant*; *enfantillage* m; *bagatelle* v
kinderziekenhuis *hôpital* m *d'enfants* [m mv: *hôpitaux ...*]
kinderziekte • beginmoeilijkheden *difficultés* v mv *du début* • ziekte *maladie* v *infantile*
kinderzitje *siège-enfant* m [mv: *sièges-enfant*]
kinds *gâteux* [v: *gâteuse*]; *sénile* ▾ ~ worden *retomber en enfance*
kindsdeel *part* v *d'enfant*
kindsheid • kinderjaren *enfance* v • het kinds zijn *sénilité* v
kindvrouwtje *femme-enfant* v [mv: *femmes-enfants*]
kinesthesie *kinesthésie* v
kinetisch *cinétique*
kingsize *géant* [onv]; *maxi*
kinine *quinine* v
kink *nœud* m ▾ er is een kink in de kabel gekomen *il s'est présenté une difficulté*
kinkel *lourdaud* m; *rustre* m
kinkhoest *coqueluche* v ⋆ aanval van ~ *quinte de toux* v
kinky *pervers*; *vicieux* [v: *vicieuse*]
kinnebak • kaken *mâchoires* v mv • onderkaak *mâchoire* v *inférieure*
kiosk *kiosque* m
kip ‹als voedsel› *poulet* m; *poule* v ▾ er was geen kip *il n'y avait pas un chat* ▾ redeneren als een kip zonder kop *raisonner comme une pantoufle*
kipfilet *blanc* m *de poulet*
kiplekker *frais comme un gardon* [v: *fraîche ...*]; *en pleine forme*
kippenborst • borst van kip *blanc* m *de poulet* • misvorming *thorax* m *en carène*
kippenbout *cuisse* v *de poulet*
kippeneindje *petit bout* m *de chemin*
kippenfokkerij • het fokken *élevage* m *de poules*; *aviculture* v • fokbedrijf *élevage* m *de poules*
kippengaas *grillage* m
kippenhok *poulailler* m
kippenlever *foie* m *de poulet*
kippenren *parquet* m *d'élevage*
kippensoep *soupe* v *au poulet*; *potage* m *au poulet*
kippenvel *chair* v *de poule* ⋆ daar krijg ik ~ van *cela me donne la chair de poule*
kippig *myope* ⋆ hij is ~ *il a la vue basse*
kir *kir* m
Kirgizië *le Kirghizistan* ⋆ in ~ *au Kirghizistan*
kirren *roucouler* ⋆ het ~ *le roucoulement*
kissebissen *se chamailler*
kist • bak, doos *caisse* v; *boîte* v; *coffre* m ⋆ in kisten verpakken *encaisser* • doodkist *cercueil* m
kisten *mettre en bière* ▾ laat je niet ~ *ne te laisse pas faire*
kistje ‹voor juwelen› *cassette* v; *boîte* v; *coffret* m
kistkalf *veau* m *d'engrais* [m mv: *veaux d'engrais*]
kit • kleefmiddel *mastic* m; *lut* m • kolenkit *seau* m *à charbon*
kitchenette *kitchenette* v; *cuisinette* v
kits *bien* ⋆ alles kits? *tout va bien?*
kitsch *kitsch* m
kitscherig *kitsch* [onv]
kittelaar *clitoris* m
kitten *mastiquer*
kittig I BNW *vif* [v: *vive*]; *alerte*; *leste* II BIJW *vivement*
kiwi *kiwi* m
klaagdicht *élégie* v
klaaglied • klaagzang *complainte* v; *élégie* v • jammerklacht *lamentations* v mv
klaaglijk I BNW • klagend *plaintif* [v: *plaintive*] • jammerlijk *lamentable* II BIJW • klagend *plaintivement* • jammerlijk *lamentablement*

klaagzang *élégie* v
klaar I BNW • afgewerkt *fini*; *prêt* ⋆ dat is ~ *voilà qui est fait* ⋆ ben je ~ met werken? *as-tu fini de travailler?* ⋆ ik ben zo ~ *je vais avoir fini* • gereed voor gebruik *prêt*; *achevé*; *préparé* ⋆ ben je ~? zullen we dan gaan? *es-tu prêt? on y va alors?* • helder *clair*; *limpide* • duidelijk *clair*; *évident* II BIJW *clairement*
klaarblijkelijk I BNW *évident*; *manifeste* II BIJW *évidemment*; *manifestement*
klaarheid • het niet bewolkt zijn *clarté* v • duidelijkheid *évidence* v ⋆ een zaak tot ~ brengen *tirer une affaire au clair*
klaarkomen • gereedkomen *finir*; *achever* • orgasme krijgen *jouir*
klaarleggen *arranger*; *préparer*; *mettre à la disposition de (qn)*
klaarlicht ⋆ op ~e dag *en plein jour*
klaarliggen *être prêt*
klaarmaken • voorbereiden *préparer* • tot orgasme brengen *faire jouir*
klaar-over ≈ *personne* v *qui aide des écoliers à traverser la rue*
klaarspelen *réussir (à)* ⋆ hoe heb je dat klaargespeeld? *comment as-tu réussi à faire cela?*
klaarstaan *être prêt (à)* ⋆ ~ voor vertrek *être sur le point de partir* ▾ voor iemand ~ *être prêt à rendre service à qn*
klaarstomen *préparer intensivement*
klaarwakker *tout à fait réveillé*
klaarzetten *arranger*; *préparer*; *mettre à la disposition de (qn)*
Klaas ▾ ~ Vaak *le marchand de sable* ▾ een houten ~ *une personne guindée*
klacht • uiting van misnoegen *plainte* v ⋆ een ~ indienen *porter plainte* • aanklacht *plainte* v; *réclamation* v • ongemak, pijn

douleur v
klachtenlijn *numéro* m *de téléphone où l'on peut se plaindre*
klad I ZN (de) • smet *tache* v • verval ★ de klad brengen in *gâter* ▾ iemand bij de kladden pakken *prendre qn au collet* II ZN (het) *brouillon* m ★ een brief in het klad schrijven *faire le brouillon d'une lettre*
kladblaadje *brouillon* m
kladblok *cahier* m *de brouillon*
kladden I OV WW slordig doen *barbouiller*; ‹m.b.t. schrijven› *gribouiller* II ON WW kliederen *tacher*; *gribouiller*; *souiller*
kladderen *barbouiller* ★ ~ met verf *barbouiller avec de la peinture*
kladje *brouillon* m
kladpapier *brouillon* m; *papier* m *de brouillon*
kladschrijver *gâcheur* m *de papier* [v: *gâcheuse* ...]
klagen I OV WW als klacht uiten ★ iem. zijn nood ~ *raconter ses problèmes à qn* II ON WW een klacht uiten *se plaindre (de)*
klager • iemand die klaagt *plaignant* m [v: *plaignante*] • JUR. *demandeur* m [v: *demanderesse*]
klagerig *pleurard*; *plaintif* [v: *plaintive*]
klakkeloos *sans réfléchir*; *sans motif* ★ ~ overschrijven *copier littéralement* ★ ~ geloven *croire sans réfléchir*
klakken *claquer*
klam *moite*; *humide* ★ klam van het zweet *trempé de sueur*
klamboe *moustiquaire* v
klamp • verbindingsstuk *patte* v *(d'attache)* • haak *tenon* m
klandizie *clientèle* v
klank • geluid *son* m ★ ~ geven *produire un son*; *émettre un son* • wijze van klinken *sonorité* v; ‹toonkleur› *timbre* m ▾ holle ~en *des paroles vides de sens*; *des paroles en l'air*
klankbodem *caisse* v *de résonance*
klankbord *abat-voix* m [onv]; ‹v. toren› *abat-son* m [onv]
klankkast *caisse* v *de résonance*
klankkleur *timbre* m
klant • koper *client* m [v: *cliente*] ★ vaste ~ *habitué* m [v: *habituée*] ★ de vaste ~en *la clientèle* • kerel ★ een rare ~ *un drôle de coco*
klantenbinding *fidélisation* v
klantenkaart *carte* v *de fidélité*
klantenkring *clientèle* v
klantenservice *service* m *après-vente*
klantgericht *orienté vers le client*
klantvriendelijk *orienté vers le client*
klap • fel geluid *coup* m ★ de deur met een klap dichtslaan *faire claquer la porte* • slag *coup* m; *claque* v ★ klappen krijgen *recevoir une raclée* ★ een klap om de oren *une gifle*; *un soufflet* • tegenslag *coup* m ★ dit bedrijf heeft harde klappen gekregen *cette entreprise a essuyé de lourdes pertes* ▾ dat was een klap in zijn gezicht ‹belediging› *c'était une vraie gifle pour lui* ▾ een klap van de molen hebben *être un peu toqué* ▾ hij voert geen klap uit *il ne fiche rien du tout* ▾ de eerste klap is een daalder waard *celui qui commence bénéficie d'un avantage*
klapband *crevaison* v
klapdeur *porte* v *battante*
klaplong *pneumothorax* m
klaplopen *parasiter*; *vivre en parasite* ★ het ~ *le parasitisme*
klaploper *parasite* m; *pique-assiette* m [onv]
klappen • geluid maken *claquer*; ‹met handen› *battre des mains*; ‹als applaus› *applaudir* • uiteenspringen *éclater* ★ in elkaar ~ *s'effondrer*
klapper • register *répertoire* m; *index* m *alphabétique* • opbergmap *classeur* m • uitschieter *succès* m *bœuf* • vuurwerk *pétard* m
klapperen *claquer*
klapperpistool *pistolet* m *à bouchon détonant*
klappertanden *claquer des dents*
klappertje *amorce* v
klaproos *coquelicot* m
klapschaats *clapskate* m
klapstoel *strapontin* m; ‹vouwstoel› *chaise* v *pliante*
klapstuk • vlees *plat* m *de côte* • hoogtepunt *sensation* v
klaptafel *table* v *pliante*
klapwieken *battre des ailes*
klapzoen *baiser* m *sonore*
klare *genièvre* m *pur*; *schiedam* m
klaren • helder maken *clarifier* • in orde krijgen *venir à bout de*; *mener à bonne fin*
klarinet *clarinette* v
klarinettist *clarinettiste* m/v
klas • groep leerlingen *classe* v ★ voor de klas staan *enseigner* • lokaal *salle* v *de classe* ★ de klas uitgestuurd worden *être expulsé du cours* • leerjaar *année* v • rang, kwaliteit *qualité* v
klasgenoot *camarade* m/v *de classe*
klaslokaal *salle* v *de classe*
klasse *classe* v
klasseloos *sans classes*
klassement *classement* m ★ het algemeen ~ *le classement général*
klassenavond *soirée* v *de classe*
klassenjustitie *justice* v *de classe*
klassenstrijd *lutte* v *des classes*
klassenvertegenwoordiger *délégué* m *de classe* [v: *déléguée de classe*]
klasseren *classer*
klasseverschil *différence* v *de classe*
klassiek I BNW *classique* II BIJW *classiquement*
klassieken *classiques* m mv
klassieker *classique* m
klassikaal I BNW *fait en classe* ★ ~ onderwijs *enseignement collectif* m II BIJW *en classe* ★ ~ behandelen *traiter en classe*
klateren ‹v. water› *murmurer*; ‹v. donder› *gronder*
klatergoud *clinquant* m; TECHN. *oripeau* m
klauteren *grimper*; *escalader*
klauw • poot van roofdier *griffe* v; ‹v. vogel ook› *serres* v mv • hand *griffe* v; *patte* v ★ blijf er met je ~en af *bas les pattes* ★ in de ~en vallen van *tomber entre les griffes de*
klauwhamer *marteau* m *à panne fendue* [m mv: *marteaux* ...]
klavecimbel *clavecin* m

K

klaver *trèfle* m
klaveraas *as* m *de trèfle*
klaverblad • blad van klaver *trèfle* m • wegkruising *(croisement* m *en) trèfle* m
klaverboer *valet* m *de trèfle*
klaverheer *roi* m *de trèfle*
klaverjassen *jouer à la belote*
klavertjevier *trèfle* m *à quatre feuilles*
klavervrouw *dame* v *de trèfle*
klavichordium *clavicorde* m
klavier • toetsenbord *clavier* m • instrument *piano* m
klavierinstrument *instrument* m *à clavier*
kledder *éclaboussure* v
kledderen • knoeien *barbouiller* ★ ~ met water *éclabousser d'eau* • botsen ≈ *se cogner en faisant plouf*
kleddernat *trempé*
kleden *habiller*; *vêtir* ★ in het zwart gekleed *vêtu/habillé de noir* ★ als een dame gekleed *vêtue comme une dame*; ‹v. man› *déguisé en femme* ★ warm gekleed *habillé chaudement*
klederdracht *costume* m *régional* [m mv: *costumes régionaux*]
kledij • kleren *vêtements* m mv • manier van kleden *tenue* v
kleding *vêtements* m mv; *habits* m mv
kledingstuk *vêtement* m
kledingverhuur *location* v *de vêtements*
kledingzaak *magasin* m *de vêtements*
kleed ‹tapijt› *tapis* m; ‹tafelkleed› *tapis* m *de table*; *nappe* v
kleedgeld ≈ *argent* m *pour couvrir les frais d'habillement*
kleedhokje *cabine* v
kleedkamer *vestiaire* m; ‹in schouwburg› *loge* v
kleedster *habilleuse* v
kleefkruid *gratteron* m
kleefpasta *pâte* v *adhésive*
kleerborstel *brosse* v *à habits*
kleerhanger *cintre* m
kleerkast *garde-robe* v [mv: *garde-robes*]; ‹hangkast› *penderie* v
kleermaker *tailleur* m
kleermakerszit ★ in ~ *en tailleur*
kleerscheuren ▾ er zonder ~ afkomen *s'en tirer sain et sauf*
klef • kleverig *pâteux* [v: *pâteuse*]; *collant*; ‹v. deeg› *pas assez cuit* • hinderlijk aanhalig *collant* ★ een klef stelletje *des amoureux qui n'arrêtent pas de se caresser*
klei *argile* v; *terre* v *argileuse* ★ pottenbakkersklei *terre glaise* ★ boetseerklei *pâte* v *à modeler*
kleiachtig *argileux* [v: *argileuse*]
kleiduif *pigeon* m *d'argile*
kleiduivenschieten *tir* m *aux pigeons d'argile*; *concours* m *de ball-trap*
kleien *faire du modelage*
kleigrond *sol* m *argileux*
klein I BNW • niet groot *petit*; ★ in het ~ *en petit*; *en miniature* ★ in het ~ verkopen *vendre au détail* ★ een ~ beetje *un petit peu* ★ in ~e stukjes hakken *couper en menus morceaux* ★ uiterst ~ *microscopique* ★ een ~e letter *une (lettre) minuscule* ★ ~ gezelschap *société peu nombreuse* v • jong *petit*; *jeune* • benepen, min *mesquin*; *petit* • niet geheel ★ een ~ uur *une petite heure* ★ een ~e honderd auto's *quelque cent voitures* II BIJW *petitement* ★ ~ beginnen *commencer petit* ★ ~ wonen *être logé à l'étroit*
kleinbedrijf *petites entreprises* v mv
kleinbeeldcamera *appareil* m *(photographique) petit format*
kleinbehuisd *logé à l'étroit*
kleinburgerlijk *petit-bourgeois* [m mv: *petits-bourgeois*] [v: *petite-bourgeoise*] [v mv: *petites-bourgeoises*]
kleindochter *petite-fille* v [mv: *petites-filles*]
kleinduimpje *petit Poucet* m
kleineren *déprécier*; ‹v. prestatie› *diminuer*; ‹v. persoon› *humilier*; *abaisser*
kleingeestig I BNW *borné* ★ ~ mens *petit esprit* m II BIJW *d'une manière bornée*
kleingeld *monnaie* v ★ ik heb geen ~ *je n'ai pas de monnaie*
kleinhandel *commerce* m *de détail*; *petit commerce* m
kleinigheid • geschenk *petite chose* v • bagatel *bagatelle* v; *rien* m ★ dat is geen ~ *ce n'est pas une petite affaire*
kleinkind ‹jongen› *petit-fils* m; ‹meisje› *petite-fille* v ★ ~eren *petits-enfants* m mv
kleinkrijgen *réduire à l'obéissance* ★ we zullen hem wel ~ *il finira pas nous obéir*
kleinkunst *variétés* v mv
kleinmaken • iets klein maken *réduire en morceaux* • geld wisselen *faire la monnaie de*
kleinood *bijou* m [mv: *bijoux*]; *joyau* m [mv: *joyaux*]
kleinschalig *à petite échelle*
kleinsteeds I BNW *provincial* [m mv: *provinciaux*] II BIJW *d'un air provincial*
kleintje • klein mens of dier *petit* m [v: *petite*]; INF. *petiot* m [v: *petiote*] ★ een ~ krijgen *accoucher* • klein ding *petit* m [v: *petite*] ★ een ~ koffie *un petit café* ▾ hij let op de ~s *il regarde à la dépense* ▾ voor geen ~ vervaard zijn *ne pas avoir froid aux yeux* ▾ vele ~s maken één grote *les petits ruisseaux font les grandes rivières*
kleintjes I BNW • petieterig *tout petit*; ‹schuchter› *timide* • klein en zwak *misérable* II BIJW • petieterig *petitement* • deemoedig *timidement* • armetierig *misérablement*
kleinvee *petit bétail* m
kleinzerig • bang voor pijn *délicat*; *douillet* [v: *douillette*] • lichtgeraakt *susceptible*
kleinzielig *borné*; *mesquin*
kleinzoon *petit-fils* m [mv: *petits-fils*]
kleitablet *tablette* v *d'argile*
klem I ZN • klemmend voorwerp *trappe* v; *piège* m • benarde situatie *embarras* m; *difficultés* v mv • nadruk *emphase* v ★ wij vragen u met klem om *c'est avec insistance que nous vous demandons de* II BNW ★ klem zitten *être coincé*
klemmen I OV WW drukken *coincer*; *serrer* II ON WW • knellen *se coincer*; *être bloqué* ★ de deur klemt *la porte coince* • dwingen *être convainquant*

klemtoon *accent* m ★ de ~ leggen op *accentuer*
klemvast • SPORT *qui a une bonne prise de balle* • zeer vast *bien serré*
klep • sluitstuk *volet* m; ‹v. pomp› *clapet* m; ‹v. machine› *soupape* v; MUZ. *clef* v • flap *rabat* m • deel van pet *visière* v • mond ★ houd je klep! *boucle-la!* • kletser *bavard* m [v: *bavarde*]
klepel *battant* m
kleppen • klepperen ‹v. klok› *sonner*; *tinter*; *claquer* • kletsen *bavarder*
klepper *cliquette* v
klepperen ‹v.e. ooievaar› *cliqueter*; ‹met castagnetten› *jouer des castagnettes*; ‹v. een ooievaar› *craqueter*
kleptomaan *cleptomane* m
kleptomanie *cleptomanie* v
klerelijer *salaud* m
kleren *habits* m mv; *vêtements* m mv ★ over ~ praten *parler chiffons* ★ bijna geen ~ aan het lijf hebben *être à peine vêtu* ★ gedragen ~ *des vêtements/habits usagés* ▼ de ~ maken de man *la belle plume fait le bel oiseau* ▼ dat gaat je niet in de koude ~ zitten *ça ne vous laisse pas froid*
klerenhanger *cintre* m
klerenkast *penderie* v
klerikaal *clérical* [m mv: *cléricaux*]
klerk *clerc* m; *employé* m
klets • klap *claque* v; *coup* m • geklets *bavardages* m mv ★ allemaal ~! *ce sont des histoires!*
kletsen • klinkend klappen *claquer* • babbelen *bavarder* • roddelen *bavarder*; *jaser*
kletskoek *balivernes* v mv
kletskous *bavard* m [v: *bavarde*]; *commère* v
kletsnat *trempé jusqu'aux os*
kletspraat *bavardage* m
kletspraatje *bavardage* m
kleumen *être transi de froid*; *frissonner*
kleur • wat het oog ziet *couleur* v ★ de primaire ~en *les couleurs fondamentales* • gelaatskleur *teint* m ★ van ~ verschieten *pâlir* ★ een ~ krijgen *rougir* • politieke tendens *couleur* v; *tendance* v • kleurstof *couleur* v • figuur in kaartspel *couleur* v
kleurbad *bain* m *de teinture*
kleurboek *album* m *à colorier*
kleurdoos *boîte* v *de couleurs*
kleurecht *bon teint*; *grand teint*
kleuren I OV WW • kleur geven aan *colorier*; ‹v. stof en haar› *teindre* ★ de kinderen ~ de kaart van Europa *les enfants sont en train de colorier la carte d'Europe* • overdrijven ★ een sterk gekleurde versie (van de feiten) *une version dénaturée des faits* II ON WW • kleur krijgen *se colorer*; *changer de couleur* • blozen *rougir*
kleurenblind *daltonien* [v: *daltonienne*]
kleurendruk *impression* v *en couleurs*; *chromotypographie* v ★ in ~ *en couleurs*
kleurenfilm ‹m.b.t. fotorolletje› *pellicule* v *couleurs*; *film* m *en couleurs*
kleurenfoto *photo* v *en couleurs*
kleurenscala *gamme* v *de couleurs*
kleurentelevisie *téléviseur* m *couleur* ★ ~ hebben *avoir une télévision en couleurs*; *avoir une télé couleur*
kleurig *coloré*; *multicolore*
kleurkrijt *crayon* m *de couleur*; ‹pastel› *pastel* m; ‹voor schoolbord› *craie* v *de couleur*
kleurling *homme* m *de couleur* [v: *femme ...*]
kleurloos *incolore*; *sans couleur*
kleurplaat *coloriage* m
kleurpotlood *crayon* m *de couleur*
kleurrijk • met veel kleur *coloré*; *chatoyant* • afwisselend ‹v. mensen› *haut en couleur*; ‹verhalen› *pittoresque*
kleurschakering *nuance* v; *teinte* v
kleurshampoo *shampooing* m *colorant*
kleurspoeling *coloration* v; *shampooing* m *colorant*
kleurstof *pigment* m; *colorant* m; *matière* v *colorante*
kleurtje • potlood *couleur* v • blos *couleurs* v mv ★ een ~ krijgen *rougir légèrement*
kleurversteviger *renforçateur* m *de coloration*
kleuter *petit/jeune enfant* m [v: *petite ...*]
kleuterdagverblijf *crèche* v
kleuterklas *classe* v *maternelle*
kleuterleidster *maîtresse* v *d'école maternelle*
kleuterschool *maternelle* v
kleutertijd *période* v *entre l'âge de 4 ans et 6 ans*
kleven I OV WW plakken op *coller*; *attacher* ▼ er kleeft een bezwaar aan *il y a un inconvénient* II ON WW blijven plakken *coller*; *attacher*; *être gluant*
kleverig *poisseux* [v: *poisseuse*]; *collant*; *gluant*; *visqueux* [v: *visqueuse*]
kliederboel *barbouillage* m
kliederen • morsen *faire des saletés* • kladderen *barbouiller*
kliek • groep *clan* m mv; PEJ. *coterie* v • etensrestjes *restes* m mv
kliekje *reste* m
klier • orgaan *glande* v • akelig persoon *emmerdeur* m [v: *emmerdeuse*]
klieren *être enquiquinant*
klieven *fendre*
klif *falaise* v; *récif* m
klik *clic* m; *déclic* m
klikken I ON WW aanklikken ‹bij een computer› *cliquer* II ONP WW • geluid maken *cliqueter* • verklappen *rapporter*; *moucharder* • goed contact hebben *coller* ★ het klikte meteen tussen hen *ils ont tout de suite sympathisé*
klikspaan *rapporteur* m [v: *rapporteuse*]
klim *montée* v
klimaat ‹ook sfeer› *climat* m ★ aan een ~ wennen *s'acclimater*
klimaatregeling *climatisation* v
klimaatverandering *changement* m *de climat*
klimatiseren *climatiser*
klimatologie *climatologie* v
klimatologisch *climatique*
klimatoloog *climatologiste* m/v; *climatologue* m/v
klimmen • klauteren *grimper*; *monter (sur)*

★ uit het raam ~ *passer par la fenêtre* ★ in een boom ~ *grimper sur un arbre* • toenemen *augmenter* ★ met het ~ der jaren *quand on avance en âge*
klimmer *grimpeur* m [v: *grimpeuse*]; ‹bergsport› *alpiniste* m/v
klimop *lierre* m
klimpartij *grimpée* v; *montée* v *difficile*
klimplant *plante* v *grimpante*
klimrek *échelle* v *murale*; *espalier* m; ‹in speeltuin› *cage* v *à écureuils*
kling *lame* v; *épée* v ▾ over de ~ jagen *passer au fil de l'épée*
klingelen *carillonner*; *tintinnabuler*
kliniek *clinique* v
klinisch I BNW • met betrekking tot kliniek *clinique* • kil *froid* II BIJW *cliniquement*
klink *loquet* m
klinken I OV WW vastmaken *riveter* II ON WW • geluid maken *tinter*; *sonner* ★ hol ~ *sonner creux* ★ het lawaai klonk tot in de kamer *le vacarme a pénétré jusque dans le salon* ★ dat klinkt goed *cela sonne bien* • toasten *trinquer* ▾ dat klinkt me vreemd in de oren *cela me paraît bizarre*
klinker • TAALK. *voyelle* v • baksteen *brique* v
klinkklaar *pur et simple* ★ dat is klinkklare onzin *cela ne rime à rien*; *cela est absurde*
klinknagel *rivet* m
klip *écueil* m ★ op een klip stoten *tomber sur un écueil* ★ tussen de klippen doorzeilen *éviter les écueils* ▾ tegen de klippen op liegen *mentir effrontément* ▾ klip en klaar *clair et net*
klipper *clipper* m
klis ≈ *nœud* m
klit • klis *bardane* v; *glouteron* m • knoop *nœud* m
klitten • in de war zitten *s'emmêler* • erg veel samen zijn *faire bande à part* ★ die twee ~ erg aan elkaar *ces deux-là font toujours bande à part*
klittenband *auto-agrippant* m [mv: *auto-agrippants*]; *Velcro®* m
klodder ‹m.b.t. inkt› *pâté* m *(d'encre)*; *grumeau* m [mv: *grumeaux*]
klodderen *barbouiller*
kloek I ZN *poule* v II BNW • kordaat *vaillant*; *courageux* [v: *courageuse*] • fors, flink *grand*; *robuste* III BIJW *courageusement*; *vaillamment*
kloffie • plunje *fringues* v mv • pak *costard* m
klojo *cloche* v
klok • uurwerk *horloge* v; ‹groot› *pendule* v ★ staande klok *horloge à gaine* ★ de klok rond slapen *faire le tour du cadran* ★ de klok slaat tien uur *dix heures sonnent* • bel *cloche* v ▾ de klok achteruit zetten *faire marche arrière* ▾ het is al ... wat de klok slaat *on ne parle que de ...*
klokgelui *tintement* m *des cloches* ★ onder ~ *au son des cloches*
klokhuis *trognon* m; *cœur* m
klokken I OV WW tijd opnemen *chronométrer* II ON WW • geluid maken ‹v. kalkoen› *glousser*; ‹v. vocht› *glouglouter* • tijd vastleggen *pointer* ★ het ~ *le pointage*
klokkenspel *carillon* m
klokkenstoel *mouton* m *de la cloche*; *chaise* v *de clocher*
klokkentoren *clocher* m
klokradio *radio-réveil* m [v mv: *radios-réveils*]
klokslag *coup* m *de cloche* ★ ~ acht uur *à huit heures pile*; *sur le coup de huit heures*
klomp • houten schoen *sabot* m • brok *masse* v; *motte* v ★ een ~je goud *une pépite d'or* ▾ nu breekt mijn ~ *je suis stupéfait*
klompvoet *pied* m *bot*
klonen *cloner* ★ het ~ *le clonage*
klonisch *clonique*
klont *morceau* m [mv: *morceaux*]; *grumeau* m [mv: *grumeaux*]; ‹bloed› *caillot* m
klonter ‹v. bloed› *caillot* m; *grumeau* m [mv: *grumeaux*]; ‹v. modder› *motte* v *de terre*
klonteren ‹v. pap› *se grumeler*; ‹v. melk› *se cailler*; ‹v. bloed› *se coaguler*
klonterig *grumeleux* [v: *grumeleuse*]; *caillé*
klontje • suikerklontje *morceau* m *de sucre* [m mv: *morceaux ...*] • kleine klont ‹v. boter› *noisette* v; *grumeau* m [mv: *grumeaux*] ▾ zo klaar als een ~ *clair comme de l'eau de roche*
kloof • spleet *fente* v; ‹ravijn› *crevasse* v; *gorge* v; *ravin* m • verwijdering *abîme* m ★ de ~ overbruggen tussen A en B *rapprocher A et B*
klooien • stuntelen *bricoler* • luieren *se les rouler* • donderjagen *déconner*
kloon *clone* m
klooster *couvent* m; *cloître* m; *monastère* m ★ het ~ ingaan *entrer au couvent*; *se retirer dans un couvent*; *prendre le voile*
kloostergemeenschap *communauté* v *religieuse*
kloosterling *religieux* m [v: *religieuse*]; *moine* m [v: *moniale*]
kloosterorde *ordre* m *religieux*
kloot *couille* v; FORM. *testicule* m ▾ naar de kloten gaan *être foutu*
klootjesvolk *populo* m; *populace* v
klootzak *con* m
klop *coup* m ★ klop! klop! *toc! toc!*
klopboor *perceuse* v *à percussion*
klopgeest *esprit* m *frappeur*
klopjacht *battue* v; ‹op mensen› *razzia* v
kloppartij *bagarre* v
kloppen I OV WW • slaan *battre*; ‹v. kleed› *secouer* ★ het ~ van de motor *le cognement du moteur* • verslaan *battre* II ON WW • een klop geven *frapper*; *heurter*; *cogner* ★ op de deur ~ *frapper à la porte* • slaan van hart *battre*; *palpiter* • overeenstemmen *être juste*; *concorder (avec)* ★ dat klopt niet ‹v. aantal› *le compte n'y est pas*
klopper *heurtoir* m; *marteau* m [mv: *marteaux*]
klos • stukje hout *bûche* v • spoel *bobine* v; ‹bij het spinnen› *fuseau* m [mv: *fuseaux*] ▾ de klos zijn *être le pigeon*
klossen I OV WW op klos winden *bobiner*; *faire aux fuseaux* II ON WW plomp lopen *marcher lourdement*
klote *con* [v: *conne*] ▾ zich ~ voelen *être mal fichu*
klotsen *clapoter* ★ het ~ *le clapotement*

K

kloven I OV WW klieven *fendre*; ‹v. diamant› *cliver* II ON WW barsten *se fendre*
klucht • blijspel *farce* v • grap *bouffonnerie* v
kluchtig I BNW *bouffon* [v: *bouffonne*]; *loufoque*; *drôle* II BIJW *drôlement*
kluif • been *os* m *à ronger*; *cuisse* v ★ lekker ~je *bon morceau* m [mv: *bons morceaux*] • karwei *gros travail* m
kluis *coffre-fort* m [mv: *coffres-forts*]; ‹in een bank› *chambre* v *forte*
kluisteren *enchaîner* ★ aan bed gekluisterd zijn *être cloué au lit*
kluit • groepje *tas* m • klont *motte* v ▾ flink uit de ~en gewassen *bien découplé*
kluiven *ronger* ★ ~ aan een bot *ronger un os*
kluizenaar *ermite* m
klunen ≈ *passer à patins sur la terre*
klungel *manche* m
klungelen • knoeien *faire n'importe quoi* • rondhangen *perdre son temps*
klungelig I BNW *godiche* II BIJW *de manière godiche*
kluns *manche* m
klunzen *patauger*
klunzig *empoté*
klus *gros travail* m ★ dat is een hele klus *c'est toute une affaire*

K

klusjesman *homme* m *à tout faire*
klussen • repareren *bricoler* • zwart bijverdienen *travailler au noir*
kluts ▾ de ~ kwijtraken *perdre les pédales*
klutsen *battre* ★ eieren ~ *battre des œufs*
kluwen *pelote* v
klysma *lavement* m
knaagdier *rongeur* m
knaak ↑ *rixdale* v
knaap • jongen *garçon* m • kleerhanger *cintre* m
knabbelen *grignoter*; *mordiller*
knagen *ronger*
knak • geluid *craquement* m; *crac* m • knik *fêlure* v • verzwakking *coup* m; *atteinte* v ★ een knak toebrengen aan *porter un coup à*
knakken I OV WW breken *craquer* II ON WW • geluid maken *craquer* • een knak krijgen *craquer*; *se rompre*; *se briser*
knakworst *saucisse* v *de Francfort*
knal • geluid *explosion* v; *coup* m; ‹v. vuurwapen› *détonation* v • slag *coup* m
knal- *vachement*
knalgeel *jaune vif*
knalkurk *bouchon* m *fulminant*
knallen • een knal geven *péter*; *éclater*; *détoner*; ‹met zweep› *claquer* ★ het ~ *l'éclatement* m; *la détonation*; *le claquement* • botsen *s'écraser*
knaller *succès* m *fou*
knalpot *pot* m *d'échappement*; *silencieux* m
knap I BNW • goed uitziend *bien fait*; *joli*; *beau* [m mv: *beaux*] [v: *belle*] [onr: *bel*] ★ een knappe jongen *un beau garçon* • intelligent *intelligent*; *habile* ★ knap zijn in *être fort en*; *en savoir long sur* ★ een knappe kop *un cerveau* II BIJW nogal *plutôt*
knappen • breken *craquer*; *se casser* • geluid geven *craqueter*; ‹v. vuur› *crépiter*; *pétiller*
knapperd • schrander mens *as* m; IRON. *grosse tête* v • mooi mens *beau mec* m [m mv: *beaux mecs*] [v: *jolie femme*]
knapperen *craquer*; *craqueter*; ‹v. vuur› *pétiller*
knapperig *croustillant*
knapzak *sac* m; *gibecière* v; *musette* v
knarsen *grincer*; *crier* ★ met ~de remmen ... *les freins criants, ...*
knarsetanden *grincer des dents*
knauw • harde beet *coup* m *de dents* • knak *coup* m ★ een lelijke ~ krijgen *en prendre un bon coup*
knauwen *ronger*
knecht *valet* m; *domestique* m; ‹in winkel› *garçon* m
knechten *asservir*; *dompter*
kneden *pétrir*; ‹v. deeg› *travailler* ★ het ~ *le pétrissage*
kneedbaar *pétrissable*; *malléable*
kneedbom *bombe* v *au plastic*
kneep • het knijpen *pincement* m ★ ~jes geven *pincer* • handigheidje *truc* m ★ daar zit hem de ~ *voilà le hic* ★ de knepen van het vak *les ficelles du métier*
knel ★ in de knel zitten *être dans l'embarras*
knellen I OV WW • stevig drukken *serrer* • benauwen *gêner*; ‹sterker› *oppresser* II ON WW klemmen *gêner*; *serrer* ★ mijn schoen knelt *mon soulier me gêne*
knelpunt *goulot* m *d'étranglement*; *goulet* m *d'étranglement*; FIG. *point* m *chaud*
knerpen *grincer*
knersen *grincer*
knetteren *pétiller*; *crépiter*; *grésiller*; ‹v. motor› *pétarader*
knettergek *fou à lier* [v: *folle à lier*]
kneus *raté* m
kneuterig *douillet* [v: *douillette*]
kneuzen *meurtrir*; MED. *meurtrir*; *contusionner*
kneuzing *meurtrissure* v; MED. *meurtrissure* v; *contusion* v ★ een inwendige ~ *une lésion interne*
knevel *moustache* v
knevelen • onderdrukken *bâillonner* • binden, boeien *ligoter*; *garrotter*
knibbelen *lésiner*; *chicaner*
knickerbocker *knickers* m mv
knie • beengewricht *genou* m [mv: *genoux*] ★ de knie buigen *fléchir le genou* ★ op de knieën vallen *se mettre à genoux*; *s'agenouiller* • kromming *angle* m; *coude* m ▾ iets onder de knie hebben *savoir qc à fond*; *posséder qc*
knieband *ligament* m *(rotulien)*
niebeschermer *genouillère* v
knieblessure *blessure* v *au genou*
kniebuiging *génuflexion* v; ‹in gymnastiek› *flexion* v *des genoux*
knieholte *creux* m *du genou*; *jarret* m
kniekous *mi-bas* m [onv]
knielaars *botte* v
knielen *se mettre à genoux*; *s'agenouiller*
kniereflex *réflexe* m *rotulien*
knieschijf *rotule* v
kniesoor *râleur* m [v: *râleuse*]
kniestuk *genouillère* v

knietje • geblesseerde knie *blessure* v *au genou* • duw met knie *coup* m *de genou*
knieval *génuflexion* v ★ een ~ doen voor *se jeter aux genoux de; tomber aux genoux de*
kniezen *se chagriner*
knijpen *pincer; serrer* ★ iem. in de wang ~ *pincer la joue de qn* ▾ 'm ~ *avoir la frousse* ▾ er tussenuit ~ *se défiler*
knijper *pince* v; ‹voor was› *pince* v *à linge*
knijpkat *torche* v *dynamo-électrique* [v mv: *torches dynamo-électriques*]
knijptang *tenailles* v mv
knik • knak *brisure* v • kromming *flambage* m • hoofdbuiging *signe* m *de tête; mouvement* m *de la tête*
knikkebollen *dodeliner de la tête; branler la tête*
knikken I OV WW knakken *casser* II ON WW • buigen *fléchir* • hoofdbeweging maken *faire un signe de tête; saluer de la tête* ★ ja ~ *faire signe que oui*
knikker • stuiter *bille* v • hoofd *caboche* v
knikkeren I OV WW gooien ★ iem. er uit ~ *balancer qn* II ON WW spelen *jouer aux billes*
knip • knippend geluid ‹met schaar› *coup* m *de ciseaux*; ‹met vingers› *chiquenaude* v • geknipte opening *trou* m • grendeltje *verrou* m [mv: *verroux*] ★ de deur op de knip doen *verrouiller la porte* ▾ geen knip voor de neus waard zijn *ne valoir rien*
knipkaart *carte* v *à poinçonner;* ≈ *carte* v *d'abonnement*
knipmes *canif* m
knipogen *cligner des yeux* ▾ tegen iemand ~ *faire un clin d'œil à qn*
knipoog *clin* m *d'œil* ★ iem. een ~ geven *faire un clin d'œil à qn*
knippen I OV WW in-/afknippen *couper; découper; tailler;* ‹perforeren› *perforer; poinçonner* ★ zijn haar heel kort laten ~ *se faire couper les cheveux de près* ★ zijn nagels ~ *se couper les ongles* ★ de kaartjes ~ *poinçonner les billets* II ON WW • snijden *couper* • geluid maken ‹met vingers› *claquer des doigts*
knipperbol *feu* m *clignotant*
knipperen • aan- en uitgaan van licht ‹v. auto› *faire des appels de phare* • knippen met ogen *cligner des yeux; clignoter des yeux*
knipperlicht *(feu* m*) clignotant* m [m mv: *(feux) clignotants*]
knippersignaal ‹met koplampen› *appel* m *de phares*
knipsel • uitgeknipt bericht *coupure* v • wat uitgeknipt is *rognures* v mv *de papier*
knipseldienst *agence* v *de coupures de presse*
knipselkrant *montage* m *de coupures de presse*
knisperen *grésiller*
KNO-arts *médecin* m *O.R.L.*; INF. *otorhino* m
knobbel • verdikking *bosse* v; BIOL. *tubercule* m ★ een ~tje in de borst *une grosseur au sein* • natuurlijke aanleg *bosse* v
knock-out I ZN *knock-out* m [onv] II BNW *knock-out* [onv]; *K.-O.* [onv] ★ iem. ~ slaan *mettre qn K.-O.*
knoedel *pelote* v
knoei *gâchis* m ★ in de ~ zitten *avoir de gros ennuis* ★ iem. uit de ~ helpen *tirer qn d'embarras*
knoeiboel • smeerboel *gâchis* m • bedrog *tripotage* m
knoeien • morsen *barbouiller; faire des saletés* • slordig bezig zijn *gâcher* • bedrog plegen *tripoter; magouiller*
knoeier • slordig persoon *barbouilleur* m [v: *barbouilleuse*]; ‹m.b.t. werk› *bousilleur* m [v: *bousilleuse*] • bedrieger *tricheur* m [v: *tricheuse*]; *tripoteur* m [v: *tripoteuse*]
knoeipot → **knoeier**
knoeiwerk *bousillage* m; *bricolage* m
knoert ★ een ~ van een vis *un énorme poisson*
knoest *nœud* m
knoet • gesel *knout* m • haarknot *chignon* m
knoflook *ail* m
knoflookpers *presse-ail* m [onv]
knoflooksaus *sauce* v *à l'ail*
knokig *osseux* [v: *osseuse*]
knokkel *jointure* v
knokken *se bagarrer; se cogner*
knokpartij *bagarre* v
knokploeg *hommes* m mv *de main*
knol • worteldeel *tubercule* m • raap *navet* m • paard *rosse* v
knolgewas *plante* v *tubéreuse*
knollentuin ▾ in zijn ~ zijn *être dans son assiette*
knolraap *chou-rave* m [mv: *choux-raves*]
knolselderie *céleri-rave* m [mv: *céleris-raves*]
knoop • dichtgetrokken strik *nœud* m ★ een ~ leggen *faire un nœud* • sluiting *bouton* m • SCHEEPV. *nœud* m ★ 15 knopen lopen *filer quinze nœuds* ▾ de ~ doorhakken *trancher*
knoopbatterijtje *pile* v *bouton*
knooppunt ‹v. wegen› *nœud* m; *nœud* m *routier*
knoopsgat *boutonnière* v
knop • drukknop *bouton* m • deurknop *bouton* m • PLANTK. ‹v. bloem› *bouton* m; ‹v. plant› *bourgeon* m ★ knoppen krijgen *bourgeonner*
knopen • een knoop leggen *nouer; faire un nœud* • dichtknopen *boutonner* ▾ zich iets in het oor ~ *se tenir qc pour dit*
knorren • geluid maken *grogner;* ‹dof brommen› *gronder* • mopperen *grogner*
knorrepot *ronchon* m [v: *ronchonne*]
knorrig I BNW *grognon* [v: *grognonne*] II BIJW *d'un ton bourru; d'un air grognon*
knot • kluwen *pelote* v • haarknot *chignon* m
knots I ZN knuppel *massue* v; *casse-tête* m [onv]; ‹bij gymnastiek› *mil* m II BNW *dingue* III BIJW *de façon dingue*
knotten • van top ontdoen *écimer; étêter* • inperken *rabattre; rabaisser*
knotwilg *saule* m *étêté; têtard* m
knowhow *savoir-faire* m; *connaissances* v mv *techniques*
knudde ▾ ~ met een rietje *ça ne vaut pas un clou*
knuffel • liefkozing *caresse* v • speelgoedbeest *peluche* v; ‹beer› *nounours* m; *doudou* m
knuffelbeest *animal* m *en peluche* [m mv: *animaux ...*]

knuffelen *caresser; cajoler*
knuist *patte* v; *poing* m
knul *gars* m; *type* m
knullig *maladroit*
knuppel • korte stok *matraque* v; *gourdin* m • stuurstang *manche* m • klungel *pataud* m; *empoté* m ▾ de ~ in het hoenderhok gooien *jeter le pavé dans la mare*
knuppelen *matraquer* ★ dood~ *tuer à coups de matraque*
knus I BNW *bien confortable; dans l'intimité* **II** BIJW *bien confortablement*
knutselaar *bricoleur* m [v: *bricoleuse*]
knutselen *bricoler*
knutselwerk *bricolage* m
koala *koala* m
kobalt *cobalt* m
kobaltblauw *bleu* m *de cobalt*
koddig I BNW *drôle; comique; bouffon* [v: *bouffonne*] **II** BIJW *drôlement; comiquement*
koe *vache* v ▾ oude koeien uit de sloot halen *remuer le passé*
koehandel *marchandage* m
koeienletter *lettre* v *énorme*
koeioneren *brimer*
koek *gâteau* m [mv: *gâteaux*] ★ koekje *petit gâteau* m ▾ het is koek en ei tussen die twee *ils sont de grands amis* ▾ dat is andere koek *c'est une autre paire de manches*
koekeloeren *guetter*
koekenbakker *bricoleur* m; *gâte-métier* m [onv]
koekenpan *sauteuse* v; *poêle* v *(à frire)*
koek-en-zopie ≈ *buvette* v *sur glace*
koekhappen ≈ *essayer de mordre un gâteau suspendu à un fil*
koekjestrommel *boîte* v *à biscuits*
koekoek *coucou* m
koekoeksjong • jong van koekoek *petit* m *du coucou* • indringer *parasite* m
koekoeksklok *pendule* v *à coucou; coucou* m
koel I BNW • fris *frais* [v: *fraîche*] ★ koel houden! *craint la chaleur!* ★ koele drank *boisson rafraîchissante* v • niet hartelijk *froid* **II** BIJW *fraîchement; froidement* ★ iem. koel bejegenen *battre froid à qn*
koelapparaat *appareil* m *frigorifique*
koelbloedig I BNW *froid; flegmatique* **II** BIJW *de sang-froid*
koelbox *glacière* v *portative*
koelcel *chambre* v *frigorifique;* INF. *frigo* m
koelen • koel maken *refroidir; réfrigérer* ★ met ijs gekoelde wijn *du vin frappé* ★ gekoelde schijfremmen *freins* m mv *à disques ventilés* • afreageren ★ zijn woede op iem. ~ *assouvir sa colère sur qn*
koeler *refroidisseur* m; *réfrigérant* m
koelhuis *entrepôt* m *frigorifique*
koelie *coolie* m
koeling *refroidissement* m; *réfrigération* v
koelkast *frigidaire* m®; *réfrigérateur* m; INF. *frigo* m
koelmiddel *fluide* m *frigorigène*
koelruimte *frigorifère* m
koeltas *sac* m *isotherme*
koelte *fraîcheur* v; *frais* m
koeltjes *froidement*
koelvitrine *vitrine* v *réfrigérée*
koelvloeistof *fluide* m *réfrigérant*
koelwater *eau* v *de refroidissement*
koemest *bouse* v *de vache*
koen *hardi; intrépide*
koepel *coupole* v; *dôme* m
koepelkerk *église* v *à coupole*
koepelorganisatie *organisme* m *de coordination*
koeren *roucouler* ★ het ~ *le roucoulement*
koerier • iemand die goederen vervoert *coursier* m [v: *coursière*] • renbode *courrier* m
koeriersdienst *service* m *de messageries*
koers • richting *direction* v; *route* v; SCHEEPV. *cap* m; ‹gedragslijn› *ligne* v ★ van ~ veranderen *changer de route; changer de cap;* FIG. *changer de tactique* ★ ~ zetten naar *mettre le cap sur* ★ ~ houden *garder le cap* • wisselwaarde *cours* m ★ buiten ~ stellen *démonétiser* ★ hoe hoog is de ~ van ...? *à quel prix est coté ...?* ★ de ~ van uitgifte *le cours d'émission* • snelheidswedstrijd *course* v ▾ een harde ~ volgen *suivre une ligne dure*
koerscorrectie *correction* v *de route*
koersdaling *baisse* v *des cours*
koersen *se diriger vers*
koersindex *indice* m *des cours*
koersnotering *cotation* v
koersschommeling *fluctuation* v *des cours/du change*
koersstijging *hausse* v *des cours*
koersval *chute* v *des cours*
koest I BNW ★ zich ~ houden *se tenir coi* [v: *se tenir coite*] **II** TW *couché!; couche-toi!;* FIG. *tout beau!; assez!*
koesteren • verwarmen *réchauffer* ★ zich ~ in de zon *se chauffer au soleil* • behoeden *soigner; chérir* • in zich hebben *nourrir* ★ hoop ~ *nourrir l'espoir* ★ argwaan ~ *se méfier*
koeterwaals *baragouin* m
koets *carrosse* m
koetshuis ≈ *remise* v
koetsier *cocher* m
koevoet *pied-de-biche* m [mv: *pieds-de-biche*]; ‹v. inbreker› *pince-monseigneur* v [mv: *pinces-monseigneur*]
Koeweit *le Koweït* ★ in ~ *au Koweït*
koffer *valise* v; *malle* v ★ zijn ~s pakken *faire ses valises*
kofferbak *coffre* m
kofferruimte *coffre* m
koffie *café* m ★ gebrande ~ *café grillé; café torréfié* ★ gemalen ~ *café moulu* ★ ongemalen ~ *café en grains* ★ ~ met melk *café au lait; café crème* ★ zwarte ~ *café noir* ★ een (kleintje) ~ *un petit café* ★ ~ drinken *prendre le café* ★ ~ zetten *faire du café*
koffieautomaat *distributeur* m *de café*
koffieboon *grain* m *de café*
koffiebroodje ≈ *petit pain* m *sucré aux raisins*
koffieconcert *concert* m *donné le matin*
koffiedik *marc* m *de café* ▾ zo helder als ~ *incompréhensible*
koffiedikkijker ≈ *diseur* m *de l'avenir*

socioéconomique par rapport à la politique gouvernementale

koffiefilter *filtre* m *à café*

koffiehuis *café* m

koffiejuffrouw ≈ *serveuse* v

koffiekamer *foyer* m

koffieleut *grand buveur* m *de café* [v: *grande buveuse* ...]

koffielikeur *crème* v *de moka*

koffiemelk ≈ *lait* m *condensé*

koffiemolen *moulin* m *à café*

koffiepauze *pause-café* v [mv: *pauses-café*]

koffieplantage *plantation* v *de café*

koffiepot *cafetière* v

koffieroom *crème* v *(pour le café)*

koffieshop *cafétéria* v

koffietafel ≈ *repas* m *composé de sandwichs*

koffiezetapparaat *cafetière* v *électrique*; ‹voor grootverbruik› *percolateur* m

kogel • metalen bol *bille* v • projectiel *balle* v ▾ de ~ is door de kerk *le sort en est jeté* ▾ de ~ krijgen *être fusillé*

kogellager *roulement* m *à billes*

kogelrond *sphérique*

kogelstoten *lancement* m *du poids*

kogelvrij *pare-balles* [onv]; *à l'épreuve des balles* ★ een ~ vest *un gilet pare-balles* ★ een ~e ruit *une vitre pare-balles*

kok *cuisinier* m; ‹op schip› *coq* m; ‹traiteur› *traiteur* m

koken I OV WW • laten koken *faire bouillir* • eten klaarmaken *faire cuire* ★ soep ~ *faire de la soupe* ★ zachtjes laten ~ *faire mijoter*; ‹langdurig› *faire mitonner* II ON WW • op kookpunt zijn *bouillir*; ‹v. eten› *cuire* • kokkerellen *faire la cuisine* ★ hij kan goed ~ *il sait bien cuisiner* • woest zijn *bouillir* ★ zijn bloed kookte *son sang bouillait*

kokendheet *bouillant*

koker *étui* m; *fourreau* m [mv: *fourreaux*]; *gaine* v ▾ uit wiens ~ komt dat? *qui a inventé cela?*

kokerrok *jupe* v *tube*

koket I BNW ijdel *coquet* [v: *coquette*] II BIJW *coquettement*

koketteren *faire la coquette*

kokhalzen *avoir des haut-le-cœur*

kokkerellen *cuisiner de bons petits plats*

kokkin *cuisinière* v

kokmeeuw *mouette* v *rieuse*

kokos • vezel *fibre* v *de coco* • kokosnootvlees *noix* v *de coco*

kokosbrood *garniture* v *de tartine à la noix de coco*

kokosmakroon *macaron* m *à la noix de coco*

kokosmat *paillasson* m

kokosnoot *noix* v *de coco*

koksmaat *aide-cuisinier* m [mv: *aides-cuisiniers*]

koksmuts *toque* v *blanche*

koksschool *école* v *hôtelière*

kolder *loufoquerie* v ▾ de ~ in de kop hebben *s'emballer*

kolen ▾ op hete ~ zitten *être sur des charbons (ardents)*

kolenboer *charbonnier* m

kolendamp *oxyde* m *de carbone*

kolenhok *resserre*/*réserve* v *à charbon*

kolenmijn *houillère* v

kolenschop *pelle* v *à charbon*

kolere ★ krijg de ~! *va te faire foutre!*

kolf • handvat van vuurwapen *crosse* v • fles *cornue* v • PLANTK. *spadice* m; *téterelle* v

kolibrie *colibri* m

koliek *colique* v

kolk • draaikolk *tourbillon* m • sluisruimte *chambre* v *d'écluse*

kolken *tourbillonner*

kolom *colonne* v

kolonel *colonel* m

kolonelsbewind *régime* m *de colonels*

koloniaal I ZN *colonial* m [mv: *coloniaux*] II BNW *colonial* [m mv: *coloniaux*]

kolonialisme *colonialisme* m

kolonie *colonie* v

kolonisatie *colonisation* v

koloniseren *coloniser*

kolonist *colon* m

kolos *colosse* m

kolossaal I BNW *colossal* [v: *colossaux*]; *énorme* II BIJW *colossalement*; *énormément*

kolven *tirer le lait*

kom • bak, schaal *écuelle* v; *jatte* v; *bol* m • deel van gemeente *agglomération* v; *centre* m

komaan *allons!*; *voyons!*

komaf *origine* v

kombuis *coquerie* v

komediant *comédien* m [v: *comédienne*]

komedie • blijspel *comédie* v • schijnvertoning *comédie* v ★ ~spelen *jouer la comédie* • schouwburg *théâtre* m

komeet *comète* v

komen • zich begeven ‹naar spreker toe› *venir* ★ dichter bij iets ~ *s'approcher de qc* ★ boven ~ *monter* ★ kom hier! *viens (ici)!*; *amène-toi ici!* ★ hij kwam aan tafel zitten *il est venu s'installer à table* ★ ik kom al! *j'arrive!* ★ kom je? *tu viens?* ★ laten ~ *faire venir* ★ ~ aanzetten *débarquer à l'improviste* ★ uit het huis ~ *sortir de la maison* • aankomen *arriver* ★ op tijd ~ *être à l'heure* ★ ik kom de boeken afhalen *je viens chercher les livres* • afkomstig zijn ★ uit Parijs ~ *venir de Paris* • in genoemde toestand raken ★ het zal nog zover ~, dat wij *nous en viendrons encore à* ★ daarmee ~ we niet veel verder *cela ne nous avance guère* • gebeuren, beginnen ★ er komt regen *il y aura de la pluie*; *nous aurons de la pluie* • veroorzaakt zijn ★ dat komt ervan *voilà ce que c'est* ★ hoe komt het dat... *comment se fait-il que ...* [+ subj.] ★ dat komt, doordat *c'est que* [+ ind.] ★ wat er ook van komt *advienne que pourra* • bedragen *revenir (à)* • bedenken *imaginer*; *penser (à)* ★ ik kan niet op die naam ~ *ce nom ne me revient pas* • ~ **te** [+ inf.] ★ ~ te vallen *tomber* • ~ **tot** ★ hij komt niet tot een besluit *il n'arrive pas à se décider* ★ hij kan nergens toe ~ *il n'arrive pas à faire quoi que ce soit* ★ tot zichzelf ~ *revenir à soi* • ~ **aan** ★ aan werk ~ *trouver du travail* ★ aan water ~ *se procurer de l'eau* • ~ **achter** *découvrir*

K

★ achter de waarheid ~ *découvrir la vérité* ▾ hij komt er wel *il trouvera son chemin* ▾ ter zake ~ *en venir au fait* ▾ er is een tijd van ~ en er is een tijd van gaan *il n'y a si bonne compagnie qui ne se quitte* ▾ door een examen ~ *être reçu à un examen*
komfoor *réchaud* m
komiek I ZN acteur *comique* m II BNW *comique* III BIJW *comiquement*
komijn *cumin* m
komijnekaas *fromage* m *au cumin*
komijnzaad *cumin* m
komisch *comique*
komkommer *concombre* m
komkommerplant *concombre* m
komkommersalade *salade* v *de concombres*
komkommertijd *morte-saison* v [mv: *mortes-saisons*]
komma • leesteken *virgule* v • MUZ. *comma* m
kommer • ellende *chagrin* m • zorgen *souci* m • behoeftigheid *misère* v; *indigence* v ▾ ~ en kwel *un enchaînement de malheurs*
kompas *boussole* v; SCHEEPV. *compas* m
kompasnaald *aiguille* v *(aimantée)*
kompasrichting *aire* v *de vent*
kompres *compresse* v
komst *arrivée* v; REL. *avènement* m ★ hij is op ~ *il ne tardera pas à venir*
komvormig *en forme de bassin*
kond ▾ kond doen *faire savoir; notifier; proclamer*
konfijten *confire*
Kongo ‹land, rivier› *le Congo* ★ in ~ *au Congo*
Kongolees I ZN *Congolais* m II BNW *congolais*
konijn *lapin* m
konijnenhok *clapier* m
konijnenhol *terrier* m *de lapin*
koning *roi* m ▾ de Drie Koningen *les Rois mages*
koningin *reine* v
koningin-moeder *reine-mère* v [mv: *reines-mères*]
Koninginnedag *fête* v *de la reine*
konings- *royal* [m mv: *royaux*]
koningsblauw *bleu* m *roi*
koningschap *royauté* v
koningsdrama *drame* m *royal*
koningsgezind *royaliste*
koningshuis *maison* v *royale*
koningstijger *tigre* m *royal* [m mv: *tigres royaux*] [v: *tigresse royale*]
koninklijk I BNW *royal* [m mv: *royaux*] II BIJW *royalement*
koninkrijk *royaume* m
konkelaar *tripotier* m [v: *tripotière*]
konkelen *manigancer*
konkelfoezen • smoezen *chuchoter* • samenzweren *magouiller*
kont *cul* m
kontje ▾ iemand een ~ geven *faire la courte échelle à qn*
kontlikker *lécheur* m [v: *lécheuse*]
kontzak *poche* v *arrière*
konvooi *convoi* m ★ in ~ *en convoi*; SCHEEPV. *de conserve*
kooi • slaapplaats *couchette* v • dierenhok *cage* v; ‹v. schapen› *bergerie* v
kooien *mettre en cage*
kook *ébullition* v ★ aan de kook brengen *porter à ébullition* ★ aan de kook raken *entrer en ébullition* ★ van de kook zijn *ne plus bouillir*; FIG. *ne plus savoir que faire*
kookboek *livre* m *de cuisine*
kookcursus *cours* m *de cuisine*
kookkunst *cuisine* v; *art* m *culinaire*
kookplaat *plaque* v *chauffante* ★ ~ met 4 gaspitten *plaque de cuisson à 4 feux*
kookpunt *point* m *d'ébullition*
kookwekker *minuteur* m
kool • groente *chou* m [mv: *choux*] ★ witte kool *chou blanc* m ★ groene kool *chou/cabus vert* m • steenkool *charbon* m; *houille* v ▾ iemand een kool stoven *jouer un tour à qn* ▾ de kool en de geit sparen *ménager la chèvre et le chou*
kooldioxide *dioxyde* m *de carbone*
koolhydraat *hydrate* m *de carbone*
koolmees *(mésange* v*) charbonnière* v
koolmonoxide *oxyde* m *de carbone*
koolmonoxidevergiftiging *intoxication* v *par oxyde de carbone*
koolraap • gewas *chou-rave* m [mv: *choux-raves*] • groente *chou-navet* m [mv: *choux-navets*]
koolstof *carbone* m
koolstofverbinding *composé* m *de carbone*
koolwaterstof *hydrocarbure* m
koolwitje *piéride* v *du chou*
koolzaad *colza* m
koolzuur *acide* m *carbonique*
koolzuurhoudend *gazeux* [v: *gazeuse*]
koon *pommette* v
koop *achat* m; *acquisition* v; ‹m.b.t. overeenkomst› *marché* m ★ een koop sluiten *conclure un marché* ★ de koop opzeggen *se dédire* ★ te koop *à vendre* ★ te koop zetten *mettre en vente* ▾ te koop lopen met iets *afficher qc; faire étalage de qc* ▾ wat in de wereld te koop is *ce qui se passe dans le monde* ▾ op de koop toe *par-dessus le marché; par surcroît*
koopakte *acte* m *de vente*
koopavond *nocturne* v
koopcontract *contrat* m *de vente*; *contrat* m *d'achat* ★ een voorlopig ~ *une promesse d'achat/de vente*
koopgedrag *comportement* m *d'achat*
koophandel *commerce* m ★ de Kamer van Koophandel *la Chambre de commerce*
koopje *occasion* v ★ dat is 'n ~ *c'est donné* ★ op een ~ *à peu de frais*
koopkracht *pouvoir* m *d'achat*
kooplust *disposition* v *à l'achat*; ‹in financiële wereld› *demande* v
kooplustig *dépensier* [v: *dépensière*]
koopman *commerçant* m [v: *commerçante*]; *marchand* m [v: *marchande*]; ‹v. groothandel› *négociant* m [v: *négociante*]; ‹op straat› *vendeur* m *ambulant* [v: *vendeuse ambulante*]
koopmanschap *commerce* m
koopmansgeest *esprit* m *du commerce*; *sens* m *du commerce*
koopovereenkomst *contrat* m *de vente*;

contrat m *d'achat*
koopsom *prix* m *d'achat*
koopsompolis *assurance* v *à prime unique* [v mv: *assurances-vie* ...]
koopvaarder *navire* m *marchand*
koopvaardij *marine* v *marchande*
koopvaardijschip *navire* m *marchand*
koopvideo *cassette* v *vidéocommerciale*
koopwaar *marchandise* v
koopwoning ‹te koop› *maison* v *à vendre*; *logement* m *en propriété*
koopziek *dépensier* [v: *dépensière*]
koor *chœur* m; *chorale* v ⋆ in koor herhalen *reprendre en chœur*
koord *corde* v; ‹klein› *cordon* m
koorddansen I ZN *danse* v *sur corde* II ONV WW *danser sur une corde*
koorddanser *danseur* m *de corde* [v: *danseuse* ...]; *funambule* m/v
koorde *corde* v
koorknaap • koorzanger *petit chanteur* m *de chœur* • misdienaar *enfant* m *de chœur*
koormuziek *musique* v *de chœur*
koorts *fièvre* v ⋆ ~ hebben *avoir de la fièvre* ⋆ ~ krijgen *attraper la fièvre* ⋆ 40 graden ~ *40º de fièvre*; *la fièvre à 40º*
koortsachtig I BNW zeer gejaagd *fiévreux* [v: *fiévreuse*]; *fébrile* II BIJW *fiévreusement*; *fébrilement*
koortsdroom *fièvre* v *délirante*
koortsig I BNW *fiévreux* [v: *fiévreuse*]; *fébrile* II BIJW *fiévreusement*; *fébrilement*
koortsstuip *convulsion* v *fébrile*
koortsthermometer *thermomètre* m *médical*
koortsuitslag *bouton* m *de fièvre*
koortsvrij *sans fièvre*
koorzang *chant* m *choral* [m mv: *chants chorals*]
koosjer *kascher* [onv]
koosnaam *petit nom* m
kootje *phalange* v
kop • kom *tasse* v • voorste deel *tête* v ⋆ de kop van het peloton *la tête du peloton* ⋆ aan kop gaan *mener*; *être en tête* • hoofd *tête* v ⋆ op zijn kop staan *se tenir sur la tête* ⋆ een kop groter zijn dan *avoir une tête de plus que* • aanwezige *tête* v • verstand ⋆ een knappe kop *un homme calé*; *une femme calée* • opschrift *titre* m; ‹vet› *manchette* v ⋆ een pakkende kop *un titre accrocheur* ▼ de kop indrukken *réprimer* ▼ kop op! *haut la tête!* ▼ iemand op zijn kop geven *laver la tête à qn* ▼ iemand op zijn kop zitten *régenter qn* ▼ over de kop gaan ‹v. bedrijf› *faire faillite*; ‹v. auto› *capoter* ▼ alles op zijn kop zetten *mettre tout sens dessus dessous* ▼ kop dicht! *ta gueule!* ▼ de koppen bij elkaar steken *se concerter* ▼ iets op de kop tikken *dénicher qc* ▼ op de kop af *tout juste* ▼ het is op de kop af tien uur *il est dix heures précises/pile* ▼ iets de kop indrukken *étouffer qc*
kopbal *tête* v
kopduel SPORT *duel* m *de tête*
kopen • aanschaffen *acheter*; *acquérir*; *faire l'acquisition de* ⋆ ~ van *acheter à* ⋆ iets ~ voor vijftig gulden *acheter qc cinquante florins* • kaart(en) pakken bij kaartspel *prendre une/des cartes*; *aller aux cartes*
Kopenhagen *Copenhague*
koper I ZN (de) *acheteur* m [v: *acheteuse*]; *acquéreur* m [v: *acquéreuse*] ⋆ een ~ vinden *trouver aquéreur* II ZN (het) • metaal *cuivre* m ⋆ rood ~ *cuivre pur* • MUZ. *cuivres* m mv
koperblazer *joueur* m *d'un instrument à vent en cuivre*
koperdraad *fil* m *de cuivre*
koperen *de cuivre*; *en cuivre*
koperglans I ZN (de) glans *éclat* m *de cuivre* II ZN (het) stof *chalcosine* v
kopergravure • het kopergraveren *gravure* v *sur cuivre* • gravure *taille-douce* v [mv: *tailles-douces*]
kopergroen *vert-de-gris* [onv]
koperkleurig *rouge cuivré*
koperlegering *alliage* m *cuivreux*
kopermijn *mine* v *de cuivre*
koperpoets *pâte* v *à cuivre*
koperslager *chaudronnier* m
koperwinning *extraction* v *du cuivre*
kopgroep *tête* v *de la course*
kopie • duplicaat *copie* v • fotokopie *photocopie* v
kopieerapparaat *photocopieur* m
kopieermachine *machine* v *à copier*; *photocopieuse* v
kopieerpapier *papier* m *à copier*
kopiëren *copier*; *photocopier*; ‹audio› *repiquer*
kopij *copie* v; *manuscrit* m
kopje-onder *sous l'eau* ⋆ hij ging ~ *il disparaissait sous l'eau* ⋆ iem. ~ duwen *faire boire la tasse à qn*
koplamp *phare* m ⋆ de ~en dimmen *se mettre en code*
koploper *leader* m
koppel I ZN (de) riem *ceinturon* m II ZN (het) paar *couple* m
koppelaar *entremetteur* m [v: *entremetteuse*]
koppelbaas *marchandeur* m [v: *marchandeuse*]
koppelen *accoupler*; *coupler*
koppeling • het koppelen *accouplement* m; ‹v. treinwagons› *accrochage* m; ‹in ruimtevaart› *amarrage* m; ‹v. wagons› *attelage* m • overbrenging *embrayage* m • verbindingsstuk *attelage* m
koppelingsplaat *disque* m *d'embrayage*
koppelingswet *combinaison* v *d'une série de modifications de lois concernant les résidants étrangers*
koppelteken *trait* m *d'union*; *tiret* m; MUZ. *liaison* v
koppeltjeduikelen *faire un roulé-boulé*; *culbuter*
koppelverkoop *vente* v *combinée*
koppelwerkwoord *copule* v
koppen *faire une tête*
koppensnellen • onthoofden *chasser des têtes* • verantwoordelijken zoeken *chasser des têtes* • krantenkoppen lezen *parcourir le journal*
koppie *caboche* v
koppig I BNW • halsstarrig *têtu*; *entêté*; *obstiné*

K

• sterk ★ ~e wijn *vin capiteux* m II BIJW *obstinément* ★ ~ volhouden *s'entêter (à)*; *s'obstiner (à)*
koppijn *mal* m *de crâne*
kopregel *ligne* v *de tête*
koprol *roulé-boulé* m [mv: *roulés-boulés*]; *roulade* v
kopschuw *farouche*
kopspijker *clou* m; *pointe* v *à tête plate*; ‹klein› *broquette* v; ‹groot› *caboche* v
kopstation *tête* v *de ligne*
kopstem *voix* v *de tête*
kopstoot *coup* m *de tête*
kopstuk *sommité* v; *leader* m
Kopt *Copte* m/v
koptelefoon *casque* m *(à écouteurs)*
Koptisch I ZN *copte* m II BNW *copte*
kopzorg *tracas* m mv; *souci* m
koraal • MUZ. *choral* m [mv: *chorals*] • BIOL. *corail* m [mv: *coraux*]
koraalbank *banc* m *corallifère*
koraaldieren *anthozoaires* m mv
koraalrif *récif* m *corallien*
koraalrood *corrallin*
koraalvis *amphiprion* m
koralen *de corail*; *en corail*
koran *Coran* m ★ van de ~ *coranique*

K

kordaat I BNW *résolu*; *courageux* [v: *courageuse*]; *hardi* II BIJW *résolument*; *courageusement*
kordon *cordon* m
Korea *la Corée*
Koreaan *Coréen* [v: *Coréenne*]
Koreaans *coréen* [v: *coréenne*]
koren • zaad *grain* m • gewas *blé* m
korenaar *épi* m
korenblauw *bleu* m*barbeau*
korenbloem *bleuet* m; *barbeau* m [mv: *barbeaux*]
korenschoof *gerbe* v
korenschuur *grange* v; FIG. *grenier* m
korf *corbeille* v; *panier* m; ‹op de rug› *hotte* v
korfbal *balle* v *au panier*
korfballen *jouer à la balle au panier*
Korfoe *Corfou* v ★ op ~ *à Corfou*
korhoen *tétras-lyre* m [mv: *tétras-lyres*]
koriander *coriandre* v
korjaal *pirogue* v; *canot* m *creusé dans un tronc d'arbre*
kornet • MUZ. *cornet* m • MIL. *aspirant* m
kornuit *camarade* m/v; *copain* m; INF. *pote* m
korporaal *caporal* m [mv: *caporaux*]
korps *corps* m
korpsbeheerder *préfet* m *de police*
korpscommandant *chef* m *de corps*
korrel • bolletje *grain* m • vizierkorrel *guidon* m ▾ iemand op de ~ nemen *coucher en joue qn*; FIG. *viser qn*
korrelig *granuleux* [v: *granuleuse*]; *grenu*
korset *corset* m
korst *croûte* v
korstmos *lichen* m
kort I BNW • niet lang durend *court*; *bref* [v: *brève*] ★ na korte tijd *au bout d'un certain temps* ★ korte tijd daarna *peu de temps après* ★ ik zal het kort maken *je n'en aurai pas pour longtemps* ★ maak het kort *soyez bref* • niet lang *court*; ‹v. gestalte› *petit* ★ korter maken *raccourcir* ★ zijn haar kort laten knippen *se faire tondre* ★ korte golf *ondes* m mv *courtes* • beknopt *concis*; *succinct* ▾ iemand kort houden *tenir la bride haute à qn* II BIJW *brièvement*; *court*; *peu* ★ om kort te gaan *(pour être) bref* ★ kort voor *peu (de temps) avant*; *juste avant* ★ kort daarop *peu (de temps) après* ★ kort geleden *il y a peu (de temps)*; *dernièrement* ★ tot voor kort *jusqu'à récemment* ★ in het kort zei hij dit: *en substance il a dit ceci:* ★ tijd te kort komen om *manquer de temps pour* ▾ kort en bondig *de façon succincte* ▾ te kort komen *ne pas avoir son compte* ▾ er is een gulden te kort *il manque un florin* ▾ iemand te kort doen *frustrer qn*; *faire tort à qn* ▾ je moet je niet te kort doen *ne te prive pas*
kortaangebonden *coléreux* [v: *coléreuse*] ★ ~ zijn *avoir la tête près du bonnet*
kortademig *poussif* [v: *poussive*] ★ ~ zijn *avoir l'haleine courte*
kortaf I BNW *brusque*; *bref* [v: *brève*] II BIJW *sèchement* ★ ~ spreken *parler d'un ton sec*
kortebaanwedstrijd *course* v *de vitesse*
kortegolfontvanger *poste* m *récepteur à ondes courtes*
korten • korter maken *raccourcir*; ‹m.b.t. tijd/tekst› *abréger* ★ iem. de tijd helpen ~ *faire passer le temps à qn*; *amuser qn* • inhouden *rabattre*; *déduire* ▾ iemand de vleugels ~ *rogner les ailes à qn*
kortetermijnplanning *planification* v *à court terme*
kort geding *(procédure* v *en) référé* m
kortharig *à poil court*; ‹v. hoofdhaar› *à cheveux courts*
korting • inhouding ‹v. salaris› *retenue* v • bedrag *réduction* v; ‹bij manco› *rabais* m; ‹bij contante betaling› *escompte* m ★ 25 % ~ op alle prijzen *rabais de 25 pour cent sur tous les prix*
kortingkaart *carte* v *de réduction*
kortingsbon *carte* v *de réduction*
kortlopend *à court terme*
kortom *bref*; *en un mot*; *enfin*
Kortrijk *Courtrai*
kortsluiten *court-circuiter*
kortsluiting *court-circuit* m [mv: *courts-circuits*]
kortstondig *momentané*; *passager* [v: *passagère*]; *de courte durée*
kortweg • kort gezegd *(en) bref* • eenvoudigweg *tout simplement*
kortwieken *rogner les ailes à*
kortzichtig *myope*; FIG. *borné*; *imprévoyant*
korzelig ‹humeurig› *irrité*; ‹lichtgeraakt› *irascible*
kosmisch *cosmique*
kosmologie *cosmologie* v
kosmonaut *cosmonaute* m/v
kosmopoliet *cosmopolite* m/v
kosmopolitisch *cosmopolite*
kosmos *cosmos* m; *univers* m
Kosovo *le Kosovo* ★ in ~ *au Kosovo*
kost • voedsel *nourriture* v; INF. *bouffe* v • dagelijkse voeding ★ kost en inwoning *le*

vivre et le couvert; le logement et la table ★ in de kost *en pension* • levensonderhoud ★ de kost verdienen *gagner sa vie*; INF. *gagner sa croûte* • geldelijke uitgaven *frais* m mv; *coût* m ★ op iemands kosten leven *vivre aux dépens de qn* ★ de kosten eruit halen *rentrer dans ses frais* ★ iemands kosten vergoeden *indemniser qn* ★ op kosten van *aux frais de* ★ kosten maken *se mettre en frais* ★ kosten bestrijden *faire face aux frais* ▾ ten koste van *aux dépens de*; *au détriment de* ▾ ten koste van zijn leven *au prix de sa vie*
kostbaar • duur *coûteux* [v: *coûteuse*]; *cher* [v: *chère*] • veel waard *précieux* [v: *précieuse*]
kostbaarheden *objets* m mv *précieux*
kostelijk *précieux* [v: *précieuse*]; ‹v. voedsel en drank› *délicieux* [v: *délicieuse*]; *exquis*; *excellent* ▾ zich ~ vermaken *s'amuser royalement*
kosteloos I BNW *gratuit* II BIJW *gratuitement*; *gratis*
kosten *coûter*; *valoir*; *revenir (à)* ★ wat kost dat? *combien ça coûte?* ★ het kost me moeite om hem te volgen *j'ai de la peine à le suivre* ★ het kost hem moeite zijn ongelijk te erkennen *il a du mal à reconnaître son tort* ▾ koste wat het kost *coûte que coûte*
kostenbesparing *économie* v *de frais*
kostendekkend *qui couvre ses dépenses*
kostenplaatje *devis* m *estimatif*
kostenverdeling *ventilation* v *des coûts*
kostenverhoging *augmentation* v *de frais*
koster *sacristain* m
kostganger *pensionnaire* m/v
kostgeld *pension* v
kostprijs • productieprijs *prix* m *de revient* • aankoopprijs *prix* m *d'achat*
kostschool *pensionnat* m; *internat* m
kostuum *costume* m ★ driedelig ~ *costume trois-pièces*
kostuumfilm *film* m *attirant surtout par les costumes (historiques)*
kostuumontwerper *concepteur* m *de costumes* [v: *conceptrice*]
kostwinner *soutien* m *de famille*
kostwinning *gagne-pain* m [onv]
kot • hok ‹v. hond› *niche* v; ‹v. varkens› *porcherie* v • krot *taudis* m
kotelet *côtelette* v
koter *môme* m/v
kots *dégueulis* m
kotsen *dégueuler*; *vomir*
kotsmisselijk ★ ~ zijn *avoir envie de dégueuler* ▾ ik word ~ van zijn grappen *je trouve ses plaisanteries dégueulasses*
kotter *cotre* m
kou • koude *froid* m ★ een bittere kou *un froid de canard* ★ kou lijden *geler* • verkoudheid *rhume* m ▾ men heeft hem in de kou laten staan *on l'a laissé tomber*
koud I BNW • niet warm *froid* ★ het is koud *il fait froid* ★ koud worden *se refroidir* ★ ik heb het koud *j'ai froid* ★ ik heb koude vingers *j'ai froid aux doigts* ★ het koud krijgen *commencer à avoir froid* • zonder gevoel *froid* ★ dat laat me koud *cela ne me fait ni chaud ni froid* ▾ je wordt er koud van *cela fait frémir* II BIJW *froidement*
koudbloedig *à sang froid*
koude → **kou**
koudegolf *vague* v *de froid*
koudgeperst *pressé à froid*
koudvuur *gangrène* v ★ aangetast door ~ *gangreneux* [v: *gangreneuse*]
koudwatervrees • angst voor koud water *crainte* v *de l'eau froide* • ongegronde angst *peur* v *injustifiée*
koufront *front* m *froid*
kougolf *vague* v *de froid*
koukleum *frileux* m [v: *frileuse*]
kous • kledingstuk *bas* m ★ elastieken kous *bas à varices* • lampenpit *mèche* v; TECHN. *manchon* m
kousenband *jarretière* v
kousenvoet *pied* m *de bas* ▾ op ~en lopen *marcher en chaussettes*
kouvatten *prendre froid*; *attraper froid*
kouwelijk I BNW *frileux* [v: *frileuse*] II BIJW *frileusement*
kozak *cosaque* m
kozakkenkoor *chœur* m *de cosaques*
kozijn *encadrement* m
kraag *col* m; *collet* m ★ zijn ~ neerslaan/opzetten *rabattre/relever le col*
kraai *corneille* v
kraaien • kreetjes uiten *pousser des petits cris de joie* • kukeleku roepen *chanter*
kraaiennest • SCHEEPV. *nid-de-pie* m [mv: *nids-de-pie*] • nest van kraai *nid* m *de corneille*
kraaienpootje *patte-d'oie* v [mv: *pattes-d'oie*]
kraak *casse* m; *squat* m ▾ daar zit ~ noch smaak aan *ça n'a aucun goût*
kraakactie *squattage* m
kraakbeen *cartilage* m
kraakbeweging *squattage* m
kraakhelder *d'une propreté extrême*
kraakpand *squat* m
kraal *perle* v; *grain* m
kraaloog *personne* v/*animal* m *aux petits yeux ronds et brillants*
kraam ‹op markt› *étal* m; ‹op beurs› *stand* m; ‹op kermis› *baraque* v *(foraine)*
kraamafdeling *maternité* v
kraambed *couches* v mv ★ in het ~ liggen *être en couches*
kraambezoek ≈ *visite* v *rendue à l'accouchée*
kraamhulp • kraamverzorgster *obstétricien* m [v: *obstétricienne*] • kraamverpleging *soins* m mv *obstétriques*
kraamkamer *chambre* v *de l'accouchée*
kraamkliniek *maison* v *d'accouchement*
kraamverpleegster *infirmière* v *obstétricienne*
kraamverzorgster ≈ *aide* v *familiale qui s'occupe de la mère et de l'enfant après un accouchement*
kraamvisite *visite* v *rendue à une accouchée*
kraamvrouw *accouchée* v
kraamzorg *soins* m mv *postnatals*
kraan • tap *robinet* m • hijskraan *grue* v ★ drijvende ~ *grue flottante* ★ rijdende ~ *grue mobile*; *grue automotrice* • uitblinker *as* m; *aigle* m
kraandrijver *grutier* m
kraanleertje *joint* m *(de robinet)*

K

kraanmachinist *grutier* m
kraanvogel *grue* v
kraanwagen *dépanneuse* v; *camion-grue* m [mv: *camions-grues*]
kraanwater *eau* v *du robinet*
krab • schaaldier *crabe* m • schram *griffure* v; *égratignure* v
krabbel • schram *griffure* v; *égratignure* v • korte notitie *note* v • onduidelijk schrijfsel *griffonnage* m; ⟨schets⟩ *croquis* m
krabbelen I OV WW slordig schrijven *griffonner* II ON WW krabben *gratter*; *égratigner* ▾ er weer bovenop ~ *se remettre*
krabbeltje *mot* m *griffonné à la hâte*
krabben *gratter*; *griffer*; *égratigner* ★ zich achter de oren ~ *se gratter l'oreille*
krabber • persoon *gratteur* m [v: *gratteuse*] • voorwerp *grattoir* m; *racloir* m; *curette* v
krabcocktail *cocktail* m *de crabe*
krabpaal *griffoir* m
krach *krach* m
kracht • fysiek vermogen *force* v; *vigueur* v; *énergie* v ★ met vereende ~en *dans un effort commun* ★ met ~ *avec force* ★ met al zijn ~ *de toutes ses forces* ★ in de ~ van zijn leven *dans la force de l'âge* ★ op ~en komen *se remettre* • geldigheid ★ van ~ zijn *être en vigueur* ★ van ~ worden *entrer en vigueur*; *prendre effet* ▾ op eigen ~ vertrouwen *se suffire à soi-même*
krachtbron *source* v *d'énergie*
krachtcentrale *centrale* v *(électrique)*
krachtdadig *énergique*; *efficace*
krachteloos *sans force*; *faible*; *inefficace*
krachtens *en vertu de* ★ ~ de wet *en vertu de la loi*
krachtig I BNW • kracht hebbend *vigoureux* [v: *vigoureuse*]; *fort* • werking hebbend *énergique*; *efficace* II BIJW • kracht hebbend *vigoureusement*; *fortement* • werking hebbend *énergiquement*; *efficacement*
krachtmeting *bras* m *de fer*; *épreuve* v *de force*
krachtpatser *armoire* v *à glace*
krachtproef *épreuve* v *de force*
krachtsinspanning *effort* m *(physique)*
krachtsport ≈ *sport* m *qui requiert de la force*
krachtterm *juron* m
krachttoer *tour* m *de force*
krachttraining *musculation* v
krachtveld *champ* m *de force(s)*
krachtvoer *fourrage* m *concentré*
krak I ZN krakend geluid *craquement* m II TW *crac!*
krakeel *chamaillerie* v
krakelen *se quereller*; *se chamailler*
krakeling ≈ *craquelin* m
kraken I OV WW • huis bezetten *squatter*; *squattériser* • openbreken *casser* • inbreken ★ een computer ~ *pirater un ordinateur* II ON WW geluid maken *craquer*; ⟨v. deur, sneeuw e.d.⟩ *crisser* ★ een ~de stem *une voix de crécelle* ▾ ~de wagens lopen het langst *les pots fêlés durent longtemps*
kraker • chiropracticus *chiropracticien* m [v: *chiropracticienne*] • huisbezetter *squatter* m
krakersbeweging → **kraakbeweging**
krakkemikkig *boiteux* [v: *boiteuse*]; ⟨v. meubel⟩ *bancal*; ⟨v. apparaat⟩ *détraqué*; ⟨v. persoon⟩ *mal fichu*
kralengordijn *rideau* m *de perles* [m mv: *rideaux ...*]
kralensnoer *collier* m *de perles*
kram *crampon* m; MED. *agrafe* v
kramp *crampe* v; *spasme* m ★ ik kreeg ~ in mijn kuit *j'attrapais des crampes au mollet*
krampachtig I BNW in een kramp *crispé* II BIJW *avec acharnement* ★ (zich) ~ vasthouden aan *se cramponner à*
kranig I BNW *courageux* [v: *courageuse*]; *crâne* II BIJW *courageusement*; *crânement*
krankjorum *dingue*; ⟨zaken⟩ *dément*
krankzinnig I BNW • geestesziek *dément* ★ ~ worden *tomber en démence* • onzinnig *fou* [v: *folle*] [onr: *fol*] II BIJW *d'une façon délirante*
krankzinnigengesticht *asile* m *d'aliénés*
krans • gevlochten ring *couronne* v • vriendenkring *cercle* m *d'amis*
kranslegging *déposition* v *d'une couronne*
kransslagader *artère* v *coronaire*
krant *journal* m [mv: *journaux*]
krantenartikel *article* m *de journal*
krantenbak *boîte* v *de journeaux*
krantenbericht *nouvelle* v *de journal*
krantenjongen *porteur* m *de journaux* [v: *porteuse ...*]
krantenknipsel *coupure* v *de journal*
krantenkop *titre* m; *manchette* v
krantenmagnaat *magnat* m *de journaux ayant autorité*
krantenwijk ★ hij heeft een ~ *il distribue les journaux à domicile*
krap I BNW • nauw *juste*; *étroit*; PEJ. *étriqué* ★ zijn pak is wat te krap *son costume est un peu juste* • niet ruim ★ krap zitten *se trouver un peu gêné* II BIJW *trop juste*; *étroitement* ★ dat brengt krap tien gulden op *cela rapportera tout juste|à peine dix florins*
krapjes *étroitement*
kras I ZN haal *rayure* v; *raie* v; *égratignure* v II BNW • vitaal *robuste*; *vigoureux* [v: *vigoureuse*] ★ nog kras zijn *être encore vert* • drastisch *rigoureux* [v: *rigoureuse*] ★ dat is wat kras *c'est un peu fort* • sterk *raide* ★ dat is kras *elle est raide celle-là* III BIJW krachtig *en termes vifs*
kraslot *billet* m *de loterie instantanée*
krassen • krassen maken *faire des rayures* • geluid maken *crisser*; ⟨v. kraai⟩ *croasser* ▾ op de viool ~ *racler du violon*
krasvrij *sans rayures*
krat *caisse* v; ⟨voor fruit⟩ *cageot* m
krater *cratère* m
krats *bouchée* v *de pain* ★ voor een ~ *pour une bouchée de pain*; *pour une misère*
krediet *crédit* m ★ op ~ *à crédit* ★ op ~ geven *faire crédit de* ★ ~ hebben *avoir un crédit ouvert*
kredietbank *banque* v *de crédits|de prêts*
kredietgarantie *garantie* v *de crédit*
krediettermijn *terme* m *de crédit*
kredietverlening *octroi* m *de crédits*
kredietwaardig *solvable*
kredietwezen *crédit* m

kreeft • schaaldier ‹rivierkreeft› *écrevisse* v; ‹zeekreeft› *langouste* v; ‹met scharen› *homard* m • sterrenbeeld *Cancer* m
kreeftengang *mouvement* m *à reculons* ▾ de ~ gaan *rétrograder*
kreeftskeerkring *tropique* m *du Cancer*
kreek *crique* v; *anse* v
kreet *cri* m ⋆ een ~ slaken *pousser un cri*
kregel *irascible*
krekel *grillon* m; *cri-cri* m [onv]
Kremlin *Kremlin* m
kreng • kadaver *charogne* v • loeder *garce* v
krengerig *vache*
krenken *froisser*; *blesser*; *offenser*
krenking *offense* v
krent • druif *raisin* m *de Corinthe* • gierigaard *pingre* m/v; *radin* m
krentenbol ≈ *petit pain* m *(rond) aux raisins*
krentenbrood *pain* m *aux raisins*
krentenkakker *grippe-sou* m [mv: *grippe-sou(s)*]
krentenmik *pain* m *aux raisins*
krenterig I BNW gierig *radin*; *mesquin* [onv] II BIJW *avec mesquinerie*
Kreta *la Crète* ⋆ op ~ *en Crète*
kretologie *manie* v *des slogans*
kreukel *(faux* m*) pli* m ▾ een auto in de ~s hebben gereden *retrouver sa voiture en accordéon*
kreukelig *froissé*; *fripé*
kreukelzone *zone* v *déformable*
kreuken I OV WW kreukels maken *chiffonner*; *froisser* II ON WW kreukels krijgen *se chiffonner*; *se froisser*
kreukherstellend *défroissable*
kreukvrij *infroissable*
kreunen *geindre*; *gémir*
kreupel *boiteux* [v: *boiteuse*] ⋆ ~ lopen *boiter*
kreupelhout *taillis* v mv; *broussailles* v mv
krib *mangeoire* v
kribbig I BNW *hargneux* [v: *hargneuse*] II BIJW *hargneusement*
kriebel *fourmillement* m ⋆ ~ in zijn benen hebben *avoir des fourmis dans les jambes*
kriebelen I OV WW • kietelen *chatouiller* • klein schrijven *gribouiller* II ON WW jeuken *démanger*
kriebelhoest *petite toux* v
kriebelig *chatouilleux* [v: *chatouilleuse*] ▾ ~ worden *s'impatienter*
kriegel *de mauvais poil* [onv]
kriegelig *irascible*
kriek *guigne* v
krieken *poindre* ⋆ bij het ~ van de dag *au point du jour*
kriel I ZN (de) klein mens of dier *gringalet* m II ZN (het) aardappel *petite pomme* v *de terre*
krielaardappel *petite pomme* v *de terre ronde*
krielkip *poule* v *naine*
krijgen • ontvangen *recevoir*; *acquérir*; ‹v. prijs› *gagner*; ‹v. nieuws› *avoir* ⋆ ik heb een pen van mijn broer gekregen *mon frère m'a fait cadeau d'un stylo* ⋆ te ~ bij *en vente chez* • verkrijgen *prendre*; *obtenir* • getroffen worden door ‹v. ziekte› *attraper* ⋆ je zult er niets van ~ *tu n'en auras rien* • grijpen *attraper* ⋆ ik zal hem ~! *je l'aurai!*; *il me le paiera!* • in toestand komen ⋆ een kleur ~ *rougir* ⋆ spijt ~ van iets *regretter qc* ⋆ honger ~ *commencer à avoir faim* • in toestand brengen ⋆ de koffer dicht ~ *réussir à fermer la valise* ⋆ iets van iem. gedaan ~ *obtenir qc de qn* ⋆ ik heb haar niet te pakken kunnen ~ *je n'ai pas réussi à l'avoir*; *je n'ai pas réussi à la joindre* ▾ het in zijn hoofd ~ om *se mettre dans la tête de*
krijger *guerrier* m [v: *guerrière*]
krijgertje ⋆ ~ spelen *jouer au chat perché*
krijgsdienst *service* m *militaire*
krijgsgevangene *prisonnier* m *de guerre* [v: *prisonnière ...*]
krijgsgevangenschap *captivité* v ⋆ in ~ geraken *être fait prisonnier de guerre*
krijgshaftig I BNW dapper *guerrier* [v: *guerrière*]; *martial* [m mv: *martiaux*] II BIJW *d'un air martial*; *de façon guerrière*
krijgsheer *seigneur* m *de guerre*
krijgslist *stratagème* m
krijgsmacht *force* v *armée*
krijgsraad *tribunal* m *militaire* [m mv: *tribunaux ...*] ⋆ voor de ~ komen *passer en conseil de guerre*
krijgszuchtig I BNW *belliqueux* [v: *belliqueuse*] II BIJW *de façon belliqueuse*
krijsen *crier*; *hurler*
krijt • kalksteen *craie* v • strijdperk *lice* v; *arène* v ▾ bij iemand in het ~ staan *devoir de l'argent à qn*
Krijt *crétacé* m
krijtje *craie* v
krijtstreep *trait* m *de craie*
krijttekening *crayon(nage)* m; *pastel* m; ‹rode› *sanguine* v
krijtwit *blanc comme la craie* [v: *blanche ...*]
krik *cric* m
krill *krill* m
krimi *polar* m
krimp *rétrécissement* m ▾ geen ~ geven *ne pas céder*
krimpen • samentrekken *se rétrécir*; *se contracter* • draaien *tourner*
krimpfolie *film* m *rétractable*
krimpvrij *irrétrécissable*
kring • cirkel *cercle* m; *rond* m; ‹om zon en maan› *halo* m; ‹vochtkring› *auréole* v ⋆ dat maakt ~en op de tafel *ça fait des auréoles sur la table* ⋆ in een ~ zitten *faire un cercle*; *être assis en rond* • wal onder oog *cerne* v • sociale groep *milieu* m [mv: *milieux*]; *cercle* m ⋆ de hogere ~en *la haute société* • omgeving *rayon* m; *sphère* v
kringelen *tournoyer*
kringgesprek *table* v *ronde*
kringloop *cycle* m; ECON. *circuit* m ⋆ de ~ van de natuur *le cycle de la nature*
kringlooppapier *papier* m *recyclé*
kringloopwinkel *magasin* m *de dépôt-vente*
kringspier *muscle* m *orbiculaire*
krinkelen *serpenter*
krioelen *fourmiller*; *grouiller*
kris *criss* m
kriskras *pêle-mêle*
kristal *cristal* m [mv: *cristaux*]
kristalhelder *cristallin*

kristallen *de/en cristal*
kristallisatiepunt *point* m *de cristallisation*
kristalliseren *cristalliser*
kristalsuiker *sucre* m *cristallisé*
kritiek I ZN *critique* v ⋆ afbrekende ~ *critique éreintante* ⋆ opbouwende ~ *critique constructive* II BNW • beslissend *critique* ⋆ ~e dagen *jours critiques* • hachelijk *critique*; *délicat*
kritiekloos I BNW *dépourvu d'esprit critique* II BIJW *sans esprit critique*
kritisch *critique*
kritiseren *critiquer*; *désapprouver*
Kroaat *Croate* m/v
Kroatië *la Croatie* ⋆ in ~ *en Croatie*
Kroatisch *croate*
krocht *crypte* v; *grotte* v
kroeg *café* m; *bistro* m
kroegbaas *patron* m *(de bistro)*
kroegentocht *tournée* v *des cafés* ⋆ op ~ gaan *faire la tournée des cafés*
kroegloper *coureur* m *de cafés* [v: *coureuse ...*]
kroelen *câliner*
kroep *croup* m
kroepoek ≈ *accompagnement* m *croquant des repas chinois à base de farine de poisson*
kroes I ZN • mok *gobelet* m • smeltkroes *creuset* m II BNW *frisé*; *crépu*
kroeshaar *cheveux* m mv *crépus*
kroeskop *chevelure* v *crépue*
kroezen *crêper*; *friser*
krokant *croustillant*
kroket *croquette* v
krokodil *crocodile* m
krokodillentranen *larmes* v mv *de crocodile*
krokus *crocus* m
krokusvakantie *vacances* v mv *de février*
krols *en chaleur*
krom I BNW gebogen *courbe*; ‹door vervorming› *tordu*; ‹v. neus› *crochu*; ‹v. lichaam› *courbé*; ‹v. rug› *voûté* ▾ zich krom lachen *rire à se tordre* ▾ zich krom werken *s'esquinter (à travailler)* II BIJW • gebogen *de façon courbé*; *de travers* ⋆ krom lopen *marcher le dos courbé* ⋆ krom groeien *se déformer*; *se déjeter* • gebrekkig *mal* ⋆ krom spreken *écorcher la langue*
kromliggen *se saigner (aux quatre veines) (pour)*
kromme *courbe* v
krommen I OV WW krom maken *courber*; *cambrer* II ON WW krom worden *se courber*
kromming • bocht *courbe* v; ‹v. rivier› *coude* m • het krommen *courbure* v
kromtrekken *gauchir*
kronen *couronner* ⋆ iem. tot koning ~ *couronner qn roi*
kroniek *chronique* v
kroning *couronnement* m
kronkel *courbe* v; *sinuosité* v; ‹v. rivier› *méandre* m ▾ een ~ in de hersens hebben *avoir le cerveau fêlé*
kronkelen *se tordre*; *s'entortiller*; ‹v. weg› *serpenter* ▾ ~ van de pijn *se tordre de douleur*
kronkelig I BNW *tortueux* [v: *tortueuse*] II BIJW *tortueusement*
kronkeling *sinuosité* v; *tortillement* m
kronkelpad *sentier* m *tortueux*
kronkelweg *parcours* m *sinueux*
kroon • hoofdbedekking *couronne* v ⋆ de pauselijke ~ *la tiare* • bovenste deel PLANTK. *corolle* v • munt *couronne* v • kroonluchter *lustre* m ▾ de ~ spannen *l'emporter* ▾ iemand naar de ~ steken *rivaliser avec qn (en)*
kroonblad *pétale* m
kroondocent ≈ *professeur* m *d'université nommé par la couronne*
kroondomein *domaine* m *de la couronne*
kroongetuige *témoin* m *principal* [m mv: *témoins principaux*]
kroonjaar *lustre* m
kroonjuweel *joyau* m *de la couronne* [m mv: *joyaux ...*]
kroonkolonie *colonie* v *de la couronne*
kroonkurk *capsule* v
kroonlid *membre* m *nommé par la couronne*
kroonluchter *lustre* m
kroonprins *prince* m *héritier*; FIG. *successeur* m
kroonsteentje *domino* m
kroos *lentilles* v mv *d'eau*
kroost *progéniture* v; *enfants* m mv; *rejetons* m mv
kroot *betterave* v *rouge*
krop • stronk groente *pomme* v ⋆ een krop sla *une salade* • ziekte *goitre* m
kropandijvie *chicorée* v *scarole pommée*
kropgezwel *tumeur* v *goitreuse*
kropsla *laitue* v *pommée*
krot *taudis* m; *bicoque* v
krottenwijk *bidonville* m
kruid • plant *herbe* v ⋆ geneeskrachtige ~en *herbes médicinales* • specerij *épices* v mv ▾ daar is geen ~ tegen gewassen *il n'y a pas de remède à cela*
kruiden *épicer*; *assaisonner*; FIG. *assaisonner* ⋆ het ~ *l'assaisonnement*
kruidenazijn *vinaigre* m *aux herbes*
kruidenbitter *bitter* m *aux herbes aromatiques*
kruidenboter *beurre* m *aux herbes*
kruidendokter *guérisseur* m [v: *guérisseuse*]
kruidenier • winkelier *épicier* m [v: *épicière*] • winkel *épicerie* v
kruidenierswaren *épicerie* v
kruidenierswinkel *épicerie* v
kruidenthee *infusion* v; *tisane* v
kruidentuin *jardin* m *de plantes aromatiques*
kruidig *épicé*; ‹v. geur› *aromatique*
kruidje-roer-mij-niet • persoon *personne* v *susceptible* • plantje *sensitive* v
kruidkoek *pain* m *d'épice*
kruidnagel *clou* m *de girofle*
kruien I OV WW vervoeren *brouetter* II ON WW • breken van ijs ⋆ de rivier kruit *la rivière charrie la glace* ⋆ het ijs kruit tegen de dijken op *la glace s'entasse contre les digues*
kruier *porteur* m [v: *porteuse*]
kruik • kan *cruche* v; *urne* v • warmwaterzak *bouillotte* v ▾ de ~ gaat zo lang te water tot ze breekt *tant va la cruche à l'eau qu'à la fin elle se brise*
kruim *miette* v
kruimel *miette* v
kruimeldeeg *pâte* v *brisée*

kruimeldief *chapardeur* m [v: *chapardeuse*]
kruimeldiefstal *larcin* m
kruimelen I ov ww tot kruimels maken *émietter* II on ww tot kruimels worden *s'émietter*
kruimelveger *ramasse-miettes* m [onv]
kruimelvlaai *tarte* v *aux fruits recouverte de pâte émiettée*
kruimelwerk *petits travaux* m mv
kruimig *farineux* [v: *farineuse*]
kruin • bovendeel hoofd *sommet* m *de la tête* • bovendeel *sommet* m; *cime* v
kruipen • zich voortbewegen *ramper*; *se traîner* ⋆ in zijn bed ~ *se fourrer au lit* • onderdanig zijn *s'aplatir*; *s'abaisser*
kruiper *flagorneur* m [v: *flagorneuse*]
kruiperig *rampant*; *obséquieux* [v: *obséquieuse*]
kruipruimte *vide* m *sanitaire*
kruis • teken of bouwsel *croix* v • gebaar *signe* m *de croix* ⋆ een ~ maken *se signer* • MUZ. *dièse* m • lichaamsdeel *parties* v mv • deel van broek *entrejambe* m • zijde van munt *face* v • beproeving *croix* v ▾ het Rode Kruis *la Croix-Rouge*
kruisband *contrevent* m
kruisbeeld *crucifix* m
kruisbes *groseille* v *à maquereau*
kruisbestuiving *pollinisation* v *croisée*
kruisboog • schietboog *arbalète* v • BOUWK. *ogive* v
kruiselings I BNW *croisé* II BIJW *en croix* ⋆ de benen ~ over elkaar geslagen *les jambes croisées*
kruisen I ov ww • dwars voorbijgaan *croiser* • BIOL. *croiser* II on ww laveren *croiser*
kruiser • jacht *cruiser* m • oorlogsschip *croiseur* m
kruisigen *crucifier*; *mettre en croix*
kruisiging *crucifixion* v
kruising • kruispunt *carrefour* m; *croisement* m • bevruchting *croisement* m
kruiskerk • de christelijke Kerk *Église* v • kerkgebouw *église* v *à transept*
kruiskopschroevendraaier *tournevis* m *cruciforme*
kruispunt ‹v. lijnen› *point* m *d'intersection*; *intersection* v; ‹v. wegen› *carrefour* m
kruisraket *missile* m *de croisière*
kruisridder *croisé* m
kruissleutel *clef* v *en croix*
kruissnelheid *vitesse* v *de croisière*
kruisspin *épeire* v *diadème*
kruissteek *point* m *de croix*
kruisteken *signe* m *de croix* ⋆ het ~ maken *se signer*
kruistocht *croisade* v
kruisvaarder *croisé* m
kruisvereniging ≈ *organisation* v *de soins à domicile*
kruisverhoor *contre-interrogatoire* m [mv: *contre-interrogatoires*]; *interrogatoire* m *serré* ⋆ iem. een ~ afnemen *mettre qn sur la sellette*
kruisweg REL. KUNST *chemin* m *de Croix*
kruiswoordpuzzel *mots* m mv *croisés*
kruit *poudre* v ▾ al zijn ~ verschieten *épuiser ses ressources* ▾ met los ~ schieten *tirer à blanc*
kruitdamp *fumée* v *de la poudre*
kruiwagen • kar *brouette* v • nuttige relatie *piston* m ⋆ een ~ hebben *être pistonné*
kruizemunt *menthe* v *crépue*
kruk • stoeltje *tabouret* m • klink *poignée* v • steunstok *béquille* v ⋆ op krukken lopen *marcher avec des béquilles* • TECHN. *manivelle* v • sukkel *bousilleur* m [v: *bousilleuse*]
krukas *vilebrequin* m; *arbre* m *coudé*
krukkig I BNW • stumperig *maladroit* • sukkelend *maladif* [v: *maladive*] II BIJW • stumperig *maladroitement* • sukkelend *maladivement*
krul • haarlok *boucle* v ⋆ krullen zetten *friser* • houtsnipper *copeau* m [mv: *copeaux*]
krulandijvie *scarole* v *frisée*
krulhaar *cheveux* m mv *frisés/bouclés*
krullen I ov ww krullen vormen *boucler*; *friser* II on ww krullen hebben/krijgen *boucler*; *friser*
krullenbol *tête* v *frisée*; *personne* v *qui a les cheveux bouclés*
krulspeld *bigoudi* m
krultang *fer* m *à friser*
krypton *krypton* m
kst *pscht!*
kubiek ‹v. vorm› *cubique*; ‹v. inhoud› *cube* ⋆ een ~e centimeter *un centimètre cube*
kubisme *cubisme* m
kubus *cube* m
kuch *toux* v *sèche*
kuchen *toussoter*
kudde *troupeau* m [mv: *troupeaux*]
kuddedier • dier *animal* m *grégaire* [m mv: *animaux grégaires*] • persoon ⋆ de mens is een ~ *l'homme est moutonnier*
kuddegeest *esprit* m *grégaire*
kuieren *faire un tour*; *se balader*; *flâner*
kuif ‹v. haren› *houppe* v; ‹v. veren› *huppe* v; ‹v. haren› *toupet* m
kuiken *poussin* m
kuil *fosse* v; *trou* m; *creux* m ▾ wie een kuil graaft voor een ander, valt er zelf in *tel est pris qui croyait prendre*
kuiltje ‹in wang/kin› *fossette* v; *petit trou* m
kuip *cuve* v; *baquet* m
kuiperij • het kuipen *tonnellerie* v • intrige *intrigue* v
kuipje *godet* m
kuipstoel *siège* m *baquet*
kuis *chaste*; *pudique*
kuisen *châtier*; *épurer*
kuisheid *chasteté* v; *pudeur* v
kuisheidsgordel *ceinture* v *de chasteté*
kuit • deel van onderbeen *mollet* m • klomp viseitjes *œufs* m mv; *frai* m
kuitbeen *péroné* m
kuitkramp *crampe* v *au mollet*
kuitschieten *pondre des œufs*
kuitspier *triceps* m *sural* [m mv: *triceps suraux*]
kukeleku *cocorico*
kukelen ⋆ naar beneden ~ *tomber les quatre fers en l'air*
kul *foutaise* v

kumquat *kumquat* m
kunde *art* m; *science* v; *savoir* m
kundig *capable*; *versé (dans)*; *habile (à)*
kundigheid *compétence* v; *capacité* v
kungfu *kung-fu* m
kunne *sexe* m
kunnen I ZN *capacités* v mv [mv] II OV WW • het vermogen hebben *savoir* ★ ik kan er niet bij ‹te hoog› *c'est trop haut pour moi*; ‹onbegrijpelijk› *cela me dépasse* ★ buiten iets ~ *pouvoir se passer de qc* ★ ik kan zwemmen *je sais nager* ★ vandaag kan ik niet zwemmen, omdat *aujourd'hui je ne peux pas nager, parce que* ★ ik kan het u niet zeggen *je ne saurais vous le dire* ★ kunt u het nog zien? *vous y voyez encore?* ★ men kan nooit weten *on ne sait jamais* ★ zo goed zij kan *de son mieux* • mogelijk zijn *pouvoir*; *être en état de*; *être en mesure de* ★ dat kan niet *c'est impossible*; *cela ne se peut pas* ★ het kan niet anders *il ne peut en être autrement* ★ dat kan er niet door *cela ne peut pas passer* ★ dat kan nu niet *ce n'est pas le moment* ★ we ~ er met ons vijven in *nous y tiendrons à cinq* ★ ik kan niet meer in mijn broek *je n'entre plus dans mon pantalon* ▾ ik kan niet meer *je n'en peux plus* III HWW mogelijk/wenselijk zijn *(se) pouvoir* ★ hij kan de afspraak vergeten zijn *il est possible qu'il ait oublié le rendez-vous* ★ dat kon wel eens verkeerd aflopen *cela risque de mal tourner* ▾ hij kan me wat! *je l'emmerde!*
kunst • creatieve activiteit *art* m ★ de beeldende ~en *les arts plastiques* ★ ~en en wetenschappen *les sciences et les arts* ★ vrije ~en *arts libéraux* ★ uit de ~! *c'est du grand art!* • vaardigheid *capacité* v; *habileté* v ★ de ~ verstaan om *savoir* [+ inf.] • foefje *tour* m; *truc* m ★ dat is geen ~ *ce n'est pas malin*
kunst- *artificiel* [v: *artificielle*]; KUNST *d'art*; *artistique*; CHEM. *synthétique*
kunstacademie *école* v *des Beaux-Arts*
kunstbeleid *politique* v *culturelle*
kunstbeurs *bourse* v *d'objets d'art*
kunstbezit *richesses* v mv *artistiques*
kunstboek *livre* m *d'art*
kunstbont *fourrure* v *synthétique*
kunstcollectie *collection* v *d'objets d'art*
kunstenaar *artiste* m/v
kunst- en vliegwerk ★ met ~ *à force de tours d'adresse*
kunstgebit *dentier* m
kunstgeschiedenis *histoire* v *de l'art*
kunstgreep *tour* m *de main*; *truc* m; *artifice* m
kunsthandel • winkel *galerie* v *(d'art)* • handel *commerce* m *d'objets d'art*
kunsthistoricus *historien* m *de l'art* [v: *historienne* ...]
kunstig I BNW *habile*; *ingénieux* [v: *ingénieuse*] II BIJW *habilement*; *ingénieusement*; *avec art*
kunstijsbaan *patinoire* v *artificielle*
kunstje • handigheidje *astuce* v • truc *tour* m *d'adresse* ▾ dat is een koud ~ *c'est simple comme bonjour*
kunstkenner *connaisseur* m [v: *connaisseuse*]
kunstleer *similicuir* m; *skai* ® m
kunstlicht *lumière* v *artificielle*
kunstlievend *amateur d'art*
kunstmaan *satellite* m *(artificiel)*
kunstmarkt *marché* m *des objets d'art*
kunstmatig I BNW *artificiel* [v: *artificielle*]; *factice* II BIJW *artificiellement*; *facticement*
kunstmest *engrais* m *chimique*
kunstminnend *amateur d'art*
kunstnijverheid *arts* m mv *appliqués*; *arts* m mv *décoratifs*
kunstredactie *rédaction* v *des arts*
kunstrijden ‹op schaatsen› *patinage* m *artistique*
kunstschaats *patin* m *à figures*
kunstschaatsen I ZN *patinage* m *artistique* II ON WW *faire du patinage artistique*
kunstschilder *artiste* m *peintre*
kunstsneeuw *neige* v *artificielle*
kunststof I ZN *matière* v *synthétique* II BNW *synthétique*
kunststroming *courant* m *artistique*
kunststuk • toer *tour* m *de force* • meesterwerk *chef-d'œuvre* m [mv: *chefs-d'oeuvre*]
kunstuitleen *(organisme* m *de) prêt* m *d'œuvres d'art*
kunstverlichting *éclairage* m *artificiel*
kunstverzameling *collection* v *d'objets d'art*
kunstvezel *fibre* v *synthétique*
kunstwereld *monde* m *des arts*
kunstwerk *œuvre* v *d'art*; ‹in architectuur› *ouvrage* m *d'art*
kunstzinnig I BNW artistiek *artistique* II BIJW *d'une manière artistique*
kunstzwemmen *natation* v *artistique*
kür ‹turnen› *exercises* m mv *libres*; ‹kunstschaatsen› *figures* v mv *libres*
kuren *faire une cure*
kurk I ZN (de) stop *bouchon* m ★ naar kurk smaken *avoir un goût de bouchon* II ZN (het) materie *liège* m
kurkdroog *très sec* [v: *très sèche*]
kurken I BNW *de liège* II OV WW *boucher* ★ het ~ *le bouchage*
kurkentrekker *tire-bouchon* m [mv: *tire-bouchons*]
kurkuma *curcuma* m
kurkvloer *plancher* m *garni de liège*
kus *baiser* m
kushandje ★ ~s geven *envoyer des baisers*
kussen I ZN *coussin* m; ‹hoofdkussen› *oreiller* m II OV WW *embrasser* ★ iem. de hand ~ *baiser la main de qn* ★ iem. op de wang ~ *embrasser qn sur la joue* ★ elkaar ~ *s'embrasser*
kussengevecht *bataille* v *de polochons*
kust *côte* v; *rivage* m ★ aan de kust *au bord de la mer*; *sur la côte* ★ de steile, rotsachtige kust van Normandië *les falaises de Normandie* ▾ te kust en te keur *à volonté*; *en abondance*
kustgebied *région* v *côtière*; *littoral* m; *zone* v *littorale*
kustlijn *côte* v
kustprovincie *province* v *côtière*
kuststreek *région* v *côtière*; *littoral* m; *zone* v *littorale*

kustvaarder *caboteur* m
kustvaart *navigation* v *côtière*; *cabotage* m
kustwacht *garde* v *côtière*
kustwateren *eaux* v mv *territoriales*
kut *con* m
kuub *mètre* m *cube*
kuur • geneeswijze *cure* v; *traitement* m ★ een kuur doen *faire une cure*; *suivre un traitement* • gril *caprices* m mv; *lubies* v mv
kuuroord *station* v *thermale*
kwaad I ZN *mal* m ★ ~ doen *faire du/le mal* ★ dat kan geen ~ *il n'y a pas de mal à cela* ★ iem. iets ten kwade duiden *en vouloir à qn de qc* ★ waarin geen ~ steekt *sans malice* ▼ ~ met kwaad vergelden *rendre le mal pour le mal* ▼ van ~ tot erger *de mal en pis* II BNW • boos *fâché*; *en colère* ★ ~ worden op *se fâcher contre* • slecht *mauvais*; *méchant*; *mal* ★ een ~ geweten hebben *ne pas avoir la conscience nette* • *fâcheux* [v: *fâcheuse*]; *difficile* • *malin* [v: *maligne*]; *dangereux* [v: *dangereuse*] III BIJW *mal* ★ hij meent het niet ~ *il n'y entend pas malice*
kwaadaardig • boosaardig *méchant* • MED. *malin* [v: *maligne*]
kwaadheid *colère* v; *fureur* v
kwaadschiks ▼ goedschiks of ~ *bon gré, mal gré*
kwaadspreken *médire (de)*
kwaadwillig *malintentionné*; *malveillant*
kwaal • ziekte *mal* m [mv: *maux*]; *maladie* v *chronique* • gebrek *mal* m [mv: *maux*]
kwab • hersenkwab *lobe* m • vet *couche* v *de graisse*
kwadraat • vierkant *carré* m • tweede macht ★ in het ~ verheffen *mettre au carré*
kwadrant *quadrant* m
kwajongen *gamin* m; *polisson* m
kwajongensstreek *gaminerie* v
kwak • klodder *pâté* m • geluid *bruit* m *sourd* • hoeveelheid *tas* m
kwaken ‹v. eend› *cancaner*; ‹v. kikker› *coasser*
kwakkelen I ON WW *être maladif* [v: *être maladive*] II ONP WW ★ het kwakkelt *il fait un temps instable*; *tantôt il gèle, tantôt il dégèle*
kwakkelweer *temps* m *instable*
kwakkelwinter ≈ *hiver* m *doux*
kwakken I OV WW smijten *flanquer* II ON WW vallen *tomber lourdement*; *s'abattre*
kwakzalver *charlatan* m
kwakzalverij *charlatanerie* v
kwal • dier *méduse* v • engerd *enflé* m
kwalificatie *qualification* v
kwalificatieduel *duel* m *de qualification*
kwalificatietoernooi *tournoi* m *de compétition*
kwalificatiewedstrijd *match* m *de qualification*
kwalificeren *qualifier*
kwalijk I BNW *fâcheux* [v: *fâcheuse*]; *mauvais* ★ iem. iets ~ nemen *en vouloir à qn de qc* ★ neem me niet ~ *pardon* II BIJW • slecht *fâcheusement*; *mal* • bezwaarlijk *difficilement*
kwalitatief I BNW *qualitatif* [v: *qualitative*] II BIJW *qualitativement*
kwaliteit *qualité* v
kwaliteitsbewaking *contrôle* m *de qualité*
kwaliteitscontrole *contrôle* m *de qualité*
kwaliteitsniveau *niveau* m *de qualité*
kwaliteitsproduct *produit* m *de qualité*
kwallenbeet *piqûre* v *de méduse*
kwantificeren *quantifier*
kwantitatief I BNW *quantitatif* [v: *quantitative*] II BIJW *quantitativement*
kwantiteit *quantité* v
kwantum *quantité* v; *montant* m
kwantumfysica *physique* v *quantique*
kwantumkorting *remise* v *pour achat en grande quantité*
kwantummechanica *mécanique* v *quantique*
kwantumtheorie *théorie* v *des quanta*
kwark *fromage* m *blanc*; *fromage* m *frais*
kwarktaart *tarte* v *au fromage blanc*
kwart I ZN (de) kwartnoot *quarte* v II ZN (het) *quart* m ★ ~ voor zeven *sept heures moins le quart* ★ drie ~ van de gasten was weggegaan *les trois quarts des hôtes étaient partis* ★ ~ over zeven *sept heures et quart*
kwartaal *trimestre* m
kwartaalblad *revue* v *trimestrielle*
kwartaalcijfers *chiffres* m mv *trimestriels*
kwartaalrapport *bulletin* m *trimestriel*
kwartel *caille* v ▼ doof als een ~ *sourd comme un pot*
kwartet • MUZ. *quatuor* m ★ ~ voor strijkers *quatuor à cordes* • spel ‹vier kaarten› *famille* v; *jeu* m *des sept familles*
kwartetspel *jeu* m *des sept familles*
kwartfinale *quart* m *de finale*
kwartier • kwart uur *quart* m *d'heure* • maanfase *quartier* m • wijk *quartier* m • huisvesting van militairen *quartier* m ★ ~ maken *pourvoir aux logements* ★ ~ geven *faire quartier*
kwartje ≈ *pièce* v *de 25 cents des Pays-Bas*
kwarts *quartz* m
kwartshorloge *montre* v *à quartz*
kwartsiet *quartzite* m
kwartslag *quart* m *de tour*
kwast • verfkwast *brosse* v; ‹v. schilder› *pinceau* m [mv: *pinceaux*] • franje *gland* m; *houppe* v • drank *citronnade* v; *citron* m *pressé* • aansteller *prétentieux* m [v: *prétentieuse*]; *pédant* m [v: *pédante*] • noest *nœud* m
kwebbel *bavard* m [v: *bavarde*]; PEJ. *péronnelle* v
kwebbelen *bavarder*; *papoter*
kweek • het gekweekte *plantes* v mv; ‹dieren› *animaux* m mv • het kweken *culture* v; ‹v. dieren› *élevage* m • bacteriekweek *ensemencement* m
kweekbak *bâche* v
kweekbodem *culture* v *biologique*
kweekreactor *réacteur* m *générateur*
kweekschool *école* v *normale*; FIG. *pépinière* v
kweekvijver *alevinier* m
kwekeling *normalien* m [v: *normalienne*]
kweken I ZN *culture* v II OV WW doen groeien *cultiver*
kweker ‹v. planten› *cultivateur* m [v: *cultivatrice*]; ‹v. dieren› *éleveur* m [v: *éleveuse*]

K

kwekerij *pépinière* v
kwekken • kwaken ‹v. kikkers› *coasser*; ‹v. ganzen› *cocarder*; ‹v. eenden› *cancaner* • kwebbelen *papoter*; *bavarder*
kwelder *atterrissement* m *non endigué*
kwelen ‹v. mens› *roucouler*; ‹v. vogel› *gazouiller*
kwellen • pijn doen *tourmenter* • benauwen *tracasser*; *agacer*
kwelling ‹geestelijk› *tourment* m; *peine* v; ‹lichamelijk› *supplice* m
kwestie • vraagstuk *question* v; ‹veel besproken zaak› *affaire* v ★ het is een ~ van tijd *c'est une affaire de temps* ★ de man in ~ *l'homme en question* ★ de ~ is of *la question est de savoir si* ★ het is een ~ van tien minuten *c'est l'affaire de dix minutes* • onenigheid *querelle* v; *différend* m ▾ geen ~ van! *pas question!*
kwetsbaar *vulnérable*
kwetsen • verwonden *blesser* • grieven *blesser*; *léser*; *offenser*
kwetsuur *blessure* v; *plaie* v
kwetteren • kwebbelen *papoter* • geluid maken *gazouiller*
kwezel • kwezelaar *bigot* m [v: *bigote*] • sukkel *nigaud* m [v: *nigaude*]
kwibus *quidam* m ★ een rare ~ *un drôle de type*
kwiek I BNW *éveillé*; *vif* [v: *vive*] II BIJW *d'une manière vive*
kwijl *bave* v
kwijlen *baver*
kwijnen • verzwakken *dépérir* • achteruitgaan *dépérir*; ‹verwelken› *s'étioler*
kwijt • verloren *perdu* ★ ik ben mijn sleutels ~ ‹ze zijn zoek› *je n'arrive pas à trouver mes clés*; ‹ik heb ze verloren› *j'ai perdu mes clés* • verlost van *débarrassé (de)* ★ hij is de koorts ~ *la fièvre l'a quitté* ★ ~ willen *vouloir se débarrasser de*; ‹willen zeggen› *vouloir dire*
kwijten I OV WW voldoen *respecter*; *accomplir* II WKD WW ~ **van** *s'acquitter (de)* ★ zich ~ van zijn taak *s'acquitter de sa tâche*
kwijtraken • verliezen *perdre* • bevrijd worden van *se débarrasser de*; *se défaire de* • verkopen *se défaire de*
kwijtschelden ‹straf› *remettre*; *lever*; ‹schuld› *donner quittance* ★ iem. zijn schulden ~ *donner quittance à qn de ses dettes*
kwik *mercure* m
kwikbarometer *baromètre* m *à mercure*
kwikstaart *bergeronnette* v
kwikthermometer *thermomètre* m *à mercure*
kwikzilver *mercure* m
kwinkeleren *ramager*; *triller*
kwinkslag *boutade* v; *bon mot* m
kwint *quinte* v
kwintessens *quintessence* v; *essentiel* m
kwintet *quintette* v
kwispelen *frétiller de la queue*; *remuer la queue*
kwispelstaarten → **kwispelen**
kwistig I BNW *prodigue* ★ ~ met iets zijn *prodiguer qc*; *être prodigue de qc* II BIJW *avec prodigalité*
kwitantie *quittance* v ★ een ~ geven *donner un reçu*
kynologie *cynologie* v

L

l *l* m
la • lade *tiroir* m • muzieknoot *la* m
laadbak *benne* v; *conteneur* m; *container* m
laadbrief *manifeste* m *de cargaison*
laadcapaciteit *capacité* v *de charge/de chargement*; ‹vliegtuig› *capacité* v *d'emport*
laadklep *trappe* v *de chargement*
laadruim *cale* v *de chargement*
laadvermogen *capacité* v *de charge*
laag I ZN • materiaal *couche* v; *assise* v • sociale klasse *classe* v ★ de onderste lagen der maatschappij *les bas-fonds* m mv *de la société* ▼ iemand de volle laag geven *lâcher une bordée contre qn* **II** BNW • niet hoog *bas* [v: *basse*]; *peu élevé*; ‹v. stem› *grave* • gering *bas* [v: *basse*] ★ tegen lage prijs *à bas prix* • gemeen *bas* [v: *basse*]; *méprisable* **III** BIJW *bassement* ★ zich laag gedragen *se conduire avec bassesse*
laag-bij-de-gronds *terre à terre* [onv]; *banal* [m mv: *banals*]
laagbouw • handeling *construction* v *basse* • het laag gebouwde *constructions* v mv *basses*
laagfrequent *à basse fréquence*
laaggeschoold *peu qualifié*
laaghartig I BNW *bas* [v: *basse*]; *infâme* **II** BIJW *bassement*; *d'une façon infâme*
laagland *plaine* v
laagseizoen *basse saison* v
laagspanning *basse tension (BT)* v
laagte • het laag zijn ‹v. prijzen› *modicité* v; *niveau* m *peu élevé* • laag terrein *terrain* m *bas* ★ in de ~ *en bas*
laagvlakte *plaine* v
laagwater ‹meer, rivier› *marée* v *basse*; ‹door droogte› *étiage* m; ‹meer,rivier› *baisse* v *périodique*
laaien *brûler*
laaiend • woedend *furieux* [v: *furieuse*] • hevig ★ ~e ruzie *terrible dispute* v ★ ~ enthousiasme *enthousiasme* m *débordant*
laakbaar I BNW *blâmable*; *répréhensible* **II** BIJW *de façon blâmable*
laan *allée* v; *avenue* v ▼ zij gaat de laan uit *elle sera virée* ▼ de laan uitsturen *congédier*
laars *botte* v ★ nieuwe ~jes *des bottines neuves*
laat I BNW niet vroeg *tardif* [v: *tardive*] ★ het is laat *il est tard* ★ laat worden *se faire tard* ★ het late uur *l'heure avancée* **II** BIJW niet vroeg *tard*; *tardivement* ★ hoe laat is het? *quelle heure est-il?* ★ laat in de nacht *à une heure avancée de la nuit* ★ hoe laat heb je het? *quelle heure as-tu ?* ★ hoe laat? *à quelle heure?* ★ te laat zijn/komen *être en retard* ★ een uur te laat aankomen *avoir une heure de retard*; *être en retard d'une heure* ▼ ik weet al hoe laat het is *je sais à quoi m'en tenir*
laatbloeier • plant *plante* v *tardive* • persoon *personne* v *à maturité tardive*
laatdunkend I BNW *dédaigneux* [v: *dédaigneuse*] **II** BIJW *avec dédain*
laatkomer *retardataire* m
laatst I BNW *dernier* [v: *dernière*] ★ op een na de ~e *avant-dernier* [v: *avant-dernière*] **II** BIJW *dernièrement*; *l'autre jour* ★ op het ~ waren er nog maar drie *à la fin il n'en restait plus que trois* ★ zij kwam het ~ *elle est venue la dernière*
laatstgenoemde *ce dernier* m/*cette dernière* v
lab *labo* m
label • kaartje *étiquette* v • serienaam *label* m
labiel *instable*
laborant *technicien* m *de laboratoire*; *laborantin* m
laboratorium *laboratoire* m
labyrint *labyrinthe* m; *dédale* m
lach *rire* m ★ in de lach schieten *éclater de rire* ★ een gemeen lachje *un rire méchant* ★ de slappe lach *le fou rire*
lachbui *accès* m *de rire*; *fou rire* m ★ een ~ krijgen *avoir un accès de rire*
lachebek *personne* v *rieuse*
lachen *rire*; INF. *rigoler* ★ er valt niets te ~ *il n'y a pas de quoi rigoler* ★ lach eens lief tegen *fais risette à* ★ stilletjes voor zich heen ~ *rire tout seul* ★ ~ om *rire de* ▼ wie het laatst lacht, lacht het best *rira bien qui rira le dernier*
lacher *rieur* m [v: *rieuse*] ▼ de ~s op zijn hand krijgen *avoir/mettre les rieurs de son côté*
lacherig I BNW *rieur* [v: *rieuse*] **II** BIJW *en riant*
lachertje *plaisanterie* v
lachfilm *film* m *comique*
lachgas *gaz* m *hilarant*
lachsalvo *explosion* v *de rires*
lachspiegel *miroir* m *déformant*
lachspieren ★ het werkte hem op de ~ *cela le faisait rire*
lachstuip *rire* m *convulsif*
lachwekkend I BNW • lach opwekkend *risible* • belachelijk *ridicule* **II** BIJW *de manière risible*
laconiek *laconique*
lactose *lactose* m
lacto-vegetariër ≈ *végétarien* m [v: *végétarienne*]
lacune *lacune* v ★ een ~ aanvullen *combler une lacune*
ladder • klimtoestel *échelle* v • haal in kous *maille* v *qui a filé* ▼ de maatschappelijke ~ *l'échelle sociale*
ladderen *filer*
ladderwagen *voiture* v *à échelle*
ladderzat *bourré*
lade ‹v. kast› *tiroir* m; ‹v. geweer› *fût* m
ladekast *commode* v
ladelichter *voleur* m *de caisse*
laden *charger*
lading • last *chargement* m; SCHEEPV. *cargaison* v • elektrische lading *charge* v • munitie, explosief *charge* v
lady *lady* v [mv: *ladies*]; *dame* v; *femme* v *du monde*
ladykiller *bourreau* m *des cœurs* [m mv: *bourreaux* ...]
ladyshave *ladyshave®* m
laf I BNW • niet moedig *lâche*; *poltron* [v: *poltronne*]; INF. *dégonflé* • zonder zout *fade*

L

II BIJW *lâchement*
lafaard *lâche* m/v
lafenis • drankje *rafraîchissement* m
• bemoediging *réconfort* m
lafhartig I BNW *lâche*; *poltron* [v: *poltronne*]
II BIJW *lâchement*
lafheid *lâcheté* v
lagedrukgebied *dépression* v *atmosphérique*
lagelonenland *pays* m *à bas/faibles revenus*
lager I ZN (de) TECHN. *coussinet* m II ZN (het) bier *bière* v *blonde* III BNW *plus bas* [v: *plus basse*] ★ ~e rang *rang inférieur* m
Lagerhuis *Chambre* v *basse*
lagerwal *côte* v *sous le vent* ▾ aan ~ raken *tomber bien bas*
lagune *lagune* v
lak • mengsel van hars *laque* v • verf *peinture* v *laquée* ▾ ik heb er lak aan *je m'en fiche*
lakei *laquais* m; *valet* m *de pied*
laken I ZN *drap* m ▾ van hetzelfde ~ een pak *c'est du pareil au même* ▾ zij deelt de ~s uit *c'est elle qui commande* II OV WW • berispen *blâmer* • afkeuren *condamner*
lakken *vernir*; *laquer* ★ het ~ *le vernissage*
laklaag *couche* v *de laque*
lakmoes *tournesol* m
lakmoesproef • CHEM. *réaction* v *au tournesol* • definitieve proef *test* m *décisif*
laks I BNW traag *indolent*; *mou* [v: *molle*] [onr: *mol*]; *apathique* II BIJW *mollement*; *avec indolence*
lakschoen *chaussure* v *vernie*; *soulier* m *verni*
laksheid • eigenschap *indolence* v; *apathie* v • nalatigheid *négligence* v
lakverf *peinture* v *laquée*
lallen ≈ *bafouiller*
lam I ZN *agneau* m [mv: *agneaux*] [v: *agnelle*] ▾ het lam Gods *l'Agneau de Dieu* II BNW • verlamd *paralytique*; *paralysé* • stukgedraaid *fou* [v: *folle*] [onr: *fol*] ★ deze veer is lam *ce ressort ne joue plus* • stomdronken *ivre mort* • vervelend *ennuyeux* [v: *ennuyeuse*] ▾ lam leggen *paralyser*
lama *lama* m
lambrisering *lambris* m
lamel *lamelle* v ★ parket in ~len *plancher en lattes* m
lamenteren *se lamenter*
lamheid *paralysie* v; FIG. *manque* m *d'énergie*
laminaatparket *parquet* m *d'aggloméré stratifié*
lamleggen *paralyser* ★ het verkeer werd lamgelegd *la circulation a été paralysée*
lamlendig I BNW • lusteloos *avachi* • beroerd *misérable* II BIJW • lusteloos *sans énergie* • beroerd *misérablement*
lamme *paralytique* m/v
lammeling • naarling *misérable* m; *personne* v *désagréable* • slappeling *chiffe* v *molle*
lamp • verlichtingstoestel *lampe* v ★ staande lamp *lampadaire* m • gloeilamp *ampoule* v ▾ tegen de lamp lopen *se faire attraper*
lampenkap *abat-jour* m [onv]
lampetkan *broc* m
lampion *lampion* m; *lanterne* v *vénitienne*
lamsvlees *viande* v *d'agneau*; *agneau* m
lamswol *agneline* v
lanceerbasis *base* v *de lancement*
lanceren *lancer*
lancet *lancette* v
land • staat *pays* m ★ niet-gebonden landen *pays non-alignés* ★ het Heilige Land *la Terre Sainte* • grond *terre* v • vaste grond *terre* v ★ aan land komen *mettre pied à terre*; *aborder* ★ over land *par voie de terre* • akker *terre* v; *champs* m mv ★ op het land werken *travailler dans les champs* • platteland *campagne* v ▾ het land hebben *être de mauvaise humeur*; ‹zich vervelen› *s'ennuyer* ▾ het land aan iets/iemand hebben *avoir horreur de qc/qn*
landaanwinning • land *terres* v mv *conquises* • het aanwinnen *conquête* v *de terres (par endiguement et assèchement)*
landaard *caractère* m *national*
landbouw *agriculture* v
landbouwakkoord *accord* m *agricole*
landbouwbedrijf *exploitation* v *agricole*
landbouwbeleid *politique* v *agricole*
landbouwer *agriculteur* m [v: *agricultrice*]; *cultivateur* m [v: *cultivatrice*]
landbouwkunde *agronomie* v
landbouwproduct *produit* m *agricole*
landbouwschool *école* v *d'agriculture*
landbouwsector *secteur* m *agricole*
landbouwuniversiteit ≈ *École* v *Nationale Supérieure Agronomique*; ≈ *E.N.S.A.* v
landbouwwerktuig *outil* m *agricole*
landdag ‹v. vereniging› *assemblée* v *générale annuelle*; ‹v. statenvertegenwoordigers› *diète* v
landdier *animal* m *terrestre*
landelijk I BNW • nationaal *national* [m mv: *nationaux*] • plattelands *rural* [m mv: *ruraux*] II BIJW *au niveau national*
landen *atterrir*; ‹v. troepen› *débarquer*
landengte *isthme* m
land- en volkenkunde *civilisation* v
landenwedstrijd *rencontre* v *internationale*
landerig I BNW *ennuyé*; *maussade* II BIJW *avec ennui*; *d'une manière maussade*
landerijen *terres* v mv
landgenoot *compatriote* m
landgoed *propriété* v; *terres* v mv; *domaine* m
landhuis *maison* v *de campagne*
landijs *inlandsis* m
landing • het landen *atterrissage* m ★ harde ~ *atterrissage brusque* ★ zachte ~ *atterrissage en douceur* • ontscheping *débarquement* m
landingsbaan *piste* v *d'atterrissage*
landingsgestel *train* m *d'atterrissage*
landingsleger *troupes* v mv *de débarquement*
landingslicht • licht van vliegtuig *phare* m *d'atterrissage* • licht van vliegveld *balisage* m *nocturne*
landingsstrip *bande* v *d'atterrissage*
landingstroepen *troupes* v mv *de débarquement*
landingsvaartuig ‹kleiner› *péniche* v *de débarquement*; *navire* m *de débarquement*
landinwaarts *vers l'intérieur des terres*; *vers l'intérieur du pays*

landjuweel *concours* m *de rhétoriciens*
landkaart *carte* v *géographique*
landklimaat *climat* m *continental*
landloper *vagabond* m
landloperij *vagabondage* m
landmacht *forces* v mv *de terre*; *armée* v *de terre*
landman *campagnard* m; *paysan* m
landmeten *arpenter*
landmeter *arpenteur* m
landmijn *mine* v *terrestre*
landrot *terrien* m [v: *terrienne*]
landsbelang *intérêt* m *national* [m mv: *intérêts nationaux*]
landschap *paysage* m
landschapsarchitectuur *architecture* v *paysagiste*
landschapsschoon *beauté* v *du paysage*
landschildpad *tortue* v *terrestre*
landsgrens *frontière* v *nationale*
landskampioen *champion* m *national* [m mv: *champions nationaux*] [v: *championne nationale*]
landstreek *contrée* v; *région* v
landtong *langue* v *de terre*
landverhuizer *émigrant* m [v: *émigrante*]
landverhuizing *émigration* v
landverraad *haute trahison* v
landverrader *traître* m *à la patrie*
landweg • weg op het land *chemin* m *vicinal* [m mv: *chemins vicinaux*] • weg over land *voie* v *de terre*
landwijn *vin* m *de pays*; *vin* m *du cru*
landwind *vent* m *de terre*
landwinning *accrue* v
lang I BNW • van bepaalde tijd *pendant*; *durant* ★ een uur lang wachten *attendre (pendant) une heure* ★ jaren lang *durant des années* • van bepaalde lengte *long* [v: *longue*]; ‹v. gestalte› *grand* ★ tien meter lang *long de dix mètres* ▾ in het lang *en robe du soir* ▾ bij lange na niet *il s'en faut de beaucoup* II BIJW *longtemps*; ‹breedvoerig› *longuement* ★ niet lang daarna *peu après* ★ zo lang als *tant que* ★ hoe lang is het geleden dat ...? *cela fait combien de temps que ...?* ★ sedert lang, reeds lang *depuis longtemps* ★ hoe lang blijft hij? *combien de temps restera-t-il?* ★ lang geleden *il y a longtemps* ★ ergens lang over doen *mettre beaucoup de temps à faire qc* ★ wat duurt dat lang! *que c'est long!* ★ hij blijft lang weg *il est long à rentrer* ★ lang daarna *longtemps après* ★ hoe langer hoe meer *de plus en plus*
langdradig I BNW *prolixe* II BIJW *longuement*
langdurig I BNW *de longue durée*; *durable* II BIJW *longuement*
langeafstandsraket *missile* m *intercontinental*
langeafstandsvlucht *vol* m *longue distance*
langetermijnplanning *planning* m *à long terme*
langetermijnprognose *prévision* v *à long terme*
langgerekt • lang en smal *étiré* • te lang aangehouden *prolongé*
langharig *qui a les cheveux longs*; *aux cheveux longs*; *chevelu*; ‹v. dieren› *à poil long*
langlaufen I ZN *ski* m *de fond* II ON WW *faire du ski de fond*
langlopend *à long terme*
langoestine *langoustine* v
langparkeerder ≈ *propriétaire* m/v *d'une voiture en stationnement prolongé*
langs I BIJW • voorbij ★ kom jij daar ~? *est-ce que tu passes par là?* • in de lengte naast ★ de kerk ~ en dan rechts *vous passez devant l'église et vous tournez à droite* ▾ er van ~ krijgen *recevoir une bonne raclée* ▾ ervan ~ geven *assaisonner* ▾ hij heeft ze ervan ~ gegeven *il leur a passé un savon* II VZ • via *par* ★ ~ de regenpijp omhoog *en montant par le tuyau de descente* • in de lengte naast ★ ~ de lijn *le long de la ligne*
langsgaan • voorbij komen *passer (devant)* • op bezoek gaan ★ bij iem. ~ *passer voir qn*
langslaper *grand dormeur* m [v: *grande dormeuse*]
langspeelplaat *(disque* m*) trente-trois tours* m; *microsillon* m
langsrijden • voorbij iets rijden *passer en voiture (devant)* ★ hij reed met grote vaart langs *il passait en voiture à grande allure* • toegaan naar *passer en voiture* ★ rijd je even bij hem langs? *tu veux bien passer devant sa maison?*
langst *le plus long* [v: *la plus longue*]
langszij *bord à bord*
languit *de tout son long* ★ ~ vallen *tomber de tout son long*
langverwacht *longtemps attendu*
langwerpig *oblong* [v: *oblongue*] ★ ~ rond *ovale*
langzaam I BNW *lent* II BIJW *lentement*; *petit à petit*; *peu à peu* ★ ~ rijden *rouler au pas* ★ langzamer gaan rijden *ralentir*
langzaam-aan-actie *grève* v *du zèle*; *opération* v *escargot*
langzamerhand *peu à peu*
lankmoedig I BNW *patient* II BIJW *avec patience*
lans *lance* v
lantaarn *lanterne* v; ‹in straat› *réverbère* m; ‹op schip› *fanal* m [mv: *fanaux*]
lantaarnpaal *réverbère* m; *poteau* m *de réverbère* [m mv: *poteaux ...*]
lanterfanten *fainéanter*
Laos *le Laos* ★ in Laos *au Laos*
lap • stuk stof *tissu* m; ‹oud› *chiffon* m • plat stuk *pièce* v; *morceau* m [mv: *morceaux*] ★ een lap vlees *une tranche de viande*
Lap *Lapon* m [v: *Laponne*]
laparoscoop *laparoscope* m
lapje *petit coupon* m ▾ een ~ grond *un lopin de terre*
lapjeskat *chat* m *bigarré*
Lapland *la Laponie* ★ in ~ *en Laponie*
lapmiddel *palliatif* m; *expédient* m
lappen • klaarspelen *s'y prendre* • herstellen *raccommoder*; *rapiécer* • schoonmaken *nettoyer* ★ de ramen ~ *faire les vitres* ▾ wie heeft me dat gelapt? *qui m'a joué ce tour?* ▾ dat ~ ze me niet meer *on ne me le fera plus*; *on ne m'y prendra plus*
lappendeken *couverture* v *en patchwork*
lappenmand *corbeille* v *à ouvrage* ▾ in de ~

zijn *être souffrant*
laptop *micro-ordinateur* m *portatif*
lapwerk • verstelwerk *rafistolage* m • knoeiwerk *ravaudage* m; *rafistolage* m
lapzwans *chiffe* v *molle*
laqué *laqué* m
larderen *(entre)larder*
larie *balivernes* v mv ★ allemaal ~! *ça n'a aucun sens!*
lariks *mélèze* m
larve *larve* v
laryngitis *laryngite* v
larynx *larynx* m
las *soudure* v; *joint* m
lasagne *lasagne* v
lasbril *lunettes* v mv *de protection*
laser *laser* m
laserdisc *disque* m *laser*
laserprinter *imprimante* v *laser*
laserstraal *rayon* m *laser*
lassen *souder*; *joindre*; *assembler*
lasser *soudeur* m [v: *soudeuse*]
lasso *lasso* m
last • vracht *charge* v; *fardeau* m [mv: *fardeaux*] • scheepslading *cargaison* v • hinder *embarras* m; *gêne* v ★ iem. tot last zijn *incommoder qn* ★ last bezorgen *causer de l'embarras|des ennuis* ★ ik heb geen last van hem *il ne me gêne pas* ★ last hebben van kiespijn *souffrir d'un mal de dents* • verplichting *charge* v ★ sociale lasten *charges sociales* ★ op hoge lasten zitten *avoir de lourdes charges* ★ ten laste brengen van *porter à la charge de* ★ ten laste komen van *incomber à* • beschuldiging *charge* v ★ iem. iets ten laste leggen *imputer qc à qn* • bevel ★ op last van de minister *par ordre du ministre*

L

lastdier *bête* v *de somme|charge*
lastendruk *pression* v *des charges*
lastenverlichting *diminution* v *des charges*
laster *calomnie* v; *diffamation* v
lasteraar *calomniateur* m [v: *calomniatrice*]
lastercampagne *campagne* v *de diffamation*
lasteren *calomnier*; *diffamer*; REL. *blasphémer*
lasterlijk I BNW *calomnieux* [v: *calomnieuse*]; *diffamatoire* II BIJW *calomnieusement*
lasterpraat *propos* m mv *calomniateurs*
lastgever *commettant* m [v: *commettante*]; *mandant* m [v: *mandante*]
lastig I BNW • moeilijk *difficile*; *pénible* • hinderlijk ‹v. kinderen› *récalcitrant*; *importun*; *embarrassant*; *turbulent* ★ het iem. ~ maken *rendre la vie difficile à qn* ★ iem. ~ vallen *importuner qn* II BIJW *difficilement*; *péniblement*; *avec difficulté*
last-minute reis *voyage* m *de dernière minute*
lastpost *enquiquineur* m [v: *enquiquineuse*]
lat • stuk hout *latte* v; *planche* v • SPORT *barre* v ▾ de lange latten *les planches* ▾ zo mager als een lat *maigre comme un clou*
laten I OV WW • toestaan *laisser* ★ laat me gaan! *laisse-moi partir!* ★ met rust ~ *laisser tranquille* • ertoe brengen *faire* ★ iem. ~ wachten *faire attendre qn* • opdragen *faire* ★ laat hem binnenkomen *faites-le entrer* • nalaten *s'abstenir de* ★ hij kan het niet ~ om *il ne peut s'empêcher de* • in toestand laten ★ het daarbij niet ~ *ne pas s'en tenir là* ★ we zullen het hierbij ~ *nous en resterons là* ★ wil je dat eens ~! *as-tu (bientôt) fini!* ★ laat maar! *laisse tomber!*; *laissez! je vous en prie* • achterlaten *laisser (seul)* • niet inhouden ★ winden ~ *lâcher des vents*; VULG. *péter* ★ tranen ~ *verser des larmes* II HWW ★ ~ we gaan *on y va?* ★ laat het waar zijn, en dan nog... *même si c'était vrai, ...*
latent I BNW *latent* ★ ~e kennis *connaissance* v *passive* II BIJW *de manière latente*
later I BNW *ultérieur* II BIJW *plus tard*; *ultérieurement* ★ enige tijd ~ *quelque temps après*; *après quelque temps* ★ ~ op de dag *plus avant|tard dans la journée*
lateraal I BNW ‹met betrekking tot verwanten› *collatéral* [m mv: *collatéraux*]; *latéral* [m mv: *latéraux*] II BIJW *latéralement*; ‹met betrekking tot verwanten› *collatéralement*
latertje ★ dat wordt een ~ *on va rentrer très tard*
latexverf *peinture* v *au latex*
Latijn *latin* m
Latijns *latin*
Latijns-Amerika *l'Amérique* v *latine* ★ in ~ *en Amérique latine*
Latijns-Amerikaans *latino-américain* [m mv: *latino-américains*]
latino *latino-américain* m
lat-relatie *relation* v *à temps partiel* ★ een ~ hebben *être un couple à temps partiel*
latrine *latrines* v mv
latwerk • hekwerk *treillage* m • raamwerk *lattis* m
laurier *laurier* m
laurierblad *feuille* v *de laurier*
lauw I BNW • halfwarm *tiède* ★ lauw worden *tiédir* • mat *indifférent*; *tiède* II BIJW *tièdement*; *avec indifférence*
lauweren *lauriers* m mv
lauwerkrans *couronne* v *de lauriers*
lava *lave* v
laveloos *bourré*
laven *rafraîchir*; *désaltérer*
lavendel *lavande* v
laveren • SCHEEPV. *louvoyer* • wankelend lopen *zigzaguer* • schipperen *biaiser*; *louvoyer*
lawaai *bruit* m; *tapage* m; *vacarme* m ★ ~ maken *faire du bruit*
lawaaierig I BNW *bruyant*; *tumultueux* [v: *tumultueuse*]; *tapageur* [v: *tapageuse*] II BIJW *tapageusement*; *tumultueusement*; *bruyamment*
lawaaischopper *tapageur* m [v: *tapageuse*]
lawine *avalanche* v
lawinegevaar *risque* m *d'avalanche*
laxeermiddel *laxatif* m
laxeren *purger*
lay-out *mise* v *en pages*
lay-outen *mettre en pages*
lazaret *lazaret* m
lazarus *bourré*; *paf*
lazer ≈ *gueule* v ▾ iemand op zijn ~ geven *bourrer la gueule à qn* ▾ op zijn ~ krijgen *en*

prendre sur la gueule
lazeren I OV WW smijten *foutre* ★ alles door elkaar ~ *tout mélanger* II ON WW • vallen *se casser la gueule* ★ van de trap ~ *se casser la gueule dans les escaliers* • donderjagen *faire le con*
lbo ≈ *enseignement* m *professionnel secondaire du premier cycle*
LCD Liquid Crystal Display *affichage* m *par cristaux liquides*
LCD-scherm *écran* m *à cristaux liquides*
leadzanger *chanteur* m *d'un groupe* [v: *chanteuse ...*]
leao ≈ *enseignement* m *économique et administratif du premier cycle*
leaseauto *voiture* v *louée en crédit-bail*
leasen *louer en crédit-bail*
leaseovereenkomst *contrat* m *de leasing*
lebberen *siroter*
lector *maître* m *de conférences*
lectuur *lecture* v
ledematen *membres* m mv
ledenadministratie *gestion* v *des membres*
ledenbestand *fichier* m *(des) membres*; *liste* v *des adhérents*
ledenstop *blocage* m *des adhésions*
ledental *nombre* m *de membres/d'adhérents*
ledenwerving *recrutement* m *de membres*
leder → **leer**
lederen → **leren**
lederwaren *articles* m mv *en cuir*; *maroquinerie* v
ledigen *vider*
ledigheid *désœuvrement* m; *oisiveté* v
ledikant *lit* m
leed *mal* m; *malheur* m; ‹verdriet› *douleur* v; *peine* v; *chagrin* m
leedvermaak *joie* v *maligne*
leedwezen *regrets* m mv ★ iem. zijn ~ betuigen *exprimer ses regrets à qn*
leefbaar *vivable*
leefbaarheid *qualité* v *de vie*
leefgemeenschap *communauté* v
leefklimaat *milieu* m
leefmilieu *environnement* m
leefomstandigheden *conditions* v mv *de vie*
leefregel *règle* v *(de vie)*
leefruimte *espace* m *vital*; FIG. *liberté* v
leeftijd *âge* m ★ de ~ hebben om *être en âge de* ▾ iemand op ~ *une personne âgée*; *une personne d'un certain âge*
leeftijdsdiscriminatie *âgisme* m; *discrimination* v *pour raisons d'âge*
leeftijdsgrens *limite* v *d'âge*
leeftijdsklasse *classe* v *d'âge*
leeftocht *vivres* m mv
leefwijze • gedrag *conduite* v • manier van leven *manière* v *de vivre*
leeg • zonder inhoud *vide*; *vidé* • onbezet *non occupé* [v: *non occupée*]; *libre*; *vacant* • uitgeput *vidé* • onbewoond *vide*
leegdrinken *vider*
leeggieten *vider*
leeggooien *vider*
leeghalen *vider*
leeghoofd *personne* v *écervelée*; *tête* v *de linotte*
leegloop • wegtrekken *dépeuplement* m • niet produceren *marché* m *à vide*
leeglopen *se vider*; ‹v. gebied› *se dépeupler*; ‹v. luchtband› *se dégonfler*
leegloper *oisif* m [v: *oisive*]
leegstaan *être vide*; *être inoccupé*
leegstand *inoccupation* v
leegstromen *se vider*
leegte *vide* m ★ een ~ achterlaten *laisser un vide*
leek • niet-geestelijke *laïc* m; *laïque* v • niet-vakman *profane* m
leem *limon* m; *terre* v *glaise*
leemgroeve *glaisière* v
leemte *lacune* v; *omission* v; *défaut* m
leen • het lenen ★ te leen geven *prêter* ★ te leen *à titre de prêt* ★ te leen krijgen *emprunter* ★ iem. iets te leen vragen *demander à qn de prêter qc*
leengeld *droits* m mv *de prêt*
leenheer *seigneur* m *féodal* [m mv: *seigneurs féodaux*]; ‹opperleenheer› *suzerain* m
leenman *vassal* m [mv: *vassaux*]
leenstelsel *régime* m *féodal*
leenwoord *emprunt* m
leep I BNW *malin* [v: *maligne*]; *futé*; *rusé* II BIJW *malicieusement*; *d'une façon maligne*
leer I ZN (de) • doctrine *théorie* v; *doctrine* v; *dogme* m • les *leçon* v ★ laat u dat tot een leer zijn *que cela vous serve de leçon* ★ in de leer doen/zijn *mettre/être en apprentissage* II ZN (het) leder *cuir* m; *peau* v
leerboek *manuel* m; *traité* m; *livre* m *d'étude*
leergang • cursus *cours* m • methode *méthode* v
leergeld *frais* m mv *de scolarité* ▾ ~ betalen voor iets *apprendre qc à ses dépens*
leergierig I BNW *studieux* [v: *studieuse*] II BIJW *d'une manière studieuse*
leerjaar • schooljaar *année* v *scolaire* • jaar waarin men leert *année* v *d'apprentissage*; *année* v *d'études*
leerkracht *enseignant* m [v: *enseignante*]
leerling • scholier *élève* m/v; ‹v. lagere school› *écolier* m [v: *écolière*]; ‹v. middelbare school› *lycéen* m [v: *lycéenne*] • volgeling *disciple* m/v
leerling-verpleegster *élève* v *infirmière*
leerlooien *tanner* ★ het ~ *le tannage*; *la tannerie*
leerlooier *tanneur* m
leermeester *maître* m [v: *maîtresse*]
leermiddelen *matériel* m *scolaire*
leerplan *programme* m *des études*
leerplicht *obligation* v *scolaire*; *scolarité* v *obligatoire* ★ de ~ verlengen *prolonger la scolarité*
leerplichtig *en âge de scolarité*; *en âge scolaire*
leerplichtwet *loi* v *scolaire*
leerrijk I BNW *instructif* [v: *instructive*] II BIJW *instructivement*
leerschool *école* v ★ hij heeft een harde ~ gehad *il a été à rude école*
leerstelling *dogme* m; *doctrine* v
leerstoel *chaire* v; *professorat* m ★ bijzondere ~ *chaire particulière* ★ een ~ bekleden *être titulaire d'une chaire*

leerstof *matières* v mv
leertje *morceau* m *de cuir*; TECHN. *joint* m
leervak *matière* v; *discipline* v
leerzaam I BNW leerrijk *instructif* [v: *instructive*] II BIJW *de façon instructive*
leesbaar *lisible*
leesblind *dyslexique*
leesboek • boek om te leren lezen *livre* m *de lecture* • boek om te lezen *livre* m *(à lire)*
leesbril *lunettes* v mv *pour lire*
leeskop *douchette* v
leeslamp *liseuse* v
leesmoeder ≈ *mère* v *d'élève assistant à la leçon de lecture*
leesonderwijs *enseignement* m *de la lecture*
leespen *lecteur* m *de codes-barres*; *douchette* v
leesplezier *plaisir* m *de lire*
leesportefeuille ≈ *choix* m *de revues/magazines d'un service de prêt*
leest *forme* v ▾ op dezelfde ~ schoeien *suivre le même modèle*
leesteken *signe* m *de ponctuation*
leesvaardigheid *compréhension* v *écrite*; *compréhension* v *d'un texte*
leesvoer *littérature* v *de grande consommation*
leeszaal *salle* v *de lecture*
leeuw • dier *lion* m [v: *lionne*] • sterrenbeeld *Lion* m
L
leeuwenbek *gueule-de-loup* v [mv: *gueules-de-loup*]
leeuwendeel *part* v *du lion*
leeuwenmoed *courage* m *de lion*
leeuwentemmer *dompteur* m *de lions* [v: *dompteuse* ...]
leeuwerik *alouette* v
leeuwin *lionne* v
lef *audace* v; INF. *cran* m ★ lef hebben *avoir du toupet*
lefgozer *crâneur* m
leg *ponte* v ★ aan de leg zijn *pondre*
legaal I BNW *légal* [m mv: *légaux*] II BIJW *légalement*
legaat I ZN (de) pauselijke bode *légat* m II ZN (het) erflating *legs* m ★ algemeen ~ *legs* m *universel*
legaliseren *légaliser*
legbatterij *batterie* v *(de ponte)* ★ ~kippen *pondeuses* v mv *élevées en batterie*
legen *vider*
legenda *légende* v
legendarisch *légendaire*
legende *légende* v
leger • MIL. *armée* v ★ staand ~ *armée permanente* • grote menigte *armée* v • rustplaats van dier *gîte* m
legerbasis *base* v *militaire*
Leger des Heils *Armée* v *du Salut*
légeren *cantonner*; *camper*
legéren *allier*
légering *campement* m
legéring *alliage* m
legerkamp *camp* m
legerplaats • stad met kazerne *ville* v *de garnison* • kamp *camp* m
leges *droits* m mv *(d'expédition)*
leggen • plaatsen *mettre*; *poser*; *placer*; ‹iemand doen liggen› *coucher* • eieren leggen *pondre*
legio ★ de mogelijkheden zijn ~ *il y a d'innombrables possibilités* ★ ~ fouten *une multitude d'erreurs*
legioen • legerafdeling *légion* v ★ het Legioen van Eer *la Légion d'honneur* • grote menigte *multitude* v ★ het Feyenoord~ *les supporters de Feijenoord*
legionair *légionnaire* m
legionairsziekte MED. *maladie* v *du légionnaire*; *légionellose* v
legionellabacterie *bactérie* v *de la maladie des légionnaires*
legitiem *légitime*
legitimatie *légitimation* v
legitimatiebewijs *pièce* v *d'identité*
legitimatiepapieren *papiers* m mv *d'identité*
legitimatieplicht *obligation* v *de décliner son identité*
legitimeren *légitimer* ★ zich ~ *montrer ses papiers (d'identité)*
legkast *armoire* v *à linge*
lego *lego* m
legpuzzel *puzzle* m
leguaan *iguane* m
lei I ZN (de) schrijfbordje *ardoise* v *d'écolier* ▾ met een schone lei beginnen *commencer à zéro* II ZN (het) leisteen *ardoise* v
leiband ▾ aan de ~ lopen *se laisser dominer*
leiden • doen gaan *mener*; *conduire* • aan het hoofd staan van *diriger* • in een bepaalde richting gaan *mener* ★ waar leidt dat heen? *où est-ce que cela mène?* ★ de weg leidt naar zee *la route mène à la mer* • doorbrengen *mener*; *conduire* ★ hij leidde haar bij de hand *il la menait par la main* • voorstaan *mener* ★ Oranje leidt met 2-1 *les Pays-Bas mènent 2 à 1*
leider • iemand die leidt ‹aan vakantiekamp› *moniteur* m [v: *monitrice*]; *dirigeant* m; ‹v. bedrijf› *chef* m *d'entreprise*; ‹v. organisatie/bedrijf› *directeur* m [v: *directrice*]; *responsable* v; POL. *leader* m; ‹v. groepswerk› *animateur* m [v: *animatrice*] • koploper *chef* m; *guide* m
leiderschap *direction* v; ‹m.b.t. leger› *commandement* m
leiderstrui SPORT *maillot* m *de leader*
leiding • buis, kabel *conduite* v; *canalisation* v; *conduit* m • bestuur ‹v. bedrijf› *direction* v; *gestion* v ★ de ~ hebben *être en charge* • SPORT *tête* v ★ de ~ nemen *prendre la tête* ★ aan de ~ gaan *mener (la course)*
leidinggevend *dirigeant* ★ hoger ~ personeel *cadre supérieur* m ★ ~ personeel *cadre (moyen)* m
leidingwater *eau* v *de conduite*
leidmotief *thème* m *conducteur*; *leitmotiv* m
leidraad • richtsnoer *fil* m *conducteur* • handleiding *guide* m
leien *en ardoise*; *d'ardoise*
leisteen *schiste* m; *ardoise* v
leitmotiv *leitmotiv* m [mv: *leitmotiv(e)*]
lek I ZN gat *fuite* v; ECON. *coulage* m ★ een lek krijgen *avoir une fuite d'eau* ★ een lek dichten *colmater une fuite* II BNW *percé*; *qui*

fuit ★ lek zijn *fuir*; ‹v. schip› *faire eau* ★ een lekke band *un pneu crevé/à plat*
lekenbroeder *frère* m *convers*
lekkage • het doorlekken *infiltration* v; *suintement* m • lek *fuite* v
lekken *fuir* ★ een ~de kraan *un robinet qui fuit*
lekker I BNW • smakelijk *bon* [v: *bonne*]; *délicieux* [v: *délicieuse*]; *appétissant* • gezond *bon* [v: *bonne*]; *agréable* ★ je zit hier ~ *on est bien ici* • aangenaam *bon* [v: *bonne*] II BIJW *bien*; *délicatement*; *agréablement* ★ graag ~ eten *aimer la bonne chère*
lekkerbek *gourmand* m [v: *gourmande*]
lekkerbekje ≈ *morceau* m *d'aiglefin frit*
lekkernij *délice* m; *régal* m
lekkers *gourmandises* v mv
lel • vel ‹v. persoon› *lobe* m; ‹v. vissen of paarden› *barbillon* m; ‹v. vogels› *caroncule* v • mep *gifle* v
lelie • bloem *lis* m • GESCH. *fleur* v *de lis*
lelieblank *blanc comme un lis*
lelietje-van-dalen *muguet* m
lelijk I BNW • niet mooi *laid*; INF. *moche* ★ ~ worden *enlaidir* ★ ~ als de nacht *laid à faire peur* • kwalijk *vilain*; *sale* ★ er ~ aan toe zijn *être dans de jolis draps* II BIJW • niet mooi *laidement* • gemeen *vilainement*; *salement* ★ iem. ~ aankijken *regarder qn de travers* • danig *joliment* ★ hij heeft zich ~ vergist *il s'est joliment/lourdement trompé*
lelijkerd • lelijk persoon *laideron* m; *horreur* v • gemeen persoon *vilain* m [v: *vilaine*]; *vilain* m *type*
lellebel *traînée* v; *égout* m *sur pattes*
lemen *en limon* ★ een ~ muur *un mur en torchis*
lemma *entrée* v; *article* m
lemmet • snijdend deel van mes *lame* v • kaarsen-/lampenpit *mèche* v; *lumignon* m
lemming *lemming* m
lende *reins* m mv
lendebiefstuk *faux-filet* m [mv: *faux-filets*]
lendendoek *pagne* m
lenen I OV WW • uitlenen *prêter* ★ iets aan iem. ~ *prêter qc à qn* • te leen krijgen *emprunter* ★ iets van iem. ~ *emprunter qc à qn* II WKD WW *se prêter*
lengen *croître*; *s'allonger*
lengte • afmeting in lengte ‹v. lichaam› *taille* v ★ hij heeft de ~ *il est de taille* • GEO. *longitude* v • langste kant *longueur* v ★ in de ~ *en longueur*; *dans le sens de la longueur*
lengteas *axe* m *longitudinal* [m mv: *axes longitudinaux*]
lengtecirkel *méridien* m
lengtegraad *longitude* v
lengtemaat *mesure* v *de longueur*
lengterichting *sens* m *longitudinal* ★ in de ~ *longitudinalement*
lenig I BNW *souple*; *flexible* II BIJW *avec souplesse*; *avec flexibilité*
lenigen *adoucir*; *soulager*
lening ‹aan iemand› *prêt* m; ‹v. iemand› *emprunt* m ★ een ~ aangaan *faire un emprunt* ★ een ~ afsluiten *contracter un emprunt*
lens I ZN • NAT. *lentille* v; ‹v. fototoestel› *objectif* m • ooglens *cristallin* m • contactlens *lentille* v *(de contact)* ★ zachte lens *lentille souple* II BNW krachteloos ★ iem. lens trappen *casser la figure à qn*
lensvloeistof *liquide* m *de lentille*
lente *printemps* m ★ in de ~ *au printemps*
lentedag *journée* v *printanière*
lentemaand *mars* m
lente-uitje PLANTK. *oignon* m *nouveau*
lepel *cuiller* v; *cuillère* v
lepelen *manger avec une cuiller/cuillère*
leperd *rusé* m
lepra *lèpre* v
lepralijder *lépreux* m [v: *lépreuse*]
leraar *enseignant* m; *professeur* m; INF. *prof* m
leraarschap *professorat* m
leren I BNW *de/en cuir* II OV WW • kennis verwerven *apprendre*; *étudier* ★ zingen ~ *apprendre à chanter* ★ Frans ~ *apprendre le français* ★ van buiten ~ *apprendre par cœur* • onderrichten *enseigner*; *instruire* ★ iem. iets ~ *enseigner qc à qn*
lering *leçon* v ★ ergens ~ uit trekken *tirer une leçon de qc*
les • leerstof *leçon* v ★ les 23 doorlezen *lire leçon 23* • onderricht *leçon* v; *classe* v; *cours* m ★ tijdens de les *pendant la classe* ★ scheikundeles *cours de chimie* ★ les geven in Frans *enseigner le français* ▼ iemand de les lezen *passer un savon à qn*
lesauto *voiture* v *auto-école*
lesbevoegdheid *certificat* m *d'aptitude professionnelle pour l'enseignement*
lesbienne *lesbienne* v; *gouine* v
lesbisch *lesbien* [v: *lesbienne*]
lesgeld *frais* m mv *de scolarité*
lesmateriaal *matériel* m
Lesotho *le Lesotho* ★ in ~ *au Lesotho*
lesrooster *emploi* m *du temps*; *horaire* m *des cours*
lessen ★ zijn dorst ~ *se désaltérer*
lessenaar *pupitre* m
lest ▼ ten langen leste *à la fin*
lesuur *heure* v *de cours*
lesvliegtuig *avion-école* m [mv: *avions-école*]
leswagen *voiture-école* v [mv: *voitures-école*]
Let *Letton* m [v: *Lettonne*]
lethargie *léthargie* v
Letland *la Lettonie*
Lets *letton* [v: *lettonne*]
letsel *blessure* v; *lésion* v ★ lichamelijk ~ *dommage* m*corporel*; *coups et blessures* ★ er zonder ~ afkomen *en sortir indemne*
letselschade *dommages* m mv *corporels*
letten I OV WW beletten *empêcher* ★ wat let mij? *qu'est-ce qui m'en empêche?* II ON WW ~ **op** *surveiller*; *faire attention (à)*
letter • teken *lettre* v; *caractère* m ★ kleine/grote ~ *minuscule/majuscule* v ★ met vette ~s gedrukt *imprimé en caractères gras* • letterlijke inhoud *lettre* v
letteren *lettres* v mv; *littérature* v ★ doctor in de ~ *docteur* m *ès lettres* ★ ~ studeren *faire des études de lettres*
lettergreep *syllabe* v; ‹met klemtoon› *syllabe* v *tonique*
letterkunde *littérature* v; *lettres* v mv

L

letterkundig I BNW *littéraire* II BIJW *littérairement*; *du point de vue littéraire* ★ ~ ontwikkeld *lettré*
letterkundige *littéraire* m; *homme* m *de lettres*; *femme* v *de lettres*
letterlijk I BNW *littéral* [m mv: *littéraux*] ★ ~ opnemen *prendre au pied de la lettre* II BIJW volkomen *littéralement*
letterslot *serrure* v *à combinaisons de lettres*
lettertang *pince* v *à marquer*
letterteken *caractère* m; *signe* m *graphique*
letterwoord *acronyme* m ★ het maken van ~en *siglaison* v
Lettisch *letton* [v: *lettonne*]
leugen *mensonge* m
leugenaar *menteur* m [v: *menteuse*]
leugenachtig • vaak liegend *menteur* [v: *menteuse*] • onwaar *mensonger* [v: *mensongère*]
leugendetector *détecteur* m *de mensonges*
leuk • grappig *marrant*; *drôle*; *amusant* • aardig *gentil* [v: *gentille*] ★ leuk om te zien *agréable à regarder* ★ leuk boek *livre intéressant* ★ leuk, dat je gekomen bent *gentil (à toi) d'être venu* • prettig *agréable*; INF. *sympa* • aantrekkelijk *joli*; *charmant*; INF. *chouette*
leukemie *leucémie* v
leukerd *farceur* m [v: *farceuse*]
L
leukoplast *sparadrap* m
leukweg *de manière cool*
leunen *s'appuyer*; ‹met de rug› *s'adosser*; ‹op ellebogen› *s'accouder*
leuning *balustrade* v; ‹rugleuning› *dos* m; *dossier* m; ‹armleuning› *bras* m; *accoudoir* m; ‹v. trap› *rampe* v; ‹v. brug› *parapet* m; *garde-fou* m [mv: *garde-fous*]
leunstoel *fauteuil* m
leuren *colporter*
leus *devise* v; *slogan* m
leut *plaisir* m; *rigolade* v ★ voor de leut *pour rire*
leuteren *bavarder*; *papoter*
leuterkous *bavard* m [v: *bavarde*]
Leuven *Louvain*
leven I ZN • het bestaan *vie* v ★ in het ~ roepen *créer* ★ hij is niet meer in ~ *il n'est plus en vie* ★ in de kracht van zijn ~ *dans la force de l'âge* ★ het ~ geven/schenken aan *donner la vie/le jour à* ★ (strijd) op ~ en dood *(combat) à outrance* • werkelijkheid ★ naar het ~ getekend *dessiné d'après nature* ★ uit het ~ gegrepen *pris sur le vif* • levensduur ★ tijdens zijn ~ *de son vivant* ★ voor het ~ benoemd *nommé à vie* • manier van leven ★ een nieuw ~ beginnen *refaire sa vie* ★ een slecht ~ leiden *vivre dans la débauche* ★ een rustig ~ leiden *mener une vie tranquille* ★ een prettig ~tje leiden *se la couler douce* • lawaai *vie* v; *bruit* m; *tapage* m; ‹drukte› *animation* v ▾ ~ in de brouwerij brengen *mettre un peu d'ambiance* ▾ nooit van mijn ~ *jamais de la vie* II ON WW *vivre* ★ genoeg om van te ~ *de quoi vivre* ★ je moet ermee zien te ~ *il faudra bien l'accepter* ▾ stil gaan ~ *se retirer des affaires* ▾ die dan leeft, die dan zorgt *qui vivra verra*
levend *vivant*; *en vie*; *vif* [v: *vive*] ★ ~e bloemen *fleurs* v mv *naturelles* ★ ~ vlees *chair vive* v ★ ~ verbranden *brûler vif* ★ in ~e lijve *en chair et en os* ▾ geen ~e ziel *pas âme qui vive*; *pas un chat* ▾ de ~en en de doden *les vivants et les morts*
levendig I BNW vol leven *vif* [v: *vive*]; *vif* [v: *vive*]; *alerte*; ‹v. dingen› *animé*; *mouvementé* ★ ~e ogen *yeux riants* ★ ~e kleuren *couleurs vives* ★ een ~e straat *une rue très fréquentée/animée* ★ een ~e discussie *une vive discussion* II BIJW *vivement*; *avec animation*
levenloos • doods, gevoelloos *mort*; *éteint*; *inerte*; *terne* • zonder leven *inanimé*; *sans vie*
levensavond *soir* m *de la vie*
levensbehoefte *besoin* m *vital* [m mv: *besoins vitaux*]
levensbelang *intérêt* m *vital* [m mv: *intérêts vitaux*]
levensbeschouwing *philosophie* v; *conception* v *de la vie*
levensbeschrijving *biographie* v
levensboom *arbre* m *de vie*
levensduur *durée* v *de la vie*; *longévité* v; ‹v. apparaat› *durée* v *de vie*; *durée* v *de fonctionnement*
levensecht *réaliste*; *fidèle*
levenseinde *terme* m *de la vie*
levenservaring *expérience* v *de la vie*
levensfase *phase* v *de la vie*
levensgenieter *jouisseur* m [v: *jouisseuse*]
levensgevaar *danger* m *de mort* ★ in ~ verkeren *être en danger de mort*
levensgevaarlijk I BNW *périlleux* [v: *périlleuse*] II BIJW *périlleusement* ★ ~ gewond *mortellement blessé*
levensgezel *compagnon* m *(de vie)* [v: *compagne ...*]
levensgroot • op ware grootte *grandeur nature* [onv] ★ een levensgrote afbeelding *une représentation grandeur nature* • zeer groot *énorme*
levenshouding *façon* v *de vivre*; *attitude* v *(devant la vie)*
levenskunst *savoir-vivre* m
levenskunstenaar *maître* m *dans l'art de vivre*
levenslang I BNW *à vie*; *perpétuel* [v: *perpétuelle*] ★ een ~e opsluiting *une réclusion à vie/à perpétuité* II BIJW *perpétuellement*; *pour la vie*; *toute la vie*
levenslicht *vie* v; *jour* m ★ het ~ zien/schenken *voir/donner le jour*
levenslied *chanson* v *réaliste*
levensloop *cours* m *de la vie*; *carrière* v
levenslustig *gai*; *vif* [v: *vive*]
levensmiddelen *produits* m mv *alimentaires* ★ van ~ voorzien *approvisionner*; *ravitailler*
levensmiddelenindustrie *industrie* v *alimentaire*
levensmoe *las de vivre* [v: *lasse de vivre*]
levensomstandigheden *conditions* v mv *de vie*
levensonderhoud *entretien* m; *subsistance* v; *vie* v *matérielle* ★ de kosten van ~ *le coût de la vie* ★ in iemands ~ voorzien *pourvoir aux*

besoins de qn

levenspad *chemin* m *de la vie*

levensstandaard *niveau* m *de vie*

levensteken *signe* m *de vie*

levensvatbaar *viable*

levensverhaal *récit* m *d'une vie*

levensverwachting *espérance* v *de vie*

levensverzekering *assurance-vie* v [mv: *assurances-vie*] ★ een ~ sluiten *prendre/contracter une assurance-vie*

levensvraag *question* v *de vie ou de mort*

levensvreugde *joie* v *de vivre*

levenswandel *vie* v

levenswerk *œuvre* v *de toute une vie*

lever *foie* m

leverancier *fournisseur* m [v: *fournisseuse*]

leverantie • koopwaar *fourniture* v; *livraison* v • levering *livraison* v

leverbaar *livrable*

leveren • afleveren *livrer* • bezorgen *fournir*; *livrer* ★ bewijzen ~ *fournir des preuves* ★ slag ~ met de politie *livrer bataille avec la police* • aandoen ★ dat heeft hij me geleverd *il m'a joué ce tour-là*

levering *livraison* v; *fourniture* v

leveringstermijn → **levertijd**

leveringsvoorwaarde *condition* v *de livraison*

leverpastei *pâté* m *de foie*

levertijd *délai* m *de livraison*

levertraan *huile* v *de foie de morue*; *huile* v *de baleine*

leverworst *saucisson* m *de pâté de foie*

lexicograaf *lexicographe* m/v

lexicografie *lexicographie* v

lexicon • woordenschat *lexique* m; *vocabulaire* m • woordenboek *dictionnaire* m

lezen I ZN een tekst in zich opnemen *lecture* v II OV WW • tekst doornemen *lire*; *dire* ★ de mis ~ *dire la messe* • interpreteren *lire*; MUZ. *déchiffrer*

lezer *lecteur* m [v: *lectrice*]; ‹iemand die veel leest› *liseur* m [v: *liseuse*]

lezing • het lezen *lecture* v ★ ter ~ *en lecture* • verhandeling *conférence* v ★ een ~ houden *faire/donner une conférence* • interpretatie *version* v

lhno ≈ *enseignement* m *ménager et industriel du premier cycle*

liaan *liane* v

Libanon *le Liban* ★ in ~ *au Liban*

libel • insect *libellule* v; *demoiselle* v • waterpas *niveau* m *à bulle d'air*

liberaal *libéral* [m mv: *libéraux*]

liberaal-democraat *démocrate-libéral* m

liberaliseren *libéraliser*

liberalisering *libéralisation* v

liberalisme *libéralisme* m

Liberia *le Liberia* ★ in ~ *au Liberia*

Liberiaans *libérien* [v: *libérienne*]

libero *libéro* m

libido *libido* v

Libië *la Libye* ★ in Lybië *en Libye*

Libiër *Libyen* m [v: *Libyenne*]

Libisch *libyen* [v: *libyenne*]

libretto *livret* m

licentiaat I ZN (de) persoon *licencié* m; *licenciée* v II ZN (het) graad *licence* v

licentie *licence* v

licentiehouder *titulaire* m/v *d'une licence*

lichaam • lijf *corps* m • voorwerp *corps* m • vereniging *corps* m; *organisme* m

lichaamsbeweging *exercice* m

lichaamsbouw INF. *anatomie* v; *stature* v

lichaamsdeel *membre* m; *partie* v *du corps*

lichaamsholte *cavité* v

lichaamskracht *force* v *physique*; *vigueur* v

lichaamstaal *attitude* v

lichaamsverzorging *hygiène* v *corporelle*

lichaamswarmte *chaleur* v *du corps*; *chaleur* v *animale*

lichamelijk I BNW *physique*; *corporel* [v: *corporelle*] II BIJW *physiquement*; *corporellement*

licht I ZN • schijnsel *lumière* v; *clarté* v; ‹daglicht› *jour* m ★ iem. in het ~ staan *se trouver dans le jour de qn* ★ met de rug naar het ~ gekeerd *à contre-jour* ★ bij het ~ *à la lumière* ★ ~ en donker *jour et nuit* ★ slecht ~ *faux jour* • lichtbron *lumière* v; *phare* m; *feu* m [mv: *feux*]; ‹v. auto› *phares* m mv ★ het ~ is aan *la lumière est allumée* ★ het ~ aandoen/uitdoen *allumer/éteindre* ★ gedimd ~ *codes* m mv ★ stoppen voor het rode ~ *s'arrêter devant le feu rouge* • intelligent mens *lumière* v • openbaarheid ★ aan het ~ komen *se découvrir* ★ iets aan het ~ brengen *mettre qc au jour* • opheldering, inzicht ★ er gaat hem een ~ op *il commence à comprendre* • invalshoek ★ nieuw ~ werpen op *jeter une lumière nouvelle sur* ▼ het ~ zien *voir le jour* ▼ zijn ~ opsteken bij iemand *se renseigner auprès de qn* II BNW • niet donker *clair* ★ het wordt ~ *il commence à faire jour* • niet zwaar *léger* [v: *légère*] ★ ~e sigaar/tabak *cigare/tabac léger* m • gemakkelijk *facile*; *aisé* III BIJW • niet zwaar *légèrement* ★ ~ gebouwd ≈ *maigre* • gemakkelijk *facilement*; *à la légère* ★ iets ~ opvatten *prendre qc à la légère*

lichtbak *rampe* v

lichtbeeld *projection* v

lichtblauw *bleu clair/pâle*

lichtboei *balise* v *lumineuse*

lichtbron *source* v *de lumière*

lichtbundel *faisceau* m *lumineux* [m mv: *faisceaux lumineux*]

lichtdruk *phototypie* v

lichtekooi *prostituée* v

lichtelijk • moeiteloos *facilement*; *aisément* • enigszins *un peu*; *légèrement*

lichten I OV WW • optillen *soulever*; *lever*; ‹v. schip› *relever* ★ iem. van zijn bed ~ *enlever qn de son lit* • ledigen *vider*; *lever*; *alléger*; *décharger* ★ de brievenbus ~ *faire la levée* II ON WW licht geven *rayonner*; *luire*; ‹v. bliksem› *faire des éclairs*

lichterlaaie ★ in ~ *en flammes*; *en feu*

lichtflits *éclair* m

lichtgelovig *crédule*

lichtgeraakt *irritable*; *susceptible*

lichtgevend I BNW *lumineux* [v: *lumineuse*]; *phosphorescent* II BIJW *lumineusement*

lichtgevoelig *photosensible*

lichtgewicht I ZN SPORT *poids* m *léger* II BNW *léger* [v: *légère*]
lichting • postlichting *levée* v • rekrutering *levée* v • opgeroepen soldaten *contingent* m ★ de ~ '66 *la classe '66*
lichtinstallatie *installation* v *de l'éclairage*
lichtjaar *année-lumière* v [mv: *années-lumière*]
lichtjes *légèrement*
lichtknop *interrupteur* m
lichtkogel *fusée* v *éclairante*; *balle* v *traçante*
lichtkrant *journal* m *lumineux*
lichtmast *mât* m *d'éclairage*
lichtmatroos *apprenti* m *matelot*
lichtnet *réseau* m *(électrique)*; *secteur* m
lichtpen *crayon* m *lumineux*/*optique*; *photostyle* m
lichtpunt *point* m *lumineux*; FIG. *lueur* v *d'espoir*
lichtreclame *publicité* v *lumineuse (au néon)*
lichtschip *bateau-phare* m [mv: *bateaux-phares*]
lichtshow *spectacle* m *lumineux*; *son et lumière*
lichtsignaal *signal* m *lumineux*; ‹met koplampen› *appel* m *de phares*
lichtsterkte *luminosité* v; *puissance* v *d'une source lumineuse*
lichtstraal *rayon* m *de lumière*
lichtvaardig I BNW *léger* [v: *légère*]; *étourdi* II BIJW *à la légère*; *étourdiment*
lichtval *éclairage* m
lichtvoetig I BNW *léger* [v: *légère*] II BIJW *légèrement*
lichtzinnig I BNW • los van zeden *frivole* • zonder ernst *léger* [v: *légère*]; *étourdi* II BIJW *étourdiment*; *à la légère*
lid • deel *partie* v; *élément* m • lichaamsdeel *membre* m; ‹penis› *membre* m *viril*; *pénis* m • gewricht *articulation* v • persoon *membre* m ★ lid worden van *adhérer à*; *se faire inscrire* ★ actief lid *membre actif* • paragraaf *alinéa* m
lidmaat *membre* m
lidmaatschap *adhérence* v; *affiliation* v; *qualité* v *de membre* ★ voor het ~ bedanken *ne plus adhérer*; *arrêter son affiliation*
lidstaat *État* m *membre*; *État* m *fédéré*
lidwoord *article* m
Liechtenstein *le Liechtenstein* ★ in ~ *au Liechtenstein*
lied *chanson* v; *chant* m; *air* m; ‹liefdeslied› *romance* v; ‹geestelijk lied› *psaume* m; *cantique* m; *hymne* m
lieden *gens* m mv; *personnes* v mv
liederenbundel *recueil* m *de chants*
liederlijk I BNW losbandig *débauché* II BIJW *comme un débauché*
liedje ▾ het is weer het oude ~ *c'est toujours le même refrain*
lief I ZN geliefd persoon *bien-aimé* m [mv: *bien-aimés*] [v: *bien-aimée*] ▾ in lief en leed *dans la bonne et la mauvaise fortune* II BNW • aardig *gentil* [v: *gentille*]; *mignon* [v: *mignonne*]; *aimable*; *charmant* ★ toe, wees eens lief en help me even! *sois mignon*/*gentil, aide-moi!* ★ dat is lief van je *c'est gentil de ta part* ★ je bent lief *tu es adorable* ★ lieve schoentjes *de mignons souliers* m mv • geliefd *cher* [v: *chère*]; *chéri* • dierbaar *cher* [v: *chère*] • gewenst, graag *cher* [v: *chère*] ▾ Onze-Lieve-Vrouw *Notre Dame* ▾ Onze-Lieve-Heer *le bon Dieu*; *Notre Seigneur* III BIJW • aardig *gentiment* • mooi *joliment* • graag ★ ik zou net zo lief *j'aimerais autant*
liefdadig *bienfaisant*; *charitable*
liefdadigheid *bienfaisance* v; *charité* v; *bonnes œuvres* v mv ★ een ~sinstelling *une association de bienfaisance*; *un établissement de bienfaisance*
liefdadigheidsinstelling *œuvre* v *de bienfaisance*; *organisme* m *charitatif*
liefde • genegenheid *amour* m; *affection* v; *tendresse* v ★ uit ~ *par amour* ★ ~ op het eerste gezicht *coup* m *de foudre* • het beminnen *amour* m ★ de ~ bedrijven *faire l'amour* ★ hoe gaat het met de ~? *comment vont tes amours?* • belangstelling *amour* m
liefdeleven *vie* v *amoureuse*
liefdeloos I BNW *peu affectueux* [v: *peu affectueuse*]; *froid* II BIJW *sans affection*; *froidement*
liefderijk → **liefdevol**
liefdesaffaire *affaire* v *d'amour*
liefdesbrief *lettre* v *d'amour*
liefdesdaad *acte* m *d'amour*
liefdesgeschiedenis *histoire* v *d'amour*
liefdeslied *chanson* v *d'amour*
liefdesscène *scène* v *d'amour*
liefdesverdriet *chagrin* m *d'amour*
liefdevol I BNW *affectueux* [v: *affectueuse*]; *tendre*; *doux* [v: *douce*] II BIJW *affectueusement*; *tendrement*; *avec douceur*
liefdewerk *bénévolat* m; ≈ *idéalisme* m
liefelijk I BNW *doux* [v: *douce*] II BIJW *avec douceur*
liefhebben *aimer*
liefhebber *amateur* m
liefhebberij *passe-temps* m [onv]; *divertissement* m; *hobby* m [mv: *hobbies*] ★ uit ~ *par goût*; *en amateur*
liefje • aanspreekvorm *chéri* m [v: *chérie*] • geliefde *petit ami* m; *petite amie* v
liefjes *gentiment*
liefkozen *caresser*; *câliner*; *choyer*
liefkozing *caresse* v; *cajolerie* v
liefst *de préférence* ★ ~ 's avonds *plutôt*/*de préférence dans la soirée* ★ het ~ hebben dat *préférer que* [+ subj.]
liefste • geliefde *chéri* m [v: *chérie*]; *amour* m • aanspreekvorm *chéri* m [v: *chérie*]
lieftallig I BNW *gracieux* [v: *gracieuse*]; *charmant*; *adorable* II BIJW *gracieusement*; *d'une façon charmante*
liegbeest *gros menteur* m [v: *grosse menteuse*]
liegen *mentir* ★ dat liegt hij! *c'est faux!*; *il ment!*
lier • hijswerktuig *treuil* m • muziekinstrument *lyre* v
lies *aine* v
liesbreuk *hernie* v *inguinale* ★ een ~ *une hernie inguinale*
lieslaars *cuissarde* v
lieveheersbeestje *coccinelle* v; *bête* v *à bon*

Dieu
lieveling • schat *chéri* m; *chérie* v • gunsteling *favori* m [v: *favorite*]; *préféré* m [v: *préférée*]
lievelingskleur *couleur* v *favorite*
liever *plutôt; de préférence* ★ ~ hebben/willen *aimer mieux; préférer* ★ ik drink ~ wijn dan bier *je préfère le vin à la bière* ★ ik praat ~ dan ik schrijf *je préfère parler (plutôt) qu'écrire* ★ dan zwijg ik maar ~ *dans ce cas je préfère me taire* ★ ik ga er ~ niet heen *je préfère ne pas y aller* ★ ~ niet *je préfère que non*; INF. *plutôt pas*
lieverd *amour* m; *chéri* m [v: *chérie*] ★ je bent me een ~ *tu es bien/trop bon* ▾ het is me een ~je *c'est une jolie petite peste*
lieverlede ▾ van ~ *peu à peu; insensiblement*
lievig I BNW *doucereux* [v: *doucereuse*] II BIJW *d'une manière doucereuse*
lifestyle *style* m *de vie*; *mode* m *de vie*
liflafje *amuse-gueule* m [onv]
lift • hijstoestel *ascenseur* m; ‹voor goederen› *monte-charge* m [onv]; ‹in restaurant› *monte-plats* m [onv] • het meerijden *auto-stop* m; INF. *stop* m ★ een lift krijgen *être pris en stop* ▾ de markt blijft in de lift *le marché demeure très porteur*
liften *faire de l'auto-stop*; INF. *faire du stop* ★ naar Parijs ~ *aller à Paris en stop*
lifter *auto-stoppeur* m [mv: *auto-stoppeurs*] [v: *auto-stoppeuse*]; INF. *stoppeur* m [v: *stoppeuse*]
liftkoker *cage* v *d'ascenseur*
liftschacht → **liftkoker**
liga *ligue* v
ligbad *baignoire* v
ligbank ‹zonder rugleuning› *divan* m; ‹met rugleuning› *canapé* m
ligfiets *vélo-couché* m
liggeld *droits* m mv *d'amarrage*
liggen • zich bevinden, zijn *être situé* ★ aan de kust ~ *être situé sur la côte* ★ Arnhem ligt op 4 uur lopen van Nijmegen *Arnhem est à 4 heures de marche de Nimègue* ★ op het noorden ~ *être exposé au nord* • uitgestrekt rusten *être couché* ★ gaan ~ *se coucher; s'étendre*; ‹v. zieke› *s'aliter* ★ op de grond ~ *être couché par terre* ★ hier ligt begraven *ici repose; ci-gît* • bedaren *se calmer* • ~ **aan** *tenir à*; ‹de schuld zijn van› *dépendre de; être de la faute de* ★ dat ligt eraan *cela dépend* ★ dat ligt aan hem *c'est (de) sa faute* ★ aan mij zal het niet ~ als *cela ne sera pas de ma faute si* ★ waar ligt het aan? *à quoi est-ce que cela tient?* ▾ er is hem niets aan gelegen *il n'y tient pas*
ligging *situation* v; *position* v; ‹v. auto op weg› *tenue* v *de route*
light *light* [onv]; *allégé; maigre*
lignine *lignine* v
ligplaats ‹in trein› *couchette* v; ‹v. schip› *(lieu* m *de) mouillage* m
ligstoel *chaise* v *longue*; ‹op schip› *transat(lantique)* m
liguster *troène* m
ligweide *pelouse* v
lij *bord* m *sous le vent* ★ in lij liggen *être à l'abri du vent; être sous le vent*
lijdelijk I BNW passief *passif* [v: *passive*] ★ ~ verzet *résistance passive* v II BIJW *passivement; avec résignation*
lijden I ZN *souffrance* v ★ een dier uit zijn ~ verlossen *abréger les souffrances d'un animal* ★ het ~ van Jezus-Christus *la Passion du Christ* II OV WW • ondervinden *subir* ★ het leger heeft zware verliezen geleden *l'armée a subi de lourdes pertes* • verdragen *supporter; endurer* ▾ ik mag ~ dat *j'espère que ...* III ON WW *souffrir* ★ aan een ziekte ~ *être atteint d'une maladie* ★ aan duizeligheid ~ *être sujet au vertige* ★ haar gezondheid zal er onder ~ *sa santé s'en ressentira*
lijdend • last hebbend *souffrant* ★ de ~e partij *la partie lésée* • TAALK. *passif* [v: *passive*] ★ de ~e vorm *la voix passive* ★ ~ voorwerp *complément d'objet direct* m; *c.o.d.* m
lijdensweg ‹kruisweg van Jezus-Christus› *chemin* m *de croix*; FIG. *calvaire* m
lijder *malade* m/v
lijdzaam I BNW • geduldig *résigné* [v: *résignée*] • passief *passif* [v: *passive*] II BIJW • geduldig *avec résignation* • passief *passivement*
lijdzaamheid *résignation* v
lijf • lichaam *corps* m • deel van kledingstuk *corsage* m ▾ niets om het lijf hebben *n'avoir aucune importance*
lijfarts *médecin* m *traitant*
lijfblad • meest geliefde krant *journal* m *préféré* • meest geliefde tijdschrift *magazine* m *préféré*
lijfeigene *serf* m [v: *serve*]
lijfelijk I BNW *corporel* [v: *corporelle*] II BIJW *corporellement*
lijfrente *viager* m; *rente* v *viagère* ★ iets op ~ zetten *mettre qc en viager*
lijfsbehoud *salut* m ▾ uit ~ *pour se sauver*
lijfspreuk *devise* v
lijfstraf ‹zeer zwaar› *supplice* m; *peine* v *corporelle*
lijfwacht *garde* m *du corps*
lijk *cadavre* m; ‹v. mens› *corps* m ▾ over mijn lijk! *jamais de la vie!*
lijkbleek *pâle comme un mort* ★ zij is ~ *elle a une mine de déterré*
lijken • overeenkomen *ressembler (à)* ★ op elkaar ~ *se ressembler* ★ iets dat er op lijkt *qc d'approchant* ★ dat lijkt er niet naar/op *ce n'est pas du tout ça* • schijnbaar zijn *sembler; paraître; avoir l'air* ★ het lijkt wel een feest *on dirait une fête* • dunken *sembler; paraître* • aanstaan *convenir (à); aller (à)* ★ dat lijkt me wel wat *cela me va; cela me convient*
lijkenhuis *morgue* v
lijkenpikker *charognard* m
lijkkist *bière* v; *cercueil* m
lijkrede *oraison* v *funèbre*
lijkschennis *mutilation* v *de cadavre*
lijkschouwer *médecin* m *légiste*
lijkschouwing *autopsie* v
lijkstijfheid *rigidité* v *cadavérique*
lijkwade *linceul* m
lijkwagen *corbillard* m
lijm *colle* v
lijmen • plakken *coller* • overhalen ★ zich laten ~ *se laisser entortiller*

L

lijmsnuiver *renifleur* m *de colle* [v: *renifleuse* ...]
lijmtang *serre-joint* m [mv: *serre-joints*]
lijn • touw *corde* v; ‹richttouw› *cordeau* m [mv: *cordeaux*] ⋆ honden aan de lijn, a.u.b. *prière de tenir les chiens en laisse* • streep *ligne* v; ‹in gezicht› *trait* m ⋆ gebroken lijn *ligne brisée* ⋆ rechte lijn *ligne droite* • omtrek *ligne* v ⋆ voor de lijn zorgen *garder sa ligne* • verbinding *ligne* v ⋆ lijn 2 nemen *prendre le 2* ⋆ wie is er aan de lijn? *qui est à l'appareil?* ⋆ ik heb Albers aan de lijn *j'ai Albers au bout du fil* ⋆ blijf aan de lijn *ne quittez pas* • beleidslijn ⋆ één lijn trekken *agir de concert* • richting ⋆ op één lijn brengen *aligner*
lijndienst *service* m *régulier*; *ligne* v
lijnen *suivre un régime*
lijnfunctie ≈ *fonction* v *de cadre d'une chaîne de production*
lijnfunctionaris ≈ *cadre* m *de la chaîne de fabrication*
lijnolie *huile* v *de lin*
lijnorganisatie ≈ *organisation* v *hiérarchique dans la chaîne de fabrication*
lijnrecht I BNW precies recht *en ligne droite* II BIJW • volkomen ⋆ ~ tegenover elkaar staan *être diamétralement opposés* • in een rechte lijn *tout droit*; *directement*
lijnrechter *juge* m *de touche*; ‹tennis› *juge* m *de ligne*
lijntoestel *avion* m *de ligne*
lijnverbinding *ligne* v *de télécommunications*
lijnvlucht *vol* m *de ligne*
lijnzaad *graine* v *de lin*
lijs *lambin* m [v: *lambine*]
lijst • opsomming *liste* v; ‹met verwijzing› *registre* m ⋆ verkiezings~ *liste électorale* • rand *cadre* m; *encadrement* m ⋆ in een ~ zetten *encadrer*
lijstaanvoerder *tête* v *de liste*
lijstenmaker *encadreur* m [v: *encadreuse*]
lijster *grive* v
lijsterbes • vrucht *sorbe* v • boom *sorbier* m *commun*
lijsttrekker *tête* v *de liste*
lijvig *corpulent*; *gros* [v: *grosse*]; ‹v. boek› *épais* [v: *épaisse*]; *volumineux* [v: *volumineuse*] ⋆ een ~ rapport *un compte-rendu volumineux*
lijzig I BNW *mou* [v: *molle*] [onr: *mol*]; ‹v. stem› *traînant* II BIJW ‹v. stem› *d'une voix traînante*; *mollement*
lijzijde *côté* m *sous le vent*
lik • het likken *coup* m *de langue* • beetje *un peu de* ⋆ een lik verf *un coup de pinceau*
likdoorn *cor* m; *œil-de-perdrix* m [mv: *oeils-de-perdrix*]
likdoornpleister *coricide* m
likeur *liqueur* v
likkebaarden *s'en lécher les babines*
likken • met tong bewegen *lécher* ⋆ aan iets ~ *passer la langue sur qc*; *lécher qc* • vleien ⋆ iemands hielen ~ *lécher les bottes de qn*
likmevestje ⋆ een kwaliteit van ~ *une qualité inférieure*
lila *lilas* m

L

lilliputter *lilliputien* m [v: *lilliputienne*]
limerick *limerick* m
limiet *limite* v
limiteren *limiter*
limoen *limon* m
limonade *limonade* v ⋆ ~siroop *sirop* m
limousine *limousine* v
linde *tilleul* m
lineair *linéaire*
linea recta *directement*; *tout droit*
lingerie *lingerie* v
lingua franca *langue* v *véhiculaire*; *sabir* m
linguïst *linguiste* m/v
linguïstiek *linguistique* v
liniaal *règle* v
linie • MIL. *rang* m • verwantschap *ligne* v
liniëren *régler*
link I ZN *rapport* m; *relation* v II BNW • slim *rusé*; *débrouillard* • riskant *risqué* ⋆ linke jongen *un type dangereux*
linker- *gauche*
linkerhand *main* v *gauche* ⋆ aan mijn ~ *sur ma gauche*
linkerkant *côté* m *gauche*
linkerrijstrook *voie* v *de gauche*
linkervleugel *aile* v *gauche*
links I BNW • aan de linkerkant *de gauche*; *à (la) gauche* • linkshandig *gaucher* [v: *gauchère*] • POL. *de gauche* ⋆ uiterst ~ *gauchiste*; *extrême gauche* ⋆ ~ zijn *être à gauche* ⋆ nieuw ~ *la nouvelle gauche* • onhandig *gauche*; *maladroit* ▾ iemand ~ laten liggen *ignorer qn* II BIJW • aan de linkerkant *à gauche* ⋆ ~ rijden *rouler sur la gauche* ⋆ ~ houden *tenir sa gauche* ⋆ ~ afslaan *prendre à gauche* ⋆ ~ aanhouden *tenir sa gauche* ⋆ naar ~ *du côté gauche*; *vers la gauche* • POL. ⋆ ~ stemmen *voter à gauche* ▾ iemand ~ laten liggen *ignorer qn*
linksaf *à gauche*; *vers la gauche* ⋆ ~ gaan *prendre à gauche*|*sur la gauche*
linksback *arrière* m *gauche*
linksbuiten *ailier* m *gauche*
linksdraaiend CHEM. *lévogyre*
links-extremistisch *d'extrême gauche*
linkshandig *gaucher* [v: *gauchère*]
linksom *à gauche* ⋆ ~keert! *demi-tour à gauche*; *gauche!*
linnen I ZN • stof *lin* m; *toile* v; *toile* v *de lin* • linnengoed *linge* m II BNW *de lin*; *de toile*
linnengoed *linge* m
linnenkast *armoire* v *à linge*
linoleum *linoléum* m
linoleumsnede *gravure* v *sur linoléum*
linolzuur *acide* m *linoléique*
lint *ruban* m
lintje • ridderorde *décoration* v • haarlint *ruban* m
lintjesregen *pluie* v *de décorations*
lintworm *ver* m *solitaire*; *ténia* m
linze *lentille* v
lip *lèvre* v ▾ aan iemands lippen hangen *être suspendu aux lèvres de qn*
lipide *lipide* m
liplezen *lire sur les lèvres*
liposuctie *liposuccion* v
lippencrème *crème* v *pour les lèvres*

lippendienst ★ een ~ bewijzen *donner une approbation de pure forme*
lippenpotlood *crayon* m *à lèvres*
lippenstift *rouge* m *à lèvres*
liquidatie *liquidation* v
liquide *liquide* ★ ~ middelen *liquidités* v mv
liquideren *liquider*
liquiditeit *liquidités* v mv
lire *lire* v
lis *iris* m *des marais*
lispelen I OV WW fluisteren *chuchoter*; *zozoter* II ON WW slissen *zézayer*
Lissabon *Lisbonne*
list *ruse* v; ‹krijgslist› *stratagème* m
listig I BNW *rusé* II BIJW *avec ruse*
listing *listage* m; *liste* v
litanie *litanie* v
liter *litre* m
literair *littéraire*
literatuur *littérature* v ★ geraadpleegde ~ *ouvrages* m mv *consultés*
literatuurgeschiedenis *histoire* v *de la littérature*
literatuurlijst • boeken *liste* v *des ouvrages étudiés* • lijst titels *bibliographie* v
literatuuronderzoek *analyse* v *littéraire*
literatuurwetenschap *science* v *de la littérature*
literfles *litre* m
literprijs *prix* m *au litre*
lithium *lithium* m
litho → **lithografie**
lithografie *lithographie* v
litotes *litote* v
Litouwen *la Lituanie*
Litouwer *Lituanien* m [v: *Lituanienne*]
Litouws *lituanien* [v: *lituanienne*]
lits-jumeaux *lits* m mv *jumeaux*
litteken *cicatrice* v
littekenweefsel *tissu* m *cicatriciel*
liturgie *liturgie* v
live *en direct* ★ een live-uitzending *une émission en direct*
livemuziek *musique* v *en public* ★ met ~ *avec un orchestre/des musiciens*
live-uitzending *émission* v *live/en direct*
livrei *livrée* v ★ ~ dragen *porter la livrée*
lob • SPORT *lob* m • MED. *lobe* m
lobbes • hond *bon gros toutou* m • persoon *bon bougre* m
lobby • pressiegroep *lobby* m [mv: *lobbies*]; *groupe* m *de pression* • hal *entrée* m; *hall* m
lobbyen *faire pression sur*
lobelia *lobélie* v
locatie *emplacement* m
loco-burgemeester *maire* m *intérimaire*
locomotief *locomotive* v
locutie *locution* v
lodderig I BNW *endormi* II BIJW *d'un air endormi*
loden I ZN (het) *loden* m II BNW *de plomb*; *en plomb* ★ een ~ jas *un loden* III OV WW peilen *sonder*
loeder *crapule* m; *chameau* m [mv: *chameaux*]
loef *lof* m ★ de loef afsteken *avoir l'avantage du vent* ▾ iemand de loef afsteken *damer le pion à qn*
loefzijde *côté* m *du vent*
loeien • koeiengeluid maken *beugler*; *meugler* • huilen *mugir*; ‹v. wind/sirene› *hurler*
loeihard • snel *à fond de train* • oorverdovend *assourdissant*
loempia ≈ *pâté* m *impérial* [m mv: *pâtés impériaux*]
loens INF. *bigleux* [v: *bigleuse*]
loensen *loucher*; ‹informeel› *bigler*
loep *loupe* v
loepzuiver *d'une très grande pureté*
loer *guet* m; *affût* m ▾ op de loer liggen *être aux aguets/à l'affût* ▾ iemand een loer draaien *jouer un mauvais tour à qn*
loeren • scherp uitkijken *épier*; *être à l'affût* • ~ **op** *guetter*
lof I ZN (de) • lofbetuiging *louanges* v mv; *éloge* m ★ men was één en al lof *il y avait un concert de louanges* ★ de lof zingen van *faire l'éloge de* ★ God lof *Dieu soit loué* • godsdienstoefening *salut* m ★ het lof bijwonen *assister au salut* II ZN (het) witlof *endives* v mv
loffelijk I BNW *louable*; *méritoire* ★ een ~ streven *un effort louable* II BIJW *d'une façon louable*
loflied *hymne* m
lofrede *éloge* m; *panégyrique* m ★ een ~ houden op *faire l'éloge de*
loftrompet ▾ de ~ over iemand steken *chanter les louanges de qn*
loftuiting *louanges* v mv [mv]
lofzang ‹in kerk› *cantique* m; *hymne* m
log I ZN *loch* m II BNW *lourd*; *pesant* ★ log worden *s'alourdir* III BIJW *lourdement*; *pesamment*
logaritme *logarithme* m
logboek *journal/livre* m *de bord*
loge *loge* v
logé *hôte* m/v ★ logés hebben *loger du monde*
logeerbed *lit* m *d'hôte*
logeerkamer *chambre* v *d'amis*
logement *auberge* v
logen *lessiver*
logenstraffen *démentir*; *contredire*
logeren *être chez*; *passer quelque temps chez*; *loger chez* ★ een vriend te ~ hebben *loger/héberger un ami*
logger *lougre* m
logheid *lourdeur* v; *pesanteur* v
logica *logique* v
logies *logis* m; *chambre* v ★ gratis ~ *séjour gratuit* m ★ ~ en ontbijt *chambre et petit déjeuner*
logisch *logique*
logischerwijs *logiquement*
logistiek I ZN bevoorrading *logistique* v II BNW *logistique*
logo *logo* m
logopedie *logopédie* v; *orthophonie* v
logopedist *orthophoniste* m/v
loipe *piste* v *de ski de fond*
lok *boucle* v; *mèche* v
lokaal I ZN vertrek *salle* v; *local* m [mv: *locaux*] II BNW *local* [m mv: *locaux*]
lokaas • aas *appât* m • lokmiddel *leurre* m

lokaliseren *localiser*
lokaliteit *local* m; *salle* v
loket *guichet* m
lokettist *guichetier* m [v: *guichetière*]
lokken • aanlokken *allécher*; *appâter*; ‹v. wild/vis› *amorcer* • bekoren *attirer*; *séduire* ▾ in de val ~ *piéger*
lokkertje *appât* m
lokroep *appel* m
lokvogel *appeau* m [mv: *appeaux*]; *chanterelle* v
lol *rigolade* v ★ lol maken/lol hebben *rigoler*; *s'amuser* ★ ik doe het echt niet voor mijn lol, hoor *si tu crois que ça m'amuse*
lolbroek *rigolo* m [v: *rigolote*]
lolletje *farce* v; *rigolade* v
lollig *rigolo* [v: *rigolote*]; *bidonnant*
lolly *sucette* v
Lombardije *Lombardie* v
lombok *piment* m
lommerd *mont-de-piété* m ★ naar de ~ brengen *engager au mont-de-piété* ★ uit de ~ halen *enlever du mont-de-piété*
lommerrijk *ombragé*
lomp I ZN *haillon* m; *guenilles* v mv ★ in lompen gehuld *en guenilles* II BNW • plomp *lourd* • onhandig *empoté*; *maladroit* • onbehouwen *rustre* III BIJW *lourdement*; *grossièrement*
lomperd *lourdaud* m
lom-school ≈ *école* v *pour enfants qui ont des déficiences mentales ou des troubles de conduite*
Londen *Londres*
lonen *récompenser*; *payer* ★ dat loont de moeite niet *cela ne vaut pas la peine*
long *poumon* m ★ ijzeren long *poumon d'acier*; *poumon électronique*
longdrink *long drink* m
longkanker *cancer* m *du poumon*
longontsteking *pneumonie* v
lonken *faire des œillades (à)*; FIG. INF. *lorgner*
lont *mèche* v ▾ lont ruiken *éventer la mèche*
loochenen *nier*
lood *plomb* m ▾ in het lood staan *être à plomb*; *être perpendiculaire* ▾ uit het lood *en surplomb*
loodgehalte *teneur* v *en plomb*
loodgieter *plombier* m
loodgrijs *plombé*
loodje *plomb* m ▾ het ~ leggen ‹bezwijken› *casser sa pipe*; ‹verliezen› *avoir le dessous*
loodlijn • WISK. *perpendiculaire* v; *normale* v ★ een ~ neerlaten *abaisser une perpendiculaire* • dieplood *ligne* v *de sonde*
loodrecht I BNW *perpendiculaire*; *vertical* [m mv: *verticaux*] II BIJW *perpendiculairement*; *verticalement*
loods • persoon *pilote* m; *lamaneur* m • keet *baraque* v; *hangar* m
loodsboot *bateau-pilote* m [mv: *bateaux-pilotes*]
loodsen *piloter*
loodsmannetje *poisson-pilote* m [mv: *poissons-pilotes*]
loodswezen *pilotage* m
loodvergiftiging *saturnisme* m
loodvrij *sans plomb* ★ ~e benzine *essence sans plomb* v
loodzwaar I BNW *lourd comme du plomb*; FIG. *accablant*; *écrasant* II BIJW *d'une manière accablante*; *d'une manière écrasante*
loof • gebladerte *feuillage* m • weefsel van lagere planten *verdure* v
loofboom *(arbre* m*) feuillu* m
loofbos *forêt* v *d'arbres feuillus*; *bois* m *de feuillus*
loofhout *bois* m *provenant d'essences feuillues*
loog • base *soude* v • bijtende oplossing *lessive* v
looien *tanner*
looier *tanneur* m
look I ZN (de) uiterlijk *look* m II ZN (het) plantengeslacht *ail* m
lookalike *sosie* m
loom I BNW *lent*; *lourd* II BIJW *lentement*; *lourdement*
loon • beloning *récompense* v • salaris *salaire* m; *appointements* m mv ★ zijn loon in het handje krijgen *recevoir son salaire en espèces* ★ hoog loon *salaire élevé* ★ loon- en prijsbeleid *le régime des salaires et des prix* ▾ hij heeft zijn verdiende loon *il n'a que ce qu'il mérite*
loonadministratie *compatibilité* v *des salaires*; *bureau* m *de paye*
loonbelasting *impôt* m *sur les salaires*
loonbelastingverklaring *notification* v *d'impôt sur les salaires*
loonconflict *conflit* m *de salaire*
loondienst ★ in ~ *salarié*
looneis *revendication* v *salariale*
loongrens • grens van het loonbedrag *limite* v *barémique* • welstandsgrens *plafond* m *de la Sécurité sociale*
loongroep *tranche* v *de salaires*
loonheffing *impôt* m *sur le salaire*
loonkosten *charges* v mv *salariales*
loonlijst *cadre* m ★ op de ~ staan *figurer sur les cadres*
loonpauze *pause* v *salariale*
loonpeil *niveau* m *des salaires*
loonplafond • individueel *salaire* m *plafond* • algemeen *plafond* m *des salaires*
loonronde *augmentation* v *(des salaires)*
loonschaal *échelle* v *des salaires*; *salaires* m mv *différentiels* ★ nieuwe indeling op de ~ *reclassement* m ★ glijdende ~ *échelle mobile*
loonspecificatie *bulletin* v *de paye*
loonstop *blocage* m *des salaires*
loonstrookje *feuille* v *de paye*
loonsverhoging *augmentation* v *de salaire*
loonsverlaging *réduction* v *de salaire*
loonzakje *enveloppe* v *de paie*
loop • voortgang *cours* m; *déroulement* m; ‹v. rivier› *cours* m ★ in de loop van *dans le cours de* ★ iets de vrije loop laten *donner libre cours à qc* ★ een andere loop nemen *prendre une autre tournure* ★ in de loop der tijden *à travers les âges* ★ in de loop van het jaar *au cours de l'année* • het lopen ‹snel› *course* v; *marche* v; *démarche* v; *allure* v ★ op de loop gaan ‹v. paard› *s'emballer*; *décamper* • deel van wapen *canon* m

loopafstand ★ op ~ van het station *à proximité de la gare*; *près de la gare*
loopbaan *carrière* v
loopbaanonderbreking *interruption* v *de carrière*
loopbaanplanning *plan* m *de carrière*
loopbrug *passerelle* v
loopgips *plâtre* m *de marche*
loopgraaf *tranchée* v
loopgravenoorlog OOK FIG. *guerre* v *de tranchées*
loopje MUZ. *trait* m; ‹snel› *fusée* v ▾ een ~ nemen met *se moquer de*; INF. *se payer la tête de*
loopjongen *garçon* m *de courses*; *garçon* m *livreur*; *coursier* m [v: *coursière*]
looplamp *baladeuse* v
loopneus *nez* m *qui coule*
looppas *pas* m *de course*
loopplank *passerelle* v
looprek *cadre* m *de marche*; *déambulateur* m
loops *en chaleur*; *en rut*
looptijd *durée* v *de validité*; ‹v. leningen› *durée* v; *échéance* v ★ met een ~ van hoogstens 6 maanden *dont l'échéance n'excède pas 6 mois* ★ ~ 10 jaar *amortissable en 10 ans*
looptraining SPORT SPORT *entraînement* m *de marche à pied*
loos • leeg *vide*; FIG. *creux* [v: *creuse*] ★ loze ruimte *un espace vide* ★ loze woorden *mots* m mv *vides de sens*; *paroles* v mv *creuses* • onecht *faux* [v: *fausse*] ★ loos alarm *fausse alerte*/*alarme* v
loot • scheut *pousse* v; *rejeton* m • telg *rejeton* m
lopen I OV WW volgen *suivre* ★ college ~ *suivre des cours à l'université* II ON WW • te voet gaan *marcher*; *aller à pied*; ‹snel› *courir* ★ we moeten nog drie uur ~ *nous en avons encore pour trois heures de marche* ★ komen ~ *arriver à pied* ★ naar beneden/boven ~ *descendre*/*monter* ★ over de brug ~ *passer sur le pont* ★ het ~ *la marche* • zich voortbewegen *aller*; ‹v. vloeistof› *couler* ★ uit de rails ~ *dérailler* ★ aan de grond ~ *échouer* ★ twee treinen ~ op elkaar *deux trains se télescopent* • zich uitstrekken *s'étendre*; *passer* ★ evenwijdig ~ *être parallèle à* ★ er loopt een balkon om het huis *il y a un balcon autour de la maison* • verlopen *aller*; *marcher* ★ hij weet niet hoe het zal ~ *il ne sait pas comment les choses tourneront* ★ alles loopt verkeerd *tout va mal* ★ het loopt tegen twaalven ‹'s middags› *il est près de midi*; ‹'s nachts› *il est près de minuit* • functioneren *marcher*; *fonctionner* ▾ men kan over hem ~ *on peut lui marcher sur les pieds* ▾ de schade loopt in de miljoenen *les dommages s'élèvent à des millions* ▾ naar de 60 ~ *aller sur ses 60 ans* ▾ het op een ~ zetten *se sauver*; *prendre ses jambes à son cou*
lopend • voortbewegend ‹te voet› *à pied*; ‹snel› *courant*; *mobile* ★ aan de ~e band *à la chaîne*; FIG. *sans arrêt* • voortgang hebbend *courant*; *en cours* ★ het ~e jaar *l'année en cours* ★ de ~e zaken *les affaires courantes*
loper • boodschapper *coursier* m [v: *coursière*] • sleutel *passe-partout* m [onv] • tapijt ‹in gang› *tapis* m *de couloir*; ‹op trap› *tapis*/*chemin* m *d'escalier*; ‹v. tafel› *chemin* m *de table* • schaakstuk *fou* m ▾ de rode ~ voor iemand uitleggen *accueillir qn en grande pompe*
lor *chiffon* m; *haillon* m ▾ hij weet er geen lor van *il n'en sait pas un traître mot* ▾ dat interesseert me geen lor *cela ne m'intéresse pas du tout*; *je m'en fiche*
lord *lord* m
lorgnet *lorgnon* m; *pince-nez* m [onv]
lorrie *lorry* m [mv: *lorries*]
los I BNW • niet vast *détaché*; *lâche*; ‹v. grond› *mouvant*; *meuble* ★ los haar *cheveux* m mv *flottants* • niet strak *peu serré* • apart ‹onverpakt› *sans emballage*; *détaché*; *séparé*; *mobile*; *en vrac*; ‹op zichzelf staand› *isolé* ★ los geld *menue monnaie* v ★ bank met losse kussens *canapé à coussins détachables* ★ losse aardappels verkopen *vendre les pommes de terre au poids* ★ een los blad *une feuille volante* ★ losse stukken *des pièces* v mv *détachées* ★ losse manchetten *des manchettes* v mv *détachables* ★ een losse zin *une phrase isolée* ★ losse bloemen *fleurs* v mv *coupées* • ongedwongen *libre*; *dégagé* ★ een losse stijl *un style dégagé* ▾ erop los praten *parler à tort et à travers* ▾ alles wat los en vast zit *tout le Saint-Frusquin* ▾ erop los slaan *cogner comme un sourd*; *cogner dur* ▾ erop los schieten *tirer dessus* II BIJW *librement*; *légèrement*; *avec désinvolture*; *séparément*; *lâchement*; *isolément*
losbandig I BNW *débauché*; *libertin* ★ een ~ leven leiden *vivre dans la débauche*; *faire la noce* II BIJW *licencieusement*; *dans la débauche*
losbarsten *éclater*; *se déchaîner* ★ het onweer is losgebarsten *l'orage s'est déchaîné*
losbladig *à feuillets mobiles*
losbol *fêtard* m [v: *fêtarde*]
losbranden *se déchaîner*
losbreken I OV WW afbreken *rompre*; *détacher* II ON WW • uitbarsten *se déchaîner* ★ de hel is losgebroken *la foule s'est déchaînée* • vrijkomen *se détacher*; ‹uit gevangenis› *s'évader*
los- en laadbedrijf *entreprise* v *de chargement et de déchargement*
losgaan *se détacher*; *se défaire*; *se disjoindre*; *se décrocher*
losgeld *rançon* v
losgeslagen *déchaîné*
losgooien *détacher*; ‹v. schip› *démarrer* ★ de trossen ~ *larguer les amarres*
losjes • niet vast *peu solidement* • luchthartig *avec désinvolture* • luchtig *légèrement*
loskomen • losraken *se décoller*; ‹v. vliegtuig› *décoller* • zich uiten *se détendre*; *se dégourdir* • vrijkomen *se dégager*; ‹vrijgelaten worden› *être mis en liberté*
loskopen *racheter*
loskoppelen ‹v. aansluitingen› *déconnecter*;

débrancher; ‹v. motor› *débrayer*; ‹v. treinwagon› *décrocher*; *séparer*
loskrijgen • in bezit krijgen *obtenir* • los/vrij weten te krijgen ‹iemand› *obtenir la libération de*; ‹iets› *(réussir à) détacher*; *(réussir à) défaire*
loslaten I OV WW • vrijlaten *lâcher*; *libérer*; ‹gevangene› *relâcher* • mededelen *lâcher*; *révéler* II ON WW losgaan *se détacher* ▼ niet ~ *insister*; *ne pas démordre*
loslippig *peu discret* [v: *peu discrète*]
loslopen *être en liberté*; ‹v. hond› *être détaché* ▼ het zal wel ~ *tout finira par s'arranger* ▼ dat is te gek om los te lopen *c'est trop bête*; *c'est insensé*
losmaken • maken dat iets/iemand los wordt *défaire*; *détacher* • oproepen *susciter* ★ dat heeft heel wat bij hem losgemaakt *cela lui a rappelé pas mal de souvenirs*
losplaats *lieu* m *de décharge/déchargement/débarquement*
losprijs *rançon* v
losraken *se dégager*; *se détacher*; *se disjoindre*
losrukken *arracher* ★ zich uit iemands armen ~ *s'arracher des bras de qn*
löss *loess* m
losscheuren I OV WW losmaken *arracher*; *déchirer* II ON WW losgaan *se détacher*
losschieten *se détacher brusquement*
losschroeven *dévisser*
lossen • uitladen *décharger*; ‹v. schip› *débarquer* • afschieten *tirer*; *décharger*
lostijd *delai* m *de déchargement*
los-vast *mal fixé*; FIG. *inconstant*
losweg • zomaar *sans hésiter* • losjes *à la légère*
losweken *décoller*
loswerken *dégager avec difficulté*; *libérer*
loszitten *branler*; *être mal fixé*
lot • lotsbestemming *sort* m; *destin* m; *destinée* v ★ iem. aan zijn lot overlaten *abandonner qn à son sort* • loterijbriefje *billet* m *de loterie*
loten *tirer au sort*
loterij *loterie* v ★ in de ~ spelen *jouer à la loterie*
lotgenoot *compagnon* m *d'infortune* [v: *compagne ...*]
lotgeval *aventure* v; FORM. *vicissitudes* v mv
Lotharingen *la Lorraine*
loting *tirage* m *au sort* ★ bij ~ *par tirage au sort*
lotion *lotion* v
Lotje ▼ van ~ getikt zijn *être timbré*
lotsbestemming *destin* m
lotto *loto* m
lottoformulier *formulaire* m *de loto*
lottotrekking *tirage* m *du loto*
lotus *lotus* m
lotuszit *position* v *du lotus*
louche *louche*
lounge *hall* m; ‹boot› *salon* m
louter I BNW enkel *pur* II BIJW *rien que*; *tout simplement*
louteren *épurer*; *purifier*
loutering • bevrijding *épuration* v; *catharsis* v • zuivering van metaal/glas *affinage* m
louvredeur *porte* v *à lamelles*
love game SPORT *jeu* m *blanc*
loven *louer*; *vanter*; FORM. *exalter*; ‹v. God› *glorifier*
lovenswaardig *louable*; *méritoire*
lover • gebladerte *feuillage* m • weefsel van lagere platen *verdure* v
low budget *à budget réduit*
loyaal I BNW • getrouw *loyal* [m mv: *loyaux*]; *fidèle* • toegewijd *dévoué* II BIJW *loyalement*; *fidèlement*
loyaliteit *loyauté* v; *fidélité* v
loyaliteitsverklaring *témoignage* m *de loyauté*
lozen • ontdoen van *décharger*; *se débarrasser (de)* ★ iem. ~ *se débarrasser de qn* • afwateren *évacuer*
lozing *évacuation* v
lp *(disque* m*) trente-trois tours* m
LPG *GPL* m; *gaz* m *de pétrole liquéfié*
LSD lyserginezuurdiëthylamide *L.S.D.* m
lts ≈ *école* m *d'enseignement technique du premier cycle*
lubberen *goder*
lucht • atmosfeer ‹buitenlucht› *air* m; *atmosphère* v ★ in de open ~ *en plein air* ★ ~ verversen *renouveler l'air*; *aérer* ★ door de ~ *par avion* • hemel *ciel* m [mv: *cieux*] • geur *odeur* v ★ vieze ~jes *mauvaises odeurs* • adem *air* m; *haleine* v ★ weer ~ krijgen *reprendre haleine* ▼ in de ~ laten springen *faire sauter* ▼ van de ~ leven *vivre de l'air du temps*; *vivre du vent* ▼ ~ geven aan zijn gramschap *décharger sa bile* ▼ ~ krijgen van *avoir vent de*
lucht- *aérien* [v: *aérienne*]; *de l'air*
luchtaanval *attaque* v *aérienne*
luchtafweer • het afweren *défense* v *aérienne du territoire*; *D.A.T.* v • geschut *défense* v *contre avions*; *D.C.A.* v; *artillerie* v *antiaérienne*
luchtalarm *alerte* v *aérienne* ★ ~ geven *donner l'alerte*
luchtballon *ballon* m
luchtband *pneu* m
luchtbed *matelas* m *pneumatique*
luchtbel *bulle* v *d'air*
luchtbrug • loopbrug *passerelle* v • vliegtuigverbinding *pont* m *aérien*
luchtcirculatie *circulation* v *de l'air*
luchtdicht I BNW *étanche*; *hermétique* ★ ~ verpakt *emballé sous vide* II BIJW *hermétiquement*
luchtdruk *pression* v *atmosphérique*
luchten • ventileren *aérer*; *ventiler* • uiten *faire étalage de*; *épancher* ★ zijn hart ~ *épancher/ouvrir le cœur* ▼ iemand niet kunnen ~ of zien *ne pas pouvoir souffrir/sentir qn*
luchter • kroonluchter *lustre* m • kandelaar *candélabre* m
luchtfietser *songe-creux* m [onv]
luchtfietserij *chimères* v mv
luchtfoto *photo* v *aérienne*
luchtgekoeld ★ ~e motor *moteur refroidi par air*
luchthartig I BNW *léger* [v: *légère*]; *frivole* II BIJW *frivolement*; *légèrement*

L

luchthaven *aéroport* m
luchthaventerminal *aérogare* v
luchtig I BNW • fris *aéré*; *frais* [v: *fraîche*] • licht *léger* [v: *légère*] II BIJW • fris *légèrement* ★ ~ gekleed *légèrement vêtu* • luchthartig *à la légère*; *légèrement*
luchtkoeling *refroidissement* m *par air*
luchtkoker *trou* m *d'aération*; *appel* m *d'air*; ‹in mijn› *puits* m *d'aérage*
luchtkussen *coussin* m *d'air*
luchtlaag *couche* v *atmosphérique*
luchtlandingstroepen *troupes* v mv *aéroportées*
luchtledig I ZN *vide* m ▾ in het ~e praten *parler dans le vide* II BNW *vide*
luchtmacht *armée* v *de l'air*; *forces* v mv *aériennes*
luchtmachtbasis *base* v *aérienne*
luchtmobiel ★ ~e brigade *brigade* v *d'intervention aéroportée*
luchtoffensief *attaque* v *aérienne*
luchtpijp *trachée* v
luchtpost *poste* v *aérienne* ★ per ~ *par avion*
luchtreclame *publicité* v *aérienne*
luchtreis *voyage* m *aérien*
luchtruim *airs* m mv; *espace* m *aérien*
luchtschip *dirigeable* m; *aérostat* m
luchtslag *bataille* v *aérienne*
luchtspiegeling *mirage* m
luchtsprong *cabriole* v; *gambade* v; INF. *galipette* v
luchtstreek *zone* v *climatique*; *climat* m
luchttransport *transports* m mv *aériens*
luchtvaart *aviation* v
luchtvaartindustrie *aviation* v
luchtvaartmaatschappij *compagnie* v *aérienne*
luchtverdediging *défense* v *antiaérienne*
luchtverfrisser *désodorisant* m
luchtverkeer *trafic* m *aérien*
luchtverkeersleiding *contrôle* m *de la navigation aérienne*
luchtverontreiniging *pollution* v *de l'air*
luchtverversing *aération* v; *ventilation* v
luchtvochtigheid *humidité* v *de l'air*
luchtvracht *fret* m *aérien*
luchtweerstand *résistance* v *de l'air*
luchtwortel *racine* v *aérienne*
luchtzak *trou* m *d'air*
luchtziek ★ ~ zijn *avoir le mal de l'air*
lucide *lucide*
lucifer *allumette* v ▾ Lucifer *Lucifer*
luciferdoosje *boîte* v *d'allumettes*
lucratief I BNW *lucratif* [v: *lucrative*] II BIJW *d'une manière lucrative*
ludiek *ludique*
luguber *lugubre*
lui I ZN mensen *gens* m mv; ‹bekenden› *gars* m mv; *copains* m mv ★ hallo luitjes *salut les copains* ▾ mijn ouwe lui *mes vieux* II BNW *paresseux* [v: *paresseuse*] ★ liever lui dan moe zijn *avoir peur de se fatiguer* III BIJW *paresseusement*
luiaard • persoon *paresseux* m [v: *paresseuse*] • dier *aï* m; *paresseux* m
luid I BNW *fort*; *haut* II BIJW *fort*; *à haute voix* ★ luid spreken *parler (bien) fort*
luiden I OV WW geluid maken *sonner* II ON WW • klinken *sonner* • behelzen *être conçu* ★ zijn antwoord luidde als volgt: *telle était sa réponse:* ★ het plan luidt als volgt: *le plan est ainsi conçu:*
luidkeels *à tue-tête* ★ ~ lachen *rire à gorge déployée*
luidruchtig I BNW lawaaierig *bruyant* II BIJW *bruyamment*
luidspreker • *haut-parleur* m [mv: *haut-parleurs*] • luidsprekerbox *(box* m*) baffle*
luier *couche* v ★ een schone ~ omdoen *changer*
luieren *paresser*; INF. *fainéanter*; *flemmarder*
luifel *auvent* m
luik ‹in raam› *volet* m; ‹m.b.t. schilderij› *panneau* m; ‹in vloer› *trappe* v
Luik *Liège*
luilak *paresseux* m [v: *paresseuse*]; *fainéant* m [v: *fainéante*]; ‹v. scholier› *cancre* m
luilekkerland *pays* m *de cocagne*
luim • humeur *humeur* v • gril *lubie* v; *saute* v *d'humeur*; *caprice* m
luipaard *léopard* m
luis *pou* m [mv: *poux*]
luister *éclat* m; *splendeur* v
luisteraar *auditeur* m [v: *auditrice*]
luisterboek *livre-cassette* m [mv: *livres-cassettes*]
luisterdichtheid *indice* m *d'écoute* ★ uur met grote ~ *heure* v *de grande écoute*
luisteren • toehoren *écouter* • ~ **naar** *être à l'écoute (de qc/qn)*; *être attentif à (qc)* [v: ... *attentive à*] • gehoorzamen *obéir* ▾ dat luistert nauw *il faut le faire avec précision*
luistergeld *redevance* v *radio*
luisterlied *chanson* v *à textes*
luisterrijk I BNW • glansrijk *éclatant*; *glorieux* [v: *glorieuse*] • schitterend *magnifique*; *splendide* II BIJW *glorieusement*; *splendidement*
luistertoets *test* m *de compréhension orale*
luistervaardigheid *compréhension* v *orale*
luistervink *écouteur* m *aux portes* [v: *écouteuse* ...]
luit *luth* m
luitenant *lieutenant* m ★ tweede ~ *sous-lieutenant* ★ ~ ter zee 1e klasse *capitaine de corvette* ★ ~ ter zee 2e/3e klasse *enseigne de vaisseau de 1ère/2ème classe* m
luitenant-generaal *général* m *de corps d'armée*
luitenant-kolonel *lieutenant-colonel* m [mv: *lieutenants-colonels*]
luitenant-ter-zee • 1e klasse *capitaine* m *de corvette* • 2e klasse ‹oudste categorie› *lieutenant* m *de vaisseau*; ‹jongste categorie› *enseigne* m *de vaisseau de 1ère classe* • 3e klasse *enseigne* m *de vaisseau 2ème classe*
luiwagen *balai-brosse* m [mv: *balais-brosses*]
luiwammes *feignant* m
luizen *épouiller* ▾ iemand erin ~ *blouser qn*
luizenbaan *planque* v
luizenkam *peigne* m *fin*
lukken *réussir (à)*; *arriver (à)* ★ het lukt me wel *j'y arrive(rai)*
lukraak I BNW *hasardeux* [v: *hasardeuse*] II BIJW *au petit bonheur*

L

lul • penis *bite* v; *pénis* m • persoon *con* m; *connard* m
lulkoek *conneries* v mv
lullen *déconner*
lullig • klungelig *ridicule*; *con* [v: *conne*] • onaangenaam ★ ~ doen *faire le con*
lumineus *lumineux* [v: *lumineuse*]; *brillant*
lummel *nigaud* m; *lourdaud* m
lummelen *fainéanter*; *traîner*; INF. *buller*
lummelig I BNW *empoté* II BIJW *comme un nigaud*
lunapark *parc* m *d'attractions*
lunch *déjeuner* m
lunchconcert *déjeuner-concert* m [mv: *déjeuners-concerts*]
lunchen *déjeuner*
lunchpakket *casse-croûte* m [onv]
lunchpauze *pause* v *déjeuner*
lunchroom *salon* m *de thé*
luren ▾ iemand in de ~ leggen *abuser qn*
lurken *téter*; ‹aan tabakspijp› *gargouiller*
lurven ▾ iemand bij de ~ pakken *saisir qn au collet*
lus *nœud* m
lust • zin *envie* v ★ de lust is hem vergaan om *l'envie lui est passé de* • verlangen *désir* m • plezier *plaisir* m; *délice* m ★ het is een lust om *c'est un plaisir de* ★ een lust voor het oog *un régal pour les yeux*
lusteloos I BNW *apathique*; *indolent*; *mou* [v: *molle*] [onr: *mol*] II BIJW *indolemment*; *sans envie*; *mollement*
lusten *aimer* ★ lust jij vis? *tu aimes le poisson?* ▾ hij zal er van ~ *il lui en cuira*
lusthof • tuin *jardin* m *d'agrément* • paradijs *Eden* m
lustig I BNW monter *gai*; *enjoué*; *joueux* [v: *joueuse*] II BIJW *gaiement*; *joyeusement*
lustmoord *crime* m *sadique*
lustmoordenaar *sadique* m/v
lustobject ★ de vrouw als ~ *la femme-objet*
lustrum *lustre* m
luthers *luthérien* [v: *luthérienne*]
luttel I BNW *petit* II BIJW *peu* ★ in ~e uren *en quelques heures* III ONB VNW *peu*
luw • uit de wind *à l'abri du vent* • vrij warm *doux* [v: *douce*]
luwen *se calmer*; *s'apaiser*; *tomber*
luwte *lieu* m *abrité (du vent)*
luxaflex *store* m *vénitien*
luxe I ZN *luxe* m II BNW *luxueux* [v: *luxueuse*]
luxeartikel *article* m *de luxe*
Luxemburg *le Luxembourg* ★ in ~ *au Luxembourg*
Luxemburger *Luxembourgeois* m [v: *Luxembourgeoise*]
Luxemburgs *luxembourgeois*
luxueus I BNW *luxueux* [v: *luxueuse*] II BIJW *luxueusement*
L-vormig *en forme de L*
lyceïst *lycéen* m [v: *lycéenne*]
lyceum *lycée* m
lychee *litchi* m
lycra *lycra* m
lymfklier *ganglion* m *lymphatique*
lymfocyt *lymphocyte* m
lynchen *lyncher*
lynx *lynx* m
lyriek *lyrisme* m
lyrisch I BNW *lyrique* II BIJW *avec lyrisme*

M

m *m* m
ma *maman* v
maag *estomac* m ★ zijn maag is in de war *il a l'estomac dérangé* ▾ hij zit er mee in zijn maag *il ne sait qu'en faire*
maagaandoening *affection* v *gastrique*
maagbloeding *hémorragie* v *stomacale*
maagd • vrouw *vierge* v ★ de Heilige Maagd *la Sainte Vierge* • sterrenbeeld *Vierge* v
maag-darmkanaal *tractus* m *gastro-intestinal*
maagdelijk • van een maagd *vierge* • zuiver *vierge*; *virginal* ★ ~ witte sneeuw *de la neige d'une blancheur virginale*
maagdelijkheid *virginité* v
maagdenvlies *hymen* m
maagklacht ≈ *douleur* v *d'estomac*
maagkramp *crampe* v *d'estomac*
maagkwaal *maladie* v *d'estomac*
maagpatiënt *gastrique* m/v
maagpijn *douleurs* v mv *d'estomac*
maagsap *suc* m *gastrique*
maagslijmvlies *muqueuse* v *de l'estomac*
maagvulling *aliment* m *qui ne nourrit pas*
maagwand *paroi* m *de l'estomac*
maagzuur *acide* m *gastrique* ★ last van ~ hebben *avoir des brûlures/aigreurs*
maagzweer *ulcère* m *à l'estomac*
maaien *couper*; *faucher*; FORM. *moissonner* ★ het gras ~ *tondre le gazon*; LANDB. *faucher l'herbe*
maaier *faucheur* m [v: *faucheuse*]; ‹voor de oogst› *moissonneur* m [v: *moissonneuse*]
maaimachine ‹voor het gazon› *tondeuse* v; *faucheuse* v; ‹voor de oogst› *moissonneuse* v
maak ★ in de maak zijn ‹nieuw maken› *en préparation*; ‹repareren› *en réparation*
maakbaar *faisable*
maakloon *façon* v; *main-d'œuvre* v
maaksel • product *produit* m; *production* v • manier waarop iets gemaakt is *fabrication* v
maakwerk *ouvrage* m *de commande*
maal I ZN (de) keer *fois* v ★ ditmaal *cette fois-ci* ★ tot tweemaal toe *à deux reprises* ★ 2 maal 2 is 4 *deux fois deux font quatre* II ZN (het) maaltijd *repas* m
maalstroom *tourbillon* m
maalteken *signe* m *de multiplication*
maaltijd *repas* m ★ koude ~ *repas froid*
maan *lune* v; ‹bij andere planeet› *satellite* m ★ het is heldere maan *il fait clair de lune* ▾ naar de maan zijn *être fichu* ▾ loop naar de maan! *va te faire foutre!*
maand *mois* m ★ de ~ juni *le mois de juin* ★ in de ~ juni *au mois de juin*; *en juin*
maandabonnement *abonnement* m *mensuel*
maandag *lundi* m ★ 's ~s *le lundi* ▾ hij is daar een blauwe ~ geweest *il n'a fait qu'entrer et sortir*
maandagmiddag ‹na 12 uur› *lundi* m *(à) midi*; ‹na 12 uur na 12 uur› *lundi* m *après-midi*
maandagmorgen *lundi* m *matin*
maandags I BNW *du lundi* II BIJW *le lundi*
maandblad *mensuel* m; *revue* v *mensuelle*
maandelijks I BNW *mensuel* [v: *mensuelle*] II BIJW *tous les mois*; *par mois*
maandenlang *pendant des mois*
maandgeld *mois* m
maandkaart *carte* v *mensuelle*
maandloon *salaire* m *mensuel*
maandsalaris *salaire* m *mensuel*
maandverband *serviette* v *hygiénique*
maanlander *module* m *lunaire*
maanlanding *alunissage* m
maanlicht *clarté* v *de la lune*; *clair* m *de lune* ★ bij ~ *au clair de lune*
maansikkel *croissant* m *(de lune)*
maansverduistering *éclipse* v *de lune*
maanzaad *graine* v *de pavot*
maanzaadbrood *pain* m *aux graines de l'œillette*
maar I ZN *mais* m II BIJW • toch ★ als het maar niet regent *pourvu qu'il ne pleuve pas* ★ dan moet je maar werken *tu n'as qu'à travailler* ★ zo maar *comme ça* • slechts *seulement*; *ne (+ ww) que* ★ maar een gulden *un seul florin* III VW *mais*
maarschalk *maréchal* m [mv: *maréchaux*]
maart *mars* m
maarts *de mars* ★ een ~e bui *une giboulée de mars*
Maas *Meuse* v
maat • meeteenheid *mesure* v • afmeting *mesure* v; ‹kleding› *taille* v; ‹schoenen› *pointure* v • MUZ. *mesure* v • iets waarmee men meet *mesure* v • gematigdheid *mesure* v • makker *camarade* m/v; *copain* m [v: *copine*]; INF. *pote* m
maatbeker *verre* m *gradué*
maatgevend • toonaangevend *qui donne le ton* • normatief *décisif* [v: *décisive*]
maatgevoel *sens* m *de la mesure*
maatglas *verre* m *gradué*; TECHN. *éprouvette* v; ‹maatbeker› *mesure* v
maathouden *garder la mesure*
maatje *copain* m [v: *copine*] ★ beste ~s zijn met *être très copain avec*
maatjesharing *hareng* m *vierge*
maatkleding *vêtements* m mv *sur mesure*
maatkostuum *costume* m *sur mesure*
maatregel *mesure* v ★ zijn ~en nemen *prendre ses dispositions*; *prendre ses mesures*
maatschap *société* v *en participation*
maatschappelijk *social* [m mv: *sociaux*] ★ ~ werk *assistance sociale* ★ ~ kapitaal *capital social* ★ ~ werkster *assistante sociale* ★ ~e plichten *devoirs* m mv *de citoyen*
maatschappij • samenleving *société* v ★ de burgerlijke ~ *la société civile* • genootschap *société* v; ‹verzekeringen› *compagnie* v ★ ~ op aandelen *société en commandite par actions*
maatschappijkritisch *contestataire*
maatschappijleer *instruction* v *civique*
maatstaf *critère* m; *norme* v; WISK. *échelle* v ★ als ~ nemen *prendre pour norme*
maatstok • meetlat *règle* v; *mètre* m • dirigeerstok *baguette* v
maatstreep *barre* v *de mesure*

maatwerk ‹v. kleding› *vêtements* m mv *sur mesure*; *travaux* m mv *sur mesure*
macaber I BNW *macabre* II BIJW *d'un air macabre*
macadam *macadam* m
Macao *le Macao*
macaroni *macaronis* m mv
Macedonië *la Macédoine* ★ in ~ *en Macédoine*
Macedoniër *Macédonien* m [v: *Macédonienne*]
Macedonisch *macédonien* m
mach *mach* m ★ 2 mach vliegen *voler à mach 2*
machiavellisme *machiavélisme* m
machinaal I BNW • met machines *mécanique*; *fait à la machine* • werktuiglijk *machinal* [m mv: *machinaux*] II BIJW • met machines *mécaniquement*; *machinalement* • werktuiglijk *machinalement*
machinatie *machination* v
machine *machine* v
machinebankwerker *ajusteur-mécanicien* m [mv: *ajusteurs-mécaniciens*]
machinegeweer *mitrailleuse* v
machinekamer *salle* v *des machines*; *machinerie* v
machinepark *machinerie* v
machinepistool *pistolet* m *mitrailleur*
machinerie *machinerie* v; *installation* v *mécanique*
machinetaal COMPUTER *langage* m *machine*
machinist SCHEEPV. *officier* m *mécanicien*; *mécanicien* m [v: *mécanicienne*]; *machiniste* m/v; ‹v. trein› *conducteur* m [v: *conductrice*]
macho I ZN *macho* m II BNW *macho*
machogedrag *machisme* m; *phallocratie* v
macht • vermogen *pouvoir* m; ‹kracht› *force* v ★ dat ligt niet in mijn ~ *ce n'est pas en mon pouvoir* ★ zijn ~ te buiten gaan *excéder ses pouvoirs* ★ bij ~e zijn om *être en état de*; *être à même de* ★ uit alle ~ slaan *frapper de toutes ses forces* ★ dat ligt boven mijn ~ *c'est au-dessus de mes forces* • heerschappij *pouvoir* m; *puissance* v ★ ~ hebben over *avoir du pouvoir sur* ★ de ~ over leven en dood *le droit de vie et de mort* ★ de ~ verliezen over *perdre le contrôle de*; *ne plus être maître de* • gezag *pouvoir* m ★ de strijd om de ~ *la lutte pour le pouvoir* ★ aan de ~ komen *arriver au pouvoir* • leger *force* v • menigte *foule* v; FORM. *multitude* v • WISK. *puissance* v ★ tot de derde ~ verheffen *élever à la puissance trois* ★ de derde ~ *le cube* ★ twee tot de vierde ~ *deux puissance quatre* ★ de tweede ~ *le carré*
machteloos *impuissant*; FIG. *désarmé*
machthebber *détenteur* m *du pouvoir* [v: *détentrice ...*]; *maître* m
machtig I BNW • veel macht hebbend *puissant* ★ ~e vijanden *de puissants ennemis* • beheersend ★ een taal ~ zijn *maîtriser une langue* • moeilijk te verteren *lourd* • indrukwekkend *sensationnel* [v: *sensationnelle*] II BIJW • krachtig *puissamment*; *fort* • zeer *énormément*
machtigen *mandater*; *donner mandat à*
machtiging *autorisation* v; *mandat* m; JUR. *habilitation* v; *pouvoir* m ★ ~ tot betaling *mandat de virement*
machtsevenwicht *équilibre* m *des forces*
machtsmiddel *pouvoir* m
machtsmisbruik *abus* m *de pouvoir*
machtsovername *prise* v *de pouvoir*
machtspositie *position* v *de force*
machtsstrijd *lutte* v *pour le pouvoir*
machtsverheffen *élever à une puissance*
machtsverheffing *élévation* v *à une puissance*
machtsverhouding *rapport* m *de forces*
machtsvertoon *déploiement* m *de forces*
machtswellust *tyrannie* v
macramé *macramé* m
macro- *macro-*
macro *macro(-instruction)* v
macrobiotiek *macrobiotisme* m
macrobiotisch *macrobiotique*
macro-economie *macro-économie* v
macrokosmos *macrocosme* m
Madagaskar *Madagascar* ★ op ~ *à Madagascar*
madam • bordeelhoudster *tenancière* v *de bordel* • vrouw *madame* v ★ de ~ uithangen *jouer à la grande dame*
made *ver* m; *asticot* m
madeliefje *pâquerette* v
madera *madère* m
madonna *Madone* v; *Sainte-Vierge* v
maf *dingue*
maffen *roupiller*; *pioncer* ★ gaan ~ *se pieuter*
maffia *maffia* v; *mafia* v
maffioso *maf(f)ieux* m; *membre* m *de la maf(f)ia*
mafkees *fada* m
magazijn • opslagplaats *magasin* m; *dépôt* m; *entrepôt* m • patroonruimte van geweer *magasin* m • winkel *magasin* m
magazijnbediende *manutentionnaire* m/v
magazijnmeester *magasinier* m [v: *magasinière*]
magazine *magazine* m
mager I BNW • dun *maigre*; *sec* [v: *sèche*] • niet vet *maigre*; *sans gras* ★ de ~e melkpoeder *le lait écrémé en poudre* • pover *maigre* ▼ ~e Hein *la camarde* II BIJW *maigrement*
magertjes *maigrement*
maggiblokje® *cube* m *de bouillon*
magie *magie* v
magiër *magicien* m [v: *magicienne*]
magisch *magique*
magistraal *magistral* [m mv: *magistraux*]
magistraat *magistrat* m
magistratuur *magistrature* v
magma *magma* m
magnaat *magnat* m
magneet *aimant* m
magneetnaald *aiguille* v *aimantée*
magneetschijf *disque* m *magnétique*
magneetstrip *bande* v/*piste* v *magnétique*
magnesium *magnésium* m
magnesiumcarbonaat *carbonate* m *de magnésium*
magnetisch I BNW *magnétique* ★ een ~ veld *un champ magnétique* ★ ~ worden *devenir aimanté* II BIJW *magnétiquement*
magnetiseren *magnétiser*

M

magnetiseur *magnétiseur* m [v: *magnétiseuse*]
magnetisme *magnétisme* m
magnetron *four* m *à micro-ondes*
magnetronfolie *feuille* v *spéciale micro-ondes*
magnifiek I BNW *magnifique* II BIJW *magnifiquement*
magnolia *magnolia* m
mahonie I ZN *acajou* m II BNW *en acajou*
mahoniehouten *en/d'acajou*
mailing *mailing* m; *publipostage* m
maillot *collant* m
mainframe COMP. *ordinateur* m *maître*
maïs *maïs* m
maïskolf *épi* m *de maïs*
maïskorrel *grain* m *de maïs*
maisonnette ≈ *duplex* m
maîtresse *maîtresse* v
maïzena *farine* v *de maïs*; *maïzena* v
majesteit *majesté* v
majesteitsschennis *crime* m *de lèse-majesté*
majestueus I BNW *majestueux* [v: *majestueuse*] II BIJW *majestueusement*
majeur *majeur* m
majoor *commandant* m
majoraan *marjolaine* v
majordomus *majordome* m
majorette *majorette* v
majuskel *majuscule* v
mak *docile*; *apprivoisé* ⋆ mak maken *apprivoiser*
makelaar *agent* m; *courtier* m [v: *courtière*] ⋆ beëdigd ~ *courtier inscrit* ⋆ ~ in onroerend goed *agent immobilier*
makelaardij *courtage* m
makelaarskantoor *agence* v *immobilière*
makelaarsloon *courtage* m
makelij *fabrication* v
maken • vervaardigen *faire*; *fabriquer*; *confectionner* ⋆ groter ~ *agrandir* • doen ontstaan *créer*; ‹m.b.t. muziek› *composer* • herstellen *réparer* • doen ‹met bijvoeglijk naamwoord› *rendre* ⋆ iem. gelukkig ~ *rendre qn heureux* ⋆ iem. boos ~ *mettre qn en colère* ⋆ iem. aan het lachen ~ *faire rire qn* • verkrijgen *faire* ⋆ geld ~ *se faire de l'argent* • veroorzaken ⋆ maak dat je wegkomt *débarrasse le plancher* ▾ het goed ~ *être en bonne santé* ▾ iets met iemand goed te ~ hebben *avoir qc à réparer envers qn* ▾ hoe maakt u het? *comment allez-vous?* ▾ dat maakt niets uit *ça ne fait rien* ▾ hij kan me niets ~ *il ne peut rien contre moi* ▾ je hebt hier niets te ~ *tu n'as rien à faire ici* ▾ met iemand te ~ hebben/krijgen *avoir affaire à qn* ▾ met iets te ~ hebben/krijgen *avoir à faire avec qc* ▾ dat heeft daarmee niets te ~ *ça n'a rien à voir*; *cela n'a aucun rapport* ▾ wat heeft dat ermee te ~? *je ne vois pas le rapport* ▾ hij heeft het er naar gemaakt *il ne l'a pas volé* ▾ het te erg ~ *aller trop loin* ▾ iets erger ~ dan het is *exagérer qc*
maker *fabricant* m [v: *fabricante*]; *auteur* m
make-up *maquillage* m
makke *hic* m ▾ niets te ~ hebben *ne pas avoir un radis*
makkelijk I BNW • niet moeilijk *facile*; *aisé* • geriefelijk *confortable* • handig *commode* II BIJW • niet moeilijk *facilement*; *aisément* ⋆ jij hebt ~ praten *c'est facile à dire* • geriefelijk *confortablement*
makker *copain* m [v: *copine*]; *camarade* m/v; *compagnon* m [v: *compagne*]; INF. *pote* m
makkie *chose* v *facile* ⋆ ik heb een ~ vandaag *aujourd'hui je me la coule douce*
makreel *maquereau* m [mv: *maquereaux*]
mal I ZN model *moule* m II BNW dwaas *sot* [v: *sotte*]; *farfelu*; *un peu fou* [v: *un peu folle*] ⋆ ben je mal? *ça va pas non?*; *tu n'es pas un peu fou?* III BIJW *d'une manière farfelue*; *follement*
malafide *véreux* [v: *véreuse*]
malaise *malaise* m
malaria *paludisme* m; *malaria* v
malariamug *anophèle* m
Malawi *le Malawi*
Malediven *Maldives* v mv ⋆ op de ~ *aux Maldives*
Maleisië *la Malaisie* ⋆ in ~ *en Malaisie*
malen I OV WW fijnmalen *moudre*; *broyer* II ON WW • raaskallen *divaguer*; INF. *radoter* • piekeren *tracasser* ⋆ dat maalt maar door mijn hoofd *ça me tracasse*; *je n'arrête pas d'y penser*
Mali *le Mali* ⋆ in Mali *au Mali*
maliënkolder *cotte* v *de mailles*
maligne *malin* [v: *maligne*]
maling *mouture* v ▾ ik heb er ~ aan *je m'en fous*; *je m'en moque* ▾ iemand in de ~ nemen *se payer la tête de qn*
mallemoer ▾ die fiets is naar zijn ~ *ce vélo est foutu* ▾ het interesseert me geen ~ *j'en ai rien à cirer*
mallemolen *chevaux* m mv *de bois*
malligheid *sottise* v; *bêtise* v; *blague* v
malloot *pitre* m
Mallorca *(l'île* v *de) Majorque*
mals *tendre* ⋆ zijn oordeel is niet mals geweest *il n'a pas été tendre dans son jugement*
Malta *Malte* ⋆ op ~ *à Malte*
maltraiteren *maltraiter*
malversatie *malversation* v
mam *maman* v
mama *maman* v
mamba *mamba* m
mambo *mambo* v
mammoet *mammouth* m
mammoettanker *superpétrolier* m
mammografie *mammographie* m
mammon *Mammon* m ⋆ de ~ dienen *adorer le Veau d'or*
man • mannelijk persoon *homme* m; VULG. *mec* m ⋆ hij is er de man niet naar om *il n'est pas homme à* ⋆ jij bent mijn man *tu es mon homme*; *tu es l'homme qu'il me faut* ⋆ een man van betekenis *un homme d'importance* ⋆ een man van zijn woord *un homme de parole* ⋆ een groot man *un grand homme* ⋆ een grote man *un homme grand* ⋆ de juiste man op de juiste plaats *l'homme de la situation* • echtgenoot *mari* m ⋆ man en vrouw *mari et femme* • mens *homme* m ⋆ per man *par personne*; *par tête* ⋆ een strijd

van man tegen man *une lutte corps à corps* ▾ als één man *comme un seul homme* ▾ man en paard noemen *ne rien taire* ▾ aan de man brengen ‹v. koopwaar› *trouver un acheteur*; ‹v. vrouw› *caser (une de ses filles)* ▾ met man en muis vergaan *périr corps et biens* ▾ hij zegt het op de man af *il ne vous l'envoie pas dire* ▾ een man een man, een woord een woord *un homme d'honneur n'a que sa parole* ▾ de gewone man *l'homme de la rue*; *Monsieur Tout-le-Monde* ▾ een man uit één stuk *un homme tout d'une pièce*
management • het besturen *gestion* v • leer *management* m • personen *management* m; *direction* v
management-consultant *conseiller* m *de gestion (d'entreprise)* [v: *conseillère ...*]
managementteam *cadres* m mv
manager • bedrijfsleider *manager* m; *gérant* m • zakelijk leider *manager* m
manche *manche* v
manchet *manchette* v
manchetknoop *bouton* m *de manchette*
manco *déficit* m; *manque* m
mand *corbeille* v; *panier* m; ‹op de rug› *hotte* v ▾ door de mand vallen *se montrer sous son vrai jour*; *se trahir*
mandaat *mandat* m ★ zijn ~ neerleggen *déposer son mandat*
mandaatgebied *région* v *sous mandat*
mandarijn • vrucht *mandarine* v; *clémentine* v • Chinese staatsambtenaar *mandarin* m
mandekking *marquage* m
mandoline *mandoline* v
manege *manège* m
manen I ZN *crinière* v II OV WW • herinneren *sommer (de)* • aansporen *exhorter (à)*
maneschijn *clair* m *de lune*
mangaan *manganèse* m
mangat *trou* m *individuel*
mangel *calandre* v; ‹v. was› *essoreuse* v
mangelen *calandrer*; *essorer*
mango *mangue* v
mangrove *mangrove* v
manhaftig I BNW *courageux* [v: *courageuse*]; *vaillant* II BIJW *courageusement*; *vaillamment*
maniak *maniaque* m/v
maniakaal *maniaque*
manicheïsme *manichéisme* m
manicure • handverzorging *manucure* v • handverzorger *manucure* m
manicuren *manucurer*
manie *manie* v
manier • wijze *manière* v; *façon* v ★ de ~ waarop *la façon/manière dont* ★ op die ~ *de cette façon/manière* • omgangsvormen *manières* v mv ★ geen ~en hebben *ne pas savoir se conduire* ★ de goede ~en *le savoir-vivre* ★ dat is geen ~ van doen *cela ne se fait pas*
maniërisme *maniérisme* m
maniertje • foefje *truc* v mv • gekunsteldheid *manières* v mv ★ ~s hebben *faire des manières*
manifest *manifeste* m
manifestatie *manifestation* v
manifesteren I OV WW kenbaar maken *manifester* II ON WW betoging houden *manifester*
manipulatie *manipulation* v
manipulator *manipulateur* m [v: *manipulatrice*]; *quelqu'un qui manigance*
manipuleren *manipuler*
manisch *maniaque*
manisch-depressief *maniacodépressif* [v: *maniacodépressive*]
manjaar *productivité* v *d'un homme par an*
mank *boiteux* [v: *boiteuse*] ★ mank lopen *boiter* ▾ die vergelijking gaat mank INF. *cette comparaison cloche*
mankement • defect *défaut* m • lichaamsgebrek *infirmité* v
mankeren • ontbreken *manquer* ★ dat mankeert er nog maar aan *il ne manquait plus que ça* • schelen *avoir* ★ wat mankeert je? *qu'est-ce-que tu as?*
mankracht *main-d'œuvre* v
manmoedig I BNW *vaillant* II BIJW *vaillamment*
manna *manne* v
mannelijk I BNW • niet vrouwelijk *mâle* • als van een man *viril* • TAALK. *masculin* II BIJW *virilement*
mannengek *dragueuse* v
mannenkoor *chœur* m *d'hommes*; *chorale* v *masculine*
mannenstem ‹v.e. man› *voix* v *d'homme*; ‹mannelijk› *voix* v *masculine*
mannentaal *langage* m *viril*
mannenwereld *monde* m *des hommes/d'hommes*; *société* v *machiste/phallocratique*
mannequin *mannequin* m
mannetje • kleine man *petit bonhomme* m; INF. *petit (bout* m *d'homme)* • mannelijk dier *mâle* m ▾ zijn ~ staan *ne pas se laisser faire*; *savoir se défendre* ▾ wel ~! *eh bien, mon ami*
mannetjesputter • man *as* m • manwijf *costaude* v
manoeuvre *manœuvre* v
manoeuvreerbaarheid *manœuvrabilité* v
manoeuvreren *manœuvrer*
manometer *manomètre* m
mans ★ mans genoeg zijn om *être de taille à*
manschappen *hommes* m mv; *soldats* m mv; *troupes* v mv
manshoog *à hauteur d'homme*
manspersoon *homme* m; *mâle* m
mantel *manteau* m [mv: *manteaux*] ▾ iemand de ~ uitvegen *dire son fait à qn*; *passer un savon à qn* ▾ met de ~ der liefde bedekken *couvrir du manteau de la charité*; *tirer le voile sur*
mantelpak *tailleur* m
mantra *mantra* m
manueel *manuel* [v: *manuelle*] ★ manuele therapie *thérapie manuelle*
manufacturen *étoffes* v mv; *tissus* m mv
manuscript *manuscrit* m
manusje-van-alles *homme* m *à tout faire*
manuur *heure* v *de travail par personne*
manwijf *virago* v
manziek *nymphomane*
map *classeur* m; *chemise* v
maquette *maquette* v

maraboe *marabout* m
marathon *marathon* m
marathonloper *marathonien* m [v: *marathonienne*]; *coureur* m *de marathon* [v: *coureuse ...*]
marathonzitting *séance-marathon* v [mv: *séances-marathons*]
marchanderen *marchander*
marcheren *marcher au pas*
marconist *radionavigant* m; INF. *radio* m
mare • bericht *nouvelle* v • gerucht *bruit* m
marechaussee ≈ *gendarmerie* v
maren *faire des objections* ★ altijd iets te ~ hebben *toujours avoir des objections*
maretak *gui* m
margarine *margarine* v
marge *marge* v
marginaal *marginal* [m mv: *marginaux*]
margriet *marguerite* v
Maria *Marie* ★ Heilige ~ *la Sainte Vierge* ★ ~-Boodschap *l'Annonciation* ★ ~-Tenhemelopneming *l'Assomption*
Mariabeeld *madone* v
Maria-Hemelvaart *l'Assomption* v
marihuana *marijuana* v
marinade *marinage* m; ‹kruidenmengsel› *marinade* v
marine *marine* v *militaire*; *marine* v *nationale*
marinebasis *base* v *navale*
marineblauw *bleu marine*
marineren *mariner*
marinier *fusilier* m *marin* ★ korps ~s *infanterie de marine* v
marionet *marionnette* v; FIG. *fantoche* m
marionettenregering *gouvernement* m *fantoche*
marionettenspel *(théâtre* m *de) marionnettes* v mv
maritiem *maritime*
marjolein *marjolaine* v
mark *mark* m
markant *frappant*; *marquant*
markeerstift *surligneur* m; *marqueur* m
markeren *marquer*; *délimiter*
marketing *marketing* m
marketingcommunicatie *communication* v *en marketing*
marketingstrategie *stratégie* v *de marketing*
markies *marquis* m [v: *marquise*]
markt *marché* m ★ ~plein *place* v *du marché* ★ de Europese ~ *le Marché commun* ★ op de ~ komen *paraître sur le marché* ★ onder de ~ *au-dessous du prix* ★ een nieuw product op de ~ brengen *lancer un nouveau produit* ★ uit de ~ nemen *retirer de la vente* ▾ van alle ~en thuis zijn *s'y connaître dans tous les domaines* ▾ zich uit de ~ prijzen *être trop cher*
marktaandeel *part* v *de marché*
marktanalyse *étude* v *du marché*
markteconomie *économie* v *de marché* ★ vrije ~ *économie libérale*
markten *aller au marché*
marktkoopman *forain* m
marktkraam *étal* m; *éventaire* m
marktleider *leader* m
marktmechanisme *mécanisme* m *économique*
marktonderzoek *étude* v *de marché*
marktprijs *prix* m *du marché*; ‹v. huis/auto› *prix* m *courant*
marktstrategie *stratégie* v *du marché*
marktverkenning *prospection* v
marktwaar *marchandises* v mv
marktwaarde *valeur* v *marchande*
marmelade *marmelade* v; ‹v. sinaasappel› *confiture* v *d'oranges*
marmer *marbre* m
marmeren I BNW *de marbre*; *en marbre* II OV WW *marbrer* ★ het ~ *la marbrure*
marmot *marmotte* v
Marokkaan *Marocain* m [v: *Marocaine*]
Marokko *le Maroc* ★ in ~ *au Maroc*
mars I ZN • voettocht *marche* v ★ op mars *en marche* • MUZ. *marche* v ▾ heel wat in zijn mars hebben *être très fort/calé* ▾ hij heeft niet veel in zijn mars *il n'a pas inventé la poudre* II TW ★ voorwaarts mars! *en avant, marche!*
Mars *Mars*
Marsbewoner *martien* m
marsepein *massepain* m
marshmallow *bonbon* m *à la guimauve*
marskramer *colporteur* m [v: *colporteuse*]
marsmannetje *martien* m; *petit homme* m *vert*
marsmuziek *musique* v *de marche/militaire*
marsorder *feuille* v *de route*
martelaar *martyr* m [v: *martyre*]
martelaarschap *martyre* m
marteldood *martyre* m
martelen • tobben *torturer*; *martyriser* • folteren *torturer*
martelgang *calvaire* m; *martyre* m
marteling *martyre* m; *supplice* m; *torture* v
marteltuig *instrument* m *de torture*
marter *martre* v
martiaal *martial* [m mv: *martiaux*]
marxisme *marxisme* m
marxist *marxiste* m/v
marxistisch *marxiste*
mascara *mascara* m
mascotte *mascotte* v
masculien *masculin*
masker *masque* m ▾ het ~ afleggen *ôter son masque*; *agir ouvertement*
maskerade *mascarade* v
maskeren *masquer*
masochisme *masochisme* m
masochist *masochiste* m/v
masochistisch *masochiste*
massa • grote hoeveelheid *masse* v; *quantité* v • volk *masse* v ★ de grote ~ *la foule*
massaal I BNW • een groot geheel vormend *massif* [v: *massive*] • in massa *en masse* II BIJW *en masse*; *massivement*
massacommunicatie *communication* v *de masse*
massacultuur *culture* v *de masse*
massagraf *charnier* m; *fosse* v *commune*
massamedium *mass média* m mv
massamoord *massacre* m; *tuerie* v
massaontslag *licenciement* m *collectif*
massaproductie *production* v *en masse*; *production* v *en (grande) série*

massaregie *mise* v *en scène des mouvements de foule*
massatoerisme *tourisme* m *de masse*
masseren *masser*
masseur *masseur* m [v: *masseuse*]
massief I ZN *massif* m II BNW *massif* [v: *massive*] III BIJW *massivement*
mast • paal *poteau* m [mv: *poteaux*]; ‹zendmast› *pylône* m • scheepsmast *mât* m
master *titulaire* m/v *d'une maîtrise*
masterclass MUZ. *cours* m *de (grand) maître*
mastodont *mastodonte* m
masturbatie *masturbation* v
masturberen *se masturber*
mat I ZN kleed *tapis* m; ‹deurmat› *paillasson* m ★ een ruige mat *un tapis-brosse* II BNW • dof *mat*; *sans éclat*; *terne* • moe *faible*; *fatigué* • schaakmat *mat* ★ mat zetten *faire mat* III BIJW *faiblement*
matador *matador* m
match *match* m; *rencontre* v
matchpoint SPORT *balle* v *de match* ★ op ~ staan *jouer la balle de match*; FIG. *être tout près de la victoire*
mate *mesure* v ★ met mate *avec modération*; *modérément* ★ in die mate *à ce point* ★ in de hoogste mate *au plus haut degré* ★ in gelijke mate *au même degré* ★ in meerdere of mindere mate *plus ou moins*
mateloos I BNW *démesuré*; *immense* II BIJW *démesurément*
materiaal • stof *matériau* m [mv: *matériaux*] • benodigdheden *matériel* m
materialisme *matérialisme* m
materialist *matérialiste* m/v
materialistisch *matérialiste*
materie *matière* v
materieel I ZN *matériel* m II BNW uit materie bestaand *matériel* [v: *matérielle*]
matglanzend *à éclat terne*
matglas *verre* m *dépoli*
matheid • dofheid *matité* v • vermoeidheid *lassitude* v; *fatigue* v
mathematicus *mathématicien* m [v: *mathématicienne*]
mathematisch *mathématique*
matig I BNW • sober *modéré*; *mesuré*; ‹v. prijs› *modique*; ‹v. spijs/drank› *sobre*; *frugal* [m mv: *frugaux*] • middelmatig *modéré*; *médiocre*; ‹v. warmte› *tempéré* II BIJW • sober *sobrement*; *frugalement* • middelmatig *modérément*
matigen I OV WW • intomen *modérer*; *calmer* • verzachten *diminuer*; *réduire* ★ de snelheid ~ *réduire la vitesse* II WKD WW *se restreindre*
matiging *modération* v; *retenue* v; *sobriété* v
matinee *matinée* v
matineus *matinal* [m mv: *matinaux*]
matje *petite natte* v ▾ op het ~ geroepen worden *devoir rendre des comptes*; *se faire rappeler à l'ordre*
matras *matelas* m
matriarchaal *matriarcal* [m mv: *matriarcaux*]
matriarchaat *matriarcat* m
matrijs *matrice* v
matrix *matrice* v
matrixprinter *imprimante* v *matricielle*
matrone *matrone* v
matroos *matelot* m
matrozenpak *costume* m *marin*
matse *pain* m *azyme*
matsen *être sympa avec quelqu'un* ★ ik heb hem gematst ‹m.b.t. werk› *je l'ai pistonné*; ‹m.b.t. betalen› *je lui ai fait un prix d'ami*
matten I OV WW met matten beleggen *empailler* II ON WW vechten *castagner*
mattenklopper *tapette* v
Mauritanië *la Mauritanie* ★ in Mauretanië *en Mauritanie*
Mauritius *île* v *Maurice* ★ op ~ *dans l'île Maurice*
mausoleum *mausolée* m
mauve *mauve*
mauwen *miauler*
mavo ≈ *enseignement* m *général secondaire*
m.a.w. met andere woorden *en d'autres termes*
maxi- *maxi*
maxi-jurk *robe* v *maxi*
maximaal I BNW *maximal* [m mv: *maximaux*]; *maximum* [onv] ★ de maximale belasting *le maximum de charge*; *la charge maximale* II BIJW *au maximum*
maximaliseren *maximaliser*; *maximiser*
maximeren *fixer un maximum/une limite à*
maximum *maximum* m
maximumsnelheid *vitesse* v *maximale* ★ toegestane ~ *la vitesse maximum autorisée*
maximumtemperatuur *température* v *maximum*
maxisingle *disque* m *double durée*
mayonaise *mayonnaise* v
mazelen *rougeole* v
mazen *remailler*
mazzel *pot* m; *bol* m; *veine* v; *baraka* v
mazzelen *avoir de la veine*; *avoir du pot*
mbo ≈ *enseignement* m *secondaire professionnel*
me *me*; *m'*; ‹benadrukt, na voorzetsel› *moi*
ME ≈ *CRS* m mv; ≈ *Compagnie* v *Républicaine de Sécurité*
meander *méandre* m
meao ≈ *enseignement* m *économique et administratif du second cycle*
mecanicien *mécanicien* m [v: *mécanicienne*]
mecenaat *mécénat* m
mecenas *mécène* m
mechanica *mécanique* v
mechaniek *mécanisme* m
mechanisch *mécanique*
mechaniseren *mécaniser*
mechanisme *mécanisme* m
medaille *médaille* v
medaillon *médaillon* m
mede *également*
mede- *co-*
medeaansprakelijk *coresponsable*
medebeslissingsrecht *droit* m *de participation aux décisions*
medeburger *concitoyen* m [v: *concitoyenne*]
mededeelzaam *communicatif* [v: *communicative*]; *expansif* [v: *expansive*]
mededeling *annonce* v; *communication* v
mededelingenbord *tableau* m *d'affichage*

mededinger *concurrent* m [v: *concurrente*]; *rival* m [mv: *rivaux*] [v: *rivale*]
mededinging *concurrence* v ⋆ buiten ~ *hors concours*
mededogen *compassion* v; *pitié* v
medeklinker *consonne* v
medeleven *compassion* v; *sympathie* v
medelijden *compassion* v; *pitié* v ⋆ met iem. ~ hebben *avoir pitié de qn* ⋆ om ~ mee te hebben *à faire pitié*
medelijdend I BNW *compatissant* II BIJW *avec pitié*; *avec compassion*
medemens *prochain* m; *semblable* m
medemenselijkheid *humanité* v
medeplichtig *complice*
medeplichtige *complice* m/v
medestander *partisan* m [v: *partisane*]
medewerker *collaborateur* m [v: *collaboratrice*]
medewerking *collaboration* v; *participation* v; *concours* m
medeweten *connaissance* v ⋆ buiten zijn ~ *à son insu* ⋆ met zijn ~ *en connaissance de cause*
medezeggenschap *participation* v; ‹in bedrijf› *cogestion* v ⋆ ~ hebben *avoir voix délibérative*
media *médias* m mv
mediabeleid *politique* v *des médias*
mediatheek *médiathèque* v
medicament *médicament* m
medicatie *médication* v
medicijn • geneesmiddel *médicament* m • geneeskunde *médecine* v ⋆ student in de ~en *étudiant* m *en médecine* ⋆ ~en studeren *faire des études de médecine*
medicijnflesje *fiole* v
medicijnkastje *armoire* v *à pharmacie*
medicijnman *guérisseur* m
medicinaal *médicinal* [m mv: *médicinaux*]
medicus *médecin* m
mediëvist *médiéviste* m/v
mediëvistiek *médiévisme* m
medio *mi-* ⋆ ~ november *à la mi-novembre*
medisch *médical* [m mv: *médicaux*] ⋆ de ~e faculteit *la faculté de médecine* ⋆ een ~ attest *un certificat médical* ⋆ een ~ onderzoek ondergaan *subir un examen médical*
meditatie *méditation* v
mediteren *méditer*
mediterraan *méditerranéen* [v: *méditerranéenne*]
medium • communicatiemiddel *média* m • persoon *médium* m
mee *avec* ⋆ ga je mee? *tu viens?* ⋆ hij wil met ons mee *il veut nous accompagner*
meebrengen • meenemen ‹v. iets draagbaars› *apporter*; *rapporter*; ‹v. wat niet draagbaar is› *amener* ⋆ breng je kaas mee uit Nederland? *tu rapportes du fromage des Pays-Bas?* • inherent zijn aan *entraîner*
meedelen I OV WW laten weten *communiquer*; *faire savoir* II ON WW deel hebben *participer à* ⋆ ~ in de winst *participer aux bénéfices*
meedenken *joindre ses pensées à celles des autres*
meedingen *concourir (pour)* ⋆ ~ naar de wereldcup *concourir pour la coupe du monde*
meedoen ‹aan iets› *participer à*; ‹met iemand› *s'associer à* ⋆ met iem. ~ ‹met betrekking tot een spel› *entrer dans le jeu de qn* ⋆ mag ik ~? *je peux jouer?* ⋆ zelf ~ *participer personnellement*
meedogend *apitoyé*
meedogenloos *impitoyable*
meedraaien *travailler avec quelqu'un* ⋆ hij draait al een tijd mee *il travaille ici depuis longtemps déjà*
meedragen *porter avec soi*
mee-eter *point* m *noir*
meegaan • overeenstemmen *suivre*; *être d'accord avec* ⋆ met zijn tijd ~ *vivre avec son temps*; *être de son temps* • bruikbaar blijven *durer* • vergezellen *aller avec*; *accompagner* ⋆ ga je mee? *tu viens?*
meegaand *accommodant*; *facile à vivre*
meegeven I OV WW geven *donner* II ON WW geen weerstand bieden *céder*; *être flexible* ⋆ niet ~ *résister*
meehelpen *aider*
meekomen • bijblijven *suivre* ⋆ hij kan niet ~ *il ne peut pas suivre* • samen komen *venir avec*; *accompagner*
meekrijgen • op de hand krijgen *gagner* • ontvangen *recevoir* • overhalen *réussir à faire venir*
meel *farine* v
meeldauw *mildiou* m
meeldraad *étamine* v
meeleven ‹vreugde› *participer à la joie de quelqu'un*; ‹verdriet› *participer au chagrin de quelqu'un*
meelijwekkend *pitoyable*
meelokken *entraîner avec soi*
meelopen • meegaan *accompagner* • gunstig verlopen *réussir*
meeloper *suiviste* m/v
meemaken *vivre* ⋆ van alles ~ *en voir de toutes les couleurs* ⋆ hij heeft de oorlog meegemaakt *il a fait la guerre*
meenemen ‹v. iets draagbaars› *emporter*; ‹v. wat niet draagbaar is› *emmener* ▾ dat is meegenomen *c'est autant de gagné*
meepikken • stelen *piquer* • iets extra doen *faire à la fois*
meepraten • samen praten *prendre part à la conversation* ⋆ daar kan hij over ~ *il en sait qc* • napraten *répéter ce que les autres disent*
meer I ZN (het) *lac* m II BIJW • verder *plus* ⋆ wat wil je nog meer? *qu'est-ce que tu veux de plus?* ⋆ dat smaakt naar meer *cela a un goût de revenez-y* ⋆ niem. meer? *personne n'en veut plus?* ⋆ zij zingt niet meer *elle ne chante plus* ⋆ hij heeft niets meer *il n'a plus rien* • in hogere mate *plus* ⋆ hij leest meer dan ik *il lit plus que moi* ⋆ meer en meer *de plus en plus* ⋆ dank u, niet meer *c'est assez, merci* ⋆ het is niet meer dan billijk *ce n'est que juste* • veeleer ⋆ des te meer, omdat *d'autant plus que* III ONB VNW ▾ zonder meer *sans plus* IV TELW in grotere mate *plus*; *davantage* ⋆ meer dan honderd gulden *plus*

M

de cent florins ★ tien gulden meer *dix florins de plus*
ME'er *crs* m
meerdaags *de/pour plusieurs jours*
meerdelig *en plusieurs parties*
meerdere I ZN *supérieur* m II ONB VNW *plusieurs*
meerderen *augmenter*
meerderheid • groter aantal *majorité* v ★ bij ~ van stemmen *à la majorité* ★ de numerieke ~ *la supériorité du nombre* ★ zwijgende ~ *majorité silencieuse* • overwicht *supériorité* v
meerderheidsbelang *participation* v *majoritaire*
meerderjarig *majeur*
meergeboorte *naissance* v *multiple*
meerijden *accompagner*
meerjarenplan *plan* m *pluriannuel*
meerjarig *de plusieurs années* ★ ~e planten *plantes* v mv *vivaces*
meerkeuzetest *test* m *à choix multiple*
meerkeuzetoets *test* m *à choix multiple*
meerkeuzevraag *question* v *à choix multiple*
meerkoet *foulque* v *macroule*
meerlingenzwangerschap *grossesse* v *multiple*
meermaals *plus d'une fois*; *plusieurs fois*
meeroken *tabagisme* m *passif*
meeropbrengst *rendement* m *marginal*
meerpaal *poteau* m *d'amarrage* [m mv: *poteaux ...*]
meerpartijensysteem *pluripartisme* m
meerstemmig *à plusieurs voix*
meertalig *polyglotte*; *plurilingue*
meerval *silure* m
meervoud *pluriel* m ★ ~ maken *mettre au pluriel*
meervoudig I BNW TAALK. *au pluriel*; *multiple* ★ ~ onverzadigde vetzuren *poly-insaturés* II BIJW *de façon multiple*
meerwaarde *plus-value* v [mv: *plus-values*]
mees *mésange* v
meesjouwen *traîner*
meeslepen • meenemen *entraîner* • in vervoering brengen *passionner* ★ het publiek ~ *enthousiasmer le public*
meeslepend I BNW *entraînant* ★ een ~ betoog *un discours enflammé* II BIJW *avec enthousiasme*
meesmuilen *rire dans sa barbe*
meespelen • meedoen *prendre part au jeu*; *se prêter au jeu* • van belang zijn *jouer un rôle*
meespreken *prendre part à la conversation* ★ daar kan hij van ~ *il en sait qc*
meest I BIJW in hoogste mate *le plus* II ONB VNW de grootste hoeveelheid ★ de ~en zullen komen *la plupart viendront* III TELW het grootste aantal *la majorité de* ★ de ~e mensen *la plupart des hommes* ★ de ~e stemmen gelden *la majorité des voix décide*
meestal *généralement*; *le plus souvent*
meestbiedende *le plus offrant* m
meester • baas *chef* m; *maître* m ★ zich ~ maken van *s'emparer de* ★ iets ~ zijn *posséder qc* ★ het vuur ~ worden *maîtriser l'incendie* ★ zichzelf ~ zijn *se maîtriser* • onderwijzer *maître* m *d'école* • groot kunstenaar *maître* m • afgestudeerd jurist *maître* m ★ ~ in de rechten *licencié en droit*
meesterbrein *cerveau* m
meesteres *maîtresse* v
meesterhand *main* v *de maître*
meester-kok *chef* m *cuisinier*
meesterlijk I BNW *parfait*; *supérieur*; *magistral* [m mv: *magistraux*] ★ een ~e zet *un coup de maître* II BIJW *magistralement*; *parfaitement*; *supérieurement*
meesterproef *chef-d'œuvre* m
meesterschap *maîtrise* v; *supériorité* v
meesterstuk *chef-d'œuvre* m [mv: *chefs-d'oeuvre*]
meesterwerk *chef-d'œuvre* m [mv: *chefs-d'oeuvre*]
meet *marque* v ▼ van meet af aan *dès le début*
meetapparatuur *appareils* m mv *de mesure*
meetbaar *mesurable*
meetellen I OV WW erbij rekenen *compter* II ON WW van belang zijn *compter*; ⟨v. zaken⟩ *importer* ★ de leeftijd gaat ~ *l'âge y fait* ★ telt dat mee? *ça comptera?*
meeting *réunion* v; *meeting* m
meetkunde *géométrie* v ★ beschrijvende ~ *géometrie descriptive* ★ hogere ~ *géométrie transcendante* ★ vlakke ~ *géométrie plane*
meetkundig *géométrique*
meetlat *règle* v *graduée*
meetlint *mètre* m *à ruban*
meetronen *entraîner*
meeuw *mouette* v
meevallen • gunstiger zijn dan verwacht ⟨beter⟩ *être mieux qu'on ne s'y attendait*; ⟨groter⟩ *être plus grand qu'on ne s'y attendait*; ⟨makkelijker⟩ *être plus facile qu'on ne s'y attendait* • de verwachting overtreffen *dépasser l'attente*
meevaller *aubaine* v; *bonne surprise* v
meevoelen *compatir (à)*
meewarig I BNW *compatissant* II BIJW *avec compassion*
meewerken • samenwerken *coopérer à*; *aider*; *collaborer à* • bijdragen aan *contribuer à* ★ het weer heeft meegewerkt *le temps à été favorable*
meezinger *rengaine* v
meezitten *être favorable* ★ het zit me niet mee *les circonstances ne me sont pas favorables*
megabyte *mégabyte* m
megafoon *mégaphone* m
megahertz *mégahertz* m
megalomaan *mégalomane*
megaster *mégastar* v
mei *mai* m
meid • meisje *fille* v; VULG. *nana* v • dienstbode *bonne* v
meidengek *dragueur* m; *coureur* m *de filles*
meidengroep MUZ. *groupe* m *pop féminin*; *groupe* m *de discussion pour adolescentes*
meidoorn *aubépine* v; *épine* v *blanche*
meier *biffeton* m *de cent*
meikever *hanneton* m
meineed *parjure* m; *faux* m *serment* ★ ~ plegen *se parjurer*
meiose *méiose* v
meisje • vrouwelijk kind INF. *gamine* v; *fille* v

• jonge vrouw *jeune fille* v; VULG. *nana* v • verloofde *petite amie* v
meisjesachtig I BNW *de jeune fille* II BIJW *en jeune fille*
meisjesboek *livre* m *de filles*
meisjesnaam • voornaam *(pré)nom* m *de fille* • familienaam *nom* m *de jeune fille*
mekaar → **elkaar**
Mekka *La Mecque*
mekkeren *bêler*
melaats *lépreux* [v: *lépreuse*]
melaatsheid *lèpre* v
melancholie *mélancolie* v
melancholiek *mélancolique*
melange *mélange* m
melasse *mélasse* v
melden I OV WW iets laten weten *annoncer*; *faire savoir*; ‹schriftelijk› *notifier*; ‹vermelden› *mentionner* ★ niets te ~ *rien à signaler* II WKD WW aanmelden *se présenter*
melding • vermelding *mention* v • aanmelding *annonce* v
meldingsplicht *obligation* v *de se présenter*
meldkamer *bureau* m *central*
meldpunt ★ telefonisch ~ *permanence* v *téléphonique*
melig • meelachtig *farineux* [v: *farineuse*] • flauw *insipide*; INF. *raseur* [v: *raseuse*]
melisse *mélisse* v
melk *lait* m ★ magere melk *lait écrémé* ★ halfvolle melk *lait demi-écrémé* ★ volle melk *lait entier*
melkachtig *laiteux* [v: *laiteuse*]
melkboer *laitier* m [v: *laitière*]
melkbrood *pain* m *au lait*
melkchocola *chocolat* m *au lait*
melken • van melk ontdoen *traire* • fokken *élever* ★ duiven ~ *élever des pigeons*
melkfabriek *laiterie* v *(industrielle)*
melkfles *bouteille* v *à lait*; ‹v. baby› *biberon* m
melkgebit *dentition* v *de lait*
melkglas • drinkglas *verre* m *à lait* • glassoort *verre* m *opalin*
melkkies *dent* v *de lait postérieure*
melkkoe *vache* v *laitière*; FIG. *vache* v *à lait*
melkmuil *blanc-bec* m [mv: *blancs-becs*]
melkpoeder *lait* m *en poudre*
melkproduct *produit* m *laitier*
melkquotering *quotas* m mv *laitiers*; *répartition* v *par quote-parts*
melktand *dent* v *de lait*
melkvee *bêtes* v mv *laitières*
melkweg *voie* v *lactée*
melodie *mélodie* v
melodieus *mélodieux* [v: *mélodieuse*]
melodrama *mélodrame* m
melodramatisch *mélodramatique*
meloen *melon* m
membraan *membrane* v
memo • notitieblaadje *petit papier* m; *pense-bête* m • korte nota *mémorandum* m
memoires *mémoires* m mv
memorandum • nota *mémorandum* m; *note* v • notitieboek *mémorial* m
memoreren *rappeler*; *évoquer*; FORM. *remémorer*
memoriam ★ in ~ *article* m/*discours* m *à la mémoire de ...*
memorie • geheugen *mémoire* v ★ kort van ~ zijn *avoir la mémoire courte* ★ pro ~ *pour mémoire* • geschrift *mémoire* m
memoriseren *apprendre par cœur*; *mémoriser*
men *on*; ‹na 'et', 'ou' e.d.› *l'on*
menagerie *ménagerie* v
meneer *monsieur* m [mv: *messieurs*]
menen • denken *croire*; *penser* ★ daar meen je geen woord van *tu n'en penses pas un mot*; *tu veux rire* • bedoelen *compter*; *vouloir dire* ★ het goed met iem. ~ *vouloir du bien à qn* ★ het wordt ~s *cela devient sérieux* ★ het ernstig ~ *parler sérieusement* ★ dat zou ik ~! *et comment!*
menens ★ het is ~ *c'est sérieux* ★ het wordt ~ *ça chauffe*
mengeling *mélange* m
mengelmoes *mélange* m *hétéroclite*; INF. *méli-mélo* m [mv: *mélis-mélos*]; *pêle-mêle* m [onv]
mengen I OV WW mixen *mélanger*; ‹v. metalen› *allier*; *mêler* ★ kleuren ~ *mélanger des couleurs* II WKD WW moeien in *se mêler (de)*
mengkleur *couleur* v *composée*
mengkraan *mélangeur* m
mengpaneel *table* v *de mixage*
mengsel *mélange* m; *composé* m; CHEM. *mixture* v; *mixtion* v; ‹v. metalen› *alliage* m
mengsmering ★ ~ voor tweetaktmotor *mélange* m *deux-temps*
mengtrommel *agitateur* m
menhir *menhir* m
menie *minium* m
meniën *enduire de minium*
menig *bien des*; *plusieurs*
menigeen *plus d'un*
menigmaal *plusieurs fois*
menigte *multitude* v; *grand nombre* m; ‹v. mensen› *foule* v ★ in de ~ opgaan *se perdre dans la foule*
mening *avis* m; *opinion* v ★ van ~ veranderen *changer d'avis*|*d'opinion* ★ geen ~ ‹bij opiniepeiling› *ne se prononcent pas* ★ bij zijn ~ blijven *s'en tenir à son opinion* ★ van ~ zijn dat *croire que* ★ naar mijn ~ *à mon avis* ★ voor zijn ~ durven uitkomen *avoir le courage de ses opinions*
meningitis *méningite*
meningsuiting *expression* v; *appréciation* v ★ vrijheid van ~ *liberté* v *d'opinion*|*d'expression*
meningsverschil *désaccord* m
meniscus *ménisque* m
mennen *mener*; *conduire*
menopauze *ménopause* v
mens I ZN (de) *homme* m; *personne* v ★ ieder mens *chacun*; *tout le monde* ★ onder de mensen komen *voir du monde* ★ mens en dier *bêtes et gens* ★ mensen en dingen *les choses et les gens* ★ vijf mensen *cinq personnes* ★ mensen *gens* m mv; *monde* m ★ de grote mensen *les grandes personnes* ★ er waren heel wat mensen *il y avait bien du monde* ★ het mens zijn *la condition humaine* ★ de Zoon des mensen *le Fils de l'homme* ▾ de mens wikt, God beschikt *l'homme*

propose, Dieu dispose II ZN (het) PEJ. *individu* m
mensa *restaurant* m *universitaire*
mensaap *anthropoïde* m
mensdom • het menselijk geslacht *genre* m *humain* • alle mensen *humanité* v
menselijk *humain* ★ vergissen is ~ *tout le monde peut se tromper*
menselijkerwijs *humainement* ★ ~ gesproken *humainement parlant*
menselijkheid *humanité* v
menseneter *cannibale* m/v; *anthropophage* m/v
mensengedaante *forme* v *humaine*
mensenhater *misanthrope* m/v
mensenheugenis ★ sedert ~ *de mémoire d'homme*
mensenkennis *connaissance* v *des hommes*
mensenkinderen *eh bien*; *bigre*
mensenleven *vie* v *humaine*; *existence* v *humaine* ★ het verlies van ~s *la perte en vies humaines*
mensenmassa *foule* v *(de gens)*
mensenrechten *droits* m mv *de l'homme*
mensenrechtenactivist *militant* m *de droits de l'homme*
mensenschuw *sauvage*; *farouche*
mensensmokkel ≈ *passage* m *en fraude d'êtres humains*
mensenwerk *travail* m *humain*
mensheid • alle mensen *humanité* v • het mens zijn *nature* v *humaine*; *genre* m *humain*

mensjaar *année* v *de travail d'un homme*
menskunde *sciences* v mv *de l'homme*
menslievend I BNW *humain*; *philanthropique* II BIJW *humainement*; *en philanthrope*
mensonterend *déshonorant*; *honteux* [v: *honteuse*]
mensonwaardig *avilissant*
menstruatie *menstruation* v
menstruatiecyclus *cycle* m *menstruel*
menstruatiepijn *douleur* v *menstruelle*
menstrueren *avoir ses règles*
menswaardig *digne*
menswetenschappen *sciences* v mv *humaines*
mentaal *mental* [m mv: *mentaux*]
mentaliteit *mentalité* v
menthol *menthol* m ★ met ~ bereid *mentholé*
mentor • studiebegeleider *tuteur* m [v: *tutrice*] • leidsman *conseiller* m [v: *conseillère*]
menu • maaltijd *menu* m • menukaart *carte* v ★ het menu opmaken *dresser le menu* • COMP. *menu* m [onv]
menuet *menuet* m
menukaart *menu* m
mep *baffe* v; *taloche* v
meppen *flanquer des gifles*; *taper*
mercenair I ZN *mercenaire* m II BNW *mercenaire*
merchandising *marchandisage* m
Mercurius *Mercure*
merel *merle* m
meren *amarrer*
merendeel *plupart* v; *plus grande partie* v
merendeels • voor het grootste gedeelte *pour la plupart* • de meeste gevallen *le plus souvent*; *généralement*
merg BIOL. *moelle* v ▾ door merg en been *jusqu'à la moelle des os*
mergel *marne* v
mergpijp *os* m *à moelle*
meridiaan *méridien* m
meringue *meringue* v
merk • herkenningsteken *marque* v • handelsmerk *marque* v; ‹keurmerk› *poinçon* m
merkartikel *produit* m *de marque*
merkbaar I BNW *perceptible*; *sensible* II BIJW *sensiblement* ★ ~ worden door *se traduire par*
merken • bemerken *s'apercevoir de*; *remarquer*; *sentir* ★ zonder iets te ~ *sans se douter de rien* ★ men kan er niets meer van ~ *il n'y paraît plus* • van merk voorzien *marquer*
merkkleding *vêtements* m mv *de marque*
merknaam *marque* v *déposée*
merkteken *marque* v; *repère* m
merkwaardig I BNW • opmerkelijk *remarquable* • eigenaardig *curieux* [v: *curieuse*] II BIJW • opmerkelijk *remarquablement* • eigenaardig *curieusement*
merkwaardigerwijs *curieusement*
merkwaardigheid *curiosité* v
merrie *jument* v
mes *couteau* m [mv: *couteaux*] ▾ onder het mes zitten ‹scheermes› *se faire raser*; ‹bij operatie› *subir une opération* ▾ zijn mes snijdt aan twee kanten *tirer dix moutures d'un sac* ▾ er het mes inzetten *trancher dans le vif*
mesjoche *cinglé*
mespunt *pincée* v
mess *mess* m
messcherp *aiguisé* ★ ~e kritiek *une critique sévère*
messentrekker *spécialiste* m/v *du couteau*
Messias *Messie* m
messing I ZN (de) *languette* v II ZN (het) *laiton* m
messteek *coup* m *de couteau*
mest *fumier* m; *engrais* m
mesten • bemesten *fumer* • vetmesten *engraisser*
mesthoop *tas* m *de fumier*
mestkever *bousier* m
mestoverschot *surplus* m *de fumier*
mestvaalt *fumier* m
mestvee *bétail* m *à l'engrais*
mestvork *fourche* v *à fumier*
met • voorzien van *avec* ★ een meid met lef *une fille qui a du culot* ★ patat met mayonaise *frites mayonnaise* • in gezelschap van *en compagnie de* ★ ik ga met hem op vakantie *je pars en vacances avec lui* • op zekere wijze ★ met liefde *avec amour* ★ met lof *avec la mention très honorable* ★ met genoegen *avec plaisir* • op zeker tijdstip ★ met een week of twee *dans deux bonnes semaines* ★ met de jaren *au fil des années* ★ met kerst *à Noël* • voor wat betreft *(pour ce qui est) de* ★ stoppen met roken

cesser de fumer • door middel van ★ met de hand gemaakt *fait à la main* ★ hakken met een bijl *hacher; donner des coups de hache* • een aantal ★ met z'n achten iets doen *faire qc à huit* ★ met z'n achten zijn *être à huit* ▾ met ijzeren vuist *d'une main de fer*
metaal *métal* m [mv: *métaux*] ★ edel~ *métal précieux*
metaalachtig *métallique*
metaaldetector *détecteur* m *de métaux*
metaaldraad *fil* m *métallique*; ‹in elektr. lamp› *filament* m
metaalindustrie *métallurgie* v
metaalmoeheid *fatigue* v *du métal*
metaalnijverheid *métallurgie* v
metafoor *métaphore* v
metaforisch *métaphorique*
metafysica *métaphysique* v
metalen *de métal; métallique*
metallic *métallisé*
metamorfose *métamorphose* v
metastase *métastase* v
meteen • tegelijk *en même temps* • direct erna *tout de suite*
meten I OV WW afmeting bepalen *mesurer*; ‹v. land› *arpenter*; ‹v. schip› *jauger* ★ de temperatuur/bloeddruk ~ *prendre la température/la tension* **II** ON WW afmeting hebben *mesurer*; ‹v. schip› *jauger* ★ ruim ~ *mesurer large* **III** WKD WW *se mesurer (à)*
meteoor *météore* m; FIG. *bolide* m
meteoriet *météorite* v
meteorietinslag *chute* v *de météorites*
meteorologie *météorologie* v
meteorologisch *météorologique*
meteoroloog *météorologue* m/v
meter • lengtemaat *mètre* m • meettoestel ‹v. inhoud› *jauge* v; *compteur* m • peettante *marraine* v
meterkast *placard* m *à compteurs*
meteropnemer *releveur* m *de compteurs* [v: *releveuse ...*]
meterstand *chiffre* m *du compteur*
metgezel *compagnon* m [v: *compagne*]
methadon *méthadone* v
methadonverstrekking *distribution* v *de méthadone*
methanol *méthanol* m
methode *méthode* v
methodiek *méthodologie* v
methodisch *méthodique*
methodologie *méthodologie* v
methodologisch *méthodologique*
Methusalem ▾ zo oud als ~ *vieux comme Mathusalem*
methyl *méthyle* m
metier *métier* m
meting *mesurage* m; ‹v. land› *arpentage* m; ‹v. schip› *jaugeage* m
metonymie *métonymie* v
metriek *métrique* v
metrisch *métrique*
metro *métro* m
metronoom *métronome* m
metropool *métropole* v
metrum *rythme* m; ‹v. vers› *mètre* m
metselaar *maçon* m
metselen I ZN *maçonnage* m **II** OV WW *maçonner* ★ iets ~ in *sceller qc dans*
metselwerk *maçonnerie* v
metten *matines* v mv ▾ korte ~ maken (met iets) *ne pas y aller par quatre chemins*
metterdaad *effectivement*
mettertijd *avec le temps; petit à petit*
metworst ≈ *saucisson* m *de Lyon*
meubel *meuble* m
meubelboulevard *grand magasin* m *de meubles; boulevard* m *le long duquel il y a des magasins de meubles*
meubelmaker *ébéniste* m/v
meubelplaat *contreplaqué* m
meubilair *mobilier* m
meubileren *meubler* ★ gemeubileerde kamer *chambre meublée* v
meubilering *ameublement* m
meug *goût* m ★ ieder zijn meug *chacun ses goûts*
meute • troep mensen *foule* v • troep honden *meute* v
mevrouw *dame* v; ‹aanspreektitel› *madame*
Mexicaan *Mexicain* m [v: *Mexicaine*]
Mexicaans *mexicain*
Mexico • **stad** *Mexico* ★ **in** ~ *à Mexico* • **land** *Mexique* m ★ **in** ~ *au Mexique*
mezelf *moi-même*
mezzosopraan *mezzo-soprano* v [v mv: *mezzo-sopranos*]
mi *mi* m
miauw *miaou*
miauwen *miauler* ★ het ~ *le miaulement*
mica *mica* m
microbe *microbe* m
micro-economie *micro-économie* v
microfilm *microfilm* m
microfoon *microphone* m; *micro* m ★ verborgen ~ *micro miniaturisé*
microkosmos *microcosme* m
micro-organisme *micro-organisme* m
microscoop *microscope* m
microscopisch *microscopique*
middag • namiddag *après-midi* m/v ★ om drie uur 's ~s *à trois heures de l'après-midi* • midden van de dag *midi* m
middagdutje *sieste* v
middageten *déjeuner* m
middagpauze *pause* v *de midi*
middaguur • 12 uur 's middags *midi* m ★ kort na het ~ *au début de l'après-midi* • de eerste uren na 12 uur 's middags ★ in de middaguren *dans l'après-midi*
middel • taille *taille* v; *ceinture* v ★ zij is vijfenzeventig cm om het ~ *elle a soixante-quinze de tour de taille* ★ om het ~ vatten ‹uit liefde› *saisir par la taille*; ‹vechtend› *saisir à bras-le-corps* • hulpmiddel *ressource* v; ‹om een doel te bereiken› *moyen* m; ‹handelwijze› *procédé* m ★ door ~ van *au moyen de* • geldmiddelen *moyens* m mv; *ressources* v mv ★ voor zover mijn ~en het toelaten *dans la mesure de mes moyens* • geneesmiddel *remède* m
middelbaar *moyen* [v: *moyenne*] ★ van middelbare leeftijd *entre deux âges* ★ ~ onderwijs *enseignement du second degré* m

M

Middeleeuwen *Moyen-Age* m
middeleeuws *médiéval* [m mv: *médiévaux*]; *du Moyen-Age*; *moyenâgeux* [v: *moyenâgeuse*]
middelen I ov ww gemiddelde berekenen *partager* II on ww bemiddelen *intercéder*
middelgroot *moyen* [v: *moyenne*]
Middellandse Zee *Méditerranée* v ★ in de ~ *dans la Méditerranée*
middellang *moyen* [v: *moyenne*] ★ ~e afstandsbewapening *armements* m mv *à portée intermédiaire*
middellijn *diamètre* m
middelmaat *moyenne* v
middelmatig I bnw • gemiddeld *moyen* [v: *moyenne*] • niet bijzonder *médiocre* II bijw • gemiddeld *moyennement* • niet bijzonder *médiocrement*
middelmatigheid *médiocrité* v
Middelnederlands I zn *moyen* m *néerlandais* II bnw *moyen néerlandais*
middelpunt *centre* m
middelpuntvliedend *centrifuge*
middels *au moyen de*
middelst *du milieu*; *central* [m mv: *centraux*]
middelvinger *majeur* m
midden I zn *milieu* m; *centre* m ★ in het ~ van november *à la mi-novembre* ★ te ~ van *au milieu de*; *parmi* ▾ iets in het ~ brengen *faire observer qc* ▾ iets in het ~ laten *passer qc sous silence*; *laisser de côté* ▾ de waarheid ligt in het ~ *la vérité est entre les deux* II bijw ★ ~ in de week *au milieu de la semaine*
Midden-Amerika *l'Amérique* v *centrale*
middenberm *terre-plein* m *central* [m mv: *terre-pleins centraux*]
middendoor *par le milieu*; *en deux*
middengewicht sport *poids* m *moyen*
middengolf *ondes* v mv *moyennes*; *petites ondes* v mv ★ op de ~ *sur les petites ondes*
middenin *au milieu*
middenkader *cadre* m *moyen*
middenklasse *classe* v *moyenne*
middenmoot ≈ *moyenne* v
middenoor *oreille* v *moyenne*
middenoorontsteking *otite* v *moyenne*
Midden-Oosten *le Moyen Orient*
middenpad *allée* v *centrale*; ‹v. trein› *couloir* m *central*
middenrif *diaphragme* m
middenschip *nef* v *principale*
middenschool ≈ *collège* m *unique*
middenstand *commerçants* m mv
middenstander *commerçant* m [v: *commerçante*]
middenstandsdiploma ≈ *certificat* m *d'aptitude professionnelle*; ≈ *C.A.P.*
middenstip sport *point* m *d'engagement*
middenveld • deel van sportveld *milieu* m *du terrain* • spelers *demis* m mv
middenweg *moyen* m *terme* ★ de gulden ~ *le juste milieu* ▾ de gulden ~ *le juste milieu*
middernacht *minuit* m
middernachtelijk *de minuit*
midgetgolf *mini-golf* m
midi *midi* m
midlifecrisis *crise* v *de milieu de vie*; *crise* v *existentielle de la quarantaine*
midscheeps *central* [m mv: *centraux*]
midvoor *avant-centre* m [mv: *avants-centres*]
midweek *période* v *de lundi à vendredi*
midweekarrangement *organisation* v *de vacances de lundi à vendredi*
midwinter *milieu* m *de l'hiver*
midzomer *milieu* m *de l'été*
mie *vermicelle* m *chinois*
mier *fourmi* v ▾ zo arm als de mieren *pauvre comme Job*
mieren • peuteren *tripoter (qc)* • zeuren *ressasser (qc)*
miereneter *fourmilier* m
mierenhoop *fourmilière* v
mierenneuker *enculeur* m *de mouches*
mierikswortel *raifort* m
mierzoet ≈ *écœurant*
mieter ▾ iemand op z'n ~ geven *flanquer une raclée à qn*
mieteren I ov ww gooien *flanquer* II on ww zeuren *radoter*
mieters I bnw tof *chouette* II bijw *sacrément*
mietje • homo *pédé* m • slappeling *pinailleur* m [v: *pinailleuse*]
miezeren *bruiner*
miezerig • druilerig *maussade*; *bruineux* [v: *bruineuse*] • nietig *minable*; *miteux* [v: *miteuse*]
migraine *migraine* v
migrant *migrant* m
migrantenbeleid *politique* v *des migrants*
migrantenvraagstuk *problème* m *des migrants*
migratie *migration* v
mihoen *vermicelle* m *chinois*
mij *me*; *m'*; ‹benadrukt, na voorzetsel› *moi*
mijden *éviter*
mijl *mille* m ★ mijlen achter liggen *être à des kilomètres derrière*
mijlenver *à des kilomètres*
mijlpaal • kilometerpaal *borne* v *kilométrique* • keerpunt *étape* v
mijmeren *rêvasser*
mijn I zn • bom *mine* v ★ op een mijn lopen *heurter une mine* ★ mijnen vegen *draguer des mines* ★ van mijnen zuiveren *déminer* • winplaats *mine* v II bez vnw *mon* [v: *ma*] [v mv: *mes*] [onr: *mon*] ★ mijn! *à moi!* ★ de/het mijne *le mien* [v: *la mienne*] ▾ ik moet er het mijne van hebben *je veux en avoir le cœur net*
mijnbouw *exploitation* v *des mines*; *exploitation* v *minière*
mijnbouwkunde *science* v *relative aux mines*
mijnenlegger *poseur* m *de mines*
mijnenveger *dragueur* m *de mines*
mijnenveld *champ* m *de mines*
mijnerzijds *de mon côté*; *pour ma part*
mijnheer *monsieur* m [mv: *messieurs*]
mijnschacht *puits* m *de mine*
mijnstreek *région* v *minière*
mijnwerker *mineur* m
mijt • insect *mite* v • stapel *tas* m; ‹houtmijt› *pile* v *de bois*
mijter *mitre* v
mijzelf → **mezelf**
mik ≈ *pain* m *de seigle*

mikado I ZN (de) keizer *mikado* m II ZN (het) spel *mikado* m
mikken • richten *viser* ★ ~ op een boom *viser un arbre* • streven naar *viser à*
mikmak *bazar* m ★ de hele ~ *tout le bataclan*
mikpunt *point* m *de mire*; *cible* v ★ iem. tot ~ nemen *prendre qn pour cible*
mild I BNW • zachtaardig *indulgent*; ‹v. straf› *léger* [v: *legère*] • zacht *doux* [v: *douce*] • gul *généreux* [v: *généreuse*]; *large* II BIJW • zachtaardig *avec indulgence* • zacht *doucement* • gul *généreusement*; *largement*
mildheid • welwillendheid *clémence* v • zachtheid *douceur* v • gulheid *générosité* v; *largesse* v
milieu • leefklimaat *environnement* m • sociale kring *milieu* m
milieuactivist *militant* m *écologiste*
milieubeheer *protection* v *de l'environnement*
milieubelasting *taxe* v *sur la pollution*
milieubescherming *défense* v *de l'environnement*
milieubewust *sensible aux problèmes de l'environnement*; *écologiste*
milieugroep *défenseurs* m mv *de l'environnement*; *écologistes* m mv
milieuheffing *taxe* v *sur la pollution*
milieuhygiëne • milieuzorg *protection* v *de l'environnement* • toestand van het milieu *équilibre* m *de l'environnement*
milieumaatregel *mesure* v *de protection de l'environnement*
milieuramp *catastrophe* v *écologique*
milieuschandaal *scandale* m *écologique*
milieuverontreiniging *pollution* v *de l'environnement*
milieuvriendelijk *non polluant* ★ een ~e draagtas *un sac en plastique biodégradable*
militair I ZN *militaire* m II BNW *militaire* ★ een ~-industrieel complex *un complexe militaro-industriel*
militant *militant*
militarisme *militarisme* m
militaristisch I BNW *militariste* II BIJW *de façon militariste*
military *concours* m *complet (d'équitation)*
militie *milice* v
miljard *milliard* m
miljardair *milliardaire* m/v
miljoen *million* m
miljoenennota *projet* m *de loi de finances*
miljoenenschade *dégâts* m mv *s'élevant à plusieurs millions*
miljonair *millionnaire* m/v
milkshake *milkshake* m
mille *mille florins* m mv ▾ per/pro ~ *pour mille*
millennium *millénium* m; *millénaire* m
millibar *millibar* m
milligram *milligramme* m
milliliter *millilitre* m
millimeter *millimètre* m
millimeteren *couper ras*
milt *rate* v
mime *pantomime* v
mimicry *mimétisme* m; ‹kunst› *imitation* v *servile*
mimiek *mimique* v
mimosa *mimosa* m
min I ZN voedster *nourrice* v II BNW • onbeduidend *chétif* [v: *chétive*] • gemeen *mauvais* • gering *médiocre* III BIJW • gering *peu*; *moins* ★ min of meer *plus ou moins* ★ zo min mogelijk *le moins possible* • gemeen *bassement*
minachten *mépriser*; *dédaigner*
minachtend I BNW *méprisant*; *dédaigneux* [v: *dédaigneuse*] II BIJW *dédaigneusement*
minachting *mépris* m; *dédain* m
minaret *minaret* m
minder I BNW • geringer *moindre*; *moins grand*; *moins haut*; ‹v. betekenis› *de moindre importance* ★ ~ dan honderd gulden *moins de cent florins* ★ drie gulden ~ *trois florins de moins* ★ ~ groot dan *moins grand que* ★ ~ worden *diminuer*; *baisser* ★ in ~ dan geen tijd *en moins de rien* ★ voor ~ dan tien gulden *à moins de dix florins* ★ de ~ bedeelden *les plus démunis* • inferieur *inférieur* II BIJW in geringere mate *moins* ★ (des) te ~ *d'autant moins* ★ hoe ~ ... hoe meer ... *moins ..., (et) plus ...* ★ hoe langer hoe ~ *de moins en moins*
mindere *inférieur* m; ‹in het leger› *homme* m *de troupe*
minderen I OV WW verminderen *diminuer* ★ vaart ~ *ralentir* II ON WW minder worden *diminuer*
minderhedenbeleid *politique* v *des minorités*
minderhedendebat *débat* m *sur le problème des minorités*
minderheid • kleiner aantal *minorité* v ★ in de ~ zijn *être en minorité* • ondergeschiktheid *infériorité* v
minderheidsgroep *groupe* m *minoritaire*
minderheidskabinet *gouvernement* m *minoritaire*
minderheidsstandpunt *prise* v *de position d'une minorité*
mindering *diminution* v ★ in ~ brengen op *déduire de*; *décompter*
minderjarig *mineur*
minderjarigheid *minorité* v
minderwaardig • *inférieur* • laag *bas* [v: *basse*]
minderwaardigheid *infériorité* v
minderwaardigheidscomplex *complexe* m *d'infériorité*
minderwaardigheidsgevoel *sentiment* m *d'infériorité*
mineraal I ZN *minéral* m [mv: *minéraux*] II BNW *minéral* [m mv: *minéraux*]
mineraalwater *eau* v *minérale*
mineur MUZ. *mode* m *mineur* ★ in ~ *en mineur*
mini *mode* v *mini*
mini- *mini*
miniatuur *miniature* v ★ in ~ *en miniature*
miniatuurformaat *format* m *miniature*
miniem I BNW *minime* II BIJW *de façon minime*
minigolf *minigolf* m
minima *smicards* m mv
minimaliseren *minimiser*
minimum *minimum* m [mv: *minima*]
minimumaanvangsloon *revenu* m *minimum d'insertion*

minimumeis *minimum* m *exigé*
minimuminkomen *bas revenu* m
minimumleeftijd *âge* m *minimum*
minimumlijder *smicard* m [v: *smicarde*]
minimumloon ≈ *S.M.I.C.* m; *salaire* m *minimum interprofessionnel de croissance*
minirok *minijupe* v
miniseren *minimiser*
minister *ministre* m ★ eerste ~ *Premier ministre* ★ gevolmachtigd ~ *ministre plénipotentiaire*
ministerie *ministère* m ★ ~ van economische zaken *ministère des Affaires économiques*; ‹in Frankrijk› *ministère de l'Économie et des Finances* ★ ~ van defensie *ministère de la Défense nationale* ★ ~ van financiën *ministère des Finances*; ‹in Frankrijk› *ministère de l'Économie et des Finances* ★ ~ van landbouw, natuurbeheer en visserij *ministère de l'Agriculture, de la Nature et de la Pêche*; ‹in Frankrijk› *ministère de l'Agriculture* ★ ~ van volksgezondheid, welzijn en sport *ministère du Bien-être, de la Santé et de la Culture*; ‹in Frankrijk› *ministère de la Santé (et de la Sécurité sociale)*; ‹in Frankrijk› *ministère de la Culture* ★ ~ van verkeer en waterstaat *ministère des Transports, des Travaux publics et de la Gestion des Eaux*; ‹in Frankrijk› *ministère des Transports* ★ ~ van volkshuisvesting, ruimtelijke ordening en milieubeheer *ministère du Logement, de l'Aménagement du Territoire et de l'Environnement*; ‹in Frankrijk› *ministère de l'Environnement* ★ ~ van algemene zaken *ministère des Affaires générales* ★ ~ van buitenlandse zaken *ministère des Affaires étrangères* ★ ~ van binnenlandse zaken *ministère de l'Intérieur* ★ ~ van justitie *ministère de la Justice* ★ ~ van onderwijs, cultuur en wetenschappen *ministère de l'Enseignement et des Sciences*; ‹in Frankrijk› *ministère de l'Éducation nationale*
ministerieel *ministériel* [v: *ministérielle*] ★ op ~ niveau *à échelon ministériel*
minister-president *premier ministre* m
ministerraad *conseil* m *des ministres*
ministerspost *poste* m *ministériel*; *fonction* v *ministérielle*
mink *vison* m
minkukel *imbécile* m/v; *crétin* m; *andouille* v
minnaar • geliefde *amant* m • liefhebber *amateur* m
minnedicht *poésie* v *érotique*
minnekozen • van liefde spreken FORM. *conter fleurette* • zich verliefd gedragen *filer le parfait amour* • vrijen *caresser*
minnen *aimer*; *chérir*
minnetjes I BNW • nogal min *bien bas* [v: *bien basse*] • nogal zwak *bien faible* II BIJW • nogal min *assez bassement* • nogal zwak *assez faiblement*
minpool *pôle* m *négatif*
minpunt *élément* m *négatif*; *mauvais point* m
minst I BNW geringst *moindre* ★ bij het ~e geluid *au moindre bruit* ★ het ~e dat je kunt doen *le moins que tu puisses faire* II BIJW in de kleinste mate *le moins* ★ op zijn ~ *au moins* III TELW het kleinste aantal *le moins (de)*
minstens *au moins*
minstreel *ménestrel* m
mint • kleur *couleur* v *menthe à l'eau* • likeur *liqueur* v *de menthe*
minteken *moins* m; *signe* m *moins*
minus I ZN • tekort *déficit* m • minteken *moins* m II VZ *moins*
minuscuul I BNW *minuscule* II BIJW *de façon minuscule*
minuskel *minuscule* v
minutieus I BNW *minutieux* [v: *minutieuse*] II BIJW *minutieusement*
minuut *minute* v
minzaam I BNW *bienveillant*; *aimable*; *affable* II BIJW *gracieusement*; *aimablement*; *avec bienveillance*
miraculeus I BNW *miraculeux* [v: *miraculeuse*] II BIJW *miraculeusement*
mirakel *miracle* m
mirre *myrrhe* v
mis I ZN *messe* v ★ de mis vieren *participer à la messe* ★ stille mis *messe basse* ★ gezongen mis *messe chantée* ★ de hoogmis *la grand-messe* ★ de mis doen/ lezen *dire/ célébrer la messe* ★ mis horen *entendre la messe* II BNW • niet raak *manqué* ★ dat is mis *c'est manqué* • onjuist *faux* [v: *fausse*]
misantroop *misanthrope* m/v
misbaar *vacarme* m; *tapage* m
misbaksel • wanproduct *chose* v *manquée*; *mauvais produit* m • naarling *salaud* m; *salope* v
misbruik *abus* m ★ ~ van vertrouwen *abus de confiance* ★ ~ maken van *abuser de*
misbruiken *abuser de*
miscommunicatie *incompréhension* v; *fausse communication* v
misdaad *crime* m
misdaadbestrijding *lutte* v *contre la criminalité*
misdaadroman *roman* m *policier*
misdadig I BNW *criminel* [v: *criminelle*] II BIJW *criminellement*
misdadiger *criminel* m [v: *criminelle*]
misdeeld *défavorisé*; *déshérité*
misdienaar *enfant* m *de chœur*
misdoen *faire du mal* ★ wat heb ik misdaan? *qu'ai-je fait de mal?*
misdragen (**zich**) *mal se conduire*
misdrijf *délit* m
misdrijven *faire du mal*
misdruk • foutieve druk van papier *maculature* v • onverkoopbaar boek *édition* v *qui se vend mal*
mise-en-scène *mise* v *en scène*
miserabel *misérable*; *pauvre* ★ een ~ krot *un taudis misérable*
misère *détresse* v
misgaan • verkeerde weg nemen *se tromper de route* • mislukken *échouer*
misgreep *bévue* v; *erreur* v
misgrijpen *manquer sa prise*
misgunnen *envier qc à qn*
mishagen *déplaire (à)*

mishandelen *maltraiter; malmener*
mishandeling *sévices* m mv; *brutalité* v
miskennen *méconnaître*
miskenning *méconnaissance* v
miskleun *gaffe* v; *bévue* v
miskleunen *gaffer*
miskoop *mauvais achat* m
miskraam *fausse couche* v ★ een ~ krijgen *faire une fausse couche*
misleiden *induire en erreur; tromper*
misleiding *mystification* v
mislopen I OV WW niet krijgen *rater; ne pas obtenir* II ON WW mislukken *échouer; tourner mal* ★ dat loopt mis *cela se gâte*
mislukkeling *raté* m [v: *ratée*]
mislukken *échouer; rater; ne pas réussir* ★ dat mislukt hem *il n'y réussit pas* ★ de oogst is mislukt *la récolte a été mauvaise*
mislukking *échec* m; *insuccès* m
mismaakt *difforme*
mismanagement *mauvaise gestion* v
mismoedig I BNW *découragé; abattu* II BIJW *avec abattement*
misnoegd I BNW *mécontent* II BIJW *d'un air mécontent*
misnoegen *mécontentement* m
misoogst *mauvaise récolte* v
mispel • vrucht *nèfle* v • boom *néflier* m
misplaatst • niet op zijn plaats *mal placé* • ongepast *déplacé* ★ een ~e opmerking *une remarque déplacée*
misprijzen *désapprouver* ★ een ~de blik *un regard désapprobateur*
mispunt *misérable* m; *sale type* m
misrekenen I ON WW *faire une erreur de calcul; mal calculer* II WKD WW *faire un mauvais calcul; mal calculer*
misrekening • fout *erreur* v • teleurstelling *mauvais calcul* m
miss *miss* v
misschien *peut-être* ★ hebt u ~ een gulden? *est-ce-que vous auriez un florin?* ★ ~ wel *cela se peut bien; peut-être bien*
misselijk I BNW • onpasselijk *pris de nausées* ★ ik ben ~ *j'ai mal au cœur* ★ ~ maken *écœurer* • walgelijk *dégoûtant; sale* ★ een ~e grap *une mauvaise plaisanterie* II BIJW *de façon dégoûtante/écœurante*
misselijkheid *mal* m *de cœur; nausée* v ★ een middel tegen ~ *un antinauséeux*
missen I OV WW • niet treffen *manquer; rater;* INF. *louper* ★ zijn vulpen ~ *ne plus trouver son stylo* ★ ik heb geen woord gemist *pas un mot ne m'a échappé* ★ dat kon niet ~ *ça n'a pas loupé* • ontberen *se passer de* ★ ik kan dat niet ~ *je ne saurais m'en passer* ★ u kunt best een gulden ~ *vous n'en n'êtes pas à un florin près* ★ daar heb je niet veel aan gemist *tu n'y as rien perdu* • gemis voelen ★ hij mist zijn vrouw *sa femme lui manque* II ON WW • ontbreken *manquer* • mislukken *rater; manquer*
misser *coup* m *manqué; coup* m *raté*
missie *mission* v ★ een ~ volbrengen *accomplir une mission*
missionaris *missionnaire* m/v ★ de ~houding *la position du missionnaire*
misslag • niet-rake slag *coup* m *manqué* • vergissing *bévue* v; *erreur* v ★ een ~ begaan *commettre une bévue*
misstaan • niet betamen *ne pas convenir* • niet goed staan *aller mal*
misstand *abus* m
misstap *faux pas* m
missverkiezing *concours* m *de beauté*
mist *brouillard* m; *brume* v; *concours* m *de beauté*
mistbank *nappe* v *de brouillard*
misten *faire du brouillard; faire de la brume*
misthoorn *corne* v *de brume*
mistig *brumeux* [v: *brumeuse*] ★ het is ~ *il fait du brouillard*
mistlamp *phare* m *antibrouillard*
mistletoe *gui* m
mistlicht *phare* m *antibrouillard*
mistroostig ⟨met betrekking tot mensen⟩ *morne;* ⟨met betrekking tot weer⟩ *maussade*
misvatting *méprise* v
misverstaan *ne pas bien comprendre*
misverstand *malentendu* m ★ een ~ uit de weg ruimen *dissiper un malentendu*
misvormd *difforme*
misvormen *défigurer; déformer*
misvorming *déformation* v; *défiguration* v
miszeggen *dire (qc) de travers* ★ wat heb ik daaraan miszegd? *est-ce que j'ai dit qc qu'il ne fallait pas dire?*
mitella *écharpe* v
mitrailleur *mitrailleuse* v
mits [+ fut./subj.] *à condition que;* [+ subj.] *pourvu que*
mix *mélange* m; ⟨v. geluid⟩ *mixage* m *sonore*
mixen *mixer; mélanger*
mixer *batteur* m; *mixeur* m
mmm • lekker *miam* • ongeïnteresseerd *hum* • ja *mmm*
mobiel I ZN *mobile* m II BNW *mobile*
mobilisatie *mobilisation* v
mobiliseren *mobiliser*
mobiliteit *mobilité* v mv; ⟨m.b.t. bedrijf⟩ *liquidités* v mv
mobilofoon *mobilophone* m
modaal *moyen* ★ modale werknemer *employé* m *moyen*
modaliteit • FIL. *modalité* v • TAALK. *mode* m
modder *boue* v
modderen • baggeren *barboter* • knoeien *vasouiller; transiger sur*
modderfiguur ▾ een ~ slaan *faire piètre figure*
modderig *boueux* [v: *boueuse*]
modderpoel *bourbier* m
moddervet *gros comme un cochon* [v: *grosse* ...]
mode *mode* v ★ in de mode *à la mode* ★ het is mode om *c'est de bon ton de* ★ de mode van toen *la mode rétro* ★ uit de mode raken *se démoder* ★ in de mode komen *devenir à la mode* ★ in de mode brengen *mettre à la mode* ★ de nieuwste mode *la dernière mode; le dernier cri* ★ dat is mode *c'est à la mode*
modeartikel *nouveauté* v; *article* m *de mode*
modebewust *toujours à la page*
modeblad *journal* m *de mode* [m mv: *journaux* ...]

modegril *caprice* m *de la mode*
modehuis *boutique* v *de mode*
modekleur *couleur* v/*coloris* m *à la mode*
model • voorbeeld *modèle* m; *exemple* m • ontwerp *modèle* m; TECHN. *gabarit* m • schaalmodel *maquette* v • ideaal voorbeeld *modèle* m • coupe/snit *modèle* m • type product *type* m ★ het nieuwste Peugeot ~ *le dernier modèle de Peugeot* • persoon *modèle* m
modelactie • voorbeeldige actie *action* v *exemplaire* • protestactie *grève* v *du zèle*
modelbouw *modélisme* m
modelleren *modeler*; *façonner*
modelvliegtuig *maquette* v *d'avion*; *avion* m *miniature*
modelwoning • ideale woning *logement* m *idéal* • woning als voorbeeld *maison* v *témoin*
modem *modem* m
modeontwerper *couturier* m
modepop *minette* v
modern *actuel* [v: *actuelle*]; *d'aujourd'hui*; *moderne*
moderniseren *moderniser*
modernisme *modernisme* m
modeshow *défilé* m *de mode*
modeverschijnsel *phénomène* m *de mode*
modewoord *mot* m *à la mode*
modezaak • winkel *boutique* v *de mode* • zaak m.b.t. mode *affaire* v *à la mode*
modieus *à la mode* ★ zeer ~ *très mode*
modificatie *modification* v
module *module* m
moduleren *moduler*
modus *mode* m ★ ~ vivendi *modus vivendi* m [onv]
moe I ZN *maman* v II BNW vermoeid *fatigué*; *las* [v: *lasse*]
moed • dapperheid *courage* m ★ hij heeft de moed niet om *il n'a pas le courage de* • goede hoop *courage* m; *confiance* v ★ moed vatten *prendre courage*
moedeloos *découragé* ★ ~ worden *se décourager*
moeder *mère* v
moederbedrijf *maison* v *mère*
moedercomplex *complexe* m *d'Oedipe*
moederdag *fête* v *des mères*
moederen *materner*
moederinstinct *instinct* m *maternel*
moederkoek *placenta* m
moederlijk I BNW *maternel* [v: *maternelle*] II BIJW *maternellement*
moedermavo ≈ *enseignement* m *secondaire d'orientation générale pour adultes, (souvent mères de famille)*
moedermelk *lait* m *maternel*
moeder-overste *mère* v *supérieure*
moederschap *maternité* v ★ vervangend ~ *maternité de substitution*
moederschip *navire* m *ravitailleur*
moederskant ★ van ~ *du côté maternel*
moederskind *enfant* m *à sa mère*
moedertaal • stamtaal *langue* v *mère* • eigen taal *langue* v *maternelle*
moedervlek *grain* m *de beauté*
moederziel ▾ ~ alleen zijn *être tout seul/toute seule*
moedig I BNW *courageux* [v: *courageuse*]; FORM. *vaillant* II BIJW *courageusement*; *vaillamment*
moedwil *malveillance* v; *méchanceté* v ★ uit/met ~ *exprès*; *par méchanceté*
moedwillig I BNW *malveillant*; *méchant* II BIJW *exprès*; *délibérément*; *par méchanceté*
moeheid *fatigue* v; *lassitude* v
moeien *mêler (à)*; *impliquer (dans)* ★ zijn leven is er mee gemoeid *il y va de sa vie*
moeilijk I BNW *difficile*; *pénible* ★ een ~ probleem *un problème délicat* ★ een ~e toestand *une situation critique* II BIJW *difficilement* ★ het is ~ te zeggen *c'est difficile à dire* ★ iets ~ kunnen geloven *avoir de la peine à croire qc* ★ je kunt hem dat toch ~ zeggen *tu ne peux tout de même pas lui dire cela*
moeilijkheid *difficulté* v; *ennui* m ★ hij maakt moeilijkheden *il fait toujours des histoires* ★ in moeilijkheden komen *s'attirer des ennuis*
moeite • inspanning *peine* v; *difficulté* v; *mal* m ★ dat is de ~ niet waard *ça ne vaut pas la peine*; *ça n'a pas grande importance* ★ ~ kosten *demander des efforts* ★ het is de ~ waard *ça vaut la peine* ★ ~ doen *s'efforcer (de)* ★ doe geen ~ *ne vous dérangez pas* • last ★ ~ hebben om te *avoir du mal à*
moeiteloos I BNW *sans peine*; *sans effort* II BIJW *aisément*
moeizaam I BNW *laborieux* [v: *laborieuse*]; *pénible* II BIJW *laborieusement*; *péniblement*
moer • schroefmoer *écrou* m • bezinksel *lie* v; *marc* m
moeras *marais* m; *marécage* m
moerasschildpad *tortue* v *des marais*; ‹zoetwaterschildpad› *cistude* v
moerassig *marécageux* [v: *marécageuse*]
moerbei • moerbes *mûre* v • boom *mûrier* m
moeren *abîmer*
moersleutel *clé* v *à écrou*
moerstaal *langue* v *maternelle* ★ spreek je ~ *parle normalement*
moes *compote* v ★ tot moes maken *écraser en bouillie*
moesappel *pomme* v *à cuire*
moesson *mousson* v
moestuin *potager* m
moeten I OV WW INF. *aimer* ★ iem. niet ~ *ne pas aimer qn* II HWW • noodzakelijk zijn *devoir*; *falloir*; *être nécessaire* ★ het moet *il le faut* ★ men moet *il faut* ★ ik/hij moet wel *il faut bien que je/qu'il* [+ subj.] ★ hij moet geld hebben *il lui faut de l'argent* • verplicht zijn *devoir*; *falloir*; *être obligé de* ★ ik moet naar huis *je dois rentrer* ★ ik moest lachen, toen *je n'ai pu m'empêcher de rire, lorsque* ★ hij moet weggaan *il faut qu'il parte* ★ wij ~ wel komen *nous sommes bien obligés de venir* • behoren *devoir* ★ je moet weten dat *tu dois savoir que* ★ dat moet gezegd worden *il convient de le dire* ★ je had niet ~ weggaan *tu as eu tort de t'en aller* • aannemelijk zijn *devoir* ★ hij moet

steenrijk zijn *il doit être très riche* • willen *vouloir* ★ moet je iets drinken? *veux-tu boire qc?*
moetje • huwelijk *mariage* m *forcé* • kind ≈ *accident* m
moezelwijn *vin* m *de la Moselle*
mof • bonten huls *manchon* m • Duitser *Boche* m
mogelijk I BNW *possible* ★ het is ~ dat *il est possible que* [+ subj.] ★ zo ~ *si possible* ★ alle ~e moeite doen *faire tout son possible* ★ dat is ~ *c'est possible* ★ zo goed ~ *le mieux possible* ★ zo spoedig ~ *le plus tôt possible* ★ zij studeert zo goed ~ *elle étudie de son mieux* ★ zoveel ~ *autant que possible* ★ is het ~ om te *est-ce-que c'est possible de*; *y a-t-il moyen de?* II BIJW *peut-être*; *possible*
mogelijkerwijs *peut-être*; *éventuellement*
mogelijkheid *possibilité* v; *éventualité* v ★ ik kan met geen ~ komen *il m'est impossible de venir* ★ de ~ bestaat dat *il est possible que* [+ subj.]
mogen I OV WW *aimer* II HWW • kunnen *pouvoir* ★ mocht het gebeuren dat *supposé que* [+ subj.] • toestemming hebben *avoir la permission (de)*; *avoir le droit (de)*; *être permis* ★ mag dat? *peut-on?* ★ mag ik u een vraag stellen? *est-ce-que je peux vous poser une question?* ★ mag ik? *est-ce-que je peux?* ★ dat mag wel *allez-y* ★ mag ik even? *vous permettez* ★ mag ik de boter? *passez-moi le beurre, s'il vous plaît* ★ mag ik uitleggen waarom *permettez-moi de vous expliquer pourquoi*
mogendheid *puissance* v
mohair *mohair* m
mohammedaan *musulman* m
mohammedaans *musulman*
mok ≈ *gobelet* m
moker *masse* v
mokerslag *coup* m *de masse/de massette*; FIG. *coup* m *de massue*
mokka *moka* m
mokkel *nana* v ★ een lekker ~ *une nana bien roulée*
mokken *bouder*
mol • dier *taupe* v • MUZ. *bémol* m
Moldavië *la Moldavie*
moleculair *moléculaire*
molecule *molécule* v
molen *moulin* m ▾ hij heeft een tik van de ~ (gekregen) *il est toqué* ▾ de ambtelijke ~(s) *les rouages de l'administration*
molenaar *meunier* m [v: *meunière*]
molensteen *meule* v
molenwiek *aile* v *de moulin*
molesteren *molester*
molestverzekering ≈ *assurance* v *contre les actes de vandalisme*
molière *richelieu* m
mollen *bousiller*
mollig I BNW *moelleux* [v: *moelleuse*]; ⟨v. lichaam⟩ *potelé*; INF. *grassouillet* [v: *grassouillette*] II BIJW *moelleusement*
molm ⟨v. turf⟩ *débris* m mv; ⟨v. hout⟩ *vermoulure* v
molotovcocktail *cocktail* m *Molotov*
molshoop *taupinière* v
molton *molleton* m ★ met ~ voeren *molletonner*
Molukken *archipel* m *des Moluques*
Molukker *Moluquois* m [v: *Moluquoise*]
Moluks *moluquois*
mom *couvert* m ★ onder het mom van *sous le couvert de*
mombakkes *masque* m
moment *moment* m ★ op het ~ *pour le moment* ★ op dit ~ *à cette heure-ci*
momenteel I BNW • huidig *actuel* [v: *actuelle*] • kortstondig *momentané* II BIJW kortstondig *momentanément*
momentopname *instantané* m
moment suprême *moment* m *suprême*
mompelen *marmonner*
Monaco *Monaco* ★ in ~ *à Monaco*
monarch *monarque* m
monarchie *monarchie* v
monarchist *monarchiste* m/v
mond • orgaan *bouche* v ★ zijn mond houden *se taire* ★ houd je mond *tais-toi*; VULG. *ferme la* ★ van mond tot mond *de bouche à oreille* ★ geen mond opendoen over iets *ne pas souffler mot de qc* ★ met open mond staan kijken *regarder bouche bée* • monding *embouchure* v • opening ⟨v. een kanon⟩ *gueule* v; MED. *orifice* m; *bouche* v; *entrée* v ▾ zijn mond voorbijpraten *en dire trop*; *jaser* ▾ met de mond vol tanden staan *rester interdit*; *rester bouche bée* ▾ veel monden te vullen hebben *avoir beaucoup d'enfants* ▾ iemand de mond snoeren *fermer la bouche à qn*
mondain *mondain* ★ in ~e kringen verkeren *fréquenter la haute société*
monddood ▾ iemand ~ maken *réduire qn au silence*
mondeling I ZN *oral* m [mv: *oraux*] II BNW *oral* [m mv: *oraux*] III BIJW *oralement*; *à haute voix*
mond- en klauwzeer *fièvre* v *aphteuse*
mondharmonica *harmonica* m
mondhoek *commissure* v *des lèvres*
mondholte *cavité* v *buccale*
mondhygiënist ≈ *assistant* m *d'un dentiste spécialisé dans l'hygiène buccale*
mondiaal *mondial* [m mv: *mondiaux*]
mondig • meerderjarig *majeur* • zelfstandig ★ ~ verklaren JUR. *émanciper*
mondigheid *autonomie* v
monding *embouchure* v; *bouches* v mv
mondje *petite bouche* v ▾ ~ dicht, mondje toe *pas un mot!*; *motus!* ▾ niet op zijn ~ gevallen zijn *avoir la langue bien pendue*
mondjesmaat *tout juste assez* ★ met ~ *au compte-gouttes*
mond-op-mondbeademing *bouche-à-bouche* m
mondstuk ⟨v. pijp⟩ *embout* m; ⟨v. blaasinstrument⟩ *embouchure* v
mond-tot-mondreclame *publicité* v *par la bouche à oreille*
mondverzorging *soins* m mv *buccaux*
mondvol ⟨hap⟩ *bouchée* v; ⟨slok⟩ *gorgée* v
mondvoorraad *provisions* v mv *de bouche*

monetair *monétaire*
Mongolië *la Mongolie* ★ in ~ *en Mongolie*
mongolisme *mongolisme* m
mongoloïde *mongoloïde*
monitor *moniteur* m ★ ~bewaking *télésurveillance* v
monnik *moine* m
monnikenwerk *travail* m *de bénédictin*
monnikskap • deel v.e. gewaad *capuchon* m *de moine*; *cagoule* v • PLANTK. *aconit* m *(napel* m*)*
mono *mono*
monochroom *monochrome*
monocle *monocle* m
monogaam *monogame*
monogamie *monogamie* v
monogram *monogramme* m
monokini *monokini* m
monoliet *monolithe* m
monolithisch *monolithe*
monoloog *monologue* m
monomaan *obsédé* m
monomanie *névrose* v *obsessionnelle*
monopolie *monopole* m
monopoliepositie *situation* v *monopolistique*
monorail *monorail* m
monoski *monoski* m
monotoon *monotone*
monster • gedrocht *monstre* m • proefstuk *échantillon* m ★ ~s trekken *échantillonner* ★ een ~ nemen *prélever un échantillon* ★ op ~ kopen *acheter sur échantillon*
monster- *monstre*; *énorme*; *gigantesque*
monsterachtig I BNW *monstrueux* [v: *monstrueuse*] II BIJW *monstrueusement*
monsterboekje *livret* m *d'inscrit maritime*
monsteren • SCHEEPV. *enrôler* • keuren *examiner*; *inspecter*; ‹in het leger› *passer en revue*
monsterlijk I BNW *monstrueux* [v: *monstrueuse*] II BIJW *monstrueusement*
monstrans *ostensoir* m
monstrueus *monstrueux* [v: *monstrueuse*]
monstruositeit *monstruosité* v
montage *montage* m
montagefoto *photo-robot* v [mv: *photos-robots*]
montagetafel *table* v *de montage*
Montenegrijn *Monténégrin* m [v: *Monténégrine*]
Montenegrijns *monténégrin*
Montenegro *le Monténégro* ★ in ~ *au Monténégro*
monter I BNW *enjoué*; *gai* II BIJW *gaiement*; *gaîment*
monteren *monter*
montessorischool *école* v *Montessori*
monteur *monteur* m; *mécanicien* m [v: *mécanicienne*]; *dépanneur* m
montuur *monture* v
monument *monument* m
monumentaal I BNW *monumental* [m mv: *monumentaux*] II BIJW *de façon monumentale*
monumentenzorg *commission* v *des monuments historiques*
mooi I BNW • aangenaam aandoend *beau* [m mv: *beaux*] [v: *belle*] [onr: *bel*]; *joli*; *gentil* [v: *gentille*]; INF. *chouette* ★ zich mooi maken *se parer* ★ mooi zo! *très bien!*; *bravo!* ★ dat is niet mooi van je *ce n'est pas gentil à toi* ★ iets mooi maken *embellir qc*; *enjoliver qc* ★ wie mooi wil zijn, moet pijn lijden *il faut souffrir pour être beau (belle)* ★ hij spreekt mooi Frans *il parle bien le français* • IRON. ★ nu nog mooier! *ça alors!* ★ het mooiste van de zaak is *le plus beau de l'histoire c'est que* II BIJW • op mooie wijze *joliment* ★ hij zingt mooi *il chante bien* • IRON. ★ je hebt mooi praten *tu peux en parler à ton aise* ▾ daar ben je mooi klaar mee *te voilà propre*
mooipraten • gunstiger voorstellen *embellir*; *enjoliver* • vleien *flatter*
moonboot *après-ski* m [mv: *après-skis*]
moor *Maure* m/v
moord *meurtre* m; *assassinat* m ★ ~! *à l'assassin!*
moordaanslag *attentat* m ★ een ~ voorbereiden op een politicus *préparer un attentat contre un homme politique*
moordbrigade *brigade* v *criminelle*
moorddadig I BNW moordend *meurtrier* [v: *meurtrière*] II BIJW moordend *mortellement*
moorden *assassiner*; *tuer*
moordenaar *meurtrier* m [v: *meurtrière*]; *assassin* m ▾ de goede ~ *le bon larron*
moordend • moorddadig *meurtrier* [v: *meurtrière*] • slopend *éreintant*; *tuant*; *crevant*
moordgriet *fille* v *superbe*; INF. *canon* m
moordkuil *coupe-gorge* m [onv]
moordpartij *tuerie* v
moordwapen *arme* v *de crime*
moorkop *choux* m *à la crème*
moot *tranche* v; ‹v. grote vis› *darne* v ★ in mootjes hakken ‹v. vis› *couper en tranches*
mop *blague* v ★ wat een mop! *elle est bien bonne!* ★ moppen tappen *raconter des blagues*
moppentapper *blagueur* m; *plaisantin* m
mopperaar *râleur* m [v: *râleuse*]; *mécontent* m
mopperen *grogner*; INF. *ronchonner*; *rouspéter*; *râler*
mopperkont *bougon* m
mopperpot *râleur* m [v: *râleuse*]; *grincheux* m [v: *grincheuse*]
mopsneus *nez* m *camard*
moraal *morale* v
moraalridder *moralisateur* m [v: *moralisatrice*]
moraliseren *moraliser*
moralisme *moralisme* m
moralist *moraliste* m/v
moratorium *moratoire* m
morbide *morbide*
moreel I ZN *moral* ★ het ~ der troepen *le moral des troupes* II BNW *moral* [m mv: *moraux*] III BIJW *moralement*
morel • zure kers *griotte* v • morellenboom *griottier* m
mores *mœurs* v mv ▾ iemand ~ leren *apprendre à vivre à qn*
morfeem TAALK. *morphème* m
morfine *morphine* v

morfologie *morphologie* v
morgen I ZN *matin* m; ‹tijdsduur› *matinée* v ★ 's ~s *le matin* ★ iem. goede ~ wensen *dire bonjour à qn* ★ de volgende ~ *le lendemain matin* ★ op zekere ~ *un beau matin* II BIJW *demain* ★ ~ vroeg *demain matin* ★ ~ over veertien dagen *demain en quinze*
morgenavond *demain soir*
morgenland *Orient* m
morgenmiddag *demain après-midi*
morgenochtend *demain matin* m
morgenrood *aurore* v
morgenster *tragopogon* m
Morgenster *étoile* v *du berger*; *étoile* v *du matin*
morgenstond *aurore* v ▾ de ~ van het leven *l'aurore de la vie*
mormel *horreur* v
mormoon *mormon* m
morning-afterpil *pilule* v *abortive*
morose *morose*
morrelen *trifouiller*
morren *grogner*; *protester* ★ zonder ~ *sans broncher*
morsdood *raide mort*
morse *morse* m
morsen I OV WW laten vallen *faire tomber*; *répandre* II ON WW knoeien *(se) salir*; *tacher*; *faire des taches* ★ hij morst overal bij het eten *il salit toute la table en mangeant* ★ je morst op je jurk *tu es en train de tacher ta robe*; *tu fais des taches sur ta robe*
morseteken *signe* m *morse*
morsig *malpropre*; *sale*
mortel • steengruis *déchet* m *de pierres* • metselspecie *mortier* m
mortier *mortier* m
mortuarium • lijkenhuis *morgue* v • uitvaartcentrum *funérarium* m
mos *mousse* v ★ met mos begroeid *moussu*
mosgroen *vert mousse*
moskee *mosquée* v
Moskou *Moscou*
moslim *musulman* m; *musulmane* v
moslimextremisme *extrémisme* m *islamite*
mossel *moule* v
mosselbank *parc* m *à moules*; ‹kunstmatig› *moulière* v *artificielle*
most *moût* m
mosterd *moutarde* v ▾ als ~ na de maaltijd komen *arriver trop tard*
mosterdgas *gaz* m *moutarde*
mot • insect *mite* v ★ de mot zit in mijn trui *mon chandail est mangé par les mites*; *mon chandail est mité* • ruzie *querelle* v
motel *motel* m
motie *motion* v ★ ~ van wantrouwen *motion de censure*
motief *motif* m
motivatie *motivation* v
motiveren • beredeneren *motiver* • stimuleren *encourager*
motivering *motivation* v
motor • machine *moteur* m • motorfiets *moto* v ★ ~ met zijspan *side-car* m ★ een zware ~ *une grosse moto*
motoragent *motard* m
motorboot *canot* m *à moteur*
motorcross *motocross* m
motorfiets *moto* v
motoriek *motricité* v
motorisch *moteur* [v: *motrice*] ★ ~ gehandicapt *handicapé moteur*
motoriseren *motoriser*
motorkap *capot* m
motorpech *panne* v *de moteur* ★ ~ hebben *être en panne*
motorrijder *motocycliste* m/v; *motard* m
motorrijtuig *véhicule* m *automobile*
motorrijtuigenbelasting *taxe* v *sur les véhicules à moteur*
motorvoertuig *véhicule* m *à moteur*
motregen *bruine* v
motregenen *bruiner*
mottenbal *antimite* m ▾ iets uit de ~len halen *ressortir qc*
mottig *mangé des mites*; *mité*
motto *devise* v
mountainbike *vélo* m *tout-terrain*; *V.T.T.* m
mousse *mousse* v
mousseren *mousser*
mout *malt* m
mouw *manche* v ★ de mouwen opstropen *relever les manches* ▾ dat schudt men maar niet uit de mouw *cela ne s'improvise pas* ▾ een mouw aan iets passen *trouver un biais* ▾ iemand iets op de mouw spelden *raconter des histoires à qn*
moven *bouger* ★ ~, joh! *allez, bouge!*
mozaïek *mosaïque* v
Mozambique *le Mozambique* ★ in ~ *au Mozambique*
mozzarella *mozzarella* v
mts ≈ *école* v *d'enseignement technique du second cycle*
mud *hectolitre* m
mudvol *plein à craquer*
muf *qui sent le moisi*
mug *moustique* m; ‹in Canada› *maringouin* m
muggenbeet *piqûre* v *de moustique*
muggenbult *piqûre* v *de moustique*
muggenolie *huile* v *contre les moustiques*
muggenziften *chicaner*; *ergoter*
muggenzifter *chicaneur* m [v: *chicaneuse*]
muil • bek *gueule* v; *museau* m • schoen *mule* v
muildier *mulet* m [v: *mule*]
muilezel *bardot* m
muilkorf *muselière* v
muilpeer *marron* m
muis • dier *souris* v • van computer *souris* v • deel van hand *thénar* m
muisarm *TMS* m *au bras*
muisgrijs *gris souris*
muisje • jonge muis *petite souris* v; *souriceau* m [mv: *souriceaux*] • gesuikerde anijszaadjes ★ ~s ≈ *perles* v mv *d'anis*
muismat *tapis* m *de souris*
muisstil ★ ~ zijn *ne souffler mot* ★ het is ~ *on entend voler une mouche*
muiten *se mutiner*; *s'insurger*
muiterij *mutinerie* v; *insurrection* v
muizenis *souci* m ★ zich ~sen in het hoofd halen *se faire du souci*

muizenval *souricière* v
mul *meuble* ★ mul zand *sable fin* m
mulat *mulâtre* m [v: *mulâtresse*]
multicultureel *multiculturel* [v: *multiculturelle*]
multidisciplinair *multidisciplinaire*
multifunctioneel I BNW *polyvalent* II BIJW *de manière polyvalente*
multi-instrumentalist *musicien* m *qui joue de plus d'un instrument*
multimedia- *multimédia* [onv]
multimediaal *multimédia* [onv]
multimiljonair *multimillionnaire* m
multinational *multinationale* v
multipel *multiple*
multiplechoicetest *questionnaire* m *à choix multiple*
multiple sclerose *sclérose* v *en plaques*
multiplex *contreplaqué* m
multomap *classeur* m
mum ▾ in een mum van tijd *en un rien de temps; en moins de rien*
mummelen *marmonner*
mummie *momie* v
mummificeren *momifier*
municipaal *municipal* [m mv: *municipaux*]
munitie *munitions* v mv
munitiedepot *dépôt* m *de munitions*
munt • geldstuk *(pièce* v *de) monnaie* v ★ klinkende munt *espèces* v mv *sonnantes* • penning *médaille* v; ‹v. telefoon/meter› *jeton* m • munteenheid *monnaie* v • waardestempel *face* v ★ kruis of munt spelen *jouer à pile ou face* • muntgebouw *Hôtel* v *de la Monnaie* • plant *menthe* v ▾ iemand iets met gelijke munt betalen *rendre la pareille à qn* ▾ voor goede munt aannemen *prendre pour argent comptant*
muntbiljet *monnaie* v *de papier*
munteenheid *unité* v *monétaire*
munten • tot munt slaan *battre monnaie; frapper la monnaie* • ~ **op** *viser (qc); en avoir contre (qn)*
muntstuk *pièce* v *de monnaie*
murmelen *murmurer* ★ het ~ *le murmure*
murw • week, slap *mou* [v: *molle*] [onr: *mol*] • gebroken FIG. *qui n'a plus de résistance* ★ murw slaan *rosser* ▾ murw maken *briser*
mus *moineau* m [mv: *moineaux*]
musculatuur *musculature* v
museum *musée* m; ‹v. nat. hist.› *muséum* m
museumbezoek *fréquentation* v *des musées*
museumstuk *pièce* v *de musée*
musical *comédie* v *musicale*
musiceren *faire de la musique*
musicoloog *musicologue* m/v
musicus *musicien* m [v: *musicienne*]
muskaat • noot *muscade* v • wijn *vin* m *muscat*
musket *mousquet* m
musketier *mousquetaire* m
muskiet *moustique* m
muskus *musc* m
muskushert *chevrotain* m
muskusrat *rat* m *musqué*
müsli *müesli* m
must *chose* v *à ne pas manquer; chose* v *indispensable*
mutatie *mutation* v
muts • hoofddeksel *bonnet* m; ‹v. vrouw› *coiffe* v • mutsmaag *bonnet* m ▾ zijn muts staat verkeerd *il a le bonnet de travers*
muur *mur* m; ‹v. een kasteel› *muraille* v
muurbloempje ▾ een ~ zijn *faire tapisserie*
muurkrant *journal* m *mural* [m mv: *journaux* ...]
muurschildering *fresque* v; *peinture* v *murale*
muurvast *inébranlable*
muurverf *peinture* v *murale*
muzak *musique* v *de fond*
muze *muse* v
muzelman *musulman* m
muziek *musique* v ★ ~ maken *faire de la musique* ★ lichte ~ *musique légère*
muziekbibliotheek *bibliothèque* v *musicale*
muziekblad *feuille* v *de musique*; ‹periodiek› *revue* v *de musique*
muziekcassette *musicassette* v
muziekdoos *boîte* v *à musique*
muziekfestival *festival* m *de musique*
muziekgezelschap *formation* v *musicale*
muziekinstrument *instrument* m *de musique*
muziekkapel *musique* v
muziekkorps *fanfare* v
muziekminnend *qui aime la musique*
muzieknoot *note* v
muziekpapier *papier* m *à musique*
muziekschool *école* v *de musique*
muziekstandaard *pupitre* m *à musique*
muziekstuk *morceau* m *(de musique)* [m mv: *morceaux* ...]
muziektent *kiosque* m *à musique*
muziektheater • theater *salle* v *de concerts* • genre *opéra* m
muziekwetenschap *musicologie* v
muzikaal *musical* [m mv: *musicaux*] ★ zij is ~ *elle est musicienne; elle a l'oreille musicienne; elle est douée pour la musique*
muzikant *musicien* m [v: *musicienne*]
myocarditis *myocardite* v
mysterie *mystère* m
mysterieus I BNW *mystérieux* [v: *mystérieuse*] II BIJW *mystérieusement*
mysticus *mystique* m/v
mystiek I ZN *mystique* v II BNW *mystique*
mystificatie *mystification* v
mythe *mythe* m
mythisch *mythique*
mythologie *mythologie* v
mythologisch *mythologique*
mytylschool ≈ *école* v *pour handicapés physiques*
myxomatose *mixomatose* v

N

n *n* m

na I BIJW • later/toe *après* ★ hij nam fruit na *il prit des fruits comme dessert* • na-/dichtbij ★ hij stond haar zeer na *elle l'aimait beaucoup* • behalve ★ op twee na de grootste *le plus grand à deux près* II VZ • later dan/achter *après* ★ na u! *après vous!* ★ tweemaal na elkaar *deux fois d'affilée* ★ de een na de ander *l'un après l'autre* • over *dans* ★ na een jaar *dans un an*

naad ‹v. stoffen› *couture* v; ‹v. planken› *joint* m ▾ zich uit de naad lopen *ne pas arrêter de courir*

naadloos *sans couture*; FIG. *sans problème*

naaf *moyeu* m [mv: *moyeux*]

naaidoos *boîte* v *à ouvrage*

naaien • met draad vastmaken *coudre* • neuken *baiser* • belazeren *baiser*

naaigarnituur *trousse* v *à couture*

naaimachine *machine* v *à coudre*

naaister *couturière* v

naaiwerk *(ouvrage* m *de) couture* v

naakt I ZN *nu* m II BNW zonder bedekking *nu*; *tout nu* [v: *toute nue*]; INF. *à poil* [onv]

naaktfoto *nu* m *photographique*

naaktloper *nudiste* m/v

naaktmodel *(modèle* m*) nu*; *académie* v

naaktstrand *plage* v *pour nudistes*

naald • wijzer *aiguille* v • gereedschap *aiguille* v • deel van pick-up *pointe* v *de lecture* • PLANTK. *aiguille* v • zuil *obélisque* m ▾ heet van de ~ *tout chaud*

naaldboom *conifère* m

naaldbos *bois* m *de conifères*

naaldenboekje *paquet* m *d'aiguilles*

naaldenkussen *pelote* v *(d'épingles/d'aiguilles)*

naaldenprik *piqûre* v *d'épingle/d'aiguille*

naaldhak *talon* m *aiguille*

naaldhout • boomsoort *conifères* m mv • hout *bois* m *de conifères*

naaldkunst *broderie* v

naam • benaming *nom* m ★ uit naam van *de la part de* ★ iem. bij zijn naam noemen *appeler qn par son nom* ★ de namen afroepen *faire l'appel* ★ op eigen naam *sous son nom* ★ op naam van *au nom de* ★ ten name van *au nom de* • reputatie *réputation* v ★ naam maken *se faire un nom* ▾ de dingen bij hun naam noemen *appeler un chat un chat* ▾ dat mag geen naam hebben *ce n'est rien*

naamdag *fête* v

naamgenoot *homonyme* m

naamkaartje *carte* v *de visite*

naamkunde • onomastiek *onomastique* v • leer van de nomenclatuur *terminologie* v

naamloos *anonyme*; *sans nom*

naamsverandering *changement* m *de nom*

naamsverwarring *confusion* v *de noms*

naamsverwisseling *confusion* v *de noms*

naamval *cas* m ★ eerste ~ *nominatif* m ★ tweede ~ *génitif* m ★ derde ~ *datif* m ★ vierde ~ *accusatif* m

naamwoord *nom* m

naamwoordelijk *nominal* ★ het ~ deel van het gezegde *attribut* m

na-apen *copier*; *singer*

naar I BNW • akelig *désagréable* ★ wat een nare jongen *quel garçon déplaisant!* • beroerd ★ ik werd er helemaal naar van *cela m'a donné la nausée* II VZ • in de richting van ★ naar huis lopen *rentrer à pied* ★ naar Frankrijk vertrekken *partir pour la France* ★ naar Londen gaan *aller à Londres* ★ naar de dokter gaan *aller voir un médecin* ★ naar de film gaan *aller au cinéma* ★ naar beneden brengen *descendre* ★ naar boven brengen *monter* • volgens *d'après* ★ naar de natuur geschilderd *peint d'après nature* ★ naar zijn wil *selon sa volonté* ★ naar wens *à souhait* ▾ hij is er niet de man naar om *il n'est pas l'homme à* III VW ★ naar men zegt/hoopt *d'après ce qu'on dit/espère*

naargeestig • akelig *lugubre* • somber *sombre*; *morne*

naargelang I BIJW *suivant* ★ ~ de omstandigheden *selon les circonstances* II VW *au fur et à mesure que*

naarling *personne* v *désagréable*

naarmate *à mesure que*

naarstig I BNW *diligent*; *appliqué* II BIJW *diligemment*; *avec application*

naast I BNW • dichtst bij *proche* ★ in de ~e omgeving *dans le voisinage immédiat* • intiemst *intime* ★ de ~e familie *les proches* ▾ ten ~e bij *approximativement* II VZ • terzijde van ★ ~ elkaar *côte à côte* ★ de vrouw ~ haar *la dame à côté d'elle* ★ de keeper greep ~ de bal *le gardien de but manqua le ballon* • behalve *sauf* ★ ~ het één ook het ander *non seulement...mais encore*

naaste *prochain* m [v: *prochaine*]

naastenliefde *amour* m *du prochain*; REL. *charité* v

naastgelegen *voisin*; *adjacent*

nababbelen *rester un peu pour bavarder*

nabehandeling *soins* m mv *complémentaires*; ‹na operatie› *traitement* m *postopératoire*

nabeschouwing *commentaire* m

nabespreking *commentaire* m; *évaluation* v

nabestaande *proche parent* m [v: *proche parente*]

nabestaandenregeling *mesures* v mv *en faveur des proches survivants*

nabestellen *renouveler la commande de*

nabezorging *livraison* v *après la distribution normale*

nabij I BNW *proche* ★ in de ~e toekomst *dans l'avenir proche* ★ het Nabije Oosten *le Proche-Orient* ★ iem. van ~ kennen *connaître qn de près* II VZ ★ ~ de dood *proche de la mort*

nabijgelegen *voisin*; *proche*

nabijheid • het nabijzijn *proximité* v • directe omgeving *voisinage* m ★ in de ~ van *à proximité de*

nablijven *rester*; ‹op school› *être en retenue*; *être collé*

nablussen *noyer un feu*

nabootsen *imiter*

N

nabootsing *imitation* v
naburig *voisin*
nachecken *vérifier*
nacht *nuit* v ★ 's ~s *la nuit* ★ 's ~s reizen *voyager de nuit* ★ slapeloze ~ *nuit blanche* ★ het is ~ *il fait nuit* ★ het wordt ~ *la nuit tombe* ★ in de ~ van vrijdag op zaterdag *dans la nuit du vendredi au samedi* ▾ bij ~ en ontij *à des heures indues*
nacht- *de nuit*; *nocturne*
nachtblind *héméralope*
nachtbraken • 's nachts feesten *faire la noce* • 's nachts werken *travailler la nuit*
nachtbraker *noceur* m [v: *noceuse*]
nachtbus *bus* m *de nuit*
nachtclub *boîte* v *de nuit*
nachtcrème *crème* v *de nuit*
nachtdienst *service* m *de nuit* ★ ~ hebben *être de service de nuit*
nachtdier *animal* m *nocturne* [m mv: *animaux nocturnes*]
nachtegaal *rossignol* m
nachtelijk *nocturne*
nachtfilm *film* m *de nuit*
nachthemd *chemise* v *de nuit*
nachtjapon *chemise* v *de nuit*
nachtkaars *chandelle* v ▾ als een ~ uitgaan *s'éteindre doucement*
nachtkastje *table* v *de nuit*
nachtkijker *lunette* v *de nuit*
nachtkleding *vêtements* m mv *de nuit*
nachtlamp *lampe* v *de chevet*; *veilleuse* v
nachtleven *noctambulisme* m
nachtmens *homme* m *de nuit* [v: *femme de nuit*]
nachtmerrie *cauchemar* m
nachtmis *messe* v *de nuit*; ‹met kerst› *messe* v *de minuit*
nachtploeg *équipe* v *de nuit*
nachtrust *repos* m *nocturne*; *sommeil* m
nachtslot *serrure* v *de sûreté* ★ op het ~ doen *fermer à double tour*
nachtstroom *courant* m *de nuit*
nachttarief *tarif* m *de nuit*
nachttrein *train* m *de nuit*
nachtvlinder • vlinder *papillon* m *de nuit* • wie graag 's nachts werkt *noctambule* m/v
nachtvorst *gelée* v *nocturne*
nachtwaker *veilleur* m *de nuit*
nachtwerk *travail* m *de nuit* ★ dat wordt weer ~ *la soirée sera longue une fois de plus*
nachtzoen ★ iem. een ~ geven *embrasser qn pour lui souhaiter une bonne nuit*
nachtzuster *infirmière* v *de nuit*
nacompetitie SPORT *matches* m mv *de barrage*
nadagen *dernières années* v mv ★ hij is in zijn ~ *il va sur sa fin*
nadat [+ ind./subj.] *après que*
nadeel • wat ongunstig is *inconvénient* m; *désavantage* m ★ ~ hebben bij *perdre à* ★ ten nadele van *au détriment de* ★ deze methode heeft grote nadelen *cette méthode a de grands inconvénients* • schade *préjudice* m; *tort* m ★ iem. ~ berokkenen *faire du tort à qn*
nadelig I BNW schadelijk *nuisible (à)*; *préjudiciable (à)*; ‹ongunstig› *désavantageux* [v: *désavantageuse*] ★ ~ zijn voor *nuire à*; *être mauvais pour* ★ een ~ saldo *un déficit* II BIJW *désavantageusement* ★ ~ werken *avoir un effet nuisible*
nadenken *réfléchir (à|sur)* ★ dat stemt tot ~ *cela donne à penser*
nadenkend I BNW *pensif* [v: *pensive*]; *réfléchi* II BIJW *de manière réfléchie*
nader I BNW • dichterbij *plus proche*; *plus voisin* • preciezer *plus précis* ★ voor ~e inlichtingen kunt u zich wenden tot *pour plus amples renseignements s'adresser à* ★ tot ~ order *jusqu'à nouvel ordre* ★ ~ bericht *communication ultérieure* v ★ bij ~ inzien *à la réflexion* II BIJW • dichterbij *plus près* • uitvoeriger *plus précisément* ★ ~ leren kennen *faire plus ample connaissance*
naderhand *plus tard*; *après (coup)*
nadien *depuis*; ↑ *dès lors*
nadoen *imiter*; *copier*; ‹scherts› *singer* ★ dat zul je hem niet ~ *tu n'en feras pas autant*
nadruk • accent *accent* m ★ met ~ *avec insistance* ★ de ~ leggen op *accentuer*; *faire ressortir* • herdruk *réimpression* v
nadrukkelijk I BNW *formel* [v: *formelle*]; *explicite* II BIJW *explicitement*; *formellement*; *avec insistance*
nagaan • volgen *suivre* • concluderen *s'imaginer*; *comprendre* • controleren *contrôler*; *vérifier* • overwegen *examiner*; *étudier*
nagalm *résonance* v; *écho* m
nageboorte *placenta* m
nagedachtenis *mémoire* v; *souvenir* m
nagel • verhoornde huid *ongle* m ★ zijn ~s knippen *se couper les ongles* • spijker *clou* m; ‹v. hout› *cheville* v *(de bois)*
nagelbijten *se ronger les ongles*
nagelgarnituur *nécessaire* m *à ongles*
nagelkaas *fromage* m *aux clous de girofle*
nagellak *vernis* m *à ongles*
nagelriem ≈ *envies* v mv
nagelschaar *ciseaux* m mv *à ongles*
nagelvijl *lime* v *à ongles*
nagemaakt *faux* [v: *fausse*]; *copié*
nagenieten *savourer encore*
nagenoeg *à peu (de chose) près*
nagenoemd *nommé ci-après|plus bas*
nagerecht *dessert* m
nageslacht • nakomelingen *descendance* v • latere geslachten *postérité* v
nageven • toekennen *accorder* ★ men moet hem ~ dat hij *il faut reconnaître qu'il* • na afloop geven *donner en plus*
nagloeien *avoir un reste d'incandescence*
naheffing *imposition* v *complémentaire*
naheffingsaanslag *imposition* v *complémentaire*
naïef I BNW argeloos *naïf* [v: *naïve*] II BIJW *naïvement*
naïeveling *naïf* m [v: *naïve*]
naijver *envie* v; *jalousie* v
naijverig *envieux* m [v: *envieuse*]
naïviteit *naïveté* v
najaar *automne* m; *arrière-saison* v [mv: *arrière-saisons*]
najaarscollectie *collection* v *d'automne*

najaarsklassieker SPORT *classique* v *d'automne*
najaarsmode *mode* v *d'automne*
najaarsstorm *tempête* v *d'automne*
najaarszon *soleil* m *d'automne*
najagen • vervolgen *poursuivre* • nastreven *rechercher*; *ambitionner*; *aspirer à*
nakaarten *épiloguer (sur)*
nakie ▾ in zijn ~ *à poil*
nakijken • kijken naar *suivre des yeux* • controlerend nagaan *contrôler*; *vérifier*; ‹v. motor e.d.› *réviser*; ‹corrigeren› *corriger*
naklinken *se faire encore entendre*; *retentir*
nakomeling *descendant* m [v: *descendante*]
nakomen I OV WW naleven *observer*; *respecter*; ‹v. verplichting› *s'acquitter de*; ‹v. plicht› *remplir* ★ zijn afspraken niet ~ *manquer à ses engagements* II ON WW later komen *suivre*; *venir après*
nakomertje *petit dernier* m [v: *petite dernière*]
nalaten • achterlaten *laisser*; *léguer* • niet doen *manquer de*; *négliger de*; ‹zich onthouden› *s'abstenir (de)* ★ ik kon niet ~ te *je n'ai pas pu m'empêcher de*
nalatenschap *héritage* m; JUR. *succession* v
nalatig *négligent*; *nonchalant*
nalatigheid *négligence* v; *nonchalance* v
naleven *suivre*; *observer*
naleving *observation* v
nalezen • overlezen *relire* • nazoeken *consulter*
nalopen • achternalopen *suivre*; *courir après* • controleren *vérifier*; ‹v. personen› *surveiller*
namaak *contrefaçon* v
namaken • maken volgens model *faire une copie de*; *copier* • bedrieglijk nabootsen *imiter*; *contrefaire*
name ▾ met name *en particulier*
namelijk • te weten *à savoir*; *c'est-à-dire* • immers *puisque* ★ er is ~ iets gebeurd *c'est qu'il s'est passé qc*
Namen *Namur*
namens *de la part de* ★ ~ de firma *au nom de la maison*
nameten *vérifier*; *remesurer*
Namibië *la Namibie* ★ in ~ *en Namibie*
namiddag *après-midi* m/v [onv]
naoorlogs *d'après-guerre*
NAP *le niveau* m *zéro de nivellement d'Amsterdam*
napalm *napalm* m
napluizen *éplucher*
napoleontisch *napoléonien* [v: *napoléonienne*]
nappa I ZN *agneau* m II BNW *en agneau*
napraten I OV WW praten in navolging van *répéter* II ON WW na afloop blijven praten *rester à causer*
napret *plaisir* m *qui suit*; *joie* v *après coup*
nar *fou* m [v: *folle*]; GESCH. *bouffon* m [v: *bouffonne*]
narcis *narcisse* m
narcisme *narcissisme* m
narcistisch *narcissique*
narcolepsie *narcolepsie* v
narcose *anesthésie* v
narcoticabrigade *brigade* v *des stupéfiants*
narcoticum *narcotique* m
narcotiseur *anesthésiste* m/v
narekenen *vérifier*; *contrôler*
narigheid *ennuis* m mv
naroepen *interpeller*
narratief *narratif* [v: *narrative*]
narrig I BNW *maussade* II BIJW *d'un air maussade*
nasaal I ZN TAALK. *nasale* v II BNW *nasal* [m mv: *nasaux*] III BIJW *avec un bruit nasal*
nascholing *recyclage* m
nascholingscursus *cours* m *de recyclage*
naschrift ‹in brief› *post-scriptum* m [onv]; ‹in boek› *postface* v
naseizoen *basse saison* v
nasi *riz* m *cuit à l'indonésienne*
nasibal *boulette* v *de riz à l'indonésienne*
naslaan *chercher*; *consulter* ★ iets in een woordenboek ~ *chercher qc dans un dictionnaire*
naslagwerk *ouvrage* m *de référence*
nasleep *suites* v mv
nasmaak • achterblijvende smaak *arrière-goût* m [mv: *arrière-goûts*] • achterblijvend gevoel *arrière-goût* m [mv: *arrière-goûts*] ★ bittere ~ *déboires* m mv
naspel *épilogue* m; MUZ. *finale* m; ‹vrij gedeelte› *postlude* m; ‹liefdesspel› *jeux* m mv *amoureux après le coït*
naspelen *reproduire* ★ op het gehoor ~ *jouer d'oreille*
naspeuren *faire des recherches*
nastaren *suivre des yeux*
nastreven • streven naar *poursuivre*; *chercher à réaliser* • evenaren *tenter d'égaler*
nasukkelen *suivre en (se) traînant*; ‹blijven sukkelen› *traîner*
nasynchroniseren • van gesproken tekst voorzien *doubler* • dubben *postsynchroniser*
nat I ZN *liquide* m II BNW • niet droog *mouillé*; *trempé* ★ nat maken *mouiller* ★ nat! ‹v. schilderwerk› *peinture fraîche!* ★ nat worden, zich nat maken *se mouiller* • regenachtig *humide*; *pluvieux* [v: *pluvieuse*]
natafelen *s'attarder à table*
natekenen *dessiner (d'après le modèle)*
natellen *recompter*; ‹in boekhouding› *vérifier le compte de*
natheid *humidité* v
natie • land *nation* v • volk *peuple* m
nationaal *national* [m mv: *nationaux*]
nationaal-socialisme *national-socialisme* m
nationalisatie *nationalisation* v
nationaliseren *nationaliser*
nationalisme *nationalisme* m
nationalist *nationaliste* m/v
nationalistisch *nationaliste*
nationaliteit *nationalité* v
nationaliteitsbeginsel *principe* m *des nationalités*
natje ▾ zijn ~ en zijn droogje op tijd krijgen *se faire dorloter*
natmaken *mouiller*
natrappen *donner un coup de pied par derrière*
natregenen *être mouillé/trempé (par la pluie)*
natrekken • nagaan *contrôler* • overtrekken *calquer*

natrium *sodium* m
natriumcarbonaat *carbonate* m *de sodium*
nattevingerwerk ⋆ het is ~ *c'est approximatif*
nattig *humide*
nattigheid *humidité* v ▾ ~ voelen *s'apercevoir que cela se gâte*
natura ⋆ in ~ *en nature*
naturalisatie *naturalisation* v
naturaliseren *naturaliser*
naturalisme *naturalisme* m
naturel *naturel* [v: *naturelle*]
naturisme *naturisme* m
naturist *naturiste* m/v
naturistenvereniging *association* v *naturiste*
natuur • natuurlijke omgeving *nature* v ⋆ in de vrije ~ *à la campagne*; *au grand air* • aard *naturel* m; *tempérament* m ⋆ van nature *de nature*; *par nature* ▾ de ~ is sterker dan de leer *chassez le naturel, il revient au galop*
natuurbad *piscine* v *en pleine nature*
natuurbehoud *préservation* v *de la nature*
natuurbescherming *protection* v *de la nature*
natuurfilm *film* m *sur la nature*
natuurgebied *région* v *naturelle*
natuurgeneeskunde *naturopathie* v
natuurgeneeswijze *traitement* m *naturopathe*
natuurgenezer *naturopathe* m/v
natuurgetrouw *fidèle*
natuurhistorisch *d'histoire naturelle*
natuurkunde *physique* v
natuurkundige *physicien* m [v: *physicienne*]
natuurlijk I BNW van/volgens de natuur *naturel* [v: *naturelle*] ⋆ een ~e dood sterven *mourir de sa belle mort* II BIJW • op spontane wijze *naturellement* • vanzelfsprekend *naturellement* ▾ ~! *bien entendu!*; *bien sûr!* III TW ⋆ heb jij je werk gedaan? ~! *as-tu fait tes devoirs? bien sûr!*
natuurlijkerwijs *naturellement*
natuurmens • mens in natuurstaat *homme* m *primitif* • natuurvriend *ami* m *de la nature* [v: *amie de la nature*]
natuurmonument *site* m *classé*
natuurproduct *produit* m *naturel*
natuurramp *catastrophe* v *naturelle*
natuurreservaat *réserve* v *naturelle*
natuurschoon *beautés* v mv *de la nature*
natuursteen *pierre* v *de taille*
natuurtalent *personne* v *douée*
natuurverschijnsel *phénomène* m *naturel*
natuurwetenschap • biologie *sciences* v mv *naturelles* • natuurkunde *sciences* v mv *physiques*
nautisch *nautique*
nauw I ZN • zeestraat *détroit* m ⋆ het Nauw van Calais *le Pas de Calais* • moeilijkheid *embarras* m ⋆ iem. in het nauw drijven *mettre qn au pied du mur*; *acculer qn* ⋆ in het nauw gedreven *pris de court* ⋆ in het nauw zitten *être dans le pétrin* II BNW • krap *serré*; *étroit* ⋆ nauwer maken *rétrécir* ⋆ nauwer worden *se rétrécir* ⋆ te nauwe schoenen *des chaussures qui serrent* • innig *étroit* • nauwgezet *précis* III BIJW • krap ‹met weinig tussenruimte› *étroitement*; *à l'étroit* ⋆ nauw zitten *être serré*; *être à l'étroit* ⋆ nauw behuisd *logé à l'étroit* • precies *avec précision* ⋆ hij neemt het niet zo nauw *il n'y regarde pas de si près*
nauwelijks *à peine* ⋆ hij was ~ gearriveerd of *il était à peine arrivé que*
nauwgezet I BNW *exact*; *scrupuleux* [v: *scrupuleuse*] II BIJW *exactement*; *scrupuleusement*
nauwkeurig I BNW *exact*; *précis* II BIJW *exactement*; *précisément*; *de près*
nauwlettend I BNW *attentif* [v: *attentive*] II BIJW *attentivement* ⋆ ~ toezien *surveiller de près*
nauwsluitend *ajusté*; ‹v. kleding› *collant*
navel *nombril* m; *ombilic* m ⋆ ~staren *faire du nombrilisme*
navelsinaasappel *navel* v
navelstaren *faire du nombrilisme*
navelstreng *cordon* m *ombilical*
navenant *à l'avenant*
navertellen *redire*; *répéter* ▾ hij heeft het niet kunnen ~ *il n'y a pas survécu*
navigatie *navigation* v
navigator *navigateur* m [v: *navigatrice*]
navigeren • besturen *naviguer* • schipperen *naviguer*
NAVO *OTAN* v; *Organisation* v *du Traité de l'Atlantique Nord*
navolgen *imiter*; *suivre*
navolgend *suivant*; JUR. *subséquent*
navolging *imitation* v ⋆ in ~ van *à l'exemple de*; *à l'instar de*
navordering *surimposition* v
navraag *enquête* v ⋆ ~ doen naar *s'informer de*
navragen *s'enquérir (de)*; *s'informer*
navrant *désolant*; *navrant*
navullen *recharger*; *remplir*
navulverpakking *recharge* v
naweeën • pijn achteraf *contractions* v mv *après l'accouchement*; *tranchées* v mv *(utérines)* • vervelend gevolg *suites* v mv
nawerken *se faire sentir*
nawerking *suites* v mv; *contrecoup* m; FIG. *retentissement* m; *effet* m ⋆ de ~ ondervinden van *ressentir les suites de*
nawijzen *montrer du doigt*
nawoord *postface* v; *épilogue* m
nazaat *descendant* m [v: *descendante*]
nazeggen *redire*; *répéter*
nazenden *faire suivre*; ‹opschrift› *prière de faire suivre*
nazi *nazi* m [v: *nazie*]
nazien • nagaan, uitzoeken *vérifier*; *revoir*; *corriger* • volgen met de blik *suivre des yeux*
nazisme *nazisme* m
nazitten *poursuivre*
nazoeken *fouiller*; *vérifier*; *chercher*
nazomer *fin* v *de l'été*
nazorg *surveillance* v *médicale après une hospitalisation*
NBC-wapens *armes* v mv *N.B.C.*
Neanderthaler *homme* m *de Néandertal*
necrologie *nécrologie* v
necropolis *nécropole* v
nectar *nectar* m
nectarine *nectarine* v
nederig *humble*; *modeste*

nederigheid *humilité* v; *modestie* v
nederlaag *échec* m; *défaite* v ★ een ~ toebrengen *infliger une défaite* ★ een ~ lijden *essuyer une défaite*
Nederland *les Pays-Bas* m mv ★ in ~ *aux Pays-Bas*
Nederlander *Néerlandais* m [v: *Néerlandaise*]
Nederlands **I** ZN *néerlandais* m **II** BNW *néerlandais*
Nederlandse Antillen *Antilles* v mv *néerlandaises*
Nederlands-Indië *l'Indonésie* v
Nederlandstalig *néerlandophone*
nederzetting *implantation* v; ‹m.b.t. kolonie› *colonie* v
nee *non*
neef • zoon van oom of tante *cousin* m • zoon van broer of zus *neveu* m [mv: *neveux*]
neer *en bas* ★ op en neer *de haut en bas*
neerbuigend **I** BNW *condescendant* **II** BIJW *avec condescendance*
neerdalen *descendre*
neergang *déclin* m
neergooien • naar beneden gooien *jeter par terre* • ophouden ★ de boel er bij ~ *envoyer tout promener*
neerhalen • naar beneden halen *abaisser*; SCHEEPV. *amener* • slopen *démolir*; *abattre* • afkammen *humilier* • neerschieten *descendre*
neerkijken • naar beneden kijken *baisser les yeux* • ~ **op** *mépriser*
neerkomen • dalend terechtkomen *se poser*; *descendre* • tot last komen van *retomber sur* ★ alles komt op haar neer *tout retombe sur elle* • betekenen *revenir à* ★ dat komt op hetzelfde neer *cela revient au même*
neerlandicus *spécialiste* m/v *du néerlandais*; *néerlandiciste* m/v
neerlandistiek *langue* v *et littérature* v *néerlandaises* [mv]
neerlaten *descendre*; *baisser*
neerleggen • op iets leggen *poser*; *mettre*; *déposer*; ‹languit› *coucher* • afstand doen van *déposer* ★ zijn ambt ~ *donner sa démission* • neerschieten *descendre*
neerploffen *s'affaler*; *tomber lourdement*
neerschieten **I** OV WW dood-/neerschieten *abattre*; *tuer* **II** ON WW omlaag storten *s'abattre (sur)*
neerslaan **I** OV WW • tegen de grond slaan *assommer* • omlaag doen *rabattre*; *baisser* ★ de ogen ~ *baisser les yeux* **II** ON WW • CHEM. *se déposer*; *se précipiter* • naar beneden vallen *s'abattre*; *tomber*; *retomber*; ‹v. rook› *se rabattre*
neerslachtig *abattu*; *découragé*
neerslag • regen *précipitations* v mv • resultaat *compte* m *rendu* • bezinksel *précipité* m ▾ radioactieve ~ *retombées* v mv *radioactives*
neerslaggebied *région* v *des précipitations*
neerslagmeter *pluviomètre* m
neersteken *poignarder*
neerstorten *tomber*; ‹v. vliegtuig› *s'écraser*
neerstrijken • neerdalen *se poser* • zich vestigen *s'installer* • gaan zitten *s'installer*
neertellen *payer*; INF. *débourser*
neervallen *tomber* ★ op een stoel ~ *s'affaler sur une chaise*
neervlijen • ordelijk neerleggen *ranger* • zachtjes neerleggen *poser doucement*
neerwaarts **I** BNW *descendant* **II** BIJW *en bas*
neerwerpen *jeter par terre*; ‹v. persoon› *terrasser*; *renverser*
neerzetten *(dé)poser*; ‹v. kind› *asseoir*
neerzien • naar beneden kijken *regarder en bas* • ~ **op** *mépriser*; *snober*
neet *lente* v
negatief **I** ZN FOTO. *négatif* m **II** BNW *négatif* [v: *négative*] **III** BIJW *négativement*
negen **I** ZN getal *neuf* m ★ drie ~s *trois neuf* **II** TELW *neuf* → **acht**
negende *neuvième* → **achtste**
negenoog MED. *anthrax* m
negentien *dix-neuf* → **acht**
negentiende *dix-neuvième* → **achtste**
negentig **I** ZN *quatre-vingt-dix* m **II** TELW *quatre-vingt-dix*; BELG./ZWI. *nonante* → **acht**
negentigste **I** ZN *quatre-vingt-dixième* m **II** TELW *quatre-vingt-dixième* → **achtste**
neger *noir* m [v: *noire*]; INF. *black* m
negeren *ignorer*; *négliger* ★ iem. ~ *ignorer qn*
negerzoen *tête* v *de nègre*
negligé *déshabillé* m; *négligé* m
negotie *commerce* m
negroïde *négroïde*
neigen • hellen *pencher*; *incliner* • tenderen *avoir tendance (à)* ★ men is geneigd te geloven dat *on a tendance à croire que*
neiging *inclination* v *(pour)*; *tendance* v *(à)*
nek *nuque* v; *cou* m ★ zijn nek breken *se casser le cou* ★ stijve nek *torticolis* m ▾ iemand de nek wel kunnen omdraaien *vouloir tordre le cou à qn*
nek-aan-nekrace *course* v *très disputée*
nekken • doden *tordre le cou (à)* • kapotmaken *casser*; *ruiner*
nekkramp *méningite* v *(cérébrospinale)*
nekslag • dodelijke slag *coup* m *sur la nuque* • genadeslag *coup* m *de grâce*
nekvel *peau* v *du cou* ▾ iemand in zijn ~ grijpen *attraper qn par la peau des fesses*
nekwervel *vertèbre* v *cervicale*
nemen • pakken *prendre* ★ uit de kast ~ *prendre dans l'armoire* • zich verschaffen *prendre* ★ een taxi ~ *prendre un taxi* ★ een kamer ~ *retenir une chambre* • gebruiken *prendre* • aanvaarden *accepter*; *prendre* ★ het leven ~ zoals het is *prendre les choses comme elles sont* • opvatten *prendre* • overwinnen *prendre* • tot stand brengen *prendre* ★ een foto ~ *prendre une photo* ▾ op zich ~ *se charger de*; *assumer* ▾ de moeite ~ om *se donner la peine de* ▾ het er eens goed van ~ *s'en donner* ▾ iets voor lief ~ *s'arranger de qc*; *s'accommoder de qc*
neoclassicisme *néoclassicisme* m
neofascisme *néofascisme* m
neoklassiek *néoclassique*
neologisme *néologisme* m
neon *néon* m
neonazi *néonazi* m [v: *néonazie*]

N

neonbuis *tube* m *fluorescent*
neonlicht *lumière* v *au néon*
neonreclame *enseigne* v *au néon*; *publicité* v *au néon*
nep • bedrog *bidon* m • iets dat waardeloos is *toc* m
Nepal *le Népal* ★ in ~ *au Népal*
nepotisme *népotisme* m
neppen *rouler*
Neptunus *Neptune*
nerf • PLANTK. *nervure* v • houtvezel *nervure* v
nergens *ne ... nulle part* ★ hij kan ~ zijn boek vinden *il ne trouve son livre nulle part*
nering *commerce* m
nerts *vison* m
nerveus I BNW *nerveux* [v: *nerveuse*] **II** BIJW *nerveusement*
nervositeit *nervosité* v
nest • broedplaats *nid* m • worp *nichée* v • bed *pieu* m • familie *famille* v ★ hij komt uit een goed nest *il est de bonne famille* • nuffig meisje *chipie* v ★ vervelend nest *petite peste* v
nestblijver *(oiseau* m*) nidicole*
nestelen I ON WW *faire son nid* **II** WKD WW veilig wegkruipen *se nicher*; ‹v. mensen› *se blottir*
nesthaar *duvet* m
nestkuiken • *culot* m • jongste kind *benjamin* m [v: *benjamine*]
nestor *doyen* m
nestplaats *nid* m
nestvlieder *(oiseau* m*) nidifuge*
nestwarmte *chaleur* v *du foyer*
net I ZN • weefsel met mazen *filet* m • netwerk *réseau* m [mv: *réseaux*] • televisiezender *chaîne* v • niet klad *propre* m ★ in het net schrijven *mettre au net* **II** BNW • proper *propre* • keurig *soigné* • fatsoenlijk *comme il faut*; *convenable*; *décent* ★ nette manieren *de bonnes manières* v mv **III** BIJW • precies *exactement*; *précisément* ★ net zo groot als *aussi grand que* ★ we kunnen er net zo goed meteen heengaan *autant y aller tout de suite* ★ net iets voor hem *cela lui va*; *cela lui ressemble bien* ★ net of *comme si* ★ net klein genoeg om *juste assez petit pour* ★ hij doet net zo *il en fait autant* ★ net zo goed *(tout) autant* ★ hij is net gek *on dirait un fou* ★ net als *tout comme* ★ wij hebben net nog tijd om te *nous avons juste le temps de* • zojuist ★ hij is net weg *il vient de sortir*
netel *ortie* v
netelig *épineux* [v: *épineuse*]; *critique*
netelroos *urticaire* v
netheid *propreté* v
netjes I BNW • ordelijk *propre*; *rangé* ★ het is er ~ *tout y est propre* • fatsoenlijk *correct*; *poli* ★ dat is niet ~ *cela ne se fait pas* **II** BIJW • ordelijk *proprement* • fatsoenlijk *bien*; *convenablement* ★ ~ gekleed *bien habillé*
netkous *bas résille* m
netnummer *indicatif* m *(interurbain)*
netspanning *tension* v *du réseau*
netto I BNW *net* [v: *nette*] **II** BIJW *net*
nettoloon *salaire* m *net*
netto-omzet *chiffre* m *d'affaires net*
netvlies *rétine* v
netvliesontsteking *rétinite* v; *inflammation* v *de la rétine*
netwerk • complex systeem *réseau* m [mv: *réseaux*] • vlechtwerk ‹v. hout of metaal› *treillis* m; ‹v. draad› *filet* m
neuken *baiser*; VULG. *niquer*
neuriën *fredonner*
neurochirurgie *neurochirurgie* v
neurologie *neurologie* v
neuroloog *neurologue* m/v
neuroot *névrosé* m
neuropsychologie *neuropsychologie* v
neurose *névrose* v
neurotisch *névrotique*
neurotransmitter *neurotransmetteur* m
neus • reukorgaan *nez* m ★ uit zijn neus bloeden *saigner du nez* ★ de neus snuiten *se moucher* ★ door de neus praten *parler du nez* • reukzin *nez* m; *odorat* m • punt ‹v. schip› *avant* m; ‹v. schoen› *bout* m ▾ iemand bij de neus nemen *jouer un tour à qn* ▾ de neus voor iets ophalen *mépriser qc* ▾ zo langs zijn neus weg zeggen *dire qc en passant* ▾ iemand iets voor de neus weg kapen *souffler qc au nez à qn* ▾ dat gaat zijn neus voorbij *cela lui est passé sous le nez* ▾ niet verder kijken dan zijn neus lang is *ne pas regarder plus loin que (le bout de) son nez* ▾ iemand iets door de neus boren *souffler qc à qn*
neusademhaling *respiration* v *par la nez*
neusamandel *amygdale* v *pharyngienne*
neusbeen *os* m *nasal*; *épine* v *nasale*
neusbloeding *hémorragie* v *nasale*
neusdruppels *gouttes* v mv *pour le nez*
neusgat *narine* v; ‹v. dier› *naseau* m [mv: *naseaux*]
neusgeluid *son* m *nasillard*
neusholte *fosse* v *nasale*
neushoorn *rhinocéros* m
neus-keelholte *rhinopharynx* m
neus-keelholteontsteking *rhinopharyngite* v
neusklank *nasale* v
neuslengte *tête* v ★ met een ~ voorsprong winnen *gagner d'une tête*
neusplastiek *rhinoplastie* v
neusspray *spray* m *nasal*
neusstem *voix* v *nasillarde*
neustussenschot *cloison* v *nasale*
neusverkouden *enrhumé*
neusverkoudheid *rhume* m *de cerveau*; *rhinite* v
neusvleugel *aile* v *du nez*
neut *petit verre* m
neutraal *neutre*
neutraliseren *neutraliser*
neutraliteit *neutralité* v
neutron *neutron* m
neutronenbom *bombe* v *à neutrons*
neutrum *neutre* m
neuzelen • door de neus praten *nasiller* • onzin uitkramen *rabâcher*
nevel *brume* v; *brouillard* m; FIG. *voile* m
nevelig • met nevel *brumeux* [v: *brumeuse*]; *nébuleux* [v: *nébuleuse*] • onduidelijk *vague*

nevelvorming *formation* v *de brume*
nevenactiviteit *activité* v *annexe*
nevendienst *service* m *auxiliaire*
neveneffect *effet* m *secondaire*
nevenfunctie *fonction* v *annexe*
nevengeschikt *coordonné*
neveninkomsten *revenus* m mv *annexes*; *gains* m mv *d'appoint*; *à-côtés* m mv
nevenschikkend *de coordination*
nevenwerkzaamheden *travaux* m mv *annexes*
new age *new age* m; *nouvel âge* m
newfoundlander *terre-neuve* m [onv]
new wave *new wave* v; *nouvelle vague* v
Nicaragua *le Nicaragua* ★ in ~ *au Nicaragua*
nicht • dochter van oom/tante *cousine* v • dochter van broer/zus *nièce* v • homoseksueel *tante* v; *folle* v
nichterig *efféminé*
Nicosia *Nicosie*
nicotine *nicotine* v
nicotinevergiftiging *nicotinisme* m; *intoxication* v *par le tabac*
nicotinevrij *dénicotinisé*
niemand *ne ... personne*; ‹als onderwerp› *personne ne*; ‹zonder ww› *personne* ★ ~ anders *personne d'autre* ★ het is ~ anders dan mijn zus *ce n'est personne d'autre que ma sœur* ★ ik heb ~ gezien *je n'ai vu personne* ★ ~ heeft mij gezien *personne ne m'a vu*
niemandsland *no man's land* m; FIG. *terrain* m *neutre*
niemendal ‹met ww› *ne ... absolument rien*
niemendalletje ‹kledingstuk› *petite tenue* v; ‹roman› *roman* m *à l'eau de rose*
nier *rein* m; ‹als gerecht› *rognon* m
nierbekken *bassinet* m *du rein*
nierbekkenontsteking *inflammation* v *de la muqueuse du bassinet (du rein)*; *pyélite* v
nierdialyse *dialyse* v *rénale*
niergruis *sable* m *rénal*
nierpatiënt *néphrétique* m/v
niersteen *calcul* m *rénal* [m mv: *calculs rénaux*]; *concrétion* v *rénale*
niertransplantatie *transplantation* v *rénale*; *greffe* v *du rein*
nierziekte *maladie* v *du (des) rein(s)*; *néphrite* v
niesbui *accès* m *d'éternuement*
niesen *éternuer*
niespoeder *poudre* v *sternutatoire*
niesziekte ‹v. kat› *calicivirose* v; *rhinite* v *infectieuse*
niet I ZN (de) *billet* m *blanc* **II** ZN (het) *néant* m **III** BIJW *ne ... pas*; *non*; *non pas* ★ ook niet *ne ... pas non plus*; *ni ... non plus* ★ komt hij? ik niet *vient-il? moi, pas* ★ niet alleen ... maar ook *non seulement ... mais aussi* ★ hij drinkt niet meer *il ne boit plus* ★ dat niet *pas cela* ★ hij wil niet eten of drinken *il ne veut ni boire ni manger* ▾ zei ik het niet? *je l'avais bien dit!* **IV** ONB VNW ★ om niet *pour rien*
niet-aanvalsverdrag *pacte* m *de non-agression*
nieten *agrafer*
nietes *mais non*
niet-EU-land *pays* m *non affilié à l'Union Européenne*
niet-gebonden *indépendant* ★ de ~ landen *les pays non-alignés*
nietig • onbeduidend *futile*; *vain* • niet van kracht *nul* [v: *nulle*] ★ ~ verklaren *annuler*; *infirmer*
nietigverklaring *annulation* v
niet-ingezetene *non-résident* m
nietje • kleine klinknagel *attache* v • metalen krammetje *agrafe* v
niet-lid *non-adhérent* m
nietmachine *agrafeuse* v
niet-ontvankelijkverklaring *forclusion* v
nietpistool *pistolet* m *agrafeur*
niet-roken- *non-fumeurs* ★ niet-rokencoupé *compartiment* m *non-fumeurs*
niet-roker *non-fumeur* m [v: *non-fumeuse*]
niets I ZN *néant* m; *vide* m **II** ONB VNW ‹zonder ww› *rien*; *ne ... rien*; ‹als onderwerp› *rien ne* ★ ~ goeds *rien de bon* ★ ~ anders *rien d'autre* ★ ~ meer en niets minder dan *rien de plus, rien de moins que* ★ hij doet ~ meer *il ne fait plus rien* ★ dat geeft ~ *ça ne fait rien* ★ dat is ~ voor mij INF. *ce n'est pas ma tasse de thé* ★ ~ doen *se tourner les pouces* ★ daar heb je ~ mee te maken *cela ne te regarde pas*
nietsbetekenend *insignifiant*; *négligeable*
nietsnut *bon* m *à rien* [v: *bonne à rien*]; *propre* m/v *à rien*
nietsontziend *impitoyable*
nietsvermoedend *qui ne se doute de rien*
nietszeggend *vide de sens*; *banal* [m mv: *banals*]
niettegenstaande I VZ *malgré* **II** VW *bien que* [[+ subj.]]
niettemin *toutefois*
nietwaar *pas vrai*; *hein*
nieuw I ZN *neuf* m ★ zich in het ~ steken *s'habiller de neuf* **II** BNW • pas ontstaan *nouveau* [m mv: *nouveaux*] [v: *nouvelle*] [onr: *nouvel*]; ‹ongebruikt› *neuf* [v: *neuve*] ★ een ~e fiets *un vélo neuf* • volgend op iets/iemand *nouveau* [m mv: *nouveaux*] [v: *nouvelle*] [onr: *nouvel*] ★ een ~e hoed *un nouveau chapeau* ★ iets ~s *qc de nouveau* **III** BIJW *nouvellement* ★ ~ gebouwd *nouvellement bâti*
nieuwbakken • vers *de fraîche date* [onv] • pas geworden *frais émoulu* [v: *frais émoulue*] ★ een ~ advocaat *un avocat frais émoulu de la Faculté de droit*
nieuwbouw *construction* v *de bâtiments nouveaux*
nieuwbouwwijk *quartier* m *neuf*
nieuwbouwwoning *logement* m *neuf*
nieuwerwets I BNW *moderne* **II** BIJW *d'après la dernière mode*
Nieuwgrieks *grec* m *moderne*; *néogrec* m;
Nieuw-Guinea *la Nouvelle-Guinée*
nieuwigheid • het nieuwe *innovation* v • iets nieuws *nouveauté* v
nieuwjaar *nouvel an* m ★ ~ wensen *souhaiter la bonne année*
nieuwjaarsdag *jour* m *de l'an*
nieuwjaarskaart *carte* v *de bonne année*
nieuwjaarsreceptie *réception* v *du jour de l'an*
nieuwjaarswens *vœux* m mv *de bonne année*
nieuwkomer *nouvel arrivant* m [v: *nouvelle*

N

arrivante]; *nouveau venu* m [v: *nouvelle venue*]
nieuwprijs *prix* m *client*
nieuws • berichten *nouvelles* v mv; *infos* v mv ★ dat is oud ~ *c'est de l'histoire ancienne* • nieuwsuitzending *nouvelles* v mv ★ ~ in het kort *flash* m *d'information*
nieuwsbericht • nieuwstijding *nouvelle* v • nieuwsbulletin *bulletin* m *d'informations*; *informations* v mv
nieuwsblad *journal* m [mv: *journaux*] ★ de ~en *la presse d'information*
nieuwsbrief *bulletin* m *d'information*
nieuwsdienst *service* m *d'information*; *service* m *de presse*
nieuwsfeit *fait* m *signalé dans un bulletin d'information*
nieuwsgierig I BNW *curieux* [v: *curieuse*] ★ ik ben ~ naar *je suis curieux de savoir si* II BIJW *avec curiosité* ★ ~ maken *intriguer*
nieuwsgierigheid *curiosité* v
nieuwslezer *speaker* m [v: *speakerine*]
nieuwsmedium *presse* v *écrite et audiovisuelle*
nieuwsoverzicht *les titres* m mv *de l'actualité*
nieuwsrubriek *rubrique* v *actualité*
nieuwsuitzending *(bulletin* m *d')information* v
nieuwtje • nieuwigheid *nouveauté* v • actueel bericht *nouvelle* v ▾ het ~ is er af *cela a perdu le charme de la nouveauté*
nieuwwaarde *valeur* v *à l'état neuf*
Nieuw-Zeeland *la Nouvelle-Zélande* ★ in ~ *en Nouvelle-Zélande*
niezen *éternuer* ★ het ~ *l'éternuement* m
Niger *le Niger* ★ in ~ *au Niger*
Nigeria *le Nigeria* ★ in ~ *au Nigeria*
nihil *nul* [v: *nulle*]
nihilisme *nihilisme* m
nihilistisch *nihiliste*
nijd • afgunst *envie* v; *jalousie* v • woede *hargne* v
nijdig • boos *fâché*; *en colère* ★ ~ zijn op *être fâché contre* • venijnig *hargneux* [v: *hargneuse*]
nijgen *faire la révérence*; *s'incliner*
nijlpaard *hippopotame* m
Nijmegen *Nimègue*
nijnagel *envie* v
nijpend *cuisant*; *perçant* ★ ~e armoede *misère* v *noire* ★ ~e koude *froid* m *pénétrant*
nijptang *tenailles* v mv [mv]
nijver I BNW *diligent*; *laborieux* [v: *laborieuse*] II BIJW *diligemment*
nijverheid *industrie* v
nikkel *nickel* m
niks *ne ... rien*; *pas question* ▾ dat is niet niks ‹zonder ww.› *ça n'est pas rien*
niksen *se tourner les pouces* ▾ hij zit de hele dag te ~ *il ne fiche rien de toute la journée*
niksnut *bon* m *à rien* [v: *bonne à rien*]; *incapable* v
nimf *nymphe* v
nimmer *ne ... jamais*
nippel *raccord* m *à vis*; *douille* v
nippen *siroter*
nippertje ▾ op het ~ *de justesse*; *au dernier moment*
nirwana *nirvana* m
nis *niche* v
nitraat *nitrate* m
nitriet *nitrite* m
nitwit *jean-foutre* m [onv]
niveau *niveau* m [mv: *niveaux*] ★ op departementaal ~ *à l'échelon des ministères*
niveauverschil *différence* v *de niveau*; *dénivellation* v
nivelleren *niveler*
nobel I BNW edelmoedig *noble*; *généreux* [v: *généreuse*] II BIJW edelmoedig *noblement*; *généreusement*
Nobelprijs *prix* m *Nobel* ★ de ~ voor de vrede *le prix Nobel de la paix*
noch *ni* ★ het een noch het ander *ni l'un ni l'autre*
nochtans *toutefois*; *cependant*
no-claimkorting *bonus* m
nocturne *nocturne* m
nodeloos *inutile*
noden • uitnodigen *inviter (qn à qc)* • tot iets uitlokken *inviter (qn à qc)*; *prier (de)*
nodig I BNW • noodzakelijk *nécessaire* ★ zo ~ *à la rigueur*; *au besoin* ★ iets (echt) ~ hebben *avoir (vraiment) besoin de qc* ★ 2 uur ~ hebben om *mettre deux heures à* ★ het ~ vinden om *trouver nécessaire de* • gebruikelijk *habituel* [v: *habituelle*] ★ met de ~e ophef *avec le tam-tam habituel* II BIJW • noodzakelijk *nécessairement* • dringend *absolument* ★ ~ naar het toilet moeten *avoir un besoin pressant*
nodigen *inviter*; *convier*
noedels *nouilles* v mv
noemen • een naam geven *appeler*; *nommer*; *dénommer* ★ bij zijn voornaam ~ *appeler qn par son prénom* ★ zijn naam ~ *dire son nom* ★ ~ naar *donner le nom de* • met name vermelden *citer* ★ men noemt hem onder de kandidaten *on le cite parmi les candidats*
noemenswaardig *notable*; *digne d'être mentionné* ★ het verschil is niet ~ *la différence est négligeable*
noemer *dénominateur* m ▾ onder één ~ brengen *grouper sous un dénominateur commun*
noest I ZN *nœud* m II BNW *laborieux* [v: *laborieuse*] ★ een ~e werker *un bourreau de travail*
nog • tot nu *encore* ★ tot nog toe *jusqu'à présent* ★ dat ontbrak er nog maar aan! *il ne manquait plus que ça!* ★ nog altijd *toujours* ★ hij is nog niet thuis *il n'est pas encore rentré* • vanaf nu *encore* • bovendien, meer *encore* ★ nog eens *encore* ★ nog beter *encore mieux* ★ nog later *encore plus tard* ★ vandaag nog *aujourd'hui même* ★ vanavond nog *ce soir même* ★ anders nog iets? ‹in winkel› *et avec ça?* ★ al is men nog zo voorzichtig *on a beau être prudent* ★ hij zal nog ziek worden *il finira par tomber malade* ★ nog een sigaar? *un autre cigare?* ▾ en wat dan nog? *et puis après?*
noga *nougat* m
nogal *assez*
nogmaals *de nouveau*; *encore une fois*

N

no-iron *repassage superflu*
nok *faîte* m
nokkenas *arbre* m *à cames*
nomade *nomade* m/v
nomenclatuur *nomenclature* v
nominaal *nominal* [m mv: *nominaux*] ★ met een nominale waarde van *d'une valeur nominale de*
nominatie • benoeming *nomination* v • kandidatenlijst *liste* v *de candidats* ★ op de ~ staan *être proposé*
nominatief *nominatif* [v: *nominative*]
non *religieuse* v; *sœur* v ★ non worden *prendre le voile*
non- *non-*
non-actief *en non-activité*; *en disponibilité*
non-agressiepact *pacte* m *de non-agression*
non-alcoholisch *non-alcoolique*
nonchalance *nonchalance* v
nonchalant I BNW nalatig *nonchalant* II BIJW *nonchalamment*
non-conformistisch *non conformiste* [onv]
non-fiction I ZN *non-fiction* v II BNW *non-romanesque*
non-food *non-alimentaire*
nonnenklooster *couvent* m *de religieuses*
nonnenkoor *chœur* m *de religieuses*
nonnenschool *école* v *de religieuses*
no-nonsense ≈ *pragmatique*; *réaliste* ★ ~ politiek *une politique réaliste*
non-profit *sans but lucratif*
non-proliferatieverdrag POL. *traité* m *de non-prolifération*
nonsens *non-sens* m; *absurdité* v
non-stop *non-stop* [onv]; *sans arrêt* ★ ~muziek *de la musique non-stop*
non-stopvlucht *vol* m *non-stop/sans escale*
non-verbaal *non-verbal* [m mv: *non-verbaux*]
nood • behoefte *besoin* m; *nécessité* v ★ iem. uit de nood helpen *tirer qn d'affaire* • gevaar *danger* m; *détresse* v ★ in geval van nood *en cas de danger* ★ een schip in nood *un navire en détresse* • dringende omstandigheid *besoin* m ★ als de nood aan de man komt *en cas de besoin* ▾ nood breekt wet *nécessité n'a pas de loi*
nood- • voorlopig *provisoire*; *de réserve*; *de fortune* • bij gevaar *de secours*; *d'alarme*; *de détresse*; *d'urgence*
noodaggregaat *générateur* m *de réserve*
noodbrug *pont* m *provisoire*
nooddruftig *indigent*; *nécessiteux* [v: *nécessiteuse*]
noodgang → **bloedgang**
noodgebied • rampgebied *région* v *sinistrée* • noodlijdend gebied *région* v *économiquement faible*
noodgedwongen I BNW *forcé* II BIJW *par la force des choses*
noodgeval *cas* m *d'urgence*
noodhulp *aide* v *temporaire*
noodkerk ≈ *bâtiment* m *qui sert provisoirement d'église*
noodklok *tocsin* m
noodkreet *cri* m *de détresse*
noodlanding *atterrissage* m *forcé*
noodlijdend *indigent*; ECON. *en souffrance*
noodlot *destin* m; *fatalité* v
noodlottig *fatal* [m mv: *fatals*]
noodplan *plan* m *d'urgence*
noodrantsoen *ration* v *de réserve*
noodrem *signal* m *d'alarme*; *frein* m *de secours*; FIG. *signal* m *d'alarme*
noodsprong • sprong om zich te redden *saut* m *énorme* • uiterste poging om zich te redden *tentative* v *désespérée*
noodstop *arrêt* m *d'urgence*
noodtoestand *état* m *d'urgence*; *état* m *d'alerte* ★ de ~ afkondigen *déclarer l'état d'urgence*
nooduitgang *sortie* v *de secours*
noodvaart ★ met een ~ *à toute vitesse*; *à fond de train*
noodverband *pansement* m *provisoire*
noodverlichting *éclairage* m *de secours*
noodvulling *plombage* m *provisoire*
noodweer I ZN (de) zelfverdediging *légitime* v *défense* II ZN (het) onstuimig weer *tempête* v
noodzaak *nécessité* v
noodzakelijk *nécessaire* ★ ~ maken *nécessiter* ★ dringend ~ zijn *être urgent*; *être de toute nécessité*
noodzakelijkerwijs *nécessairement*
noodzaken *obliger*; *forcer*
nooit *ne ... jamais* ★ ~ iets *ne ... jamais rien* ★ ~ meer *ne ... plus jamais* ★ dat ~! *cela jamais!*
Noor *Norvégien* m [v: *Norvégienne*]
noord I ZN *nord* m; ‹noordelijke streken› *Nord* m II BIJW *du nord* ★ de wind is ~ *le vent est au nord*
Noord-Amerika *l'Amérique* v *du Nord* ★ in ~ *en Amérique du Nord*
Noord-Amerikaan *Nord-Américain* m [mv: *Nord-Américains*] [v: *Nord-Américaine*]
Noord-Amerikaans *nord-américain* [m mv: *nord-américains*] [v: *nord-américaine*]
noordelijk I BNW *septentrional* [m mv: *septentrionaux*]; ‹v. wind› *du nord* ★ het ~ halfrond *l'hémisphère Nord* m ★ de Noordelijke IJszee *l'Océan Arctique*; *l'Océan Glacial* m II BIJW *vers le nord*
noorden • windstreek *nord* m ★ ten ~ van *au nord de* ★ op het ~ liggen *être exposé au nord* • noordelijke gebieden *Nord* m ★ het hoge ~ *le grand Nord*
noordenwind *vent* m *du nord*
noorderbreedte *latitude* v *Nord*
noorderbuur *voisin* m *du nord*
noorderkeerkring *Tropique* m *du Cancer*
noorderlicht *aurore* v *boréale*
noorderling *Nordique* m/v
noorderzon ▾ met de ~ vertrekken *mettre la clef sous la porte*
Noord-Europa *l'Europe* v *du Nord* ★ in ~ *en Europe du Nord*; *dans l'Europe du Nord*
Noord-Europees *de l'Europe du Nord*
Noord-Ierland *l'Irlande* v *du Nord* ★ in ~ *en Irlande du Nord*
Noord-Korea *la Corée du Nord* ★ in ~ *en Corée du Nord*
noordkust *côte* v *nord*
noordnoordoosten *nord-nord-est* m
noordoostenwind *vent* m *du nord-est*
noordpool *pôle* m *Nord*

noordpoolcirkel *cercle* m *polaire arctique*
noordpoolexpeditie *expédition* v *dans le Grand Nord*
noordpoolgebied *région(s)* v (mv) *arctique(s)*
noords *du Nord; nordique*
noordwaarts I BNW *au nord* **II** BIJW *vers le nord*
noordwesten *nord-ouest* m
noordwestenwind *norois* m; *noroît* m; ‹scheepvaart› *vent* m *du nord-ouest*
Noordzee *Mer* v *du Nord*
Noordzeekust *côte* v *de la mer du Nord*
Noorman *Normand* m
Noors I ZN *norvégien* m **II** BNW *norvégien* [v: *norvégienne*]
Noorwegen *la Norvège* ★ in ~ *en Norvège*
noot • nootvrucht *noix* v ★ noten kraken *casser des noix* • muzieknoot *note* v • aantekening *note* v ★ verklarende noot *note explicative* ▾ veel noten op zijn zang hebben *être fort exigeant*
nootmuskaat *noix* v *muscade*
nop *nope* v; ‹op matras› *nœud* m; ‹op schoenzool› *crampon* m
nopen *contraindre (à); obliger (à)*
nopjes ▾ in zijn ~ zijn *boire du petit-lait*
noppes ★ voor ~ *pour des prunes*
nor *taule/tôle* v; *bloc* m ★ in de nor stoppen *fourrer au bloc*
noren *patins* m mv *de course*
norm *norme* v
normaal *normal* [m mv: *normaux*]
normalisatie *normalisation* v
normaliseren • regelmatig maken *régulariser* • standaardiseren *normaliser*
normaliter *normalement*
Normandië *la Normandie*
Normandisch *normand*
normatief *normatif* [v: *normative*]
normbesef *sens* m *de la norme*
normstelling *standardisation* v; *normalisation* v
normvervaging *estompage* m *des normes*
nors I BNW *bourru; brusque* **II** BIJW *de manière bourrue*
nostalgie *nostalgie* v
nostalgisch I BNW *nostalgique* **II** BIJW *avec nostalgie*
nota • geschrift *mémoire* m ★ nota van iets nemen *prendre bonne note de qc* • rekening *note* v
nota bene • let wel *remarquez* • warempel *tenez-vous bien* ★ hij heeft het ~ nog een keer gedaan! *figurez-vous qu'il l'a fait encore une fois!*
notariaat *notariat* m
notarieel I BNW *notarial* [m mv: *notariaux*] ★ notariële akte *acte* m *notarié* **II** BIJW *par acte notarié*
notaris *notaire* m
notariskantoor *étude* v *de notaire*
notatie *notation* v
noten • van notenhout *de noyer* • nootkleurig *noyer*
notenbalk *portée* v
notenbar *magasin* m *de noix*; ‹in supermarkt› *rayon* m *des noix*
notenboom *noyer* m
notenbrood *pain* m *aux noix*
notendop *coquille* v *de noix* ▾ in een ~ *en bref*
notenhout *noyer* m
notenkraker *casse-noisettes* m [onv]
notenschrift *notation* v *musicale*
noteren • aantekenen *noter*; ‹op rekening› *porter en compte* • opgeven/vaststellen *marquer; coter* ★ aan de beurs genoteerd zijn *être coté en bourse*
notering • het noteren *notation* v • koers *cotation* v
notie *notion* v ★ geen ~ van iets hebben *ne pas avoir la moindre idée de qc*
notificatie *notification* v
notitie *note* v ★ ~ nemen van *prendre note de* ★ ~s maken *prendre des notes* ▾ geen ~ nemen van *ignorer*
notitieboekje *carnet* m; *calepin* m
notoir *notoire*
notulen *procès-verbal* m [mv: *procès-verbaux*] ★ ~ maken *faire le procès-verbal* ★ in de ~ opnemen *consigner au procès-verbal*
notuleren I OV WW in notulen opnemen *consigner au procès-verbal; noter dans le procès-verbal* **II** ON WW notulen maken *rédiger le procès-verbal*
notulist *rédacteur* m *du compte-rendu* [v: *rédactrice* ...]; *rédacteur* m *du procès-verbal* [v: *rédactrice* ...]
nou I BIJW *maintenant* **II** TW ★ komt ze nou? *alors, elle vient?* ★ waar is hij nou gebleven? *où est-il donc passé?*
nouveau riche *nouveau riche* m
nouvelle cuisine *nouvelle cuisine* v
novelle *nouvelle* v
november *novembre* m
novice *novice* m/v
noviciaat *noviciat* m
noviteit *nouveauté* v
nozem *blouson* m *noir*
nu I BIJW op het ogenblik *maintenant; à présent* ★ tot nu toe *jusqu'ici* ★ nu en dan *de temps en temps* ★ nu eens ... dan weer *tantôt ... tantôt* ★ van nu af aan *à partir de maintenant*; ↑ *désormais* ★ wat nu weer? *qu'est-ce qu'il y a encore?* **II** VW *maintenant que; puisque* **III** TW ★ denk je nu echt dat ze komt? *est-ce que tu penses vraiment qu'elle viendra?*
nuance *nuance* v
nuanceren *nuancer*
nuanceverschil *différence* v *de nuance*
nuchter • niet dronken *sobre* • nog niet gegeten hebbend *à jeun* [onv] • realistisch *réaliste; pondéré* ▾ het ~e feit *le fait actuel* ▾ de ~e waarheid *la vérité toute nue*
nucleair *nucléaire*
nucleus *nucléus* m; *noyau* m [mv: *noyaux*]
nudisme *nudisme* m
nudist *nudiste* m/v; *naturiste* m/v
nuf *mijaurée* v
nuffig I BNW *qui se donne des airs* **II** BIJW *avec des airs*
nuk *caprice* m; *lubie* v
nukkig *capricieux* [v: *capricieuse*]
nul I ZN • cijfer *zéro* m • onbeduidend persoon *zéro* m ★ het is een grote nul *c'est*

une nullité II TELW *zéro* ⋆ twee graden onder/boven nul *deux degrés au-dessous/au-dessus de zéro* → **acht**
nullificeren *annuler*; JUR. *frapper de nullité*
nulmeridiaan *méridien* m *d'origine*
nulnummer *numéro* m *d'essai*
nulpunt *(point* m*) zéro* m
numeriek *numérique*
numero *numéro* m
numerologie *numérologie* v
numerus fixus ≈ *numerus* m *clausus*
numismatiek *numismatique* v
nummer • cijfer, getal *numéro* m ⋆ 06-~ *numéro vert* • programmaonderdeel *numéro* m • aflevering *numéro* m • persoon *numéro* m • liedje *chanson* v ▾ iemand op zijn ~ zetten *remettre qn à sa place*
nummerbord *plaque* v *d'immatriculation*
nummeren *numéroter*; *coter* ⋆ een dossier ~ *coter un dossier*
nummerherhaling *rappel* m *automatique du dernier numéro composé*
nummering *numérotage* m; ⟨v. bladzijden⟩ *pagination* v
nummertje • volgnummer *numéro* m ⋆ een ~ trekken *tirer un numéro* • geslachtsgemeenschap *coup* m ⋆ een ~ maken *tirer un coup* • staaltje *bel exemple* m *(de)* ⋆ een ~ weggeven *faire une démonstration*
nummerweergave *présentation* v *du numéro (de l'appelant)*
nuntius *nonce* m
nurks *grincheux* [v: *grincheuse*]; *maussade*
nut *utilité* v; *avantage* m; *profit* m; *bénéfice* m ⋆ zich iets ten nutte maken *profiter de qc*; *faire son profit de qc* ⋆ van nut zijn *être utile*
nutsbedrijf ⋆ de openbare nutsbedrijven *les entreprises reconnues d'utilité publique*
nutsvoorzieningen *équipements* m mv *d'utilité publique*
nutteloos *inutile*
nuttig I BNW • voordelig *avantageux* [v: *avantageuse*]; *profitable* • dienstig *utile* ⋆ ~ zijn voor *servir à* ⋆ het ~e met het aangename verenigen *joindre l'utile à l'agréable* II BIJW *utilement* ⋆ ~ besteden *mettre à profit*
nuttigen *consommer*; *manger*
nylon *nylon* m
nymfomaan *nymphomane*
nymfomane *nymphomane* v; INF. *nympho* v

o I ZN *o* m II TW *oh!*
oase *oasis* v
obductie MED. *autopsie* v
obelisk *obélisque* m
o-benen *jambes* v mv *arquées*
ober *garçon* m ⋆ ober, de rekening graag! *Monsieur, l'addition s'il vous plaît!*
obesitas *obésité* v
obituarium *obituaire* m
object *objet* m
objectfinanciering *financement* m *modique*
objectief I ZN lenzenstelsel *objectif* m II BNW *objectif* [v: *objective*] III BIJW *objectivement*
objectiveren *objectiver*
objectiviteit *objectivité* v
obligaat *obligé*; *obligatoire*
obligatie *obligation* v
obligatiedividend *dividende* m *d'obligation*
obligatiehouder *obligataire* m/v
obligatiekoers *cours* m *des obligations*
obligatielening *emprunt* m *obligataire*
obligatoir *obligatoire*
oblong *oblong* [v: *oblongue*]
obsceen *obscène*
obsceniteit *obscénité* v
obscurantisme *obscurantisme* m
obscuur I BNW *obscur* II BIJW *obscurément*
obsederen *obséder*; *hanter* ⋆ iets wat me obsedeert *qc qui me hante*
observatie *observation* v ⋆ in ~ liggen *être en observation*
observatorium *observatoire* m
observeren *observer*
obsessie *obsession* v; *idée* v *fixe* ⋆ dat wordt een ~ *cela tourne à l'obsession*
obstakel *obstacle* m
obstinaat *obstiné* ⋆ ~ worden *s'obstiner*
obstipatie *constipation* v
obstructie *obstruction* v
occasion *occasion* v
occidentaal *occidental* [m mv: *occidentaux*]
occult *occulte*
oceaan *océan* m
oceaandepressie *dépression* v *océanique*
oceaanfront *front* m *océanique*
oceaanvlucht *vol* m *transocéanique*
Oceanië *(l') Océanie* v
oceanologie *océanologie* v
och *ah!*; *oh!* ⋆ och kom! *allons donc!*
ochtend *matin* m ⋆ 's ~s *le matin* ⋆ 's ~s vroeg *tôt le matin*
ochtendblad *journal* m *du matin* [m mv: *journaux ...*]
ochtendeditie *édition* v *du matin*
ochtendgloren *aube* v
ochtendgymnastiek *gymnastique* v *matinale*
ochtendhumeur *mauvaise humeur* v *au réveil*
ochtendjas *peignoir* m; *robe* v *de chambre*
ochtendjournaal *journal* m *du matin*
ochtendmens *personne* v *matinale*
ochtendploeg *équipe* v *du matin*
ochtendspits *heure* v *de pointe du matin*
octaaf *octave* v

octaan *octane* m
octaangehalte *indice* m *d'octane*
octet *octet* m
octopus *pieuvre* v
octrooi *brevet* m *(d'invention)* ★ ~ aanvragen *présenter une demande de brevet*
octrooigemachtigde *mandataire* m/v *agréé auprès de l'Office des brevets*
octrooihouder *breveté* m
oculair *oculaire*
ode *ode* v ★ een ode aan iem. zingen *chanter un hymne à qn*
odyssee *odyssée* v
oecumene *oecuménisme* m
oecumenisch *oecuménique* ★ ~e Raad van Kerken *Conseil oecuménique des Eglises* m
oedeem *oedème* m
Oedipuscomplex *complexe* m *d'Oedipe*
oef *ouf!*
oefenen • vaardig maken *exercer*; *entraîner* • in praktijk brengen *exercer*; *employer*; ‹v. deugden e.d.› *mettre en pratique* ★ geduld ~ *prendre patience* ★ macht/invloed ~ *exercer un pouvoir/une influence* ★ wraak ~ *se venger*
oefengranaat *grenade* v *d'entraînement*
oefening *exercice* m; ‹training ook› *entraînement* m ★ een schriftelijke/mondelinge ~ *un exercice écrit/oral*
oefenmateriaal *matériel* m *d'entraînement*
oefenmeester *entraîneur* m
oefenwedstrijd *match* m *d'entraînement*
Oeganda *l'Ouganda* m ★ in ~ *en Ouganda*
oehoe *grand-duc* m *(d'Europe)*
oei *ouille!*
oekaze *oukase* m
Oekraïne *l'Ukraine* v
oelewapper *gourde* v
oen *gourde* v
oer- • oorspronkelijk *primitif* [v: *primitive*]; *d'origine* • zeer *super*; *hyper*; *archi*; *extra*
Oeral *Oural* m
oerbos *forêt* v *vierge*
oer-Hollands *typiquement néerlandais*
oerknal *big-bang* m
oermens *homme* m *primitif* [v: *femme primitive*]
oeroud *immémorial* [m mv: *immémoriaux*]; *très ancien* [v: *très ancienne*] ★ in ~e tijden *aux temps immémoriaux*
oersaai *terriblement ennuyeux* [v: ... *ennuyeuse*]
oertaal *langue* v *primitive*
oertijd *temps* m mv *préhistoriques*
oerwoud *forêt* v *vierge*
OESO *OCDE* v; *Organisation* v *de Coopération et de Développement Economique*
oester *huître* v
oesterbank *banc* m *d'huîtres*
oestervisserij *pêche* v *aux huîtres*
oesterzaad *naissain* m
oesterzwam *pleurote* m
oestrogeen *oestrogène* m; *estrogène* m
oeuvre *œuvre* m
oever *bord* m; ‹v. meer, grote rivier› *rive* v; ‹zeeoever› *rivage* m ★ buiten zijn ~s treden *sortir de son lit*; FIG. *dépasser les bornes*
oeverloos *sans fin*; *interminable* ★ oeverloze discussies *des discussions sans fin*
oeverplant *plante* v *fluviatile*
oeververbinding *liaison* v *entre deux rives*
Oezbekistan *l'Ouzbékistan* m
of • bij tegenstelling *ou*; *ou bien*; *soit* ★ hij of ik *lui ou moi* ★ je zult het doen of je wilt of niet *tu le feras que tu le veuilles ou non* ★ min of meer *plus ou moins* • ofwel *sinon* ★ hou op, of je krijgt een klap! *arrête, sinon tu prends une claque!* ★ er uit of...! *sortez sinon...!* • ongeacht *avoir beau* • bij twijfel *que*; *si* ★ weet je of hij komt? *sais-tu s'il viendra?* ★ ik twijfel of zij komt *je doute qu'elle vienne* • alsof *comme si* ★ hij doet of hij mij niet kent *il fait comme s'il ne me connaissait pas* • na ontkenning *que*; *sinon* ★ nauwelijks waren we thuis of het begon te regenen *à peine étions nous rentrés qu'il s'est mis à pleuvoir* ★ het scheelde weinig of het was hem gelukt *il s'en est fallu de peu qu'il n'ait réussi* ▾ een stuk of twintig *une vingtaine* ▾ een gulden of zes *environ six florins* ▾ houd je daarvan? nou en of *aimes-tu cela? et comment!*
offensief I ZN *offensive* v ★ het ~ beginnen *prendre l'offensive* ★ een ~ inzetten *déclencher une offensive* II BNW *offensif* [v: *offensive*]
offer • offerande *sacrifice* m; *offrande* v • opoffering *sacrifice* m ★ ~s brengen voor iets *faire des sacrifices pour qc*
offerande • offer *offrande* v • dankgebed *offertoire* m
offeren *sacrifier*
offergave *offrande* v
offerte *offre* v; *devis* m *estimatif* ★ een vaste/vrijblijvende ~ *une offre ferme/sans engagement*
official *officiel* m [v: *officielle*]
officieel I BNW *officiel* [v: *officielle*] II BIJW *officiellement*
officier *officier* m ★ eerste ~ SCHEEPV. *capitaine en second* ★ ~ van justitie ‹in Nederland› *procureur de la Reine*; ‹in Frankrijk› *procureur de la République*
officieus I BNW *officieux* [v: *officieuse*] II BIJW *officieusement*
off line *déconnecté*; *hors ligne*; *autonome*
offreren *offrir*
offset *offset* m
offshore *off shore* [onv]
offside *hors jeu*
ofschoon *quoique* [[+ subj.]]; *bien que* [[+ subj.]] ★ ~ erg vriendelijk, is hij toch *bien qu'il soit très aimable, il est*
oftewel *ou bien*
ogen *avoir l'air* ★ zij oogt nog jong *elle a encore l'air jeune*
ogenblik • korte tijd *moment* m; *instant* m ★ in een ~ *en un clin d'œil* ★ een ~ alstublieft *un instant/moment s'il vous plaît* • tijdstip *moment* m ★ hij kan ieder ~ komen *il peut arriver d'un moment à l'autre* ★ op dit ~ *en ce moment* ★ op dat ~ *à ce moment* ★ op het ~ dat *au moment où* ★ ieder ~ *à tout moment* ★ voor het ~ *pour le*

moment/*l'instant* ▾ in een onbewaakt ~ *dans un moment d'inattention*
ogenblikkelijk I BNW onmiddellijk *immédiat* II BIJW *immédiatement*; *tout de suite*
ogenschijnlijk I BNW *apparent* II BIJW *apparemment*; *en apparence*
ogenschouw ▾ iets in ~ nemen *prendre qc en considération*; *faire l'inspection de qc*
ohm *ohm* m
oio *chercheur* m *en formation* [v: *chercheuse* ...]
oir VERO. *héritier* [v: *héritière*]
okay *O.K.*
oker *ocre* v
okido *d'acc*
oksel *aisselle* v
okselhaar *poils* m mv *de l'aisselle*
oktober *octobre* m
oldtimer *voiture* v *ancienne*
oleander *laurier-rose* m [mv: *lauriers-roses*]
olie *huile* v; ‹aardolie› *pétrole* m; ‹stookolie› *mazout* m ★ ruwe olie *pétrole* m *brut* ★ olie verversen *vidanger l'huile*; *faire la vidange d'huile* ★ (diesel)olie *gas-oil*/*gasoil* m ▾ olie op het vuur gieten *jeter de l'huile sur le feu* ▾ in de olie zijn *avoir une cuite*
oliebol *beignet* m
oliebollenkraam *baraque* v *à beignets*
oliebron ‹aangeboord› *puits* m *de pétrole*; *gisement* m *de pétrole*
olieconcern *groupe* m *pétrolier*
oliecrisis *crise* v *du pétrole*
oliedom *bête comme un âne*
olie-embargo *embargo* m *pétrolier*
olie-en-azijnstel *huilier* m
oliefilm *film* m *d'huile*
oliefilter *filtre* m *à huile*
oliejas *ciré* m
oliekachel *poêle* m *à mazout*
olieland *pays* m *producteur de pétrole*
oliën I ZN *lubrification* v; *graissage* m II OV WW • met olie bewerken *huiler* • smeren *graisser*
olieraffinaderij *raffinerie* v *de pétrole*
oliesel ★ laatste ~ *extrême onction* v ★ iem. het laatste ~ toedienen *administrer l'extrême onction à qn*
olieslagerij *huilerie* v
olieveld *gisement* m *de pétrole*
olieverf *peinture* v *à l'huile*
olievervuiling *pollution* v *par le pétrole*; *marée* v *noire*
olievlek *nappe* v *de pétrole* ▾ het breidde zich als een ~ uit *ça a fait tache d'huile*
oliewinning *extraction* v *d'huile*
olifant *éléphant* m
olifantshuid *peau* v *d'éléphant* ▾ een ~ hebben *avoir une peau d'éléphant*
oligarchie *oligarchie* v
olijf • vrucht *olive* v • boom *olivier* m
olijfboom *olivier* m
olijfolie *huile* v *d'olive*
olijftak *branche* v *d'olivier*
olijk I BNW *espiègle* II BIJW *avec espièglerie*
olm *orme* m
olympiade *olympiades* v mv
olympisch *olympique* ★ de Olympische Spelen *les Jeux olympiques*
om I BIJW • voorbij/langs ★ de tijd is om *c'est l'heure* ★ nog voor de week om is *avant la fin de la semaine* ★ om het huis heen *autour de la maison* ★ we gaan/lopen even een blokje om *nous allons faire un tour* • langer/meer ★ dat is zeker een uur om *c'est un détour d'au moins une heure* ▾ om en om *alternativement* II VZ • teneinde *pour*; *afin de* ★ ik heb geen tijd om je te helpen *je n'ai pas le temps de t'aider* ★ dat doet hij om op te vallen *il le fait pour se faire remarquer* ★ vragen om *demander* • vanwege *pour* ★ om die reden *pour cette raison* ★ bekend staan om *être réputé pour* • met als doel *avec pour but* ★ daar gaat het (mij) niet om *pour moi, il ne s'agit pas de cela* ★ om het hardst *à qui mieux mieux* • rond(om) *autour de* ★ om de tafel *autour de la table* • op zeker tijdstip *à* ★ om vier uur *à quatre heures* ★ om middernacht *à minuit* ★ om 12 uur 's middags *à midi* • afwisselend ★ om de dag *tous les deux jours* ★ om de beurt *à tour de rôle*
oma *grand-mère* v [mv: *grands-mères*]; *mémé* v
Oman *l'Oman* m ★ in Oman *en Oman*
omarmen *embrasser*; ‹plechtig› *donner l'accolade à*
omblazen *renverser en soufflant*
ombouw ★ de ~ van een bed *les éléments* m mv *de rangement autour d'un lit*
ombouwen *transformer (en)*
ombrengen *tuer*; *égorger*; *assassiner*
ombudsman *ombudsman* m; *médiateur* m [v: *médiatrice*]
ombuigen I OV WW • verbuigen *(re)courber*; *plier* • veranderen *infléchir* II ON WW buigen *se plier*; *se courber*
ombuiging • het ombuigen *recourbement* m • beleidswijziging *infléchissement* m
omcirkelen *encercler*; *entourer*
omdat • aangezien *parce que*; ‹met bijzin voor de hoofdzin› *comme*; *puisque*; *étant donné que* • doordat *du fait que*; *parce que* ★ vooral ~ *surtout parce que*
omdoen *mettre*
omdopen *rebaptiser*
omdraaien I OV WW van stand doen veranderen *tourner*; *retourner* ★ iem. de nek ~ *tordre le cou à qn* ★ de sleutel tweemaal ~ *donner deux tours de clef* II ON WW • omwentelen *tourner autour de soi-même* • draai maken *tourner* • omkeren *retourner*; *faire demi-tour*
omduwen *renverser*
omega *oméga* m
omelet *omelette* v
omfloerst ★ ~ zonlicht *de la lumière tamisée* ★ een ~e stem *une voix voilée*
omgaan • rondgaan *tourner autour (de)*; *faire le tour (de)*; *faire un détour* ★ de hoek ~ *tourner au coin* • zich afspelen *se passer* • van mening veranderen *se raviser* • verstrijken *passer* • ~ **met** *manier (qc)*; *fréquenter (qn)* ★ met de pen ~ *manier la plume*
omgaand ★ per ~e antwoorden *répondre par*

O

retour du courrier

omgang • sociaal verkeer *fréquentation* v ★ ~ hebben met *fréquenter* ★ aangenaam in de ~ zijn *être de bonne compagnie*; *être agréable à vivre* • processie *procession* v

omgangsrecht *droit* m *de visite*

omgangsregeling *réglementation* v *du droit de visite*

omgangstaal *langage* m *courant*; *langue* v *parlée*

omgangsvormen *savoir-vivre* m

omgekeerd I BNW • omgedraaid *inverse*; *renversé* ★ in ~e volgorde *en sens inverse* • tegenovergesteld *inversé*; *contraire* ▾ de ~e wereld *le monde à l'envers* II BIJW • omgedraaid *à l'inverse*; *à l'envers* • tegenovergesteld *inversement*; *contrairement*; *réciproquement* ★ ~ evenredig aan *inversement proportionnel à*

omgeven *entourer*; *environner* ★ ~ met iets *entourer de qc*

omgeving • omstreken *environs* m mv; *alentours* m mv ★ in de ~ van *aux environs/alentours de* • kring van mensen *entourage* m

omgooien • omvergooien *renverser* • omdoen *jeter sur les épaules* • veranderen *bouleverser* • vlug draaien *pousser*; *renverser* ★ het roer ~ *virer de bord*

omhaal • wijdlopigheid ★ zonder ~ van woorden *sans détours* • nodeloze drukte *façons* v mv ★ ~ maken *faire du zèle* • SPORT ⟨bij voetbal⟩ *bibyclette* v

omhakken *abattre*

omhalen • omvertrekken *abattre*; *renverser* • omwoelen *remuer* ★ de grond ~ *retourner la terre*

omhangen *mettre*; *revêtir (de)*; *couvrir (de)*; *envelopper (dans)* ★ zich ~ met *se revêtir de*; *s'envelopper dans*

omheen *(tout) autour* ★ om de tafel zitten *être assis autour de la table* ★ om iem. heen staan *faire cercle autour de qn* ★ ergens ~ lopen *faire le tour de qc*; *contourner qc* ★ om zich heen kijken *regarder autour de soi*

omheining *clôture* v; *palissade* v

omhelzen *embrasser*

omhelzing *enlacement* m; *embrassement* m; ⟨krachtig⟩ *étreinte* v; ⟨plechtig⟩ *accolade* v

omhoog • in de hoogte *en hauteur*; *en l'air* ★ naar ~ *vers le haut* ★ van ~ *d'en haut* • naar boven *en haut*; *dans le ciel* ★ de weg gaat ~ *la route monte*

omhoogschieten • snel groeien *pousser vite* ★ de planten schieten omhoog *les plantes poussent rapidement* • snel omhooggaan *s'élever rapidement* ★ de raket schoot omhoog *la fusée s'élança dans les airs*

omhoogzitten *avoir des difficultés* ★ hij zit omhoog met die goederen *il n'arrive pas à vendre ces marchandises*

omhullen *envelopper*; *couvrir*

omhulsel *enveloppe* v

omissie *omission* v

omkeerbaar *réversible*; ⟨v. een stelling⟩ *convertible*

omkeren I OV WW omdraaien *retourner*; ⟨v. situatie⟩ *renverser* ★ het hoofd ~ *tourner la tête* II ON WW keren *faire demi-tour*; *s'en retourner*

omkijken • achter zich kijken *tourner la tête*; *se retourner* • zoeken *chercher* • ~ **naar** *s'occuper de* ★ naar iem./iets ~ *s'intéresser à qn/qc*

ómkleden *changer* ★ zich ~ *se changer*

omkléden *revêtir*

omklemmen *serrer*; *étreindre* ★ iem. met zijn armen ~ *serrer qn dans ses bras*

omkomen • ergens omheen komen *tourner* ★ de hoek ~ *tourner le coin* • sterven *mourir*; *périr* • traag verstrijken ★ hoe zal die tijd ~ *le temps me semble bien long*

omkoopbaar *vénal* [m mv: *vénaux*]; *corruptible*

omkopen *acheter*; *corrompre* ★ zich laten ~ *se vendre*

omkoperij *corruption* v

omlaag • beneden *en bas* • naar beneden *vers le bas* ★ met het hoofd ~ *tête baissée*; ⟨v. schaamte⟩ *la tête basse* ★ ~ doen *baisser*

omlaaghalen • neerhalen *abaisser*; *descendre* • in aanzien doen dalen *rabaisser*; *nuire à* ★ zijn misstap haalde hem omlaag *son erreur a nui à sa réputation*

omleggen • anders leggen ⟨v. wegen⟩ *dévier*; *détourner* ★ de weg is omgelegd *la route est déviée* • om iets leggen *entourer (de)*; *mettre autour (de)*

omlegging *déviation* v *(de route)*; *détournement* m

omleiden *détourner* ★ het verkeer ~ *dévier la circulation*

omliggend *environnant*

omlijnen *délimiter*; *préciser*

omlijsten *encadrer*

omlijsting • het omlijsten *encadrement* m • kader *cadre* m

omloop • circulatie *circulation* v ★ in ~ brengen *mettre en circulation* ★ valse berichten in ~ brengen *faire circuler de fausses informations* • omwenteling *tour* m; ⟨om eigen as⟩ *rotation* v; ⟨volgens een baan⟩ *révolution* v • fijt *panaris* m

omloopsnelheid ⟨v. geld⟩ *vitesse* v *de circulation*; ⟨v. hemellichaam⟩ *vitesse* v *de révolution*

omlopen I OV WW omverlopen *renverser (au passage)* II ON WW • omweg maken *faire un détour* • rondlopen *faire un (petit) tour*

ommekeer *retournement* m

ommetje *tour* m ★ een ~ maken *faire un tour*

ommezien ★ in een ~ *en un clin d'œil*

ommezijde *verso* m; *dos* m ★ zie ~ *voir au verso*

ommezwaai *revirement* m

ommuren *entourer de murs*; *murer*

omnibus ≈ *recueil* m

omnivoor *omnivore* m/v

omploegen *labourer*; ⟨onderploegen⟩ *déchaumer*

ompraten *faire changer d'avis*; *dissuader (de)*

omrastering *clôture* v; ⟨v. hout⟩ *palissade* v; ⟨v. metaal⟩ *grillage* m

omrekenen *convertir (en)*; *réduire*

omrekening *conversion* v

omrekeningskoers *cours* m/*taux* m *de conversion*; *taux* m *de change*

omrijden I OV WW omverrijden *renverser* II ON WW • rondrijden *se promener (en voiture)*; *faire un tour (en voiture)* • omweg maken *faire un détour*

omringen • omgeven *entourer*; *faire cercle autour de* • voorvallen rondom iets *environner*; *entourer* • ~ **met** *entourer de*

omroep *association* v *assurant des programmes de radiotélévision*

omroepbestel *paysage* m *audiovisuel*; FORM. *statuts* m mv *de l'audiovisuel*

omroepen • oproepen *appeler (par haut-parleur)* ★ iem. laten ~ *faire appeler qn par haut-parleur* • uitzenden *diffuser*; ‹v. programma's› *annoncer*

omroeper *présentateur* m [v: *présentatrice*]; *annonceur* m [v: *annonceuse*]; ‹v. tv ook› *speaker* m [v: *speakerine*]

omroepgids *magazine* m *de radio et de télévision*

omroeporganisatie *association* v *assurant des programmes de radiodiffussion et de télévision*

omroepsatelliet *satellite* m *de télécommunications*

omroepvereniging *société* v *de radiodiffusion et de télévision*

omroeren *remuer*

omruilen *échanger (contre)*

omschakelen • in andere stand schakelen *inverser* • aanpassen *convertir*; ‹v. beroep› *se reconvertir*; *se recycler* ★ zich ~ *s'adapter*

omschakeling *inversion* v; ECON. *reconversion* v; ‹v. beroep› *réorientation* v

omscholen *recycler*; *reconvertir*

omscholing *recyclage* m; *reconversion* v

omschrijven • beschrijven *décrire*; *définir* • bepalen *définir*; *spécifier*

omschrijving • beschrijving *définition* v; *description* v • definitie *définition* v

omsingelen *entourer*; *cerner*; ‹militair› *investir*

omslaan I OV WW • omverslaan *abattre*; *renverser* • omdraaien *tourner*; ‹v. draad bij breien› *faire un jeté*; ‹omvouwen› *rabattre*; ‹v. mouw e.d.› *retrousser* • omdoen ‹v. kleren› *mettre*; *mettre sur les épaules* • verdelen *répartir (entre)* ★ de kosten hoofdelijk ~ *répartir les frais entre les participants* II ON WW • veranderen *changer brusquement*; ‹v. weer› *se gâter* • kantelen *se renverser*; *tomber à la renverse*; ‹v. rijtuig› *verser*; ‹v. auto, boot, vliegtuig› *capoter* • om iets heengaan *tourner*

omslachtig I BNW ‹v. persoon› *prolixe*; ‹stijl› *compliqué*; *verbeux* [v: *verbeuse*] II BIJW *prolixement*; *d'une façon compliquée*

omslag • verandering *changement* m *brusque*; ‹v. wind, humeur› *saute* v • omhaal *façons* v mv; *embarras* m • verdeling van kosten *répartition* v; ‹v. belasting› *cote* v ★ hoofdelijke ~ *cote personnelle* v • omgeslagen rand *revers* m; *rebord* m • kaft *chemise* v

omslagartikel *article* m *principal*

omslagdoek *châle* m

omslagontwerp *plan* m *pour la couverture*

omsluiten • omvatten *renfermer* • geheel insluiten *entourer*; ‹v. persoon› *enserrer*; *serrer*

omsmelten *refondre*

omspannen *entourer de*; FIG. *embrasser*; ‹v. kleren› *mouler*

omspitten *bêcher*; *retourner*

ómspoelen *rincer*; *laver à grande eau*

omspóélen *entourer (de)*; *baigner (dans)* ★ het water omspoelt het huis *la maison est entourée d'eau*; *la maison baigne dans l'eau*

omspringen ~ **met** ‹met betrekking tot zaken› *se servir (de)*; *manier (qc)*; *se conduire (avec)*; *traiter (qn)* ★ met iets weten om te springen *savoir s'y prendre avec qc*

omstander *personne* v *présente*; *spectateur* m [v: *spectatrice*] ★ de ~s *l'assistance* v; *les spectateurs*

omstandig I BNW *détaillé*; *circonstancié* II BIJW *en détail*

omstandigheid • toestand *circonstance* v mv; *situation* v; *conditions* v mv ★ onder moeilijke omstandigheden *dans des conditions difficiles* ★ in de gegeven omstandigheden *étant donné les circonstances* • breedvoerigheid *profusion* v *de détails*/*de circonstances*

omstoten *renverser*; *faire tomber*

omstreden ‹juridisch› *contentieux* [v: *contentieuse*]; *contesté*

omstreeks I BIJW *environ* ★ een man van ~ dertig jaar *un homme d'une trentaine d'années* II VZ *vers*

omstreken *environs* m mv; *alentours* m mv

omstrengelen • omhelzen *embrasser* • omvatten *enlacer*

omtoveren *changer*/*transformer d'un coup de baguette magique*; FIG. *transformer*

omtrek • omgeving *alentours* m mv • contour *contour* m mv • afmeting *périmètre* m; ‹cirkel› *circonférence* v; *périphérie* v

omtrekken • omheen trekken *contourner*; *éviter* • omvertrekken *renverser (en tirant)*

omtrent I BIJW • nabij *près de* • ongeveer *environ* II VZ • omstreeks *vers* ★ ~ Pasen *vers Pâques* • betreffende *à propos de* ★ geen mededelingen doen ~ een persoon *ne donner aucun renseignement à propos d'une personne*

omturnen *faire changer d'avis*

omvallen *se renverser*; ‹achterover› *tomber à la renverse*; *tomber* ★ ~ van de slaap *tomber de sommeil*

omvang • omtrek *tour* m • grootte *dimension* v; *ampleur* v; *volume* m ★ in de volle ~ *dans toute son ampleur* ★ de ~ van de schade *l'ampleur*/*l'étendue des dégâts* ★ de ~ van de invoer *le volume des importations* • uitgestrektheid *importance* v; *étendue* v

omvangrijk *étendu*; *considérable*; *volumineux* [v: *volumineuse*] ★ een ~ werk *un travail de longue haleine*

omvatten • inhouden *comprendre*; *englober*; *embrasser* • omsluiten *empoigner*; *enlacer*;

O

entourer; embrasser
omver *à terre; par terre*
omverwerpen • omgooien *renverser* • een einde maken aan *faire tomber* ⋆ de regering ~ *renverser le gouvernement*
omvliegen • om iets heen vliegen *tourner à toute vitesse autour de* • snel verstrijken *passer vite/à toute vitesse; s'envoler*
omvormen *transformer*
omvouwen • vouwen *faire un pli (à)*; ‹v. hoek› *corner* • omslaan *rabattre* ⋆ zijn kraag ~ *rabattre son col*
omweg • langere weg *détour* m; *crochet* m ⋆ een ~ maken *faire un détour/un crochet* • omslachtigheid *biais* m; *détours* m mv ⋆ langs een ~ *par une voie détournée* ⋆ ~en zoeken *chercher un biais/une voie détournée*
omwentelen I OV WW • ronddraaien *faire tourner* • omkeren *inverser* II ON WW om as draaien *tourner*
omwenteling • ommekeer *révolution* v • draaiing *tour* m; *rotation* v; *révolution* v ⋆ ~ van de aarde om haar as *rotation de la terre autour de son axe*
omwentelingstijd *temps* m *de rotation; durée* v *de révolution*
omwerken • herzien *retravailler* ⋆ een manuscript ~ *retravailler un manuscrit* ⋆ een boek ~ *remanier un livre* • omploegen *labourer*
omwerpen • verwoesten *renverser* • omgooien *faire tomber*
omwikkelen *envelopper*
omwille *pour* ⋆ ~ van *pour*
omwisselen *changer; échanger contre* ⋆ munten tegen bankpapier ~ *échanger des pièces de monnaie contre des billets de banque*
omwonend *voisin; limitrophe*
ómzeilen I OV WW *renverser* II ON WW • langs/om iets zeilen *doubler* ⋆ een kaap ~ *franchir un cap* • rond zeilen *naviguer* • langs een omweg zeilen *faire un détour*
omzéilen *contourner; éviter* ⋆ moeilijkheden ~ *contourner/éviter les difficultés*
omzet • opbrengsten *chiffre* m *d'affaires* ⋆ een jaarlijkse ~ *un chiffre d'affaires annuel* • verkochte goederen *volume* m *des affaires; transactions* v mv; ‹v. winkel› *débit* m
omzetbelasting *TVA* v; *taxe* v *à la valeur ajoutée*
omzetsnelheid *vitesse* v *de rotation du stock*
omzetten • veranderen *transformer (en); convertir (en)* ⋆ beloftes in daden ~ *mettre des promesses en pratique* ⋆ in geld ~ *convertir en argent* • anders zetten *déplacer; changer de place*; ‹v. plaats verwisselen› *intervertir* • verhandelen *vendre; débiter* ⋆ goederen ~ *débiter des marchandises* ⋆ twee miljoen ~ *faire/réaliser un chiffre d'affaires de 2 millions*
omzichtig I BNW *prudent; circonspect* II BIJW *prudemment; avec circonspection*
omzien • omkijken *se retourner; tourner la tête; regarder en arrière* • uitkijken naar *chercher* • zorgen voor *avoir soin de; s'occuper de*

O

ómzomen *faire un ourlet à*
omzómen *border*
omzwaaien • van studie veranderen *changer d'orientation* • van standpunt veranderen *tourner*
omzwerving • zwerftocht *pérégrination* v • landloperij *vagabondage* m
onaandoenlijk I BNW *insensible* II BIJW *insensiblement*
onaangedaan *froid; impassible*
onaangediend *sans se faire annoncer*
onaangekondigd I BNW *non annoncé* II BIJW *sans prévenir* ⋆ een ~e staking *une grève sans préavis*
onaangenaam I BNW *désagréable* II BIJW *désagréablement*
onaangepast *inadapté*
onaangetast *intact; entier* [v: *entière*]
onaantastbaar *incontestable*; ‹v. rechten› *inviolable*; ‹heilig› *sacro-saint* [m mv: *sacro-saints*] [v: *sacro-sainte*]
onaanvaardbaar *inacceptable*; JUR. *irrecevable*
onaanzienlijk • gering *peu important* ⋆ niet ~ *assez considérable* • zonder aanzien *humble*
onaardig I BNW • onvriendelijk *peu aimable; désagréable* ⋆ een ~e man *un homme peu aimable/désagréable* ⋆ niet ~ *pas mal; assez bien* • onbeleefd *désobligeant* ⋆ een ~e opmerking *une remarque désobligeante* II BIJW *désagréablement; de façon peu aimable/désagréable*
onachtzaam I BNW achteloos *négligent; inattentif* [v: *inattentive*]; *nonchalant* II BIJW *négligemment; nonchalamment*
onaf *inachevé*
onafgebroken I BNW zonder onderbreking *ininterrompu; continuel* [v: *continuelle*] II BIJW *continuellement; sans interruption* ⋆ tien uur ~ werken *travailler dix heures d'affilée*
onafhankelijk I BNW *indépendant* II BIJW *de manière indépendante* ⋆ zich ~ maken van *s'émanciper de*
onafhankelijkheid *indépendance* v
onafhankelijkheidsoorlog *guerre* v *d'indépendance*
onafhankelijkheidsverklaring *déclaration* v *d'indépendance*
onafwendbaar *inéluctable; inévitable*
onafzienbaar I BNW *immense; énorme* II BIJW *à perte de vue; immensément; énormément*
onaneren *se masturber*
onbaatzuchtig I BNW *désintéressé* II BIJW *avec désintéressement*
onbarmhartig I BNW meedogenloos *impitoyable* II BIJW *impitoyablement*
onbeantwoord *resté sans réponse*
onbedaarlijk *incoercible* ⋆ ~ gelach *fou rire* m
onbedachtzaam I BNW *irréfléchi; inconsidéré* II BIJW *sans réfléchir; de manière irréfléchie*
onbedekt I BNW • niet bedekt *non couvert* [m mv: *non couverts*] [v: *non couverte*]; *découvert; nu* • openlijk *franc* [v: *franche*]; *sincère* II BIJW • openlijk *franchement* • niet bedekt *à découvert*
onbedorven • onschuldig *intègre; innocent; pur* • gaaf *intact; frais* [v: *fraîche*]

onbeduidend • gering *insignifiant* • onbelangrijk *insignifiant*; *de peu d'importance*; ‹niet opvallend› *banal* [m mv: *banals*]
onbegaanbaar *inaccessible*; *impraticable*
onbegonnen *irréalisable*
onbegrensd *indéfini*; *illimité*
onbegrijpelijk • niet te begrijpen *incompréhensible*; ‹raadselachtig› *inexplicable* ★ ik vind het ~ dat *je ne comprends pas que* [+ subj.]; *je n'arrive pas à m'expliquer que* [+ subj.] • onvoorstelbaar *incroyable*; *inconcevable*
onbegrip *incompréhension* v
onbehaaglijk • onaangenaam *déplaisant*; *désagréable* ★ een ~ gevoel *un sentiment de malaise* • niet op zijn gemak ★ zich ~ voelen *se sentir mal à l'aise*
onbehagen *malaise* m
onbeheerd *abandonné*; ‹v. nalatenschap› *en déshérence*
onbeheerst I BNW *incontrôlé* II BIJW *de façon incontrôlée* ★ zij gedraagt zich ~ *elle ne sait pas se contrôler*
onbeholpen I BNW *maladroit*; *gauche* II BIJW *maladroitement*; *gauchement*
onbehoorlijk I BNW *incorrect*; *inconvenant* II BIJW *de manière incorrecte*; *de manière inconvenante*
onbehouwen I BNW lomp *fruste*; *mal dégrossi*; *grossier* [v: *grossière*]; *impoli* II BIJW *impoliment*; *grossièrement*
onbekend *inconnu* ★ dat is mij ~ *j'ignore cela* ★ zij is mij ~ *je ne la connais pas* ★ ~ zijn met iets *ne pas être au courant de qc*
onbekende *inconnu* m [v: *inconnue*]
onbekendheid *ignorance* v *(de)*
onbekommerd I BNW zorgeloos *insouciant* II BIJW *sans souci*; *sans se faire de soucis*
onbekwaam • incompetent *incapable de*; *incompétent* • dronken *ivre*
onbelangrijk I BNW *de peu d'importance*; *sans importance*; *négligeable* II BIJW *de façon insignifiante*; *de façon négligeable*
onbelast • vrij van lasten *quitte (de)* • vrij van gewicht *vide*
onbeleefd I BNW *impoli*; *mal élevé* II BIJW *impoliment*
onbeleefdheid *impolitesse* v
onbelemmerd I BNW *dégagé*; *libre* II BIJW *librement*; *sans entraves*
onbemand *sans équipage*; ‹v. vliegtuig› *sans pilote*
onbemiddeld *sans ressources*; *sans moyens financiers*
onbemind *impopulaire*; *peu aimé*
onbenul *nullité* v ★ een stuk ~ *nullité*
onbenullig • dom *nul* [v: *nulle*]; *bête*; *stupide* • onbeduidend *insignifiant*
onbepaald I BNW • onbegrensd *illimité*; *sans bornes* • vaag *vague*; *incertain* • TAALK. ★ ~ voornaamwoord *pronom* m *indéfini* ★ ~e wijs *infinitif* m II BIJW • onbegrensd *indéfiniment*; ‹v. tijd› *pour une durée indéterminée* • vaag *vaguement*
onbeperkt I BNW • onbegrensd *illimité* • onbelemmerd *à volonté* II BIJW *sans restrictions*
onbeproefd • niet geprobeerd *non expérimenté* ★ hij heeft niets ~ gelaten om *il n'a rien négligé pour* • niet op de proef gesteld *non éprouvé*
onberaden I BNW *inconsidéré*; *irréfléchi*; *étourdi* II BIJW *étourdiment*; *inconsidérément*; *de façon irréfléchie*
onbereikbaar • niet te bereiken *hors d'atteinte* • niet verkrijgbaar *inaccessible*
onberekenbaar I BNW • niet te berekenen *incalculable*; *imprévisible* • wisselvallig *imprévisible*; *changeant* II BIJW *démesurément*
onberispelijk I BNW *impeccable*; *irréprochable* II BIJW *impeccablement*; *irréprochablement*
onberoerd • onaangedaan *impassible* • niet aangeraakt *calme*
onbeschaafd I BNW • zonder beschaving ‹v. volk› *barbare*; *non civilisé* • onbeleefd *grossier* [v: *grossière*]; *vulgaire* II BIJW • zonder beschaving *de façon barbare* • onbeleefd *grossièrement*; *vulgairement*
onbeschaamd I BNW *impertinent*; *effronté*; *insolent* II BIJW *impertinemment*; *insolemment*
onbescheiden *indiscret* [v: *indiscrète*]
onbeschoft I BNW *impertinent*; *insolent* II BIJW *impertinemment*; *insolemment*
onbeschreven *blanc* [v: *blanche*]; FIG. *vierge* ★ ~ laten *laisser en blanc*
onbeschrijfelijk *indescriptible*; *inexprimable*
onbeslist • niet beslist *indécis* • onzeker *incertain*
onbespoten *non traité*
onbesproken • onberispelijk *irréprochable* • niet behandeld *non discuté* • niet gereserveerd *libre*
onbestelbaar *qui ne peut être livré*
onbestemd *vague*; *indéfini*
onbestendig • wispelturig *changeant*; *inconstant* • veranderlijk *variable*
onbesuisd *fougueux* [v: *fougueuse*]
onbetaalbaar • niet te betalen *hors de prix*; *impossible à payer*; *inabordable* • kostelijk *impayable*; ‹onschatbaar› *inestimable*
onbetamelijk I BNW *incorrect*; *indécent*; *inconvenant* II BIJW *incorrectement*; *indécemment*; *avec inconvenance*
onbetekenend *insignifiant*; *négligeable*
onbetrouwbaar *douteux* [v: *douteuse*]; *suspect*; ‹v. zaken› *sujet à caution* [v: *sujette* ...]; ‹v. personen› *véreux* [v: *véreuse*]
onbetuigd ▼ zich niet ~ laten *payer de sa personne*
onbetwist *incontesté*
onbetwistbaar I BNW *incontestable* II BIJW *incontestablement*
onbevangen I BNW ‹onbeschroomd› *naïf* [v: *naïve*]; ‹zonder vooroordeel› *sans préjugé*; *impartial* [m mv: *impartiaux*] II BIJW • onbeschroomd *naïvement* • zonder vooroordeel *sans préjugés*; *sans parti pris*
onbevlekt *immaculé*; *sans tache* ▼ de ~e ontvangenis *l'Immaculée Conception* v
onbevoegd I BNW *incompétent*; *non autorisé* ★ het ~ uitoefenen van de geneeskunde *exercice illégal de la médecine* II BIJW *sans*

qualification; sans compétence
onbevooroordeeld *sans préjugés; sans parti pris*
onbevredigd *insatisfait; inapaisé*
onbewaakt *non surveillé* ★ ~e overweg *passage non gardé* m ▾ een ~ ogenblik *un moment d'inattention*
onbeweeglijk • roerloos *inerte; immobile* • onwrikbaar *inflexible; inébranlable*
onbewogen • onaangedaan *impassible* • onbeweeglijk *immobile*
onbewoonbaar *inhabitable*
onbewust I BNW • niet bewust *inconscient* ★ zich iets ~ zijn *ne pas avoir conscience de qc* • onwillekeurig *involontaire* II BIJW • niet bewust *inconsciemment* • onwillekeurig *involontairement*
onbezoldigd *non rétribué; non rémunéré*
onbezonnen *fougueux* [v: *fougueuse*]
onbezorgd I BNW • zonder zorgen *insouciant; sans souci* • niet besteld *non délivré* II BIJW *avec insouciance*
onbillijk I BNW *injuste; inéquitable* II BIJW *injustement; d'une manière inéquitable*
onbreekbaar • niet te breken *incassable* ★ ~ glas *verre* m *incassable* • onverbreekbaar *indestructible*
onbruik *désuétude* v ★ in ~ raken *tomber en désuétude* ★ in ~ geraakt *vieilli*
onbruikbaar *inutilisable;* ‹v. persoon› *inutile;* ‹v. apparaat› *hors service*
onbuigzaam *rigide*
onchristelijk *non chrétien* [v: *non chrétienne*]; *peu chrétien* [v: *peu chrétienne*]
oncologie *oncologie* v; *cancérologie* v
ondank *ingratitude* v ▾ ~ is 's werelds loon *sur dix obligés, il y a neuf ingrats*
ondankbaar I BNW niet dankbaar *ingrat* II BIJW *avec ingratitude*
ondanks *malgré* ★ ~ alles *malgré tout*
ondeelbaar I BNW • niet deelbaar *indivisible;* NAT. *insécable* ★ ~ getal *nombre* m *premier* • zeer klein *infime* II BIJW *infiniment* ★ ~ klein *infiniment petit*
ondefinieerbaar *indéfinissable*
ondenkbaar • niet denkbaar *inconcevable; inimaginable* • vrijwel onmogelijk *inconcevable*
onder I BIJW *en bas* ★ zij woont ~ *elle habite en bas* ★ van ~ naar boven *de bas en haut* ★ de tweede regel van ~ *la deuxième ligne d'en bas* ★ de zon gaat/is ~ *le soleil se couche/s'est couché* ★ iem. van ~ tot boven opnemen *examiner qn des pieds à la tête* ★ kopje ~ gaan *boire une tasse* ★ ten ~ gaan in armoede *sombrer dans la misère* II VZ • beneden *sous* ★ ~ het huis *sous la maison* ★ ~ water staan *être inondé* • minder/lager dan *inférieur à; au-dessous de* ★ ~ de prijs *au-dessous du prix* ★ kinderen ~ de twaalf *les moins de douze ans* • tijdens *pendant* ★ ~ het rijden viel hij in slaap *il s'est endormi en conduisant* • te midden van *au milieu de* ★ hij begaf zich ~ het volk *il s'est mêlé au peuple* ★ zij hebben het ~ elkaar verdeeld *ils l'ont partagé entre eux* ★ ~ de mensen komen *voir du monde* ★ ~ anderen *entre autres* • tussen (personen) *parmi* ★ ~ ons *entre nous*
onderaan *en bas (de)* ★ ~ de bladzijde *en bas de la page*
onderaannemer *sous-traitant* m [mv: *sous-traitants*]
onderaanzicht *vue* v *de dessous*
onderaards *souterrain* ★ een ~ gewelf *un caveau*
onderaf *d'en bas* ★ van ~ beginnend *partir d'en bas*
onderarm *avant-bras* m [onv]
onderbeen *jambe* v *au-dessous du genou*
onderbelichten *sous-exposer*
onderbesteding *dépenses* v mv *inférieures aux crédits disponibles*
onderbetalen *sous-payer*
onderbewust *subconscient; subliminal* [m mv: *subliminaux*] ★ het ~e *l'inconscient*
onderbewustzijn *inconscient* m
onderbezet *qui manque de personnel; qui manque d'effectifs*
onderbezetting *manque* m *de personnel*
onderbinden *chausser*
onderbouw • lagere klassen op school *premier cycle* m • basis bouwwerk *soubassement* m; *fondation* v
onderbouwen *étayer*
onderbreken *interrompre; couper*
onderbreking • het onderbreken *interruption* v • pauze *pause* v
onderbrengen • onderdak verlenen *héberger; loger* • indelen *classer* ★ iets in een rubriek ~ *classer qc dans une rubrique*
onderbroek *slip* m; ‹voor mannen ook› *caleçon* m; ‹voor vrouwen ook› *culotte* v
onderbroekenlol *histoires* v mv *corsées*
onderbuik *bas-ventre* m [mv: *bas-ventres*]
onderdaan • staatsburger *sujet* m; *ressortissant* m • been *jambe* v
onderdak *abri* m; *hébergement* m ★ ~ bij particulieren vinden *loger chez l'habitant* ★ ~ verlenen *abriter; loger* ★ ~ vinden *trouver à se loger*
onderdanig I BNW nederig *docile; soumis; humble;* ‹onderworpen› *servile* II BIJW nederig *avec soumission; docilement; humblement;* ‹onderworpen› *servilement*
onderdeel • deel van geheel *partie* v • afdeling *subdivision* v; ‹militair› *unité* v • TECHN. *pièce* v
onderdeurtje *microbe* m
onderdirecteur *sous-directeur* m [mv: *sous-directeurs*] [v: *sous-directrice*]
onderdoen *ne pas égaler* ★ niet voor iem. ~ *valoir qn* ★ geenszins ~ voor *ne le céder en rien à*
onderdompelen *plonger; immerger*
onderdoor *par en-dessous; par-dessous* ▾ er ~ gaan *aller à sa perte*
onderdoorgang *passage* m *souterrain*
ónderdrukken *enfoncer*
onderdrúkken • tiranniseren *opprimer* • in bedwang houden *réprimer; étouffer*
onderdrukker *oppresseur* m; *tyran* m
onderdrukking *répression* v; *oppression* v
onderduiken • duiken *plonger* • zich

schuilhouden *se cacher*; ↓ *se planquer*; *passer dans la clandestinité*
onderduiker *clandestin* m
onderen *en bas* ★ van ~ dichtdoen *fermer d'en bas* ▾ van ~! *attention, en dessous!*
óndergaan • zinken *couler*; *disparaître*; ‹v. zon› *se coucher* • tenietgaan *décliner*; *tomber en décadence*
ondergáán *subir* ★ een operatie ~ *subir une opération*
ondergang • het tenietgaan *déclin* m; *décadence* v ★ zijn ~ tegemoet gaan *courir à sa perte* • het ondergaan *chute* v; ‹v. zon› *coucher* m
ondergeschikt • van minder belang *secondaire* ★ van ~ belang *d'intérêt secondaire* • onderworpen aan *subalterne*; *inférieur* ▾ een ~e zin *une proposition subordonnée*
ondergeschikte *subordonné* m; *inférieur* m
ondergeschoven *faux* [v: *fausse*] ★ een ~ kind *un enfant substitué*
ondergetekende *soussigné* m [v: *soussignée*]; SCHERTS. *ma petite personne*
ondergoed *sous-vêtements* m mv; ‹voor vrouwen› *dessous* m mv
ondergraven *saper*; *miner*
ondergrens *limite* v *inférieure*
ondergrond • onderliggende laag *sous-sol* m • grondslag *base* v
ondergronds • onder de grond *souterrain* • clandestien *clandestin*; *illégal* [m mv: *illégaux*]
ondergrondse • metro *métro* m • verzetsbeweging *résistance* v
onderhand *entre-temps*
onderhandelaar *négociateur* m [v: *négociatrice*]
onderhandelen *négocier*; *parlementer*; *traiter*
onderhandeling *négociation* v ★ ~en aanknopen/voeren *engager/mener des négociations*
onderhandelingpositie *circonstances* v mv *où se trouve(nt) le(s) négociateur(s)/la (les) négociatrice(s)*
onderhands • zonder tussenpersoon *sous seing privé*; ‹bij koop› *de gré à gré* • niet bovenhands *bas* [v: *basse*] ★ een ~e service *un service bas* • geheim *secret* [v: *secrète*]
onderhavig *présent*; *en question* ★ in het ~e geval *dans le cas présent*; *en l'occurrence*
onderhemd *maillot* m *de corps*
onderhevig *sujet à* [v: *sujette à*]
onderhorig • ondergeschikt *subordonné* • afhankelijk *dépendant*
onderhoud • verzorging *entretien* m • levensonderhoud *vie* v ★ in eigen ~ voorzien *se suffire* ★ in iemands ~ voorzien *pourvoir aux besoins de qn* • gesprek *entretien* m ★ een ~ hebben met *avoir un entretien avec*
ónderhouden *maintenir sous*
onderhóúden I ov ww • aangenaam bezighouden *amuser*; *distraire* • verzorgen *entretenir*; ‹v. personen› *nourrir*; *alimenter* • in stand houden *soigner* II WKD WW *s'entretenir*
onderhoudend I BNW *agréable*; *amusant* II BIJW *agréablement*
onderhoudsbeurt *révision* v *(d'entretien)*
onderhoudscontract *contrat* m *d'entretien*
onderhoudsmonteur *mécanicien* m *de maintenance*
onderhoudswerkzaamheden *travaux* m mv *d'entretien*
onderhuids *sous-cutané*; FIG. *imperceptible*
onderhuren *sous-louer*
onderhuur *sous-location* v [mv: *sous-locations*] ★ hij heeft een kamer in ~ *il a une chambre en sous-location*
onderhuurder *sous-locataire* m/v [m mv: *sous-locataires*]
onderin *au fond*
onderjurk *combinaison* v; *fond* m *de robe*
onderkaak *mâchoire* v *inférieure*
onderkant *dessous* m; *partie* v *inférieure*
onderkennen • herkennen *reconnaître*; *distinguer* • beseffen *reconnaître*
onderkin *double menton* m
onderklasse BIOL. *sous-classe* v; *classe(s)* v (mv) *inférieure(s) (de la société)*
onderkoeld • afgekoeld *surfondu* • zonder emoties *impassible*
onderkomen *abri* m; *toit* m ★ geen ~ hebben *être sans domicile*; *être sans abri*
onderkoning *vice-roi* m
onderkruiper *gâcheur* m [v: *gâcheuse*]; ‹bij staking› *jaune* m
onderkruipsel *avorton* m
onderlaag • onderste laag *couche* v *inférieure*; *fond* m • steunlaag *fond* m
onderlangs *par en bas*
onderlegd *formé (à)*; *préparé (à)* ★ goed ~ *très fort*; *ayant reçu une bonne formation*
onderlegger ‹voor bed› *protège-matelas* m [onv]; *alaise* v; ‹onder papier› *sous-main* m
onderliggen • de mindere zijn *avoir le dessous* • liggen *être en dessous*
onderlijf • onderlichaam *bas* m *du corps* • onderbuik *bas-ventre* m
onderling I BNW *réciproque*; *mutuel* [v: *mutuelle*] ★ iets ~ afspreken *convenir d'une chose ensemble* ★ zij zijn ~ verdeeld *ils sont divisés entre eux* ★ ~e verzekering *assurance mutuelle* v II BIJW *réciproquement*; *mutuellement*
onderlip *lèvre* v *inférieure*
onderlopen *être inondé*
ondermaans *terrestre*
ondermaats • te klein *au-dessous du format exigé* • van mindere kwaliteit *au-dessous du niveau exigé*
ondermijnen *miner*; *saper*
ondernemen *entreprendre*; *commencer*
ondernemend *entreprenant*
ondernemer *entrepreneur* m [v: *entrepreneuse*]; *chef* m *d'entreprise*
onderneming • bedrijf *entreprise* v • karwei *entreprise* v; *aventure* v
ondernemingsklimaat *climat* m *conjoncturel*
ondernemingsraad *comité* m/*conseil* m *d'entreprise*
ondernemingsrecht *droit* m *des entreprises*
onderofficier *sous-officier* m [mv: *sous-*

officiers]
onderonsje • gesprek *aparté* m • kleine kring *petit comité* m
onderontwikkeld *sous-développé* [m mv: *sous-développés*] [v: *sous-développée*]
onderop *(au-)dessous*
onderpand ‹bij schuld, als waarborg› *gage* m; *nantissement* m ★ tot ~ geven *mettre en gage*
onderricht *enseignement* m; *instruction* v
onderrichten *enseigner*; *instruire*
onderschatten *sous-estimer*
onderscheid • verschil *distinction* v; *différence* v ★ zonder ~ *sans distinction*; *indistinctement* ★ een fijn ~ *une nuance* • inzicht *discernement* m
onderscheiden I ov ww • als ongelijksoortig bezien *distinguer* • een onderscheiding verlenen *décorer* • waarnemen *discerner* II wkd ww ‹door gedrag, kleding› *se particulariser*; *se distinguer*
onderscheiding • ereteken *décoration* v • het onderscheiden *distinction* v
onderscheidingsteken • ereteken *décoration* v • herkenningsteken *marque* v *distinctive*
onderscheidingsvermogen *discernement* m
onderscheppen *intercepter*
onderschikkend *subordonnant*
onderschikking *subordination* v
onderschrift *légende* v; ‹v. film› *sous-titre* m [mv: *sous-titres*] ★ een film van ~ voorzien *sous-titrer un film*
onderschrijven *approuver*; *reconnaître*
ondershands • niet openbaar *à l'amiable* • in het geheim *en secret*
ondersneeuwen *se couvrir de neige*
onderspit ▾ het ~ delven *avoir le dessous*
onderstaand *ci-dessous*; *ci-après*
ondersteboven • overhoop *sens dessus dessous* • overstuur *bouleversé* • op z'n kop *à l'envers* ★ iets ~ houden *tenir qc à l'envers*
ondersteek *bassin* m *(hygiénique)*
onderstel *châssis* m; *support* m; ‹v. vliegtuig› *train* m *d'atterrissage*
ondersteunen • steun geven *soutenir* • onderschrijven *appuyer* ★ een voorstel ~ *appuyer une proposition* • helpen *aider*
ondersteuning • het steun geven *soutien* m; *appui* m • hulp *aide* v; *secours* m
onderstrepen • streep zetten onder *souligner* • met nadruk zeggen *souligner*; *mettre l'accent sur*
onderstroom *courant* m *sous-marin* [m mv: *courants sous-marins*]; FIG. *courant* m *sous-jacent* [m mv: *courants sous-jacents*]
onderstuk *partie* v *inférieure*; *support* m
ondertekenaar *signataire* m/v
ondertekenen *signer*
ondertekening • handtekening *signature* v • het ondertekenen *souscription* v; *signature* v
ondertitel *sous-titre* m [mv: *sous-titres*]
ondertitelen *sous-titrer*
ondertiteling *sous-titrage* m
ondertoon • toon *harmonique* m *inférieur* • bijbetekenis *nuance* v
ondertrouw *publication* v *du mariage*
ondertussen • intussen *entre-temps* • toch *néanmoins*; *cependant*; *en attendant*
onderuit *affalé* ★ ~ zitten/liggen in een stoel *être affalé dans un siège* ▾ er niet ~ kunnen *ne pas pouvoir y échapper*
onderuitgaan • vallen *tomber les quatre fers en l'air*; ‹informeel› *se ramasser une gamelle*; ‹flauwvallen› *tomber dans les pommes* • falen *se casser le nez*
onderuithalen • verbaal verslaan *battre* • tackelen *tackler*
ondervangen *remédier à*
onderverdelen *subdiviser* ★ onderverdeeld worden *se subdiviser*
onderverhuren *sous-louer*
ondervertegenwoordigd *sous-représenté* [m mv: *sous-représentés*] [v: *sous-représentée*]
ondervinden • ervaren ‹v.e. gevoel› *éprouver*; *faire l'expérience de*; *ressentir* • verkrijgen *recevoir*
ondervinding *expérience* v ★ ~ hebben van *avoir l'expérience de* ★ bij ~ weten *savoir d'expérience*
ondervoed *sous-alimenté* [m mv: *sous-alimentés*] [v: *sous-alimentée*]
ondervoeding *sous-alimentation* v; MED. *dénutrition* v
ondervragen *interroger*; *questionner*
ondervraging JUR. *interrogatoire* m; *interrogation* v
onderwaarderen *sous-évaluer*
onderwatersport *sport* m *sous-marin*; *plongée* v *sous-marine*
onderweg • op komst *en route* • op weg zijnde *en cours de route*; *durant le trajet*
onderwereld • misdadigerswereld *milieu* m; *pègre* v • dodenrijk *enfers* m mv; *royaume* m *des morts*
onderwerp • wat behandeld wordt *sujet* m; *thème* m • TAALK. *sujet* m
onderwerpen *soumettre*
onderwijs *enseignement* m; *instruction* v ★ ~ geven *enseigner* ★ schriftelijk ~ *enseignement par correspondance*
onderwijsbevoegdheid *certificat* m *d'aptitude à l'enseignement*
onderwijsinspectie *inspection* v *de l'enseignement*
onderwijskunde *didactique* v
onderwijsmethode *méthode* v *d'enseignement*
onderwijsvernieuwing *rénovation* v *de l'enseignement*
onderwijzen *enseigner* ★ muziek ~ aan kinderen *enseigner/apprendre la musique aux enfants*
onderwijzer *instituteur* m [v: *institutrice*]
onderwijzersakte *diplôme* m *d'instituteur*
onderworpen • ondergeschikt *soumis* • onderdanig *soumis* • onderhevig *exposé à*
onderzeeboot *sous-marin* m [mv: *sous-marins*] ★ een ~ met kernaandrijving *un sous-marin nucléaire*
onderzeebootjager *chasseur* m *de sous-marins*
onderzetter *dessous-de-plat* m [onv]
onderzoek • het onderzoeken *examen* m; *étude* v; *analyse* v; ‹nasporing› *recherche* v; JUR. *enquête* v; *investigation* v ★ het

wetenschappelijk ~ *la recherche scientifique* ★ JUR. een ~ instellen *ouvrir une enquête/une information* • MED. *examen* m ★ geneeskundig ~ *examen médical* m

onderzoeken • nagaan *examiner*; *étudier*; ‹nasporen› *rechercher*; JUR. *ouvrir une enquête/une information* ★ de juistheid van iets ~ *vérifier qc* • MED. *examiner* ★ nauwkeurig ~ *examiner en détail*

onderzoeker *chercheur* m [v: *chercheuse*]; *scientifique* m/v

onderzoeksbureau *bureau* m *de recherches (scientifiques)* [m mv: *bureaux ...*]

onderzoeksresultaat *résultat* m *des recherches*

ondeugd • ondeugendheid *malice* v • slechte eigenschap *vice* m • persoon *polisson* m [v: *polissonne*]

ondeugdelijk I BNW • van slechte kwaliteit *défectueux* [v: *défectueuse*]; *de mauvaise qualité* • gebrekkig *défectueux* [v: *défectueuse*]; *peu solide* II BIJW *peu solidement*

ondeugend I BNW • stout *insupportable*; *terrible* • schalks *polisson* [v: *polissonne*]; *malicieux* [v: *malicieuse*] II BIJW • stout *de façon insupportable* • schalks *malicieusement*

ondiep *peu profond*

ondiepte *bas-fond* m [mv: *bas-fonds*]

ondier *monstre* m

onding *camelote* v

ondoelmatig *inefficace*

ondoenlijk *infaisable*

ondoordacht I BNW *irréfléchi*; *inconsidéré* II BIJW *inconsidérément*; *sans réfléchir*

ondoorgrondelijk *impénétrable*; ‹raadselachtig› *insondable*

ondraaglijk I BNW *insupportable*; *intolérable* II BIJW *d'une façon insupportable/intolérable*

ondubbelzinnig *explicite*; *sans équivoque*

onduidelijk I BNW *imprécis*; *vague* II BIJW *vaguement*; *de façon imprécise* ★ ~ schrijven *écrire de façon illisible*

onecht • niet echt *faux* [v: *fausse*] • onwettig *illégitime*; *naturel* [v: *naturelle*] ★ een ~ kind *un enfant naturel*

oneens *en désaccord*; *divisé*

oneerbaar I BNW *indécent* II BIJW *indécemment*

oneerlijk I BNW • niet eerlijk *pas juste*; *malhonnête* • bedrieglijk *malhonnête* II BIJW *malhonnêtement*

oneffen *raboteux* [v: *raboteuse*]; *inégal* [m mv: *inégaux*]

oneffenheid *inégalité* v

oneigenlijk I BNW • onecht *impropre* • figuurlijk *impropre*; *figuré* II BIJW • onecht *improprement* • figuurlijk *au figuré*

oneindig I BNW • zonder einde *infini* ★ het ~e *l'infini* ★ tot in het ~e *à l'infini* • buitengewoon *immense* II BIJW *infiniment*

oneindigheid ‹v. duur› *éternité* v; ‹v. aantal› *infinité* v; ‹v. ruimte› *infini* m

one-man-show *spectacle* m *solo*; *solo* m

onenigheid • meningsverschil *désaccord* m; *dissension* v ★ politieke onenigheden *dissensions* v mv *politiques* • ruzie *brouille* v; *dispute* v ★ in ~ leven *être brouillés*; *vivre en mauvais termes*

onervaren I BNW ongeoefend *inexpérimenté*; *sans expérience* II BIJW *d'une façon inexpérimentée*; *sans expérience*

onervarenheid *inexpérience* v

onesthetisch *inesthétique*

oneven *impair*

onevenredig I BNW *disproportionné (à/avec)*; *hors de proportion* II BIJW *d'une façon disproportionnée*

onevenwichtig *déséquilibré*

onfatsoenlijk I BNW ongemanierd *inconvenant*; *incorrect*; ‹onzedig› *indécent* II BIJW ongemanierd *d'une façon inconvenante/incorrecte*; ‹onzedig› *indécemment*

onfeilbaar I BNW *infaillible* II BIJW nooit falend *infailliblement*

onfortuinlijk I BNW *malchanceux* [v: *malchanceuse*] II BIJW *d'une façon malchanceuse*

onfris • niet fris *d'une propreté douteuse*; *douteux* [v: *douteuse*] ★ ~ ruiken *sentir mauvais* • dubieus *louche*

ongaarne *à regret*; *à contrecœur*

ongans ★ zich ~ eten *s'empiffrer*

ongeacht I BNW *peu estimé* II VZ *malgré*; *quel que soit* [m mv: *quels que soient*] [v: *quelle que soit*] [v mv: *quelles que soient*]

ongebonden • vrij *qui n'est pas lié*; *libre* • losbandig *libertin*; *dissolu*

ongeboren *à naître*

ongebreideld I BNW *effréné*; *sans frein* II BIJW *sans retenue*

ongebruikelijk • ongewoon *inhabituel* [v: *inhabituelle*] • niet in gebruik *inusité* • bijzonder *insolite*

ongecompliceerd *simple*; *pas compliqué*

ongedaan ★ iets ~ laten *ne pas faire qc* ★ iets ~ maken *réparer qc*; *remédier à qc* ★ een koop ~ maken *annuler un marché* ★ dat is niet meer ~ te maken *ce qui est fait est fait* ▼ niets ~ laten *ne rien négliger*

ongedeerd *indemne*; *sain et sauf* [v: *saine et sauve*]

ongedierte *vermine* v

ongedisciplineerd *indiscipliné*; *dissipé*

ongeduld *impatience* v

ongeduldig I BNW *impatient* ★ ~ maken *impatienter* ★ ~ worden *s'impatienter* II BIJW *impatiemment*

ongedurig I BNW *agité*; *incapable de tenir en place* II BIJW *sans pouvoir tenir en place*

ongedwongen I BNW • losjes *naturel* [v: *naturelle*]; *simple*; ‹v. houding› *décontracté*; *désinvolte* • vrijwillig *libre* II BIJW • losjes *avec naturel* • vrijwillig *librement*

ongeëvenaard I BNW *inégalé*; *sans pareil* [v: *sans pareille*] II BIJW *incomparablement*

ongegeneerd I BNW *sans gêne*; *désinvolte* II BIJW *sans se gêner*

ongegrond I BNW • zonder reden *gratuit*; *sans fondement* • onbillijk *injuste* II BIJW *sans raison*

ongehinderd I BNW *libre* II BIJW *librement*; *sans empêchement*

ongehoord • niet gehoord *sans l'avoir écouté/entendu* • buitensporig *inouï* ★ een ~e prijs *un prix exorbitant* ★ dat is ~ *ça n'a*

O

pas de nom • vreemd *inouï*
ongehoorzaam *désobéissant; indiscipliné*
ongehoorzaamheid *désobéissance* v; *indiscipline* v ★ burgerlijke ~ *désobéissance civile*
ongekend I BNW *sans précédent; jamais vu* II BIJW *exceptionnellement*
ongekunsteld I BNW *naturel* [v: *naturelle*]; *simple* II BIJW *avec naturel; simplement*
ongeldig *non valable* ★ ~ maken/verklaren *invalider; annuler*
ongelegen I BNW *inopportun* II BIJW *à contretemps; mal à propos* ★ ~ komen *déranger (qn); venir mal à propos*
ongeletterd • analfabeet *analphabète* • zonder onderricht *illettré*
ongelijk I ZN *tort* m ★ ~ hebben *avoir tort* ★ zijn ~ bekennen *reconnaître ses torts* II BNW • verschillend *dissemblable; inégal* [m mv: *inégaux*]; *différent* • oneffen *inégal* [m mv: *inégaux*]; ‹v. oppervlakte› *rugueux* [v: *rugueuse*]; ‹v. weg› *accidenté* III BIJW • verschillend *inégalement* • onregelmatig *irrégulièrement* • oneffen *inégalement*
ongelijkheid • het ongelijk zijn *inégalité* v; *différence* v; *dissemblance* v ★ de strijd tegen ~ *la lutte contre les inégalités* • oneffenheid *irrégularité* v
ongelijkmatig I BNW *irrégulier* [v: *irrégulière*]; *inégal* [m mv: *inégaux*] ★ ~ van humeur *d'humeur inégale* II BIJW *inégalement; irrégulièrement*
ongelijkvloers *à différents niveaux* ★ een ~e kruising *un croisement à différents niveaux*
ongelikt *grossier* [v: *grossière*] ▾ een ~e beer *un ours mal léché*
ongelimiteerd I BNW *illimité* II BIJW *indéfiniment*
ongelofelijk I BNW *incroyable* II BIJW *incroyablement*
ongeloof *incrédulité* v; REL. *incroyance* v
ongeloofwaardig *invraisemblable; peu digne de foi*
ongelovig I BNW • niet gelovig *incroyant* • iets niet gelovend *incrédule* II BIJW iets niet gelovend *avec incrédulité*
ongeluk • ongeval *accident* m ★ een ~ krijgen *avoir un accident* ★ bij een ~ omkomen *être tué dans un accident* • tegenspoed *malheur* m; *malchance* v ★ ~ brengen *porter malheur* ★ per ~ *par accident*
ongelukje • klein ongeluk *petit accident* m • onvoorzien kind *accident* m
ongelukkig I BNW • niet gelukkig *malheureux* [v: *malheureuse*]; ‹ongunstig› *malheureux* [v: *malheureuse*]; *déplorable; fâcheux* [v: *fâcheuse*] ★ dat komt heel ~ uit *ça tombe très mal* • jammerlijk *lamentable; pitoyable* • met lichaamsgebrek *infirme* II BIJW *malheureusement* ★ ~ spelen *ne pas avoir de chance* ★ hij zal ~ aan zijn eind komen *il finira mal* ★ ~ getrouwd *mal marié*
ongeluksgetal *chiffre* m *porte-malheur* [m mv: *chiffres ...*]
ongeluksvogel *malchanceur* m; *malchanceuse* v
ongemak • lichamelijke kwaal *mal* m; *affection* v • hinder *gêne* v; ‹ongerief› *désagrément* m
ongemakkelijk I BNW • ongerieflijk *incommode; inconfortable* • lastig *gênant; pénible*; ‹v. taak, weg› *pénible*; ‹v. persoon› *difficile; incommode* II BIJW • ongerieflijk *incommodément* • lastig *de façon embarrassante; péniblement*
ongemanierd I BNW onbeleefd *impoli; mal élevé* II BIJW *impoliment*
ongemeen I BNW • buitengewoon *extraordinaire* • ongewoon *singulier* [v: *singulière*] II BIJW *singulièrement; extraordinairement*
ongemerkt I BNW • niet bemerkt *inaperçu* • zonder merk *non marqué* II BIJW niet bemerkt *imperceptiblement; discrètement* ★ ~ weggaan *partir discrètement; partir en douce*
ongemoeid *en paix; tranquille* ★ iem. ~ laten *laisser qn en paix*
ongenaakbaar *inaccessible*
ongenade *disgrâce* v ★ in ~ vallen *tomber en disgrâce*
ongenadig I BNW • duchtig *formidable; terrible* ★ een ~ pak slaag *une terrible râclée* • onbarmhartig *impitoyable* II BIJW • duchtig *formidablement; terriblement* • onbarmhartig *impitoyablement*
ongeneeslijk *incurable; inguérissable* ★ ~ ziek *atteint d'une maladie incurable*
ongenietbaar *insupportable*
ongenoegen • misnoegen *mécontentement* m; *déplaisir* m • onenigheid *différend* m ★ ~ krijgen met *se brouiller avec*
ongeoorloofd *interdit; défendu; illicite*
ongepast I BNW • misplaatst *déplacé* • onbehoorlijk *inconvenant; incorrect* II BIJW • misplaatst *mal à propos* • onbehoorlijk *incorrectement; inconvenablement*
ongepastheid *inconvenance* v; *incongruité* v
ongerechtigheid • onvolkomenheid *défaut* m • onrechtvaardigheid *injustice* v; *iniquité* v
ongerede ★ in het ~ raken *être hors d'usage; être égaré*
ongeregeld I BNW • niet geregeld *irrégulier* [v: *irrégulière*] ★ ~e goederen *soldes* m • wanordelijk *désordonné* II BIJW • niet geregeld *irrégulièrement* • wanordelijk *en désordre*
ongeregeldheden *irrégularités* v mv
ongeremd I BNW zonder remming *immodéré; excessif* [v: *excessive*]; *démesuré* II BIJW zonder remming *immodérément; excessivement; démesurément*
ongerept • onbedorven *intact* • onaangeraakt *intact; vierge*
ongerief *désagrément* m
ongerijmd *absurde*
ongerust *inquiet* [v: *inquiète*] ★ zich ~ maken over *s'inquiéter de* ★ ~ maken *inquiéter* ★ ~ worden *s'inquiéter*
ongerustheid *inquiétude* v
ongeschikt I BNW • niet geschikt *impropre*; ‹v. persoon› *incompétent*; ‹v. moment› *inopportun* • onaardig *désagréable; déplaisant* II BIJW • niet geschikt

improprement • onaardig *désagréablement*
ongeschonden *intact*; *entier* [v: *entière*]
ongeschoold *non qualifié*; *sans qualification* ⋆ een ~e werknemer *un ouvrier non qualifié/sans qualification*
ongeslagen *invaincu*
ongesteld • menstruerend *qui a ses règles*; *indisposée* ⋆ ik ben ~ *j'ai mes règles* • onwel *souffrant*
ongesteldheid • menstruatie *règles* v mv • onwel zijn *indisposition* v
ongestoord I BNW *tranquille* II BIJW *tranquillement*; *sans être dérangé*
ongestraft I BNW *impuni* II BIJW *impunément*
ongetwijfeld *sans aucun doute*
ongeval *accident* m ⋆ ~ met dodelijke afloop *accident mortel*
ongevallenverzekering *assurance* v *contre les accidents*
ongeveer *à peu près*; *environ*
ongeveinsd I BNW *sincère*; *franc* [v: *franche*] II BIJW *sincèrement*; *franchement*
ongevoelig I BNW • onaangedaan *insensible*; *indifférent* • verdoofd *insensible* ⋆ ~ maken *insensibiliser*; *anesthésier* II BIJW *avec indifférence*; *froidement*
ongevraagd *spontanément*
ongewapend • zonder versterking *non armé* • zonder wapen *sans armes*
ongewenst *indésirable*; ‹v. kind› *non désiré*
ongewild • onbedoeld *involontaire* • ongewenst *indésirable*
ongewisse *incertitude* v ⋆ in het ~ verkeren *se trouver dans l'incertitude* ⋆ iem. in het ~ laten *laisser qn dans l'incertitude*
ongewoon I BNW • zeldzaam *singulier* [v: *singulière*]; *pas courant* • niet gewoon *inhabituel* [v: *inhabituelle*] II BIJW niet gewoon *d'une manière inhabituelle*; *d'une manière étrange*
ongezeglijk *indiscipliné*
ongezellig ‹v. persoon› *peu sociable*; *peu aimable*; ‹v. plaats› *peu confortable*; *déplaisant*; *peu intime*
ongezien I BNW • niet gezien *inaperçu* • zonder te zien *sans l'avoir vu* II BIJW zonder te zien ⋆ een huis ~ kopen *acheter une maison sans l'avoir vue*
ongezond I BNW • niet gezond *en mauvaise santé* • niet heilzaam *malsain*; ‹v. lucht e.d.› *insalubre* II BIJW *d'une manière malsaine*
ongezouten I BNW • zonder zout *non salé* • onverbloemd *rude* II BIJW *rudement*
ongrijpbaar *insaisissable* ⋆ ongrijpbare factoren *des facteurs* m mv *impondérables*
ongrondwettig I BNW *inconstitutionnel* [v: *inconstitutionnelle*] II BIJW *inconstitutionnellement*
ongunstig I BNW *défavorable*; *désavantageux* [v: *désavantageuse*] ⋆ een ~ moment *un moment inopportun* ⋆ een ~e uitslag *un résultat négatif* II BIJW *défavorablement*; *désavantageusement* ⋆ ~ bekend staan *être mal famé*
onguur • ruw *sinistre*; *mauvais*; *louche* • ongunstig uitziend *sinistre*; *affreux* [v: *affreuse*]
onhandelbaar • eigenzinnig *récalcitrant*; *intraitable* • moeilijk te hanteren *difficile à manier*
onhandig • niet handzaam *incommode*; *peu maniable* • stuntelig *maladroit*; *gauche*
onhebbelijk I BNW *grossier* [v: *grossière*]; *désagréable* II BIJW *grossièrement*
onheil *malheur* m; *désastre* m
onheilspellend *sinistre*; *lugubre*; *de mauvais augure*
onheilsprofeet *prophète* m *de malheur*
onherbergzaam I BNW *inhospitalier* [v: *inhospitalière*] II BIJW *d'une manière inhospitalière*
onherkenbaar I BNW *méconnaissable* II BIJW *d'une façon méconnaissable*
onherroepelijk I BNW • definitief *irrévocable* • onvermijdelijk *inéluctable* II BIJW • definitief *irrévocablement* • onvermijdelijk *inéluctablement*
onherstelbaar I BNW *irréparable*; *irrémédiable* II BIJW *irréparablement*; *irrémédiablement*
onheuglijk I BNW *immémorial* [m mv: *immémoriaux*] II BIJW ⋆ dat is ~ lang geleden *il y a une éternité de cela*
onheus I BNW *désobligeant*; *impoli* II BIJW *d'une manière désobligeante*; *impoliment* ⋆ ~ bejegenen *traiter de façon désobligeante*
onhoudbaar • niet te verdedigen *insoutenable* • niet te harden *insoutenable*; *intenable* ⋆ een onhoudbare toestand *une situation intolérable* • SPORT *imparable*
onjuist I BNW *faux* [v: *fausse*]; *inexact*; *erronné*; *incorrect* II BIJW *inexactement*; *incorrectement*
onjuistheid • fout *erreur* v • het onjuist zijn *inexactitude* v
onkies *indélicat*
onklaar *détraqué* ⋆ ~ raken *ne plus fonctionner*; *se détraquer*
onkosten *frais* m mv ⋆ buitengewone ~ *faux frais*
onkostendeclaratie *note* v *de frais*
onkostenvergoeding *indemnité* v; *remboursement* m *des frais*
onkreukbaar • niet kreukend *infroissable* • integer *intègre*
onkruid *mauvaises herbes* v mv ▾ ~ vergaat niet *mauvaise herbe croît toujours*
onkuis I BNW *impudique* II BIJW *impudiquement*
onkunde *ignorance* v ⋆ uit ~ *par ignorance*
onkundig *ignorant* ⋆ ~ zijn van iets *ignorer qc*
onlangs *récemment*; *l'autre jour*
onledig *occupé* ▾ zich ~ houden met *s'occuper à*
onleesbaar *illisible*
on line *connecté*; *en ligne*
onlogisch I BNW *illogique* II BIJW *illogiquement*
onloochenbaar *indéniable*
onlosmakelijk *inséparable*; *indissociable* ⋆ ~ met iets verbonden zijn *être inséparable de qc*
onlust • onbehagen *déplaisir* m; *malaise* m • ongeregeldheden ⋆ ~en *troubles* m mv; *désordres* m mv
onmacht • machteloosheid *impuissance* v

• flauwte *défaillance* v ⋆ in ~ vallen *s'évanouir*
onmachtig *impuissant (à)*
onmatig I BNW *immodéré*; *excessif* [v: *excessive*] II BIJW *immodérément*; *excessivement*
onmens *monstre* m; *brute* v
onmenselijk I BNW wreed *inhumain*; *cruel* [v: *cruelle*] II BIJW *inhumainement*; *cruellement*
onmetelijk I BNW • *infini* • oneindig groot *immense* II BIJW *infiniment*; *immensément*
onmiddellijk *direct*; *immédiat*
onmin *désaccord* m ⋆ in ~ leven met *être en mauvais termes avec*; *être brouillé avec*
onmisbaar *indispensable* ⋆ dit woordenboek is voor mij ~ *je ne pourrais me passer de ce dictionnaire*
onmiskenbaar I BNW *indéniable*; *incontestable* II BIJW *indéniablement*; *incontestablement*; *évidemment*
onmogelijk I BNW • niet mogelijk *impossible* ⋆ het is ~ om *c'est impossible de*; *il n'y a pas moyen de* • onverdraaglijk ⋆ een ~e kerel *un type impossible à vivre* II BIJW ⋆ dat kan ik ~ doen *il m'est impossible de faire cela*
onmogelijkheid *impossibilité* v
onmondig *mineur*
onnadenkend I BNW *irréfléchi*; *étourdi* II BIJW *sans réfléchir*; *étourdiment*
onnatuurlijk I BNW • niet natuurlijk *contre nature* • gekunsteld *artificiel* [v: *artificielle*]; *affecté*; *sophistiqué* II BIJW • niet natuurlijk *contre nature* • gekunsteld *artificiellement*
onnavolgbaar I BNW *inimitable* II BIJW *de façon inimitable*
onneembaar *imprenable*
onnodig I BNW *inutile*; *superflu* ⋆ ~ te zeggen dat *inutile de dire que* II BIJW *inutilement*
onnoemelijk *immense* ⋆ ~e rijkdom *d'immenses richesses* v mv
onnozel I BNW • argeloos *innocent*; *niais* • dom *niais*; *nigaud*; *bête* ⋆ ~ staan kijken *avoir l'air de tomber des nues* II BIJW *niaisement*
onofficieel *officieux* [v: *officieuse*]
onomatopee *onomatopée* v
onomkeerbaar *irréversible*
onomstotelijk I BNW *inébranlable*; *incontestable*; *irréfutable* II BIJW *de facon inébranlable*; *incontestablement*; *irréfutablement*
onomwonden I BNW *franc* [v: *franche*] II BIJW *franchement*
onontbeerlijk *indispensable*
onontkoombaar *inévitable*; *inéluctable*
onooglijk *laid*
onopgemerkt I BNW *inaperçu* II BIJW *sans être aperçu*
onophoudelijk I BNW *continuel* [v: *continuelle*]; *incessant* II BIJW *continuellement*; *sans cesse*
onoplettendheid *inattention* v; *distraction* v
onoprecht I BNW *faux* [v: *fausse*]; *dissimulé* II BIJW *d'une manière peu sincère*
onopvallend I BNW *qui passe inaperçu*; ‹bescheiden› *discret* [v: *discrète*]; ‹onbeduidend› *insignifiant* II BIJW *sans être aperçu*; ‹v. personen› *sans se faire remarquer*; ‹bescheiden› *discrètement*
onopzettelijk I BNW *involontaire* II BIJW *involontairement*; *sans le faire exprès*
onovergankelijk I BNW *intransitif* [v: *intransitive*] II BIJW *intransitivement*
onoverkomelijk *insurmontable*
onovertroffen *inégalé*
onoverzichtelijk I BNW *peu clair*; *embrouillé* ⋆ een ~e bocht *un virage sans visibilité* II BIJW *d'une façon peu claire/embrouillée*
onpartijdig *impartial* [m mv: *impartiaux*]
onpas ⋆ te ~ komen *arriver mal à propos*
onpasselijk *indisposé* ⋆ ~ worden *se sentir mal* ⋆ ~ zijn *avoir mal au cœur*
onpeilbaar • niet te doorgronden *insondable* • niet te peilen *immensurable*
onpersoonlijk I BNW *impersonnel* [v: *impersonelle*] II BIJW *impersonnellement*
onplezierig *désagréable*
onpraktisch I BNW niet goed bruikbaar *peu pratique* II BIJW *de façon peu pratique*
onraad *danger* m
onrecht *injustice* v; *tort* m ⋆ iem. ~ doen *faire du tort à qn*
onrechtmatig I BNW *illégitime*; *injuste* II BIJW *injustement*
onrechtvaardig I BNW *injuste* II BIJW *injustement*
onredelijk I BNW • onbillijk *déraisonnable* • zonder rede *injustifié* II BIJW • onbillijk *déraisonnablement* • zonder rede *d'une façon injustifiée*
onregelmatig I BNW niet-regelmatig *irrégulier* [v: *irrégulière*]; ‹m.b.t. menstruatie› *mal réglée* II BIJW *irrégulièrement*; *par intermittent*
onregelmatigheid *irrégularité* v
onregelmatigheidstoeslag *supplément* m *de salaire pour horaire variable*
onreglementair *pas réglementaire*; *irrégulier* [v: *irrégulière*]
onrein *impur*
onrijp • niet rijp *vert*; *pas mûr* • onervaren *qui manque de maturité*
onroerend *immobilier* [v: *immobilière*] ⋆ ~ goed *biens* m mv *immobiliers*; *bien-fond* ⋆ ~goedmaatschappij *société* v *immobilière*
onroerendezaakbelasting *impôt* m *sur l'immobilier*
onroerendgoedbelasting *impôt* m *sur l'immobilier*
onrust • beroering *agitation* v • gemis van rust *inquiétude* v • uurwerkwieltje *balancier* m
onrustbarend I BNW *inquiétant*; *alarmant* II BIJW *d'une façon inquiétante/alarmante*
onrustig I BNW • ongedurig *agité*; ‹v. een kind› *turbulant*; *remuant* • niet kalm *inquiet* [v: *inquiète*]; *agité*; ‹nerveus› *nerveux* [v: *nerveuse*] II BIJW *d'une manière agitée* ⋆ ~ slapen *dormir d'un sommeil agité*
onruststoker *agitateur* m [v: *agitatrice*]; *fauteur* m *de troubles*
onrustzaaier *agitateur* m; *meneur* m; *factieux* m
ons I ZN *cent grammes* m mv [MV];

hectogramme m **II** PERS VNW *nous* ★ bij ons thuis *chez nous* ★ onder ons gezegd *(soit dit) entre nous* **III** BEZ VNW *notre* [m mv: *nos*]
onsamenhangend I BNW *incohérent*; *décousu* **II** BIJW *sans cohérence*; *d'une façon décousue*
onschadelijk I BNW *anodin*; *inoffensif* [v: *inoffensive*]; *innocent* ★ ~ maken *neutraliser* **II** BIJW *de façon inoffensive*
onschatbaar I BNW *inestimable* **II** BIJW *d'une façon inestimable*
onschendbaar *inviolable*
onschuld • het niet schuldig zijn *innocence* v ★ in alle ~ *en toute innocence* • argeloosheid *innocence* v; *ingénuité* v ★ zijn ~ bewaren *conserver son innocence*
onschuldig I BNW • niet schuldig *innocent* • argeloos *innocent*; *ingénu* • onschadelijk *inoffensif* [v: *inoffensive*] **II** BIJW *innocemment*
onsmakelijk I BNW • niet smakelijk *peu appétissant*; *qui a mauvais goût* • stuitend *dégoûtant* **II** BIJW *de façon peu appétissante*; *d'une manière dégoûtante*
onsportief I BNW *antisportif* [v: *antisportive*] **II** BIJW *sans sportivité*
onstandvastig I BNW • veranderlijk *inconstant*; *variable* • labiel *instable* **II** BIJW *avec inconstance*
onsterfelijk I BNW *immortel* [v: *immortelle*] **II** BIJW *immortellement*
onsterfelijkheid *immortalité* v
onstilbaar *insatiable*
onstuimig I BNW • woest *impétueux* [v: *impétueuse*]; *fougueux* [v: *fougueuse*] ★ een ~e zee *une mer houleuse* v • hartstochtelijk *impétueux* [v: *impétueuse*]; *fougueux* [v: *fougueuse*] **II** BIJW *impétueusement*; *fougueusement*
onstuitbaar *irrésistible*
onsympathiek I BNW *antipathique*; *peu sympathique* **II** BIJW *de façon antipathique*
onszelf I PERS VNW *nous-mêmes* **II** WKD VNW *nous-mêmes*
ontaard I BNW *dégénéré*; *dénaturé* **II** BIJW *excessivement*
ontaarden • degenereren *dégénérer* • ten kwade veranderen *se dégrader*; *dégénérer*
ontberen *manquer de* ★ iets niet kunnen ~ *ne pouvoir se passer de de qc*
ontbering *privation* v ★ ~en lijden *endurer des privations*
ontbieden *appeler*; *convoquer*
ontbijt *petit déjeuner* m
ontbijten *prendre le petit déjeuner*
ontbijtkoek *pain* m *d'épice*
ontbijtshow *Télématin* m
ontbijtspek *bacon* m
ontbijt-tv *Télématin* m; *télévision* v *du petit-déjeuner*
ontbinden • ontleden *décomposer* • opheffen *dissoudre*
ontbinding • het opheffen *dissolution* v • bederf *décomposition* v • ontleding *décomposition* v
ontbladeringsmiddel *défoliant* m
ontbloot • naakt *dénudé* • ~ **van** *dénué de*; *dépourvu de*
ontbloten • bloot maken *dénuder*; *mettre à nu* ★ het hoofd ~ *se découvrir* • ~ **van** *dépouiller de*
ontboezeming *épanchement* m
ontbossen *déboiser*
ontbossing *déboisement* m
ontbranden *prendre feu*; *s'enflammer*
ontbreken *manquer*; *faire défaut*; ‹v. mensen› *manquer* ★ er ~ verscheidene brieven *il manque plusieurs lettres* ★ het ontbreekt hem aan geld/moed *il manque d'argent/de courage* ★ het zich aan niets laten ~ *ne se priver de rien*
ontcijferen *déchiffrer*
ontdaan *consterné*; *défait* ★ ~ van *débarrassé de*
ontdekken • te weten komen *découvrir*; *s'apercevoir de* • vinden *découvrir*
ontdekker *découvreur* m; *inventeur* m [v: *inventrice*]
ontdekking *découverte* v
ontdekkingsreis *expédition* v; *exploration* v ★ een ~ maken in *explorer*
ontdoen *défaire (de)*; *dépouiller (de)* ★ zich ~ van iem. *se débarrasser de qn*
ontdooien I OV WW ijsvrij maken *dégeler* **II** ON WW • smelten *fondre* • minder stijf worden *se dégeler*
ontduiken • zich onttrekken aan *éviter* ★ een wetsartikel ~ *tourner un article de loi* ★ een vraag ~ *éluder une question* ★ de belasting ~ *frauder le fisc* • bukkend ontgaan *esquiver*
ontegenzeglijk I BNW *incontestable* **II** BIJW *incontestablement*
onteigenen *exproprier*
onteigening *expropriation* v
onteigeningsprocedure *procédure* v *d'expropriation*
ontelbaar I BNW *innombrable* **II** BIJW *innombrablement*
ontembaar *indomptable*
onterecht *injuste*; *inéquitable*
onteren • van eer beroven *déshonorer*; *diffamer* • verkrachten *déshonorer*; *abuser de*
onterven *déshériter*
ontevreden I BNW • niet tevreden *mécontent*; *insatisfait* • ~ **over** *mécontent de*; *contrarié de* **II** BIJW • niet tevreden *l'air insatisfait/mécontent* • misnoegd *l'air mécontent/contrarié*
ontevredenheid *mécontentement* m; *insatisfaction* v
ontfermen (zich) • voor zijn rekening nemen *s'occuper de*; *se charger de* • medelijden tonen *avoir pitié de*; *recueillir* ★ zich ~ over iem. *avoir pitié de qn*
ontfutselen *dérober*; *escamoter*
ontgaan *échapper (à)*
ontgelden ★ zijn zus moet het ~ *c'est sa sœur qui trinque*
ontginnen *défricher*
ontginning *exploitation* v
ontglippen *échapper à*; *glisser entre les mains*
ontgoochelen *désillusionner*; *désabuser*
ontgoocheling *désillusion* v
ontgroeien *dépasser* ★ de schoolbanken ontgroeid zijn *avoir passé l'âge de l'école*

ontgroenen *bizuter; brimer*
ontgroening *bizutage* m; *brimade* v
onthaal *accueil* m ⋆ een warm ~ krijgen *être accueilli chaleureusement*
onthalen • ontvangen *accueillir* • ~ **op** *régaler de*
onthand *gêné*
ontharder *adoucissant* m
ontharen *épiler*
ontharingscrème *crème* v *dépilatoire*
ontheemd • weg uit vaderland *expatrié* • ontworteld *dépaysé*
ontheffen • ontslaan *démettre (de)* ⋆ iem. van zijn ambt ~ *démettre/relever qn de ses fonctions* • vrijstellen ‹v. verplichting› *libérer; décharger;* ‹v. belasting› *exonérer*
ontheffing • vrijstelling *dispense* v; ‹v. belasting› *exonération* v • ontslag *licenciement* m
ontheiligen *profaner*
onthoofden *décapiter*
onthouden I ov ww • niet vergeten *retenir; se rappeler* ⋆ iem. iets helpen ~ *faire souvenir qn de qc.* ⋆ ik zal het ~ *j'en prends note* • achterhouden *priver (qn de qc)* II wkd ww ~ **van** *s'abstenir (de)*
onthouding • het zich onthouden *abstinence* v; ‹v. seks› *continence* v • het blanco stemmen *abstention* v
onthoudingsverschijnselen *(état* m *de) manque; symptômes* m mv *de sevrage*
onthullen • bekendmaken *révéler; dévoiler* • inwijden *découvrir* ⋆ een gedenkteken ~ *inaugurer un monument*
onthulling • bekendmaking *révélation* v • inwijding *inauguration* v
onthutst *déconcerté; ébahi*
ontiegelijk *vachement*
ontijdig I BNW *inopportun* II BIJW *mal à propos*
ontkennen *nier* ⋆ het valt niet te ~ dat *il est indéniable que*
ontkennend I BNW *négatif* [v: *négative*] II BIJW *négativement* ⋆ ~ antwoorden *répondre négativement; donner une réponse négative*
ontkenning • het ontkennen *négation* v; ‹sterker› *dénégation* v • TAALK. *négation* v
ontketenen • doen losbreken *déchaîner; déclencher* • ketenen verbreken *désenchaîner*
ontkiemen *germer*
ontkleden (zich) *déshabiller*
ontknoping *dénouement* m
ontkomen *échapper (à)*
ontkoppelen • loskoppelen *déclencher* • debrayeren *débrayer*
ontkoppeling • het loskoppelen *déconnexion* v • het debrayeren *débrayage* m
ontkrachten *affaiblir*
ontkroezen *décrêper*
ontkurken *déboucher*
ontladen *décharger*
ontlading • NAT. *décharge* v • het zich ontladen *déchargement* m
ontlasten I ov ww • ontdoen van last *décharger;* ‹een weg van verkeer› *délester* • verlichten *soulager* • ontheffen *décharger* II WKD WW *aller à la selle*
ontlasting • het ontlasten *déchargement* m • uitwerpselen *selles* v mv • stoelgang *défécation* v
ontleden • ANATO. *disséquer* • TAALK. *analyser*
ontleding • ANATO. *dissection* v • TAALK. *analyse* v
ontlenen *emprunter* ⋆ iets aan iem. ~ *emprunter qc à qn*
ontlokken *tirer; arracher*
ontlopen • mijden *fuir* • verschillen *différer*
ontluiken • uit de knop komen *s'épanouir* • ontstaan *éclore*
ontluisteren *flétrir*
ontmaagden *dépuceler; déflorer*
ontmannen *châtrer; émasculer*
ontmantelen ‹v. organisatie› *démanteler;* ‹v. machine› *démonter*
ontmaskeren *démasquer*
ontmoedigen *décourager*
ontmoedigingsbeleid *politique* v *de découragement*
ontmoeten *rencontrer*
ontmoeting *rencontre* v
ontmoetingsplaats *lieu* m *de rencontre; lieu* m *de rendez-vous*
ontmythologiseren *démythifier*
ontnemen *enlever; prendre* ⋆ iem. iets ~ *enlever/prendre qc à qn* ⋆ iem. het bevel ~ *retirer le commandement à qn*
ontnuchteren • nuchter maken *dégriser* • ontgoochelen *désillusionner*
ontnuchtering • het nuchter worden *dégrisement* m • ontgoocheling *désillusion* v
ontoegankelijk *inaccessible*
ontoelaatbaar *inadmissible*
ontoereikend I BNW *insuffisant* II BIJW *insuffisamment*
ontoerekeningsvatbaar *irresponsable*
ontplofbaar *explosif* [v: *explosive*]
ontploffen *exploser; éclater*
ontploffing ‹geluid› *détonation* v; *explosion* v
ontploffingsgevaar *risque(s)* m (mv) *d'explosion*
ontplooien • ontvouwen *déplier;* ‹v. vleugels› *étendre* • ontwikkelen *développer;* ‹manifesteren› *déployer*
ontplooiing • het ontvouwen *déploiement* m • ontwikkeling *épanouissement* m
ontpoppen (zich) *se révéler*
ontraadselen • oplossen *déchiffrer* • te weten komen *découvrir*
ontraden *déconseiller*
ontrafelen *effiler*
ontredderd ‹v. persoon› *désemparé;* ‹v. situatie› *désespéré*
ontreddering ‹v. persoon› *désarroi* m; ‹v. situatie› *confusion* v
ontregelen *dérégler*
ontrieven *importuner; déranger* ⋆ als ik u niet ontrief *si cela ne vous dérange pas*
ontroerd *ému* ⋆ met ~e stem *d'une voix émue*
ontroeren *émouvoir;* ‹sterk› *bouleverser*
ontroerend *émouvant;* ‹sterk› *bouleversant*
ontroering *émotion* v
ontrollen • zich tonen *déployer* • open rollen *dérouler*

ontroostbaar *inconsolable*
ontrouw I ZN *infidélité* v; ‹overspel› *adultère* m II BNW • niet trouw *infidèle* ★ ~ worden *devenir infidèle* ★ het vaderland ~ zijn *trahir sa patrie* • overspelig *adultère*
ontroven *ôter*; *ravir*
ontruimen • verlaten *évacuer*; *abandonner*; ‹een huis› *vider* • doen verlaten *évacuer*
ontruiming *évacuation* v
ontrukken *arracher* ★ iem. iets ~ *arracher qc à qn*
ontschepen *débarquer*
ontschieten *échapper* ★ dat is mij ontschoten *ça m'a échappé*
ontsieren *enlaidir*; ‹v. gezicht› *défigurer*
ontslaan • ontslag geven *licencier*; *congédier*; ‹wegens ontevredenheid› *renvoyer* • ontheffen *dispenser (de)* ★ iem. van zijn belofte ~ *délier qn de sa promesse* ★ van rechtsvervolging ~ *décharger qn* • laten gaan ‹uit de gevangenis› *libérer*; JUR. *élargir*
ontslag • het ontslaan *licenciement* m; ‹wegens ontevredenheid› *renvoi* m; ‹verzoek van werknemer› *démission* v ★ zijn ~ nemen/indienen *donner sa démission*; *démissionner* ★ ~ vragen *demander son congé* • het vrijlaten *libération* v
ontslagaanvraag ‹v. werkgever› *demande* v *de licenciement*; ‹v. werknemer› *demande* v *de démission*
ontslagbrief *lettre* v *de licenciement*; ‹aanvraag› *lettre* v *de démission*
ontslagprocedure *procédure* v *de licenciement*
ontslapen *décéder*
ontsluieren *dévoiler*
ontsluiten *ouvrir*
ontsluiting *ouverture* v; MED. *dilatation* v
ontsluitingswee *contraction* v *de dilatation*
ontsmetten *désinfecter*
ontsmetting *désinfection* v
ontsmettingsmiddel *désinfectant* m
ontsnappen • wegkomen *échapper*; *s'échapper*; ‹uit gevangenschap› *s'évader* • ontglippen *échapper à*
ontsnapping *fuite* v; ‹met betrekking tot een persoon› *évasion* v
ontsnappingsclausule *clause* v *échappatoire*
ontsnappingsmogelijkheid *moyen* m *d'évasion*
ontspannen I BNW *détendu*; *décontracté* II OV WW • minder strak maken *détendre*; ‹v. spieren› *relâcher*; *relaxer* • tot rust laten komen *détendre*; *distraire*
ontspanning • het ontspannen *détente* v; ‹v. spieren› *relâchement* m; *relaxation* v • POL. *détente* v • verpozing *détente* v; *distraction* v
ontspiegelen *appliquer une couche antireflet* ★ ontspiegeld glas *verre* m *antireflet*
ontspinnen (zich) *s'engager*
ontsporen *dérailler*; FIG. *être dévoyé*
ontsporing *déraillement* m; FIG. *erreurs* v mv *de conduite*
ontspringen • oorsprong hebben *prendre sa source* • ontkomen *échapper (à)* ★ ze zullen de dans niet ~ *ils n'y échapperont pas*
ontspruiten • uitspruiten *pousser*; *germer* • afkomstig zijn *être issu de*
ontstaan I ZN *naissance* v; *origine* v II ON WW • beginnen te bestaan *naître*; *se former*; *apparaître*; *prendre naissance*; ‹v. twijfel, woordenwisseling› *s'élever* ★ doen ~ *faire naître* ★ de brand is ~ in *le feu a pris/s'est déclaré dans* • voortkomen ‹v. stilte› *se faire* ★ er ontstond een stilte *il se fit un silence*
ontstaansgeschiedenis *genèse* v
ontstaanswijze *genèse* v
ontsteken I OV WW doen ontbranden *allumer* II ON WW • ontbranden *s'enflammer* • MED. *s'infecter*
ontsteking • TECHN. *allumage* m • MED. *inflammation* v
ontstekingsmechanisme *méchanisme* m *d'allumage*
ontsteld I BNW *consterné*; *bouleversé* II BIJW *d'un air consterné/bouleversé*
ontstellend I BNW • schokkend *bouleversant* • zeer erg *extrême* II BIJW *terriblement*
ontsteltenis *consternation* v
ontstemd • MUZ. *désaccordé* • misnoegd *de mauvaise humeur*
ontstemmen • MUZ. *désaccorder* • ergeren *mécontenter*; *contrarier*
ontstemming *mécontentement* m
ontstentenis *défaut* m ★ bij ~ van *à défaut de*
ontstijgen • uitstijgen boven *s'élever au-dessus de* • opstijgen uit *s'élever de*
ontstoken *enflammé*
onttrekken I OV WW • ontnemen *soustraire*; *enlever*; *retirer* • CHEM. *extraire* II WKD WW zich niet houden aan ★ zich ~ aan verplichtingen *se soustraire/se dérober à des obligations*
onttronen *détrôner*
ontucht *débauche* v
ontuchtig *débauché*
ontvallen • ongewild gezegd worden *échapper (à)* • verloren gaan ★ zijn moeder is hem vroeg ~ *il a perdu sa mère de bonne heure*
ontvangen • krijgen *recevoir* ★ uw brief heb ik ~ *j'ai bien reçu votre lettre* • onthalen *accueillir* • innen *toucher*; ‹belasting› *percevoir* ★ geld ~ *toucher de l'argent* • TELECOM. *recevoir*
ontvanger • iemand die ontvangt *destinataire* m/v • belastingontvanger *receveur* m [v: *receveuse*]; *percepteur* m • ontvangtoestel *récepteur* m
ontvangst • het ontvangen *réception* v; ‹v. geld› *perception* v ★ in ~ nemen *recevoir*; *prendre livraison de* ★ bij de ~ van uw brief *au reçu de votre lettre* • onthaal *accueil* m • TELECOM. *réception* v • inkomsten *recette* v ★ de ~en en de uitgaven *les entrées et les sorties*
ontvankelijk • openstaand *réceptif* [v: *réceptive*]; *sensible* ★ ~ maken *sensibiliser à* • JUR. *recevable*
ontvellen *écorcher*
ontvetten *dégraisser*
ontvlambaar • brandbaar *inflammable* • temperamentvol ★ een ~ hart *un cœur ardent/passionné*
ontvlammen *prendre feu*; *s'enflammer*; FIG.

s'enflammer

ontvluchten I OV WW vluchten voor *fuir; s'enfuir de* II ON WW ontkomen *fuir; s'enfuir; se sauver*

ontvoerder *ravisseur* m [v: *ravisseuse*]

ontvoeren *enlever; kidnapper*

ontvoering *enlèvement* m

ontvolken *dépeupler*

ontvolking *dépeuplement* m

ontvouwen • uitvouwen *déplier; déployer* • uiteenzetten *exposer; expliquer*

ontvreemden *voler*

ontwaken *s'éveiller; se réveiller* ★ doen ~ *réveiller*

ontwapenen *désarmer*

ontwapening *désarmement* m

ontwapeningsconferentie *conférence* v *du désarmement*

ontwaren *distinguer*

ontwarren • uit de war halen *débrouiller; démêler* • ophelderen *résoudre; démêler*

ontwennen *perdre l'habitude de*

ontwenning ‹v. verslaving› *désintoxication* v; FORM. *désaccoutumance* v

ontwenningskliniek *clinique* v *de désintoxication*

ontwenningskuur *cure* v *de désintoxication*

ontwenningsverschijnsel *symptôme* m *de désintoxication*

ontwerp • plan *projet* m • schets *plan* m

ontwerp-bouwtekening *plan* m *d'un bâtiment*

ontwerpen • opstellen *concevoir* • schetsen *dessiner; tracer le plan de*

ontwerper *créateur* m [v: *créatrice*]

ontwerp-nota *projet* m *de note*

ontwijken ‹v. moeilijkheid› *esquiver; éviter;* ‹v. vraag› *éluder*

ontwikkelaar *révélateur* m

ontwikkeld • economisch op niveau *développé* • geestelijk gevormd *cultivé;* ‹volgroeid› *formé* • FOTO. *développé*

ontwikkelen I OV WW • geleidelijk vormen *développer* • voortbrengen *produire;* ‹ten toon spreiden› *déployer* ★ warmte ~ *produire de la chaleur* • uitwerken *développer; élaborer* • kennis bijbrengen *former; cultiver* • FOTO. *développer* II WKD WW *se développer*

ontwikkeling • groei *développement* m • het ontwikkeld zijn *culture* v • voortgang *évolution* v • FOTO. *développement* m

ontwikkelingsgebied ‹gebied› *zone* v *en voie d'industrialisation;* ‹land› *pays* m *en voie de développement*

ontwikkelingshulp • hulp *aide* v *au développement* • dienst *coopération* v

ontwikkelingskosten *frais* m mv *des recherches et de production*

ontwikkelingsland *pays* m *en voie de développement (PVD)*

ontwikkelingspsychologie *psychologie* v *génétique*

ontwikkelingsroman *roman* m *psychologique*

ontwikkelingssamenwerking *coopération* v

ontwikkelingswerk *aide* v *au développement; coopération* v

ontwikkelingswerker *coopérant* m

ontworstelen *arracher*

ontwortelen *déraciner*

ontwrichten • ontregelen *disloquer; désorganiser* • MED. *démettre; disloquer*

ontzag *respect* m

ontzaglijk I BNW • ontzagwekkend ‹met vrees› *redoutable; imposant* • zeer groot *énorme; immense* II BIJW *formidablement*

ontzagwekkend *imposant*

ontzeggen I OV WW • weigeren *interdire; refuser* • iets niet toekennen *dénier* II WKD WW afzien van *se priver de* ★ zich iets ~ *se refuser qc; se priver de qc.*

ontzenuwen • afdoende weerleggen *réfuter* ★ een argument ~ *réfuter un argument* • krachteloos maken *neutraliser*

ontzet I ZN *levée* v *d'un siège; libération* v II BNW • ontsteld *stupéfait* • ontwricht *désarticulé*

ontzetten • ontheffen ‹uit ambt› *destituer* ★ uit de ouderlijke macht ontzet *déchu d'autorité parentale* ★ uit zijn ambt ontzet *relevé de ses fonctions* • bevrijden *délivrer; libérer; faire lever un siège* • verbijsteren *consterner; épouvanter* • ontwrichten *disloquer*

ontzettend I BNW • vreselijk *affreux* [v: *affreuse*]; *terrible; épouvantable* • geweldig *formidable* II BIJW • vreselijk *affreusement; terriblement* • geweldig *énormément* • heel erg *énormément*

ontzetting • ontheffing *destitution* v ★ ~ uit de ouderlijke macht *déchéance d'autorité parentale* v • bevrijding *délivrance* v • verbijstering *épouvante* v; *consternation* v

ontzien *épargner; ménager*

ontzuiling *décloisonnement* m

onuitputtelijk *inépuisable* ★ ~ zijn over *ne pas tarir sur*

onuitroeibaar *indéracinable;* FIG. *tenace*

onuitspreekbaar *imprononçable*

onuitsprekelijk *inexprimable; indicible*

onuitstaanbaar I BNW *insupportable; exaspérant* II BIJW *de manière insupportable*

onvast I BNW • niet vast *léger* [v: *légère*] ★ een ~e slaap *un sommeil léger* • wankel *instable; chancelant;* ‹onzeker› *hésitant; incertain* ★ ~e schreden *des pas mal assurés* II BIJW wankel *de manière instable;* ‹onzeker› *de manière hésitante*

onveilig *peu sûr; dangereux* [v: *dangereuse*]; ‹met betrekking tot wegen/plaatsen› *dangereux* [v: *dangereuse*] ★ door een ~ sein heenrijden *griller un feu rouge*

onveranderlijk *invariable; inaltérable*

onverantwoord I BNW *injustifiable* II BIJW *de manière injustifiable*

onverantwoordelijk I BNW *irresponsable* II BIJW *de manière irresponsable*

onverbeterlijk I BNW • niet te verbeteren *irréparable* • verstokt *incorrigible* II BIJW *à la perfection*

onverbiddelijk I BNW • onvermurwbaar *impitoyable; inexorable* • onvermijdelijk *inévitable* II BIJW • onvermurwbaar *impitoyablement; inexorablement*

• onvermijdelijk *inévitablement*
onverbloemd *franchement*
onverdeeld I BNW • niet verdeeld *indivis* • volledig *entier* [v: *entière*] ★ een ~e aandacht *une attention soutenue* II BIJW • volledig *entièrement* • niet verdeeld JUR. *par indivis*; *sans partage*
onverdienstelijk ★ niet ~ *non sans mérite*
onverdraaglijk I BNW *insupportable* II BIJW *de manière insupportable*
onverdraagzaam *intolérant*
onverenigbaar *incompatible*; *inconciliable*
onvergankelijk *impérissable*; *immortel* [v: *immortelle*]
onvergeeflijk I BNW *impardonnable*; *inexcusable* II BIJW *d'une manière impardonnable*
onvergelijkbaar *incomparable*
onvergelijkelijk *incomparable*
onvergetelijk I BNW *inoubliable* II BIJW *de façon inoubliable*
onverhoeds I BNW *inattendu*; *imprévu* II BIJW *à l'improviste*; *au dépourvu*
onverholen I BNW *non déguisé*; *ouvert* II BIJW *ouvertement*
onverhoopt I BNW *inespéré* II BIJW *contre toute attente*
onverklaarbaar *inexplicable*
onverkort I BNW • niet ingekort *entier* [v: *entière*]; ‹onaangetast› *intact* • integraal *intégral* [m mv: *intégraux*] II BIJW *intégralement*
onverkwikkelijk *fâcheux* [v: *fâcheuse*]; *désagréable*
onverlaat *vaurien* m
onvermijdelijk *inévitable*; *fatal* ★ zich in het ~e schikken *se résigner à l'inéluctable*
onverminderd ★ dat geldt ~ voor *ça vaut tout aussi bien pour*
onvermoeibaar I BNW *infatigable* II BIJW *inlassablement*
onvermogen • onmacht *impuissance* v • insolventie *insolvabilité* v ★ bewijs van ~ *certificat* m *d'indigence*
onvermurwbaar *intraitable*; *inexorable*; *inflexible*
onverricht *non exécuté* ▼ ~er zake *sans résultat* ▼ ~er zake weggaan *s'en aller comme on est venu*
onversaagd *intrépide*
onverschillig I BNW • geen verschil uitmakend *indifférent* ★ dat is mij ~ *cela m'est égal* ★ geef me een boek, ~ welk *donnez-moi un livre quelconque* ★ ~ wie *n'importe qui* • ongeïnteresseerd *indifférent* ★ ~ laten *laisser froid* II BIJW *indifféremment*
onverschilligheid *indifférence* v
onverschrokken *hardi*; *intrépide*
onversneden *pur*; *non coupé*
onverstaanbaar I BNW *incompréhensible*; *inintelligible* II BIJW *de manière incompréhensible*; *de manière inintelligible*
onverstandig I BNW *déraisonnable*; *inintelligent*; *imprudent* II BIJW *inintelligemment*; *imprudemment*
onverstoorbaar I BNW niet te storen *imperturbable* II BIJW *imperturbablement*
onvertogen *indécent*
onvervaard *hardi*; *intrépide*
onvervalst *authentique*; *véritable*; *vrai*; *pur*
onvervreemdbaar *inaliénable*
onverwacht *inattendu*; *inopiné*; *imprévu*
onverwachts *à l'improviste*; *tout à coup*; *inattendu*
onverwijld *immédiat*
onverwoestbaar *indestructible*
onverzadigbaar *insatiable*
onverzadigd *inassouvi*
onverzettelijk I BNW *intransigeant*; *inébranlable* II BIJW *avec intransigeance*; *inébranlablement*
onverzoenlijk *implacable*; *irréconciliable*
onverzorgd • zonder verzorging *sans soins* • slordig *peu soigné*; *négligé*
onvindbaar *introuvable*
onvoldaan • onbevredigd *peu satisfait*; *mécontent* • niet betaald *impayé*; *non réglé*
onvoldoende I ZN *note* v *insuffisante* II BNW *insuffisant* III BIJW *insuffisamment*
onvolkomen *imparfait*
onvolkomenheid *imperfection* v
onvolledig I BNW niet compleet *incomplet* [v: *incomplète*] II BIJW *incomplètement*
onvolprezen *au-dessus de tout éloge*
onvoltooid • onaf *inachevé* • TAALK. ★ ~ verleden tijd *imparfait* m ★ ~ tegenwoordige tijd *présent* m ★ ~ tegenwoordig toekomende tijd *futur* m *simple*
onvolwaardig *insuffisant*
onvoorstelbaar *inimaginable*; *incroyable*
onvoorwaardelijk I BNW *inconditionnel* [v: *inconditionnelle*]; JUR. *sans réserve* II BIJW *sans conditions*
onvoorzichtig I BNW *imprudent* II BIJW *imprudemment*
onvoorzichtigheid *imprudence* v
onvoorzien *imprévu* ★ behoudens ~e omstandigheden *sauf imprévu*
onvrede • onbehagen *mécontentement* m • ruzie *discorde* v
onvriendelijk I BNW *hostile*; *désagréable* II BIJW *désagréablement*; *avec hostilité*
onvruchtbaar *aride*; ‹met betrekking tot voortplanting› *stérile*
onwaar *faux* [v: *fausse*]
onwaarachtig I BNW *faux* [v: *fausse*] II BIJW *sans sincérité*
onwaardig • verachtelijk *indigne (de)* • iets niet waard zijnd *indigne*
onwaarheid • het onwaar zijn *fausseté* v • leugen *mensonge* m
onwaarschijnlijk I BNW • te betwijfelen *improbable* • ongeloofwaardig *invraisemblable* II BIJW *incroyablement*
onwankelbaar I BNW *inébranlable* II BIJW *inébranlablement*
onweer *orage* m
onweerlegbaar *irréfutable*; *incontestable*
onweersbui *pluie* v *d'orage*
onweersproken *inconteste*
onweerstaanbaar *irrésistible*
onweersvliegje *moucheron* m
onweerswolk *nuage* m *orageux*

onwel *incommodé; indisposé*
onwelwillend *désobligeant; malveillant*
onwennig I BNW *désorienté; dépaysé* II BIJW *mal à l'aise*
onweren *faire de l'orage* ★ het onweert *il fait de l'orage*
onwerkelijk *irréel* [v: *irréelle*]
onwetend • iets niet wetend *ignorant* • onbewust *inconscient*
onwetendheid *ignorance* v
onwettig *illégal* [m mv: *illégaux*]; *illicite* ★ een ~ kind *un enfant naturel*
onwezenlijk *irréel* [v: *irréelle*]; *imaginaire*
onwijs I BNW dwaas *insensé; sot* [v: *sotte*] II BIJW te gek *vachement*
onwil *mauvaise volonté* v
onwillekeurig *involontaire; automatique*
onwillig I BNW *indocile; peu disposé (à)* II BIJW *à contrecœur; de mauvaise volonté*
onwrikbaar *ferme; inébranlable* ★ een ~ geloof *une foi inébranlable*
onyx *onyx* m
onzacht I BNW *rude; dur* II BIJW *rudement; durement*
onzalig *fâcheux* [v: *fâcheuse*] ★ op de ~e gedachte komen om *avoir la fâcheuse idée de*
onze *notre* ★ de/het onze *le nôtre* [v: *la nôtre*] ★ de onzen *les nôtres*
onzedelijk *immoral* [m mv: *immoraux*]
onzedig I BNW *indécent* II BIJW *indécemment*
onzeker I BNW • niet zeker *incertain* • onvast *incertain; précaire* • niet zelfverzekerd *incertain; mal assuré* II BIJW *avec incertitude*
onzekerheid *incertitude* v ★ iem. in ~ laten *laisser qn dans l'incertitude/le doute*
Onze-Lieve-Heer *le bon Dieu; le Christ*
onzelieveheersbeestje → **lieveheersbeestje**
onzerzijds *de notre part; de notre côté*
onzevader *oraison* v *dominicale*; ‹r.-k.› *Pater* m
onzichtbaar *invisible*
onzijdig *neutre*
onzin • dwaasheid *absurdité* v ★ dat zou ~ zijn *ce serait absurde* • dwaze taal *absurdité* v; *non-sens* m ★ ~ praten/uitslaan *dire des bêtises; divaguer*
onzindelijk I BNW vies *sale; malpropre* II BIJW *malproprement*
onzinnig I BNW *absurde; inepte; insensé* II BIJW *d'une manière insensé; absurdement*
onzorgvuldig I BNW *négligent* II BIJW *négligemment*
onzuiver • niet zuiver *impur; malpropre* • afwijkend van iets *impur*; MUZ. *faux* [v: *fausse*] • bruto *brut* • onoprecht *faux* [v: *fausse*]
oog • gezichtsorgaan *œil* m [mv: *yeux*] ★ de ogen neerslaan *baisser les yeux* ★ zijn ogen bederven *se gâter la vue* ★ zijn ogen niet kunnen geloven *ne pas en croire ses yeux* ★ blauwe ogen hebben *avoir les yeux bleus* ★ goed uit zijn ogen kijken *garder les yeux ouverts* • blik *œil* m; *regard* m • gezichtsveld *vue* v; *regard* m ★ uit het oog verliezen *perdre de vue* ★ zover het oog reikt *à perte de vue* ★ hem in het oog houden *le garder à vue* ★ met het oog op *en vue de; dans l'intention de* • gat *œil* m ★ het oog van de naald *le chas; le trou de l'aiguille* • vetoog *œil* m ▾ onder vier ogen *en tête à tête; entre quatre yeux* ▾ in het oog lopen *sauter aux yeux; se faire remarquer* ▾ de ogen sluiten voor *fermer les yeux sur* ▾ iemand de ogen uitsteken *faire crever qn de jalousie* ▾ in het oog vallend *apparent* ▾ iemand onder de ogen komen *se présenter devant qn* ▾ de dood in de ogen zien *regarder la mort en face* ▾ op het oog schatten *juger à vue d'œil* ▾ uit het oog, uit het hart *loin des yeux, loin du cœur* ▾ voor ogen houden *avoir présent à l'esprit* ▾ zijn ogen uitkijken *écarquiller les yeux* ▾ met lede ogen aanzien *voir d'un mauvais œil*
oogappel • deel van oog *prunelle* v • lieveling *chéri* m [v: *chérie*]
oogarts *oculiste* m/v; *ophtalmologue* m/v
oogbal *globe* m *oculaire*
oogcontact *échange(s)* m (mv) *de regards*
oogdruppels *gouttes* v mv *pour les yeux*
ooggetuige *témoin* m *oculaire* ★ ~ zijn van *voir de ses propres yeux*
ooggetuigenverslag *attestation* v *d'un témoin oculaire*
oogheelkundig *ophtalmologique*
ooghoek *coin* m *de l'œil*
ooghoogte ★ op ~ *à hauteur d'yeux*
oogje *petit œil* m [m mv: *petits yeux*]; ‹voor een veter› *œillet* m ▾ een ~ dichtdoen *fermer l'œil (sur qc)* ▾ een ~ op iemand hebben *avoir des vues sur qn*
oogklep *œillère* v
ooglens *oculaire* m
ooglid *paupière* v
ooglijderskliniek *clinique* v *ophtalmologique*
oogluikend ★ iets ~ toelaten *fermer les yeux sur qc*
oogmerk *intention* v
oogmeting *examen* m *de la vue*
oogontsteking *ophtalmie* v
oogopslag *coup* m *d'œil* ★ bij de eerste ~ *du premier coup d'œil* ★ met één ~ *d'un coup d'œil*
oogpotlood *crayon* m *pour les yeux*
oogpunt *point* m *de vue* ★ uit dat ~ *de ce point de vue* ★ uit het ~ van *du point de vue de*
oogschaduw *fard* m *à paupières; ombre* v *à paupières*
oogst • het oogsten *récolte* v; ‹graan› *moisson* v; ‹pluk› *cueillette* v • het geoogste *récolte* v; ‹wijndruiven› *vendange* v
oogsten • binnenhalen *récolter; faire la récolte (de)*; ‹v. graan› *moissonner* • verwerven *récolter; recueillir*
oogstmaand *mois* m *d'août*
oogverblindend *aveuglant; éblouissant*
oogwenk *clin* m *d'œil*
ooi *brebis* v
ooievaar *cigogne* v
ooit *jamais; un jour* ★ heb je ooit zoiets gezien? *as-tu jamais vu ça?* ★ ik heb hem ooit gezien in de schouwburg *je l'ai vu un jour au théâtre*
ook • evenzo *aussi*; ‹ontkennend› *non plus*

⋆ hij gaat er ook niet naar toe *il n'y va pas non plus* ⋆ zij ook al *elle aussi* ⋆ hij heeft het ook gedaan *il l'a fait aussi* • bovendien ⋆ dat is waar ook! *tiens, c'est vrai ça!*; *j'y pense!* • zelfs *même* ⋆ ook al *même si* • misschien *peut-être*; *par hasard* ⋆ weet u ook ...? *savez-vous peut-être ...?* • als versterking *vraiment* ⋆ hoe heet hij ook weer? *comment s'appelle-t-il déjà?* • dienovereenkomstig *aussi*; *par conséquent* ⋆ hij is altijd opgeruimd, zij houdt dan ook veel van hem *il est toujours gai, aussi l'aime-t-elle beaucoup*

oom *oncle* m ▾ de hoge omes *les grands manitous*; *les grosses légumes*

oor • gehoororgaan *oreille* v ⋆ oorpijn hebben *avoir mal aux oreilles* ⋆ iem. iets in het oor fluisteren *souffler qc à l'oreille de qn* • handvat *anse* v; *oreille* v ▾ de oren spitsen *tendre l'oreille* ▾ zijn oren niet geloven *ne pas en croire ses oreilles* ▾ geheel oor zijn *être tout oreilles* ▾ hij heeft er wel oren naar *il ne dit pas non* ▾ een open oor hebben voor *prêter une oreille attentive à* ▾ iets in zijn oren knopen *prendre bonne note de qc* ▾ (iemand) ter ore komen *arriver aux oreilles (de qn)* ▾ tot over de oren verliefd zijn *être éperdument|follement amoureux* ▾ tot over de oren in het werk zitten *être débordé de travail*

oorarts *oto-rhino-laryngologiste* m/v; INF. *oto-rhino* m/v [m mv: *oto-rhinos*]

oorbel *boucle* v *d'oreille*; ‹hanger› *pendant* m *d'oreille*

oord *endroit* m; *lieu* m [mv: *lieux*]; *site* m; ‹streek› *région* v

oordeel • mening *opinion* v; *avis* m ⋆ ik ben van ~ dat *je suis d'avis que* • inzicht *jugement* m; *bon sens* m • vonnis *jugement* m; *sentence* v ⋆ het laatste ~ *le jugement dernier* ⋆ een ~ uitspreken *porter un jugement* ⋆ een ~ vellen *rendre un jugement*

oordelen I OV WW menen *juger*; *penser* ⋆ te ~ naar *à en juger d'après* II ON WW • concluderen *juger (de)* ⋆ naar zijn woorden te ~ *à l'en croire* ⋆ over iets ~ *juger de qc* • rechtspreken *juger*

oordopje *boule* v *Quies®*

oordruppels *gouttes* v mv *pour les oreilles*

oorheelkunde *otologie* v

oorkonde *diplôme* m; *document* m; *acte* m; ‹oude stukken› *charte* v

oorlel *lobe* m *de l'oreille*

oorlog *guerre* v ⋆ van voor de ~ *d'avant-guerre* ⋆ ~je spelen *jouer à la guerre* ▾ de koude ~ *la guerre froide*

oorlogsbodem *navire* m *de guerre*

oorlogscorrespondent *correspondant* m *de guerre*

oorlogseconomie *économie* v *de guerre*

oorlogsfilm *film* m *de guerre*

oorlogsheld *héros* m *de guerre* [v: *héroïne ...*]

oorlogsindustrie *industrie* v *de guerre*

oorlogsinvalide *invalide* m/v *de guerre*

oorlogsmisdadiger *criminel* m *de guerre* [v: *criminelle ...*]

oorlogsmonument *monument* m *aux morts*

oorlogspad ▾ op ~ zijn *être sur le sentier de la guerre*

oorlogsschip *vaisseau* m *de guerre* [m mv: *vaisseaux ...*]

oorlogsslachtoffer *victime* v *de (la) guerre*

oorlogsverklaring *déclaration* v *de guerre*

oorlogszuchtig I BNW *belliqueux* [v: *belliqueuse*] II BIJW *avec bellicisme*

oorlogvoering *tactique* v *de guerre*

oormerk *marque* v *à l'oreille*

oormijt *mite* v *d'oreille*

oorontsteking *otite* v

oorsmeer *cérumen* m

oorsprong • begin *source* v; *commencement* m; *principe* m; *origine* v ⋆ zijn ~ vinden in *avoir son origine dans* • afkomst *origine* v; ‹v. mensen› *descendance* v

oorspronkelijk I BNW • aanvankelijk *original* [m mv: *originaux*]; *primitif* [v: *primitive*]; *originel* [v: *originelle*] ⋆ de ~e tekst *l'original* ⋆ de ~e betekenis *le sens originel* • origineel *original* [m mv: *originaux*] II BIJW • aanvankelijk *à l'origine*; *primitivement* • origineel *d'une manière originale*

oortelefoon *écouteur* m

oorveeg *gifle* v ⋆ een ~ geven *flanquer une gifle*; *gifler*

oorverdovend I BNW *assourdissant* II BIJW *d'une manière assourdissante*

oorvijg *gifle* v ⋆ een ~ krijgen *recevoir une gifle*

oorworm *perce-oreille* m [mv: *perce-oreilles*]; *forficule* v

oorzaak *cause* v; *raison* v ⋆ ~ en gevolg *la cause et l'effet*

oorzakelijk *causal* [m mv: *causals|causaux*] ⋆ ~ verband *rapport de cause à effet* m

oorzenuw *nerf* m *otique*

oost *de l'est* ⋆ de wind is oost *le vent vient de l'est*

Oostblok *pays* m mv *de l'Est*

Oost-Duitsland *l'Allemagne* v *de l'Est* ⋆ in ~ *en Allemagne de l'Est*

oostelijk I BNW • ‹eigen aan het oosten› *oriental* [m mv: *orientaux*] • gericht naar het oosten *vers l'est* II BIJW *à l'est*

oosten • windstreek *est* m • gebied *Orient* m ⋆ het Nabije Oosten *le Proche-Orient* ⋆ het Verre Oosten *l'Extrême-Orient*

Oostende *Ostende*

Oostenrijk *l'Autriche* v ⋆ in ~ *en Autriche*

Oostenrijker *Autrichien* m [v: *Autrichienne*]

Oostenrijks *autrichien* [v: *autrichienne*]

oostenwind *vent* m *d'est*

oosterlengte *longitude* v *est*

oosterling *Oriental* m [mv: *Orientaux*]

oosters *d'Orient*; *oriental* [m mv: *orientaux*]

Oost-Europa *l'Europe* v *de l'Est* ⋆ in ~ *en Europe de l'Est*; *dans l'Europe de l'Est*

Oost-Europees *de l'Europe de l'Est*

Oost-Indisch *des Indes néerlandaises* ⋆ ~e inkt *encre de Chine* ⋆ ~e kers *capucine* v ▾ ~ doof zijn *faire la sourde oreille*

oostkust *côte* v *orientale*

oostwaarts *vers l'est*

Oostzee *mer* v *Baltique*
oostzuidoost *est-sud-est* m
ootje ▾ iemand in het ~ nemen *mener qn en bateau*
ootmoedig I BNW *humble* II BIJW *humblement*
op I BIJW • omhoog *en haut* ★ hij reist op en neer tussen Utrecht en Amsterdam *il fait la navette entre Utrecht et Amsterdam* ★ trap op, trap af gaan *monter et descendre les escaliers* • verbruikt *usé* ★ het water is op *il n'y a plus d'eau* ★ op is op *fini, c'est fini* • uitgeput *épuisé* ★ hij was helemaal op *il était à bout de forces* • uit bed *levé* ★ ben je al op? *tu es déjà levé?* ▾ op en top *accompli, jusqu'au bout des ongles*; *tout à fait* II VZ • boven(op) *sur* ★ de kat zit op de mat *le chat est sur le paillasson* • in *dans* ★ op straat *dans la rue* ★ op zijn kamer *dans sa chambre* • verwijderd van *à* ★ op drie kilometer afstand *à trois kilomètres* • tijdens ★ op maandag *le lundi* ★ op 1 augustus *le premier août* • volgens een bepaalde manier ★ op z'n gemak *à l'aise* ★ op z'n Frans *à la française* • uitgezonderd *sauf* ★ op twee na *tous sauf deux* • met ★ op gas koken *cuisiner au gaz* ★ op waterstof lopen *marcher à l'hydrogène* • in de richting van ★ op het Noorden *exposé au nord* ▾ op zijn hoede *sur ses gardes* ▾ iemand op zijn woord geloven *croire qn sur parole* ▾ op vakantie *en vacances* ▾ op visite gaan bij iemand *rendre visite à qn*
opa *grand-père* m [mv: *grands-pères*]; *pépé* m
opaal *opale* v
opbakken *remettre à cuire*
opbaren *mettre en bière* ★ opgebaard liggen *être exposé*
opbellen *appeler*; *téléphoner (à)*; *passer un coup de fil (à)*
opbergen • wegleggen *ranger* • ECON. *entreposer*
opbergsysteem *système* m *de classement*
opbeuren • optillen *soulever* • opvrolijken *remonter le moral de*; *réconforter*
opbiechten *confesser*; *avouer*
opbieden *surenchérir* ★ tegen iem. ~ *enchérir sur qn*
opbinden • vastbinden *attacher* • naar boven omslaan *relever* ★ het haar ~ *relever les cheveux* • aan iets vastbinden *accoler*; *trousser* ★ de wijnstok ~ *accoler la vigne*
opblaasbaar *gonflable* ★ een opblaasbare boot *un canot pneumatique*
opblaaspop *poupée* v *gonflable*
opblazen • doen zwellen *gonfler* • doen ontploffen *faire sauter* ★ een brug ~ *faire sauter un pont* • aandikken *gonfler*; *grossir* ★ een voorval ~ *grossir un incident*
opblijven *veiller (tard)* ★ de hele nacht ~ *passer une nuit blanche*
opbloei *épanouissement* m; FIG. *renouveau* m
opbloeien *s'épanouir*; FIG. *se développer*; *s'épanouir*
opbod • het opbieden *enchère* v ★ een verkoop bij ~ *une vente aux enchères* • hoger bod *surenchère* v
opboksen *se débattre (contre)*

O

opborrelen *bouillonner*; *jaillir*
opbouw • het opbouwen *construction* v; *édification* v ★ in ~ *être en construction* • samenstelling *construction* v • bouw erbovenop *construction* v
opbouwen • tot stand brengen *monter* • bouwen *construire*; *édifier*
opbouwend *constructif* [v: *constructive*]; *positif* [v: *positive*]
opbouwwerk *travail* m *socio-éducatif* [m mv: *travaux socio-éducatifs*]
opbranden I OV WW branden *brûler*; *consumer* II ON WW verbranden *brûler entièrement*; *être consumé par le feu*; ⟨langzaam⟩ *se consumer*
opbreken I OV WW • openbreken ★ een straat ~ *dépaver une rue* • afbreken *démonter* ★ de tent ~ *démonter la tente* II ON WW • vertrekken *plier bagage*; *lever le camp*; *partir*; *décamper* • slecht bekomen ★ dat zal je ~ *tu le paieras cher*; *tu t'en repentiras*
opbrengen • als overtreder meevoeren *emmener (au poste de police)* • opleveren *rapporter*; *produire*; *rendre* ★ veel ~ *être d'un bon rapport*; *rapporter beaucoup* ★ de oogst heeft weinig opgebracht *le rendement de la récolte a été faible* • betalen *payer* ★ dat kan ik niet ~ *c'est au-dessus de mes moyens*
opbrengst • rendement *rapport* m; *produit* m; *rendement* m • oogst *récolte* v ★ de ~ per hectare *le rendement par hectare* ★ zuivere ~ *produit net*
opdagen *paraître*; *se montrer* ★ niet komen ~ *ne pas se montrer*; *ne pas se présenter*
opdat *afin de* [+ inf.]; *pour que* [+ subj.]; *afin que* [+ subj.]; *pour* [+ inf.]
opdienen *servir* ★ het eten ~ *servir le repas|le déjeuner|le dîner*
opdiepen • opsporen *dénicher*; *déterrer* • omhoog halen *retirer (quelque chose d'un endroit)*
opdirken I OV WW *fagoter*; *affubler* II WKD WW *se pomponner*
opdissen • opdienen *servir* • vertellen *débiter* ★ een smoes aan iem. ~ *raconter des salades à qn*
opdoeken *liquider*
opdoemen • zichtbaar worden *se montrer au lointain*; *se profiler*; *surgir* • verschijnen *émerger*
opdoen • opzetten *mettre* • verkrijgen *acquérir* ★ ervaring/kennis ~ *acquérir de l'expérience|des connaissances* • oplopen *attraper* ★ een verkoudheid/griepje ~ *attraper un rhume|une grippe*
opdoffen I OV WW *astiquer* II WKD WW *se pomponner*
opdoffer *gnon* m; *torgnole* v
opdonder • tegenslag *coup* m *dur*; *sale coup* m • stomp *gnon* m; *marron* m • klein persoon ★ een klein ~tje *moutard* m; *mouflet* m
opdonderen *foutre le camp*; *dégager*
opdondertje *moutard* m; *mouflet* m
opdraaien I OV WW opwinden *remonter* II ON WW ▾ voor iets ~ *faire les frais de qc*
opdracht • order, taak *mission* v; *charge* v;

ordre m; *mandat* m ⋆ de ~ hebben om *avoir charge de* ⋆ de ~ krijgen om *recevoir pour mission de* • opdracht in boek *dédicace* v

opdrachtgever *client* m; ‹aannemer› *maître* m *de l'ouvrage*; ECON. *passeur* m *de commande*

opdragen • opdracht geven tot *charger de*; *donner mandat à*; ‹toevertrouwen› *confier (à)* • toewijden *consacrer (à)*; ‹v. boek› *dédicacer (à)* ⋆ de mis ~ *célébrer la messe*

opdraven • dravend gaan *monter* • op bevel komen *être appelé/convoqué*

opdreunen *ânonner*; *psalmodier*

opdrijven • voortdrijven *conduire* ⋆ het wild ~ *débusquer le gibier* • doen stijgen *faire monter*; *augmenter* ⋆ de prijzen ~ *faire monter les prix*

opdringen I OV WW opleggen *imposer* ⋆ iem. iets ~ *pousser qn à accepter qc*; *imposer qc à qn* II WKD WW *s'imposer (à)*

opdringerig *collant*; *importun*

opdrinken • tot zich nemen *(achever de) boire*; *finir* ⋆ drink je cola op! *finis ton coca!* • leegdrinken *vider*

opdrogen I OV WW droogmaken *sécher* II ON WW droog worden *sécher*; ‹v. bron› *tarir*; *se dessécher*

opdruk *surcharge* v; ‹op kleding› *impression* v

opdrukken • omhoog-/voortdrukken *pousser vers le haut* ⋆ zich ~ SPORT *faire des pompes* • erop drukken ‹v. merk e.d.› *estampiller*; ‹m.b.t. kleding› *imprimer*

opduikelen *dénicher*

opduiken I OV WW opduikelen *pêcher* II ON WW • boven water komen *émerger*; ‹v. onderzeeër› *faire surface* • te voorschijn komen *surgir*; *apparaître*

opduvelen *ficher le camp*

OPEC *OPEP* v; *Organisation* v *des pays exportateurs de pétrole*

opeen *l'un sur l'autre*; *l'un contre l'autre*

opeenhoping *entassement* m; *accumulation* v ⋆ een ~ van functies *un cumul de fonctions*

opeens *tout à coup*

opeenstapeling *accumulation* v; *entassement* m

opeenvolgend *successif* [v: *successive*]; *qui se suivent*

opeenvolging *série* v; *succession* v; *suite* v

opeisen *exiger*; *réclamer*; *revendiquer* ⋆ zijn deel ~ *réclamer sa part* ⋆ rechten ~ *revendiquer des droits*

open I BNW • niet dicht *ouvert* ⋆ een open wond *une plaie vive* ⋆ de open lucht *l'air libre* ⋆ in de open lucht *en plein air* ⋆ een open mijn *une mine à ciel ouvert* ⋆ een open plek in een bos *une clairière* ⋆ de open zee *la haute mer* ⋆ een open riool *un égout à ciel ouvert* ⋆ een open haard *une cheminée* • niet bedekt *découvert* ⋆ een auto met open dak *une voiture à toit ouvrant*; *une (voiture) décapotable* • niet bezet *libre*; ‹v. betrekking› *vacant* • toegankelijk *ouvert* ⋆ een open dag *une journée portes ouvertes* • niet ingevuld ⋆ de vraag open laten *laisser la question en suspens* ⋆ een open vraag *un point d'interrogation* ▾ open en bloot *ouvertement* ▾ open en bloot *ouvertement* II BIJW • toegankelijk FIG. *ouvertement* • onbedekt *en plein air*

openbaar I BNW *public* [v: *publique*]; ‹voor ieder zichtbaar› *manifeste* ⋆ ~ maken *publier*; *divulguer* ⋆ de openbare mening *l'opinion publique* ⋆ de openbare orde *l'ordre public* ⋆ de openbare school *l'école publique* ⋆ in het ~ *en public* ⋆ een openbare verkoping *une vente publique* II BIJW *publiquement*

openbaarheid *publicité* v

openbaren I OV WW ruchtbaar maken *révéler*; *dévoiler* II WKD WW aan het licht komen *se manifester*; *se dévoiler*

openbaring • het openbaren *révélation* v • het geopenbaarde *révélation* v ⋆ de Openbaring van Johannes *l'Apocalypse* v

openblijven • geopend blijven *rester ouvert* • vrij blijven *rester vacant* • onbeantwoord blijven *rester en suspens*

openbreken I OV WW openen *forcer*; *fracturer*; ‹v. straat› *dépaver* II ON WW zich openen *s'ouvrir*; *crever*

opendoen *ouvrir*

openen I OV WW *ouvrir* ⋆ een tentoonstelling ~ *inaugurer une exposition* ⋆ een fles ~ *déboucher une bouteille* II ON WW • opengaan *s'ouvrir* • beginnen *ouvrir*

opener ‹voor een blik› *ouvre-boîtes* m [onv]; ‹voor een fles› *décapsuleur* m

opengaan *s'ouvrir*; ‹v. bloem› *s'épanouir*; ‹v. abces› *crever*

openhartig I BNW *franc* [v: *franche*]; *ouvert* II BIJW *franchement*; *ouvertement*

openhartoperatie *greffe* v *du cœur ouverte*

openheid *ouverture* v; *franchise* v

openhouden • niet dicht laten gaan *tenir ouvert*; *garder ouvert* • vrijhouden *réserver*

opening • het openen *ouverture* v • gat *trou* m; *orifice* m • begin *ouverture* v; SPORT *ouverture* v; ‹v. tentoonstelling› *inauguration* v; ‹v. schilderijententoonstelling› *vernissage* m • toenadering *ouverture* v

openingsbod ‹in zaken› *première offre* v; ‹verkoping› *première enchère* v; ‹bridge› *annonce* v

openingskoers *cours* m *d'ouverture*

openingsplechtigheid *cérémonie* v *d'ouverture*

openingswedstrijd *match* m *du début de compétition*; *match* m *d'ouverture de la saison*

openingszet *premier coup* m

openlaten • niet af-/uitsluiten *laisser ouvert* • geopend laten *laisser ouvert* • niet invullen *laisser en blanc*

openleggen • open neerleggen *ouvrir* • toegankelijk maken *ouvrir* • uiteenzetten *exposer*

openlijk I BNW ‹in het openbaar› *public*; *ouvert*; *franc* [v: *franche*] II BIJW *ouvertement*; *franchement*; ‹in het openbaar› *publiquement*

openlucht- *en plein air*

openluchtbad *piscine* v *en plein air*

openluchtconcert *concert* m *en plein air*
openmaken *ouvrir*
op-en-neer *de haut en bas*; *avec des hauts et des bas*
openslaan *s'ouvrir*
openslaand *s'ouvrant au dehors*; *s'ouvrant en dedans*; *s'ouvrant à deux battants* ★ ~e deuren *des portes-fenêtres*
opensperren *ouvrir tout grand*; *écarquiller (les yeux)*
openspringen *s'ouvrir brusquement*; ‹v. de huid› *se gercer*
openstaan • geopend zijn *être ouvert* • nog te betalen *être impayé*; *ne pas être réglé* • vacant zijn *être libre*; *être vacant* • ~ **voor** ★ ~ voor kritiek *être ouvert à la critique*
openstellen *ouvrir* ▾ de gelegenheid ~ tot *offrir la possibilité de*
op-en-top *jusqu'au bout des ongles*
openvallen • opengaan *s'ouvrir* • vacant raken *se libérer*
openzetten *ouvrir*
opera *opéra* m
operabel *opérable*
operateur *opérateur* m [v: *opératrice*]
operatie *opération* v ★ een ~ uitvoeren *opérer*
operatief I BNW *opératoire*; *chirurgical* [m mv: *chirurgicaux*] II BIJW *en opérant* ★ ~ verwijderen *pratiquer l'ablation de*; *enlever*
operatiekamer *salle* v *d'opération*
operatiezuster *infirmière* v *au bloc opératoire*
operationaliseren [+ m znw ev] *rendre opérationnel*; [+ v znw ev] *rendre opérationnelle*
operationeel *opérationnel* [v: *opérationnelle*]
operator • persoon *opérateur* m [v: *opératrice*] • WISK. *opérateur* m
operazangeres *cantatrice* v
opereren MED. *opérer* ★ iem. ~ aan *opérer qn à*
operette *opérette* v
operettegezelschap *troupe* v *d'opérette*
opeten *manger*; *avaler*; *croquer* ▾ een kind om op te eten *un enfant joli à croquer*
opfleuren I OV WW vrolijker maken *aviver*; *ragaillardir* II ON WW vrolijker worden *se remettre*; *se ragaillardir*
opflikkeren • helderder flikkeren *flamber* • opduvelen *foutre le camp*
opfokken • grootbrengen *élever* • opgewonden maken *exaspérer*
opfrissen I OV WW fris maken *rafraîchir* ★ zijn geheugen ~ *rafraîchir sa mémoire* II ON WW fris worden *se rafraîchir* ★ zich ~ *se rafraîchir*
opgaan • omhooggaan *monter*; ‹v. zon en maan› *se lever* • gaan naar *aller (à|dans|en)*; *se rendre (à|dans|en)* ★ dezelfde weg ~ *prendre le même chemin* • geheel op raken *se consommer*; *s'épuiser*; *finir* • juist zijn *tenir debout* ★ die redenering gaat niet op *ce raisonnement ne tient pas debout* • examen doen *se présenter* ★ voor een examen ~ *se présenter à un examen* • ~ **in** *être absorbé dans* ★ in iets ~ *être absorbé par qc*; *être absorbé dans* ▾ er gaan klachten op *il s'élève des plaintes*
opgang • het opgaan *montée* v; ‹v. zon› *lever* m • trap *escalier* m; *entrée* v ▾ veel ~ maken *être en vogue*; *avoir du succès*
opgave • vraagstuk *problème* m; *exercice* m; *sujet* m • taak *tâche* v; *épreuve* v; ‹huiswerk› *devoir* m ★ voor een moeilijke ~ staan *être confronté à une tâche difficile* • vermelding *indication* v; *communication* v
opgeblazen • gezwollen *enflé* • verwaand *suffisant*
opgefokt *exaspéré*
opgelaten *mal à l'aise*
opgeld *prime* v ▾ ~ doen *être en vogue*
opgelucht I BNW *soulagé* ★ ~ ademhalen *pousser un soupir de soulagement* II BIJW *avec soulagement*
opgeprikt *guindé*
opgeruimd I BNW • netjes *rangé* • vrolijk *enjoué*; *gai* II BIJW *de bonne humeur*
opgeschoten *grand* ▾ een ~ jongen *un grand adolescent*
opgeschroefd *ampoulé* ★ ~e verwachtingen *des attentes exagérées*
opgesmukt • niet natuurlijk *tarabiscoté* • opgesierd *enjolivé* ★ een ~ verhaal *un récit enjolivé*
opgetogen *enchanté*; *ravi* ★ ~ van blijdschap *transporté de joie* ★ ~ zijn over *s'extasier sur*
opgeven I OV WW • prijsgeven *renoncer à*; *abandonner*; INF. *laisser tomber* ★ de moed ~ *perdre courage* ★ een zieke ~ *condamner un malade* • melden *donner*; *indiquer*; *décliner* ★ zijn naam ~ *donner son nom* • aanmelden *présenter*; *faire inscrire (à)* • opdragen *poser*; *donner*; *faire faire* ★ sommen ~ *faire faire des problèmes*; *poser des problèmes* • braken *rendre* ★ bloed ~ *cracher du sang* II ON WW roemen *vanter* ★ hoog van iets ~ *vanter qc*
opgewassen *à la hauteur (de)* ★ ~ zijn tegen zijn taak *être à la hauteur de sa tâche* ★ tegen elkaar ~ zijn *se valoir*
opgewekt I BNW *gai*; *enjoué*; *de bonne humeur* II BIJW *gaiement*; *avec enjouement*
opgewonden I BNW • zenuwachtig *excité*; *nerveux* [v: *nerveuse*] • driftig *excité* • van een klok *remonté* II BIJW *d'une manière agitée*
opgooien • gooien *lancer en l'air*; *jeter en l'air* • tossen ★ een munt ~ *jouer à pile ou face* ▾ een balletje ~ over iets *lancer un ballon d'essai au sujet de qc*
opgraven *déterrer*; *mettre au jour*
opgraving *déterrement* m; *fouille* v; ‹plaats› *site* m *archéologique*
opgroeien *grandir*; *pousser*
ophaalbrug *pont-levis* m [mv: *ponts-levis*]
ophalen • omhooghalen *lever*; *monter*; *hisser* ★ de schouders ~ *hausser les épaules* ★ een vis ~ *retirer un poisson de l'eau* ★ een ladder in een kous ~ *remmailler un bas* ★ ik haal op *je hisse* • inzamelen *ramasser* ★ geld ~ *faire une collecte* • afhalen *aller chercher*; *aller prendre*; *ramasser* ★ ik kom je morgen ~ *je viens te chercher demain* • verbeteren *améliorer* ★ ik wil mijn Frans ~ *je veux reprendre mon français* ★ rapportcijfers ~ *améliorer ses notes de bulletin scolaire* • opfrissen *raviver*; *rafraîchir* • in

herinnering roepen *évoquer*; *ressortir* ▾ zijn neus ~ *renifler*
ophanden ★ ~ zijn *être proche*; *approcher*
ophangen I OV WW • erop/eraan hangen *accrocher*; *suspendre* ★ gordijnen ~ *poser des rideaux* ★ de was ~ *étendre le linge* • aan de galg hangen *pendre* • opdissen ★ een raar verhaal ~ *raconter une drôle d'histoire* II ON WW telefoongesprek beëindigen *raccrocher*
ophanging • het ophangen *pendaison* v • TECHN. *pose* v; *accrochage* m; ‹v. wielen› *suspension* v
ophebben • dragen *porter*; *avoir sur la tête* • genuttigd hebben ‹v. voedsel› *avoir mangé*; ‹v. drank› *avoir bu* • ~ **met** *faire cas de*; *estimer* ★ veel ~ met *faire grand cas de*
ophef *bruit* m ★ met veel ~ *à grand bruit* ★ veel ~ maken *faire grand bruit*
opheffen • optillen *lever*; *soulever*; ‹v.d. grond› *relever* • beëindigen *lever*; *clore* ★ de zitting ~ *lever la séance*; *fermer* • teniet doen *supprimer* ★ dit verlies wordt opgeheven door ... *cette perte est compensée par*
opheffing • sluiting *liquidation* v ★ een verkoop wegens ~ *une vente pour cessation de commerce* • afschaffing *suppression* v; *fermeture* v; *mainlevée* v
opheffingsuitverkoop *vente* v *de liquidation*
ophelderen I OV WW toelichten *éclaircir*; *tirer au clair* ★ de zaak is opgehelderd *l'affaire est tirée au clair* II ON WW weer helder worden ‹v. lucht› *s'éclaircir*; ‹v. gezicht› *se rasséréner*
opheldering • opklaring *éclaircissement* m; ‹v. weer› *éclaircie* v • uitleg *explication* v; *éclaircissement* m ★ ~ geven over iets *donner l'explication de qc*
ophemelen *porter aux nues*; *exalter*; *aduler*
ophijsen *lever*
ophitsen *exciter* ★ de menigte ~ *ameuter la foule*
ophoepelen *ficher le camp*
ophoesten • spuwen ★ slijm ~ *cracher des glaires* • te voorschijn toveren ★ jaartallen ~ *cracher des dates*
ophogen *rehausser* ★ een stuk land ~ *remblayer un terrain*
ophopen I OV WW *entasser* II WKD WW *s'accumuler*
ophouden I OV WW • omhoog houden *soutenir*; *tenir levé*; *supporter*; *relever* • hoog houden *garder*; *sauver* ★ zijn reputatie ~ *soutenir sa réputation* ★ zijn stand ~ *tenir son rang* • op het lichaam houden *garder* ★ zijn hoed ~ *garder son chapeau* • tegenhouden *gêner*; *déranger*; *retenir*; *retarder* ★ ik zal u niet langer ~ *je ne vous retiendrai plus* ★ een plas ~ *retenir son envie de faire pipi* II ON WW stoppen *cesser*; *finir*; *s'arrêter (de)* ★ hou op! *arrête!* III WKD WW • ergens zijn *séjourner* • zich bezighouden met *s'occuper de*
opinie *opinion* v ★ van ~ veranderen *changer d'opinion*
opinieblad *journal* m *d'opinion* [m mv: *journaux* ...]
opinieonderzoek *sondage* m *(d'opinion)*
opium *opium* m ★ ~ schuiven/roken *fumer de l'opium*
opiumkit *fumerie* v *(d'opium)*
opjagen • voortjagen *traquer* ★ de wind jaagt het stof op *le vent soulève la poussière* • opdrijven *faire monter* ★ de prijzen ~ *faire monter les prix* • tot haast aanzetten *presser*
opjutten *agacer*; *énerver* ★ laat je niet zo ~ *ne te laisse pas monter comme ça*
opkalefateren *retaper*
opkijken • omhoogkijken *lever les yeux* ★ ~ van zijn werk *lever les yeux de son travail* • verbaasd zijn *être surpris* ★ vreemd ~ *être surpris par qc* • ~ **tegen** *respecter (qn)* ★ tegen iets ~ *appréhender qc* ★ tegen iem. ~ *se sentir petit à côté de qn*
opkikkeren I OV WW doen opfleuren *réconforter*; *remonter*; *ravigoter* II ON WW opfleuren *se requinquer*
opkikkertje *remontant* m
opklapbaar *pliant*; *escamotable*
opklapbed *lit* m *escamotable*
opklappen *replier vers le haut*
opklaren I OV WW helderder maken *clarifier*; *épurer*; FIG. *éclaircir* ★ witte wijn ~ *clarifier du vin blanc* II ON WW helderder worden ‹v. weer› *s'éclaircir*; ‹v. gezicht› *se rasséréner*
opklaring ‹v. weer› *éclaircissement* m; *clarification* v; ‹v. het weer› *éclaircie* v
opklimmen • omhoog klimmen *escalader*; *grimper*; *gravir* • in rang stijgen *monter en grade*; *obtenir de l'avancement*
opkloppen • doen rijzen *battre*; ‹v. slagroom› *fouetter* • overdrijven *exagérer*
opknapbeurt *remise* v *en état*
opknappen I OV WW • netjes maken *arranger*; *réparer*; *retaper*; *restaurer* • verrichten *régler* • straf uitzitten *purger une peine de prison (de)* II ON WW beter worden *se remettre*; ‹v. weer› *se remettre au beau* ★ ~ van een ziekte *se remettre d'une maladie* III WKD WW *se rafraîchir*
opknopen • omhoog knopen *nouer* • ophangen *pendre*
opkomen • omhoogkomen *pousser*; *commencer à lever*; ‹ontkiemen› *germer* • verschijnen *monter*; *se lever* • ontstaan *naître*; *apparaître*; ‹v. onweer› *s'annoncer* • in gedachten komen *passer par la tête*; *venir à l'esprit* ★ de gedachte kwam bij haar op om *l'idée lui est venue de* ★ dat komt niet bij hem op *ça ne lui vient pas à l'esprit* • op toneel komen *entrer en scène* • MIL. *se présenter*; *se rendre* • ~ **tegen** *s'élever contre* ★ tegen iets ~ *s'opposer à qc*; *protester contre qc* • ~ **voor** *défendre*
opkomst • opgang *naissance* v; ‹v. zon, maan› *lever* m • komst na oproep ‹v. een aantal mensen› *affluence* v; ‹v. een bijeenkomst› *assistance* v; ‹bij verkiezing› *participation* v ★ de ~ bij een vergadering *la participation à une réunion* • vooruitgang *développement* m; *progrès* m ★ een stad in ~ *une ville en plein développement* • het ten tonele komen *entrée* v *en scène*
opkomstplicht ‹stemplicht› *obligation* v *de voter*

O

opkopen *acheter (en masse)*
opkoper *revendeur* m [v: *revendeuse*]; *brocanteur* m [v: *brocanteuse*]
opkrabbelen • krabbelend opstaan *se mettre debout avec difficulté* • zich herstellen *se remettre lentement*
opkrassen *ficher le camp*
opkrikken *améliorer*
opkroppen *refouler*; *ravaler* ★ opgekropte woede *de la fureur contenue*
oplaadbaar *rechargeable*
oplaaien • feller gaan branden *flamber*; *prendre feu* • vuriger worden *flamber*; *s'enflammer*
opladen • laden *charger* • elektrisch laden *recharger*
oplage *tirage* m
oplappen • verstellen *rapiécer* • herstellen *rafistoler*
oplaten *lancer* ★ een vlieger ~ *lancer un cerf-volant*
oplawaai *torgnole* v
oplazeren *ficher le camp*
opleggen • op iets leggen *poser en applique*; *mettre sur* • belasten met *imposer* ★ iem. een straf ~ *infliger une peine à qn* ★ iem. het zwijgen ~ *imposer le silence à qn* • SCHEEPV. *immobiliser*
oplegger *semi-remorque* m [mv: *semi-remorques*]
opleiden *former* ★ ~ voor *préparer à*
opleiding • het opleiden *formation* v; *préparation* v; *éducation* v ★ een ~ volgen *suivre une formation* • instituut *institut* m
opleidingscentrum *centre* m *de formation*
opleidingsinstituut *institut* m *de formation (professionnelle)*
oplepelen • opeten *manger avec une cuiller* • vlot opzeggen *réciter*
opletten *faire attention*; *être attentif* [v: *être attentive*] ★ opgelet! *attention!*
oplettend I BNW *attentif* [v: *attentive*] II BIJW *attentivement*
opleven *renaître*; *revivre* ★ weer doen ~ *ranimer*; *relancer*
opleveren • opbrengen *rapporter*; *valoir* • afleveren *livrer*
oplevering *réception* v *(des travaux)*
opleving *reprise* v ★ de ~ van de handel *la reprise du commerce*
oplichten I OV WW • optillen *soulever*; *lever* • bedriegen *escroquer* II ON WW helder worden *s'éclaircir*
oplichter *escroc* m
oplichterij *escroquerie* v
oplichting • het optillen *soulèvement* m • oplichterij *escroquerie* v
oploeven *aller au lof*
oplopen I OV WW ongewild krijgen *attraper* ★ hij heeft een verkoudheid opgelopen *il a attrapé un rhume* II ON WW • naar boven lopen *monter* • naar boven gaan *monter* • gaan ★ een eindje met iem. ~ *faire un bout de chemin avec qn* • toenemen *augmenter*; *s'élever* ★ dat begint op te lopen *ça commence à chiffrer* ▼ tegen iets ~ *tomber sur qc*

O

oplosbaar *soluble*
oploskoffie *café* m *soluble*
oplosmiddel *solvant* m
oplossen I OV WW • de uitkomst vinden *résoudre*; *régler*; *arranger* • CHEM. *dissoudre* II ON WW • CHEM. *se dissoudre* • verdwijnen *disparaître*; ‹v. mist› *se dissiper*; ‹v. probleem› *résoudre*
oplossing *solution* v
oplossingscoëfficiënt *coefficient* m *de solubilité*
opluchten *soulager* ★ dat lucht op! *ça soulage!*; *ça fait du bien!*
opluchting *soulagement* m
opluisteren *embellir*; *donner de l'éclat à*
opmaak • lay-out *mise* v *en page* • make-up *maquillage* m
opmaakredacteur *metteur* m *en pages*
opmaat • MUZ. *anacrouse* v • begin *amorce* v
opmaken • verbruiken *finir*; *manger*; ‹v. geld› *dissiper*; *dépenser* • in orde maken *faire* ★ een bed ~ *faire un lit* ★ zijn haar ~ *s'arranger les cheveux* • concluderen *conclure* • van make-up voorzien *maquiller* • typografisch indelen *mettre en pages* • opstellen *dresser*; *établir*; *faire* ★ een lijst ~ *établir une liste* ★ een document ~ *établir un document* ★ rekeningen ~ *faire des comptes* ★ een proces-verbaal ~ *dresser un procès-verbal*
opmars *avance* v
opmerkelijk *remarquable*; *étonnant*
opmerken • waarnemen *remarquer*; *observer* • aandacht vestigen op *faire observer*; *faire remarquer*
opmerking *remarque* v
opmerkingsgave *esprit* m *d'observation*
opmerkzaam I BNW *attentif* [v: *attentive*] ★ iem. ~ maken op iets *faire observer qc à qn* II BIJW *attentivement*
opmeten *mesurer*; ‹v. land› *arpenter*
opmonteren *ragaillardir*; *remonter le moral à*
opnaaien • vastnaaien *coudre sur* • opjutten *agacer*; *énerver* ★ laat je niet ~ *ne te laisse pas monter*
opname • het opnemen ‹in ziekenhuis› *hospitalisation* v; ‹v. geld› *retrait* m *d'argent* • registratie ‹foto› *photo* v; ‹film› *prise* v *de vue*; ‹geluidsband› *enregistrement* m
opnamestudio *studio* m *d'enregistrement*
opnametechniek *technique* v *d'enregistrement*
opnemen • oppakken *prendre*; *ramasser* ★ op zich nemen *se charger de* • opvatten *reprendre* • telefoon beantwoorden *répondre (au téléphone)*; *décrocher* • van tegoed halen *prendre* ★ geld ~ *prendre de l'argent* • aanvaarden *prendre* ★ ernstig ~ *prendre au sérieux* • tot zich nemen *assimiler* • een plaats geven *prendre*; *recueillir*; *admettre*; ‹in ziekenhuis› *hospitaliser*; ‹in krant› *insérer* • vastleggen ‹v. foto› *prendre*; ‹v. film› *tourner*; ‹v. plaat/band› *enregistrer* • noteren *prendre* • meten *mesurer*; ‹v. land› *arpenter* ★ de gasmeter ~ *relever le compteur du gaz* ★ de temperatuur ~ *prendre la température* • bekijken *examiner*; *mesurer du regard* ★ iets goed in zich ~

prendre bonne note de qc • schoonvegen *nettoyer* ▾ het tegen iemand ~ *s'attaquer à qn* ▾ het ~ voor iemand *prendre parti pour qn*
opnieuw • nog eens *de nouveau* • van voor af aan *à nouveau*
opnoemen *citer; nommer*
opoe • oma *mémé* v • oud vrouwtje *petite vieille* v
opofferen *sacrifier (à); se dévouer* ⋆ zich ~ *se sacrifier*
opoffering *sacrifice* m; *dévouement* m; ‹zelfopoffering› *abnégation* v
opofferingsgezind *qui a l'esprit de sacrifice*
oponthoud • vertraging *contretemps* m • verblijf *séjour* m
oppakken • optillen *ramasser* • arresteren *arrêter*
oppas *baby-sitter* m/v [m mv: *baby-sitters*]
oppassen • opletten *faire attention; se méfier (de)* ⋆ pas op! *attention!*; INF. *fais gaffe!* ⋆ pas op voor het stoepje *attention à la marche* • zorgen voor *garder; faire du baby-sitting* • zich gedragen *bien se conduire*
oppasser • toezichthouder *garde* m; ‹v. zieke› *garde-malade* m/v [mv: *gardes-malades*] • verzorger *gardien* m [v: *gardienne*]
oppeppen *stimuler*
oppepper *stimulant* m
opperbest I BNW *excellent* II BIJW *à merveille*
opperbevel *haut commandement* m
opperbevelhebber *commandant* m *en chef; général* m *en chef*
opperen *avancer; proposer* ⋆ bezwaren ~ *avancer des objections*
oppergezag *autorité* v *suprême*
opperhoofd *chef* m
opperhuid *épiderme* m
oppermachtig *souverain*
opperman *aide-maçon* m [mv: *aides-maçons*]
opperst • hoogst liggend *supérieur* • machtigst *suprême*
oppervlak *surface* v
oppervlakkig I BNW OOK FIG. *superficiel* [v: *superficielle*]; *de surface* II BIJW *superficiellement* ⋆ ~ behandelen *traiter sommairement*
oppervlakte • bovenkant *surface* v ⋆ aan de ~ komen *faire surface* • uitgestrektheid *surface* v; *superficie* v
oppervlaktemaat *mesure* v *de superficie*
oppervlaktewater *eaux* v mv *de surface*
Opperwezen *être* m *suprême*
oppeuzelen *grignoter*
oppiepen *appeler par bip; appeler par le sémaphone*
oppikken • met snavel pakken *picorer* • meenemen *cueillir*; ‹aan boord› *repêcher* • leren *apprendre*
oppoetsen *astiquer*
oppompen • omhoog pompen *pomper* ⋆ water ~ *pomper de l'eau* • vol lucht pompen *gonfler* ⋆ een band ~ *gonfler un pneu*
opponent *opposant* m; *adversaire* m/v
opponeren I OV WW plaatsen tegenover *opposer (à)* II ON WW zich verzetten *faire des objections; s'opposer (à)*
opporren • oprakelen *attiser* ⋆ het vuur ~ *pousser le feu* • aansporen *pousser (à); stimuler*
opportunisme *opportunisme* m
opportunistisch I BNW *opportuniste* II BIJW *avec opportunisme*
opportuun *opportun*
oppositie *opposition* v ⋆ ~ voeren *faire de l'opposition*
oppositieleider *chef* m *de l'opposition*
oppositiepartij *parti* m *de l'opposition*
oppotten *épargner; mettre de côté*
oprakelen • ophalen *ranimer* • vuur opstoken *attiser*
oprapen *ramasser*
oprecht I BNW eerlijk *sincère; franc* [v: *franche*] II BIJW eerlijk *sincèrement; franchement*
oprechtheid *sincérité* v; *franchise* v
oprichten • overeind zetten *dresser; relever* • bouwen *ériger; élever* • stichten *établir; fonder*
oprichter *fondateur* m [v: *fondatrice*]
oprichting • stichting *fondation* v; *création* v • bouw *construction* v; *élévation* v
oprijden *monter; s'engager dans/sur* ⋆ met zijn wagen de weg ~ *engager sa voiture sur la route*
oprijlaan *allée* v
oprijzen • omhoogkomen *se lever* • zich voordoen *s'élever; surgir*
oprisping *renvoi* m; *régurgitation* v
oprit ‹naar autoweg› *voie* v *d'accès; bretelle* v; ‹v. garage› *allée* v
oproep *appel* m; ‹aanmanende uitnodiging› *convocation* v
oproepen • ontbieden *appeler; convoquer*; ‹v.e. tel. gesprek› *appeler (au téléphone)* • opwekken tot *appeler (à)* • te voorschijn roepen *évoquer*
oproepkracht *free-lance* m/v [m mv: *free-lances*]
oproer • opstand *rébellion* v; *révolte* m; *émeute* v ⋆ in ~ komen *se révolter* • heftige beroering *agitation* v
oproerbestrijdend *antiémeute*
oproerkraaier *agitateur* m [v: *agitatrice*]
oproerpolitie ‹in Frankrijk› *compagnies* v mv *républicaines de sécurité; CRS* v mv; *police* v *anti-émeute*
oprollen I OV WW • in elkaar rollen *enrouler* • omhoog rollen *rouler; enrouler* • onschadelijk maken *mettre sous les verrous* II ON WW tot een rol ineenrollen *s'enrouler* ⋆ zich ~ *se mettre en boule*
oprotpremie *prime* v *de départ anticipé*; ‹bij migratie› *aide* v *au retour*
oprotten *se tirer; se barrer*
opruien *ameuter* ⋆ ~ tot *inciter à*
opruimen • netjes maken *ranger* ⋆ de huiskamer ~ *mettre de l'ordre dans la salle de séjour* • wegdoen *débarrasser* • uitverkopen *solder; liquider*
opruiming • het opruimen *rangement* m; *déblaiement* m • uitverkoop *braderie* v; *soldes* m mv; *vente* v *à l'abattage*;

O

liquidation v ★ in de ~ *en solde*
opruimingsuitverkoop *soldes* m mv
oprukken I ZN *progression* v II ON WW *progresser; marcher sur*
opscharrelen *dénicher; dégoter*
opschepen ▾ iemand met iets ~ *mettre qc sur les bras à qn*
opscheplepel *louche* v
opscheppen I OV WW scheppend opdoen *servir* ▾ geld voor het ~ hebben *avoir de l'argent à la pelle* II ON WW pochen *se vanter*
opschepper *vantard* m
opschepperig I BNW *fanfaron* [v: *fanfaronne*] II BIJW *avec fanfaronnade*
opschepperij *vantardise* v; *bluff* m
opschieten • groeien *pousser; grandir* • zich haasten *se dépêcher; se presser* ★ schiet op! *dépêche-toi!* • vorderen *avancer; faire des progrès* • ~ **met** *s'entendre* ★ met iem. kunnen ~ *s'entendre avec qn*
opschik *parure* v
opschikken I OV WW • in orde brengen *arranger* • versieren *enjoliver; parer* II ON WW opschuiven *se serrer*
opschonen *nettoyer*
opschorten *suspendre; ajourner* ★ zijn oordeel ~ *réserver son jugement*
opschrift • tekst ergens op *inscription* v; ‹v. munt› *légende* v ★ met het ~ ... *portant la suscription ...* • titel *titre* m; *en-tête* m [mv: *en-têtes*]
opschrijven *écrire; noter*
opschrikken I OV WW doen schrikken *effaroucher* II ON WW van schrik opspringen *sursauter*
opschroeven • overdrijven *exagérer* • iets ergens op schroeven *visser (sur)*
opschudden *taper*
opschudding *agitation* v; *tumulte* m; *émoi* m ★ in ~ brengen *mettre en émoi* ★ ~ veroorzaken *causer des troubles*
opschuiven I OV WW • opzij schuiven *pousser; glisser* • uitstellen *ajourner; remettre* II ON WW opschikken *se serrer; faire de la place*
opslaan I OV WW • omhoog slaan ‹v. kleding› *retrousser; lancer en l'air; relever* ★ de ogen ~ *lever les yeux* • openslaan ★ een boek ~ *ouvrir/consulter un livre* • verhogen *augmenter* • bergen *stocker* • opzetten *monter* ★ een tent ~ *monter une tente* II ON WW duurder worden *augmenter; être en hausse*
opslag • loonsverhoging *augmentation* v ★ iem. ~ geven *augmenter qn* • berging *stockage* m; ‹bewaarplaats› *entrepôt* m • MUZ. *levé* m ▾ bij ~ verkopen *vendre aux enchères*
opslagcapaciteit *capacité* v *de stockage*
opslagplaats *dépôt* m; *entrepôt* m
opslagruimte *dépôt* m; *entrepôt* m
opslagtank *réservoir* m
opslobberen *laper*
opslokken *absorber*
opslorpen • in beslag nemen *absorber* ★ door je bezigheden opgeslorpt worden *être absorbé par ses activités* • slurpend opdrinken *aspirer*

O

opsluiten I OV WW *enfermer; emprisonner* ★ iem. in zijn kamer ~ *enfermer qn dans sa chambre* II WKD WW OOK FIG. *s'enfermer*
opsluiting *emprisonnement* m; *détention* v
opsmuk *parure* v
opsnijden I OV WW snijden *découper (entièrement)* II ON WW opscheppen *se vanter*
opsnorren *dénicher*
opsnuiven *respirer; renifler*
opsodemieteren *foutre le camp*
opsommen *énumérer*
opsomming *énumération* v
opsparen *mettre de côté; économiser*
opspelden *épingler*
opsporen *découvrir; déceler*
opsporing *recherche* v; *dépistage* m ★ de vroegtijdige ~ van tuberculose *le dépistage précoce de la tuberculose*
opsporingsambtenaar *officier* m *de la police judiciaire*
opsporingsbericht *avis* m *de recherche*
opsporingsbevoegdheid *permis* m *de recherches*
opsporingsdienst ≈ *Police* v *Judiciaire*
opspraak *blâme* m ★ in ~ brengen *compromettre*
opspringen ‹v. persoon› *sursauter; sauter en l'air;* ‹v. bal› *rebondir* ★ iem. doen ~ *faire sursauter* ★ ~ van vreugde *bondir de joie*
opstaan • gaan staan *se mettre debout* • uit bed komen *se lever* • verschijnen *apparaître* • verrijzen *ressusciter* • op het vuur staan *être sur le feu* • in opstand komen *se révolter; se rebeller*
opstal *bâtisse* v; *construction* v ▾ het recht van ~ *le droit de superficie*
opstand *révolte* m; *rébellion* v ★ in ~ komen tegen *se révolter contre*
opstandeling *révolté* m; *rebelle* m/v
opstandig • in opstand *révolté* • weerspannig *rebelle*
opstanding *résurrection* v
opstap *marche* v; ‹trein/bus› *marchepied* m
opstapelen I OV WW *entasser; empiler* II WKD WW *s'accumuler*
opstapje *marche* v ★ pas op het ~ *attention à la marche* ▾ een ~ naar *un premier pas vers*
opstappen • op iets stappen *monter (en)* ★ op het vliegtuig stappen *monter en avion* • weggaan *s'en aller; partir*
opstapplaats *arrêt* m *(d'autocar)*
opstarten *mettre en marche*
opstartprocedure *procédure* v *de démarrage*
opsteken I OV WW • omhoogsteken *lever;* ‹m.b.t. haar› *relever* ★ de hand ~ *lever la main* • aansteken *allumer* • te weten komen *apprendre* ★ ik heb heel wat opgestoken *j'ai appris beaucoup de choses* II ON WW gaan waaien *se lever*
opsteker *coup* m *de chance*
opstel *rédaction* v; *composition* v
opstellen • plaatsen *placer; disposer* • ontwerpen *ébaucher; former;* ‹op schrift› *rédiger; établir*
opstelling • plaatsing *disposition* v; *placement* m; ‹slagorde› *formation* v • houding *attitude* v; ‹m.b.t. een standpunt›

prise v *de position*
opstijgen • omhoogstijgen *s'élever*; *monter*; ‹v. vliegtuig› *décoller* • te paard klimmen *se mettre en selle*
opstijven I OV WW *amidonner* II ON WW *épaissir*
opstoken • harder stoken *attiser* • verbranden *brûler* • ophitsen *exciter (contre)*
opstootje *bagarre* v
opstopping *obstruction* v; ‹in het verkeer› *embouteillage* m; *bouchon* m
opstrijken • gladstrijken *repasser* • innen *ramasser*
opstropen *retrousser*
opsturen *envoyer*; *expédier*
optakelen *treuiller*
optater *baffe* v; *beigne* v ⋆ iem. een ~ geven *flanquer une baffe à qn*
optekenen *noter*
optellen *additionner*
optelling *addition* v
optelsom *addition* v; *somme* v
opteren I OV WW opmaken *épuiser* II ON WW kiezen voor *opter (pour)*
opticien • persoon *opticien* m [v: *opticienne*] • winkel *opticien* m
optie *option* v
optiebeurs *marché* m *des options négociables*
optiek *point* m *de vue*
optillen *soulever*
optimaal I BNW *optimal* [m mv: *optimaux*] II BIJW *de façon optimale*
optima forma *pleinement* ⋆ in ~ zijn *être en pleine forme*
optimaliseren *optimiser*; *optimaliser*
optimisme *optimisme* m
optimist *optimiste* m/v
optimistisch I BNW *optimiste* II BIJW *avec optimisme*
optioneel *optionnel* [v: *optionnelle*]
optisch *optique*
optocht *cortège* m; *défilé* m
optometrie *optométrie* v
optornen ~ **tegen** *lutter contre*; *faire face à*
optreden I ZN • handelwijze *comportement* m; *façon* v *de faire* • opvoering *représentation* v ⋆ het eerste ~ *le début* II ON WW • handelen *intervenir*; *passer à l'action* ⋆ tegen iem. ~ *intervenir contre qn* • zich voordoen *se manifester*; ‹v. ziekte› *se déclarer* • een rol spelen *jouer (un rôle) dans*; ‹op het toneel› *se produire* ⋆ ~ als *jouer le rôle de* ⋆ als tussenpersoon ~ *servir d'intermédiaire*
optrekje *pied-à-terre* m [onv]
optrekken I OV WW • omhoogtrekken *tirer*; *lever* ⋆ zijn sokken ~ *tirer ses chaussettes* • opbouwen *élever*; *surélever*; *dresser* ⋆ een omheining ~ *dresser une enceinte* II ON WW • opstijgen *se dissiper* ⋆ de mist trekt op *le brouillard se dissipe* • oprukken *marcher sur* • omgaan met *être avec*; ‹zich bezighouden met› *s'occuper de* ⋆ met een kind ~ *s'occuper d'un enfant* • accelereren *accélérer* ⋆ deze wagen trekt snel op *cette voiture a de bonnes reprises*
optrommelen *mobiliser*
optuigen • van tuig voorzien ‹v. paard› *harnacher*; ‹v. boot› *gréer* • versieren *décorer*
optutten *pomponner*; *bichonner*
opus *œuvre* v
opvallen *se faire remarquer*; *frapper*
opvallend I BNW in het oog lopend *remarquable*; *frappant*; ‹v. kleur› *voyant* II BIJW *remarquablement*; *de manière frappante*; *ostensiblement*
opvang *accueil* m ⋆ kinder~ *crèche* v; ‹v. baby's› *pouponnière* v
opvangcentrum *centre* m *d'accueil*
opvangen • vangen *attraper*; *saisir* • vergaren *recueillir* • horen *percevoir*; ‹v. gerucht› *entendre* ⋆ een signaal ~ *capter un signal* • helpen *s'occuper de* • ondervangen *soutenir*; *compenser* ⋆ een stoot ~ *parer un coup*
opvangkamp *camp* m *d'accueil*
opvarende *passager* m [v: *passagère*]
opvatten • opnemen *prendre*; *soulever* • beschouwen *comprendre*; *interpréter* ⋆ als men het zo opvat *vu sous ce jour* • gaan koesteren *concevoir*
opvatting *conception* v; *opinion* v; *avis* m
opvijzelen • opkrikken *soulever (avec des vérins)* • verbeteren *relever*; *rehausser*
opvissen • uit water halen *pêcher* • opdiepen *déterrer*; *dénicher*
opvlammen *s'enflammer*; *brûler*; ‹feller› *flamber*
opvliegen • omhoogvliegen *s'envoler*; ‹v. vogel› *prendre son vol* • driftig worden *s'emporter* ▾ de trap ~ *monter l'escalier quatre à quatre*
opvliegend *emporté*; *coléreux* [v: *coléreuse*]
opvlieger *bouffée* v *de chaleur*; *vapeurs* v mv
opvoeden • grootbrengen *éduquer*; *élever* • vormen *éduquer*; *former*
opvoeding • het grootbrengen *éducation* v • vorming *éducation* v; *formation* v ⋆ lichamelijke ~ *éducation physique*
opvoedingsgesticht *maison* v *d'éducation*
opvoedkunde *pédagogie* v
opvoedkundig I BNW *pédagogique* II BIJW *pédagogiquement*
opvoeren • vertonen *donner*; *représenter*; *jouer* • groter/krachtiger maken *augmenter* ⋆ de productie ~ *intensifier la production* ⋆ een motor ~ *gonfler un moteur* ⋆ de snelheid ~ *augmenter la vitesse* • opdrijven *augmenter*; ‹v. prijs ook› *majorer* ⋆ de prijzen ~ *augmenter les prix*
opvoering • vertoning *représentation* v • verhoging *intensification* v; *augmentation* v
opvolgen I OV WW gevolg geven aan *suivre* ⋆ raad ~ *suivre des conseils* II ON WW volgen op *suivre*; ‹v. ambt› *succéder à*
opvolger *successeur* m
opvouwbaar *pliant*; *repliable*
opvouwen *replier*
opvragen *réclamer*; ‹v. geld› *retirer*
opvreten I OV WW opeten *dévorer* ▾ iemand met de ogen ~ *dévorer qn des yeux* II WKD WW verteerd worden *se ronger*

opvrijen • vleien *draguer* • seksueel prikkelen *exciter*
opvrolijken *égayer*; *réjouir*; *détendre*
opvullen *remplir*; ‹v. kussen› *rembourrer*; ‹met vlees› *farcir*
opwaaien I OV WW omhoog brengen *soulever*; *faire s'envoler* ▾ veel stof doen ~ *faire beaucoup de bruit* II ON WW omhoog gaan *être emporté par le vent*; *s'envoler*
opwaarderen *réévaluer*
opwaarts I BNW *ascendant* ★ de ~e druk *force ascensionnelle* II BIJW *de manière ascendante*; *vers le haut*
opwachten *attendre*
opwachting ▾ zijn ~ bij iemand maken *rendre visite à qn*
opwarmen I OV WW opnieuw verwarmen *réchauffer* II ON WW warm worden *se réchauffer*
opwegen • evenveel waard zijn *équivaloir à* • compenseren *compenser*
opwekken • doen herleven *ressusciter* • aansporen *inciter (à)*; *encourager (à)* • doen ontstaan *éveiller*; *exciter*; *produire de l'énergie* ★ energie ~ *créer de l'énergie* ★ reacties ~ *provoquer des réactions*
opwekkend • opvrolijkend *divertissant*; *réconfortant* • stimulerend *stimulant* ★ een ~ middel *un stimulant*
opwellen *jaillir*; *sourdre*; FIG. *s'élever*
opwelling *impulsion* v; *élan* m; *mouvement* m ★ in een ~ van woede *dans un accès de colère* ★ in een eerste ~ wilde ik hem helpen *mon premier geste fut de l'aider*
opwerken I OV WW • naar boven brengen *monter* • bruikbaar maken *remettre à neuf*; *retaper*; ‹v. splijtstof› *retraiter* II ON WW ▾ tegen iemand ~ *rivaliser avec qn* III WKD WW opklimmen *s'élever en travaillant*
opwerkingsfabriek *usine* v *de retraitement*
opwerpen I OV WW • omhoog werpen *lancer*; *jeter en l'air* • aanleggen *élever* • opperen *soulever*; *mettre sur le tapis*; ‹tegen› *objecter* II WKD WW *se faire*
opwinden I OV WW • oprollen *bobiner* • draaiend spannen *remonter* • heftige gevoelens veroorzaken *exciter* II WKD WW kwaad worden *s'énerver (contre)*; *s'exiter (contre)*
opwindend *excitant*
opwinding *excitation* v
opzadelen • zadel opdoen *seller* • opschepen *imposer* ★ iem. met iets ~ *imposer qc à qn*
opzeggen • voordragen *dire*; *réciter* • beëindigen *résilier*; *annuler* ★ een contract ~ *résilier un contrat* ★ een abonnement ~ *annuler un abonnement*
opzegtermijn *délai-congé* m [mv: *délais-congés*]; *délai* m *de préavis*
opzet I ZN (de) planning *organisation* v II ZN (het) bedoeling *dessein* m ★ met ~ *exprès*; *délibérément* ★ zonder ~ *sans le vouloir* ★ hij heeft het niet met ~ gedaan *il ne l'a pas fait délibérément* ★ met ~ tartend *volontairement provocant*
opzettelijk *volontaire*; *intentionnel* [v: *intentionelle*]
opzetten I OV WW • overeind zetten *mettre debout* • beginnen *monter*; *commencer* ★ een breiwerk ~ *commencer un tricot* ★ een zaak ~ *lancer une affaire* • op het vuur zetten *mettre sur le feu* • opdoen *mettre sur* • prepareren *empailler* • opstoken *monter*; *exciter* ★ iem. tegen iemand ~ *monter qn contre quelqu'un* II ON WW • opkomen ‹naderen› *s'approcher*; *surgir*; *se préparer*; ‹v. personen› *arriver* • zwellen *enfler*
opzicht • toezicht *surveillance* v; *contrôle* m • aspect *égard* m; *rapport* m ★ in dit ~ *à cet égard*; *sous ce rapport* ★ ten ~e van *à l'égard de* ★ in ieder ~ *à tous les points de vue*
opzichter *surveillant* m [v: *surveillante*]; *contrôleur* m [v: *contrôleuse*] ★ ~ van de waterstaat *conducteur des ponts et chaussées* m [v: *conductrice ...*]
opzichtig I BNW *voyant*; *tape-à-l'œil* [onv] II BIJW *d'une façon voyante*
opzichzelfstaand *isolé*
opzien I ZN *stupéfaction* v II ON WW • opkijken *lever les yeux* • bewonderen ★ tegen iem. ~ *avoir de l'admiration pour qn* • vrezen ★ tegen iets ~ *avoir peur d'entreprendre qc* ▾ vreemd ~ van iets *ouvrir de grands yeux devant qc*
opzienbarend *retentissant*; *sensationnel* [v: *sensationnelle*] ★ op ~e wijze *d'une manière sensationnelle*
opziener *surveillant* m [v: *surveillante*]; *contrôleur* m [v: *contrôleuse*]
opzij • naar de zijkant *sur le côté* ★ ~ gaan *se ranger (de côté)* ★ ~! *laissez passer!* • terzijde *à l'écart*; *de côté*
opzitten • overeind zitten *être assis*; ‹v. hond› *faire le beau* ★ ~ en pootjes geven *faire des courbettes* • opblijven *veiller*; *rester éveillé* ▾ dat zit er weer op! *voilà qui est fait*; *ça y est*
opzoeken • zoeken *chercher*; *rechercher* • bezoeken ★ iem. ~ *aller voir qn*; *aller trouver qn*
opzouten • in het zout leggen *saler* • bewaren FIG. *garder en réserve* ▾ dat kun je wel ~ *il n'en sera pas question*
opzuigen • absorberen *absorber*; ‹v. grond, papier› *s'imprégner de* • naar boven zuigen *aspirer*
opzwellen *(s')enfler*; *(se) gonfler*
opzwepen • aanvuren *exciter* • voortdrijven *fouetter*
OR *comité* m/*conseil* m *d'entreprise*
oraal I BNW mondeling *oral* [m mv: *oraux*] ★ orale geschiedenis *histoire transmise oralement* v II BIJW door de mond *oralement* ★ medicijnen ~ toedienen *administrer des médicaments par voie orale*
orakel *oracle* m
orang-oetan *orang-outan* m [mv: *orangs-outans*]
oranje I ZN (het) kleur *orange* m II BNW *orange*; *orangé*
Oranje • vorstenhuis *Maison* v *d'Orange* • nationale sportploeg *équipe* v *nationale néerlandaise*
oranjebitter *bitter* m *orangé*

Oranjehuis *Maison* v *d'Orange*
Oranjeteam *équipe* v *nationale néerlandaise*
oratie *discours* m ★ een ~ houden *prononcer un discours*
oratorium *oratorio* m
orbitaal *orbital* [m mv: *orbitaux*]
orchidee *orchidée* v
orde *ordre* m ★ orde houden *maintenir l'ordre* ★ de orde herstellen *rétablir l'ordre* ★ orde op zaken stellen *remettre une affaire en ordre* ★ aan de orde zijn *être d'actualité*; *être à l'ordre du jour* ★ iets aan de orde stellen *soulever un problème* ★ in orde *d'accord* ★ zijn haar in orde brengen *arranger ses cheveux* ★ in orde brengen *mettre en ordre* ★ in orde komen *s'arranger* ★ het is nog niet helemaal in orde *ce n'est pas encore ça* ★ het is in orde *ça y est*; *c'est réglé*
ordedienst *service* m *d'ordre*
ordelijk I BNW *ordonné* II BIJW • gerangschikt *en ordre* • geregeld *de façon systématique*
ordeloos I BNW zonder orde *désordonné*; *mal rangé* II BIJW zonder orde *en désordre*
ordenen • rangschikken *ranger*; *arranger*; *classer*; *mettre de l'ordre (dans)* • regelen *régler*; *mettre de l'ordre*
ordening • het rangschikken *rangement* m; *classement* m; *mise* v *en ordre* • het regelen *règlement* m ★ ruimtelijke ~ *aménagement* m *du territoire*
ordentelijk I BNW • fatsoenlijk *convenable* • billijk *raisonnable* II BIJW • fatsoenlijk *convenablement*; *comme il faut* • billijk *raisonnablement*
order • bevel *ordre* m ★ tot uw ~s *à vos ordres* ★ op ~ van *sur l'ordre de* • bestelling *commande* v; *ordre* m
orderportefeuille *carnet* m *de commandes*
ordeverstoorder *perturbateur* m [v: *perturbatrice*]
ordinair • gewoon *commun*; *ordinaire* • onbeschaafd *vulgaire*
ordinantie *ordonnance* v
ordinariaat *ordinariat* m
ordner *classeur* m
oregano *origan* m
oreren • redevoering houden *prononcer un discours* • hoogdravend praten *pérorer*
orgaan *organe* m
orgaandonatie *don* m *d'organe*
orgaanhandel *trafic* m/*commerce* m *d'organes*
orgaanvlees *abats* m mv
organisatie *organisation* v
organisatieadviseur *conseiller* m *d'organisation*
organisatiedeskundige *expert* m *pour l'organisation*
organisator *organisateur* m [v: *organisatrice*]
organisatorisch I BNW • het organiseren betreffend *d'organisateur* [v: *d'organisatrice*] ★ een ~ talent *un talent d'organisateur* • de organisatie betreffend *d'organisation* II BIJW *du point de vue de l'organisation*
organisch I BNW *organique* II BIJW *organiquement*
organiseren *organiser*
organisme *organisme* m
organist *organiste* m/v
organizer *agenda* m *électronique*
organogram *organigramme* m
orgasme *orgasme* m
orgel • toetsinstrument *orgue* m; ‹kerkorgel› *grandes orgues* v mv ★ op het ~ spelen *jouer de l'orgue* • draaiorgel *orgue* m *de Barbarie*; *orgue* m *limonaire*
orgelbouwer *facteur* m *d'orgues*
orgelconcert • uitvoering *récital* m *d'orgue* • compositie *concerto* m *pour orgue et orchestre*
orgelman *joueur* m *d'orgue de Barbarie*
orgelpijp *tuyau* m *d'orgue* [m mv: *tuyaux d'orgue*]
orgie *orgie* v
oriëntaals *oriental* [m mv: *orientaux*]
oriëntalist *orientaliste* m/v
oriëntatie *orientation* v
oriëntatievermogen *sens* m *de l'orientation*
oriënteren • zijn positie bepalen *orienter* ★ zich ~ *s'orienter* • informeren *informer*
oriënteringsvermogen *sens* m *de l'orientation*
originaliteit *originalité* v
origine *origine* v
origineel I ZN *original* m [mv: *originaux*] II BNW *original* [m mv: *originaux*] ★ de originele tekst *l'original*; *l'édition originale* III BIJW • oorspronkelijk *à l'origine* • apart *avec originalité*
orkaan *ouragan* m
orkaankracht *ouragan* m
orkest *orchestre* m
orkestbak *(fosse* v *d')orchestre*
orkestraal *orchestral* [m mv: *orchestraux*]
orkestratie *orchestration* v
Orkney-eilanden *Orcades* v mv ★ op de Orkney Eilanden *aux Orcades*
ornaat *habits* m mv *sacerdotaux* ▾ in vol ~ *en costume d'apparat*
ornament *ornement* m
ornithologie *ornithologie* v
ornitholoog *ornithologue* m/v
orthodontie *orthodontie* v
orthodontist *orthodontiste* m/v
orthodox *orthodoxe*
orthopedagogiek *orthopédagogie* v
orthopedie *orthopédie* v
orthopedisch *orthopédique* ★ ~ chirurg *chirurgien* m *orthopédiste*
orthopedist *orthopédiste* m/v
os *bœuf* m; FIG. *imbécile* m; *abruti* m
oscilloscoop *oscilloscope* m
osmose *osmose* v
ossenhaas *filet* m *de bœuf*
ossenstaartsoep *consommé* m *de queue de bœuf*
ostentatief *ostensible*
osteocyt *ostéocyte* m
osteoporose *ostéoporose* v
otter *loutre* v
oubollig *vieillot* [v: *vieillotte*]
oud • van zekere leeftijd *âgé de* ★ hoe oud is hij? *quel âge a-t-il?* ★ oud maken/worden *vieillir* ★ oud genoeg zijn om *être en âge de* ★ hij is 19 jaar oud *il a 19 ans*; *il est âgé de 19 ans* ★ hij is drie jaar ouder dan ik *il a*

O

trois ans de plus que moi; *il est mon aîné de trois ans* • allang bestaand *vieux* [v: *vieille*] [onr: *vieil*]; *âgé* ★ een oude man *un vieil homme* ★ oud en afgeleefd *vieux et usé* ★ oude kaas *du fromage fait* • voormalig *ancien* [v: *ancienne*] • uit klassieke oudheid *antique*; *classique* ▾ ouwe jongen! *mon vieux!*
oud- • klassiek *antique* • voormalig *ancien* [v: *ancienne*]
oudbakken • niet vers *rassis*; *dur* • ouderwets *dépassé*; *démodé*; INF. *archéo*
oudedagsvoorziening *retraite* v
oudejaar *Saint-Sylvestre* v
oudejaarsavond *Saint-Sylvestre* v
oudejaarsnacht *nuit* v *de la Saint-Sylvestre*
ouder *parent* m ★ zijn ~s *ses parents* m mv
ouderavond *réunion* v *de parents d'élèves*
oudercommissie *comité* m *de parents d'élèves*
ouderdom • leeftijd *âge* m • hoge leeftijd *âge* m *avancé*; *vieillesse* v
ouderdomskwaal *infirmité* v *de vieillesse*
ouderdomsverschijnsel *signe* m *de vieillesse*
oudere *personne* v *âgée*
ouderejaars *ancien* m [v: *ancienne*]
ouderejaarsstudent *ancien* m [v: *ancienne*]
ouderenhuisvesting *logement* m *de personnes âgées*
ouderlijk *paternel* [v: *paternelle*]; *des parents*; JUR. *parental* [m mv: *parentaux*] ★ ~ gezag *autorité parentale* v
ouderling *ancien* m [v: *ancienne*]
ouderraad *comité* m *de parents d'élèves*
ouderschap *fait* m *d'être parent*
ouderschapsverlof *congé* m *de maternité*
ouderwets I BNW • uit de mode *démodé*; *vieux jeu* [onv] ★ je bent ~ *tu es vieux jeu* ★ hopeloos ~ *antédiluvien* [v: *antédiluvienne*] • degelijk *bon* [v: *bonne*] II BIJW • uit de mode *comme dans le temps* • degelijk *valablement*
oudgediende *vétéran* m
Oudgrieks I ZN *grec* m *ancien* II BNW ‹taal› *en grec ancien*; ‹v. gebruiken› *hellénique*
oudheid *antiquité* v ★ uit de ~ *de l'antiquité*
oudheidkunde *archéologie* v
oudheidkundig *archéologique*
oudheidkundige *archéologue* m/v
oudjaar *Saint-Sylvestre* v
oudje *vieux* m [v: *vieille*]
oudoom *grand-oncle* m [mv: *grands-oncles*]
oudsher ★ van ~ *de tout temps*; *depuis les temps les plus reculés*
oudste *aîné* m [v: *aînée*]; *le plus âgé* m [v: *la plus âgée*]; *le plus vieux* m [v: *la plus vieille*]
oudtante *grand-tante* v [mv: *grand(s)-tantes*]
outcast *réprouvé* m; *paria* m
outfit • uitrusting *équipement* m • kleding *tenue* v
outillage *outillage* m
output *output* m; *sortie* v
outsider *outsider* m
ouverture *ouverture* v
ouvreuse *ouvreuse* v
ouwehoer *casse-pieds* m/v [onv]
ouwehoeren *radoter*
ouwel *pain* m *azyme*
ouwelijk I BNW *vieillot* [v: *vieillotte*] II BIJW *d'une maniere vieillotte*
ovaal I ZN (het) *ovale* m II BNW *ovale* III BIJW *en ovale*
ovarieel ★ ovariële cyclus *cycle* m *ovarien*
ovarium *ovaire* m
ovatie *ovation* v ★ iem. een ~ brengen *faire une ovation à qn*
oven *fourneau* m [mv: *fourneaux*]; *four* m ★ in de oven doen *mettre dans le four*
ovenschaal *plat* m *résistant à la chaleur*
ovenschotel *plat* m *cuit au four*
ovenstand *thermostat* m; *position* v *de réglage du four*
ovenvast *résistant à la chaleur*
ovenwant *gant* m *de cuisine*
over I BNW afgelopen *passé*; *fini*; ★ en nu is het over! *maintenant ça suffit!* ★ hun vriendschap was over *leur amitié était finie* II BIJW • resterend ★ hoeveel is er nog over? *combien en reste-t-il encore?* • opnieuw *encore* ★ lees die zin nog eens over *relis cette phrase encore une fois* • van/naar een andere plaats ★ zij liep de gang over *elle traversa le couloir* ★ mijn tante komt over *ma tante vient nous voir* ★ ga jij dit jaar over? *est-ce que tu passes en ...?* ★ ik hoop over 14 dagen te komen *j'espère venir dans quinze jours* ★ dwars over de weg *en travers de la rue* ▾ iets gelukkigs over zich hebben *avoir l'air heureux* III VZ • van/naar een andere plaats ★ over de brug *de l'autre côté du pont* ★ over de grens *au-delà de la frontière* • bovenop/-langs ★ over het hek *par-dessus la grille* ★ een jas over iets heen aantrekken *mettre un pardessus sur qc* • via *par* ★ ik rijd over Parijs *je passe par Paris* • meer/langer dan ★ hij is over de dertig *il a passé la trentaine* ★ over zijn toeren zijn *être à bout* ★ bewijzen te over *les preuves ne manquent pas* • na *au bout de* ★ over een jaar *dans un an* • betreffende *concernant* ★ over wie gaat het? *de qui s'agit-il?* ★ over de doden niets dan goeds *on ne critique pas les morts* ▾ over en weer ‹van/naar weerskanten› *d'un côté et de l'autre*; ‹wederzijds› *réciproquement* ▾ over de kop slaan *capoter*
overal • op alle plaatsen *partout* ★ dat jongetje zit ~ aan *ce petit garçon touche à tout* • alles ★ hij weet ~ van *il est au courant de tout*
overall *combinaison* v
overbekend *archiconnu*
overbelasten *surcharger*
overbelichten *surexposer*
overbemesting *surfumage* m
overbesteding *excès* m *de dépenses*
overbevissing *surpêche* v
overbevolking *surpopulation* v
overbevolkt *surpeuplé*
overbezet *surchargé*
overblijflokaal *cantine* v
overblijfmoeder *maman* v *assurant la surveillance des enfants pendant la pause de midi*
overblijfsel *vestige* m; ‹v. gebouwen›

décombres m mv; *ruines* v mv; *reste* m
overblijven • resteren ‹te doen› *rester*; *rester à faire* ⋆ er blijft ons niets over dan ... *il ne nous reste qu'à* • blijven bestaan *survivre*; ‹v. meerjarige planten› *persister* • op school blijven ‹als straf› *être en retenue*; ‹tussen de middag› *être en demi-pension*
overbluffen • verwarren *troubler*; *déconcerter* • overdonderen *épater*
overbodig I BNW *superflu*; *de trop* ⋆ ~ maken *rendre superflu* II BIJW *trop*
overboeken *transférer*; ‹v. geld› *virer*
overboord *par-dessus bord*
overbrengen • verplaatsen *transporter*; *transférer* • overboeken *transférer*; ‹v. geld› *virer* • overdragen *transmettre* ⋆ iemands beste wensen ~ *transmettre les meilleurs vœux de qn* • vertalen *traduire* • doorgeven *rapporter*
overbrenging • het overbrengen *transfert* m; *transport* v; ‹v. een ziekte› *transmission* v ⋆ de ~ van een gevangene *le transfert d'un prisonnier* • TECHN. *transmission* v
overbrieven *rapporter*
overbruggen • met brug overspannen *jeter un pont sur* • ondervangen *concilier*; *surmonter*
overbrugging • het overbruggen *construction* v *d'un pont* • middel *pont* m
overbruggingsregeling *allocation* v *d'attente*
overbuur *voisin* m *d'en face*; ‹aan tafel› *vis-à-vis* m [onv]
overcapaciteit *surcapacité* v
overcompleet *de trop*; *surnuméraire*
overdaad *excès* m; *profusion* v
overdadig I BNW onmatig *excessif* [v: *excessive*]; ‹v. voedsel en drank› *trop copieux* [v: *trop copieuse*] II BIJW onmatig *excessivement*; ‹v. voedsel en drank› *trop copieusement*
overdag • bij daglicht *le jour* • tijdens de dag *pendant la journée*
overdekken *(re)couvrir* ⋆ een overdekt perron *un quai couvert*
overdekt *couvert*
overdenken *réfléchir sur*; *méditer sur*
overdenking *réflexion* v; *méditation* v
overdoen • opnieuw doen *refaire*; *recommencer* • verkopen *vendre*; *céder* • overgieten *remettre*; *mettre*
overdonderen *époustoufler*
overdosis *overdose* v
overdraagbaar *transmissible*
overdraagbaarheid *transmissibilité* v
overdracht *transmission* v; *transfert* m; ‹v. bevoegdheden› *délégation* v; *passation* v; ‹v. macht› JUR. *cession* v
overdrachtelijk I BNW *figuré* II BIJW *au figuré*
overdrachtsbelasting *impôt* m *sur le transfert de propiété*
overdrachtskosten *droits* m mv *de transfert de propriété*
overdragen • overbrengen *transmettre*; ‹naar elders› *transporter*; *transférer* ⋆ verantwoordelijkheden ~ *déléguer des responsabilités* • overboeken *transférer*; *reporter*; ‹v. geld› *virer* • overgeven *céder*
overdreven I BNW *exagéré*; *excessif* [v: *excessive*] II BIJW *à l'excès*; *excessivement*
óverdrijven • voorbij drijven *passer*; FIG. *passer* • naar de overkant drijven *dériver*
overdríjven *exagérer*
overdrive *surmultiplication* v; *overdrive* m ⋆ in ~ *en cinquième*
overdruk • NAT. *surpression* v • extra afdruk *tirage* m *à part* • overgedrukte tekst *surcharge* v
overdrukken • opnieuw drukken *réimprimer* • ergens overheen drukken *imprimer*
overduidelijk I BNW *évident*; *manifeste* II BIJW *manifestement*
overdwars I BNW *transversal* [m mv: *transversaux*] II BIJW *en travers*; *transversalement*
overeenkomen I OV WW afspreken *convenir (de)*; *tomber d'accord (sur)* ⋆ tegen de overeengekomen prijs *au prix convenu* II ON WW • gelijk zijn *correspondre (à)*; *s'accorder* • bij elkaar passen *s'accorder*
overeenkomst • gelijkheid *conformité* v; *analogie* v • gelijkenis *ressemblance* v • afspraak *convention* v; *accord* m; *contrat* m
overeenkomstig I BNW gelijk *correspondant* ⋆ ~e cijfers *des chiffres correspondants* II VZ volgens *selon* ⋆ ~ de feiten *conformément aux faits* ⋆ dit is niet ~ onze afspraak *ce n'est pas ce qu'on avait convenu*
overeenstemmen • overeenkomst vertonen *correspondre (à)*; *s'accorder* ⋆ met iets ~ *correspondre à qc* • gelijkgestemd zijn *être d'accord*
overeenstemming • harmonie *harmonie* v; *concordance* v ⋆ in ~ met *en accord avec*; *en harmonie avec* ⋆ in ~ brengen met *faire accorder avec*; *mettre en harmonie avec* • eensgezindheid *entente* v; *accord* m ⋆ tot ~ komen *s'entendre*; *s'accorder* • gelijkenis *correspondance* v ⋆ in ~ met *conformément à*; *en accord avec*
overeind *debout* ⋆ ~ komen *se redresser* ⋆ ~ staan *être debout* ⋆ ~ zitten *se dresser*
overerven I OV WW meekrijgen *hériter (de)* II ON WW overgaan op ‹v. goederen› *passer (à)*
overgaan • oversteken *traverser* • van bezitter veranderen *passer (de qn à qn)* • voorbijgaan *passer* • veranderen *passer (de ... à)* ⋆ van het ene naar het andere onderwerp ~ *passer d'un sujet à l'autre* • beginnen *passer (à)* ⋆ tot iets anders ~ *passer à autre chose* • zich voegen bij *passer (à|dans)*; ‹v. godsdienst› *se convertir (à|dans)* ⋆ tot het boeddhisme ~ *se convertir au bouddhisme* • ~ **op** *passer (de ... à)* • bevorderd worden ‹v. leerling› *passer dans la classe supérieure*; *passer (en)* • rinkelen ‹v. telefoon› *sonner*; ‹v. bel› *retentir*
overgang • het overgaan *passage* m • tussenfase *transition* v; *changement* m • menopauze *ménopause* v; *retour* m *d'âge*
overgangsbepaling *disposition* v *transitoire*
overgangsfase *phase* v *de transition*

overgangsjaren • overgangsperiode *années* v mv *de transition* • menopauze *âge* m *critique*
overgangsmaatregel *mesure* v *de transition*
overgangsperiode *période* v *de transition*; *époque* v *transitoire*
overgankelijk I BNW *transitif* [v: *transitive*] II BIJW *transitivement*
overgave • toewijding *dévouement* m • capitulatie ‹v.e. stad› *reddition* v; *capitulation* v
overgeven I OV WW overhandigen *remettre* II ON WW braken *vomir*; *rendre* III WKD WW • capituleren *se rendre* • zich wijden aan *s'adonner (à)*
overgevoelig I BNW • zeer gevoelig *trop sensible*; *hypersensible* • allergisch *allergique* II BIJW *de façon hypersensible*
overgewicht *surcharge* v
óvergieten • in iets anders gieten *transvaser* • opnieuw gieten *refondre*
overgíéten • gietend bedekken *arroser* • geheel bedekken *recouvrir*
overgooier *robe* v *chasuble*
overgordijn *doubles rideaux* m mv
overgrootmoeder *arrière-grand-mère* v [mv: *arrière-grands-mères*]
overgrootvader *arrière-grand-père* m [mv: *arrière-grands-pères*]
overhaast I BNW *précipité* II BIJW *précipitamment*
overhaasten *précipiter*
overhalen • overreden *convaincre* ★ iem. ~ *convaincre qn de faire qc*; *persuader qn de faire qc* • trekken aan *tirer (sur)* ★ de trekker ~ *presser la détente* ★ een hendel ~ *tirer une manette*
overhand *avantage* m ★ de ~ hebben/krijgen *avoir/prendre l'avantage*; *l'emporter*
overhandigen *remettre*
overhangen *pencher sur*; *surplomber*
overheadkosten *frais* m mv *généraux*
overheadprojector *rétroprojecteur* m
overhebben • overhouden *avoir de reste*; *avoir en trop* ★ ik heb niets meer over *il ne me reste plus rien* • willen missen *donner (pour)* ★ veel voor iem. ~ *s'imposer des sacrifices pour qn* ★ er veel voor ~ om *donner beaucoup pour*
overheen *sur*; *par-dessus* ★ ergens ~ stappen *enjamber qc* ★ zich ergens ~ zetten *se consoler de*; *prendre son parti de qc*
overheersen *dominer (sur)*
overheersing *domination* v
overheid *autorités* v mv; *pouvoirs* m mv *publics*
overheidsbedrijf *entreprise* v *publique*
overheidsdienst *Administration* v; *fonction* v *publique*
overheidswege ★ van ~ *de la part des autorités*
overhellen • hellen *pencher*; *s'incliner*; SCHEEPV. *donner de la bande* • neigen *incliner (à)*; *pencher (pour)*
overhemd *chemise* v
overhevelen *transférer*
overhoop *sens dessus dessous* ★ ~ halen *mettre sens dessus dessous* ★ ~ liggen *être en désordre* ▾ met iemand ~ liggen *être brouillé avec qn*
overhoophalen *mettre sens dessus dessous*
overhoopliggen • in de war liggen *être sens dessus dessous* • onenigheid hebben *être brouillé*
overhoopschieten *flinguer*
overhoren *interroger* ★ schriftelijk ~ *donner une interrogation écrite*
overhouden I OV WW • als overschot hebben *garder*; *conserver* • in leven houden ‹'s winters› *faire passer l'hiver à* II ON WW ▾ het houdt niet over *cela laisse à désirer*
overig • overblijvend *restant* ★ het ~e geld *l'argent restant* • ander *autre* ★ de ~e studenten *les autres étudiants* ▾ voor het ~e *pour le reste*
overigens • voor het overige *pour le reste*; *par ailleurs* • trouwens *d'ailleurs*; *du reste*
overjarig • meer dan één jaar oud *âgé de plus d'un an*; ‹v. planten› *vivace* • achterstallig *arriéré*
overjas *pardessus* m; *manteau* m [mv: *manteaux*]
overkant *autre côté* m; *côté* m *opposé* ★ aan de ~ *de l'autre côté*
overkapping • kap over een bouwwerk *toiture* v ★ een glazen ~ *une verrière* • het overkappen *recouvrement* m
overkill *capacité* v *de surextermination*
overkoepelen *englober*; *coiffer*
overkoken *déborder*
overkomelijk *surmontable*
óverkomen • over iets heen komen *traverser*; *passer* • van elders komen *venir* • begrepen worden *être reçu* ★ hoe kwam het bij hem over? *comment l'a-t-il reçu?*
overkómen *arriver (à)* ★ wat is u overkomen? *que vous est-il arrivé?*
óverladen *transborder*
overláden • overstelpen *combler*; *couvrir (de)* ★ met werk overladen zijn *être débordé de travail* • te zwaar belasten *surcharger*
overlangs I BNW *longitudinal* [m mv: *longitudinaux*] II BIJW *dans le sens de la longueur*
overlappen *chevaucher* ★ elkaar ~ *se chevaucher*
overlast *dérangement* m; *gêne* v ★ ~ bezorgen *déranger* ★ ~ van iets ondervinden *être gêné par qc*
overlaten • doen overblijven *laisser (à)* ★ laat dat aan mij over *je m'en charge* ★ ik laat dat aan u over *je m'en remets à vous* • erover laten gaan *faire passer*
overleden *décédé*; *défunt* ★ haar ~ man *son défunt mari*
overledene *mort* m [v: *morte*]; *défunt* m [v: *défunte*]
overleg • bedachtzaamheid *réflexion* v; *délibération* v • beraadslaging *concertation* v ★ ~ plegen *se concerter*
óverleggen *produire*; *présenter*
overléggen *délibérer (sur)*; *réfléchir (à/sur)* ★ iets met iem. ~ *consulter qn sur qc* ★ een wel overlegd plan *un projet bien concerté*
overlegorgaan *organisme* m *de délibération*

O

overleven *survivre (à)*
overlevende *survivant* m [v: *survivante*]; ‹v. ramp› *rescapé* m [v: *rescapée*]
overleveren • overdragen *remettre*; ‹v. persoon› *livrer* ★ iem. aan de politie ~ *livrer qn à la police* • doorgeven *transmettre*
overlevering *tradition* v
overlevingskans *chance* v *de survie*
overlevingstocht *randonnée* v *de survie*
overlezen • opnieuw lezen *relire* • doorlezen *parcourir*
overlijden I ZN *décès* m II ON WW *décéder*; *mourir*
overlijdensadvertentie *faire-part* m *de décès*
overlijdensakte *acte* m *de décès*
overlijdensbericht *faire-part* m *de décès*
overlijdensverzekering *assurance* v *décès*
overloop • het overstromen *débordement* m • overloopbuis *déversoir* m • bovenportaal *palier* m
óverlopen • over iets heen lopen *marcher sur*; *traverser* • overstromen *déborder* • over iets heen stromen *inonder* • zich bij een andere partij voegen *passer (à)* ★ hij is overgelopen *il est passé à l'ennemi* • ~ **van** *déborder de*
overlópen ★ iem. overlopen *venir (trop) souvent chez qn*
overloper *transfuge* m
overmaat ▾ tot ~ van ramp *pour comble de malheur*
overmacht • grotere macht *suprématie* v; ‹m.b.t. aantal› *supériorité* v *numérique*; *nombre* m ★ voor de ~ zwichten *céder devant le nombre* • JUR. *force* v *majeure* ★ een geval van ~ *un cas de force majeure*
overmaken • opnieuw maken *refaire* ★ ~! *à refaire!* • overschrijven *virer*
overmannen *vaincre*; *accabler* ★ door slaap overmand worden *succomber au sommeil* ★ door vermoeidheid overmand worden *être accablé de fatigue*
overmatig I BNW buitensporig *démesuré*; *excessif* [v: *excessive*] ★ een ~ drankgebruik *un abus d'alcool* II BIJW buitensporig *démesurément*; *excessivement*
overmeesteren *maîtriser*; FIG. *dominer*
overmoed • roekeloosheid *témérité* v • te grote durf *bravade* v ★ uit ~ *par bravade*
overmoedig I BNW *téméraire* II BIJW *avec témérité*; *témérairement*
overmorgen *après-demain*
overnachten *passer la nuit*
overnachting • het overnachten *logement* m • keer dat men ergens verblijft *nuit* v; ‹in hotel› *nuitée* v
overname *rachat* m; ‹met betrekking tot inboedel› *reprise* v ★ ter ~ aangeboden *à céder*
overnamebod *offre* v *publique d'achat*
overnamekosten *coûts* m mv *de transport*
overnemen • uit handen nemen *prendre*; ‹v. taak› *assumer* • kopen *acheter* • navolgen *reprendre*; *adopter* • kopiëren *copier*
overnieuw *de nouveau*
overpeinzen *méditer (sur)*; *réfléchir (sur)*
overpeinzing *méditation* v; *réflexion* v
overplaatsen ‹v. werknemer› *muter*; *déplacer* ★ iem. ~ naar een ander garnizoen *faire changer qn de garnison*
overplaatsing *déplacement* m; ‹met betrekking tot werknemer› *changement* m *de poste* ★ een ~ naar Utrecht aanvragen *demander à être muté à Utrecht*
overproductie *surproduction* v
overreden *persuader (de)*
overredingskracht *pouvoir* m *de persuasion*
overrijden *écraser*; ‹v. personen› *renverser*
overrompelen *prendre par surprise*; FIG. *prendre au dépourvu*
overrulen • beslissen *casser* ★ hij wordt overruled door de voorzitter *la décision du président a prévalu contre lui* • verslaan *surclasser*
overschaduwen • schaduw werpen op *ombrager* • overtreffen *effacer*
overschakelen • andere verbinding maken ‹in andere versnelling zetten› *changer de vitesse*; *commuter* ★ ~ op *brancher sur* • overstappen op *passer à*
overschatten *surestimer*; ‹v. personen› *trop présumer de*; *avoir une trop haute opinion de*
overschieten *rester*; *être de reste*
overschoen *caoutchouc* m
overschot • restant *reste* m; *résidu* m; ‹op rekening› *solde* m ★ het stoffelijk ~ *la dépouille (mortelle)* • teveel *excédent* m; *surplus* m
overschreeuwen I OV WW *crier plus fort que* II WKD WW *forcer sa voix*
overschrijden • stappen over *franchir* • te buiten gaan *dépasser*; *excéder*
overschrijven • naschrijven *recopier* • COMP. opnieuw schrijven *écraser* • overboeken *virer*
óverschrijven • naschrijven *copier* • opnieuw schrijven *transcrire*; *mettre au net* • op andere naam zetten *transférer* • overboeken *reporter*; *virer*
overschrijving • het overschrijven *transfert* m • overboeking *virement* m
oversized *à coupe ample*
overslaan I OV WW • laten voorbijgaan *omettre*; *sauter*; ‹gelegenheid› *manquer* • overladen *transborder* II ON WW • op iets anders overgaan ‹snel› *gagner*; ‹v. ziekte› *se transmettre*; *passer*; *basculer* • uitschieten *se casser* • breken ‹v. golven› *déferler*
overslag • omgeslagen rand *rabat* m; ‹aan kledingstuk› *revers* m • het overslaan van goederen *transbordement* m
overslagbedrijf *entreprise* v *de transbordement*
overslaghaven *port* m *de transbordement*
overspannen I BNW • te gespannen *stressé*; ‹v. verwachtingen› *démesuré* • overwerkt *surmené* II OV WW • overdekken *couvrir*; ‹v. een brug› *enjamber* • te sterk spannen *tendre trop fort*
overspanning • reikwijdte van brug *portée* v • spanning *surexcitation* v • stress *surmenage* m
overspel *adultère* m ★ ~ plegen *commettre l'adultère*
overspelen • opnieuw spelen *rejouer*

• spelend overstemmen *couvrir*; ‹m.b.t. toneel› *surpasser*; ‹m.b.t. kaarten› *en faire trop*
overspélen ‹v. cassette› *repiquer*
overspelig *adultère*
overspoelen *inonder*; *submerger* ▾ met vragen overspoeld worden *être submergé de questions*
overspringen *sauter (d'un point/endroit à un autre)*
overstag ★ ~ gaan *virer de bord*
overstappen • overgaan op *passer (à)* • van vervoermiddel wisselen *prendre la correspondance*; ‹met betrekking tot trein› *changer de train*; ‹met betrekking tot metro› *changer de ligne* ★ moet ik ~ naar Arnhem? *ce train est direct pour Arnhem?*
overste • REL. *supérieur* m [v: *supérieure*] • MIL. *lieutenant-colonel* m [mv: *lieutenants-colonels*]
oversteek *traversée* v
oversteekplaats *passage* m *clouté*; *passage* m *piétonnier*
oversteken I OV WW ruilen *échanger*; *passer* ★ gelijk ~ *donnant donnant* II ON WW naar overkant gaan *traverser*; ‹over water› *faire la traversée* ★ de straat ~ *traverser la rue*; *changer de trottoir* ★ ~d vee *passage* m *éventuel d'animaux*
overstelpen *accabler (de)*; *couvrir (de)* ★ met werk overstelpt *débordé de travail*
óverstemmen *voter de nouveau*
overstémmen • meer geluid maken *couvrir*; *dominer* • door meerderheid van stemmen overtreffen *battre par une majorité de voix* ★ overstemd worden *être en minorité*
óverstromen *sortir de son lit*; *déborder*
overstroming • watervloed *inondation* v • het buiten de oevers treden *débordement* m
overstuur *déconcerté* ★ ~ raken *être désorienté* ★ zijn maag is ~ *il a l'estomac dérangé*
overtalsituatie *sureffectif* m; *excédent* m *de personnel*
óvertekenen • natekenen *copier* • opnieuw tekenen *dessiner de nouveau*
overtékenen *dépasser le montant*; *couvrir*
overtocht *passage* m; ‹over zee› *traversée* v
overtollig • overbodig *superflu*; *de trop* • meer dan nodig *excédentaire*
overtreden *enfreindre*; *contrevenir à*
overtreder *contrevenant* m; *transgresseur* m
overtreffen *l'emporter sur*; *surpasser* ★ de verwachtingen ~ *dépasser les prévisions*
overtrek *housse* v
óvertrekken I OV WW overtekenen *repasser*; ‹met overtrekpapier› *calquer* II ON WW • gaan over *passer (par-dessus)*; *traverser* • voorbijtrekken *passer*
overtrékken • bekleden *recouvrir*; *revêtir* • overdrijven *exagérer*
overtrekpapier *papier-calque* m
óvertroeven *surcouper*
overtróéven *damer le pion à* ★ elkaar trachten te ~ *renchérir l'un sur l'autre*
overtrokken ‹v. reactie› *exagéré*
overtuigen I OV WW *convaincre (de)* II WKD WW *se convaincre (de)*; *s'assurer (de)*
overtuigend I BNW *convaincant*; *persuasif* [v: *persuasive*] II BIJW *de façon convaincante*
overtuiging *conviction* v ★ in de ~ dat *persuadé que*
overtuigingskracht *force* v *de conviction*
overtypen *retaper*
overuur *heure* v *supplémentaire*
overvaart *traversée* v
overval ‹gewapend› *hold-up* m [onv]; *attaque* v; *attaque* v *à main armée*
overvalcommando *brigade* v *d'assaut*
overvallen • aanvallen *attaquer*; ‹gewapend› INF. *braquer* • verrassen *surprendre*; *prendre au dépourvu*
overvalwagen *car* m *de police*
overvaren I OV WW overzetten *faire traverser*; *faire passer* II ON WW varen over iets *traverser*; *passer*
oververhit *surchauffé*
oververmoeid *éreinté*; *épuisé*
oververtegenwoordigd *surreprésenté*
overvleugelen *éclipser*; *surpasser*
overvliegen *survoler*; *voler au-dessus de*
overvloed *abondance* v; *profusion* v ★ in ~ *à profusion*; *en abondance* ★ een ~ hebben aan iets *avoir qc en abondance* ★ ten ~e *en outre*
overvloedig I BNW *abondant*; *copieux* [v: *copieuse*] ★ ~ zijn *abonder* II BIJW *abondamment*; *copieusement*
overvloeien • overstromen *déborder (de)* • in elkaar overlopen *se mélanger*; ‹v. kleuren ook› *se fondre* • ~ **van** *abonder (en)*; FIG. *déborder (de)*
óvervoeren *mener*
overvóéren • van te veel voer voorzien *gorger de nourriture* • van te veel aanvoer voorzien *saturer* ★ de markt is overvoerd *le marché est saturé*
overvol *plein à déborder*; ‹met mensen› *bondé* ★ een ~ programma *un programme surchargé*
overwaaien • overtrekken *être porté par le vent* • voorbijgaan *passer* • van elders komen *arriver*
overwaarderen *surestimer*
óverweg *passage* m *à niveau*
overwegbeveiliging *signalisation* v *d'un passage à niveau*
overwégen • de doorslag geven *l'emporter*; *prévaloir* • nadenken *considérer*; *réfléchir sur* ★ alles wel overwogen *tout bien considéré*; *(toute) réflexion faite*
overwegend I BNW doorslaggevend *déterminant*; ‹gewichtiger› *prépondérant* ★ van ~ belang *d'une importance capitale* II BIJW *essentiellement*
overweging • overdenking *considération* v; *réflexion* v ★ iets in ~ nemen *prendre qc en considération* • beweegreden *considération* v
overweldigen • overmeesteren *envahir*; ‹v. persoon› *terrasser* • overstelpen *accabler*
overweldigend I BNW *saisissant*; ‹v. succes› *foudroyant*; ‹v. geur› *pénétrant*; *écrasant* II BIJW *énormément*; *terriblement*
overwerk *heures* v mv *supplémentaires*
óverwerken *faire des heures supplémentaires*

overwérken (zich) *se surmener*
overwerkt *surmené*
overwicht • hoger gewicht *excédent* m *(de poids)* • meerdere macht *autorité* v; *ascendant* m; *supériorité* v ★ ~ hebben op *avoir de l'autorité sur*
overwinnaar *vainqueur* m
overwinnen • zege behalen *vaincre*; *triompher de* • te boven komen *surmonter* ★ moeilijkheden ~ *surmonter les difficultés*
overwinning *victoire* v; *triomphe* m
overwinningsroes *griserie* v *du succès*
overwinteren • de winter doorbrengen *hiverner* • de winter doorkomen *passer l'hiver*
overwoekeren *envahir*
overzees *d'outre-mer*
overzetten • naar overkant brengen *transporter* • vertalen *traduire*
overzicht • het overzien *vue* v *générale*; *vue* v *d'ensemble* • samenvatting *aperçu* m ★ kort ~ *résumé*; *sommaire* ★ een globaal ~ geven *faire un tour d'horizon*
overzichtelijk *clair*; *bien ordonné*
overzichtstentoonstelling *rétrospective* v
óverzien *revoir*; *repasser*; ‹vluchtig› *parcourir*
overzíén • in zijn geheel zien *embrasser du regard* ★ de gevolgen waren niet te overzien *les conséquences étaient incalculables* • over het hoofd zien *ne pas remarquer*
OV-jaarkaart ≈ *carte* v *annuelle des transports publics*
ovulatie *ovulation* v
oxidatie *oxydation* v
oxide CHEM. *oxyde* m
oxideren *s'oxyder*
ozon *ozone* m
ozongat *trou* m *dans la couche d'ozone*
ozonlaag *couche* v *d'ozone*

P

p *p* m
pa *papa* m
paadje *sentier* m
paaien *enjôler*; *amadouer* ★ iem. met mooie beloften ~ *bercer qn de promesses*
paaitijd *saison* v *du frai*
paal • lang voorwerp *poteau* m [mv: *poteaux*]; *pieu* m [mv: *pieux*]; ‹met punt› *piquet* m; ‹heipaal› *pilotis* m • grenspaal *borne* v ▼ paal en perk stellen aan *mettre fin à*
paalsteek *nœud* m *de chaise*
paalwoning *maison* v *lacustre*
paap *papiste* m; *calotin* m
paar • koppel *paire* v; ‹m.b.t. mensen› *couple* m ★ een gelukkig paar *un couple heureux* ★ een paar sokken *une paire de chaussettes* • klein aantal *paire* v; *quelques* ★ een paar boeken *quelques livres*
paard • dier *cheval* m [mv: *chevaux*] ★ te ~ stijgen *monter à cheval*; *se mettre en selle* ★ een ~ berijden *monter un cheval* • schaakstuk *cavalier* m • turntoestel *cheval* m *d'arçons* ▼ werken als een ~ *travailler comme un forçat*
paardebloem *pissenlit* m
paardendressuur *dressage* m
paardenkracht *cheval-vapeur* m [mv: *chevaux-vapeur*] ★ van 100 pk *de 100 cv*
paardenliefhebber *amateur* m *de chevaux*
paardenmiddel *remède* m *de cheval*; *grands moyens* m mv
paardensport *sport* m *hippique*; *hippisme* m
paardensprong *saut* m *d'un cheval*; ‹in schaakspel› *marche* v *du cavalier*
paardenstaart *queue* v *de cheval*
paardenstal *écurie* v
paardenvijg *crottin* m *de cheval*
paardjerijden *faire du dada*
paardrijden I ZN *équitation* v II ON WW *faire du cheval*; *faire de l'équitation* ★ graag ~ *aimer le cheval*
paardrijkunst *équitation* v
paarlemoer *nacre* v
paarlemoeren *de nacre*
paars I ZN *violet* m II BNW *violet* [v: *violette*]
paarsblauw *(bleu) pervenche*
paarsgewijs *deux par deux*; *par paires*; *par couples*
paarsrood *pourpre*
paartijd *saison* v *des amours*; *rut* m; ‹v. vogels› *pariade* v
paasbest ★ op zijn ~ zijn *être sur son trente et un*
paasbrood *pain* m *aux raisins*; ‹matse› *pain* m *azyme*
paasdag *Jour* m *de Pâques* ★ tweede ~ *lundi de Pâques* m
paasei *œuf* m *de Pâques*
paasfeest *fête* v *de Pâques*
paashaas *lièvre* m *de Pâques*
paasmaandag *lundi* m *de Pâques*
paasvakantie *vacances* v mv *de Pâques*
paaswake *vigile* v *de Pâques*

paaszaterdag *samedi* m *saint*
paaszondag *dimanche* m *de Pâques*
pabo ≈ *institut* m *de formation des enseignants de l'école primaire*; ‹in Fr.› *école* v *normale*
pacemaker *stimulateur* m *cardiaque*; *pacemaker* m
pacht • huurovereenkomst *bail* m [mv: *baux*]; *fermage* m • pachtgeld *fermage* m ★ leen- en ~wet *prêt-bail* m ★ in ~ hebben *avoir à bail*; *avoir loué* ★ in ~ geven *donner à bail*
pachten *prendre à bail/à ferme*
pachter *fermier* m [v: *fermière*]
pachtgrond *fermage* m
pachtovereenkomst *(contrat* m *de) bail*
Pacific *le Pacifique*
pacificatie *pacification* v
pacifisme *pacifisme* m
pacifist *pacifiste* m/v
pacifistisch *pacifiste*
package deal *package deal* m
pact *pacte* m
pad I ZN (de) dier *crapaud* m II ZN (het) weg *sentier* m; *chemin* m ★ op pad gaan *se mettre en route* ★ een verkeerd pad inslaan *se tromper de chemin* ★ altijd op pad zijn *être toujours en route* ▾ het verkeerde pad opgaan *sortir du droit chemin*; *mal tourner*
paddentrek *migration* v *des crapauds*
paddentunnel *crapauduc* m
paddestoel • zwam *champignon* m • wegwijzer *borne* v *de croisement*
paddestoelwolk *champignon* m *atomique*
padvinder *scout* m; *boy-scout* m [mv: *boy-scouts*]
padvinderij *scoutisme* m
paella *paella* v
paf *baba*; *interloqué* ★ ik sta paf *j'en reste baba* ★ ergens paf van staan *rester interloqué de qc*
paffen • roken *fumer comme un pompier* • schieten *tirer*
pafferig *gonflé*; ‹v. gezicht› *bouffi*
pagaai *pagaie* v
page *page* m
pagina *page* v
paginagroot ★ een paginagrote advertentie *une annonce pleine page*
pagineren *paginer*
paginering *pagination* v
pagode *pagode* v
paintbox *boîte* v *de couleurs*
pais *paix* v ▾ alles was pais en vree *le calme régnait*
pak • pakket *paquet* m; ‹groot› *ballot* m • kostuum *complet* m; *costume* m ★ keurig in het pak *en costume-cravate* ▾ bij de pakken neerzitten *se décourager*; *baisser les bras* ▾ dat is me een pak van het hart *cela me soulage* ▾ een pak slaag *une raclée*; *une volée de coups*
pakezel *âne* m *de bat*
pakhuis *entrepôt* m; *magasin* m ★ in een ~ opslaan *emmagasiner*
pakijs *banquise* v
Pakistan *le Pakistan* ★ in ~ *au Pakistan*
pakje • pakket *paquet* m • cadeau *petit cadeau* m [mv: *petits cadeaux*] • mantelpakje *tailleur* m
pakjesavond ≈ *veille* v *de la Saint-Nicolas*
pakkans *risque* m *d'être pris*
pakken I OV WW • beetpakken *prendre*; *saisir*; *attraper*; ‹v. dief› *arrêter* • inpakken *emballer*; ‹proppen› *entasser* ★ zijn koffers ~ *faire ses valises* • betrappen *attraper* • boeien *passionner*; *captiver* ▾ iemand te ~ nemen *avoir qn*; *attraper qn* ▾ als haringen in een ton gepakt *serrés comme des harengs* ▾ het te ~ hebben *avoir un gros rhume*; *être malade*; ‹verliefd zijn op› *avoir le béguin pour qn* ▾ zich te ~ laten nemen *se faire avoir* II ON WW houvast vinden *prendre* ★ deze inkt pakt niet op dit papier *cette encre ne prend pas sur ce papier*
pakkend *captivant*; *poignant*; *passionnant*
pakkerd *grosse bise* v
pakket *paquet* m; *colis* m *(postal)*; ‹onderwijs› *matières* v mv *présentées à l'examen* ★ een ~ maatregelen *un ensemble/paquet de mesures*
pakketpost *service* m *des colis postaux*
pakking • het inpakken *emballage* m • afsluitmateriaal *garniture* v • afsluitring *joint* m *(d'étanchéité)*
pakmateriaal *matériel* m *d'emballage*
pakpapier *papier* m *d'emballage*; ‹sterk› *papier* m *kraft*
paksoi *chou* m *chinois*
pakweg ★ ~ duizend gulden *dans les mille florins*
pal I ZN *arrêt* m; ‹v. tandrad› *cliquet* m II BIJW • onwrikbaar *ferme*; *fermement* ★ pal staan voor/tegen iets *défendre qc de pied ferme* ★ pal oost *plein est* • precies *juste*
paleis *palais* m ★ het koninklijk ~ *le palais royal*
paleisrevolutie *révolution* v *de palais*
Paleoceen *paléocène* m
paleografie *paléographie* v
paleontologie *paléontologie* v
Palestijn *Palestinien* m [v: *Palestinienne*]
Palestijns *palestinien* [v: *palestinienne*]
Palestina *la Palestine* ★ in ~ *en Palestine*
palet *palette* v
palimpsest *palimpseste* m
palindroom *palindrome* m
paling *anguille* v
palissade *palissade* v
palissander *palissandre* m
paljas *paillasse* m; *pitre* m; *clown* m
pallet *pallette* v
palm • handpalm *paume* v • boom *palmier* m
palmboom *palmier* m
palmolie *huile* v *de palme*
Palmpasen *Rameaux* m mv; *Pâques* v mv *fleuries*
palmtak *palme* v; REL. *branche* v *de buis bénit*
palmzondag *Dimanche* m *des Rameaux*; *Pâques* v mv *fleuries*
pamflet *pamphlet* m; FORM. *libelle* m
pampa *pampa* v
pampus ▾ voor ~ liggen *être claqué*
pan • kookpan ‹v. bakken› *poêle* v; ‹v. koken› *casserole* v; *fait-tout* m [onv]; *faitout* m; *cocotte-minute* v [mv: *cocottes-minutes*];

autocuiseur m; ‹gietijzeren stoofpan› *cocotte* v • dakpan *tuile* v
pan- *pan-*
panacee *panacée* v
Panama *le Panama* ⋆ in ~ *au Panama*
Panamakanaal *canal* m *de Panama*
pan-Amerikaans *panaméricain*
pancreas *pancréas* m
pand • gebouw *immeuble* m; *maison* v • onderpand *gage* m; JUR. *nantissement* m ⋆ een pand inlossen *retirer un gage* ⋆ op pand lenen *prêter sur gage* ⋆ in pand nemen *prendre en gage* • slip van jas *pan* m; *queue* v
panda *panda* m
pandbrief *obligation* v *hypothécaire*; ‹verpandbrief› *acte* m *d'une hypothèque*
pandemonium • tumult *bruit* m *infernal* • tempel *pandémonium* m
pandjeshuis *mont-de-piété* m [mv: *monts-de-piété*]
pandjesjas *jaquette* v
pandverbeuren *jeu* m *à gages*
paneel • omlijst vak *panneau* m [mv: *panneaux*] • mengpaneel *table* v *de mixage*
paneermeel *chapelure* v; *panure* v
panel *forum* m
paneldiscussie *réunion-débat* v [mv: *réunions-débats*]
panellid *panéliste* m/v
paneren *paner*
panfluit *flûte* v *de Pan*
paniek *affolement* m; *panique* v ⋆ in ~ zijn *être affolé*
paniekerig *paniqué*; *affolé*
paniekreactie *réaction* v *de panique*
paniektoestand *situation* v *de panique*
paniekvoetbal • gedrag *comportement* m *incohérent* • voetbal *football* m *incohérent*
paniekzaaier *alarmiste* m/v
panikeren *paniquer*; *s'affoler*
panisch I BNW *panique* ⋆ een ~e angst *une peur panique* II BIJW *de panique*
panklaar *prêt à cuire*
panne *panne* v ⋆ ik heb ~ met mijn auto *ma voiture est tombée en panne*
pannendak *toit* m *de tuiles*
pannenkoek *crêpe* v
pannenlap *poignée* v *(pour casserole)*
pannenlikker *palette* v *(en caoutchouc)*
pannenset *lot* m *de casseroles*
pannenspons *éponge* v *métallique*; *éponge* v *en nylon*
panorama *panorama* m
pantalon *pantalon* m
panter *panthère* v
pantheïsme *panthéisme* m
pantheon *panthéon* m
pantoffel *pantoufle* v
pantoffelheld • man onder de plak *mari* m *soumis* • lafaard *dégonflé* m [v: *dégonflée*]
pantomime *pantomime* v
pantser *blindage* m; ‹harnas› *armure* v; SCHEEPV. *cuirasse* v
pantseren *blinder*; SCHEEPV. *cuirasser*
pantserglas *verre* m *anti-balles*
pantsertroepen *troupes* v mv *blindées*
pantservoertuig *engin* m/*véhicule* m *blindé*; ‹Duits Duits› *panzer* m
pantserwagen *(char* m*) blindé*; *automitrailleuse* v
panty *collant* m
pap • voedsel *bouillie* v • mengsel ‹stijfsel› *colle* v; ‹voor stoffen› *apprêt* m; MED. *cataplasme* m
papa *papa* m
papaja *papaye* m
paparazzi *paparazzi* m mv
papaver *pavot* m; ‹klaproos› *coquelicot* m
papegaai *perroquet* m
papegaaiduiker *perroquet* m *de mer*; *macareux* m
paperassen *paperasses* v mv
paperback *livre* m *broché*
paperclip *trombone* m; *attache* v
papeterie • waren *articles* m mv *de papeterie* • winkel *papeterie* v
papier • schrijfpapier *papier* m mv ⋆ kringloop~ *papier recyclé* ⋆ op ~ zetten *mettre par écrit* ⋆ alleen nog maar op ~ bestaan *n'exister qu'à l'état de projet* • document ⋆ ~en *papiers* m mv • geldswaardig stuk *titres* m mv; *effet* m *de commerce* ▾ in de ~en lopen *chiffrer*
papieren *de papier* ⋆ ~ zakje *sachet* m ⋆ ~ servet *serviette* v *en papier*
papierformaat *format* m *de papier*
papiergeld *papier-monnaie* m
papier-maché *papier* m *mâché*
papierversnipperaar *déchiqueteuse* v *de bureau*
papierwinkel *paperasserie* v
papil *papille* v
papillot *papillote* v
papkind *enfant* m *chétif*; *enfant* v *chétive*
paplepel • lepel ≈ *cuiller* v *à dessert* • hoeveelheid *cuillerée* v ▾ dat is hem met de ~ ingegeven *on le lui a inculqué dès sa plus tendre enfance*
Papoea *Papou* m [v: *Papoue*]
Papoeaas *papou*
Papoea-Nieuw-Guinea *la Papouasie-Nouvelle-Guinée* ⋆ in ~ *en Papouasie*
pappa *papa* m
pappen *apprêter*
pappenheimer ▾ ik ken mijn ~s *je connais mon monde*
papperig • kleverig *poisseux* [v: *poisseuse*] • week als pap *pâteux* [v: *pâteuse*]
paprika *poivron* m
paprikapoeder *paprika* m
papyrus *papyrus* m
papyrusrol *rouleau* m *de papyrus* [m mv: *rouleaux ...*]
paraaf *paraphe* m
paraat *prêt*; *disponible*; MIL. *en état de défense*; *prêt au combat* ⋆ JUR. parate kennis *connaissances* v mv *actives*
parabel *parabole* v
parabool *parabole* v
paracetamol *paracétamol* m
parachute *parachute* m
parachutespringen ⋆ aan ~ doen *faire du parachutisme*

parachutist *parachutiste* m/v
parade ‹ook van leger› *parade* v; ‹v. leger› *revue* v; *défilé* m *militaire*
paradepaard • iets waar men trots op is *orgueil* m • paard voor parades *cheval* m *de cérémonie* [m mv: *chevaux ...*]
paradepaardje *orgueil* m
paraderen • parade houden *parader* • pronken *se pavaner*
paradijs *paradis* m ▾ aards ~ *paradis terrestre*
paradijsvogel *paradisier* m
paradox *paradoxe* m
paradoxaal *paradoxal* [m mv: *paradoxaux*]
paraferen *parapher*
parafernalia *accessoires* m mv
paraffine *paraffine* v
paraffineolie MED. *paraffine* v *liquide*; *huile* v *de paraffine*
parafrase *paraphrase* v
parafraseren *paraphraser*
paragnost *voyant* m
paragraaf *paragraphe* m
Paraguay *le Paraguay* ★ in ~ *au Paraguay*
parallel I ZN • vergelijking *parallèle* m ★ een ~ trekken tussen *établir un parallèle entre* • WISK. *parallèle* v • GEO. *parallèle* m II BNW evenwijdig *parallèle (à)*
parallellie *parallélisme* m
parallellogram *parallélogramme* m
parallelweg *route* v *parallèle*; *chemin* m *parallèle*
Paralympics *Jeux* m mv *Olympiques handisports/pour handicapés*
paramedisch *paramédical* [m mv: *paramédicaux*] ★ ~e beroepen *professions paramédicales*
paramilitair *paramilitaire*
paranimf ≈ *personne* v *qui accompagne celle/celui qui soutient une thèse*
paranoia *paranoïa* v
paranoïde *paranoïaque*
paranoot *noix* v *du Brésil*
paranormaal *paranormal* [m mv: *paranormaux*] ★ paranormale gaven *dons* m mv *métapsychiques*
parapenten *faire du parapente*
paraplu *parapluie* m
paraplubak *porte-parapluie* m [onv]
parapsychologie *parapsychologie* v
parasiet *parasite* m
parasiteren *vivre en parasite*; *parasiter quelqu'un*; *faire le parasite*
parasol ‹op hoge steel› *parasol* m; ‹draagbaar› *ombrelle* v
paratroepen *parachutistes* m mv
paratyfus *paratyphoïde* v
parazeilen *faire du parapente*
parcours *parcours* m
pardoes *subitement*; *brusquement*
pardon I ZN vergeving *pardon* m II TW *pardonnez-moi (mais ...)*; *(je vous demande) pardon!*; *excusez-moi*
parel *perle* v ▾ echte ~ *perle fine*
parelduiker *pêcheur* m *de perles*
parelen *perler* ★ het zweet parelde op zijn voorhoofd *la sueur perlait sur son front*
parelhoen *pintade* v
parelmoer *nacre* v
pareloester *huître* v *perlière*
parelsnoer *collier* m *de perles*
parelwit *blanc nacré*
paren I OV WW koppelen *apparier*; FIG. *joindre (à)*; *unir (à)* II ON WW copuleren *s'accoupler (à)*; *copuler (avec)*
pareren *parer*
par excellence *par excellence*
parfum *parfum* m
parfumeren *parfumer*
parfumerie *parfumerie* v; ‹winkel› *parfumerie* v
pari ★ boven/beneden pari *au-dessus/au-dessous du pair* ★ a pari staan *être au pair*
paria *paria* m
parig ★ ~ rijm *rimés deux à deux*
Parijs *Paris*
paring *accouplement* m; *copulation* v
paringsdrift *rut* m; *chaleur* v
pariteit ECON. *parité* v
park *parc* m ★ nationaal park *parc national* m
parka *parka* m
parkeerautomaat *distributeur* m *de tickets de parking*; *horodateur* m
parkeerbaan *orbite* v *d'attente*
parkeerbon *contravention* v; *avis* m *de contravention*; ‹onder de ruitenwisser› *papillon* m
parkeergarage *parking* m
parkeergelegenheid • parkeerterrein *parking* m • parkeerplaats *place* v *de stationnement*
parkeerhaven *voie* v *de garage*; *baie* v
parkeerklem *sabot* m *de Denver*
parkeerlicht *feu* m *de stationnement*
parkeermeter *parcmètre* m
parkeerontheffing *permis* m *de stationnement exceptionnel*
parkeerplaats • parkeerterrein *parking* m; *parc* m *de stationnement*; ‹langs autoweg› *aire* v *de stationnement*; *refuge* m • parkeervak *place* v *de stationnement*
parkeerpolitie *contractuel* m [v: *contractuelle*]
parkeerruimte • parkeerterrein *parking* m • parkeerplaats *place* v *de stationnement*
parkeerschijf *disque* m *de stationnement*
parkeerstrook *bande* v *de stationnement*
parkeertegel *emplacement* m *de stationnement*
parkeerterrein *parking* m; *parc* m *de stationnement*
parkeervak *place* v *de stationnement*
parkeerverbod *interdiction* v *de stationner*
parkeervergunning *permis* m *de stationnement*
parkeerwachter *contractuel* m [v: *contractuelle*]
parkeerzone *zone* v *à stationnement réglementé*
parkeren I OV WW laten staan *garer*; BELG. *parquer*; *ranger* ★ ~ verboden/toegestaan *stationnement interdit/autorisé* II ON WW *stationner* ★ dubbel ~ *stationner en double file*
parket • houten vloer *parquet* m • Openbaar Ministerie *parquet* m • rang in theater

orchestre m ▾ in een moeilijk ~ zitten *être dans une situation critique*
parketvloer *parquet* m
parketwacht *police* v *du parquet*
parkiet *perruche* v
parkietenzaad *graines* v mv *pour perrruches*
parkinson *parkinson* m
parkinsonpatiënt *parkinsonien* m [v: *parkinsonienne*]
parkoers *parcours* m
parkwachter *gardien* m *de parc* [v: *gardienne* ...]
parlement *parlement* m
parlementair *parlementaire*
parlementariër *parlementaire* m/v
parlementsgebouw *parlement* m; ‹in Fr.› *salle* v *du Congrès*
parlementslid *membre* m *du parlement*; *parlementaire* m/v
parlementsverkiezingen *(élections* v mv*) législatives* v mv
parmantig **I** BNW *crâne* **II** BIJW *d'un air crâne*
parochiaal *paroissial* [m mv: *paroissaux*]
parochiaan *paroissien* m [v: *paroissienne*]
parochie *paroisse* v
parochieraad *comité* m *paroissial*
parodie *parodie* v
parodiëren *parodier*
parool • wachtwoord *mot* m *de passe* • leus *devise* v
part *part* v; *portion* v; ‹v. vrucht› *quartier* m ★ voor mijn part *pour ma part*; *quant à moi* ★ mijn geheugen speelt mij parten *ma mémoire me joue des tours* ▾ iemand parten spelen *jouer un mauvais tour à qn*
parterre • begane grond *rez-de-chaussée* m [onv] • rang in schouwburg *parterre* m
participant *participant* m; *associé* m
participatie *participation* v
participeren *participer*
particulier **I** ZN *particulier* m ★ als ~ *en simple particulier* **II** BNW *privé*; *particulier* [v: *particulière*]; *individuel* [v: *individuelle*] ★ ~e school *école libre*; *école privée* v ★ in de ~e sector *dans le secteur privé* **III** BIJW *en privé*
partieel **I** BNW *partiel* [v: *partielle*] **II** BIJW *partiellement*
partij • groep *partie* v; ‹politiek› *parti* m ★ iemands ~ kiezen *prendre le parti de qn* ★ de ~en komen overeen dat *les parties conviennent que* ★ onverschillig tot welke ~ ze behoren *quel que soit leur bord* • gedeelte *partie* v • hoeveelheid *lot* m • contractant *partie* v • procesvoerder *partie* v • huwelijkspartner *parti* m ★ zij is een goede ~ *elle est un beau parti* • spel *partie* v ★ de ~en staan niet gelijk *la partie n'est pas égale* • feest *fête* v; *partie* v • MUZ. *partie* v • voordeel ★ ~ trekken van *tirer parti de* • handeling, gebeurtenis ★ van de ~ zijn *être de la partie*
partijbijeenkomst *journée* v/*congrès* m *d'un parti*
partijbonze INF. *dinosaure* m
partijdig **I** BNW *partial* [m mv: *partiaux*]; *partisan* **II** BIJW *avec partialité*
partijganger *partisan* m [v: *partisane*]
partijgenoot *membre* m *du parti*; ‹binnen de Communistische Partij› *camarade* m/v
partijkader *cadres* m mv *du parti*
partijleider *chef* m *de parti*
partijpolitiek *politique* v *d'un parti*; ‹bepaald› *politique* v *du parti*
partijraad *comité* m *central d'un parti politique*
partijtop *responsables* m mv *du parti*
partikel *particule* v
partituur *partition* v
partner *partenaire* m/v
partnerruil *échangisme* m
partnership *partenariat* m
parttime *à temps partiel* ★ ~ werken *travailler à mi-temps*
parttimebaan *emploi* m *à mi-temps*
parttimer *part-time* m; *employé* m *(qui travaille) à temps partiel*
parvenu *parvenu* m; *nouveau riche* m
pas **I** ZN (de) • stap *pas* m ★ in de pas lopen *marcher au pas* ★ zijn pas versnellen *allonger le pas*; *presser le pas* ★ pas op de plaats maken *piétiner sur place* • legitimatiebewijs *carte* v • bergpas *col* m; *défilé* m ▾ uit de pas raken *faire cavalier seul* **II** ZN (het) ▾ juist van pas komen *tomber à pic*/*à point nommé*; *venir juste à propos*; *venir au bon moment* **III** BIJW • nog maar net *récemment* ★ pas geverfd *peinture fraîche* ★ hij is pas aangekomen *il vient d'arriver* • niet meer/eerder/verder dan *à peine* ★ zij komt pas om 6 uur *elle n'arrive qu'à six heures*
pascal *pascal* m
PASCAL COMP. *Pascal* m
pascontrole *contrôle* m *des passeports*
Pasen ‹christelijk› *Pâques* v mv; ‹Isr.› *Pâque* v ★ ~ houden ‹rooms-katholiek› *faire ses Pâques*
pasfoto *photo* v *d'identité*
pasgeboren *nouveau-né* [m mv: *nouveau-nés*] [v: *nouveau-née*]
pasgetrouwd *qui vient de se marier* ★ het ~e stel *les nouveaux mariés*
pasje • legitimatiebewijs *carte* v; ‹m.b.t. abonnement› *carte* v *d'abonné*; ‹m.b.t. lidmaatschap› *carte* v *de membre*; *permis* m • stapje *petit pas* m
pasjessysteem *admission* v *à un match de football sur présentation d'un permis*
paskamer *cabine* v *d'essayage*
pasklaar • gereed om gepast te worden *ajusté*; *prêt pour l'essayage* • zo gemaakt dat het past ★ ~ gemaakt *adapté aux besoins*; *répondant aux besoins* ★ een pasklare oplossing *une solution miracle* ★ pasklare antwoorden *des réponses toutes faites*
pasmunt *(petite) monnaie* v
paspoort *passeport* m ★ geldig ~ *passeport valide*
paspop *mannequin* m
pass SPORT *passe* v
passaat *alizé* m
passaatwind *(vent* m*) alizé* m
passage *passage* m ★ ~ bespreken *retenir une place à bord (de)*
passagier ‹trein, bus› *voyageur* m [v:

P

voyageuse]; ‹boot, vliegtuig› *passager* m [v: *passagère*]
passagieren *tirer une bordée*
passagierslijst *liste* v *des passagers*
passagiersschip *paquebot* m; *navire* m *de passagers*
passagiersvliegtuig *avion* m *pour le transport de passagers*
passant *passant* m [v: *passante*]
passé *dépassé*
passen I OV WW • afpassen *ajuster*; *adapter* • juiste maat proberen *essayer* II ON WW • op maat zijn *aller (bien)* ★ in elkaar ~ *s'emboîter*; *se joindre* • afpassen *faire l'appoint* ★ gelieve met gepast geld te betalen *prière de faire l'appoint* • beurt overslaan *passer* • fatsoenlijk zijn *être convenable*; *convenir* • gelegen komen *convenir* • ~ **bij** *être assorti*; *cadrer avec*; *aller avec* ★ bij elkaar ~ *aller bien ensemble*; *cadrer bien* • ~ **op** *s'occuper de (quelqu'un|quelque chose)*; *garder (quelque chose)*; *surveiller (quelqu'un|quelque chose)* ★ op zijn woorden ~ *se surveiller* ★ je moet op je broertje ~ *tu dois garder ton petit frère* ▼ ik pas er voor *je n'y tiens pas*; *merci!*
passend I BNW • gepast *convenable*; *approprié* • erbij passend *ajusté*; *adapté* ★ bij elkaar ~e kleren *des vêtements qui vont bien ensemble* ★ bij elkaar ~e kleuren *des couleurs assorties* ▼ ~e betrekking *un travail adéquat* ▼ ~ maken *ajuster* II BIJW *convenablement*
passe-partout • lijst *passe-partout* m [onv] • toegangskaart *forfait* m
passer *compas* m
passerdoos *boîte* v *de compas*
passeren I OV WW • voorbijgaan *passer (devant|par)*; *dépasser* ★ mag ik even ~? *vous permettez?*; *je peux passer, s'il vous plaît?* ★ een gebouw ~ *passer devant un bâtiment* ★ de vrachtwagen passeerde de auto *le camion a dépassé la voiture* • overslaan *passer* ★ dat kan ik niet laten ~ *je ne peux pas laisser passer ça* • bekrachtigen ★ een akte ~ *établir|dresser un acte* II ON WW gebeuren *se passer*
passie *passion* v
passiebloem *passiflore* v
passief I ZN *passif* m II BNW *passif* [v: *passive*] III BIJW *passivement*
passievrucht *fruit* v *de la Passion*
passiva *passif* m
passiviteit *passivité* v
passpiegel *glace* v
password *mot* m *de passe*
pasta • mengsel *pâte* v • deegwaar *pâtes* v mv
pastei *pâté* m
pastel *pastel* m
pasteltint *ton* m *pastel*
pasteuriseren *pasteuriser*
pastille *pastille* v
pastoor *curé* m
pastor *prêtre* m; *pasteur* m
pastoraal *pastoral* [m mv: *pastoraux*]
pastoraat *pastorat* m
pastorale • MUZ. *pastorale* v • herderslied *pastourelle* v
pastorie *cure* v; *presbytère* m
pasvorm *coupe* v; *façon* v
paswoord → **password**
pat I ZN (de) strookje stof *patte* v II BNW *pat*
patat *frites* v mv; *pommes* v mv *frites*
patatkraam *friterie* v
patchwork *patchwork* m
paté *pâté* m
patent I ZN *patente* v; *brevet* m *d'invention* II BNW *excellent*; *superbe* III BIJW *à merveille*; *très bien*
patentbloem *fleur* v *de farine*
patenteren *breveter*
pater *père* m; ‹aanspreking› *mon père*; ‹met naam› *révérend père* m
pater familias *pater familias* m; *père* m *de famille*
paternalistisch I BNW *paternaliste* II BIJW *de façon paternaliste*
paternoster I ZN (de) rozenkrans *chapelet* m II ZN (het) gebed *Pater* m
pathetisch *pathétique*
pathologie *pathologie* v
pathologisch *pathologique*
patholoog-anatoom *pathologiste* m/v; ‹v. politie› *médecin* m *légiste*
pathos *pathétique* m; *pathos* m; *emphase* v
patience *réussite* v ★ ~ spelen *faire une réussite*
patiënt *malade* m/v; ‹bij operatie en tegenover dokter› *patient* m [v: *patiente*]
patiëntenorganisatie *association* v *de clients*; *association* v *de personnes atteintes d'une même maladie*
patiëntenplatform *groupement* m *de coopération*; *plateforme* v *de clients d'une même clinique*
patio *patio* m
patiowoning ≈ *maison* v *non indépendante avec cour intérieure*
patisserie *pâtisserie* v
patriarch *patriarche* m
patriarchaal *patriarcal* [m mv: *patriarcaux*]
patriarchaat *patriarcat* m
patriciër *patricien* m
patrijs *perdrix* v
patrijspoort *hublot* m
patriot *patriote* m/v
patriottisch *patriotique*
patriottisme *patriotisme* m
patronaat *patronage* m
patroon I ZN (de) • beschermheer *patron* m • beschermheilige *patron* m • baas *patron* m • huls met lading *cartouche* v II ZN (het) • model *patron* m; *modèle* m • dessin *motif* m; *dessin* m
patroonheilige *patron* m [v: *patronne*]
patroonhuls *douille* v
patrouille *patrouille* v
patrouilleauto *voiture* v *de patrouille*
patrouilleboot *patrouilleur* m
patrouilledienst *patrouille* v
patrouilleren *patrouiller*
patser *frimeur* m
patstelling • stelling in schaakspel *pat* m • impasse *impasse* v
pauk *timbale* v
paukenist *timbalier* m

pauper *miséreux* m [v: *miséreuse*]
paus *pape* m; *souverain* m *pontife*
pauselijk *papal* [m mv: *papaux*]; *pontifical* [m mv: *pontificaux*] ★ ~e zegen *bénédiction* v *apostolique*
pausmobiel *papamobile* v
pauw *paon* m
pauwenoog ‹vlinder› *ocelle* v; *paon* m
pauze *pause* v; ‹school› *récréation* v; ‹bij voorstelling› *entracte* m; JUR. *suspension* v *de séance*; ‹bij sport› *temps* m *mort*
pauzefilm *séance* v *organisée pendant la pause de midi*
pauzeren *faire une pause*; *faire la pause*
pauzeteken *pause* v; ‹radio› *indicatif* m
pauzetoets *touche* v *de pause/d'interruption*
paviljoen *pavillon* m
pay-tv *télévision* v/*chaîne* v *payante/à péage/cryptée*
PCB *PCB* m
peacekeeper *forces* v mv *de maintien de la paix*; *soldat* m *de la paix*
pecannoot *noix* v *pécane*
pech • tegenspoed *malchance* v; INF. *déveine* v ★ pech hebben *manquer de chance* • panne *panne* v
pechlamp *lampe* v *de secours*
pechvogel *malchanceux* m [v: *malchanceuse*]
pectine *pectine* v
pedaal *pédale* v ★ zachte ~ ‹v. orgel of piano› *pédale d'étouffement*
pedaalemmer *poubelle* v *à pédale*
pedagogisch *pédagogique* ★ ~e academie *école normale* v
pedagoog *pédagogue* m/v
pedant I BNW wijsneuzig *pédant* II BIJW *d'un air suffisant/présomptueux*
pedanterie • wijsneuzigheid *pédanterie* v • verwaandheid *présomption* v
peddel *pagaie* v
peddelen • roeien *pagayer* • fietsen *pédaler* ★ hij is naar huis gepeddeld *il est rentré en vélo*
pedel *appariteur* m
pediatrie *pédiatrie* v
pedicure *pédicure* m/v
pedofiel I ZN *pédophile* m/v II BNW *pédophile*
pedologie *pédologie* v
pedometer *pédomètre* m
peeling *peeling* m; *gommage* m
peen *carotte* v
peepshow *peepshow* m
peer • vrucht *poire* v • boom *poirier* m • lamp *ampoule* v • vent *bonne poire* v
peervormig *en poire*; *piriforme*
pees *tendon* m
peeskamertje *chambre* v *de passe*
peesontsteking *tendinite* v
peetoom *parrain* m
peettante *marraine* v
pegel • ijskegel *glaçon* m • gulden *picaillons* m mv
peignoir *peignoir* m
peil *niveau* m ★ Amsterdams peil *zéro* m *d'Amsterdam* ▾ er is geen peil op te trekken *on ne sait pas à quoi s'en tenir*
peildatum *date* v *repère*
peilen *sonder*; ‹in vat› *jauger*; *mesurer*
peilglas ≈ *éprouvette* v
peiling ‹v. plaats› *localisation* v; *repérage* m; ‹v. diepte› *sondage* m; ‹v. diepte van vloeistof› *jaugeage* m
peillood *sonde* v; *plomb* m
peilloos *sans fond*; *insondable*; FIG. *immense*
peilstok *jauge* v
peinzen *songer (à)*; *réfléchir (à/sur)*; *méditer (sur)*; *rêver (à)* ★ zich suf ~ *se creuser la tête*
pek *poix* v ★ met pek bestrijken *poisser*
pekel • oplossing *saumure* v • strooizout *sel* m *de déneigement*
pekelen • in pekel inleggen *saumurer*; *mettre dans la saumure* • bestrooien *répandre du sel*
pekelvlees *viande* v *salée*
pekinees *pékinois* m
Peking *Pékin*
pekingeend *canard* m *mandarin*
pelgrim *pèlerin* m
pelgrimage *pèlerinage* m
pelgrimsoord *pelgrimage* m; *(lieu* m *de) pèlerinage* m
pelikaan *pélican* m
pellen ‹boon› *écosser*; ‹gerst› *monder*; ‹rijst› *décortiquer*; ‹vrucht› *peler*; ‹garnaal, graan, noot› *éplucher* ★ ei ~ *enlever la coquille d'un œuf*
peloton *peloton* m
pels • bont *fourrure* v • vacht *peau* v; *pelisse* v
pelsdier *animal* m *à fourrure* [m mv: *animaux* ...]
pelsjager *chasseur* m *de fourrures*; *trappeur* m
pelvis *pelvis* m
pen • vogelveer *plume* v • schrijfpen *stylo* m • lang, puntig voorwerp ‹houten pin› *tenon* m; ‹pin› *cheville* v; ‹scharnierpin/stift› *clavette* v; ‹stekel van egel› *piquant* m
penalty *penalty* m [mv: *penalties*]
penaltystip *point* m *de penalty*
penarie ▾ in de ~ zitten *être dans la dèche*
pendant *pendant* m ★ een ~ vormen met *faire pendant à*
pendel • hanglamp *(lampe* v *à) suspension* • het pendelen *navette* v
pendelaar *personne* v *qui fait la navette*
pendelbus *navette* v
pendeldienst *navette* v
pendelen *faire la navette*
pendule *pendule* v
penetrant I BNW *pénétrant* II BIJW *de manière pénétrante*
penetratie *pénétration* v
penetreren *pénétrer (dans)*
penibel *pénible*
penicilline *pénicilline* v
penis *pénis* m
penisnijd *envie* v *du penis*
penitentiair *pénitentiaire*
penitentie *pénitence* v
pennen *écrire*
pennenbak *plumier* m *de bureau*
pennenlikker *gratte-papier* m [onv]
pennenmes *canif* m
pennenstreek *trait* m *de plume*
pennenvrucht *ouvrage* m; *production* v

littéraire
penning • geld *monnaie* v; GESCH. *denier* m • muntstuk *jeton* m • medaille *médaille* v
penningmeester *trésorier* m [v: *trésorière*]
penopauze *andropause* v
penoze *pègre* v
pens • buik *panse* v; INF. *bidon* m • voormaag *panse* v mv; ‹als voedsel› *tripes* v mv
penseel *pinceau* m [mv: *pinceaux*]; *brosse* v
penseelstreek *coup* m *de pinceau*; *touche* v
pensioen *(pension* v *de) retraite* ★ ~ krijgen *obtenir sa retraite* ★ met ~ gaan *prendre/demander sa retraite* ★ vervroegd ~ *retraite anticipée*; *préretraite* v ★ ~ aanvragen *demander sa retraite*
pensioenbreuk ≈ *dévalorisation* v *de la retraite (par suite de rupture de carrière)*
pensioenfonds *caisse* v *de retraite*
pensioengerechtigd ★ ~e leeftijd *âge* m *légal de la retraite* ★ ~ zijn *avoir droit à la retraite*
pensioenopbouw *cotisations* v mv *à la caisse de retraite*
pensioenpremie *cotisation* v *à la caisse de retraite*
pension *pension* v ★ in ~ zijn bij *être en pension chez*
pensionaat *pensionnat* m
pensioneren *mettre à la retraite* ★ gepensioneerd *en retraite*; *retraité*
pensionering *mise* v *à la retraite*
pensionhouder *patron* m *d'une pension* [v: *patronne* ...]
pentagram *pentacle* m
pentatleet *pentathlonien* m [v: *pentathlonienne*]
penthouse *penthouse* m
penvriend *correspondant* m [v: *correspondante*]
pep • fut *punch* m • pepmiddel *stimulant* m
peper *poivre* m ★ Spaanse ~ *piment fort* m
peperbus *poivrier* m
peperduur *terriblement cher* [v: ... *chère*]
peperen *poivrer* ★ een gepeperde rekening *une note salée*
peper-en-zoutkleurig *poivre et sel*
peperkoek *gâteau* m *au poivre*
peperkorrel *grain* m *de poivre*
pepermolen *moulin* m *à poivre*
pepermunt • plant *menthe* v *poivrée* • snoepgoed *bonbon* m *à la menthe*
pepermuntje *bonbon* m *à la menthe*; *pastille* v *de menthe*
pepernoot *nonnette* v; ≈ *chanoinette* v
pepmiddel *stimulant* m; *énergisant* m
peppil *stimulant* m
peptalk *encouragements* m mv
peptide *peptide* m
per • vanaf *à partir de* ★ per 1 augustus *à partir du premier août* • door middel van/met *par*; *en* ★ per fiets/boot/trein/vliegtuig reizen *voyager en vélo/bateau/train/avion* ★ per vliegtuig versturen *envoyer par avion* • in/voor ★ per stuk *la pièce* ★ per vierkante meter *au mètre carré* ★ vijf gulden per persoon *cinq florins par personne* ★ per kilo *le kilo* ★ per dag *par jour* ★ per hoofd van de bevolking *par habitant* ★ honderd kilometer per uur *cent kilomètres à l'heure*
perceel • stuk land *parcelle* v *de terrain* • pand *immeuble* m
percent *pour cent* m ★ tegen 4 ~ *à quatre pour cent* ★ tegen een rente van vier ~ *à un taux d'intérêt de quatre pour cent*
percentage *pourcentage* m ★ ~ geslaagden *taux* m *de réussites*
percentiel *percentile* m
percentsgewijs *en pourcentage*
perceptie *perception* v
perceptief *perceptif* [v: *perceptive*]
percolator *percolateur* m
percussie *percussion* v
percussionist *percussionniste* m/v
perenboom *poirier* m
perensap *jus* m *de poire*
perestrojka *perestroïka* v
perfect *parfait*; *excellent*
perfectie *perfection* v
perfectioneren *perfectionner*
perfectionist *perfectionniste* m/v
perfide *perfide*
perfidie *perfidie* v
perforatie *perforation* v
perforator *perforeuse* v
perforeren *perforer*
performance *performance* v; ‹radio, tv› *prestation* v; ‹voordracht› *présentation* v
pergola *pergola* v
perifeer *périphérique* ★ het perifere zenuwstelsel *le système nerveux périphérique* ★ COMP. perifere apparatuur *les périphériques* m mv
periferie *périphérie* v
perikel • gevaar *péripéties* v mv; *aventures* v mv • lastig voorval *ennuis* m mv ★ amoureuze ~en *des tribulations* v mv *sentimentales*
periode *période* v
periodekampioen SPORT *champion* m *(d'une période donnée)*
periodiek I ZN tijdschrift *périodique* m II BNW *périodique* ★ met ~e verhogingen *avec des augmentations périodiques*
periscoop *périscope* m
peristaltisch *péristaltique*
perk • begrenzing FIG. *limite* v; *borne* v ★ de perken te buiten gaan *dépasser les bornes*; *passer toute mesure* • vlak in een tuin *massif* m; *parterre* m; ‹grasperk› *pelouse* v
perkament *parchemin* m; ‹papier› *papier-parchemin* m [mv: *papiers-parchemins*]
Perm *permien* m
permafrost *permafrost* m
permanent I ZN *permanente* v II BNW *permanent*; *continu*; *fixe* ★ zich ~ verklaren *se déclarer en permanence*
permanenten *permanenter*
permeabel *perméable*
permissie *permission* v; MIL. *permission* v ★ ~ vragen om *demander la permission de*
permissief *permissif* [v: *permissive*]
permitteren *permettre*
perpetuum mobile *machine* v *à mouvement perpétuel*

P

perplex *interdit; bouche bée; perplexe*
perron *quai* m
pers • toestel om te persen *presse* v; ‹wijnpers› *pressoir* m • drukpers *presse* v ⋆ het boek is ter perse *le livre est sous presse* • nieuwsbladen en journalisten *presse* v
persagentschap *agence* v *de presse*
per saldo → **saldo**
persbericht • bericht aan de pers *communiqué* m *à la presse* • bericht in de pers *dépêche* v
persbureau *agence* v *de presse*
perschef *porte-parole* m *officiel*
persconferentie *conférence* v *de presse*
per se *à tout prix; absolument; forcément* ⋆ iets ~ willen *vouloir qc absolument* ⋆ dat hoeft niet ~ nodig te zijn *ça n'est pas forcément nécessaire*
persen I ov ww • iets krachtig drukken *comprimer; tasser; presser* • uitpersen *presser* ⋆ olie ~ *extraire de l'huile* • gladstrijken *repasser à la vapeur*; ‹stomen› *presser* II on ww drukken *pousser*
persfotograaf *reporter* m *photographe; photographe* m/v *de presse*
persiflage *persiflage* m
perskaart *carte* v *de presse; coupe-file* m [mv: *coupe-file(s)*]
persklaar *bon à tirer* [v: *bonne à tirer*]
persmuskiet *journaliste* m *indiscret* [v: ... *indiscrète*]; *paparazzi* m mv
personage *personnage* m
personal computer *PC* m; *micro(-ordinateur)* m
personalia *coordonnées* v mv; *détails* m mv *personnels*
persona non grata *persona* v *non grata*
personeel I zn *personnel* m mv; *employés* m mv ⋆ mijn ~ *mon personnel* II bnw persoonlijk *personnel* [v: *personnelle*] III bijw *personnellement*
personeelsadvertentie *annonce* v *de recherche de personnel*
personeelsbeleid *gestion* v *du personnel*
personeelslid *membre* m *du personnel*
personeelsstop *arrêt* m *de l'embauchage*
personeelstekort *manque* m *de personnel*
personeelszaken • aangelegenheden *affaires* v mv *du personnel* • afdeling *bureau* m *du personnel*
personenauto *voiture* v; *voiture* v *de tourisme*
personenlift *ascenseur* m
personenregister *registre* m *des noms de personnes*
personenvervoer *transport* m *des voyageurs*
personificatie *personnification* v
personifiëren *personnifier*
persoon • individu *personne* v; *personnage* m ⋆ in eigen ~ *en personne* • taalk. *personne* v
persoonlijk I bnw *personnel* [v: *personnelle*] ⋆ ~e vrijheid *liberté* v *individuelle* ⋆ om ~e redenen *pour des raisons personnelles* II bijw *personnellement; en personne*
persoonlijkheid • aard *personnalité* v • persoon *forte individualité* v
persoonsbewijs *carte* v *d'identité*
persoonsgebonden *personnel* [v: *personnelle*]; *subjectif* [v: *subjective*]
persoonsregister *registre* m *d'état civil*
persoonsregistratie *enregistrement* m *d'état civil*
persoonsverheerlijking *culte* m *de la personnalité*
persoonsvorm *verbe* m *conjugué*
perspectief *perspective* v
perspectivisch I bnw *perspectif* [v: *perspective*] II bijw *suivant les lois de la perspective*
perspex I zn *plexiglas* m II bnw *en plexiglas*
perssinaasappel *orange* v *à presser*
perstribune *tribunes* v mv *de la presse*
persvoorlichter *informateur* m *de presse* [v: *informatrice* ...]
persvrijheid *liberté* v *de la presse*
perswetenschap *journalisme* m
pertinent I bnw • beslist *incontestable; évident* • ter zake dienend *pertinent* II bijw *formellement* ⋆ ~ liegen *mentir effrontément* ⋆ ~ volhouden *s'opiniâtrer à; s'obstiner à*
Peru *le Pérou*
pervers I bnw *pervers* II bijw *avec perversité*
perversie *perversion* v
Perzië *la Perse*
perzik • vrucht *pêche* v • boom *pêcher* m
perzikhuid *peau* v *de pêche*
pessarium *pessaire* m; *diaphragme* m
pessimisme *pessimisme* m
pessimist *pessimiste* m/v
pessimistisch I bnw *pessimiste* II bijw *avec pessimisme*
pest *peste* v ▾ ergens de pest over inhebben *râler contre qc*
pestbui *rogne* v; *humeur* v *massacrante* ▾ een ~ hebben *être en rogne/d'humeur massacrante*
pesten *faire enrager; enquiquiner*; ‹v. leraar› *chahuter*
pestepidemie *(épidémie* v *de) peste* v
pesterij *tracasserie* v; *brimade* v; *vexation* v; ‹v. leraar› *chahut* m
pesthekel ⋆ een ~ hebben/krijgen aan *haïr comme la peste*
pesthumeur *rogne* v ⋆ een ~ hebben *être en rogne*
pesticide *pesticide* m
pestkop *taquin* m; *petite peste* v
pet *casquette* v; ‹militair› *képi* m ▾ dat gaat boven mijn pet *cela me dépasse*
petekind *filleul* m [v: *filleule*]
peter *parrain* m
peterselie *persil* m
petfles *bouteille* v *en plastic recyclable*
petieterig I bnw *minuscule* II bijw *petitement*
petitfour *petit-four* m
petitie *pétition* v
petrochemie *pétrochimie* v
petrochemisch *pétrochimique*
petroleum *pétrole* m
petroleumhoudend *pétrolifère*
petroleumlamp *lampe* v *à pétrole*
petrouleumtanker *pétrolier* m
pets *claque* v
petticoat *jupon* m
petto ▾ iets in ~ hebben *avoir concocté qc; avoir préparé qc*

P

petunia *pétunia* m
peuk • stompje sigaret *mégot* m • sigaret *clope* v
peul • peulvrucht *cosse* v; *gousse* v • soort erwt *pois* m *mange-tout* [onv]
peulenschil • kleinigheid *bagatelle* v ★ dat is geen ~ *ce n'est pas de la tarte* • schil van een peul *cosse* v
peultjes *mange-tout* m [onv]
peulvrucht • erwt, boon *légumes* m mv *secs* • plant ★ ~en *légumineuses* v mv • vrucht *gousse* v
peut • petroleum *pétrole* m • terpentine *white spirit* m • klap *baffe* v
peuter ‹meisje› *toute petite* v; ‹jongen› *tout-petit* m [mv: *tout-petits*]; *bambin* m
peuteren • pulken *farfouiller (dans)* ★ in zijn neus ~ *se curer le nez* • friemelen *tripoter* ★ aan iets ~ *tripoter qc*
peuterig I BNW • prutserig *bâclé*; *torché* • klein *minuscule* II BIJW • prutserig *sans soin* • pietepeuterig ★ ~ afwerken *fignoler*
peuterleidster *jardinière* v *d'enfants*
peuterspeelzaal *crèche* v; *jardin* m *d'enfants*; *garderie* v
pezen • hard werken *trimer* • tippelen *faire le trottoir* • neuken *baiser*
pezig *tendineux* [v: *tendineuse*]
pfeiffer ★ ziekte van Pfeiffer *mononucléose* v *infectieuse*
pH *pH* m
pi *pi* m
pianissimo *pianissimo*
pianist *pianiste* m/v
piano I ZN (de) *piano* m ★ ~spelen *jouer du piano* II BIJW *doucement*; ‹mbt muziek› *piano*
pianoconcert • muziekstuk *concerto* m *pour piano* • uitvoering *concert* m *de piano*
pianoforte *piano-forte* m [mv: *pianos-forte*]
pianola *pianola* m; *piano* m *mécanique*
pianoles *leçon* v *de piano*
pianostemmer *accordeur* m *de pianos*
pias *bouffon* m
piccalilly *piccalilli* m
piccolo • hotelbediende *groom* m; *chasseur* m • kleine fluit *piccolo* m; *octavin* m; *petite flûte* v
picknick *pique-nique* m [mv: *pique-niques*]
picknicken *pique-niquer*
picknickmand *panier* m *de pique-nique*
pick-up • platenspeler *tourne-disque* m [mv: *tourne-disques*]; *électrophone* m • bestelauto *pick-up* m [onv]
picobello *impec(cable)*
pictogram *pictogramme* m
picture ▾ in de ~ komen *attirer l'attention*
piëdestal *piédestal* m; *socle* m
pief *type* m ★ een hoge pief *un gros bonnet*
piek • spits *pic* m • gulden *balles* v mv ★ vijfentwintig piek *vingt-cinq balles* ★ heb je misschien honderd piek voor me? *t'as pas cent balles?* • haarlok *mèche* v *rebelle* • wapen *pique* v
pieken *réaliser une performance sportive*
piekeraar *anxieux* m [v: *anxieuse*]
piekeren • ingespannen denken *se creuser la tête* • tobben *se tracasser*; *se torturer l'esprit* ▾ ik pieker er niet over *pas question*; *il n'en sera rien*
piekfijn I BNW • erg goed *impeccable*; *parfait* • keurig *élégant*; *très soigné*; *chic* II BIJW *avec élégance*; *à la perfection*
piekhaar *cheveux* m mv *hérissés*
piekuur *heure* v *de pointe*
pielen *bricoler*
piemel *zizi* m; *quéquette* v
pienter *avisé*; *intelligent*; *éveillé*; *ingénieux* [v: *ingénieuse*]
piep *bip* m
piepen • geluid maken ‹v. dieren› *pousser des petits cris*; *couiner*; ‹v. vogels› *pépier*; *piailler*; ‹v. deuren› *grincer* ★ een ~de ademhaling *une respiration sifflante* ★ ~de stem *voix* v *grêle* • klagen *gémir*; *geindre*
pieper • apparaatje *bip* m • aardappel *patate* v
piepje *bip* m
piepjong *tout jeune*; *très jeune*; *naïf* [v: *naïve*]
piepklein *minuscule*
piepkuiken *poussin* m
piepschuim *polystyrène* m *expansé*
pieptoon *bip* m
piepzak ▾ in de ~ zitten *avoir la frousse*
pier • worm *ver* m *de terre*; ‹aas› *asticot* m • wandeldam *jetée* v; *môle* m • loopbrug ‹luchthaven› *satellite* m
piercing *piercing* m
pierebad *pataugeoire* v
pierement *orgue* m *de Barbarie*
pierewaaien *faire la fête*
pies *pisse* v
piesbak *pissotière* v
piesen *pisser*
piet ★ hoge piet *cacique*
Piet • persoon *crack* m • vogel *canari* m ▾ zich een hele Piet voelen *avoir l'air de qn* ▾ een hoge Piet *un gros bonnet* ▾ een saaie Piet *un empaillé* ▾ een Pietje precies *une fignoleuse*; *un fignoleur* ▾ iemand de zwarte Piet toespelen *renvoyer la balle à qn*; *refiler le bébé à qn*
piëteit *piété* v ★ uit ~ *par piété*
pietepeuterig • klein *minuscule* • pietluttig *pointilleux* [v: *pointilleuse*]
pietlut *chicanier* m [v: *chicanière*]; *tatillon* m [v: *tatillonne*]
pietluttig I BNW *chicanier* [v: *chicanière*] II BIJW *en chicanant*
pigment *pigment* m
pigmentatie *pigmentation* v
pigmentvlek *tache* v *pigmentée*
pij *froc* m
pijl *flèche* v
pijler *pilier* m; ‹v. brug› *pile* v; *colonne* v
pijlinktvis *encornet* m
pijlkruid *sagette* v; *flèche* v *d'eau*
pijlsnel I BNW *rapide comme une flèche* II BIJW *au sprint*; *avec la rapidité d'une flèche*
pijltjestoets *touche* v *fléchée*
pijlvormig *sagittal* [m mv: *sagittaux*]; ‹v. planten› *sagitté*
pijn • lichamelijk lijden *douleur* v; *mal* m; KIND. *bobo* m ★ iem. pijn doen *faire mal à qn*

★ pijn in de buik hebben *avoir mal au ventre* ★ stekende pijn *douleur aiguë* ★ pijn lijden *souffrir* • verdriet *douleur* v ★ iem. pijn doen *blesser qn* • moeite *mal* m
pijnappel *pomme* v *de pin*
pijnappelklier *épiphyse* v
pijnbank GESCH. *chevalet* m ▾ iemand op de ~ leggen *mettre qn au supplice*
pijnbestrijding *soins* m mv *palliatifs*
pijnboom *pin* m
pijngrens *seuil* m *de tolérance à la douleur*
pijnigen *martyriser*; *torturer*; FIG. *tourmenter* ★ zijn hersens ~ *se creuser la tête*
pijnlijk I BNW • pijn doend *douloureux* [v: *douloureuse*] • onaangenaam *pénible* **II** BIJW *péniblement*; *douloureusement*
pijnloos I BNW *indolore*; *sans douleur* **II** BIJW *sans douleur*
pijnprikkel *sensation* v *de douleur*
pijnpunt *point* m *névralgique*
pijnscheut *élancement* m
pijnstillend *calmant*; *sédatif* [v: *sédative*]; *analgésique* ★ ~ middel *calmant* m; *analgésique* m
pijnstiller *calmant* m
pijp • buis *tuyau* m [mv: *tuyaux*]; *tube* m • rookgerei *pipe* v ★ pijp roken *fumer la pipe* • schoorsteenpijp *cheminée* v • broekspijp *jambe* v • staafje ‹pijpkaneel› *bâton* m *de cannelle* ▾ naar iemands pijpen dansen *se laisser mener par qn*; *faire les quatre volontés de qn*
pijpen *faire/tailler une pipe (à)*; VULG. *faire pompette*
pijpenkrul *anglaise* v
pijpenla • vertrek *pièce* v *en boyau* • la voor pijpen *tiroir* m *à pipes*
pijpenrager *cure-pipe* m [mv: *cure-pipes*]
pijpensteel *tuyau* m *de pipe* ▾ het regent pijpenstelen *il pleut des cordes*
pijpfitter *tuyauteur* m [v: *tuyauteuse*]
pijpfitting *raccord* m
pijpje • kleine pijp *petite pipe* v • pilsflesje *canette* v
pijpkaneel *cannelle* v *en bâtonnets*
pijpleiding • pijplijn *pipeline* m; ‹olieleiding› *oléoduc* m; ‹gasleiding› *gazoduc* m • samenstel van pijpen *canalisations* v mv; ‹v. machine› *tuyauterie* v
pijpsleutel *clé* v *à pipe*
pik • prik *coup* m *de bec*; *coup* m *de fourchette* • penis *bite* v ▾ de pik hebben op *avoir une dent contre*
pikant • scherp *piquant*; *épicé*; *relevé* ★ ~ smaken *avoir un goût relevé*; *avoir une saveur piquante* • gewaagd *croustillant*
pikdonker *tout noir*; *noir comme dans un four*
pikeren *vexer*
piket I ZN (de) paaltje *piquet* m **II** ZN (het) groep *piquet* m
pikeur • ruiter *écuyer* m [v: *écuyère*] • paardenafrichter *piqueur* m
pikhouweel *pic* m; *pioche* v
pikkedonker I ZN *obscurité* v *complète* **II** BNW *noir comme dans un four*
pikken • prikken, steken *piquer*; ‹met snavel› *picorer*; *becqueter* • pakken *prendre* • stelen *piquer*; *chiper* • dulden *accepter*
pikorde *hiérarchie* v *(du poulailler)*
pikzwart *comme du jais*
pil • geneesmiddel *pilule* v • anticonceptiepil *pilule* v *(anticonceptionnelle)* • iets diks ‹boek› *pavé* m ▾ dat is een bittere pil *c'est dur à avaler*
pilaar *pilier* m; *colonne* v; FIG. *pilier* m
pilav *(riz* m*) pilaf* m
piloot *pilote* m/v; *aviateur* m [v: *aviatrice*]
pilot-project *projet-pilote* m
pilotstudie *enquête* v *pilote*
pils I ZN (de) *demi* m **II** ZN (het) *pilsen* v
piment *piment* m
pimpelaar *picoleur* m [v: *picoleuse*]
pimpelen *picoler*
pimpelmees *mésange* v *bleue*
pimpelpaars *violet* [v: *violette*]
pin *cheville* v; ‹scharnierpin› *clavette* v; ‹houten pin› *tenon* m
pinapparaat *lecteur* m *de codes confidentiels*
pinautomaat *distributeur* m *(automatique) de billets*
pincet *pincette* v
pincode *code* m *secret*; *code* m *confidentiel*
pinda *cacahuète* v
pindakaas *beurre* m *de cacahuètes*
pindasaus *sauce* v *cacahuète*
pineut *pigeon* m ▾ de ~ zijn *être le pigeon*
pingelaar • iemand die afdingt *marchandeur* m [v: *marchandeuse*] • ‹m.b.t. voetbal› *personne* v *qui garde trop le ballon*
pingelen • afdingen *marchander* • tingelen *gratter* • SPORT *trop garder le ballon*
pingpongbal *balle* v *de ping-pong*
pingpongen *jouer au ping-pong*
pinguïn *manchot* m; ‹oneigenlijk› *pingouin* m
pink • vinger *petit doigt* m • kalf *génisse* v *d'un an* ▾ bij de pinken zijn *être dégourdi*
pinken I OV WW ▾ een traan uit het oog ~ *essuyer une larme* **II** ON WW met ogen knipperen *cligner des yeux*
pinksterbeweging *pentecôtisme* m
pinksterbloem *cardamine* v
Pinksteren *Pentecôte* v
pinkstermaandag *lundi* m *de Pentecôte*
pinkstervakantie *vacances* v mv *de Pentecôte*
pinnen *payer par carte bancaire*
pinnig • vinnig *acrimonieux* [v: *acrimonieuse*] • gierig *avare*; *radin*
pinpas *carte* v *de banque*; *carte* v *bancaire*
pint • vochtmaat *pinte* v • glas bier *demi* m
pin-up *pin-up* v
pioen *pivoine* v; *esprit* m *innovateur/de pionnier* ▾ een hoofd als een ~ *être rouge comme une pivoine*
pioenroos *pivoine* v
pion *pion* m
pionier *pionnier* m [v: *pionnière*]
pionieren *faire des travaux de terrassement*; *faire un travail de pionnier*
pioniersgeest *esprit* m *innovateur*; *esprit* m *de pionnier*
pionierswerk *travail* m *de pionnier* [m mv: *travaux ...*]; FIG. *œuvre* v *de pionnier*
pipet *pipette* v
pips *pâlot* [v: *pâlotte*]

piraat • zeerover *pirate* m • zender *radio* v *pirate*
piramide *pyramide* v
piramidevormig *pyramidal* [m mv: *pyramidaux*]
piranha *piranha* m
piratenzender *radio* v *pirate*; *émetteur* m *clandestin*
piraterij *piraterie* v
pirouette *pirouette* v
pis *pisse* v
pisang *banane* v ▾ een rare ~ *un drôle de type*
pisbak *pissotière* v
piscine *piscine* v
pisnijdig *furibard*
pispaal *souffre-douleur* m [onv]
pispot *jules* m
pissebed *cloporte* m; *ligie* v
pissen *pisser*
pissig *de mauvais poil*
pistache *pistache* v
pistachenoot *noix* v *de pistache*
piste *piste* v
pistolet *pistolet* m; *petit pain* m
piston *piston* m
pistool *pistolet* m
pistoolschot *coup* m *de pistolet*
pit • kern van vrucht ‹v. appel e.d.› *pépin* m; ‹v. kersen e.d.› *noyau* m [mv: *noyaux*] • brander *feu* m [mv: *feux*] • lont *mèche* v • elan *énergie* v ⋆ er zit pit in hem *il a du sang dans les veines*; *il a du pep*
pitabroodje *pain* m *à pitta*
pitbullterriër *pitbull*/*pit-bull* m
pitcher *lanceur* m
pitje ▾ iets op een laag ~ zetten *mettre qc en veilleuse*
pitloos *sans pépins*
pitriet *rotin* m

P

pitten I OV WW van pit ontdoen *dénoyauter* II ON WW slapen *roupiller*
pittig I BNW • energiek *énergique*; *vif* [v: *vive*] • kruidig *épicé*; *d'un goût relevé*; *piquant*; ‹v. wijn› *qui a du corps*; *corsé*; ‹v. gesprek› *corsé* II BIJW *avec énergie*; *avec pep*
pittoresk I BNW *pittoresque* II BIJW *de manière pittoresque*
pixel *pixel* m
pizza *pizza* v
pizzakoerier *livreur* m *de pizza*
pizzeria *pizzeria* v
plaag • bezoeking *calamité* v; *fléau* m [mv: *fléaux*] • ziekte *épidémie* v
plaaggeest • pestkop *peste* v • duiveltje *démon* m
plaagziek *taquin*; *tracassier* [v: *tracassière*]
plaat • plat, hard stuk *plaque* v; ‹v. metaal› *tôle* v; ‹v. steen› *tablette* v; ‹v. hout› *planche* v • prent *image* v; ‹v. plaatdrukkerij› *planche* v; ‹gravure› *estampe* v; *gravure* v • grammofoonplaat *disque* m ⋆ een ~ opzetten *mettre un disque* • zandbank *banc* m *de sable* ▾ de ~ poetsen *déguerpir*; *décamper*
plaatijzer *tôle* v
plaatje • kleine plaat *plaquette* v • tandprothese *prothèse* v *dentaire* • afbeelding *image* v • iets moois *beauté* v
plaatopname *enregistrement* m *d'un disque*
plaats • waar iemand/iets zich bevindt *lieu* m [mv: *lieux*]; *endroit* m; *place* v; ‹zitplaats/staanplaats› *place* ⋆ ter ~e *sur place* ⋆ ~nemen *s'asseoir*; *prendre place* ⋆ de ~ van de misdaad *les lieux du crime* ⋆ voor iem. ~ maken *faire de la place pour qn* • ruimte *place* v; *espace* m • woonplaats *localité* v; ‹stad› *ville* v; ‹dorp› *village* m • binnenplaats *cour* v • functie *place* v; *situation* v • passage in geschrift *passage* m; *endroit* m ▾ in ~ van *au lieu de* ▾ in de eerste ~ *d'abord* ▾ ~hebben *avoir lieu*
plaatsbepaling TAALK. *localisation* v
plaatsbespreking *réservation* v; *location* v
plaatsbewijs *billet* m; *ticket* m; ‹m.b.t. vervoer› *titre* m *de transport*
plaatselijk I BNW • ter plaatse *local* [m mv: *locaux*] ⋆ ~e tijd *heure locale* • hier en daar *par endroits*; *ici et là* II BIJW • ter plaatse *sur place* • hier en daar *localement*; *ici et là*; *par endroits*
plaatsen I OV WW • een plaats geven *placer*; *mettre*; *poser*; *installer*; ‹schildwacht› *poster*; ‹v.e. artikel› *placer* ⋆ een advertentie ~ *insérer une annonce* ⋆ op elkaar ~ *superposer* • beleggen *placer* • in dienst nemen *placer*; *employer* II WKD WW SPORT *se qualifier* ⋆ zich ~ voor de finale *se qualifier pour la finale*
plaatsgebrek *manque* m *de place* ⋆ wegens ~ *faute de place*; *par manque de place*
plaatsing • het plaatsen *mise* v *en place*; *installation* v; ‹in de krant› *insertion* v • belegging *placement* m • klassering *classement* m; ‹m.b.t. sport› *qualification* v
plaatsnaam *nom* m *de lieu*
plaatsnemen *prendre place*
plaatsruimte *espace* m; *place* v
plaatsvervangend *remplaçant*; ‹tussentijds› *intérimaire*
plaatsvervanger *remplaçant* m; *suppléant* m; ‹tijdelijk› *intérimaire* m/v
plaatsvinden *avoir lieu*
plaatwerk • boek *livre* m *illustré*; *livre* m *d'images* • plaatmetaal *tôlerie* v
placebo *placebo* m
placebo-effect *effet* m *placebo*
placemat *napperon* m *individuel*
placenta *placenta* m
plafond *plafond* m
plafonnière *plafonnier* m
plag • gras *plaque* v *de gazon* • heide *motte* v *de bruyère*
plagen • pesten *taquiner*; *blaguer*; *se moquer de* ⋆ ~ met *taquiner à propos de* • hinderen *déranger*; *tracasser* • kwellen *tracasser*; *tourmenter*
plagerig I BNW *taquin*; *moqueur* [v: *moqueuse*] II BIJW *en se moquant*; *par taquinerie*
plagerij *taquinerie* v; *plaisanterie* v
plaggenhut *cahute* v
plagiaat *plagiat* m
plagiëren *plagier*
plaid *plaid* m; *couverture* v *de voyage*
plak • schijf *tranche* v; *plaque* v; ‹v. iets ronds› *rondelle* v • medaille *médaille* v

• tandaanslag *plaque* v *dentaire*
plakband *scotch* m; *ruban* m *adhésif*
plakboek *cahier* m; *album* m *de découpage*
plakkaat *affiche* v
plakkaatverf *gouache* v
plakken I OV WW lijmen *coller*; ‹aanplakken› *afficher* **II** ON WW • kleven *coller* • lang blijven *rester coller*; *s'éterniser*; *prendre racine*
plakker • sticker *autocollant* m • iemand die lang blijft *pot* m *de colle* • aanplakker *afficheur* m [v: *afficheuse*]
plakkerig *collant*; *poisseux* [v: *poisseuse*]; *gluant*
plakletter *lettre* v *adhésive*
plakplaatje *image* v *à coller*
plakplastic *plastique* m *adhésif*
plaksel *colle* v
plakstift *bâton(net)* m *de colle*
plaktafel *table* v *à tapisser*
plamuren *enduire*; *appliquer un enduit*
plamuur *enduit* m
plamuurmes *couteau* m *à enduire*
plamuursel *enduit* m
plan • voornemen *projet* m; *intention* v ⋆ van plan veranderen *se raviser* ⋆ van plan zijn om *avoir l'intention de* • plattegrond *plan* m
planbureau *bureau* m *du plan*
planchet *planchette* v
plan de campagne *plan* m *de campagne*
planeconomie *économie* v *planifiée*
planeet *planète* v
planeetbaan *orbite* v *planétaire*
planetarium *planétarium* m
planetenstelsel *système* m *planétaire*
planetoïde *planétoïde* m
plank *planche* v; ‹dik› *madrier* m; ‹kastplank› *rayon* m
plankenkast *armoire* v *à rayonnages*
plankenkoorts *trac* m ▾ ~ hebben *avoir le trac*
plankgas *à pleins gaz*; *à pleins tubes* ⋆ ~ rijden *rouler à pleins gaz* ⋆ ~ geven *mettre le pied au plancher*; *écraser le champignon*
plankier *plancher* m; *plateforme* v
plankton *plancton* m
plankzeilen *faire de la planche à voile*
planmatig *systématique*; *méthodique*; *planifié*
plannen *projeter*; ECON. *planifier*
planning *planning* m; *planification* v
planologie *aménagement* m *du territoire*
planologisch I BNW *concernant l'aménagement*; ‹v. stad› *concernant l'aménagement urbaniste* **II** BIJW *du point de vue de l'aménagement*; ‹v. stad› *d'un point de vue urbaniste*
planoloog *aménageur* m [v: *aménageuse*]; ‹v. stad› *urbaniste* m/v
plant *plante* v; ‹stek› *plant* m
plantaardig *végétal* [m mv: *végétaux*] ⋆ ~ voedsel *aliments* m mv *végétaux*
plantage *plantation* v
planten *planter*
plantenbak *bac* m *de plantes*
planteneter *herbivore* m
plantengroei *végétation* v
plantenrijk *règne* m *végétal*
planter *planteur* m
plantkunde *botanique* v
plantkundig *botanique*
plantsoen • publieke wandelplaats *jardin* m *public* • beplante plek *plantation* v
plantsoenendienst *service* m *des parcs et jardins publics*
plaque *plaque* v *dentaire*
plaquette *plaquette* v
plas • plens *mare* v • regenplas *flaque* v • watervlakte *lac* m; *étang* m • urine ⋆ een plasje doen *faire pipi*
plasma *plasma* m
plasmacel *plasmocyte* m
plaspauze *pause* v *pipi*
plaspil *diurétique* m
plassen • spatten *patauger*; *barboter* • urineren *faire pipi*
plassengebied *région* v *de lacs*
plasser *zizi* m
plastic I ZN *plastique* m ⋆ gelaagd ~ *plastiques stratifiés* ⋆ van ~ *en plastique*; *en matière plastique* **II** BNW *plastique*
plastiek *plastique* v
plastificeren *plastifier*
plastisch I BNW *plastique*; FIG. *imagé*; *fleuri* **II** BIJW *plastiquement*; FIG. *dans un langage imagé*
plat I ZN • plat vlak *plat* m; ‹plateau› *plateau* m [mv: *plateaux*] ⋆ continentaal plat *plateau continental*; *plate-forme continentale* • plat dak *terrasse* v; *plate-forme* v [mv: *plates-formes*] **II** BNW • vlak, ondiep *plat*; *aplati* ⋆ platte naad *couture abattue* v ⋆ platte neus *nez épaté* m ⋆ plat worden *s'aplatir* • platvloers *grossier* [v: *grossière*] • niet in bedrijf *paralysé* • dialectisch *argotique*; *populaire*; ‹v. het platteland› *patois* **III** BIJW • vlak, uitgestrekt *à plat* ⋆ plat neerleggen *poser à plat* ⋆ plat maken *aplatir* ⋆ plat op zijn buik *à plat ventre* ⋆ COMP. plat gaan *se planter* • dialectisch *en langue populaire*; *en patois* ⋆ plat spreken *parler argot*
plataan *platane* m
platbranden *réduire en cendres*
platdrukken *écraser*; *aplatir*
plateau *plateau* m [mv: *plateaux*]
plateauzool *semelle* v *compensée*
platenalbum • album met plaatjes *album* m *d'images* • album voor grammofoonplaten *mallette* v *à disques*
platenbon *chèque* m *disques*
platencontract *contrat* m *passé entre un artiste et une maison de disques*
platenhoes *pochette* v *de disque*
platenmaatschappij *maison* v *de disques*
platenspeler *tourne-disque* m [mv: *tourne-disques*]; *électrophone* m
platenzaak *magasin* m *de disques*
plateservice *plateau-repas* [m mv: *plateaux-repas*]
platform • verhoogd vlak *plate-forme* v; *estrade* v; *podium* m • kader voor overleg *plate-forme* v
platgaan ⋆ de zaal ging plat *ce fut un délire dans la salle* • gaan slapen *se pieuter* • seks *aller prendre la position horizontale*

platheid • het vlak zijn *forme* v *plate* • platvloersheid *grossièreté* v; *trivialité* v
platina *platine* m
platinablond *blond platine*
platje • luis *morpion* m • terras *toit* m *en terrasse*
platleggen • plat neerleggen *mettre à plat* ★ iem. ~ *étendre qn* • stilleggen *paralyser*
platliggen • ziek op bed liggen *être alité* • stilliggen door staking ★ tijdens die staking lag het hele land plat *cette grève a paralysé tout le pays*
platonisch I BNW *platonicien* [v: *platonicienne*]; ‹liefde› *platonique* II BIJW *platoniquement*
platslaan *aplatir*; *écraser*
platspuiten *matraquer quelqu'un de piqûres calmantes*
plattegrond *plan* m
platteland *campagne* v
plattelander *campagnard* m
plattelandsbevolking *population* v *rurale*
plattelandsgemeente *commune* v *rurale*
platvis *poisson* m *plat*
platvloers *trivial* [m mv: *triviaux*]
platvoet *pied* m *plat*; SCHEEPV. *premier quart* m
platweg *carrément*; *simplement*
platzak *fauché* ★ ~ zijn *être fauché*; *être à sec*
plausibel *plausible*
plaveien *paver*
plaveisel *pavé* m
plavuis *dalle* v; *carreau* m [mv: *carreaux*]
playback *play-back* m; FORM. *présonorisation* v
playbacken *faire du play-back*; *chanter en play-back*
playbackshow *show* m *en play-back*
playboy *play-boy* m [mv: *play-boys*]
plebs *populace* v
plecht *gaillard* m
plechtig I BNW • statig *solennel* [v: *solennelle*]; *cérémonieux* [v: *cérémonieuse*] • serieus *grave* II BIJW • statig *solennellement*; *cérémonieusement* • ernstig *gravement*
plechtigheid • ceremonie *cérémonie* v • stemmigheid *solennité* v
plechtstatig *cérémonieux* [v: *cérémonieuse*]; *solennel* [v: *solennelle*]
plectrum *plectre* m
plee *gogues* m mv
pleeggezin *famille* v *adoptive*
pleegkind *enfant* m *adoptif* [v: *enfant adoptive*]
pleegouders *parents* m mv *adoptifs*
plegen I OV WW uitvoeren *commettre*; *faire* ★ een moord ~ *commettre un meurtre* II ON WW ~ **te** *avoir l'habitude de*; *avoir coutume de*
pleidooi *plaidoyer* m; *plaidoirie* v
plein *place* v; *esplanade* v; ‹binnenplein met plantsoen› *square* m
pleinvrees *agoraphobie* v
pleister I ZN (de) verband *sparadrap* m II ZN (het) kalkmengsel *plâtre* m; *stuc* m
pleisteren *plâtrer*; *crépir*
pleisterplaats *étape* v; *halte* v; ‹m.b.t. boot/vliegtuig› *escale* v

P

pleisterwerk *plâtrage* m; *stucage* m
Pleistoceen *pléistocène* m
pleit *procès* m; *cause* v ★ het ~ is beslecht *la question a été tranchée*
pleitbezorger *défenseur* m [v: *avocate*]; *avocat* m
pleiten *plaider* ★ voor iem. ~ *plaider pour qn* ★ tegen iem. ~ *plaider contre qn*
pleiter *plaideur* m; *avocat* m [v: *avocate*]; *défenseur* m
plek • plaats *endroit* m; *emplacement* m; *site* m ★ plekje grond *coin* m *de terre* ★ ter plekke *sur place* • vlek *tache* v
plenair *plénier* [v: *plénière*]
plens *giclée* v ★ een ~regen *une pluie battante*
plensbui *averse* v
plensregen *pluie* v *battante*
plenzen I OV WW uitstorten *verser à flots*; *verser* II ONP WW regenen *pleuvoir à verse*
pleonasme *pléonasme* m
pletten *broyer*; *écraser*; ‹plat maken› *aplatir*; ‹v. metalen› *laminer*
pletter • machine *laminoir* m • stuk/morsdood ★ ik verveel me te ~ *je m'ennuie à mourir* ★ te ~ vallen *se briser*
pleuren *flanquer*
pleuris *pleurésie* v ★ zich de ~ schrikken *crever de frousse*
plexiglas *plexiglas* m
plezant *plaisant*; *agréable*
plezier *joie* v; *plaisir* m; INF. *rigolade* v ★ ~ hebben *s'amuser*; INF. *rigoler* ★ ~ hebben in *prendre plaisir à*
plezieren *faire plaisir à*
plezierig *agréable*
plezierjacht *bateau* m *de plaisance* [m mv: *bateaux ...*]
plezierreis *voyage* m *d'agrément*
pleziervaartuig • plezierjacht *bateau* m *de plaisance* • rondvaartboot *bateau-mouche* m [mv: *bateaux-mouches*]
plicht *devoir* m; ‹verplichting› *obligation* v ★ het is zijn ~ te *il est de son devoir de*
plichtmatig I BNW *par devoir*; *sans conviction* II BIJW *selon son devoir*
plichtpleging *cérémonie* v; *formalité* v
plichtsbesef *sens* m *du devoir*
plichtsbetrachting *observation* v *du devoir*
plichtsgetrouw *consciencieux* [v: *consciencieuse*]
plichtsverzuim *manquement* m *au devoir*; ADM. *prévarication* v
plint *plinthe* v
plissé *plissé* m
plisseren *plisser*
PLO *O.L.P.* v; *Organisation* v *de Libération de la Palestine*
ploeg • landbouwwerktuig *charrue* v • groep *équipe* v
ploegbaas *chef* m *d'équipe*
ploegen I ZN *labourage* m; *labour* m II OV WW met ploeg omwerken *labourer* III ON WW voortzwoegen *avancer avec peine*
ploegendienst *travail* m *en équipe*
ploegenstelsel *système* m *du travail en équipe*
ploegentijdrit *contre-la-montre* m *par équipes*
ploeggenoot *coéquipier* m [v: *coéquipière*]

ploert *canaille* v; *salaud* m
ploertendoder *casse-tête* m [onv]; *matraque* v
ploeteraar *bûcheur* m [v: *bûcheuse*]; *bosseur* m [v: *bosseuse*]
ploeteren *trimer*; *marner*; ‹studeren› *bûcher*
plof *bruit* m *sourd*; *pouf* m
ploffen I OV WW doen vallen *flanquer*; *balancer* **II** ON WW • vallen *tomber lourdement*; ‹zich laten vallen› *s'écraser*; *s'affaler* • ontploffen *exploser*; *éclater*
plomberen *plomber*; *obturer*
plomp I ZN • plons ‹in water› *plouf* m; ‹op de grond› *pouf* m • waterplant *nénuphar* m • water *eau* v **II** BNW *lourd*; *grossier* [v: *grossière*] **III** BIJW *grossièrement*; *lourdement*
plompverloren • zomaar ‹m.b.t. handeling› *sans crier gare*; *à l'improviste*; ‹m.b.t. uitspraak› *de but en blanc*; ‹zonder nadenken› *sans réfléchir* • plotseling *tout à coup*
plons • geluid *plouf* m • plens *paquet* m *d'eau*
plonzen *tomber en faisant plouf*; *faire un plongeon*
plooi • vouw *pli* m ⋆ in ~en vallen *faire des plis* • rimpel *ride* v ▾ zijn gezicht in de ~ zetten *prendre un air grave*
plooibaar *pliable*; *souple*; FIG. *souple*; *flexible*; *accommodant*
plooien • plooien maken *plisser*; ‹m.b.t. kleine plooien› *froncer*; ‹m.b.t. gezicht› *froncer* • schikken *arranger*; *adapter (à)*
plooirok *jupe* v *plissée*
plot *intrigue* v
plots *tout à coup*; *soudain*
plotseling I BNW *soudain*; *brusque*; *subit* ⋆ een ~e dood *une mort subite* **II** BIJW *soudain*; *subitement*; *tout à coup* ⋆ ~ wakker worden *se réveiller en sursaut*
plotsklaps *tout à coup*
plotter *traceur* m *de courbes*
plu *pépin* m
pluche *peluche* v
plug • stop *cheville* v; *tampon* m • stekkertje *fiche* v • schroefbout *bouchon* m
pluggen • bevestigen *tamponner* • populair maken *promouvoir*
plugger *promoteur* m *de disques*
pluim • vogelveer *plume* v • pluimbos *plumet* m; *panache* m
pluimage *plumage* m ▾ vogels van diverse ~ *des gens de tous poils*
pluimvee *volaille* v
pluimveehouderij • het fokken *aviculture* v • bedrijf *établissement* m *avicole*
pluis I ZN (de) *peluche* v; *flocon* m; ‹haartje› *poil* m **II** BNW ▾ dat is niet ~ *il y a du louche dans cette affaire*; *ce n'est pas très catholique* ▾ het is daar niet ~ *il ne fait pas bon là*; *ce n'est pas très sûr là-bas*
pluishaar *duvet* m; *cheveux* m mv *pelucheux*
pluizen I OV WW uitrafelen *ronger*; *effilocher* **II** ON WW gaan rafelen *boulocher*; *plucher*
pluizig *pelucheux* [v: *pelucheuse*]
pluk • bosje *touffe* v • oogst *cueillette* v
plukharen *se chamailler*; *se bagarrer*
plukken I OV WW • grijpen *attraper* • oogsten *cueillir*; *ramasser* • van veren ontdoen *plumer* • afhandig maken *plumer* **II** ON WW peuteren *tirailler* ⋆ aan iemands kleren ~ *tirailler les vêtements de qn*
plumeau *plumeau* m [mv: *plumeaux*]
plumpudding *plum-pudding* m
plunderaar *pilleur* m [v: *pilleuse*]; *pillard* m
plunderen *piller*; *saccager*; *ravager*
plundering *pillage* m; *saccage* m
plunje *frusques* v mv; PEJ. *hardes* v mv
plunjezak *sac* m *de marin*; *sac* m *de soldat*
pluralis *pluriel* m ⋆ ~ majestatis *pluriel de majesté*
pluralisme *pluralisme* m
pluriform *multiforme*
plus I ZN • plusteken *plus* m • waardering *élément* m *positif* **II** VZ *plus* ⋆ 100 gulden plus BTW *100 florins plus TVA*
plusminus *plus ou moins*; *environ*; *à peu près*
pluspool *pôle* m *positif*
pluspunt *avantage* m; *élément* m *positif* ⋆ dat is een ~ voor *c'est un avantage pour*
plusteken *plus* m
plutocratie *ploutocratie* v
plutonium *plutonium* m
pneumatisch *pneumatique* ⋆ ~e hamer *marteau-piqueur* m
pneumonitis *pneumonie* v
po *pot* m *de chambre*
pochen *fanfaronner* ⋆ over iets ~ *se vanter de qc*
pocheren *pocher*
pochet *pochette* v
pocket *poche* m
pocketboek *livre* m *de poche*; *poche* m
pocketcamera *appareil* m *photo de poche*
podium *estrade* v; *podium* m
podoloog *podologue* m/v
poedel • hond *caniche* m • misstoot *coup* m *manqué*
poedelen *barboter dans l'eau*
poedelnaakt *tout nu* [v: *toute nue*]; *nu comme un ver*
poeder *poudre* v ⋆ tot ~ maken *réduire en poudre*; *pulvériser*
poederblusser *extincteur* m *à poudre*
poederdoos *poudrier* m
poederen *poudrer*
poederkoffie *café* m *en poudre*
poedermelk *lait* m *en poudre*
poedersneeuw *neige* v *poudreuse*
poedersuiker *sucre* m *en poudre*
poef *pouf* m
poeha *embarras* m; *esbroufe* v ⋆ ~ maken *faire des histoires*; *faire de l'esbroufe*
poel • plas *mare* v ⋆ modderpoel *bourbier* m • broeiplaats ⋆ een poel van verderf *un lieu de perdition*
poelet *dés* m mv *de viande*
poelier *marchand* m *de volailles et de gibier*
poema *puma* m
poen • geld *fric* m; *pognon* m • patser *gandin* m; *frimeur* m; *esbroufeur* m
poenig *frimeur* [v: *frimeuse*]; *fat*
poep • uitwerpselen *caca* m; *merde* v • wind *pet* m; *vent* m
poepen • zijn behoefte doen *faire caca*; *chier* • winden laten *lâcher des vents*; *péter* ⋆ in

P

zijn broek ~ *trembler dans sa culotte*
poeperd *miches* v mv
poepschep *ramasse-crottes* m
poes • kat *chat* m [v: *chatte*]; INF. *minet* m [v: *minette*] • mooie meid *canon* m • vagina *chatte* v ▾ dat is niet voor de poes *ce n'est pas de la bibine*
poesiealbum *cahier* m *de poésies*
poeslief I BNW *doucereux* [v: *doucereuse*] II BIJW *d'une manière doucereuse*
poespas *cérémonies* v mv ★ laat al die ~ maar zitten *ne faites pas tant de chichis*
poesta *puszta* v; *steppe* v *hongroise*
poet *pognon* m ▾ de poet is binnen *on a ramassé le magot*
poëtisch I BNW *poétique* II BIJW *d'une manière poétique*
poets *tour* m; *niche* v ★ iem. een ~ bakken *jouer un tour à qn*; *faire une niche à qn*
poetsdoek *chiffon* m
poetsen • glimmend wrijven *frotter*; ‹met schoensmeer› *cirer*; ‹v. metaal› *fourbir*; ‹meubels› *astiquer* • reinigen *nettoyer*; ‹v. schoenen› *décrotter*
poetskatoen *bourre* v *de coton*; *coton* m *de dégraissage*
poezenluik *chatière* v
poëzie *poésie* v
poëziealbum *cahier* m *de poésies*
poëziebundel *recueil* m *de poèmes*
pof *bruit* m *sourd* ▾ op de pof kopen *acheter à crédit*
pofbroek *culotte* v *bouffante*
poffen • in schil gaar stoven *rôtir dans les cendres*; *griller* • op de pof kopen *acheter à crédit* • op de pof verkopen *vendre à crédit*
poffertje *pet-de-nonne* m [mv: *pets-de-nonne*]; ≈ *merveille* v *hollandaise*
poffertjeskraam *stand* m *de dégustation de merveilles*
poffertjespan *poêle* v *de pets-de-nonne/à merveilles*
pofmouw *manche* v *bouffante*
pogen *tenter de*; *essayer de*; *s'efforcer de*
poging *tentative* v
pogoën *faire un pogo*
pogrom *pogrom(e)* m
pointe • essentie *fin mot* m • strekking *pointe* v
pointer *pointeur* m
pok *pustule* v; *bouton* m; ‹ziekte› *variole* v; *petite vérole* v ★ inenten tegen de pokken *vacciner contre la variole* ★ inenting tegen pokken *vaccination* v *antivariolique*
pokdalig *variolé*; *grêlé*
poken *attiser le feu*; *tisonner*
poker *poker* m
pokeren *jouer au poker*
pokken MED. *variole* v
pokkenprik *vaccin* m *antivariolique*
pokkenweer *temps* m *de chien*
pol *motte* v
polair • van/bij poolstreek *polaire* • tegengesteld *opposé*; *contraire* • met polen *polaire*
polarisatie *polarisation* v; ‹in politiek en dagelijks leven› *bipolarisation* v
polariseren *polariser*
polariteit *polarité* v
polaroid *polaroïd* m
polder *polder* m
polderlandschap *paysage* m *de polders*
poldermodel *modèle* m *polder*
polemiek *polémique* v
polemiseren *polémiquer*
Polen *la Pologne* ★ in ~ *en Pologne*
polenta *polenta* v
poliep *polype* m
polijsten • glad maken *fourbir*; *polir*; ‹metalen› *brunir* • verfijnen *perfectionner*; *polir*
polikliniek *dispensaire* m; *polyclinique* v
poliklinisch *ambulatoire*
polio *polio* v
poliovaccin *vaccin* m *antipolio(myélitique)*
polis *police* v *(d'assurance)* ★ een ~ afsluiten *souscrire à une police*
polisvoorwaarden *conditions* v mv *de contrat d'assurance*
politbureau *politburo* m
politicologie *politicologie* v
politicoloog *politicologue* m/v
politicus *homme* m *politique*; PEJ. *politicien* m [v: *politicienne*]
politie *police* v ★ bereden ~ *police montée*
politieagent *agent* m *de police*
politieauto *voiture* v *de police*
politiebericht *avis* m *de recherche*
politiebureau *bureau* m *de police* [m mv: *bureaux ...*]; *commissariat* m; *poste* m
politiek I ZN *politique* v II BNW • met betrekking tot overheidsbeleid *politique* • tactisch *diplomatique* III BIJW • met betrekking tot overheidsbeleid *politiquement* ★ ~ geëngageerd *politiquement engagé* • tactisch *diplomatiquement*
politiekogel *balle* v *tirée par la police*
politiemacht • macht van de politie *pouvoir* m *de la police* • politiekorps *forces* v mv *de l'ordre* • veel agenten *forces* v mv *de police*
politieman ‹in uniform› *agent* m *de police*; *gendarme* m; ‹zonder uniform› *policier* m
politieoptreden *action* v *policière*; *intervention* v *de la police*
politiepenning *carte* v *d'agent de police*
politierechter *juge* m *de correctionnelle*
politiestaat *état* m *policier*
politieverordening *arrêté* m *municipal*; *ordonnance* v *de police*
polka *polka* v
pollen *pollen* m
pollepel *louche* v
polo *polo* m
polohemd *polo* m
polonaise *farandole* v
poloshirt *polo* m
pols • polsgewricht *poignet* m • polsslag *pouls* m ★ een zwakke/regelmatige pols *un pouls faible/régulier* ▾ iemand de pols voelen *prendre le pouls de qn*
polsen *sonder les intentions (de)* ★ iem. over iets ~ *sonder les intentions de qn au sujet de*

qc
polsgewricht *poignet* m
polshorloge *montre-bracelet* v [mv: *montres-bracelets*]
polsslag *pouls* m; *pulsation* v ★ ~ opnemen *prendre le pouls*
polsstok *perche* v
polsstokhoogspringen *sauter à la perche*
polsstokhoogspringer *perchiste* m/v
poltergeist *esprit* m *frappeur*
polyamide *polyamide* m
polyester *polyester* m ★ van ~ *en polyester*
polyfoon *polyphone*
polygaam *polygame*
polygamie *polygamie* v
polyglot *polyglotte* m/v
polygoon *polygone* m
polymeer I ZN *polymère* m II BNW *polymère*
Polynesië *la Polynésie*
Polynesiër *Polynésien* m [v: *Polynésienne*]
polytheïsme *polythéisme* m
polyvalent *polyvalent*
pommade *pommade* v
pomp *pompe* v
pompbediende *pompiste* m/v
pompelmoes *pamplemousse* m
pompen *pomper*
pompeus • bombastisch *pompeux* [v: *pompeuse*] • pralerig *somptueux* [v: *somptueuse*]
pomphouder *propriétaire* m/v *d'une station-service*
pompoen *citrouille* v; *courge* v
pompon *pompon* m
pompstation • tankstation *station-service* v [mv: *stations-service*] • gebouw voor oppompen van water *station* v *de pompage*
poncho *poncho* m
pond • munteenheid *livre* v ★ pond sterling *livre sterling* • gewichtseenheid *livre* v ▾ iemand het volle pond geven *donner à qn ce qu'il mérite* ▾ het volle pond moeten betalen *devoir payer le plein tarif*
pond sterling *livre-sterling* v
ponem *gueule* v
poneren *avancer*; *proposer* ★ ~ dat *poser que*
ponsen *perforer*
ponskaart *carte* v *perforée*
pont *bac* m; *transbordeur* m ★ pontje *bachot* m
pontificaal *pontifical* [m mv: *pontificaux*]
ponton *ponton* m
pony • dier *poney* m • haardracht *frange* v
pooier *souteneur* m; *maquereau* m [mv: *maquereaux*]
pook • vuurpook *tisonnier* m • versnellingshendel *levier* m *(de vitesse)*
pool • uiteinde *pôle* m • poolstreek *pôle* m ★ tot de pool behorend *polaire* • samenwerkingsvorm *pool* m; *groupe* m
pool- *polaire*
Pool *Polonais* m [v: *Polonaise*]
poolbeer *ours* m *polaire*
poolcirkel *cercle* m *polaire*
poolen I OV WW in één pot doen ≈ *mettre en commun* II ON WW • carpoolen *faire du covoiturage* • poolbiljarten *faire du billard américain*
poolexpeditie *expédition* v *polaire*
poolgebied *région* v *polaire*
poolhond *chien* m *esquimau*; *husky* m
poolkap *calotte* v *glaciaire*
poolklimaat *climat* m *polaire*
poolreiziger *explorateur* m *des régions polaires* [v: *exploratrice* ...]
Pools I ZN *polonais* m II BNW *polonais*
poolshoogte *hauteur* v *du pôle* ▾ ~ nemen *aller se rendre compte sur place*
Poolster *étoile* v *polaire*
poolstreek *région* v *polaire*
poolzee *mer* v *polaire* ★ de Noordelijke ~ *l'océan Arctique* ★ de Zuidelijke ~ *l'océan Antarctique*
poon *rouget* m; *trigle* m
poort • ingang *portail* m; *porte* v • doorgang *porte* v
poortwachter *huissier* m; *gardien* m
poos *moment* m; *laps* m *de temps* ★ dat is al een hele poos geleden *ça fait déjà un bon bout de temps* ★ een hele poos *un bon moment*
poot • ledemaat van dier *patte* v ★ dan heb je geen poot meer om op te staan *alors tu n'auras plus pied* • ledemaat van mens ‹been› *patte* v; *guibolle* v; ‹voet› *panard* m; ‹hand› *patte* v; *pince* v • steunsel *pied* m ▾ iets op poten zetten *mettre qc sur pied* ▾
pootaardappel *pomme* v *de terre de semence*
pootgoed *jeunes plants* m mv
pootjebaden *barboter*; *faire trempette*
pootmachine *planteuse* v
pop • speelgoed *poupée* v • marionet *marionnette* v • larve *chrysalide* v • gulden *balles* v mv ★ honderd pop *cent balles* • popmuziek *musique* v *pop*
popartiest *artiste* m/v *pop*
popblad *revue* v *pop*
popconcert *concert* m *pop*
popcorn *pop-corn* m
popcultuur *culture* v *pop*
popelen • in spanning zitten *trépigner*; *brûler* ★ zitten te ~ om weg te gaan *trépigner/brûler d'impatience avant de partir* • snel kloppen *palpiter*
popfestival *festival* m *de musique pop*
popgroep *groupe* m *pop*
popidool *idole* v *pop*
popmuziek *musique* v *pop*
poppenhuis *maison* v *de poupée*
poppenkast • poppenspel *guignol* m; *marionnettes* v mv • overdreven gedoe *guignol* m; *comédie* v
poppenkleren *vêtements* m mv *de poupée*
poppenspel *théâtre* m *de marionnettes*
poppenspeler *marionettiste* m/v
poppentheater *théâtre* m *de marionnettes*
poppenwagen *landau* m *de poupée*
popperig *de poupée*; ‹m.b.t. gezicht› *poupin*; ‹schattig› *mignonnet* [v: *mignonnette*]
popsong *chanson* v *pop*
popster *vedette* v *pop*
populair I BNW • geliefd *populaire*; *en vogue* ★ ~ worden *gagner en popularité* ★ (zich) ~ maken *(se) rendre populaire* • begrijpelijk

accessible; compréhensible **II** BIJW *d'une manière populaire; d'une manière familière*
populair-wetenschappelijk *vulgarisateur* [v: *vulgarisatrice*]
populariteit *popularité* v
populariteitspoll *sondage* m *de popularité*
populatie *population* v
populier *peuplier* m
populist *populiste* m/v
popzender *station* v *pop*
por *bourrade* v; *coup* m *(de coude)*
poreus *poreux* [v: *poreuse*] ★ half ~ *semi-perméable*
porie *pore* m; PLANTK. *stomate* m
porno *porno* m ★ ~film *film* m *porno*
pornoblad *revue* v *porno*
pornografie *pornographie* v
pornografisch *pornographique*
porren I OV WW aanzetten *stimuler* **II** ON WW poken *fourgonner; tisonner* ▾ ergens wel voor te ~ zijn *se laisser tenter par qc*
porselein *porcelaine* v
porseleinen *en/de porcelaine*
porseleinkast *armoire* v *à porcelaine*
port I ZN (de) drank *porto* m ★ witte port *porto* m *blanc* **II** ZN (het) porto *port* m; *affranchissement* m
portaal • hal *porche* m • overloop *palier* m; *carré* m
portable *portatif* [v: *portative*]; *portable* ▾ een ~ radio *un poste de radio portatif*
portefeuille • portemonnee *portefeuille* m • opbergmap *serviette* v • taak *portefeuille* m ★ een ~ aanvaarden *accepter un poste ministériel* ★ aandelen in ~ hebben *avoir des titres en réserve* ★ de ~ van défensie *le portefeuille de la défense nationale*
portemonnee *porte-monnaie* m [onv]
portfolio *portefeuille* m; *portfolio* m
portie *portion* v; *part* v; ‹militair› *ration* v ★ ~ ijs *glace* v ▾ de legitieme ~ *la légitime*
portiek *entrée* v
portier I ZN (de) persoon *portier* m; *concierge* m/v **II** ZN (het) deur *portière* v
porto *port* m; *affranchissement* m
portofoon *walkie-talkie* m [mv: *walkies-talkies*]
Porto Ricaans *portoricain*
Porto Rico *le Portorico*
portret *portrait* m ▾ een lastig ~ *une personne difficile*
portretfotografie *métier* m *de faire des portraits*
portretschilder *portraitiste* m/v
portrettengalerij *galerie* v *de portraits*
portretteren • in een portret uitbeelden *faire le portrait (de)* • afschilderen *tracer le portrait (de); faire le portrait (de)*
Portugal *le Portugal* ★ in ~ *au Portugal*
Portugees I ZN (de) *Portugais* m [v: *Portugaise*] **II** ZN (het) *portugais* m **III** BNW *portugais*
portvrij *franco (de port); franc de port* [v: *franche* ...]
pose *pose* v
poseren *poser*
positie • houding *position* v • ligging *position* v • toestand *condition* v; *situation* v ★ de ~ van de vrouw *la condition de la femme* • maatschappelijke stand *situation* v • betrekking *situation* v ★ een hoge ~ *une situation haut placée*
positief I BNW • niet negatief *positif* [v: *positive*] • bevestigend *positif* [v: *positive*]; *favorable* • opbouwend *positif* [v: *positive*]; *constructif* [v: *constructive*] **II** BIJW • bevestigend *d'une manière favorable/positive* • opbouwend *d'une manière positive; d'une manière constructive*
positiejurk *robe* v *de future maman*
positiekleding *vêtements* m mv *de grossesse*
positiespel SPORT *jeu* m *de position*
positieven ★ niet bij zijn ~ zijn *ne pas avoir toute sa tête* ★ weer bij zijn ~ komen *reprendre ses esprits*
positionering *positionnement* m
positivo *mec* m *optimiste* [v: *nana* ...]
post • poststukken *courrier* m ★ is er post voor mij? *avez-vous du courrier pour moi?* • postdienst ‹instelling› *poste* v; *distribution* v ★ met de post, over de post, per post *par la poste* ★ op de post doen *mettre à la poste* • deur-/raamstijl *montant* m; *jambage* m • standplaats *poste* m ★ op post *en faction; à son poste* • bedrag *article* m; *poste* m ★ die post staat nog open *cet article n'a pas encore été payé* • betrekking *poste* m; *emploi* m; *place* v; *fonction* v
post- • na *post-* • postaal *postal* [m mv: *postaux*]
postacademisch *post-universitaire* [m mv: *post-universitaires*]
postadres *adresse* v *postale*
postagentschap *agence* v *postale*
postbestelling *distribution* v *du courrier*
postbode *facteur* m [v: *factrice*]
postbus *boîte* v *aux lettres*
postbusnummer *numéro* m *de boîte postale*
postcheque *chèque* m *postal* [m mv: *chèques postaux*]
postcode *code* m *postal* [m mv: *codes postaux*]
postdoc *post-universitaire; postdoctoral;* INF. *postdoc*
postdoctoraal *post-universitaire* [m mv: *post-universitaires*]
postduif *pigeon* m *voyageur*
postelein *pourpier* m
posten I OV WW op de post doen *poster; mettre à la boîte* **II** ON WW op wacht staan *monter la garde;* ‹bij staking› *faire le piquet de grève*
poster • affiche *poster* m; *affiche* v • persoon *piquet* m *de grève*
posteren *poster;* ‹op wacht› *mettre en faction*
poste restante *en poste restante*
posterformaat *format* m *poster*
posterijen *postes* v mv
postgiro *chèques* m mv *postaux*
postindustrieel *postindustriel* [v: *postindustrielle*]
postkamer *service* m *de tri*
postkantoor *bureau* m *de poste* [m mv: *bureaux* ...]; *poste* v ★ hoofd~ *bureau de poste principal*

postkoets *diligence* v; *chaise* v *de poste*
postkoloniaal *postcolonial* [m mv: *postcoloniaux*]
postmerk *cachet* m *de la poste* ⋆ datum ~ *date de la poste* v
postmodern *postmoderne*
postmodernisme *postmodernisme* m
postorderbedrijf *entreprise* v *de vente par correspondance*
postpakket *colis* m *postal* [m mv: *colis postaux*]
postpapier *papier* m *à lettres*
postscriptum *postscriptum* m
poststempel *cachet* m *de la poste*
poststuk *envoi* m *postal* [m mv: *envois postaux*]
posttraumatisch *posttraumatique*
posttrein *train* m *postal*; *train-poste* m [mv: *trains-poste*]
postuleren I OV WW vooronderstellen *postuler* II ON WW solliciteren *poser sa candidature*
postuum I BNW *posthume* II BIJW *à titre posthume*
postuur • gestalte *taille* v ⋆ een flink ~ *une belle prestance* ⋆ een slank ~ *une taille mince* • houding *port* m
postvak *casier* m
post vatten *s'établir*
postwissel *mandat* m; *mandat-poste* m [mv: *mandats-poste*] ⋆ internationale ~ *mandat-poste international*
postzegel *timbre-poste* m [mv: *timbres-poste*]
postzegelautomaat *distributeur* m *de timbres-poste*
postzegelverzamelaar *philatéliste* m/v
pot • bak, kan *pot* m; ‹bloempot› *pot* m *à fleurs* • po *pot* m *de chambre* • kookpot ⋆ eten wat de pot schaft *dîner à la fortune du pot* • spelinzet *enjeu* m; *poule* v; ‹jackpot› *cagnotte* v • lesbienne *gouine* v ▾ de gewone pot *l'ordinaire* m
potaarde *terreau* m
potdicht *fermé hermétiquement* ⋆ de luchthaven zat ~ *l'aéroport était bouché*
poten • planten *planter* • neerzetten *planter*
potenrammer *casseur* m *de pédale*
potent *puissant*; *viril*
potentaat *tyran* m; *potentat* m
potentie • macht *puissance* v • seksueel vermogen *puissance* v *sexuelle*
potentieel I ZN *potentiel* m II BNW *potentiel* [v: *potentielle*]; *virtuel* [v: *virtuelle*]; *en puissance*
potgrond *terreau* m
potig *costaud*; *robuste*; *fort*
potje • kleine pot *petit pot* m; ‹verfpotje› *godet* m • partijtje *partie* v • spaarpotje *tirelire* v ▾ zijn eigen ~ koken *faire sa popote* ▾ kleine ~s hebben grote oren *petit chaudron, grandes oreilles* ▾ een ~ huilen *pleurer un bon coup* ▾ er een ~ van maken *mettre le bazar*
potjeslatijn • slecht latijn *latin* m *de cuisine* • onbegrijpelijke taal *charabia* m
potkachel *poêle* m
potlood *crayon* m ⋆ met ~ schrijven *écrire au crayon*
potloodventer *exhibitionniste* m/v
potplant *plante* v *en pot*
potpourri *pot-pourri* m [mv: *pots-pourris*]; *sélection* v
potsierlijk I BNW *grotesque*; *drôle* II BIJW *d'une manière grotesque*
potten • sparen *amasser*; *économiser* • in potten doen *mettre en pot*
pottenbakker *potier* m [v: *potière*]; *céramiste* m/v
pottenbakkerij *poterie* v; ‹werkplaats› *atelier* m *de poterie*
pottenbakkersschijf *tour* m *de potier*
pottenkijker *fouineur* m [v: *fouineuse*]; *gêneur* m [v: *gêneuse*]
potverteren *claquer son argent*; *manger la cagnotte*
potvis *cachalot* m
poule *poule* v
pousseren • vooruithelpen *favoriser* • onder de aandacht brengen *lancer*
pover *pauvre*; *piètre*; *médiocre*
povertjes I BNW *pauvre*; *médiocre*; *mince* II BIJW *mal*
Praag *Prague*
praaien • SCHEEPV. *héler* • aanklampen *accoster*
praal *apparat* m; *faste* m; *magnificence* v ⋆ met grote ~ *pompeusement*
praalwagen *char* m
praam *gabare* v
praat • wat gezegd wordt *propos* m; *conversation* v • het spreken ⋆ aan de ~ houden *tenir la jambe* ▾ ~s hebben *parler haut et fort*
praatgraag I ZN *bavard* m [v: *bavarde*] II BNW *causant*
praatgroep *groupe* m *de discussion*
praatje • gesprekje *causette* v; *conversation* v; ‹kletspraatje› *bavardage* m ⋆ een ~ met iem. maken *faire un brin de causette avec qn* • gerucht *bruit* m; *racontar* m ▾ en geen ~s *et pas de discussions*
praatjesmaker *baratineur* m [v: *baratineuse*]; *beau parleur* m
praatpaal *borne* v *téléphonique*
praatprogramma *débat* m *télévisé*
praatstoel ▾ hij zit op z'n ~ *le voilà lancé*
praatstuk *projet* m *soumis à la discussion*
praatziek *bavard*
pracht *magnificence* v; *splendeur* v; *somptuosité* v
prachtexemplaar *perle* v; *spécimen* m *unique*
prachtig I BNW • mooi *magnifique*; *somptueux* [v: *somptueuse*]; *splendide*; *admirable* • goed *magnifique* II BIJW *magnifiquement*; *admirablement*; *à merveille*
practical joke *farce* v
practicum *travaux* m mv *pratiques*; *T.P.* m mv
pragmaticus *pragmatiste* m
pragmatiek *pragmatique* v
prairie *prairie* v
prak *fricot* m
prakken *écraser (avec une fourchette)*
prakkiseren • denken *réfléchir*; *se presser le citron* • piekeren *se faire du mouron* ⋆ ik prakkiseer er niet over *je refuse*

catégoriquement
praktijk • manier van doen ⋆ kwade ~en *des pratiques détestables*; *de fâcheuses manigances* • toepassing *pratique* v ⋆ dat leert men in de ~ *ça s'apprend sur le tas* • beroepswerkzaamheid *cabinet* m
praktijkervaring *expérience* v *pratique*
praktijkgericht *axé sur la pratique*
praktijkjaar *stage* m *pratique d'un an*
praktijkvoorbeeld *exemple* m *de la pratique*
praktisch I BNW • *pratique* • doelmatig *pratique* II BIJW vrijwel *pratiquement*
praktiseren REL. *pratiquer*; *exercer*
pralen *briller* ⋆ ~ met *se vanter de*; *faire étalage de*
praline *praline* v
prat *fier (de)* [v: *fière*] ⋆ prat gaan op *se targuer de*
praten *bavarder*; *parler*; ‹kletsen› *causer* ⋆ met iem. ~ *parler à qn* ⋆ maar laten ~ *laisser dire* ▾ langs elkaar heen ~ *parler sans s'écouter*
prater *causeur* m [v: *causeuse*]
precair *précaire*
precedent *précédent* m; *équivalent* m
precederen *précéder*
precies I BNW • juist *correct*; *précis*; *exact* • nauwgezet *consciencieux* [v: *consciencieuse*]; *précis* II BIJW nauwgezet *exactement*; *correctement*; *précisément* ⋆ ~ op tijd *à l'heure juste* ⋆ ~ zijn *être très exact* ⋆ akelig ~ *minutieux* [v: *minutieuse*] ⋆ om 6 uur ~ *à six heures précises*; *à six heures pile* ⋆ ~ 5 jaar geleden *il y a exactement 5 ans* ⋆ niet ~ weten *ne pas savoir au juste*
precieus *précieux* [v: *précieuse*]; *affecté*
preciseren *préciser*; *expliciter*
precisie *précision* v; *exactitude* v
precisiebom *bombe* v *de précision*
precisie-instrument *instrument* m *de précision*
predator *prédateur* m
predikaat • TAALK. *prédicat* m; *attribut* m • benaming *appellation* v ⋆ met het ~ 'cum laude' *avec la mention 'très honorable'*
predikant ‹protestants› *pasteur* m; ‹r.-k.› *prédicateur* m [v: *prédicatrice*]
prediken *prêcher*
prediker *prédicateur* m [v: *prédicatrice*] ▾ Prediker *l'Ecclésiaste* m
prednison *prednisone* v
preek *sermon* m
preekstoel *chaire* v ▾ op de ~ *en chaire*
prefab *préfabriqué*
prefect *préfet* m
preferent *privilégié* ⋆ ~e aandelen *actions privilégiées*
preferentie *préférence* v
prefereren *préférer*
pregnant I BNW *prégnant* II BIJW *de manière prégnante*
prehistorie *préhistoire* v
prehistorisch *préhistorique*
prei *poireau* m [mv: *poireaux*]
preken *faire un sermon*; *prêcher*
prelude *prélude* m
prematuur *prématuré*; *précipité*
premie • beloning *prime* v • verzekeringspremie *cotisation* v
premiejager *chasseur* m *de primes*
premiekoopwoning *logement* m *dont la construction est subventionnée*
premier *premier ministre* m; *président* m *du Conseil*
première *première* v
premierschap *fonction* v *de premier ministre*
premiestelsel *système* m *d'assurance mutualiste*
premiewoning ≈ *logement* m *dont la construction est subventionnée*
premisse *prémisse* v
prenataal *prénatal* [m mv: *prénatals*]
prent • pootafdruk *empreinte* v; *trace* v • afbeelding *image* v; *illustration* v; ‹gegraveerd› *estampe* v; *gravure* v
prentbriefkaart *carte* v *postale*
prenten *graver*; ‹op stof› *imprimer*
prentenboek *livre* m *d'images*
preoccupatie *préoccupation* v
preparaat *préparation* v ⋆ anatomisch ~ *préparation anatomique* ⋆ chemisch ~ *préparation chimique*
prepareren • voorbereiden *préparer* • dieren opzetten *naturaliser*
prepositie *préposition* v
presbyteriaan *presbytérien* m [v: *presbytérienne*]
prescriptie *prescription* v
present I ZN *cadeau* m [mv: *cadeaux*] II BNW *présent*
presentabel *présentable*
presentatie *présentation* v
presentator *présentateur* m [v: *présentatrice*]
presenteerblad *plateau* m [mv: *plateaux*]
presenteren *présenter* ⋆ het geweer ~ *se mettre au port d'armes*
presentexemplaar *spécimen* m
presentie *présence* v
presentielijst *feuille* v *de présence*
preses *président* m [v: *présidente*]
president *président* m
president-commissaris *président* m *du conseil des commissaires*
president-directeur *président-directeur* m *général*; *P.d.g.* m
presidentieel *présidentiel* [v: *présidentielle*]
presidentschap *présidence* v
presidentskandidaat *candidat* m *à la présidence*
presidentsverkiezing *(élection* v*) présidentielle* v
presideren *présider*
presidium *présidium* m
presse-papier *presse-papiers* m [onv]
pressie *pression* v; *contrainte* v
pressiegroep *groupe* m *de pression*
pressiemiddel *moyen* m *de pression*
prestatie *performance* v; *prestation* v ⋆ een geweldige ~ *une performance extraordinaire*; *un tour de force*
prestatiebeurs *bourse* v *d'étude rétrocessible en cas de non-réussite*
prestatiedwang *esprit* m *de compétition*
prestatievermogen *performances* v mv
presteren *réussir*; JUR. *s'acquitter de* ⋆ niet veel ~ *obtenir des résultats médiocres*; *se montrer*

P

inférieur
prestige *prestige* m; *réputation* v
prestigekwestie *question* v *de prestige*
prestigeobject *objet* m *fait pour le prestige*; *construction* v *faite pour le prestige*
prestigieus *prestigieux* [v: *prestigieuse*]
presumptief *présumé*
pret *plaisir* m; *rigolade* v; *joie* v ★ pret hebben/maken *s'amuser*
prêt-à-porter *prêt-à-porter* m [mv: *prêts-à-porter*]
pretendent *prétendant* m *(à)*
pretenderen *prétendre*
pretentie *prétention* v
pretentieloos *sans prétention*
pretentieus *prétentieux* [v: *prétentieuse*]
pretje *plaisir* m; *partie* v *de plaisir*
pretogen *regard* m *pétillant*
pretpakket ‹op school› *programme* m *très facile*
pretpark *parc* m *d'attractions*
prettig I BNW *agréable*; *amusant*; ‹mbt persoon› *aimable*; *sympathique* ★ iets ~ vinden *aimer qc* ★ ik vind het ~ dat *je me réjouis que* [+ subj.] **II** BIJW *agréablement*; *de manière amusante*; *de façon sympathique*
preuts I BNW *prude* ★ ~ doen *faire la prude* **II** BIJW *de manière pudibonde*
prevaleren *prévaloir*; *l'emporter*
prevelen *marmotter*; *murmurer*
preventie *prévention* v
preventief I BNW *préventif* [v: *préventive*] **II** BIJW *préventivement*
preview *avant-première* v
prieel *tonnelle* v; *gloriette* v
priegelen ≈ *fignoler*
priegelwerk *travail* m *minutieux*
priem *poinçon* m; *alêne* v
priemen *percer*; *piquer* ★ een ~de blik *un regard perçant*
priemgetal *nombre* m *premier*
priester *prêtre* m ★ ~ worden *se faire prêtre*; *prendre l'habit* ★ tot ~ wijden *ordonner prêtre*
priesterschap ‹sacrament› *prêtrise* v; ‹waardigheid, functie› *sacerdoce* m
priesterwijding *ordination* v
prietpraat *verbiage* m; *bavardage* m
prijken *briller* ★ op zijn hoed prijkte een struisvogelveer *son chapeau était orné d'une plume d'autruche*
prijs • koopsom *prix* m; *tarif* m ★ in de ~ inbegrepen *tout compris* ★ overeengekomen ~ *prix fixe* ★ nader overeen te komen ~ *prix à débattre* ★ minimum~ *prix plancher* ★ maximum~ *prix maximum* ★ door de overheid vastgestelde ~ *prix imposé* ★ beneden de ~ *à vil prix*; *au-dessous du prix* ★ tegen de ~ van *au prix de* ★ tegen vaste prijzen *à forfait* ★ tegen verlaagde ~ *à prix réduit* ★ kost~ *prix de revient* • beloning *récompense* v; *prix* m ★ de ~ behalen *remporter le prix* • buit *prise* v; *capture* v ★ ~ maken *capturer* ▼ tot elke ~ *à tout prix*; *coûte que coûte* ▼ als u daar ~ op stelt *si vous y tenez*
prijsbewust ≈ *qui n'achète pas à n'importe quel prix*; *qui compare les prix*
prijscompensatie *indexation* v *des salaires*
prijsgeven *livrer*; *abandonner*; *renoncer (à)*; ‹m.b.t. geheim› *livrer*
prijskaartje *étiquette* v; FIG. *prix* m
prijsklasse *catégorie* v; *gamme* v ★ wagens in een hoge ~ *des voitures haut de gamme* ★ wagens in een lage ~ *des voitures bas de gamme*
prijslijst *liste* v *des prix*
prijsmaatregel *réglementation* v *des prix*
prijsopdrijving *poussée* v *des prix*
prijsopgave *devis* m; *indication* v *des prix*
prijspeil *indice* m *des prix*
prijsstijging *montée* v/ *hausse* v/*augmentation* v *des prix*; ‹snelle stijging› *flambée* v *des prix*
prijsstop *blocage* m *des prix*
prijsvraag *concours* m ★ een ~ uitschrijven over *organiser un concours*
prijzen • loven *louer*; *vanter* • van prijs voorzien *marquer d'un prix*; *afficher le prix* ▼ zich gelukkig ~ *s'estimer heureux*
prijzengeld *somme* v *des prix dans un concours*
prijzenoorlog *guerre* v *des prix*
prijzenslag *bataille* v *des prix*
prijzenswaardig *louable*
prijzig *cher* [v: *chère*]; *coûteux* [v: *coûteuse*]
prik • steek *piqûre* v; *coup* m • injectie *piqûre* v; *injection* v • limonade *boisson* v *gazeuse*; *soda* m ★ water zonder prik *de l'eau plate* ▼ voor een prikje *pour trois fois rien*
prikactie *grève* v *perlée*
prikbord *tableau* m *d'affichage* [m mv: *tableaux ...*]
prikkel • stekel ‹doorn› *épine* v; *piquant* m • aansporing *stimulant* m; *incitation* v • prikkeling *picotement* m
prikkelbaar BIOL. *irritable*; *susceptible*; *irascible*
prikkeldraad *fil* m *de fer barbelé*
prikkelen • prikkelend gevoel geven *picoter*; *fourmiller* ★ in de neus ~ *monter au nez* ★ in de keel ~ *prendre à la gorge* ★ mijn been prikkelt *j'ai des fourmis dans les jambes* • stimuleren *stimuler*; *inciter (à)* • ergeren *agacer*; *énerver*
prikkeling • stimulans *excitation* v • irritatie *irritation* v
prikken I OV WW • steken *piquer* • injectie geven *faire une piqûre*; ‹v. kou› *picoter* • vaststellen *fixer* ★ een datum ~ *fixer une date* **II** ON WW prikkelen *piquer*
prikkertje *bâtonnet* m; ‹tandenstoker› *cure-dent(s)* m
prikkie ★ iets voor een ~ kopen *acheter pour trois fois rien*
prikklok *pointeuse* v
prikpil *piqûre* v *contraceptive*
prikstaking *action* v *ponctuelle*
pril *frais* [v: *fraîche*]; *fraîchement éclos*; *naissant*
prima I BNW uitstekend *excellent*; *parfait*; *de première qualité* **II** TW *très bien!*; *parfait!*
primaat I ZN (de) • geestelijke *primat* m • zoogdier *primate* m **II** ZN (het) oppergezag *primauté* v

prima ballerina *étoile* v
prima donna *prima donna* v
primair • eerst *primaire* • voornaamst *principal* [m mv: *principaux*]; *premier* [v: *première*] ▾ ~e sector *secteur* m *primaire*
prime • grondtoon *tonique* v • eenklank *unisson* m • interval *demi-ton* m [mv: *demi-tons*]
prime time *heure* v *d'écoute maximum*
primeur *primeur* v
primitief I BNW *primitif* [v: *primitive*] II BIJW *primitivement*
primula *primevère* v
primus *réchaud* m *à pétrole*
principe *principe* m ★ uit ~ *par principe*
principeakkoord *accord* m *de principe*
principebesluit *décision* v *de principe*
principieel I BNW *de principe; fondamental* [m mv: *fondamentaux*] ★ principiële dienstweigeraar *objecteur de conscience* m II BIJW *en principe; par principe*
prins *prince* m ★ ~ van den bloede *prince du sang* ▾ van de ~ geen kwaad weten *faire le naïf/la naïve; être innocent comme l'enfant qui vient de naître*
prinselijk I BNW *princier* [v: *princière*] II BIJW *princièrement*
prinses *princesse* v
prins-gemaal *prince* m *consort*
prinsheerlijk *princièrement*
prinsjesdag ≈ *jour* m *d'ouverture de l'année parlementaire*
print • computeruitdraai *listing* m; *listage* m • afdruk *épreuve* v
printen *imprimer*
printer *imprimante* v
print-out *sortie* v *sur imprimante*
prior *prieur* m
prioriteit *priorité* v
prioriteitsaandeel *action* v *de priorité*
prisma *prisme* m
privaat *cabinet* m ★ openbaar ~ *toilettes* v mv
privaatrecht *droit* m *privé*
privacy *vie* v *privée*
privatiseren *privatiser*
privé I BNW *privé; personnel* [v: *personnelle*] II BIJW *en privé* ★ mag ik u even ~ spreken? *puis-je vous parler en particulier?*
privéaangelegenheid *affaire* v *privée*
privérekening *compte* m *courant*
privésfeer *vie* v *privée*
privézwembad *piscine* v *particulière*
privilege *privilège* m
pro I ZN *pour* m ★ het pro en contra *le pour et le contre* ▾ pro forma *pour la forme* II BNW *pro*
probaat *efficace; excellent*
probeersel *essai* m
proberen • iets beproeven *essayer; expérimenter* • een poging doen *essayer; tenter* ★ hij probeert alleen maar te *il ne cherche qu'à*
probleem *problème* m ★ een ~ op iem. afschuiven *rejeter un problème sur un autre; refiler le bébé à qn*
probleemgeval *cas* m *problématique*
probleemgezin *famille* v *à problèmes*
probleemkind *enfant* m/v *à problèmes*
probleemloos *sans problèmes; sans difficultés*
probleemstelling *problématique* v; *énoncé* m *du problème*
problematiek *problématique* v
problematisch *problématique*
procédé *procédé* m
procederen *faire un procès à; procéder (contre)*
procedure *procédure* v
procedureel *procédural* [m mv: *procéduraux*]
procedurefout *erreur* v *de procédure*
procent *pour cent* m ★ tegen vier ~ *à quatre pour cent*
procentueel *exprimé en pourcentage*
proces • wijze waarop iets verloopt *processus* m • rechtszaak *procès* m ★ een ~ aanspannen *intenter un procès* ★ in een ~ gewikkeld zijn *être engagé dans un procès*
procesgang *déroulement* m *du procès*
procesoperator *mécanicien* m *de commande* [v: *mécanicienne ...*]
processie *procession* v
processor *processeur* m; *unité* v *centrale*
proces-verbaal • bekeuring *procès-verbal* m [mv: *procès-verbaux*]; *P.V.* m; *contravention* v ★ ~ opmaken tegen iem. *verbaliser qn* • verslag *procès-verbal* m [mv: *procès-verbaux*]
procesvoering *procédure* v
proclamatie *proclamation* v
proclameren *proclamer*
procreatie *procréation* v
procuratiehouder *fondé* m *de pouvoir*
procureur *avoué* m
procureur-generaal *procureur* m *général*
pro Deo I BNW *bénévole* II BIJW *bénévolement; gratuitement*
pro-Deoadvocaat *avocat* m *commis (d'office)*
producent *producteur* m [v: *productrice*]; *fabricant* m
producer ‹financieel› *producteur* m [v: *productrice*]; ‹artistiek› *réalisateur* m [v: *réalisatrice*]
produceren *produire*
product *produit* m ★ bruto nationaal ~ *produit national brut* ★ merkwaardig ~ *un drôle de numéro* ★ gedurig ~ *produit de plusieurs facteurs* ★ letterkundige ~en *productions* v mv *littéraires*
productaansprakelijkheid *responsabilité* v *du fait des produits*
productie *production* v; *fabrication* v; *réalisation* v
productiecapaciteit *capacité* v *de production*
productief *fécond; productif* [v: *productive*]; *fertile* ★ ~ maken *exploiter; mettre en valeur; faire valoir* ★ ~ zijn *rapporter*
productiekosten *coût* m *de la production*
productielijn *chaîne* v *de production*
productiemiddel *moyen* m *de production*
productieproces *processus* m *de production*
productiviteit *productivité* v
productmanager *chef* m *de produit*
productschap *groupement* m *interprofessionnel (de droit public)*
proef • onderzoek *essai* m ★ een ~ nemen *faire un essai; expérimenter* • experiment

expérience v; *test* m ⋆ de ~ op de som nemen *mettre à l'essai; vérifier une opération*; FIG. *mettre à l'épreuve* ⋆ op ~ *à l'essai; à titre d'essai* ⋆ op de ~ stellen *mettre à l'épreuve* • bewijs *preuve* v
proefabonnement *abonnement* m *d'essai*
proefballon *ballon* m *d'essai*
proefboring *sondage* m; *forage* m
proefdier *animal* m *de laboratoire* [m mv: *animaux ...*]; *cobaye* m
proefdraaien *faire des essais*
proefdruk *épreuve* v
proefkonijn *sujet* m *d'expérience*; *cobaye* m
proeflokaal *débit* m *de boissons*
proefneming *essai* m; ‹wetenschap› *expérience* v; *expérimentation* v
proefnummer *spécimen* m
proefondervindelijk • empirisch *empirique* • experimenteel *expérimental* [m mv: *expérimentaux*]
proefperiode *période* v *d'essai*
proefpersoon *sujet* m *(d'expérience)*
proefrit *essai* m ⋆ een ~ maken met een auto *essayer une voiture*
proefschrift *thèse* v *de doctorat* ⋆ een ~ verdedigen *soutenir une thèse*
proefterrein *terrain* m *d'essai*
proeftijd ‹bij bedrijf› *période* v *d'essai*; ‹in klooster› *noviciat* m
proefverlof *mise* v *en liberté conditionnelle*
proefvlucht *vol* m *d'essai*; *vol* m *expérimental*
proefwerk *épreuve* v *écrite*; *interrogation* v *écrite*; *composition* v ⋆ een ~ Engels maken *faire une composition d'anglais*
proesten • niezen *éternuer* • snuiven *s'ébrouer* • lachen *pouffer de rire*
proeven I ZN *dégustation* v **II** OV WW • op smaak keuren *goûter*; ‹wijn› *déguster* • bespeuren *savourer*; *goûter (à)*
prof • hoogleraar *prof* m *de faculté* • professional *pro* m
profaan *profane*
profclub *club* m *de (joueurs) professionnels*
profeet *prophète* m/v
professie *profession* v
professional *professionnel* m [v: *professionnelle*]
professionalisering *professionnalisation* v
professioneel I BNW vakkundig *professionnel* [v: *professionnelle*] **II** BIJW *de manière professionnelle*
professor *professeur* m *(de faculté)*
profetie *prophétie* v
profetisch I BNW *prophétiquement* **II** BIJW *en prophète; d'une manière prophétique*
proficiat I ZN *félicitations* v mv **II** TW *toutes mes félicitations!*
profiel *profil* m ⋆ in ~ *de profil*
profielband *pneu* m *à profil*
profielschets *profil* m
profieltekening *profil* m
profielzool *semelle* v *à relief*
profijt *profit* m; *avantage* m; *bénéfice* m ⋆ ~ trekken van *tirer profit de*
profijtbeginsel *principe* m *de non-gratuité*
profileren • profiel aanbrengen *profiler* • karakteriseren *définir*; *caractériser*
profiteren *profiter (de)*; *tirer profit (de)*
profiteur *profiteur* m [v: *profiteuse*]
pro forma *pour la forme*
profspeler *joueur* m *professionnel* [v: *joueuse ...*]
profvoetballer *footballeur* m *professionnel* [v: *footballeuse*]
progesteron *progestérone* v
prognose *pronostic* m; *prévision* v
program *programme* m
programma • opsomming *programme* m ⋆ een druk ~ hebben *avoir un emploi du temps chargé* ⋆ reis~ *programme d'un voyage* • POL. *programme* m *(politique)* • COMP. *programme* m • uitzending *programme* m ⋆ radio~ *programme de radio*
programmablad *magazine* m *de radio et de télévision*
programmaboekje *programme* m
programmakiezer TECHN. *programmateur* m
programmamaker *programmateur* m
programmatuur *logiciel* m
programmeertaal *langage* m *de programmation* ⋆ hogere ~ *langage évolué* ⋆ lagere ~ *langage non évolué*
programmeren *programmer*
programmering *programmation* v
programmeur *programmeur* m [v: *programmeuse*]
progressie *progression* v
progressief I BNW • voortgaand *progressif* [v: *progressive*] • vooruitstrevend *progressiste* **II** BIJW voortgaand *d'une manière progressive*
prohibitie *prohibition* v
project *projet* m
projectbureau *promoteur* m *immobilier*
projecteren *projeter*
projectie *projection* v
projectiel *projectile* m ⋆ geleid ~ *engin téléguidé* m; *missile* m
projectmanager *responsable* m/v *d'un projet*
projectmatig *thématique*
projectonderwijs *enseignement* m *interdisciplinaire à thèmes*
projectontwikkelaar *promoteur* m *de construction*
projector *projecteur* m
proleet *mufle* m; *goujat* m
proletariaat *prolétariat* m
proletariër *prolétaire* m/v
proletarisch *prolétaire*
pro-lifebeweging *mouvement* m *pro-vie*
proliferatie *prolifération* v
prolongatie • verlenging van tijdsduur *prolongation* v • ECON. *prorogation* v; ‹voor kopers› *report* m; ‹voor verkopers› *déport* m
prolongeren *prolonger*; ‹bij overeenkomst› *proroger*
proloog *prologue* m
promenade *promenade* v
promenadeconcert *concert-promenade* m [mv: *concerts-promenades*]
promenadedek *pont-promenade* m [mv: *ponts-promenades*]
promesse *billet* m *à ordre*
promillage *proportion* v *pour mille* ⋆ alcohol~ *taux* m *d'alcool*

promille *pour mille*
prominent *de premier plan; éminent*
promiscue I BNW • met vrij seksueel verkeer *qui a une vie sexuelle libre* • willekeurig dooreen *sans distinction* **II** BIJW • willekeurig dooreen *sans distinction* • met vrij seksueel verkeer *librement sur le plan sexuel*
promiscuïteit *liberté* v *sexuelle*
promoten *promouvoir*
promotie • bevordering *promotion* v; *avancement* m • verkoopbevordering *promotion* v • doctorsgraad behalen *soutenance* v *de thèse*; *doctorat* m • SPORT *montée* v
promotiekans *chance* v *de promotion*
promotiewedstrijd *barrage* m; *match* m *comptant pour la montée*
promotioneel *promotionnel* [v: *promotionnelle*]
promotor • belangenbehartiger *promoteur* m [v: *promotrice*] • hoogleraar *directeur* m *de thèse*
promovendus *soutenant* m *de thèse*
promoveren I OV WW doctorstitel verlenen *conférer le grade de docteur à* **II** ON WW doctorstitel verwerven *passer son doctorat*; *soutenir une thèse de doctorat*
prompt I BNW • vlot *rapide* ★ een ~e bediening *un service rapide* • stipt *exact* **II** BIJW *aussitôt*; *rapidement*
pronken *parader*; *se pavaner* ★ ~ met iets *étaler qc*; *faire étalage de*; *faire parade de*
pronkjuweel *joyau* m [mv: *joyaux*]; FIG. *perle* v
pronkstuk *objet* m *précieux*; *joyau* m [mv: *joyaux*]; FIG. *perle* v
pront I BNW flink *vif* [v: *vive*] **II** BIJW *vivement*
prooi *proie* v ★ ten ~ aan *en proie à*
proost ★ ~! *à votre santé!*; *à la vôtre!*
proosten *trinquer*
prop • samengedrukte bol ‹v. papier› *boulette* v; *tampon* m; *boule* v; ‹in mond› *bâillon* m; ‹v. wapen› *bourre* v; ‹v. deeg› *pâton* m • persoon *boulot* m [v: *boulotte*] ▾ met iets op de proppen komen *mettre qc sur le tapis*; *sortir qc* ▾ een prop in de keel hebben *avoir une boule dans la gorge*; *avoir la gorge serrée*
propaan *propane* m
propaangas *propane* m
propaganda *propagande* v
propagandafilm *film* m *de propagande*
propagandamateriaal *matériel* m *de propagande*
propagandistisch I BNW ‹m.b.t. persoon› *propagandiste*; ‹m.b.t. zaak› *de propagande* **II** BIJW ‹m.b.t. persoon› *d'une façon propagandiste*; ‹m.b.t. zaak› *pour faire de la propagande*
propageren *répandre*; *propager*
propedeuse ≈ *propédeutique* v
propeller *hélice* v
propellervliegtuig *avion* m *à hélice(s)*
proper *propre*
proportie *proportion* v ★ in ~ met *en proportion avec* ★ naar ~ *en proportion*; *proportionnellement*
proportioneel *proportionnel* [v: *proportionnelle*]
propositie *proposition* v
proppen • schrokken *engloutir*; *se bourrer de* • dicht opeen duwen *bourrer*; *tasser*
propvol *plein à craquer*; *comble*; ‹m.b.t. mensen› *bondé* ★ de trein zat ~ *le train était bondé*|*comble*
prosecutie *persécution* v; *poursuite* v
prosodie *prosodie* v
prospectus *prospectus* m
prostaat *prostate* v
prostaatvergroting *prostatisme* m; *hypertrophie* v *de la prostate*
prostituee *prostituée* v
prostitueren *prostituer*
prostitutie *prostitution* v
protagonist *protagoniste* m/v
protectie *protection* v
protectiegeld *somme* v *qu'une entreprise doit payer pour échapper aux menaces de criminels*
protectionisme *protectionnisme* m
protectoraat *protectorat* m
protégé *protégé* m [v: *protégée*]
proteïne *protéine* v
protest • uiting van bezwaar *protestation* v • ambtelijke verklaring *protêt* m ★ ~ van non-acceptatie *protêt faute d'acceptation* ★ ~ van non-betaling *protêt faute de paiement*
protestactie *action* v *revendicative*
protestant *protestant* m [v: *protestante*]
protestantisme *protestantisme* m
protestants *protestant*
protestbeweging *mouvement* m *de protestation*; *mouvement* m *contestataire*
protesteren *protester*; *contester*; *réclamer*
protestmars *marche* v *de protestation*
protestsong *protest-song* m; *chanson* v *contestataire*
proteststaking *grève* v *de protestation*
protestzanger *chanteur* m *contestataire* [v: *chanteuse* ...]
prothese *prothèse* v
protocol • etiquette *protocole* m • verslag *procès-verbal* m [mv: *procès-verbaux*]
protocollair *protocolaire*
proton *proton* m
protoplasma *protoplasma* m; *protoplasme* m
prototype *prototype* m
protserig *clinquant*; ‹v. persoon› *vantard*
Provençaals *provençal* [m mv: *provençaux*]
Provence *la Provence*
proviand *provisions* v mv *(de bouche)*; *ravitaillement* m
provider *serveur* m *(de données)*
provinciaal I ZN REL. *provincial* m [mv: *provinciaux*] [v: *provinciale*] **II** BNW *provincial* [m mv: *provinciaux*]
provincialisme *provincialisme* m; *régionalisme* m
provincie *province* v ★ de Verenigde Provinciën *les Provinces Unies*
provinciebestuur *gouvernement* m *provincial*
provinciehuis *siège* m *des états provinciaux*
provisie • commissieloon *commission* v; ‹v. makelaar› *courtage* m • voorraad

provisions v mv
provisiekast *garde-manger* m [onv]; *placard* m *à provisions*
provisorisch *provisoire*
provitamine *provitamine* v
provo *provo* m
provocateur *provocateur* m [v: *provocatrice*]
provocatie *provocation* v
provoceren *provoquer à*; *faire de la provocation*
provoost *prison* v *militaire*
pro-westers *pro-occidental* [m mv: *pro-occidentaux*]
proximaal BIOL. *proximal* [m mv: *proximaux*]
proza *prose* v ⋆ in ~ *en prose*
prozaïsch *prosaïque*
pruik • vals haar *perruque* v • haardos *tignasse* v
pruikentijd *époque* v *du rococo*
pruilen *bouder*; *faire la tête*; *faire la moue*
pruillip *lippe* v ⋆ een ~ trekken *faire la lippe*
pruim • vrucht *prune* v ⋆ groene ~ *reine-claude* v ⋆ blauwe ~ *prune de Monsieur* v ⋆ gedroogde ~ *pruneau* m ⋆ gele ~ *mirabelle* v • boom *prunier* m • tabakspruim *chique* v
pruimen • tabak kauwen *chiquer* • verdragen *piffrer* ⋆ ik kan die vent niet ~ *je ne peux pas piffrer ce type-là*
pruimenboom *prunier* m
pruimenmond *bouche* v *en cul de poule* ⋆ een ~je trekken *avoir la bouche en cul de poule*
pruimtabak *tabac* m *à chiquer*
Pruis *Prussien* m [v: *Prussienne*]
Pruisen *la Prusse*
Pruisisch *prussien* [v: *prussienne*]
prul *papier* m; *babiole* v
prulding *babiole* v; INF. *torche-cul* m [mv: *torche-culs*]
prullaria *pacotille* v
prullenbak *corbeille* v *à papier*
prullenmand *corbeille* v *à papier*; *poubelle* v
prulschrijver *plumitif* m
prut • eenpansgerecht *tambouille* v • bezinksel ‹v. koffie› *marc* m *de café* • drab *gadoue* v
prutsding *babiole* v
prutsen *bricoler*
prutser *bricoleur* m [v: *bricoleuse*]
prutswerk • knoeiwerk *bousillage* m • peuterwerk *bricolage* m
pruttelen • koken *mijoter* • mopperen *bougonner*
psalm *psaume* m
psalmbundel *recueil* m *de psaumes*
pseudo- *pseud(o)-*
pseudoniem *pseudonyme* m; *nom* m *de plume*
psoriasis *psoriasis* m
pst *psitt!*
psyche *psyché* v
psychedelisch *psychédélique*
psychiater *psychiatre* m/v
psychiatrie *psychiatrie* v
psychiatrisch *psychiatrique*
psychisch *psychique*
psychoanalyse *psychanalyse* v
psycholinguïstiek *psycholinguistique* v
psychologie *psychologie* v
psychologisch *psychologique*
psycholoog *psychologue* m/v
psychopaat *psychopathe* m/v
psychose *psychose* v
psychosomatisch *psychosomatique*
psychotherapie *psychothérapie* v
psychotisch *psychotique*
ptolemeïsch *ptolémaïque*
PTT *Postes et Télécommunications* v mv; *P. et T.* v mv
pub *pub* m
puber *adolescent* m [v: *adolescente*]
puberaal *pubertaire*
puberen *être à l'âge ingrat*; *avoir des crises d'adolescence*
puberteit *adolescence* v; *puberté* v
publicatie *publication* v
publicatieverbod *interdiction* v *de publier*
publiceren *rendre public*; ‹uitgeven› *publier*
publicist *journaliste* m/v
publicitair *publicitaire*
publiciteit *publicité* v
publiciteitscampagne *campagne* v *de publicité*
publiciteitsgeil *avide de publicité*; *publivore*
publiciteitsstunt *coup* m *publicitaire*
public relations *relations* v mv *publiques*
publiek I ZN *public* m; *assistance* v; ‹in theater› *salle* v ⋆ het grote ~ *le grand public* II BNW *public* [v: *publique*]
publiekelijk *publiquement*
publieksgericht *orienté vers le grand public*
publiekstrekker • persoon *vedette* v • stuk *succès* m
puck SPORT *palet* m
pudding *pudding* m
puddingbroodje *petit pain* m *fourré*
puddingvorm *moule* m
puf ⋆ ik heb geen puf meer *je suis à plat* ⋆ ergens de puf niet meer voor hebben *ne plus avoir la force de faire qc*
puffen ≈ *haleter* ⋆ het is hier om te ~ *on étouffe ici*
pui • gevel ‹v. winkel› *devanture* v; *façade* v • stoep *perron* m
puik I BNW *excellent*; *exquis*; *parfait* II BIJW *on ne peut mieux*
puimsteen *pierre* v *ponce* ⋆ met ~ schuren *poncer*
puin *gravats* m mv; *décombres* m mv ⋆ puin ruimen FIG. *déblayer le terrain* ⋆ onder het puin bedolven *enseveli sous les décombres* ⋆ tot puin vervallen *tomber en ruine*
puinhoop • hoop puin *tas* m *de décombres*; *ruine* v • warboel *pagaille* v
puinruimen *déblayer le terrain*
puissant *puissant* ⋆ ~ rijk *très riche*
puist *bouton* m
puistenkop *boutonneux* v [v: *boutonneuse*]; ‹scherts.› *calculatrice*
puk • kind *petit bout* m *d'homme*; *petit bout* m *de chou* • klein persoon *demi-portion* v [mv: *demi-portions*]
pukkel • puist *bouton* m • tas *sacoche* v
pul • bierpul *chope* v • vaas *cruche* v; *pichet* m; *pot* m
pulken *tripoter*

pulli *pull* m *à col roulé*
pullover *pull* m; *pull-over* m [mv: *pull-overs*]
pulmonaal *pulmonaire*
pulp • brij *pulpe* v • slecht product ‹m.b.t. boeken› *torchon* m; ‹m.b.t. film› *navet* m
pulsatie *pulsation* v
pulseren *battre*; ‹m.b.t. elektriciteit› *pulser*
pulver *poudre* v
pummel *butor* m
pump *escarpin* m
punaise *punaise* v
punch OOK SP. *punch* m
punctie *ponction* v
punctueel I BNW *ponctuel* II BIJW *ponctuellement* [v: *ponctuelle*]
punk • subcultuur *mouvement* m *punk* • punker *punk* m/v
punker *punk* m/v
punkkapsel *coiffure* v *punk*
punniken • frunniken *tripoter* • breien *faire du tricotin*
punt I ZN (de) • uiteinde *pointe* v; *bout* m ★ de punt van een servet *un coin de serviette* ★ een punt slijpen aan een potlood *tailler un crayon* • stip *point* m ★ dubbele punt *deux points* II ZN (het) • plaats *point* m • onderdeel, kwestie *point* m; *problème* m • moment *point* m ★ op het punt staan iets te gaan doen *être sur le point de faire qc* • waarderingseenheid *point* m
puntbaard *barbe* v *en pointe*
puntbroodje *petit pain* m
punten • een punt maken aan *tailler* • afknippen *couper les pointes*; *rafraîchir*
puntenschaal *échelle* v *de notes*
puntenslijper *taille-crayon* m [mv: *taille-crayons*]
punter *barge* v
puntgaaf *parfait*
punthoofd ▾ ik krijg er een ~ van *ça me rend dingue*
puntig I BNW • spits *aigu* [v: *aiguë*]; *pointu*; *en pointe* ★ ~e rotsen *des roches pointues* • kernachtig *concis* ★ een ~ gezegde *une expression concise* II BIJW • spits *en (forme de) pointe* • kernachtig *avec concision*
puntje ‹uiteinde› *pointe* v; *point* m ★ gedachte~s *points de suspension* ▾ als ~ bij paaltje komt *au moment décisif* ▾ de ~s op de i zetten *mettre les points sur les i* ▾ in de ~s *(soigné) dans les détails*; *irréprochable*
puntkomma *point-virgule* m [mv: *points-virgules*]
puntmuts *bonnet* m *à pointe*
puntschoen *chaussure* v *à bout pointu*
puntsgewijs *point par point*
puntzak *cornet* m
pupil • leerling *élève* m/v • kind *pupille* m/v • oogpupil *pupille* m/v
puppy *chiot* m
puree ‹v. aardappels› *purée* v *de pommes de terre*; ‹v. tomaten› *concentré* m *de tomates*
pureren *écraser en purée*
purgeermiddel *purge* v
purisme *purisme* m
purist *puriste* m/v
puritein *puritain* m [v: *puritaine*]
puriteins *puritain*
purper *pourpre*; *pourpré*
purperrood *pourpre*
purser ‹in vliegtuig› *steward* m; SCHEEPV. *commissaire* m *(de bord)*
pus *pus* m
pushen • aanzetten *stimuler*; *aiguillonner* • promoten *pousser à la vente*; *faire de la publicité*
put ‹bouw-/waterput› *puits* m; ‹kuil› *trou* m; *creux* m; *fosse* v
putten • water ophalen *puiser* ★ water ~ *tirer de l'eau* • ontlenen *puiser*; *trouver*
puur I BNW • zuiver *pur*; *nature* • louter *pur* ★ uit pure nieuwsgierigheid *par pure curiosité* ★ dat is puur toeval *c'est un pur hasard* II BIJW *purement*; *tout à fait*
puzzel • legpuzzel *puzzle* m • probleem *casse-tête* m [onv]
puzzelaar ‹v. legpuzzels› *amateur* m *de puzzles*; ‹v. kruiswoordpuzzels› *cruciverbiste* m/v; *amateur* m *de mots croisés*
puzzelen • puzzels oplossen *faire des puzzles* • diep nadenken *se casser la tête*; *se tracasser*
puzzelwoordenboek *dictionnaire* m *de mots croisés*
pvc *P.V.C.* m
pygmee *pygmée* m/v
pyjama *pyjama* m ★ in ~ *en pyjama*
pyjamabroek *pantalon* m *de pyjama*
pylon *cône* m
Pyreneeën *Pyrénées* v mv
pyromaan *pyromane* m/v
Pyrrusoverwinning *succès* m *en apparence*
python *python* m

Q

q *q* m
qua *en ce qui concerne* ★ qua kleur valt het mee *la couleur est meilleure que je ne m'y attendais*
quadrupel I ZN *quadruple* II BNW *quadruple* m
qualitate qua *ès qualites*
quanta *quanta* m mv
quarantaine *quarantaine* v
quartair *quaternaire*
Quartair *ère* v *quaternaire*
quasi *quasiment* ★ ~ studeren *faire semblant d'étudier*
quasi-wetenschappelijk *pseudo-scientifique*
quatre-mains I ZN *morceau* m *à quatre mains* II BNW *à quatre mains*
quatsch *sottises* v mv
queeste *quête* v
querulant *quérulant* m
questionaire *questionnaire* m
quiche *quiche* v
quickstep ≈ *fox-trot* m
quitte *quitte* ★ wij staan ~ *nous sommes quittes*
qui-vive *qui vive* m ★ op zijn ~ zijn *être sur le qui vive*
quiz *quiz* m; *jeu* m [mv: *jeux*]; *jeu-concours* m [mv: *jeux-concours*]
quizmaster *animateur* m [v: *animatrice*]
quota ‹m.b.t. kosten/baten› *quote-part* v [m mv: *quotes-parts*]; *quotité* v
quotatie *citation* v; *quotité* v
quote *quote-part* v [mv: *quotes-parts*]
quoteren *répartir par quotes-parts*
quotiënt *quotient* m
quotum *quote-part* v

R

r *r* m
ra *vergue* v
raad • advies *conseil* m; *avis* m ★ raad vragen *demander conseil*; *consulter* • uitweg ★ geen raad weten met *ne pas venir à bout de*; *ne savoir que faire de* • adviserend college *conseil* m ★ de Hoge Raad *la Cour de Cassation* ★ de Raad van State *Conseil d'Etat* m ★ raad van commissarissen *conseil de surveillance* ★ raad van beheer *conseil d'administration* ▾ ten einde raad *en désespoir de cause* ▾ ten einde raad zijn *ne savoir à quel saint se vouer*
raadgever *conseiller* m [v: *conseillère*]
raadgeving *avis* m; *conseil* m ★ op ~ van *sur le conseil de*
raadhuis *mairie* v; *hôtel* m *de ville*
raadplegen *consulter*; *demander conseil à*
raadsbesluit *arrêté* m *municipal*
raadscommissie *commission* v *municipale*
raadsel • iets onbegrijpelijks *mystère* m ★ het is me een ~ *pour moi c'est un mystère* • opgave *énigme* v
raadselachtig I BNW *énigmatique*; *mystérieux* [v: *mystérieuse*] II BIJW *mystérieusement*
raadsheer • rechter *conseiller* m; *membre* m *du conseil*; ‹v. Hoge Raad› *membre* m *de la Cour* • schaakstuk *fou* m
raadslid *conseiller* m *municipal*
raadsman • raadgever *conseiller* m • advocaat *avocat-conseil* m [mv: *avocats-conseils*]
raadszitting *réunion* v *du conseil*
raadzaal *salle* v *du conseil*
raadzaam *opportun* ★ ~ achten *juger opportun*
raaf *corbeau* m ▾ witte raaf FIG. *merle* m *blanc*
raak • doel treffend *touché*; *dans le mille* ★ dat schot is raak *ce tir était dans le mille* • juist *bien envoyé* ★ die was raak *c'était envoyé*
raaklijn *tangente* v
raakpunt *point* m *de contact*; *point* m *de tangence*
raakvlak *point* m *commun*
raam • venster *fenêtre* v ★ schuifraam *fenêtre à coulisse* • lijst *châssis* m • kader *cadre* m
raamadvertentie *petite annonce* v *dans une vitrine*
raamkozijn *châssis* m
raamprostitutie *prostitution* v *en vitrine*
raamsponning *coulisse* v
raamvertelling *récit* m *à tiroirs*
raamwerk • houtwerk *châssis* m; ‹omlijsting› *cadre* m • globale opzet *plan* m *général*; *esquisse* v
raamwet *loi-cadre* v [mv: *lois-cadres*]
raap *navet* m; ‹voor vee› *rutabaga* m ▾ ze zei het recht voor z'n raap *elle le dit sans mâcher ses mots*
raapstelen *pousses* v mv *de navettes*
raar I BNW • vreemd *bizarre*; *étrange* ★ een rare vent *un drôle de type* • onwel *tout chose* ★ ik voel me zo raar *je me sens tout chose* II BIJW *étrangement*
raaskallen *délirer*; *extravaguer*

raat *rayon* m
rabarber *rhubarbe* v
rabat • sponning *feuillure* v • kweekbed *semis* m • korting *réduction* v
rabbijn *rabbin* m; ‹aanspreektitel› *rabbi* m
rabiës *rage* v
race *course* v
racebaan *circuit* m; *piste* v
racefiets *vélo* m *de course*
racen • aan een race deelnemen *courir* • zeer snel gaan *faire de la vitesse*; *se dépêcher*
racewagen *voiture* v *de course*
raciaal *racial* [m mv: *raciaux*]
racisme *racisme* m
racist *raciste* m/v
racistisch *raciste*
racket *raquette* v *(de tennis)*
raclette *raclette* v
rad I ZN *roue* v ★ rad van avontuur *roue de la fortune* II BNW *prompt*; *rapide*; ‹v. woorden› *volubile* ▼ rad van tong zijn *être volubile*; *avoir la langue bien pendue* III BIJW • snel *vite*; *rapidement* • vaardig *agilement*; ‹v. woorden› *volubilement*
radar *radar* m
radarantenne *antenne* v *radar*
radarapparatuur *équipement* m *radar*
radarinstallatie *équipement* m *radar*
radarscherm *écran* m *radar*
radarsignaal *signal* m *radar* [m mv: *signaux* ...]
radbraken *rouer* ▼ geradbraakt zijn *être éreinté*
raddraaier *meneur* m [v: *meneuse*]; *instigateur* m [v: *instigatrice*]
radeermesje *grattoir* m
radeloos I BNW *désespéré*; *éperdu*; *affolé* II BIJW *désespérément*; *d'une manière affolée*
radeloosheid *désespoir* m; *affolement* m
raden • gissen *deviner*; *faire des conjectures* ★ U raadt het nooit *je vous le donne en mille* • raadgeven *conseiller*
raderboot *bateau* m *à aubes* [m mv: *bateaux* ...]
raderen • afkrabben *gratter* • etsen *graver*
radertje *rouage* m
raderwerk *mécanisme* m; *engrenage* m
radiaalband *pneu* m *radial*/*à carcasse radiale*
radiateur *radiateur* m
radiator *radiateur* m
radicaal I ZN (de) *radical* m [mv: *radicaux*] [v: *radicale*] II BNW *radical* [m mv: *radicaux*]
radicalisme *radicalisme* m
radijs *radis* m
radio *poste* m *(de radio)*; *radio* v ★ de ~ afzetten *éteindre la radio*
radioactief *radioactif* [v: *radioactive*] ★ het ~ maken *la radioactivation* ★ radioactieve neerslag *retombées* v mv *radioactives*
radioactiviteit *radioactivité* v
radiobesturing *radioguidage* m
radiocassetterecorder *radiocassette* v
radiografie *radiographie* v
radiografisch I BNW *radiographique* II BIJW *par radiographie*
radiologie *radiologie* v
radioloog *radiologue* m/v; *radiologiste* m/v
radionieuwsdienst *bulletin* m *d'informations*; *journal* m *parlé*
radio-omroep *radiodiffusion* v
radioprogramma *programme* m *de radio*
radioscopie *radioscopie* v; *radio* v
radiostation *station* v *d'émission*; *station* v *de radiodiffusion*
radiotherapie *radiothérapie* v
radiotoespraak *allocution* v *radiodiffusée*
radiotoestel *radio* v; *poste* m *(de radio)*
radio-uitzending *émission* v *radio(phonique)*
radioverslaggever *radioreporter* m
radiowekker *radio-réveil* m [mv: *radios-réveils*]
radiozender *émetteur* m
radium *radium* m
radius *rayon* m
radja *rajah* m
radslag *roue* v
rafel *effilure* v
rafelen I OV WW losmaken *effiler*; *érailler* II ON WW losraken *s'effiler*; *s'érailler*
rafelig *éraillé*
raffia *raphia* m
raffinaderij *raffinerie* v
raffinement *raffinement* m
raffineren *raffiner*
rafting SPORT *rafting* m
rag *toile* v *d'araignée*
rage • algemene bevlieging *rage* v; *manie* v • modegril *rage* v
ragebol • borstel *tête* v *de loup* • haardos *tignasse* v
ragfijn *subtile*
raggen *gigoter*; *se trémousser*
ragout *ragoût* m
ragtime *ragtime* m
rail • roede *coulisse* v • spoorstaaf *rail* m
railsysteem *barres* v mv *conductrices*
railvervoer *transport* m *par rail* ★ railwegvervoer *ferroutage* m
rakelings *tout près* ★ ~ langs iets gaan *effleurer*; *frôler*
raken I OV WW • aanraken *toucher*; WISK. *être tangent à* ★ even ~ *effleurer*; *frôler* • treffen *toucher*; *atteindre* • ontroeren *émouvoir*; *toucher* • betreffen *regarder*; *concerner* II ON WW geraken *devenir*; *arriver* ★ uit de mode ~ *passer de mode* ★ van zijn stuk ~ *perdre contenance* ★ verliefd ~ *tomber amoureux*
raket *missile* m; ‹vuurpijl› *fusée* v
raketaanval *attaque* v *de missiles*
raketbasis *base* v *de lancement de fusées*
raketbeschieting *bombardement* m *de missiles*
raketinstallatie *lance-roquettes* m; *lance-missiles* m
rakker *garnement* m
rally • wedstrijd *rallye* m • slagenwisseling ‹tennis› *échange* m *de balles*
ram • mannetjesschaap *bélier* m • sterrenbeeld *Bélier* m • stormram *bélier* m
RAM *mémoire* v *vive*; *RAM* m
ramadan *ramadan* m
rambam ★ krijg de ~! *va te faire foutre* ★ zich het ~ werken *se crever (à qc)*
ramen *estimer*; *évaluer*
ramificatie *ramification* v
raming *estimation* v; *évaluation* v; ‹v. kosten›

devis m
rammelaar • speelgoed *hochet* m • mannetjeskonijn *bouquin* m; *lapin* m *(mâle)*
rammelen I ov ww door elkaar schudden *secouer* ★ iem. door elkaar ~ *secouer qn comme un prunier* II on ww • geluid maken *faire du bruit* • gebrekkig in elkaar zitten *être mal composé* ▾ ~ van de honger *mourir de faim*
rammelkast • piano *chaudron* m • voertuig *tacot* m
rammen • beuken *enfoncer à coups de bélier* • botsen *prendre en écharpe* • aanvaren *éperonner*
rammenas *raifort* m
ramp ‹natuurramp› *sinistre* m; *catastrophe* v; *calamité* v; *désastre* m ★ tot overmaat van ramp *pour comble d'infortune*
rampbestrijding *lutte* v *contre les sinistres*; *organisation* v *de secours*
rampenbestrijdingsplan *plan* m *d'urgence*; *plan* m *ORSEC*
rampenplan *plan* m *ORSEC*
rampgebied *région* v *sinistrée*
rampjaar *année* v *catastrophique/désastreuse*
rampspoed • tegenspoed *adversité* v; *infortune* v • ramp *catastrophe* v; *désastre* m
ramptoerisme ≈ *tourisme* m *sur le lieu de catastrophe*
rampzalig I bnw • rampspoedig *désastreux* [v: *désastreuse*] • noodlottig *funeste*; *fatal* II bijw *fatalement*
ramsj • handel *trafic* m • rommel *camelote* v
ramsjpartij *lot* m *de camelote*; ‹boeken› *surplus* m
ranch *ranch* m
rancune *rancune* v
rancuneus I bnw *rancunier* [v: *rancunière*] II bijw *avec rancune*
rand • omtrek, grens *bord* m; ‹v. bos› *lisière* v; ‹v. bladzijde› *marge* v; ‹v. put› *margelle* v; ‹scherpe rand› *arête* v; ‹v. wond› *lèvre* v ★ over de rand lopen *déborder* • uiterste rand *bord* m
randapparatuur *appareillage* m *périphérique*
randfiguur *marginal* m [mv: *marginaux*] [v: *marginale*]
randgebied *confins* m mv
randgemeente *communes* v mv *de banlieue* ★ de ~n *la banlieue*
randgroep *groupe* m *marginal*
randgroepjongere *jeune* m *marginal*
randschrift *inscription* v *sur la tranche*
randstad *conurbation* v ★ ~ Holland *conurbation des Pays-Bas*
randstoring *perturbation* v *périphérique*
randverschijnsel *phénomène* m *marginal*
randvoorwaarde *condition* v *annexe*
rang • plaats in hiërarchie *rang* m; *ordre* m; ‹militair› *grade* m ★ van vergelijkbare rang *homologue* • maatschappelijke stand *condition* v; *classe* v • plaats in schouwburg *rang* m *(de fauteuils)*
rangeerder *wagonnier* m
rangeerterrein *gare* v *de triage*
rangeren I zn *triage* m II ov ww spoorwegen *trier* III on ww *se garer*
ranglijst *classement* m
rangnummer *numéro* m *d'ordre*
rangorde *ordre* m; *hiérarchie* v
rangschikken • ordenen *ranger*; *arranger* • indelen *classer* ★ ~ onder *mettre au nombre de*
rangschikking • ordening *rangement* m; *classification* v • indeling *classement* m; *ordre* m; *hiérarchie* v
rangtelwoord *nombre* m *ordinal*
ranja *orangeade* v
rank I zn *vrille* v; ‹v. wijnstok› *sarment* m II bnw *frêle*; *svelte*
ranking sport *classement* m
ranonkel *renoncule* v
ransel *sac* m; ‹v. soldaat› *havresac* m ▾ iemand een pak ~ geven *donner une raclée à qn*
ranselen *rosser*
ransuil *moyen duc* m
rantsoen *ration* v ★ op ~ stellen *rationner*
rantsoeneren *rationner*
ranzig *rance*
rap I zn *rap* m II bnw *agile*; *leste*; *rapide*
rapen *ramasser*; *recueillir*
rapgroep *groupe* m *rap*
rapmuziek *rap* m
rappelleren *rappeler*
rappen *faire du rap*
rapper *rap(p)eur* m [v: *rap(p)euse*]
rapport • verslag *rapport* m; *compte* m *(rendu)* ★ ~ maken van *rapporter* • cijferlijst *bulletin* m; *carnet* m *(de notes)*
rapportage *compte-rendu* m [mv: *comptes-rendus*]
rapportcijfer *note* v
rapporteren • melden *rapporter* • verslag uitbrengen *rapporter*; *signaler*
rapsodie *r(h)apsodie* v
rariteit *curiosité* v
rariteitenkabinet *cabinet* m *de curiosités*
ras *race* v ★ van edel ras *de race (pure)*
ras- *de race pure*
rasartiest *artiste-né* m
rasecht • raszuiver *de race*; *racé*; ‹v. paard› *pur sang* • echt *vrai*
rasegoïst *vrai égoïste* m
rashond *chien* m *de race*
rasp *râpe* v
raspen *râper*
rassendiscriminatie *discrimination* v *raciale*
rassenhaat *haine* v *raciale*; *racisme* m
rassenintegratie *intégration* v *raciale*
rassenonlusten *troubles* m mv *raciaux*; *émeutes* v mv *raciales*
rassenrelletjes → **rassenonlusten**
rassenscheiding *ségrégation* v *raciale*
rassensegregatie → **rassenscheiding**
rassenvraagstuk *problématique* v *raciale*
rasta *rasta* m
rastafari I zn *rastafari* m/v II bnw *rastafari*
rastakapsel *coiffure* v *rasta*
raster • hekwerk *grillage* m; *treillis* m • puntenpatroon *trame* v
rasterdraad *fil* m *de fer*
rasterfoto *négatif* m *tramé*

rasterwerk *grillage* m
raszuiver *de race pure*
rat *rat* m
rataplan ▾ de hele ~ *tout le bataclan*
ratatouille *ratatouille* v
ratel • instrument *crécelle* v • persoon *moulin* m *à paroles*; *crécelle* v
ratelaar ‹boom› *tremble* m
ratelen • geluid maken *tourner la crécelle*; *faire un bruit de crécelle* • druk praten *parler sans cesse*
ratelslang *serpent* m *à sonnette*; *crotale* m
ratificatie *ratification* v
ratificeren *ratifier*
rating *notation* v; *évaluation* v *financière*
ratio *raison* v
rationaliseren • rationeel maken *rationaliser* • verstandelijk beredeneren *aborder rationnellement*
rationalisme *rationalisme* m
rationalistisch I BNW *rationaliste* II BIJW *d'une façon rationaliste*
rationeel I BNW doordacht *rationnel* [v: *rationnelle*] II BIJW *rationnellement*
ratjetoe • stamppot *ratatouille* v • allegaartje *salmigondis* m
rato ▾ naar rato van *au prorata de*; *à raison de*; *proportionnellement à*
rats ▾ in de rats zitten *avoir chaud*; INF. *avoir le trac*
rattengif *raticide* m
rauw I BNW • ongekookt *cru* • schor *rauque*; *enroué*; *éraillé* • ontveld *écorché* • grof *cru* II BIJW • schor *d'une voix rauque* • grof *crûment*
rauwkost *crudités* v mv
ravage *dégâts* m mv ⋆ een ~ aanrichten *faire d'énormes dégats*
ravigotesaus *sauce* v *ravigote*
ravijn *ravin* m
ravioli *ravioli* m mv
ravotten *batifoler*; *folâtrer*; *s'ébattre*
rayon • werkgebied *rayon* m • kunstzijde *rayonne* v
rayonchef *chef* m *de rayon*
rayonhoofd → **rayonchef**
razen • tekeergaan *faire rage*; *se démener*; ‹mondeling› *tempêter* • zoeven *foncer*
razend I BNW • woedend *furieux* [v: *furieuse*]; *enragé* • hevig *énorme* ⋆ ~ verliefd zijn op *aimer éperdument*; *aimer à la folie* II BIJW *furieusement*
razendsnel *ultra-rapide* [m mv: *ultra-rapides*]
razernij *fureur* v; *rage* v
razzia *razzia* v; *rafle* v ⋆ een ~ houden onder *faire une rafle parmi*
reactie *réaction* v ⋆ de ~ ondervinden van *subir le contrecoup de*
reactiesnelheid *vitesse* v *de réaction*
reactievermogen *capacité* v *de réagir*
reactionair I ZN *réactionnaire* m II BNW *réactionnaire*
reactor *réacteur* m
reactorcentrale *centrale* v *nucléaire*
reactorvat *cuve* v *de réacteur*
reader *recueil* m *d'articles*
reageerbuis *éprouvette* v; *tube* m *à essai*
reageerbuisbaby *bébé-éprouvette* m [mv: *bébés-éprouvettes*]
reageerbuisbevruchting *fécondation* v *in vitro*
reageren • reactie vertonen *réagir (à)* • CHEM. *réagir*
realisatie *réalisation* v
realiseerbaar *réalisable*
realiseren I OV WW *réaliser* II WKD WW *se rendre compte*
realisering • besef *prise* v *de conscience* • verwezenlijking *réalisation* v
realisme *réalisme* m
realist *réaliste* v
realistisch I BNW *réaliste* II BIJW *avec réalisme*
realiteit *réalité* v
realiteitszin *sens* m *des réalités*
realpolitik *politique* v *réaliste*
reanimatie *réanimation* v
reanimeren *réanimer*
rebel *rebelle* m; *insurgé* m
rebellenleger *armée* v *rebelle*
rebellenleider *organisateur* m *de la rébellion*
rebelleren *se rebeller*; *se révolter*
rebellie *rébellion* v
rebels *rebelle*; *récalcitrant*
rebound SPORT *rebond* m
rebus *rébus* m
recalcitrant *récalcitrant*
recapituleren *récapituler*; *résumer*
recensent *critique* v
recenseren *faire la critique de*; *rendre compte de*
recensie *compte-rendu* m [mv: *comptes-rendus*]; *critique* v
recensie-exemplaar *exemplaire* m *destiné au service de presse*
recent I BNW *récent* II BIJW *récemment*
recentelijk *récemment*
recept • keukenrecept *recette* v • doktersrecept *ordonnance* v
receptie *réception* v ⋆ ~ houden *donner une réception*
receptief *receptif* [v: *receptive*]
receptionist *réceptionniste* m/v
reces *vacances* v mv *parlementaires* ⋆ op ~ gaan *suspendre ses travaux*; *se proroger*
recessie *récession* v
recette *recette* v
rechaud *réchaud* m
recherche *police* v *judiciaire*
recherchebijstandsteam *brigade* v *spéciale de la police criminelle*
rechercheur *agent* m *de la police judiciaire*
recht I ZN • overheidsvoorschriften *droit* m • rechtsgeleerdheid *droit* m ⋆ ~en studeren *faire du droit* ⋆ meester in de ~en *licencié en droit* • rechtspleging *justice* v ⋆ ~ spreken *rendre la justice* • gerechtigheid *justice* v ⋆ zich ~ verschaffen *se faire justice* ⋆ in ~en *en justice*; *juridiquement* • bevoegdheid, aanspraak *droit* m; *titre* m ⋆ met het volste ~ *en droit et en raison* ⋆ met welk ~? *de quel droit?* • belasting *droit* m ▾ tot zijn ~ komen *être mis en valeur* II BNW • niet gebogen *droit* • loodrecht *droit* III BIJW • niet gebogen *droit*; *en ligne droite* • rechtop, loodrecht *droit* ▾ ze komt ~ op ons af *elle*

R

nous vient droit dessus ▾ ~ op het doel af gaan *aller droit au but*
rechtbank • college van rechters *tribunal* m [mv: *tribunaux*] ⋆ voor de ~ brengen *déférer (qn) à la justice*; *porter (qc) devant les tribunaux* • gerechtsgebouw *palais* m *de justice*; *tribunal* m [mv: *tribunaux*]
rechtdoor *tout droit*
rechtdoorzee *franc* [v: *franche*]
rechteloos *sans droit*
rechten *redresser*
rechtens *de droit*
rechtenstudie *études* v mv *de droit*
rechter I ZN *juge* m ⋆ ~ van instructie *juge d'instruction* II BNW ‹met betrekking tot lichaamsdelen› *droit*; ‹met betrekking tot zaken› *de droite*/*à droite*
rechter-commissaris *juge* m/v *d'instruction*
rechterhand • hand van de rechterarm *(main* v*) droite* • voornaamste helper *bras* m *droit*
rechterkant *côté* m *droit*
rechterlijk *judiciaire* ⋆ ~e macht *pouvoir* m *judiciaire* ⋆ ~e stand *magistrature* v
rechtervleugel *aile* v *droite*
rechtgeaard *honnête*
rechthoek *rectangle* m
rechthoekig I BNW met rechthoekige vorm *rectangulaire* II BIJW *à angle droit*
rechtlijnig I BNW • WISK. *rectiligne* • logisch *linéaire* II BIJW *en ligne droite*
rechtmatig I BNW *légal* [m mv: *légaux*]; *légitime* II BIJW • volgens recht *légalement* • gerechtvaardigd *légitimement*
rechtop *droit*; ‹overeind› *debout* ⋆ zit ~ *tenez-vous droit*
rechtopstaand *dressé debout* [v: *dressée ...*]; *vertical*; ‹in evenwicht› *d'aplomb* ⋆ met ~e haren *les cheveux hérissés*
rechts I BNW • aan de rechterkant *à (la) droite*; *de droite* ⋆ ~ zijn *être à droite* ⋆ ~ rijden *rouler à droite* ⋆ ~ houden *tenir la*/*sa droite* ⋆ ~ houden! *serrez à droite!* ⋆ ~ aanhouden *appuyer à droite* ⋆ het is ~ van u *c'est sur votre droite* • rechtshandig *droitier* [v: *droitière*] • POL. *de droite* II BIJW *à droite* ⋆ ~ stemmen *voter à droite*
rechtsaf *à droite* ⋆ ~ gaan *tourner à droite*
rechtsbeginsel *principe* m *de droit*
rechtsbekwaam *apte à jouir*; *être titulaire d'un droit*
rechtsbevoegdheid *capacité* v *juridique*
rechtsbijstand *assistance* v *judiciaire*
rechtsbuiten *ailier* m *droit*
rechtschapen I BNW *honnête*; *droit*; *intègre* II BIJW *honnêtement*
rechtsdraaiend CHEM. *dextrogyre*
rechtsgang *procédure* v
rechtsgebied • jurisdictie *juridiction* v • arrondissement *ressort* m
rechtsgeding *procès* m
rechtsgeldig I BNW *valide*; *valable* ⋆ ~ zijn *faire foi* II BIJW *validement*; *valablement*
rechtsgeleerde *juriste* m/v
rechtsgeleerdheid *droit* m
rechtsgelijkheid *égalité* v *devant la loi*
rechtsgevoel *sens* m *de la justice*
rechtsgrond *fondement* m *du droit*
rechtshandeling *acte* m *juridique*
rechtshandig *droitier* [v: *droitière*]
rechtshulp *aide* v *judiciaire*
rechtskracht *force* v *de droit*; *force* v *de loi*
rechtskundig I BNW *juridique* ⋆ ~ adviseur *expert juridique* m; *conseiller juridique* m [v: *conseillère ...*] II BIJW *juridiquement*
rechtsom *à droite* ⋆ ~keert maken *faire demi-tour*
rechtsomkeert ⋆ ~ maken *faire demi-tour* ⋆ ~! ‹in het leger› *demi-tour à droite!*
rechtsorde *ordre* m *juridique*
rechtspersoon *personne* v *juridique*
rechtspleging *procédure* v
rechtspositie *condition* v *juridique*
rechtspraak • rechtspleging *justice* v • jurisprudentie *jurisprudence* v
rechtspreken • rechtspraak uitoefenen *rendre la justice* • een uitspraak doen *prononcer un arrêt*
rechts-radicaal *radical de droite*
rechtsstaat *État* m *de droit*
rechtsstelsel *système* m *juridique*
rechtstandig I BNW *perpendiculaire*; *vertical* [m mv: *verticaux*] II BIJW *verticalement*; ‹v. muur› *d'aplomb*
rechtstreeks I BNW *direct* II BIJW *directement* ⋆ ~ uit Parijs komen *venir tout droit de Paris* ⋆ ~ afstammen van *descendre en droite ligne de*
rechtsvervolging *poursuite* v *judiciaire* ⋆ van ~ ontslaan *décharger de l'accusation*
rechtsvordering • vordering *action* v; *demande* v • procesrecht *procédure* v *judiciaire* ⋆ wetboek van burgerlijke ~ *code* m *de procédure civile*
rechtswege ▾ van ~ *de (plein) droit*
rechtswetenschap *droit* m; *science* v *du droit*
rechtswinkel *bureau* m *de conseil juridique*
rechtszaak *procès* m; *cause* v
rechtszaal *salle* v *d'audience*
rechtszekerheid *sécurité* v *juridique*
rechtszekerheidsbeginsel *principe* m *de sécurité juridique*
rechtszitting *audience* v
rechttoe ▾ ~, rechtaan *tout droit*; *directement*
rechtuit • rechtdoor *tout droit* • ronduit *franchement*
rechtvaardig I BNW *juste*; *équitable* ⋆ ~e *juste* m II BIJW *avec justice*; *équitablement*
rechtvaardigen *justifier*
rechtvaardigheid *justice* v; *équité* v
rechtzetten • overeind zetten *redresser*; ‹v. kleding/bril etc.› *rajuster*; *remettre droit* • ophelderen *rectifier*; *mettre au point*
rechtzinnig I BNW *orthodoxe* II BIJW *d'une façon orthodoxe*
recidive *récidive* v
recidivist *récidiviste* m/v; *repris* m *de justice*
recital *récital* m [mv: *récitals*]
reciteren *réciter*; ‹v. verzen› *dire*
reclamant JUR. *réclamant* m
reclame • aanprijzing *publicité* v • middel, voorwerp *publicité* v • bezwaar *réclamation* v
reclameblok ‹radio, tv› *page* v *de publicité*

reclameboodschap *message* m *publicitaire*
reclamebureau *agence* v *publicitaire*; INF. *agence* v *de pub*
reclamecampagne *campagne* v *de publicité*
reclamecodecommissie *Bureau* m *de vérification de la publicité*; *BVP* m
reclame-inkomsten *revenus* m mv *publicitaires*
reclameren *réclamer*
reclamespot *spot* m *publicitaire*
reclamestunt *truc* m *publicitaire*
reclamevliegtuig *avion* m *publicitaire*
reclamezendtijd *plage* v *publicitaire*
reclamezuil *colonne-affiches* v [mv: *colonnes-affiches*]; *colonne* v *Morris*
reclasseren *réinsérer*; *réadapter*
reclassering *réinsertion* v *sociale*; *aide* v *postpénitentiaire*
reclasseringsambtenaar *fonctionnaire* m *de la réinsertion*
reconstructie *reconstruction* v; ‹m.b.t. gebeurtenis› *reconstitution* v
reconstrueren • herstellen *reconstruire* • opnieuw voorstellen *reconstituer*
reconvalescent I ZN *convalescent* m [v: *convalescente*] II BNW *convalescent* [v: *convalescente*]
record *record* m ⋆ ~ houden *détenir un record* ⋆ ~ vestigen/breken *établir/battre un record*
recordaantal *nombre* m *record*
recordbedrag *somme* v *record*
recorder *magnétophone* m
recordhouder *détenteur* m *d'un record* [v: *détentrice ...*]
recordpoging *tentative* v *de record*
recordtijd *temps* m *record* ⋆ in ~ *en un temps record*
recordvangst *capture* v *record*; *prise* v *record*
recovery *salle* v *de réveil*; *salle* v *de réanimation*
recreant *vacancier* m [v: *vacancière*]
recreatie *récréation* m mv; ‹vrijetijdsbesteding› *loisirs* m mv
recreatief *récréatif* [v: *récréative*]
recreatiegebied *aire* v *réservée aux loisirs*
recreatiepark *parc* m *de loisirs*
recreatiesport *sport* m *amateur*
recreatiezaal *salle* v *de récréation*
recreëren *se divertir*
rectificatie *rectification* v
rectificeren *rectifier*
rector • voorzitter *recteur* m ⋆ ~ magnificus *recteur de l'Université* m • hoofd van school *directeur* m [v: *directrice*]; ‹v. lyceum› *proviseur* m
rectum *rectum* m
reçu *reçu* m; *récépissé* m
recupereren I OV WW terugwinnen *récupérer* II ON WW zich herstellen *récupérer*
recyclen *recycler*; *récupérer*
recycling *recyclage* m
redacteur *rédacteur* m [v: *rédactrice*]
redactie *rédaction* v
redactiebureau *(bureau* m *de) rédaction* v
redactielid *membre* m *de la rédaction*
redactioneel *de la rédaction*; *rédactionel* [v: *rédactionelle*] ⋆ ~ hoofdartikel *éditorial* m

R

reddeloos I BNW *désespéré*; *sans espoir*; *irrémédiable*; *sans remède* II BIJW *irrémédiablement*
redden I OV WW • in veiligheid brengen *sauver* • voor elkaar krijgen ⋆ met dat geld kan hij het ~ *cet argent lui suffira* ⋆ het ~ *s'en tirer* II WKD WW *s'en tirer*; *se débrouiller*
redder • iemand die redt *sauveteur* m • verlosser *sauveur* m
redderen *ranger*; *mettre en ordre*
redding • het redden *secours* m; ‹schipbreukelingen› *sauvetage* m • verlossing *délivrance* v
reddingsactie *opération* v *de sauvetage*
reddingsboot *canot* m *de sauvetage*
reddingsbrigade *brigade/équipe* v *de sauvetage*
reddingsoperatie *opération* v *de sauvetage*
reddingsvest *gilet* m *de sauvetage*
reddingswerk *sauvetage* m
reddingswerkzaamheden *opérations* v mv *de sauvetage*
reddingswezen *sauvetage* m
rede • verstand *raison* v ⋆ iem. tot rede brengen *ramener qn à la raison* ⋆ naar rede luisteren *entendre raison* • toespraak *discours* m • het spreken *parole* v; *discours* m ⋆ in de rede vallen *interrompre*; *couper la parole à* ⋆ indirecte rede *discours indirect* • ankerplaats *rade* v
redelijk I BNW • met verstand *doué de raison*; *raisonnable* • billijk *raisonnable* • vrij goed *assez bon*; *passable* II BIJW • met verstand *raisonnablement* • tamelijk *passablement*; *assez bien*
redelijkerwijs • logisch beschouwd *logiquement* • volgens billijkheid *raisonnablement*
redelijkheid • billijkheid *équité* v • verstandigheid *raison* v; *bon sens* m
redeloos • zonder verstand *privé de raison* • dwaas *déraisonnable* ⋆ ~ wezen *brute* v
reden • beweegreden *raison* v; *motif* m ⋆ ~ te meer *raison de plus* ⋆ om ~ van *en raison de* ⋆ er is ~ om *il y a lieu de* ⋆ dat is de ~ waarom *voilà pourquoi* ⋆ er is alle ~ om te geloven *tout porte à croire* • aanleiding *cause* v
redenaar *orateur* m [v: *oratrice*]
redenatie *raisonnement* m
redeneren • gedachten ontwikkelen *raisonner* • argumenteren *argumenter*
redenering • gedachtegang *raisonnement* m • betoog *argumentation* v
reder *armateur* m
rederij *société* v *d'armement*
rederijker *rhétoriqueur* m
rederijkerskamer *chambre* v *de rhétorique*
redetwist *controverse* v; *débat* m; *discussion* v
redetwisten *débattre (de)*; *argumenter*; *discuter*
redevoering *discours* m; ‹kort› *allocution* v ⋆ een ~ houden *faire/prononcer un discours*
redigeren *rédiger*
redmiddel *expédient* m; *ressource* v
reduceren *réduire (à)*
reductieprijs *rabais* m

redundant I BNW *redondant* II BIJW *de façon redondante*
redzaam *débrouillard*
ree *chevreuil* m; ‹wijfje› *chevrette* v
reebruin *fauve*
reeds *déjà* ★ nu ~ *dès l'instant*
reëel I BNW • werkelijk *réel* [v: *réelle*]; *véritable* • realistisch *réaliste* II BIJW • werkelijk *réellement* • realistisch *avec réalisme*
reeks • serie *série* v; *suite* v; *gamme* v • WISK. *série* v ★ rekenkundige ~ *progression* v *arithmétique*
reep • strook *bande* v • plak chocola *barre* v *(de chocolat)*
reet • spleet ‹tussen planken/spieren› *interstice* m; *fente* v; *fissure* v • achterwerk *cul* m
referaat • voordracht *exposé* m; *conférence* v • verslag *compte* m *rendu* [m mv: *comptes rendus*]
referendaris *(haut) fonctionnaire* m
referendum *référendum* m
referent • verslaggever *critique* m • spreker *orateur* m [v: *oratrice*]
referentie • verwijzing *référence* v mv • opgave van personen *références* v mv
referentiekader *cadre* m *de référence*
referentiepunt *point* m *de référence*
refereren • verslag uitbrengen *faire rapport*; JUR. *en référer à* • ~ **aan** *se référer (à)*
reflectant *intéressé* m [v: *intéressée*]
reflecteren • weerkaatsen *réfléchir*; *refléter* • ~ **op** ‹m.b.t. advertentie› *répondre à*; ‹m.b.t. een baan› *postuler*
reflectie • het terugkaatsen *réflexion* v • wat teruggekaatst wordt *reflet* m
reflector *réflecteur* m; ‹op fiets› *cataphote* m
reflex *réflexe* m
reflexbeweging *mouvement* m *de réflexe*
reflexcamera *appareil* m *reflex*
reflexief • TAALK. *réfléchi* • bespiegelend *réflectif* [v: *réflective*]
reformatie *réforme* v
Reformatie *Réformation* v
reformeren *réformer*
reformisme *réformisme* m
reformvoeding ≈ *alimentation* v *diététique*
reformwinkel ≈ *magasin* m *diététique*
refrein *refrain* m
refter *réfectoire* m
regatta *régates* v mv
regeerakkoord *programme* m *de gouvernement*
regeerperiode ‹v. regering› *législature* v; ‹v. vorst› *règne* m
regel • tekstregel *ligne* v ★ op een nieuwe ~ beginnen *aller à la ligne* • voorschrift *principe* m; *règle* v ★ als ~ gelden *avoir force de loi* • gewoonte *règle* v ★ in de ~ *ordinairement*; *généralement*; *en général*
regelaar • organisator *organisateur* m [v: *organisatrice*] • deel van werktuig *régulateur* m
regelafstand *interligne* m
regelbaar *réglable*
regelen I ZN *réglage* m II OV WW • in orde brengen *arranger*; *organiser*; *régler* ★ als alles geregeld is *quand nous serons organisés* • bepalen ‹door reglement› *réglementer*; *régler*
regelgeving *réglementation* v
regeling • het regelen *arrangement* m; TECHN. *réglage* m • geheel van regels *règlement* m • schikking *arrangement* m
regelkamer *dispatching* m
regelmaat *régularité* v
regelmatig I BNW • gelijkmatig *régulier* [v: *régulière*]; ‹v. stap› *cadencé* • ordelijk *réglé* II BIJW *régulièrement*
regelneef *caporal* m
regelrecht I BNW *direct* II BIJW *tout droit*; *directement* ★ ~ afstammen van *descendre en droite ligne de*
regen *pluie* v ★ er zit ~ in de lucht *le temps est à la pluie*
regenachtig *pluvieux* [v: *pluvieuse*] ★ het is ~ weer *il fait un temps pluvieux*
regenboog *arc-en-ciel* m [mv: *arcs-en-ciel*]
regenboogvlies *iris* m
regenbroek *pantalon* m *imperméable*
regenbui ‹hevig› *averse* v; *pluie* v *battante*; ‹zacht› *ondée* v ★ ~en met tussenpozen *pluies intermittentes*
regendans *danse* v *rituelle pour le dieu de la pluie*
regendruppel *goutte* v *de pluie*
regenen • vallen van regen *pleuvoir*; ↓ *flotter* ★ het regent (dat het giet) *il pleut (à verse)* • veel voorkomen ★ het regende (granaat)scherven *il pleuvait des éclats (d'obus)*
regeneratie *régénération* v
regenereren *régénérer*
regenfront *front* m *de pluie*
regeninstallatie *installation* v *d'arrosage*
regenjas *imperméable* m
regenkleding *vêtements* m mv *de pluie*
regenmeter *pluviomètre* m
regenpak *imperméable* m *pour cyclistes*
regenpijp *tuyau* m *d'écoulement* [m mv: *tuyaux ...*]
regenseizoen *saison* v *des pluies*
regent *régent* m
regentijd *saison* v *des pluies*
regenton *citerne* v
regentschap *régence* v
regenval *chute* v *de pluie*
regenverlet ≈ *suspension* v *de travaux à cause de la pluie*
regenverzekering ≈ *assurance-tempête* v [mv: *assurances-tempête*]
regenvlaag *ondée* v
regenwater *eau* v *de pluie*
regenworm *ver* m *de terre* [m mv: *vers de terre*]
regenwoud *forêt* v *équatoriale*
regenzone *zone* v *pluvieuse*
regeren I OV WW besturen *gouverner*; *diriger* II ON WW land besturen *gouverner*; ‹met betrekking tot vorst› *régner*
regering • het regeren *gouvernement* m; ‹v. vorst› *règne* m • landsbestuur *gouvernement* m ★ aan de ~ komen ‹v. vorst› *monter sur le trône*; ‹v. kabinet›

arriver au pouvoir ⋆ aan het hoofd der ~ staan *être à la tête des affaires*
regeringsbesluit *décision* v *gouvernementale*
regeringscoalitie *coalition* v *gouvernementale*
regeringsdelegatie *délégation* v *gouvernementale*
regeringsfunctionaris *fonctionnaire* m *d'État*
regeringskringen *milieux* m mv *gouvernementaux*
regeringsleger *armée* v *du gouvernement*
regeringstroepen *troupes* v mv *gouvernementales*
regeringsverklaring *déclaration* v *ministérielle|gouvernementale*
regeringsvorm *forme* v *de gouvernement*; *régime* m
regeringswege ▾ van ~ *de la part du gouvernement*
reggae *reggae* m
regie ‹v. toneelstuk› *mise* v *en scène*; ‹v. film› *réalisation* v
regieassistent *assistant* m *du metteur en scène*
regiekamer *régie* v
regime *régime* m
regiment *régiment* m
regio *région* v
regiogebonden- *régional* [m mv: *régionaux*]
regiokorps *corps* m *départemental de la police*
regionaal *régional* [m mv: *régionaux*]
regionen ▾ in hogere ~ verkeren *être dans la lune*
regisseren *mettre en scène*; ‹v. film› *réaliser*
regisseur ‹v. toneelstuk› *metteur* m *en scène*; ‹v. film› *réalisateur* m [v: *réalisatrice*]
register • lijst *registre* m • inhoudsopgave *table* v *des matières*; *index* m • orgelpijpen *registre* m
registeraccountant *expert-comptable* m [mv: *experts-comptables*]
registratie • het opnemen *enregistrement* m • het inschrijven *inscription* v
registratiebeleid *politique* v *de l'enregistrement*
registratiebewijs *document* m *d'enregistrement*
registratienummer *numéro* m *d'enregistrement*
registratieplicht *obligation* v *d'enregistrement*
registratierecht *droit* m *d'enregistrement*
registratiesysteem *système* m *d'enregistrement*
registratiewet *loi* v *sur l'enregistrement*
registreren • vastleggen *enregistrer* • inschrijven *inscrire* • waarnemen *enregistrer*
reglement *règlement* m
reglementair *réglementaire*
reglementeren *réglementer*
regressie GEOL. *régression* v
regressief *régressif* [v: *régressive*]; *rétroactif* [v: *rétroactive*]
regularisatie *régularisation* v
reguleren *régulariser*
regulier *régulier* [v: *régulière*]; *normal* [m mv: *normaux*]
rehabilitatie *réhabilitation* v
rehabiliteren *réhabiliter*
rei *chœur* m

R

reiger *héron* m
reiken I OV WW aanreiken *donner*; *passer*; *présenter* ⋆ elkaar de hand ~ *se donner la main* **II** ON WW • zover komen *s'étendre (jusqu'à)*; *atteindre*; ‹v. stem› *porter*; *aller (jusqu'à)*; *s'élever (jusqu'à)* ⋆ het water reikte hem tot het middel *l'eau lui venait jusqu'à la ceinture* • hand uitstrekken *tendre la main (à|vers)* ▾ zover het oog reikt *à perte de vue*
reikhalzen *aspirer à*; *soupirer après* ▾ ~d uitkijken naar iets *attendre qc avec impatience*
reikwijdte *portée* v
reilen ▾ het ~ en zeilen *le train(-train)*
rein • schoon *propre* • zuiver *pur*; *innocent*; *chaste* ▾ in het reine brengen *tirer au clair*
reinigen • schoonmaken *nettoyer*; ‹chemisch› *nettoyer à sec* • zuiveren *purifier*
reiniging • het schoonmaken *nettoyage* m; *nettoiement* m; ‹v. water› *épuration* v • het zuiveren *purification* v
reinigingscrème *crème* v *démaquillante*
reinigingsdienst *service* m *du nettoiement*
reinigingsheffing *taxe* v *sur le service du nettoiement*
reinigingsrecht ≈ *taxe* v *d'enlèvement des ordures ménagères*
reïntegratie *réintégration* v
reïnterpreteren *interpréter d'une nouvelle manière*; *revaloriser*
reis *voyage* m ⋆ op reis gaan *aller|partir en voyage* ⋆ enkele reis *aller simple* ⋆ een enkele reis P *un aller (pour) P* ⋆ op reis *en voyage|route*
reisapotheek *pharmacie* v *de voyage*
reisbeschrijving *itinéraire* m
reisbeurs *bourse* v *de voyage*
reisbureau *agence* v *de voyages*
reischeque *chèque* m *de voyage*
reisdocument *document* m *de voyage*
reis- en kredietbrief *carnet* m *de chèques à utiliser en cas de panne ou de maladie pendant le voyage*
reisgenoot *compagnon* m *de voyage* [v: *compagne ...*]
reisgezelschap *groupe* m *de touristes*; ≈ *voyage* m *organisé*; ≈ *voyage* m *en groupe*
reisgids *guide* m
reiskosten *frais* m mv *de voyage*
reiskostenvergoeding *indemnité* v *de déplacement*
reisleider *guide* m
reislustig *qui aime beaucoup voyager*
reisorganisatie *organisation* v *de voyages*
reistijd *durée* v *du voyage*
reisvaardig *prêt à partir* ⋆ zich ~ maken *faire ses malles*
reisverslag *compte* m *rendu de voyage*; *relation* v *de voyage*
reisverzekering *assurance* v *voyage*
reiswekker *réveil* m *de voyage*
reiswieg *couffin* m
reizen *voyager*; *faire un voyage* ⋆ vrij ~ hebben *avoir la gratuité sur le réseau*; ‹op één lijn› *avoir le parcours gratuit* ⋆ ~ naar P *aller à P* ⋆ over Antwerpen ~ *passer par*

Anvers
reiziger *voyageur* m [v: *voyageuse*]; *touriste* m/v
rek I ZN (de) elasticiteit *élasticité* v ★ de rek is er uit *il a perdu son élasticité*; FIG. *nous n'avons plus de marge* ★ SPORT rek- en strekoefeningen *tractions* v mv II ZN (het) • opbergrek *étagère* v; ‹voor vaatwas› *égouttoir* m *(à vaisselle)* • gymrek *barre* v *fixe*
rekbaar *élastique*; *extensible* ★ een ~ begrip *une notion élastique*
rekbaarheid *élasticité* v
rekel • deugniet *vaurien* m; INF. *bandit* m • mannetjesdier ‹hond› *chien* m *mâle*; ‹vos› *renard* m *mâle*; *mâle* m
rekenaar *calculateur* m [v: *calculatrice*]
rekencentrum *centre* m *informatique*
rekenen I OV WW • tellen *compter*; *calculer* • als betaling vragen *compter* ★ wat rekent u voor die groente? *combien demandez-vous pour ces légumes?* • in aanmerking nemen *tenir compte (de)* • achten *estimer*; *considérer* • meetellen *compter* II ON WW • cijferen *calculer* ★ ~ vanaf maandag *compter à partir de lundi* ★ uit het hoofd ~ *calculer de tête* • ~ **op** *compter sur* III WKD WW ~ **onder** *se compter parmi*
rekening • nota *compte* m; *note* v; *facture* v; ‹in restaurant› *addition* v ★ in ~ brengen *facturer* • bankrekening *compte* m ★ lopende ~ *compte ouvert* ★ gesloten ~ *compte arrêté* ★ op ~ kopen *acheter à crédit* ★ op mijn ~ *à mon compte* • het rekenen *calcul* m ▾ ~ houden met *tenir compte de*; *compter avec* ▾ voor zijn ~ nemen *se charger de* ▾ voor eigen ~ *à son compte*; *à ses risques et périls*
rekeningafschrift *copie* v *de facture*
rekening-courant *compte* m *courant*
rekeninghouder *titulaire* m/v *de compte*
rekeningnummer *numéro* m *de compte*
rekeningrijden *péage* m *électronique*; *télépéage* m
Rekenkamer *Cour* v *des Comptes*
rekenkunde *arithmétique* v
rekenkundig *arithmétique*
rekenles *leçon* v *de calcul*
rekenliniaal *règle* v *à calcul*
rekenmachine ‹klein› *calculatrice* v; ‹klein formaat› *calculette* v
rekenschap *compte* m ★ ~ moeten afleggen *avoir à rendre des comptes* ▾ (zich) ~ geven van *(se) rendre compte de*
rekensom *problème* m
rekest *requête* v; *pétition* v ▾ nul op het ~ krijgen *essuyer un refus*
rekken I OV WW • langer maken *allonger*; *étirer* • lang aanhouden *tirer en longueur*; *faire durer* ★ tijd ~ *chercher à gagner du temps* II ON WW langer worden *s'étendre*; *s'allonger* III WKD WW *s'étirer*
rekruteren *recruter*
rekruut *recrue* v
rekstok *barre* v *fixe*
rekverband *bandage* m *élastique*
rekwireren *requérir*; *réquisitionner*
rekwisiet *accessoire* m
rel *rixe* v; *bagarre* v
relaas *histoire* v; *récit* m
relais *relais* m
relateren *relier à*
relatie • onderlinge betrekking *relation* v ★ een zaken~ *une relation d'affaires* • liefdesverhouding *liaison* v • kennis *relation* v
relatief I BNW *relatif* [v: *relative*] II BIJW *relativement*
relatiegeschenk *cadeau* m *d'entreprise* [m mv: *cadeaux ...*]
relatietherapie *thérapie* v *relationnelle*
relationeel *relationnel* [v: *relationnelle*]
relativeren *relativer*
relativeringsvermogen *capacité* v *de relativiser*
relativiteit *relativité* v
relativiteitstheorie *théorie* v *de la relativité*
relaxed *relaxé*
relaxen *se relaxer*
release *sortie* v; *mise* v *en circulation*
relevant • van betekenis *d'importance* [onv]; *important* • ter zake *pertinent*
relict *reste* m; *vestige* m
reliëf *relief* m ★ in ~ *en relief*
reliek *relique* v
religie *religion* v
religieus I ZN *religieux* m [v: *religieuse*] II BNW *religieux* [v: *religieuse*]
reling *rambarde* v; *bastingage* m
relipop *pop* m *religieux*
relirock *rock* m *religieux*
relletje *bagarre* v
relschopper *provocateur* m [v: *provocatrice*]
rem *frein* m ★ op de remmen gaan staan *appuyer sur le frein*; *piler* ▾ alle remmen losgooien *ne plus se retenir*
remafstand *distance* v *d'arrêt*
rembekrachtiging *freinage* m *assisté*; *freins* m mv *assistés*
remblok ‹v. fiets› *patin* m; ‹v. auto› *plaquette* v *de frein*
rembours *envoi* m *contre remboursement*
remedial teacher *maître* m *chargé de cours de rattrapage*
remedie *remède* m
remigrant *émigrant* m *qui retourne dans son pays d'origine*
remigratie *retour* m *au pays d'origine*
remigreren *retourner au pays d'origine*
remilitariseren *remilitariser*
remise • loods *dépôt* m; *remise* v • onbesliste partij *partie* v *nulle* ★ ~ spelen *faire partie nulle*
remissie • korting *abattement* m • gratie *rémission* v
remkabel *câble* m *de frein*
remleiding *circuit* m *de freinage*
remlicht *feu* m *de stop* [m mv: *feux ...*]
remmen I OV WW belemmeren *freiner*; *enrayer*; PSYCH. *inhiber* II ON WW afremmen *freiner*; *serrer le frein* ★ even ~ *donner un coup de frein*
remmer *inhibiteur* m
remming *inhibition* v

remouladesaus *(sauce* v*) remoulade*
rempedaal *pédale* v *de frein*
remproef *épreuve* v *de freinage*
remschijf *disque* m *de frein*
remslaap *sommeil* m *paradoxal*
remspoor *trace* v *de freinage*
remvloeistof *fluide* m *de frein*
remvoering *garniture* v *de frein*
remweg *distance* v *de freinage*; *distance* v *d'arrêt*
ren • wedren *course* v • snelle loop *course* v; *grand galop* m • kippenren *parquet* m *d'élevage*
renaissance *renaissance* v
renbaan *piste* v; *champ* m *de course*
rendabel *rentable*; *profitable*
rendement *rendement* m
renderen *être productif*; *rapporter (des bénéfices)*
rendez-vous *rendez-vous* m [onv]
rendier *renne* m
renegaat *renégat* m
rennen *courir*
renner *coureur* m [v: *coureuse*]
rennersveld SPORT *coureurs* m mv
renovatie *rénovation* v; *réhabilitation* v
renoveren *rénover*; *réhabiliter*
renpaard *cheval* m *de course* [m mv: *chevaux* ...]
rensport *courses* v mv *de chevaux*
renstal *écurie* v
rentabiliteit *rentabilité* v
rente *rente* v; ‹interest› *intérêt* m ⋆ ~ opbrengen *porter intérêt*
renteaftrek *intérêts* m mv *déductibles*
rentedaling *baisse* v *des intérêts*
rentedragend *productif d'intérêts* [v: *productive* ...]
rentegevend *de rapport*; *qui rapporte*
renteloos • rentevrij *gratuit*; *sans intérêt* ⋆ ~ voorschot *avance* v *gratuite* • geen rente opleverend *improductif* [v: *improductive*]
rentenier *rentier* m [v: *rentière*]
rentenieren *vivre de ses rentes*
rentepercentage *taux* m *d'intérêt*
renteverhoging *augmentation* v *de l'intérêt*
renteverlaging *réduction* v *des intérêts*
rentevoet *taux* m *d'intérêt*
rentmeester • financieel beheerder *administrateur* m • landgoedbeheerder *intendant* m
rentree *rentrée* v ⋆ zijn ~ maken *faire son come-back*
renvooieren *renvoyer*
reorganisatie *réorganisation* v
reorganiseren *réorganiser*
rep I ZN ▾ in rep en roer brengen *mettre en émoi*; *jeter l'alarme dans* II BNW ▾ in rep en roer *en alarme*; *en émoi*
reparateur *réparateur* m [v: *réparatrice*]
reparatie *réparation* v; ‹met betrekking tot kleding› *raccommodage* m
reparatiekosten *coût* m *de réparation*
repareren *réparer*; ‹met betrekking tot kleding› *raccommoder*
repatriant *rapatrié* m [v: *rapatriée*]
repatriëren *rapatrier*
repatriëring *rapatriement* m
repercussie *répercussion* v
repertoire *répertoire* m
repeteergeweer *fusil* m *à répétition*
repeteren I OV WW herhalen *répéter* ⋆ ~de breuk *fraction périodique*; *v* II ON WW zich herhalen *se répéter*
repetitie • herhaling *répétition* v; ‹kort› *récapitulation* v • proefwerk *composition* v; *épreuve* v • proefuitvoering *répétition* v ⋆ generale ~ *répétition générale*
repetitor *répétiteur* m [v: *répétitrice*]
replay SPORT *match* m *rejoué*
replica *réplique* v
repliceren *répliquer*
repliek *réplique* v; *riposte* v
reply *réponse* v; *réplique* v
reportage *reportage* m
reportagewagen *car* m *de reportage*
reporter *reporter* m
reppen I ON WW spreken *faire mention (de)*; *mentionner* II WKD WW zich haasten *se dépêcher*
represaille *représailles* v mv
represaillemaatregelen *représailles* v mv
representant *représentant* m [v: *représentante*]
representatie *représentation* v
representatief *réprésentatif* [v: *réprésentative*]
representeren *représenter*
repressie • verdringing *refoulement* m • onderdrukking *répression* v
repressief *répressif* [v: *répressive*]
reprimande *réprimande* v
reprise *reprise* v
repro *reproduction* v; *copie* v
reproduceren I OV WW *reproduire* II WKD WW *se reproduire*
reproductie *reproduction* v
reproductievermogen *faculté* v *de reproduction*
reprorecht *droit* m *de reproduction*
reptiel *reptile* m
republiek *république* v
republikein *républicain* m [v: *républicaine*]
republikeins *républicain*
repudiëren *répudier*
reputatie *renommée* v; *réputation* v
requiem *messe* v *des morts*; *requiem* m
requisitoir *réquisitoire* m
research *recherches* v mv
researchafdeling *département* m *de recherche(s)*
reservaat *réserve* v
reserve • noodvoorraad *réserve* v • voorbehoud *réserve* v • plaatsvervanger *remplaçant* m [v: *remplaçante*]
reserveband *pneu* m *de rechange*
reservebank *banc* m *des joueurs de réserve*
reserveren • bespreken ‹v. hotelkamer/tafel› *retenir*; *réserver* • in reserve houden *mettre à part*; *réserver*
reservering *réservation* v
reservespeler *remplaçant* m [v: *remplaçante*]
reservewiel *roue* v *de secours*
reservist • militair *réserviste* m • invaller *remplaçant* m [v: *remplaçante*]
reservoir *réservoir* m

reset COMP. *remise* v *à zéro*
resident • regeringsgevolmachtigde *résident* m • gewestelijk bestuurshoofd *résident* m *général* [m mv: *résidents généraux*]
residentie *résidence* v
residentieel *résidentiel* [v: *résidentielle*]
residentschap *résidence* v
resideren *résider*
residu *résidu* m
resigneren I ON WW ambt neerleggen *résigner* II WKD WW berusten *se résigner à*
resistent *résistant*
resistentie *résistance* v
resolutie • besluit *résolution* v • COMP. *définition* v
resoluut *résolu*
resonantie *résonance* v
resoneren *résonner*
resorptie *résorption* v
respect *respect* m ★ met alle ~ *sauf votre respect*
respectabel *respectable*
respecteren *respecter*
respectievelijk I BNW *respectif* [v: *respective*] II BIJW *respectivement*
respectvol *respectueux* [v: *respectueuse*]
respijt *répit* m
respiratie *respiration* v
respiratoir *respiratoire*
respondent *personne* v *interrogée*
respons *réaction* v
ressentiment *ressentiment* m
ressort *ressort* m
ressorteren *relever (de)*; *ressortir (à)*; *être du ressort (de)*
rest *reste* m; ‹v. eten› *rab(iot)* m ★ de stoffelijke resten *la dépouille mortelle*
restafval ‹v. huishouden› *déchets* m mv *restants*; *ordures* v mv *restantes*
restant *arriéré* m; ‹v. goederen› *solde* m; *fin* v *de série*; *restant* m; *reste* m; ‹v. geld› *reliquat* m
restaurant *restaurant* m; INF. *resto|restau* m
restaurateur *restaurateur* m [v: *restauratrice*]
restauratie • het herstellen *restauration* v • eetgelegenheid *restaurant* m; ‹op station› *buffet* m *(de gare)*
restauratiewagen *voiture-restaurant* v [mv: *voitures-restaurants*]; *wagon-restaurant* m [mv: *wagons-restaurants*]
restaureren *restaurer*; *remettre à neuf*
resten *rester*
restitueren *rendre*; ‹v. geld› *rembourser*; ‹v. in beslag genomen zaken› *restituer*
restitutie ‹v. geld› *remboursement* m; ‹v. in beslag genomen zaken› *restitution* v
restje *reste* m; ‹eten› *rab(iot)* m
restrictie *restriction* v
restrictief *restrictif* [v: *restrictive*]
restwaarde *valeur* v *résiduelle*
restylen *changer (de coiffure etc.)*
restzetel *siège* m *restant*
resultaat • gevolg *résultat* m; *effet* m • uitkomst *résultat* m ★ het ~ zijn van *résulter de*
resultaatvoetbal SPORT ≈ *football* m *axé uniquement au meilleur résultat possible*
resultante *résultante* v
resulteren • voortvloeien uit *résulter (de)* • ~ **in** *aboutir (à)*
resumé *résumé* m
resumeren *résumer*
resusaap *rhésus* m
resusfactor *facteur* m *rhésus*
resusnegatief *rhésus* m *négatif*; *Rh* m *négatif*
resuspositief *rhésus* m *positif*; *Rh* m *positif*
retina *rétine* v
retirade *retraite* v
retorica *réthorique* v
retoriek *rhétorique* v
retorisch *oratoire*
Reto-Romaans *rhéto-roman*
retort *cornue* v
retoucheren I ZN *retouche* v II OV WW *retoucher*
retour I ZN (de) terugkeer *retour* m II ZN (het) kaartje *billet* m *aller retour* III BIJW ★ ~ afzender *retour à l'expéditeur*
retourbiljet *billet* m *aller et retour*
retourneren *retourner*
retourticket *billet* m *aller-retour*
retourtje *(billet)* m *aller et retour* ★ een ~ Utrecht *un aller et retour Utrecht*
retourvlucht • *vol* m *de retour* • vlucht heen en weer *vol* m *aller et retour* • terugreis *vol* m *de retour*
retourvracht *fret* m *de retour*
retraite *retraite* v ★ een ~ houden van 8 dagen *faire huit jours de retraite*
retriever *retriever* m; *chien* m *d'arrêt*
retrogressie *rétrogression* v
retrospectief I ZN *rétrospective* v II BNW *rétrospectif* [v: *rétrospective*]
retrostijl *style* m *rétro*
retrovirus *rétrovirus* m
rettich *raifort* m
return • SPORT tennisslag ‹service› *retour* m *de service*; ‹terugslag van een bal› *renvoi* m *de la balle* • 2e wedstrijd *match* m *retour* • COMP. ★ harde ~ *retour clavier* m ★ zachte ~ *retour programme* m
returnmatch *match* m *retour*
returnwedstrijd → **returnmatch**
reu *chien* m *(mâle)*
reuk • geur *odeur* v; ‹aangenaam› *parfum* m • zintuig *odorat* m ▼ in een kwade reuk staan *avoir une mauvaise réputation*
reukloos I BNW • zonder geur *inodore* • zonder reukzin *dépourvu d'odorat* II BIJW *sans dégager d'odeur*
reukorgaan *organe* m *olfactif*
reukwater *eau* v *de senteur*
reukzin *odorat* m
reukzintuig *sens* m *olfactif*
reuma *rhumatisme* m
reumatiek *rhumatisme* m
reumatisch *rhumatismal* [m mv: *rhumatismaux*]; ‹lijdend aan reuma› *rhumatisant*
reumatologie *rhumatologie* v
reumatoloog *rhumatologue* m/v
reünie *réunion* v
reünist *participant* m *à une réunion d'anciens*

reus *géant* m [v: *géante*]; *colosse* m; ‹in sprookjes› *ogre* m [v: *ogresse*]
reusachtig I BNW • zeer groot *énorme* • zeer goed *formidable* **II** BIJW *énormément*
reutelen *râler*
reuze I BNW • zeer groot *énorme*; *prodigieux* [v: *prodigieuse*] • zeer goed *formidable*; INF. *super* **II** BIJW *extrêmement*; *terriblement*
reuzehonger *faim* v *de loup*
reuzel • vet *saindoux* m • vetweefsel *panne* v
reuzendoder *tueur* m *de géants*
reuzenrad *grande roue* v
reuzenschildpad *tortue* v *géante*
revalidatie *rééducation* v; *réadaptation* v *fonctionnelle*
revalidatiearts *médecin* m *rééducateur*
revalidatiecentrum *centre* m *de rééducation*
revalideren I OV WW weer valide maken *rééduquer*; *réadapter* **II** ON WW weer valide worden *faire de la rééducation|réadaptation*
revaluatie *réévaluation* v
revalueren *revaloriser*
revanche *revanche* v
revancheren (zich) *prendre sa revanche*
revanchewedstrijd *(match* m *de) revanche* v
reveil *réveil* m; REL. *renouveau* m *religieux*
reven *ariser*
revérence *révérence* v
revers *revers* m
reviseren *réviser*
revisie *révision* v
revisor • corrector van rekeningen *contrôleur* m • corrector *réviseur* m; *correcteur* m
revitalisatie *revitalisation* v
revival *réveil* m
revolte *révolte* m
revolutie *révolution* v
revolutionair I ZN *révolutionnaire* m **II** BNW *révolutionnaire* **III** BIJW *de façon révolutionnaire*
revolver *revolver* m
revolvertang *emporte-pièce* m [onv]
revue *revue* v ▾ de ~ laten passeren *passer en revue*
revueartiest *artiste* m *de revue*
RIAGG ≈ *institut* m *régional d'assistance ambulatoire (secteur psychiatrique)*
riant *spacieux* [v: *spacieuse*]; ‹v. inkomen› *confortable*
rib • bot *côte* v • balk *solive* v ▾ dat is een rib uit mijn lijf *c'est une sacrée ponction* ▾ iemands ribben kunnen tellen *voir les côtes de qn*
ribbel *côte* v
ribbenkast *thorax* m; *cage* v *thoracique*
ribbroek *pantalon* m *en velours côtelé*
ribes *ribésiée* v
ribfluweel *velours* m *côtelé*
ribkarbonade *côte* v *d'échine*
riblap *morceau* m *de poitrine*; *poitrine* v
ribonucleïnezuur *acide* m *ribonucléique*
ribstof *tissu* m *côtelé*
richel • rand *rebord* m; *bord* m • lat *latte* v
richten I OV WW • in richting doen gaan *diriger (vers)*; *tourner (sur|vers)* • sturen *adresser (à)* • instellen op een doel ‹met betrekking tot vuurwapens› *braquer (sur)*; *pointer (contre|sur)* **II** WKD WW ~ **tot** *s'adresser à* ★ zich ~ naar de levensgewoonten van iem. *se conformer à la façon de vivre de qn*
richtgetal *indice* m
richting • bepaalde kant *direction* v; *sens* m ★ de ~ uitgaan van *s'orienter vers* ★ van ~ veranderen *se rabattre* ★ in die ~ *dans ce sens* ★ voor alle ~en *tous azimuts* • gezindheid *tendance* v
richtingaanwijzer *clignotant* m
richtingbord *poteau* m *indicateur*
richtinggevoel *sens* m *de l'orientation*
richtlijn • voorschrift *directive* v • lijn waarlangs men richt *ligne* v *de mire*
richtprijs *prix* m *indicatif*; *prix* m *conseillé*
richtpunt *point* m *de repère*
richtsnoer • afsteeklijn *cordeau* m [mv: *cordeaux*] • norm *règle* v; *norme* v
ridder *chevalier* m ★ tot ~ slaan *armer chevalier*; *donner l'accolade à*
ridderen • tot ridder slaan *armer chevalier* • decoreren *décorer*
ridderepos *chanson* v *de geste*
ridderlijk I BNW galant *chevaleresque* **II** BIJW *d'une façon chevaleresque*; *en chevalier*
ridderorde • onderscheiding *décoration* v; *plaque* v • ridderstand *ordre* m *de chevalerie*
ridderroman *roman* m *de chevalerie*
ridderslag *accolade* v
ridderspoor *dauphinelle* v
riddertijd *époque* v *de la chevalerie*
ridderzaal *grand(e) salle* v; *salle* v *d'honneur*; ‹in Den Haag› *Salle* v *des Chevaliers*
ridicuul *ridicule*
riedel *ritournelle* v; *refrain* m
riek *fourche* v *(à fumier)*
rieken • geur afgeven *sentir* • ~ **naar** *sentir* ★ dat riekt naar bedrog *ça sent la supercherie*
riem • band *lanière* v • veiligheidsgordel *ceinture* v ★ de riem aanhalen *serrer la ceinture* • drijfriem *courroie* v • roeispaan *rame* v; *aviron* m • hoeveelheid papier *rame* v
riet • grassoort *roseau* m; *jonc* m; ‹dakbedekking› *chaume* m • (aanblaas)riet *anche* v
rietdekker *chaumier* m
rieten *de chaume*; ‹v. stoel› *canné*; *de roseau*
rietje *paille* v
rietkraag *bordure* v *de roseaux*
rietstengel *hampe* v *d'un roseau*
rietsuiker *sucre* m *de canne*
rif *récif* m; *écueil* m
rigide *rigide*
rigoureus I BNW *rigoureux* [v: *rigoureuse*] **II** BIJW *rigoureusement*
rij • reeks *série* v; *suite* v • volgorde *suite* v ★ op de rij af *à tour de rôle* • reeks in rechte lijn *rang* m; *rangée* v; ‹achter elkaar› *file* v ★ in de rij ‹naast elkaar› *de front*; ‹achter elkaar› *à la file* ★ de gegevens op een rij zetten *mettre au point les données* ★ in de rij staan *faire la queue* ★ op een rij gaan staan *s'aligner*

rijbaan *chaussée* v; *voie* v
rijbevoegdheid *permis* m *de conduire*
rijbewijs *permis* m *(de conduire)* ⋆ het ~ halen *passer le permis de conduire* ⋆ in het bezit van het ~ *titulaire du permis de conduire*
rijbroek *culotte* v *de cheval*
rijden I OV WW • besturen *conduire* ⋆ ondersteboven ~ *renverser* • vervoeren *transporter* II ON WW • zich voortbewegen *aller*; *rouler*; ‹op paard› *monter (à)* ⋆ paard ~ *faire de l'équitation* ⋆ hij kan niet tegen auto~ *il supporte mal la voiture* ⋆ de wagen rijdt prettig *la voiture est agréable à conduire* ⋆ 100 ~ *rouler à 100 km à l'heure* • op en neer bewegen *se balancer* • schaatsen *faire du patin à glace*
rijdier *monture* v
rijervaring *expérience* v *en conduite*
rijexamen *examen* m *pour le permis* ⋆ ~ afleggen *passer son permis*
rijgedrag *tenue* v *de route*; ‹bestuurder› *comportement* m *au volant*
rijgen • aan een snoer doen *enfiler* • naaien *faufiler*
rijglaars *brodequin* m; *bottine* v *à lacets*
rijgnaald *passe-lacet* m [mv: *passe-lacets*]
rijgsnoer *lacet* m
rij-instructeur *moniteur* m *(d'auto-école)* [v: *monitrice*]
rijk I ZN • staat *État* m; ‹onder keizer› *empire* m; ‹onder koning› *royaume* m • heerschappij *règne* m • sfeer *domaine* m ⋆ dierenrijk *règne animal* ▾ het rijk alleen hebben *être seul* II BNW *riche* ⋆ rijk maken *enrichir* III BIJW *richement*
rijkaard INF. *richard* m
rijkdom • het rijk zijn *richesse* v • kostbaar bezit *richesse* v; *biens* m mv • overvloed *richesse* v; *abondance* v
rijkelijk I BNW overvloedig *abondant*; *ample*; *royal*; ‹v. eten› *copieux* [v: *copieuse*] II BIJW • overvloedig *abondamment*; *amplement*; *royalement* • in ruime mate *largement*; *trop*
rijkelui *riches* m mv
rijkeluiskind *gosse* m *de riches*; *fils* m *à papa*
rijkostuum *costume* m *de cheval*
rijks- *public* [v: *publique*]; ‹m.b.t. de Staat› *de l'État*; ‹m.b.t. land› *national*; ‹m.b.t. koninkrijk› *du Royaume*
rijksacademie *grande école* v *nationale*
rijksadvocaat *avocat* m *général chargé des affaires fiscales*
rijksambtenaar *fonctionnaire* m *(d'État)*
rijksarchief *archives* v mv *nationales*
rijksbegroting *budget* m *national*
rijksbijdrage *subvention* v *de l'Etat*
rijksdaalder *pièce* v *de deux florins cinquante*
rijksdeel *partie* v *du Royaume*
rijksdienst • dienst bij het Rijk *fonction* v *publique* • door het rijk verzorgde dienst *service* m *de l'État*
rijksgenoot *ressortissant* m *du Royaume*
rijksinstituut *institut* m *national*
rijksluchtvaartdienst *service* m *national de la navigation aérienne*
rijksmunt • nationale munt *monnaie* v *nationale* • gebouw *Hôtel* m *de la Monnaie*
rijksmuseum *musée* m *national*
rijksoverheid *administration* v *nationale*; *administration* m *d'État*
rijkspolitie *gendarmerie* v
rijksuniversiteit *université* v *de l'État*
rijksvoorlichtingsdienst *service* m *d'information et de diffusion du gouvernement*
rijkswachter BELG. *gendarme* m
rijkswaterstaat *Ponts et Chaussées* m mv
rijksweg *route* v *nationale*
rijkswege ▾ van ~ *de par l'autorité*
rijkunst ‹op paard› *équitation* v
rijlaars *botte* v *de cavalier*
rijles ‹v. paard› *leçon* v *d'équitation*; ‹v. auto› *leçon* v *de conduite*
rijm • het rijmen *rime* v ⋆ op rijm *en vers*; *rimé* ⋆ op rijm zetten *mettre en vers* • versregel *vers* m
rijmelaar *rimeur* m [v: *rimeuse*]
rijmelarij *vers* m mv *de mirliton*
rijmen I OV WW in overeenstemming brengen *(faire) accorder avec* II ON WW • rijmen maken *faire des vers* • rijm hebben *rimer* • ~ **met** *correspondre (à)*; *s'accorder (avec)*
rijmpje *couplet* m
rijmschema *ordre* m *de rimes*
rijmwoordenboek *dictionnaire* m *de rimes*
Rijn *Rhin* m
rijnaak *chaland* m *du Rhin*; *péniche* v
Rijnland *la Rhénanie*
rijnwijn *vin* m *du Rhin*
rijopleiding *leçons* v mv *de conduite*
rijp I ZN *gelée* v *blanche*; *givre* m II BNW • volwassen *mûr* • eetbaar *mûr*; ‹v. kaas/wijn› *fait* ⋆ rijp(er) worden *mûrir*; *se faire* • goed overdacht *mûr* • ~ **voor** *mûr (pour)* III BIJW *mûrement*
rijpaard *cheval* m *de selle* [m mv: *chevaux ...*]; *monture* v
rijpheid *maturité* v
rijping *maturation* v; *mûrissement* m; ‹v. wijn› *véraison* v
rijpingsproces *processus* m *de maturation*
rijproef *examen* m *de conduite*
rijrichting *sens* m *de la marche*
rijs • rijshout *osier* m • twijg *brindille* v
rijschool • manege *manège* m; *école* v *d'équitation* • autorijschool *école* v *de conduite*; *auto-école* v [mv: *auto-écoles*]
rijschoolhouder *dirigeant* m *d'une auto-école*
rijshout *osier* m
rijst *riz* m
rijstbouw *riziculture* v
rijstebrij *riz* m *au lait*
rijstepap *riz* m *au lait*
rijstevlaai *tarte* v *au riz*
rijstijl *conduite* v
rijstpapier *papier* m *de riz*
rijstrook *voie* v; *bande* v; *couloir* m ⋆ van ~ veranderen *changer de couloir*; *déboîter* ⋆ rijweg met 6 rijstroken *chaussée à 6 voies* v
rijsttafel *spécialité* v *indonésienne/chinoise à base de riz*
rijstveld *rizière* v
rijten *déchirer*

rijtijd *temps* m *de parcours*
rijtijdenwet *loi* v *sur la durée de conduite*
rijtje *rangée* v
rijtjeshuis ≈ *maison* v *dans une rangée*
rijtoer *promenade* v
rijtuig • koets *voiture* v • treinstel *voiture* v; *wagon* m
rijvaardigheid *conduite* v
rijverbod *interdiction* v *de conduire*
rijvlak ‹met betrekking tot autoband› *bande* v *de roulement*; *chaussée* v
rijweg *chaussée* v ⋆ afgesloten ~ *rue* v *barrée*
rijwiel *bicyclette* v; *vélo* m
rijwielhandel *magasin* m *de bicyclettes*
rijwielpad *piste* v *cyclable*
rijwielstalling *garage* m *à vélos*
rijwielverzekering *assurance* v *deux-roues*
rijzen I ZN ‹v. deeg› *levage* m; ‹v. water› *crue* v II ON WW • omhoogkomen *monter*; *s'élever*; *se lever*; *lever* ⋆ het deeg laten ~ *faire lever la pâte* ⋆ de zon rijst aan de horizon *le soleil se lève à l'horizon* • ontstaan *naître*; *se produire*
rijzig *de haute taille*; *élancé*
rijzweep *cravache* v
rikketik *cœur* m ▾ in zijn ~ zitten *être angoissé*
riksja *pousse-pousse* m [onv]
rillen *frissonner*; *grelotter*
rillerig *grelottant*
rilling *frisson* m ⋆ een ~ bezorgen *donner le frisson*
rimboe • wildernis *brousse* v; *jungle* v • afgelegen gebied *cambrousse* v
rimpel • plooi *pli* m; *sillon* m; *ride* v ⋆ ~s krijgen *se rider* • golving op water *ride* v
rimpelen I OV WW rimpels doen krijgen ‹v. gezicht› *rider*; *froncer*; ‹v. stof› *plisser* II ON WW • rimpels krijgen ‹v. gezicht› *se rider*; ‹v. stof› *se plisser* • licht golven *se rider*
rimpelig *ridé* ⋆ ~ worden *se rider*
rimpeling *froncement* m; ‹op het water› *ride* v *sur l'eau*; *frisson* m *sur l'eau*
rimpelloos *lisse*
ring • voorwerp *anneau* m [mv: *anneaux*] • sieraad *bague* v; ‹trouwring› *alliance* v • ringweg *périphérique* m • boksring *ring* m
ringbaard *barbe* v *en collier*
ringband *classeur* m
ringdijk *digue* v *de ceinture*
ringeloren ⋆ zich laten ~ *se laisser mener par le bout du nez*
ringen ‹v. vogels› *baguer*; ‹v. vee› *boucler*
ringlijn *ligne* v *circulaire*
ringslang *couleuvre* v *à collier*
ringsleutel *clé* v *à douille*
ringsteken *courir la bague*
ringvaart *canal* m *de ceinture* [m mv: *canaux* ...]
ringvinger *(doigt* m*) annulaire* m
ringweg *(boulevard* m*) périphérique* m
ringwerpen *lancer des anneaux*
ringworm BIOL. *annélide* m
rinkelen *tinter*; *sonner* ⋆ de ruiten doen ~ *faire trembler les vitres*
rins *aigrelet* [v: *aigrelette*] ⋆ rinse appelstroop *mélasse* v *de pommes*
riolering *(système* m *d')égouts* m mv
rioleringssysteem *système* m *d'égouts*
riool *égout* m
rioolbelasting *taxe* v *d'égouts*
riooljournalistiek *presse* v *à scandale*
ris • hoeveelheid *tas* m • aaneengeregen voorwerpen *suite* v; *série* v
risee *risée* v
risico *risque* m ⋆ (onnodige) ~'s nemen *prendre des risques (inutiles)* ⋆ ~ dekken *couvrir les risques* ⋆ eigen ~ *franchise* v *d'assurance* ⋆ het ~ lopen van *risquer de*
risicoclub SPORT *club* m *à risque*
risicodekking *couverture* v *de risques*
risicodragend *à risque* ⋆ ~ kapitaal *capital-risque*
risicoduel SPORT *match* m *à risque*
risicofactor *risque* m
risicogroep *groupe* m *à haut risque*
risicowedstrijd → **risicoduel**
riskant *risqué*; *dangereux* [v: *dangereuse*]
riskeren *risquer*
risotto *risotto* m
rit • tocht *tour* m ⋆ 50 frank per rit *50 francs la course* • afstand ‹lang› *voyage* m; ‹kort› *promenade* v
rite *rite* m
ritmebox *boîte* v *à rythmes*
ritmeester *chef* m *d'escadron*; *capitaine* m
ritmesectie *section* v *rythmée*
ritmisch *rythmique*
rits • ritssluiting *fermeture* v *éclair* • reeks *série* v
ritselaar *débrouillard* m
ritselen *bruire*; *frémir*; *murmurer*; ‹v. stof› *froufrouter*
ritsen I OV WW inkepen *marquer* II ON WW invoegen ≈ *se rabattre à tour de rôle*
ritssluiting *fermeture* v *éclair*; *fermeture* v *à glissière*; *zip* m ⋆ met ~ *zippé*
ritueel I ZN *rituel* m; *rite* m II BNW *rituel* [v: *rituelle*] III BIJW *rituellement*
ritus • rite *rite* m • cultus *culte* m
ritzege WIELRENNEN *victoire* v *d'étape*; SCHAATSEN *victoire* v *d'une manche*
rivaal *rival* m [mv: *rivaux*]
rivaliseren *rivaliser*
rivaliteit *rivalité* v
rivier ‹die in zee uitmondt› *fleuve* m; *rivière* v ⋆ aan de ~ *sur la rivière*
Rivièra *Côte* v *d'azur*
rivierafzetting *sédiments* m mv *fluviatiles*
rivierbedding *lit* m *fluvial*
rivierdelta *delta* m *d'un fleuve*
rivierklei *argile* v *fluviale*
rivierkreeft *écrevisse* v
rivierlandschap *paysage* m *fluvial*
riviermond *embouchure* v
rivierpolitie *police* v *fluviale*
rivierslib *limon* m *fluviatile*
riviertak *bras* m *de rivière*
roadie *assistant* m *technique lors d'une tournée d'un groupe pop*
rob *phoque* m
robbedoes *enfant* m *bruyant*; *enfant* v *bruyante*
robe • japon *robe* v • toga *toge* v
robijn *rubis* m

robot *robot* m
robotica *robotique* v
robuust *robuste*; *fort*
rochel • fluim *crachat* m; *flegme* m • reutel *râle* m
rochelen • fluim opgeven *cracher* • reutelen *se racler la gorge*; *râler*
rock *rock* m
rockabilly *rockabilly* m
rockband *orchestre* m *rock*
rockgroep *groupe* m *rock*
rockmuziek *musique* v *rock*
rock-'n-roll *rock and roll* m
rockopera *opéra* m *rock*
rococo *rococo* m
rococostijl *style* m *rococo*
roddel *ragot* m; *commérage* m; ‹persoon› *mauvaise langue* v ★ ~ en achterklap *commérages* m mv
roddelaar *mauvaise langue* v
roddelblad *journal* m *à sensation*
roddelcircuit *téléphone* m *arabe*
roddelen *faire des ragots*; *bavarder*; *cancaner*
roddelpers *presse* v *à sensation*
roddelpraat *ragots* m mv
roddelrubriek *chronique* v *des potins*
rodehond *rubéole* v
rodekool *chou* m *rouge*
Rode Kruis *Croix* v *Rouge*
rodelen *faire de la luge*; *luger*
rodeo *rodéo* m
rododendron *rhododendron* m
roebel *rouble* m
roede *tringle* v
roedel *harde* v ★ een ~ herten *une harde de cerfs*
roeiboot *canot* m *(à aviron)*
roeien *ramer*; *aller à la rame*; SPORT *faire de l'aviron*
roeier *rameur* m [v: *rameuse*]; *canotier* m
roeiregatta *régates* v mv *d'aviron*
roeiriem *rame* v; *aviron* m
roeispaan *rame* v; *aviron* m
roeivereniging *société* v *d'aviron*
roeiwedstrijd *régates* v mv *(à l'aviron)*
roek *freux* m
roekeloos I BNW *téméraire*; *imprudent* II BIJW *témérairement*; *imprudemment*
roekoeën *roucouler*
roem • eer *gloire* v • kaartencombinatie *séquence* v
Roemeen *Roumain* m [v: *Roumaine*]
Roemeens I ZN *roumain* m II BNW *roumain*
roemen I OV WW prijzen *louer*; *vanter*; *célébrer* II ON WW ~ **op** *se vanter (de)*; *se prévaloir (de)*
Roemenië *la Roumanie*
roemer *verre* m *ballon*
roemloos *sans gloire*
roemrijk *glorieux* [v: *glorieuse*]; *fameux* [v: *fameuse*]
roemrucht *fameux* [v: *fameuse*]
roep • het roepen *appel* m; ‹v. dieren› *cri* m • dringend verzoek *revendication* v • reputatie *renommée* v; *réputation* v
roepen I OV WW • schreeuwen *crier* • ontbieden *appeler* ★ bij zijn naam ~ *appeler par son nom* ▾ als ge~ komen *arriver à propos* II ON WW • luid spreken *crier* • ~ **om** *appeler (à)* ▾ tot God ~ *invoquer Dieu*
roepia *roupie* v
roeping *vocation* v ★ ~ voelen tot *se sentir la vocation de*
roepnaam *prénom* m *usuel*
roer *gouvernail* m; *barre* v ★ aan het roer zitten FIG. *avoir la direction*; *être au pouvoir*; *être à la barre* ★ het roer omgooien *donner un coup de barre*
roerbakken *faire cuire en touillant*
roerdomp *butor* m
roerei *œuf* m *brouillé*
roeren I OV WW • mengen *remuer*; *agiter* • ontroeren *émouvoir*; *toucher* II WKD WW • in beweging komen *bouger* • in verzet komen *s'opposer (à)*
roerend I BNW • ontroerend *touchant*; *émouvant* • niet vast *meuble*; *mobilier* [v: *mobilière*] II BIJW *d'une façon touchante*/*émouvante*
roerganger *homme* m *de barre*; *timonier* m
roerig • oproerig *agité* • beweeglijk *vif* [v: *vive*]; *remuant*; *turbulent*
roerloos I BNW • onbeweeglijk *immobile* • zonder roer *désemparé* II BIJW *sans bouger*
roersel *mouvement* m *(de l'âme)*
roerstaafje *agitateur* m
roes • bedwelming *griserie* v; *ivresse* v; *enivrement* m • opgewondenheid *sensation* v *d'euphorie* ▾ zijn roes uitslapen *cuver son vin*
roest *rouille* v
roestbestendig *antirouille*
roestbruin *rouille*; *brun rougeâtre*
roesten I ZN *rouillure* v; *oxydation* v II ON WW oxideren *(se) rouiller*; *s'oxyder*
roestig *rouillé*
roestkleurig *rouille*
roestvrij *inoxydable* ★ ~ staal *acier inoxydable* m; *inox* m
roestwerend *antirouille*
roet *suie* v ▾ roet in het eten gooien *gâter le plaisir*
roetaanslag *dépôt* m *de suie*
roetafzetting *dépôt* m *de suie*
roetfilter *filtre* m *à suie*
roetsjen *dévaler (de)*
roetzwart *noir comme du charbon*
roezemoezen • druk zijn *faire du tapage* • dof gonzen *faire un brouhaha*
roezemoezig *bruyant*
roffel *battement* m; *roulement* m *(de tambour)* ★ een ~ slaan *tambouriner*
roffelen *battre un roulement*; *tambouriner*
rog *raie* v
rogge *seigle* m
roggebrood *pain* m *de seigle*
rok • dameskleding *jupe* v; ‹onderrok› *jupon* m • herenjas *habit* m *(noir)*; *frac* m ★ in rok *en habit*
roken I ON WW in de rook hangen (bijv. vlees) *fumer* II OV WW tabak gebruiken *fumer*
roker *fumeur* m [v: *fumeuse*]
rokerig • naar rook smakend *qui a un goût de fumée* • met rook *enfumé*
rokershoest *toux* v *des fumeurs*

rokkenjager *coureur* m *de jupons*
rokkostuum *habit* m
roklengte *longueur* m *des jupes*
rol • cilindervormig voorwerp *cylindre* m • opgerold iets *rouleau* m [mv: *rouleaux*] • toneelrol *rôle* m • eigen aandeel *rôle* m ⋆ de rollen zijn omgekeerd *les rôles sont renversés* • naamlijst *liste* v ▾ aan de rol zijn *faire la noce*
rolberoerte ⋆ we lachten ons een ~ *on s'est tordu de rire*
rolbevestigend *qui confirme les rôles sociaux traditionnels*
rolbezetting *distribution* v *des rôles*
rolconflict *conflit* m *de rôle*
roldoorbrekend *qui bouleverse les rôles sociaux traditionnels*
rolgewricht *articulation* v *talocrurale*
rolgordijn *store* m *(à enrouleur)*
rolkussen *polochon* m
rollade *roulade* v
rollebollen • *faire des roulades* • seks *faire la bête à deux dos*
rollen I ZN *roulement* m II OV WW • voortbewegen *rouler* • oprollen *mettre en rouleau* • bestelen *escamoter*; ↑ *subtiliser* III ON WW • zich voortbewegen *rouler* • vallen *tomber* ⋆ van de trap ~ *rouler en bas de l'escalier*
rollenspel *jeu* m *de rôles*
roller *rouleau* m [mv: *rouleaux*]
rolluik *store* m; ‹ijzeren› *store* m *métallique*
rolmops *rollmops* m
rolpatroon *schéma* m *de comportement dicté par le rôle social*
rolprent *film* m
rolschaats *patin* m *à roulettes*
rolschaatsen *faire du patin à roulettes*
rolstoel *chaise* v *roulante*; *fauteuil* m *roulant*
rolstoelsport *sport* m *de handicapés*
roltrap *escalator* m; *escalier* m *mécanique*
rolverdeling *distribution* v *des rôles*
rolwisseling *changement* m *des rôles*
ROM *ROM* m; *mémoire* v *morte*
Romaans *roman* ⋆ ~e talen *langues romanes*
roman *roman* m
romance *romance* v
Romanen *Romans* m mv
romanpersonage *personnage* m *de roman*
romanschrijver *auteur* m *de romans*; *romancier* m [v: *romancière*]
romanticus *romantique* m/v
romantiek • kunststroming *romantisme* m; *école* v *romantique* • gevoel *romantisme* m
romantisch • m.b.t. romantiek *romanesque* • dromerig *romantique*
romantiseren *romancer*
Rome *Rome*
Romein *Romain* m [v: *Romaine*]
Romeins *romain*
römertopf *römertopf* m
romig *crémeux* [v: *crémeuse*]
rommel • wanorde *désordre* m; *pagaille* v; *fourbi* m • waardeloze prullen *bric-à-brac* m [onv] ⋆ de hele ~ *tout le bazar*
rommelaar *qn qui arrange ses bidules*; *arrangeur* m [v: *arrangeuse*]

R

rommelen I ZN *grondement* m; ‹v. buik› *gargouillement* m II ON WW • ordeloos zoeken *farfouiller dans* • dof rollend klinken *gronder*; ‹v. buik› *gargouiller*
rommelig *en désordre*; ‹v. boek› *mal composé*
rommelkamer *débarras* m
rommelmarkt *marché* m *aux puces*
rommelzolder *débarras* m
romp • lijf *tronc* m • casco ‹v. bouwwerken› *charpente* v; ‹v. schip/vliegtuig› *coque* v
rompslomp *tracas* m
rond I ZN *rond* m ⋆ in het rond kijken *regarder autour de soi* II BNW • gevuld *corpulent* ⋆ rond als een tonnetje *gros comme une barrique* • bol-/cirkelvormig *rond* • afgerond *arrondi*; *rond* ⋆ ronde cijfers/getallen *des chiffres ronds* III BIJW ‹voltooid› *achevé* ⋆ zij ging de kring rond *elle faisait le tour du cercle* ⋆ de wereld rond reizen *faire le tour du monde* ⋆ het klokje rond slapen *dormir douze heures d'affilée* ⋆ de cirkel is rond *le cercle est rond* ⋆ de zaak is rond *l'affaire est conclue* IV VZ • om(heen) *autour de* ⋆ rond de haard *autour du feu* ⋆ rond de wereld *autour du monde* • ongeveer, in de buurt van *vers* ⋆ rond een uur of zes *vers six heures* ⋆ rond de drie, vier personen *environ trois, quatre personnes* ⋆ hij is rond de vijftig *il a la cinquantaine* ⋆ rond het jaar 2000 *vers l'an 2000*
rondbazuinen *crier sur les toits*
rondborstig *franc* [v: *franche*]; *ouvert*
rondbrengen *distribuer* ⋆ de postbode brengt de brieven rond *le facteur porte les lettres à domicile*
rondcirkelen *orbiter*; ‹met betrekking tot vliegtuig› *évoluer dans le ciel*
ronddelen *distribuer*
ronddraaien I OV WW draaien *faire tourner*; ‹om as› *faire pivoter* II ON WW • draaiend rondgaan ‹om as› *pivoter*; *tourner (en rond)*; ‹op tenen› *pirouetter* • zich bewegen rondom *tourner autour (de)*
ronddwalen *errer* ⋆ zijn ogen laten ~ *promener ses regards sur*
ronde • rondgang *ronde* v; *patrouille* v • wedstrijdtraject *tour* m • deel van wedstrijd *manche* v; ‹boksen› *round* m • wielerwedstrijd *tour* m
rondedans *ronde* v
ronden • afronden *arrondir* • SCHEEPV. *doubler*
rondetafelconferentie *(conférence* v *de la) table ronde*
rondgaan • bewegen *faire la ronde*; *circuler* • langsgaan *faire le tour (de)*; ‹met koekjes› *présenter*
rondgang *tournée* v
rondhangen *(aller) traîner*; *traînasser* ⋆ ik weet niet waar hij rondhangt *je ne sais pas où il est allé traîner*
rondhout *rondin* m
ronding *galbe* m; ‹v. lippen› *rondeur* v
rondje *tournée* v
rondkijken *regarder autour de soi*
rondkomen *s'en tirer*; *se tirer d'affaire* ⋆ kunnen ~ *arriver à joindre les deux bouts*

rondleiden *guider*; FIG. *piloter*
rondleiding *visite* v *guidée*; *visite* v *commentée*
rondlopen • in de rondte lopen *faire le tour de* • lopen *se promener*
rondneuzen *fureter*
rondom I BIJW • eromheen *autour* • overal *autour* II VZ • om ... heen *autour de* ★ ~ het vuur *autour du feu* • in de buurt van *aux alentours de*
rondreis *voyage* m *circulaire*
rondreizen • overal heen reizen *parcourir* • reizend bezoeken afleggen *faire le tour (de)*
rondrijden *faire un tour*
rondrit *tour* m; *circuit* m
rondscharrelen • rondlopen *traîner* • rommelen *bricoler*
rondslingeren *traîner*
rondsnuffelen • doorzoeken *fureter* • speurend rondlopen *flairer (partout)*
rondstrooien • om zich heen strooien *disperser* • verspreiden *colporter*
rondte • rondheid *rondeur* v • kring *rotondité* v ★ in de ~ ‹m.b.t. plaats› *à la ronde*; ‹m.b.t. beweging› *en rond*; ‹m.b.t. beweging› *en cercle*
rondtrekken *voyager* ★ zij trekt de wereld rond *elle fait le tour du monde*
ronduit *franchement* ★ ~ gezegd *à parler franchement* ★ ~ weigeren *refuser net*
rondvaart *promenade* v *en bateau*; *tour* m *en bateau*
rondvaartboot *bateau-mouche* m [mv: *bateaux-mouches*]
rondvertellen *colporter*; *répandre*
rondvliegen • in kring vliegen *voler autour de*; ‹v. vliegtuig› *évoluer*; *circuler*; *voler en rond* • alle kanten opvliegen *voler (de-ci de-là)*
rondvlucht *tour* m *en avion*
rondvraag *tour* m *de table*
rondwandelen *se promener*; *faire le tour de*
rondweg *périphérique* m
rondzwerven • zwerven *vagabonder*; *errer* • rondslingeren *traîner*
ronken I ZN snurken *ronflement* m; ‹met betrekking tot motor› *vrombissement* m II ON WW • ronkend geluid maken *ronfler*; ‹met betrekking tot motor› *vrombir* • snurken *ronfler*
ronselen *embaucher*; ‹v. leger› *recruter*
röntgenfoto *radio* v; *radiographie* v ★ een ~ maken van *faire une radiographie de*
röntgenstralen *rayons* m mv *X*; *rayons* m mv *Roentgen*
rood I ZN *rouge* m II BNW *rouge* ★ rode cijfers *nombres* m mv *rouges* ★ ze heeft rood haar *elle a les cheveux roux* ★ rood worden *rougir* ★ rood worden van boosheid *devenir rouge de colère* ★ tot achter de oren rood worden *rougir jusqu'à la racine des cheveux* ★ door rood licht heen rijden *brûler un stop*; *passer au rouge* ★ het (stoplicht) is rood *c'est au rouge* ▾ rood staan *avoir un déficit de compte*
roodbaars *grand sébaste* m
roodbont ‹v. paard› *à taches alezanes*; ‹v. koe, wit overheerst› *pie-rouge*
roodborstje *rouge-gorge* m [mv: *rouges-gorges*]
roodbruin *rouge brun*
roodgloeiend *chauffé au rouge* ▾ de telefoon staat ~ *le téléphone n'arrête pas de sonner*
roodharig *roux* [v: *rousse*]; INF. *rouquin*
roodhuid *Peau-Rouge* m [mv: *Peaux-Rouges*]
Roodkapje *le petit Chaperon Rouge* m
roodvonk *(fièvre* v*) scarlatine*
roof • diefstal *rapine* v; ‹door bende› *brigandage* m • wondkorstje *croûte* v
roofbouw *épuisement* m *des sols*
roofdier *carnassier* m; *bête* v *féroce*
roofdruk *édition* v *pirate* [v mv: *éditions pirates*]
roofmoord *meurtre* m *pour vol*
roofoverval *agression* v *à main armée*; INF. *braquage* m
strooftocht *razzia* v
roofvis *poisson* m *de proie*
roofvogel *rapace* m
roofzucht *rapacité* v
rooien • uitgraven *arracher*; ‹v. boom› *déraciner*; ‹v. bos› *défricher* • klaarspelen *en finir avec* ★ het niet kunnen ~ *ne pas arriver à joindre les deux bouts* ★ zal hij het ~? *en viendra-t-il à bout?*
rook *fumée* v ▾ in rook opgaan *s'en aller en fumée*
rookbom *grenade* v *fumigène*
rookcoupé *(compartiment* m *pour) fumeurs*
rookdetector *détecteur* m *de fumée*
rookglas *verre* m *fumé*
rookgordijn *écran* m *de fumée*
rookhol *tabagie* v
rookmelder *détecteur* m *de fumée*
rookpluim *panache* m *de fumée*
rookschade *dégâts* m mv *causés par la fumée*
rooksignaal *signal* m *de fumée* [m mv: *signaux* ...]
rookverbod *défense* v/*interdiction* v *de fumer*
rookverslaving *dépendance* v *au tabac*; *tabacomanie* v
rookvlees *viande* v *fumée*
rookvrij *sans fumée*
rookwolk *nuage* m *de fumée*
rookworst *saucisse* v *fumée*
room *crème* v ★ de room afscheppen van *écrémer* ★ zure room *crème fraîche*
roomboter *beurre* m
roomijs *crème* v *glacée*
roomkaas *fromage* m *à la crème*
roomkleurig *crème*
roomkwark *double-crème* m
rooms *catholique*
roomservice *service* m *des chambres*
rooms-katholiek I ZN *catholique* m II BNW van de Kerk van Rome *catholique*
roomsoes *chou* m *à la crème*
roomstel *petit plateau* m *avec pot à lait et sucrier*
roomwit *crème*
roos • bloem *rose* v • struik *rosier* m • middelpunt van schietschijf *mouche* v; *mille* m ★ in de roos treffen *faire mouche* • huidschilfers *pellicules* v mv ▾ slapen als een roos *dormir comme un ange*; *dormir à poings fermés*

rooskleurig *rose*; *prometteur* [v: *prometteuse*] ★ alles ~ inzien *voir tout en rose* ★ ~ voorstellen *colorer (en rose)*
rooster • raster *grille* v; ⟨als afsluiting⟩ *grillage* m • braadrooster *gril* m • broodrooster *grille-pain* m • schema *horaire* m; *emploi* m *du temps*
roosteren *griller*; *rôtir* ★ geroosterd brood *toast* m
roots *racines* v mv
roquefort *roquefort* m
ros I ZN (het) *coursier* m II BNW *roux* [v: *rousse*] ▾ de rosse buurt *le quartier rouge*
rosarium *roseraie* v
rosbief *rosbif* m
rosé *(vin* m*) rosé*
roskammen *étriller*
rosmarijn → **rozemarijn**
rossen I OV WW roskammen *étriller* II ON WW wild rijden *rouler à tombeau ouvert*
rossig *roussâtre*; *roux* [v: *rousse*]
rösti *pommes* v mv *de terre sautées*
rot I ZN (de) *rat* m ▾ een ouwe rot *un vieux routier* II ZN (het) rotting *pourri* m III BNW • verrot *pourri* • vervelend *sale*
rot- • ellendig *sale*; *fichu* • zeer snel *vachement rapide* • hard aankomend *terrible*
rotan *rotin* m
Rotary *Rotary* m
rotatie *rotation* v
rotatiemotor *moteur* m *à piston rotatif*
rotatiepers *rotative* v
rotding *saleté* v
roteren *tourner*; *pivoter*
rotgang ▾ met een ~ *à fond de train*; *en quatrième vitesse*
rotgans *bernache* v *(cravant)*
rothumeur *humeur* v *massacrante*
roti *roti* m *(spécialité surinamienne)*
rotje *pétard* m
rotjoch *garnement* m
rotonde *rond-point* m [mv: *ronds-points*]
rotor *rotor* m
rots *rocher* m; *roc* m; ⟨materiaal⟩ *roche* v
rotsachtig *rocheux* [v: *rocheuse*]; *rocailleux* [v: *rocailleuse*]
rotsblok *bloc* m *de rocher*
rotspartij *massif* m *rocheux*; ⟨in tuin⟩ *rocaille* v
rotstreek *crasse* v; *tour* m *de cochon*
rotstuin *jardin* m *de rocaille*
rotsvast *inébranlable*
rotswand *paroi* v *rocheuse*
rotten *pourrir*; *se putrifier*; ⟨v. fruit⟩ *se gâter*
rottig *emmerdant*
rottigheid *emmerdement* m ▾ ~ uithalen *faire des conneries*
rotting • bederf *putréfaction* v; *pourriture* v • stok *rotin* m; *canne* v
rottweiler *rottweiler* m
rotweer *sale temps* m
rotzooi • waardeloze rommel *gâchis* m ★ de hele ~ *tout le fourbi* • wanorde *désordre* m; INF. *pagaïe* m
rotzooien • knoeien *mettre le bordel* • scharrelen *fricoter*
rouge *rouge* m ★ ~ gebruiken *se mettre du rouge*
roulatie *circulation* v; ⟨v. geld⟩ *roulement* m ★ in ~ brengen *mettre en circulation*
roulatiesysteem *système* m *de roulement*
rouleren • in omloop zijn *être en circulation* • afwisselen *se relayer*
roulette *roulette* v
route *route* v; *itinéraire* m ★ alternatieve ~ ⟨in Frankrijk⟩ *itinéraire* m *bis*; ⟨Fr. organisatie⟩ *bison* m *futé*
routebeschrijving *itinéraire* m
routekaart *carte* v *de route*
routine *routine* v
routineklus *boulot* m *de routine*
routinematig *de façon routinière*
routineonderzoek *enquête* v *de routine*
routineus *routinier* [v: *routinière*]
routing *ordonnancement* m
routinier • ervaren persoon *vieux routier* m • gewoontemens *routinier* m
rouw *deuil* m ★ in de rouw zijn *être en deuil* ★ in de rouw zijn om iem. *porter le deuil de qn*
rouwadvertentie *faire-part* m *de décès*
rouwband *crêpe* m; ⟨om de arm⟩ *brassard* m *de deuil*
rouwbrief *faire-part* m *(de décès)* [onv]
rouwcentrum *funérarium* m
rouwdienst *service* m *funèbre*
rouwen • rouwkleding dragen *être en deuil*; *porter le deuil (de)* • treuren *pleurer*
rouwig *affligé* ★ hij is er niet ~ om *il n'en est pas fâché*
rouwkamer ≈ *chapelle* v *ardente*
rouwmis *messe* v *de requiem*
rouwproces *travail* m *du deuil*
rouwrand *bordure* v *noire* ▾ ~en onder de nagels hebben *avoir les ongles en deuil*
rouwstoet *convoi* m *funèbre*
rouwverwerking *travail* m *de deuil*
roux *roux* m
roven *voler*
rover *brigand* m; *bandit* m; ⟨op zee⟩ *pirate* m ★ ~tje spelen *jouer aux brigands*
roversbende *bande* v *de voleurs*
rovershol *repaire* m
royaal I BNW • gul *généreux* [v: *généreuse*] ★ ~ leven *mener grand train* ★ ~ zijn *faire bien les choses* • ruim ⟨v. afmeting⟩ *large*; ⟨v. opvatting⟩ *libéral* [m mv: *libéraux*] II BIJW • gul *de façon généreuse* • ruim *largement*; *libéralement*
royalist *royaliste* m/v
royalty ⟨v. schrijver⟩ *droits* m mv *d'auteur*
royeren *rayer*; *radier*
roze I ZN *rose* m II BNW *rose*
rozemarijn *romarin* m
rozenbottel *gratte-cul* m [mv: *gratte-culs*] ★ ~jam *confiture* v *de fruits d'églantier*
rozengeur *parfum* m *de roses* ▾ het is niet altijd ~ en maneschijn *tout n'est pas rose dans la vie*
rozenkrans *rosaire* m; ⟨rozenhoedje⟩ *chapelet* m ★ zijn ~ bidden *dire son chapelet|rosaire*
rozenstruik *rosier* m
rozet • PLANTK. *rosette* v • versiering *rosace* v;

rosette v
rozig *rose*
rozijn *raisin* m *sec*
RSI repetitive strain injury *LATR* v; *lésion* v *attribuable au travail répétitif*
Ruanda *le Rwanda* ★ in ~ *au Rwanda*
rubber *caoutchouc* m
rubberboot *canot* m *pneumatique*
rubberlaars *botte* v *en caoutchouc*
rubberzool *semelle* v *en caoutchouc*; *semelle* v *de crêpe*
rubriceren *catégoriser*; ‹in rubriek› *classer sous rubrique*
rubriek • vast stuk in krant *rubrique* v • categorie *catégorie* v • opschrift *rubrique* v
ruche *ruche* v
ruchtbaar *public* [v: *publique*]; *notoire*; *connu* ★ ~ worden *s'ébruiter*
ruchtbaarheid *publicité* v; *notoriété* v *(publique)* ★ ~ geven aan *divulguer*; *ébruiter*
rücksichtslos I BNW *impitoyable* II BIJW *impitoyablement*
rudimentair *rudimentaire*; *primitif* [v: *primitive*]
rug • lichaamsdeel *dos* m ★ met de rug leunen tegen *s'adosser à* • achter-/bovenzijde *dos* m; *arrière* m; ‹leuning› *dossier* m ▾ de rug toekeren aan *tourner le dos à* ▾ dat is achter de rug *c'est fini*; *voilà qui est fait* ▾ een examen achter de rug hebben *être débarrassé d'un examen* ▾ 45 km achter de rug hebben *avoir 45 km dans les jambes* ▾ achter zijn rug *à son insu*; *en son absence*
rugby *rugby* m
rugbyen *jouer au rugby*
rugdekking *protection* v; *couverture* v ★ iem. ~ geven *couvrir qn*
ruggelings • achterwaarts *en arrière* ★ ~ van het paard vallen *tomber à la renverse du cheval* • rug tegen rug *dos à dos*
ruggengraat • wervelkolom *épine* v *dorsale*; *colonne* v *vertébrale* • wilskracht *force* v *intérieure* ★ ~ hebben *ne pas fléchir*
ruggenmerg *moelle* v *épinière*
ruggenprik *ponction* v *lombaire*
ruggensteun • steun in de rug *appui-dos* m [mv: *appuis-dos*] • hulp *coup* m *de main*
ruggenwervel *vertèbre* v *dorsale*
ruggespraak POL. *concertation* v ★ ~ houden met *conférer avec*; *prendre l'avis de*
rugklachten *maux* m mv *de dos*
rugletsel *lésion* v *au dos*; *lésion* v *dorsale*
rugleuning *dossier* m; *dos* m
rugnummer *dossard* m
rugpijn *mal* m *de dos*; MED. *dorsalgie* v
rugslag *nage* v *sur le dos*
rugsluiting *fermeture* v *au dos*
rugvin *nageoire* v *dorsale*
rugzak *sac* m *à dos*
rugzijde *dos* m; ‹v. blad› *verso* m
rui *mue* v ★ in de rui *en mue*
ruien *muer*
ruif *râtelier* m
ruig • borstelig *poilu*; *velu* • wild begroeid *sauvage*; *broussailleux* [v: *broussailleuse*] • grof *raboteux* [v: *raboteuse*]; *rude*
ruigharig *hirsute*
ruiken I OV WW • met reukzin waarnemen *sentir* • bespeuren *flairer*; *pressentir* ★ kon ik dat ~? *comment pouvais-je le deviner?* II ON WW • geuren *sentir* ★ lekker ~ *sentir bon* • ~ **naar** *sentir* ★ naar tabak ~ *sentir le tabac*
ruiker *bouquet* m
ruil *échange* m; *troc* m ★ een goede ruil doen *gagner au change* ★ in ruil voor *en échange de*
ruilbeurs *bourse* v *d'échange*
ruilen *échanger (contre|pour)*; *changer*; *faire un échange de*
ruilhandel *troc* m; *(commerce* m *d') échange*
ruilmiddel *instrument* m *d'échange*
ruilverkaveling *remembrement* m
ruilvoet *taux* m *du change*
ruilwaarde *valeur* v *d'échange*
ruim I ZN SCHEEPV. *cale* v II BNW • wijd *large*; *ample* • veel ruimte biedend *spacieux* [v: *spacieuse*]; *vaste*; *grand* ★ ruim wonen *vivre au large* ★ ruim zitten *avoir de la place*; ‹v. jas› *être ample* • open *étendu* • veelomvattend *large* • onbekrompen *ouvert*; *tolérant* • rijkelijk ★ ruime beurs *bourse bien garnie* v ▾ het niet ruim hebben *être dans la gêne* III BIJW • op ruime wijze *largement* • meer dan *plus de* ★ het is ruim elf uur *il est onze heures passées* ★ ruim 4 weken *plus de quatre semaines*
ruimdenkend *large d'esprit*
ruimen I OV WW • opruimen ★ iets uit de weg ~ *enlever qc* • leegmaken *vider*; *évacuer* ▾ het veld ~ voor *céder la place à* II ON WW draaien van de wind *tourner* ★ de wind ruimt van zuid naar west *le vent tourne par le sud à l'ouest*
ruimhartig *longanime*; *compréhensif* [v: *compréhensive*]
ruimschoots *largement*
ruimte • plaats *place* v; *espace* m; *étendue* v; ‹in auto› *habitabilité* v; ‹inhoud› *capacité* v; ‹vertrek› *pièce* v ★ ergens ~ maken *faire place* ★ dat weinig ~ inneemt *qui ne prend pas beaucoup de place*; *de faible encombrement* • heelal *espace* m
ruimtecapsule *capsule* v *spatiale*
ruimtegebrek *manque* m *de place*
ruimtelaboratorium *laboratoire* m *spatial*
ruimtelijk *spatial* ★ ~ inzicht *intelligence* v *spatiale* ★ ~e waarneming *perception* v *spatiale* ★ ~e ordening *aménagement* m *du territoire*
ruimtereis *voyage* m *spatial*
ruimteschip *vaisseau* m *spatial* [m mv: *vaisseaux spatiaux*]
ruimtestation *station* v *spatiale*
ruimtevaarder *cosmonaute* m/v; *astronaute* m/v
ruimtevaart • verkeer *navigation* v *spatiale* • wetenschap *astronautique* v
ruimtevaarttechniek *technologie* v *aérospatiale*
ruimtevaartuig *vaisseau* m *spatial* [m mv: *vaisseaux spatiaux*]
ruimteveer *navette* v *spatiale*
ruimtevlucht *vol* m *spatial*

ruimtevrees *agoraphobie* v
ruin *hongre* m
ruïne *ruine* v
ruïneren *ruiner*
ruisen *murmurer*; *bruire*; ‹v. zee› *mugir*
ruisonderdrukking *réduction* v *de souffle*
ruit • vensterglas *vitre* v; *carreau* m [mv: *carreaux*] • motief *carreau* m [mv: *carreaux*]; ‹scheve vierhoek› *losange* m; ‹op speelbord› *case* v • WISK. *losange* m
ruiten I ZN *carreau* m II BNW ‹v. stof› *à carreaux*; ‹v. papier› *quadrillé*
ruitenaas *as* m *de carreau*
ruitenboer *valet* m *de carreau*
ruitensproeier *lave-glace* m [mv: *lave-glaces*]
ruitenwisser *essuie-glace* m [mv: *essuie-glaces*]
ruiter *cavalier* m [v: *cavalière*]
ruiterij *cavalerie* v
ruiterlijk I BNW *franc* [v: *franche*] II BIJW *franchement*
ruiterpad *piste*/*allée* v *cavalière*
ruitjespapier *papier* m *quadrillé*
ruitjesstof *étoffe* v *à carreaux*
ruk *mouvement* m *brusque*; *à-coup* m [mv: *à-coups*] ★ met één ruk *d'un seul coup* ★ ruk aan het stuur *coup de volant* m
rukken I OV WW met een ruk trekken *arracher* ▾ woorden uit hun verband ~ *tirer les mots de leur contexte* II ON WW hard trekken *tirer brusquement*
rukwind *rafale* v
rul *meuble*; ‹v. sneeuw› *poudreux* [v: *poudreuse*]
rum *rhum* m
rumba *rumba* v
rumboon *chocolat* m *au rhum*
rum-cola *cola* m *au rhum*
rummikub *Rummikub* m
rumoer • lawaai *vacarme* m; *tapage* m • ophef *tumulte* m
rumoerig • lawaaiig *bruyant*; *tapageur* [v: *tapageuse*]; *tumultueux* [v: *tumultueuse*] • onstuimig *agité*
run *ruée* v; SPORT *course* v
rund *bœuf* m
rundergehakt *hachis* m *de bœuf*
runderlapje *tranche* v *de bœuf*
rundvee *bovins* m mv
rundvlees *bœuf* m
runeteken *caractère* m *runique*
runnen *gérer*
rups *chenille* v
rupsband *chenille* v
rupsvoertuig *véhicule* m *à chenilles*
ruptuur *rupture* v
Rus *Russe* m/v
rush • stormloop *ruée* v • film *rush* m; *épreuve* v *de tournage*
Rusland *la Russie* ★ in ~ *en Russie*
Russisch I ZN *russe* m ★ ~-Japans *russo-japonais* II BNW *russe*
rust • ontspanning *repos* m ★ tot rust komen *s'apaiser*; ‹v. geest› *se détendre* ★ op de plaats rust! *en place, repos!* • kalmte *paix* v; *calme* m; *tranquillité* v ★ met rust laten *laisser tranquille* ★ laat me met rust *laisse-moi tranquille*; INF. *fiche-moi la paix* • nachtrust *repos* m • MUZ. *pause* v ★ halve maat rust *demi-pause* v ★ kwart maat rust *soupir* m ★ achtste maat rust *demi-soupir* m • SPORT *mi-temps* v
rustdag *jour* m *férié*; *jour* m *de repos* ★ ~ houden *faire relâche*; *chômer*
rusteloos • ongedurig *sans repos*; *sans relâche* ★ rusteloze geest *tempérament* m *nerveux* • steeds bezig *turbulent*; *agité*; ‹v. kind› *remuant* ★ een ~ leven *une vie agitée*
rusten • uitrusten *(se) reposer*; *être en repos* • slapen *se reposer* • begraven liggen *reposer* ★ hier rust *ici repose*; *ci gît* • steunen *peser (sur)* ★ deze taak rust op hem *cette tâche lui incombe* • gericht zijn *être posé* • ongemoeid laten *reposer*
rustgevend *calmant*; *reposant*
rusthuis *maison* v *de repos*
rustiek *rustique*
rustig I BNW • in rust *tranquille* • bedaard *tranquille*; *calme* • ongestoord *tranquille* • vredig *calme*; *paisible* II BIJW *calmement*; *tranquillement*; *paisiblement*
rustoord *maison* v *de repos*
rustplaats • pleisterplaats *halte* v • graf *tombe* v
rustpunt • pauze *pause* v • steunpunt *point* m *d'appui*
ruststand *position* v *de repos*
rustverstoorder *perturbateur* m [v: *perturbatrice*]
ruw I BNW • oneffen *rugueux* [v: *rugueuse*]; *raboteux* [v: *raboteuse*]; ‹v. huid/stof› *rêche* • grof *grossier* [v: *grossière*] • onbewerkt *brut*; *cru* • onbeschaafd *grossier* [v: *grossière*]; *impoli* • wild *rude*; *âpre* • globaal *grossier* [v: *grossière*] II BIJW • niet glad *avec des inégalités* • onbeschaafd *grossièrement*; *impoliment* • onaangenaam *rudement*
ruwharig *à poil dur*
ruwweg *grosso modo*; *grossièrement*
ruzie *dispute* v; *querelle* v ★ ~ krijgen *commencer à se disputer* ★ ~ hebben met de buren *être fâché avec les voisins* ★ met iem. ~ zoeken *chercher querelle à qn*
ruzieachtig *querelleur* [v: *querelleuse*]
ruziemaker *querelleur* m [v: *querelleuse*]
ruziën *avoir une dispute*; *se disputer*
ruziezoeker *chamailleur* m [v: *chamailleuse*]

S

s *s* m
saai I BNW *ennuyeux* [v: *ennuyeuse*]; *monotone*; *fade* II BIJW *d'une manière ennuyeuse*; *d'une manière monotone*; *avec fadeur*
saamhorigheid *fraternité* v; *solidarité* v; *cohésion* v
saampjes *tous les deux*
sabbat *sabbat* m
sabbatical ★ ~ year *année* v *sabbatique*
sabbatsjaar *année* v *sabbatique*
sabbatviering *célébration* v *du sabbat*
sabbelen *suçoter*
sabel I ZN (de) *sabre* m ★ zijn ~ trekken *dégainer son sabre* II ZN (het) • HER. *sable* m • bont *zibeline* v
sabelbont *zibeline* v
sabeldier *zibeline* v
sabotage *sabotage* m
saboteren *saboter*
saboteur *saboteur* m [v: *saboteuse*]
sacharine *saccharine* v
sacraal *sacral* [m mv: *sacraux*]; *sacré*
sacrament *sacrement* m ★ de laatste ~en toedienen aan iem. *administrer les derniers sacrements à qn* ★ van de heilige ~en voorzien *muni des sacrements de l'Eglise*
Sacramentsdag *Fête-Dieu* v
sacrilegie *sacrilège* m
sacristie *sacristie* v
sacrosanct • onschendbaar *intouchable* • gewijd *sacro-saint* [m mv: *sacro-saints*]
sadisme *sadisme* m
sadist *sadique* m/v
sadistisch *sadique*
sadomasochisme *sadomasochisme* m
safari I ZN (de) *safari* m ★ op ~ gaan *(aller) faire un safari* II ZN (het) *safari* m
safaripark *parc* m *animalier*
safe I ZN *coffre-fort* m [mv: *coffres-forts*] II BNW *sûr*; *sans risques* ▾ safe sex *sexe* m *sans risque* ▾ aan safe sex doen *avoir des rapports protégés*
saffie *clope* v
saffier *saphir* m
saffierblauw *bleu saphir*
saffraan *safran* m
saffraangeel I BNW *(jaune) safran* m II ZNW *(jaune) safran*
sage *légende* v; *mythe* m
sago *sagou* m
Sahara *Sahara* m
saillant *saillant*
saki • aap *saki* m • bier *saké* m; *bière* v *de riz*
Saksen *Saxe* v
Saksisch *saxon* [v: *saxonne*]
saladbar *buffet* m; *table* v *chargée de salades*
salade *salade* v ★ ~ aanmaken *assaisonner la salade* ★ ~ omroeren *tourner la salade*
salamander *salamandre* v
salami *salami* m
salariëren *salarier*
salariëring *rémunération* v
salaris *salaire* m; ‹v. ambtenaren› *appointements* m mv; *traitement* m
salarisadministratie *administration* v *des salaires*
salarisschaal *échelle* v *des salaires*
saldo *solde* m *(de compte)*; *position* v ★ het ~ van een rekening *la position d'un compte* ★ met een batig ~ *avec un solde positif|créditeur* ★ nadelig ~ *solde débiteur* ★ met een nadelig ~ *avec un solde négatif* ★ een voordelig ~ aanwijzen *se solder par un excédent* ★ sluiten met een ~ van *se solder par* ▾ per ~ *tout compte fait*
saldotekort *solde* m *déficitaire*
sales manager *directeur* m/*chef* m *des ventes*
sales promotion *promotion* v *des ventes*
salie *sauge* v
salmiak *sel* m *ammoniac* ▾ geest van ~ *alcali* m *volatil*
salmiakdrop *réglisse* m *au sel d'ammoniac*
salmonella *salmonelle* v
Salomonsoordeel *jugement* m *de Salomon*
salon *salon* m
salonboot *bateau-salon* m [mv: *bateaux-salons*]
salonfähig *présentable*; *sortable* ★ niet ~ *inconvenant*; *indécent*
salonmuziek *musique* v *légère*; *musique* v *d'ambiance*
salonsocialist *socialiste* m *de salon*
salontafel *table* v *de salon*
saloondeuren *portes* v mv *de saloon*
salpeter *salpêtre* m
salpeterzuur *acide* m *azotique*
salsa *salsa* v
SALT-besprekingen *entretiens* m mv *SALT*
salto *saut* m ★ ~ mortale *saut de la mort*
salueren *saluer*; MIL. *faire le salut militaire*
saluut *salut* m
saluutschot *salve* v *d'honneur*
salvo *salve* v
Samaritaan ★ de barmhartige ~ *le bon Samaritain*
samba *samba* v
sambabal *maraca* v
sambal *pâte* v *de piment*
samen • met elkaar *ensemble*; *en commun*; *conjointement*; ‹met zijn tweeën› *à deux*; *tous les deux* ★ zij nemen ~ een kaartje *ils achètent un billet ensemble* ★ ~ iets doen *faire qc ensemble* ★ ~ is dat 93 gulden *en tout ça fait 93 florins* • bijeen *ensemble* • bij elkaar gerekend *au total*; *en tout*
samendrukken *serrer*; *compresser*
samengaan • gepaard gaan *aller de pair* • fuseren *fusionner*
samengesteld *composé*; ‹v. getal› *complexe*
samenhang • verband *lien* m; *rapport* m; *liaison* v; ‹v. tekst› *cohérence* v ★ gebrek aan ~ *incohérence* v ★ zonder ~ *décousu*; *incohérent* • NAT. *cohésion* v
samenhangen *se tenir*; *être lié (à)*; *se rattacher à* ★ ~ met *être lié à*; *être en rapport avec*
samenkomst *rencontre* v
samenleven *vivre ensemble*; *cohabiter*
samenleving • het samenleven *vie* v *en commun* • maatschappij *société* v

samenlevingscontract *pacte* m *civil de solidarité*; *pacs* m
samenloop • plaats van vereniging ‹v. mensen› *affluence* v; *attroupement* m; ‹v. water› *confluent* m; *rencontre* v; *jonction* v • gelijktijdigheid ★ ~ van omstandigheden *concours* m *de circonstances*
samenpakken (zich) *s'entasser*
samenraapsel *ramassis* m; *tas* m; ‹v. zaken› *bric-à-brac* m [onv]; *fatras* m ★ een ~ van leugens *un amas de mensonges*
samenscholen *s'attrouper*
samenscholing *attroupement* m; *rassemblement* m
samensmelten I ov ww doen samengaan *(faire) fondre ensemble* II on ww • versmelten *(se) fondre*; *se souder* • fuseren *fusionner*; *s'intégrer*; *s'unir*
samenspannen *conspirer*; *comploter*
samenspel *jeu* m *d'ensemble*
samenspraak *dialogue* m
samenstel • geheel *système* m; *ensemble* m • bouw *composition* v; *construction* v
samenstellen *construire*; *constituer*; ‹v. teksten› *rédiger*; *écrire*; *composer*; *assembler*
samensteller ‹v. programma› *réalisateur* m [v: *réalisatrice*]; ‹v. machine› *constructeur* m [v: *constructrice*]; ‹v. tekst› *rédacteur* m [v: *rédactrice*]
samenstelling ‹v. programma› *réalisation* v; *composition* v; ‹v. tekst› *rédaction* v; *constitution* v; TECHN. *montage* m; *assemblage* m; ‹v. boek› *construction* v
samenstromen • samenkomen *se masser*; *s'attrouper* • samenvloeien *confluer*
samentrekken • samenvoegen ★ getallen ~ *additionner des nombres* • opeen trekken ‹v. spieren› *contracter*; ‹v. wenkbrauwen› *froncer* • TAALK. ★ twee lettergrepen ~ *contracter deux syllabes* • concentreren ‹v. troepen e.d.› *concentrer*
samentrekking • contractie *contraction* v; *resserrement* m • TAALK. *contraction* v
samenvallen • tegelijk gebeuren *coïncider* • één worden *se confondre*; *se recouvrir*
samenvatten *résumer*; *faire un résumé de*; ‹herhalend› *récapituler*
samenvatting *résumé* m; *synthèse* v
samenvloeien ‹v. water› *confluer*; ‹v. kleuren› *se confondre*
samenvoegen *réunir*; *joindre*; TECHN. *assembler*
samenwerken *coopérer*; *collaborer (à qc|avec qn)*; ‹v. zaken› *concourir (à)*; *contribuer (à)*
samenwerking *coopération* v; *collaboration* v
samenwerkingsverband *accord* m *de coopération*
samenwerkingsverdrag *traité* m *de coopération*
samenwonen *vivre ensemble*; ‹als paar› *cohabiter*
samenzang *chant* m *en chœur*
samenzijn ≈ *réunion* v ★ gezellig ~ *réunion intime*
samenzweerder *conspirateur* m [v: *conspiratrice*]; *comploteur* m [v: *comploteuse*]

S

samenzweren *conspirer*; *comploter*
samenzwering *conspiration* v; *complot* m
samenzweringstheorie *théorie* v *du complot universel*
samoerai *samouraï* m
sample *échantillon* m
samplen *échantillonner*
samsam *moitié-moitié* ▾ ~ doen *partager moitié-moitié*
sanatorium *sanatorium* m
sanctie *sanction* v
sanctioneren *sanctionner*
sandaal *sandale* v
sandelhout *santal* m
sandwich *sandwich* m
saneren *assainir*
sanering *assainissement* m
sanguinisch *sanguin*
sanitair I ZN *sanitaire* m II BNW *sanitaire* ★ ~e voorzieningen *équipement sanitaire* m
San Marino *la république de Saint-Marin*
sanseveria *sansevière* v
Sanskriet *sanscrit* m
santé *à votre santé!*; *à la vôtre!*
santenkraam *bataclan* m
Saoedi-Arabië *l'Arabie* v *saoudite* ★ in ~ *en Arabie saoudite*
Saoedisch *saoudien* [v: *saoudienne*]
sap ‹v. groenten, vruchten› *jus* m; PLANTK. *sève* v; *suc* m ★ een citroen die veel sap geeft *un citron juteux*
sapcentrifuge *centrifugeuse* v
sapje *jus* m *de fruits*
sappelen *en baver*
sappig • vol sap *juteux* [v: *juteuse*] • smeuïg *savoureux* [v: *savoureuse*]
sarcasme *sarcasme* m
sarcast *personne* v *sarcastique*
sarcastisch I BNW *sarcastique* II BIJW *sur un ton sarcastique*; *sarcastiquement*
sarcofaag *sarcophage* m
sardine *sardine* v
Sardinië *la Sardaigne* ★ in ~ *en Sardaigne*
sardonisch I BNW *sardonique* II BIJW *sardoniquement*
sarong *sarong* m
sarren *faire enrager*; *agacer*; *irriter*
sas I ZN (de) ▾ in zijn sas zijn *avoir le sourire* II ZN (het) *sas* m
Satan *Satan* m
satanisch *satanique*; *démoniaque*
satanswerk *tour* m *diabolique*
saté ≈ *brochette* v
satelliet *satellite* m
satellietfoto *photo* v *satellite*
satellietstaat *pays* m *satellite*
satellietstad *cité* v *satellite*
satellietverbinding *liaison* v *par satellite*
sater *satyre* m
satéstokje ≈ *brochette* v
satijn *satin* m
satire *satire* v
satirisch *satirique*
Saturnus *Saturne* m
saucijs *saucisse* v
saucijzenbroodje ≈ *friand* m
sauna *sauna* m

saus *sauce* v; ‹voor muur› *badigeon* m
sausen *badigeonner; peindre*
sauteren *faire sauter*
savanne *savane* v
savoir-faire *savoir-faire* m; *know-how* m
savooienkool *chou* m *de Milan* [m mv: *choux* ...]
sawa *rizière* v *inondée en terrasses*
saxofonist *saxophoniste* m/v
saxofoon *saxophone* m
scabreus I BNW *scabreux* [v: *scabreuse*] II BIJW *de manière scabreuse*
scala *série* v; *gamme* v
scalp *scalp* m
scalpel *scalpel* m; *bistouri* m
scalperen *scalper*
scampi *scampi* m
scan *passage* m *au scanner; scanning; scanographie* v; *scintigramme* m
scanderen *scander* ★ het ~ *la scansion*
Scandinavië *la Scandinavie* ★ in ~ *en Scandinavie*
Scandinaviër *Scandinave* m/v
Scandinavisch *scandinave*
scannen I ZN *balayage* m II OV WW ‹beeld› *balayer; scanner; passer au scanner;* ‹medisch› *faire une scanographie*
scanner *scanner* m; ‹officieel› *scanneur* m
scarabee *scarabée* m
scenario *scénario* m
scenarioschrijver *scénariste* m/v
scene *scène* v
scepsis *scepticisme* m
scepter *sceptre* m ▾ de ~ zwaaien *régner*
scepticisme *scepticisme* m
scepticus *sceptique* m/v
schaaf *rabot* m
schaafsel *copeaux* m mv
schaafwond *écorchure* v
schaak I ZN • schaakspel *échecs* m mv ★ ~ spelen *jouer aux échecs* ★ ~ zetten *faire échec à* ★ ~ staan *être échec* • stand *échec* m II TW ★ koning ~! *échec au roi!*
schaakbord *échiquier* m
schaakcomputer *jeu* m *d'échecs électronique*
schaakklok *pendule* v *d'échecs; chronomètre* m
schaakmat *échec et mat* ▾ iemand ~ zetten *faire échec à qn*
schaakmeester *maître* m *d'échecs*
schaakspel • spel *jeu* m *d'échecs; échecs* m mv • bord met stukken *jeu* m *d'échecs*
schaakstuk *pièce* v *d'échecs*
schaaktoernooi *tournoi* m *d'échecs*
schaaktweekamp *match* m *d'échecs à deux; duel* m *d'échecs*
schaal • schotel *plat* m; ‹kom› *saladier* m ★ een ~tje appelmoes *une coupe de compote; un bol de compote* • omhulsel ‹dop› *coque* v; ‹schelp› *carapace* v • weegschaal *balance* v • grootteverhouding *échelle* v ★ op een ~ van 1 op 100 *sur une échelle d'un centième* ★ op grote ~ *à grande échelle* • oplopende getallenreeks *échelle* v • schaalverdeling ★ loon~ *échelle* v *de salaire* ▾ met de ~ rondgaan *faire la quête* ▾ een argument dat gewicht in de ~ legt *un argument de poids*
schaaldier *crustacé* m
schaalmodel *maquette* v; *modèle* m *réduit*
schaalverdeling • het schaalverdelen *graduation* v • schijf *échelle* v ★ met een ~ *gradué*
schaalvergroting *amplification* v; *extension* v ★ vergroting op schaal *agrandissement* m *à l'échelle*
schaalverkleining • verkleining op schaal *réduction* v *à l'échelle* • kleinschaliger worden *diminution* v *des proportions*
schaambeen *pubis* m
schaamdeel *sexe* m; *parties* v mv *génitales*
schaamhaar *poils* m mv *du pubis*
schaamlip *lèvre* v ★ grote ~pen *grandes lèvres* v mv ★ kleine ~pen *petites lèvres* v mv
schaamluis *pou* m *du pubis*
schaamrood I ZN *rougeur* v; *rouge* m *de la honte* II BNW *rouge de honte*
schaamstreek *pubis* m
schaamte *honte* v; *confusion* v
schaamtegevoel *pudeur* v; *sentiment* m *de honte*
schaamteloos I BNW *sans gêne; impudent; effronté* II BIJW *sans se gêner; sans vergogne; impudemment*
schaap • dier *mouton* m; ‹v. ooi› *brebis* v • onnozel persoon *pauvre* m *innocent* [v: *pauvre innocente*] ▾ het zwarte ~ *la brebis galeuse*
schaapachtig I BNW *bête; niais* II BIJW *d'un air niais|stupide*
schaapherder *berger* m [v: *bergère*]
schaapskooi *bergerie* v
schaar • knipwerktuig *paire* v *de ciseaux; ciseaux* m mv; ‹voor metaal› *cisailles* v mv • ploegschaar *soc* m • grijporgaan schaaldier *pince* v
schaarbeweging ‹voetbal› *mouvement* m *en ciseaux; feinte* v
schaars I BNW *rare;* ‹karig› *pauvre; maigre* ★ een ~ loon *un maigre salaire* II BIJW *pauvrement; mal*
schaarste *pénurie* v; *rareté* v; *manque* m
schaats *patin* m *(à glace)* ★ ~enrijden *patiner; faire du patin à glace*
schaatsbaan *patinoire* v; *skating* m
schaatsen *faire du patin à glace*
schaatsenslijper *affûteur* m/*rémouleur* m *de patins*
schaatser *patineur* m [v: *patineuse*]
schaatswedstrijd *match* m *de patinage*
schacht • koker ‹v. lift› *cage* v; ‹v. mijn› *puits* m • steel ‹v. sleutel› *tige* v; ‹v. spa› *manche* m; ‹v. anker› *verge* v
schade • beschadiging *dommage* m; *dégât* m; SCHEEPV. *avarie* v • nadeel *détriment* m; *tort* m; *perte* v ★ ~ toebrengen *porter préjudice à; nuire à* ★ ~ lijden *subir une perte* ★ iets tot zijn ~ ondervinden *apprendre qc à ses dépens*
schadeclaim *réclamation* v *en dommages et intérêts*
schadeformulier *constat* m *d'accident*
schadelijk I BNW *pernicieux* [v: *pernicieuse*]; *nuisible; nocif* [v: *nocive*]; *dangereux* [v: *dangereuse*] II BIJW *d'une manière nuisible; désavantageusement*

schadeloos *intact*; ‹m.b.t. personen› *indemne*
schadeloosstellen *dédommager*; *indemniser*
schadeloosstelling *dédommagement* m; *indemnisation* v ⋆ een ~ eisen *demander des dommages-intérêts*
schaden *nuire à*; *faire du tort à*; *porter préjudice à*
schadeplichtig *tenu de dommages-intérêts*
schadepost *pertes* v mv; *dépense* v *imprévue*
schadevergoeding *indemnisation* v; *indemnité* v; *dédommagement* m ⋆ eis tot ~ *demande en dommages-intérêts* v ⋆ als ~ *à titre d'indemnité*
schadeverzekering *assurance* v *de dommage*
schadevrij *sans accident* ⋆ ~ autorijden *rouler sans avoir eu d'accident*
schaduw *ombre* v; ‹v. bomen ook› *ombrage* m ⋆ in de ~ van *à l'ombre de* ▾ in de ~ stellen *effacer*; *éclipser*
schaduwbeeld • silhouet *silhouette* v • schaduw *ombre* v
schaduwen *filer*; *prendre en filature*
schaduwkabinet *gouvernement* m *fantôme*; *cabinet* m *fantôme*
schaduwrijk *ombragé*; *ombreux* [v: *ombreuse*]
schaduwspel *ombres* v mv *chinoises*
schaduwspits SPORT *avant* m *fantôme*
schaduwverkiezing *élection* v *simulée*
schaduwzijde *côté* m *à l'ombre*; FIG. *envers* m; *inconvénient* m
schaften *faire la pause*; *casser la croûte*
schafttijd *pause* v *de midi*
schakel *chaînon* m; *maillon* m; FIG. *chaînon* m; *lien* m; *maillon* m
schakelaar *commutateur* m; *interrupteur* m; ‹automatische› *disjoncteur* m
schakelarmband *gourmette* v
schakelbord *tableau* m *de distribution*
schakelen I OV WW tot keten maken ‹elektr.› *coupler*; *enchaîner*; *lier*; *connecter* **II** ON WW in versnelling zetten *passer ses vitesses*; *changer de vitesse* ⋆ het ~ *le changement de vitesse*
schakeling *connexion* v
schakelkast *placard* m *où se trouve le disjoncteur*; *boîte* v *de distribution*
schakelklas *classe* v *de transition*
schakelklok *minuterie* v
schakelschema *schéma* m *des connexions*
schakelwoning *maison* v *couplée*
schaken I OV WW ontvoeren *enlever*; *ravir* **II** ON WW schaak spelen *jouer aux échecs*
schaker • schaakspeler *joueur* m *d'échecs* [v: *joueuse* ...] • ontvoerder *ravisseur* m [v: *ravisseuse*]
schakeren • kleuren schikken *varier les couleurs de* • afwisselen *varier*; *faire alterner*
schakering *agencement* m *de couleurs différentes*; *variété* v *de couleurs*; *nuances* v mv
schaking *enlèvement* m
schalks I BNW *coquin*; *malicieux* [v: *malicieuse*]; *espiègle* **II** BIJW *malicieusement*; *d'un air fripon*|*espiègle*
schallen *retentir*; *sonner*
schamel *pauvre*; *misérable*; *pitoyable*
schamen (zich) *avoir honte*

S

schampen *érafler*; *effleurer*
schamper I BNW *sarcastique*; *railleur* [v: *railleuse*] **II** BIJW *narquoisement*; *d'un air narquois*; *avec sarcasme*
schamperen *prendre un ton narquois*; *tourner en dérision*
schampschot *éraflure* v
schandaal *scandale* m; *indignation* v ⋆ ~ maken *faire scandale*; *faire un esclandre*
schandaalblad *journal* m *à scandale*
schandaalpers *presse* v *à scandale*; *presse* v *à sensation*
schanddaad *infamie* v; *ignominie* v
schande *honte* v; *déshonneur* m ⋆ iem. te ~ maken *faire honte à qn.* ⋆ het is een ~! *c'est une honte!*; *c'est un scandale!*
schandelijk I BNW *scandaleux* [v: *scandaleuse*]; *honteux* [v: *honteuse*]; *déshonorant* **II** BIJW *scandaleusement*; *honteusement*
schandknaap *giton* m
schandpaal *pilori* m
schandvlek • smet *souillure* v; *flétrissure* v • persoon *sujet* m *de honte*; *opprobre* m
schans • bolwerk *fortification* v; *enceinte* v; GESCH. *redoute* v • skischans *tremplin* m
schansspringen *faire du saut au tremplin*
schap *rayon* m; *étagère* v
schapenbout *gigot* m *de mouton*
schapendoes *(berger* m*) schapedoes* m
schapenfokkerij *élevage* m *de moutons*
schapenkaas *(fromage* m *de) brebis* m
schapenscheerder *tondeur* m *de moutons*
schapenvacht *peau* v *de mouton*
schapenvlees *mouton* m
schappelijk I BNW • billijk *raisonnable* • prettig in de omgang *accommodant* **II** BIJW *raisonnablement* ⋆ het ~ met iem. maken *faire un prix à qn*
schar *limande* v
schare *foule* v
scharen I OV WW groeperen *ranger*; *réunir*; *rassembler* ⋆ zich achter iem. ~ *se ranger du côté de qn* **II** ON WW bewegen als een schaar ‹in verkeer› *se mettre en travers*
scharensliep *rémouleur* m
scharlaken *écarlate*
scharlakenrood *écarlate*
scharminkel *squelette* m
scharnier *charnière* v
scharnieren *pivoter (sur)*
scharniergewricht *(articulation* v*) trochléenne* v
scharrel *flirt* m ⋆ aan de ~ zijn *courir les filles*; *courir les garçons*
scharrelaar • iemand zonder vast beroep *bricoleur* m; *touche-à-tout* m [onv] • versierder *coureur* m
scharrelei *œuf* m *de ferme*
scharrelen • ongeregeld werkjes doen *faire tous les métiers* • rommelen *bricoler* • flirten *flirter* ▾ door het huis ~ *se traîner à travers la maison*
scharrelkip *poulet* m *fermier*|*de grain*
scharrelvarken *porc* m *fermier*
schat • overvloed ⋆ ~ten verdienen *faire des affaires d'or* • kostbaar bezit *trésor* m • lief persoon ⋆ mijn ~(je) *mon trésor*; *mon*

amour; *mon chéri*; *ma chérie* ★ ~ van een man *mari en or* m ★ wat een ~je van een *quel amour de*
schateren *rire aux éclats*; *éclater de rire*
schaterlach *éclat* m *de rire*
schatgraver *chercheur* m *de trésors*
schatkamer *trésor* m
schatkist • staatskas *Trésor* m *(public)*; *finances* v mv *publiques* • geldkist *trésor* m
schatkistbiljet *bon* m *du Trésor*
schatkistpromesse *créance* v *sur le Trésor*
schatplichtig *tributaire*
schatrijk *richissime*
schattebout ★ ~! *mon trésor|chouchou*
schatten • taxeren *évaluer*; *taxer* ★ te hoog ~ *surévaluer* ★ te laag ~ *rabaisser* • achten *estimer* ★ iem. naar waarde ~ *juger qn à sa valeur* ★ hoe oud schat je hem? *quel âge lui donnes-tu?*
schattig I BNW *joli*; *mignon* [v: *mignonne*] II BIJW *d'une manière exquise*
schatting • taxatie *évaluation* v; *estimation* v; *appréciation* v • belasting *tribut* m
schaven • glad maken *raboter*; *limer* • verfijnen *perfectionner*; *parfaire*; ‹v. stijl› *polir*; ‹v. mens› *affiner* • verwonden *écorcher*; *érafler*
schavot *échafaud* m
schavuit *coquin* m; *fripon* m; *gredin* m
schede • omhulsel ‹v. mes› *fourreau* m; *étui* m; *gaine* v ★ in de ~ steken *remettre au fourreau* ★ uit de ~ trekken *tirer du fourreau* • vagina *vagin* m
schedel • hersenpan *crâne* m • doodshoofd *tête* v *de mort*
schedelbasisfractuur *fracture* v *de la base du crâne*
schedelbeen *os* m *crânien*
scheef I BNW • niet recht *oblique*; *penché*; *incliné*; *de travers* ★ de toren van Pisa staat ~ *la tour de Pise penche|est penchée* ★ de tafel staat ~ *la table n'est pas d'aplomb* ★ ~ slijten *s'user en biais* ★ een ~ gezicht zetten *faire la grimace* • verkeerd *bizarre*; *faux* [v: *fausse*] II BIJW • schuin *obliquement*; *de biais*; *de travers* • verkeerd ★ de zaak loopt ~ *l'affaire tourne mal*
scheefgroeien *se déjeter*
scheeftrekken *se gauchir*
scheel *louche*; *bigleux* [v: *bigleuse*]; *atteint de strabisme* ★ ~ kijken *loucher*; *bigler*; *être atteint de strabisme* ▾ iemand met schele ogen aankijken *regarder qn de travers* ▾ schele ogen geven *faire des jaloux* ▾ schele hoofdpijn *migraine* v
scheelzien *loucher* ▾ ~ van de honger *avoir l'estomac sur les talons*
scheen *tibia* m ▾ zijn schenen stoten *se casser le nez*
scheenbeen *tibia* m
scheenbeschermer *jambière* v; *protège-tibia* m [mv: *protège-tibias*]
scheep *à bord* ★ ~ gaan *monter à bord*; *s'embarquer*
scheepsarts *médecin* m *de bord*
scheepsbeschuit *biscuit* m
scheepsbouw *construction* v *navale*
scheepsbouwindustrie *industrie* v *navale*
scheepshelling *cale* v *de construction*; *dock* m
scheepshuid *bordé* m
scheepshut *cabine* v
scheepsjongen *mousse* m
scheepsjournaal *journal* m *de bord* [m mv: *journaux ...*]
scheepslading *cargaison* v; *chargement* m
scheepsramp *catastrophe* v *maritime*
scheepsrecht *droit* m *maritime* ▾ driemaal is ~ *jamais deux sans trois*
scheepsruim *cale* v
scheepswerf *chantier* m *naval*
scheepvaart *navigation* v ★ ~ op de rivieren/langs de kust *la navigation fluviale|côtière*
scheepvaartroute *route* v *maritime*
scheepvaartverkeer ‹over binnenwateren› *trafic* m *fluvial*; ‹over zee› *trafic* m *maritime*
scheerapparaat *rasoir* m *électrique*
scheercrème *crème* v *à raser*
scheerkop *tête* v *(de rasage)*
scheerkwast *blaireau* m
scheerlijn *corde* v
scheerlings → **rakelings**
scheermes *rasoir* m
scheermesje *lame* v *de rasoir*
scheerspiegel *miroir* m *(à barbe)*
scheerwol *laine* v *vierge*
scheerzeep *savon* m *à raser*
scheet • wind *pet* m • koosnaam *bouchon* m ▾ hij maakt van een ~ een donderslag *il exagère*
scheidbaar I BNW *séparable* II BIJW *à particule séparable*
scheiden I OV WW • eenheid verbreken *séparer*; CHEM. *décomposer* • onderscheiden *distinguer*; *dissocier* II ON WW • uiteengaan *se séparer (de)*; ‹zich losmaken van› *se détacher de* ★ hier ~ onze wegen *nos chemins se séparent ici* • huwelijk ontbinden *divorcer* ★ zich laten ~ *demander le divorce*
scheiding • splitsing *séparation* v; CHEM. *décomposition* v; *élimination* v • grens *ligne* v *de séparation|de partage* • echtscheiding *divorce* m ★ ~ van tafel en bed *séparation* v *de corps* ★ boedel~ *séparation* v *de biens* ★ in ~ liggen *être en instance de divorce* • lijn in haar *raie* v
scheidslijn *ligne* v *de démarcation*
scheidsmuur *mur* m *séparatif*; ‹binnen huis› *mur* m *de refend*; FIG. *mur* m; *barrière* v
scheidsrechter *arbitre* m/v
scheikunde *chimie* v
scheikundig *chimique*
schel I BNW • scherp *aigu* [v: *aiguë*]; *perçant* • helder ‹v. licht› *cru*; *intense*; *aveuglant*; ‹v. kleur› *criard*; *voyant* II BIJW • scherp ★ ~ klinken *produire un son aigu* ★ ~ schreeuwen *pousser un cri perçant* • helder ★ ~ verlichten *éclairer d'une lumière crue*
Schelde *Escaut* m
schelden *pester (contre)*; *jurer (contre)*
scheldkanonnade *bordée* v *d'injures* ★ een ~ over zich heen krijgen *recevoir une bordée d'injures*
scheldnaam *injure* v; *insulte* v

scheldpartij *dispute* v; INF. *engueulade* v
scheldwoord *insulte* v; *gros mot* m; *injure* v
schelen • onderling verschillen *différer* • uitmaken *faire une différence* ★ dat scheelt een paar uur *ça fait une différence de quelques heures* ★ het kan me niets ~ *je m'en moque*; *ça m'est bien égal*; *je m'en fous* ★ het scheelt nogal *ça fait une grande différence* ★ het scheelt veel wie het zegt *tout dépend de qui le dit* ★ het scheelde weinig of hij viel *il a failli tomber*; *un peu plus il tombait* • mankeren *manquer* ★ wat scheelt je? *il y a qc qui ne va pas?* ★ wat scheelt eraan? *qu'est-ce qui vous arrive?*
schellinkje *paradis* m; INF. *colombier* m
schelm • deugniet *chenapan* m; *espiègle* m • schurk *gredin* m
schelmenroman *roman* m *picaresque*
schelmenstreek • schurkenstreek *fourberie* v; *tour* m *de coquin* • kwajongensstreek *tour* m *pendable*
schelp *coquille* v; *coquillage* m ★ een halve ~ *une valve*
schelpdier *coquillage* m
schelvis *aiglefin* m
schema • model *schéma* m • tijdsplanning *programme* m; *horaire* m • tekening *schéma* m
schematisch I BNW *schématique* II BIJW *d'une manière schématique*; *schématiquement*
schemer *ombre* v; *pénombre* v ★ de ~ valt *le soir descend*; *le jour baisse*
schemerachtig • halfdonker *obscur*; ‹v. daglicht› *crépusculaire* • vaag *vague*; *brumeux* [v: *brumeuse*]
schemerdonker *pénombre* v; *ombre* v
schemerduister *crépuscule* m
schemeren I ON WW ▾ het schemert me voor de ogen *j'ai comme un voile devant les yeux*; *ma vue se brouille* ▾ er schemert mij iets van voor de geest *j'en ai un vague souvenir* II ONP WW schemerig zijn ‹'s ochtends› *commencer à faire jour*; ‹'s avonds› *commencer à faire nuit*
schemerig • halfduister *obscur*; ‹v. daglicht› *crépusculaire* • vaag *vague*; *brumeux* [v: *brumeuse*]
schemering *crépuscule* m; *demi-jour* m ★ in de avond~ *au crépuscule*; *à la brune* ★ de ~ valt *le soir tombe* ★ ochtend~ *aube* v
schemerlamp *lampe* v; ‹staande› *lampadaire* m
schemertoestand *état* m *second*
schenden • beschadigen *abîmer*; *détériorer*; *endommager*; *mutiler* • overtreden *violer*; *transgresser* ★ een bestand ~ *transgresser un cessez-le-feu* • onteren *porter atteinte à*; *déshonorer*; ‹ontwijden› *violer*; *profaner* ★ een graf ~ *profaner une tombe*
schending • beschadiging *dégradation* v; *mutilation* v • aanslag *attentat* m • niet nakomen ‹v. akkoord› *violation* v *(de)*; *transgression* v *(de)*; ‹v. wet› *infraction* v *(à)* ★ de ~ van de mensenrechten *la violation des droits de l'homme* • ontwijding *profanation* v • ontering *violation* v *(de)*; *atteinte* v *(à)*
schenkel • been van dier *jarret* m • been van mens *jambe* v; *tibia* m
schenken • geven *offrir (qc à qn)*; *donner (qc à qn)* • verlenen *accorder (qc à qn)* • kwijtschelden *faire grâce de (qc à qn)* ★ ik schenk u de details *je vous fais grâce des détails* • gieten *verser*
schenking *don* m; *donation* v ★ ~ onder levenden *donation entre vifs*
schenkingsakte *acte* m *de donation*
schenkingsrecht *taxe* v *sur les donations*
schennis • schending *violation* v • REL. *profanation* v
schep • gereedschap *pelle* v • een schep vol ‹m.b.t. lepel› *cuillerée* v; *pelletée* v • grote hoeveelheid *pelletée* v ▾ er nog een ~je (boven)op doen *en rajouter*
schepen GESCH. *échevin* m
schepijs ≈ *glace* v *en boules*
schepje • kleine schep *petite pelle* v ★ er een ~ op doen ‹lopend› *accélérer*; ‹meer bieden› *renchérir*; ‹aandikken› *en rajouter*
schepnet *épuisette* v; *truble* m
scheppen • putten *puiser (dans)* ★ leeg ~ *vider* ★ vol ~ *remplir* • opscheppen *servir* • creëren *créer*
schepper *créateur* m [v: *créatrice*]
schepping *création* v
scheppingsverhaal *récit* m *de la création*
scheprad *roue* v *à aubes*
schepsel *créature* v
scheren I OV WW kort afsnijden *raser*; *faire la barbe*; ‹v. dieren/gewassen› *tondre*; ‹m.b.t. weefsel› *raser* ★ pas geschoren *rasé de frais* ★ schoon ~ *raser de près* II ON WW rakelings gaan langs *raser*
scherf *morceau* m [mv: *morceaux*]; *éclat* m; ‹v. fles/aarden pot› *tesson* m; ‹v. granaat› *éclat* m ★ aan scherven vallen *tomber en morceaux*
schering *rasage* m; ‹v. dieren/gras› *tonte* v ▾ dat is ~ en inslag *cela est monnaie courante*
scherm • afscheiding ‹in kamer› *paravent* m; ‹tegen zon› *store* m • beeldscherm *écran* m ▾ achter de ~en *dans les coulisses*
schermen I ZN *escrime* v II ON WW • SPORT *faire de l'escrime* • druk zwaaien *agiter* ★ met de armen ~ *agiter les bras* ▾ met woorden ~ *faire de grandes phrases*
schermkunst *art* m *de l'escrime*
schermles *leçon* v *d'escrime*
schermsport *sport* m *des armes*
schermutseling *échauffourée* v; *accrochage* m
scherp I ZN • scherpe kant *fil* m; *tranchant* m • patronen *balles* v mv ★ met ~ schieten *tirer à balles* II BNW • puntig *aigu* [v: *aiguë*]; *pointu* ★ een ~e hoek *un angle aigu* m • goed snijdend *coupant*; *tranchant*; ‹geslepen› *bien affilé* • hoekig ★ ~e gelaatstrekken *des traits* m mv *nettement accusés* • bits *aigre*; *tranchant*; ‹v. woord› *acerbe*; *mordant*; *aigre* • scherpzinnig *subtil*; *fin* • met fijn onderscheidingsvermogen *perspicace* • streng *sévère* • duidelijk uitkomend *net* [v: *nette*]; *distinct*; *précis*; ‹v. geluid› *perçant*; *aigu* [v: *aiguë*] • pijnlijk

aigu [v: *aiguë*]; *cuisant* • heet *fort*; ‹v. smaak› *relevé*; *piquant*; ‹v. wijn› *âpre* **III** BIJW • bits *avec virulence*; *violemment* • duidelijk *avec netteté*; *distinctement*; FIG. *subtilement*; *avec perspicacité* ★ zich ~ aftekenen *se dessiner nettement* ★ ~ horen *avoir l'oreille fine* ★ ~ luisteren *écouter attentivement* ★ ~ aankijken *regarder fixement*; *regarder entre les deux yeux* • streng *sévèrement* ★ ~ bewaken *surveiller de près*

scherpen *aiguiser*; *affûter*; FIG. *aiguiser* ★ het geheugen ~ *exercer sa mémoire*

scherpomlijnd *à contours précis*

scherprechter *bourreau* m [mv: *bourreaux*]

scherpschutter *tireur* m *d'élite*

scherpslijper *tatillon* m [v: *tatillonne*]

scherpte • duidelijkheid *netteté* v; *précision* v • puntigheid *tranchant* m; *fil* m • fijn onderscheidingsvermogen *perspicacité* v • bitsheid *aigreur* v; *virulence* v

scherptediepte *profondeur* v *de champ*

scherpzinnig **I** BNW *perspicace*; *subtil*; *pénétrant* **II** BIJW *avec perspicacité*; *subtilement*

scherts *badinage* m; *plaisanterie* v

schertsen *plaisanter*; *badiner*

schertsend **I** BNW *badin*; *railleur* [v: *railleuse*] **II** BIJW *pour rire*; *par plaisanterie*

schertsfiguur *plaisantin* m

schertsvertoning *comédie* v; *mascarade* v; *mise* v *en scène trompeuse*

schets • tekening *esquisse* v; *ébauche* v; *croquis* m ★ een ~ maken van *faire un croquis de* • korte beschrijving *aperçu* m

schetsblok *album* m *à dessin*

schetsboek *album* m *à dessin*

schetsen • tekenen *esquisser*; *ébaucher*; *croquer* • beschrijven *dépeindre*

schetsmatig *esquissé*; *à l'état d'ébauche*

schetteren • klinken *retentir* • verkondigen *claironner*

scheur • spleet *crevasse* v; *fente* v; ‹in hout› *fente* v; ‹in glas› *fêlure* v; ‹in muur› *lézarde* v; *fissure* v; ‹in papier› *déchirure* v; ‹winkelhaak› *accroc* m • mond *gueule* v

scheurbuik *scorbut* m

scheuren **I** OV WW scheuren maken *déchirer*; ‹v. muur› *fendre*; *fissurer*; *lézarder*; ‹v. kleren› *craquer* **II** ON WW • een scheur krijgen *se déchirer*; ‹v. naden in kleren› *craquer*; ‹v. muur› *se fendre*; *se lézarder*; ‹v. grond› *se crevasser* • hard rijden *rouler plein gaz*

scheuring • het scheuren *déchirement* m; ‹v. muur› *fissuration* v • splitsing *schisme* m; ‹in partij› *éclatement* m

scheurkalender *calendrier* m *à effeuiller*

scheut • hoeveelheid vloeistof *coup* m ★ een ~je melk *un nuage de lait* • steek *élancement* m • loot *pousse* v; *rejeton* m

scheutig **I** BNW vrijgevig *large*; *généreux* [v: *généreuse*] **II** BIJW *généreusement*

schicht *éclair* m

schichtig ‹v. mens› *craintif* [v: *craintive*]; *farouche*; ‹v. paard› *ombrageux* [v: *ombrageuse*] ★ ~ worden *s'effaroucher*

schielijk **I** BNW • snel *rapide* • plotseling *inopiné* **II** BIJW *rapidement*; *subitement*

schier *quasi*

schiereiland *presqu'île* v; ‹groot› *péninsule* v

schietbaan *(champ* m *de) tir*; ‹op kermis› *stand* m *de tir*

schieten **I** OV WW • afvuren *tirer* • treffen *toucher*; ‹doden› *tuer*; *abattre* • loslaten *lâcher*; FIG. *abandonner*; *laisser tomber* ▼ wortel ~ *prendre racine* **II** ON WW • vuren *tirer* ★ erop los ~ *tirer dessus* • snel bewegen ★ de trein schoot voorbij *le train est passé à toute vitesse* ★ de bijl schoot hem uit de hand *la hache lui a échappé|lui est tombée des mains* • snel groeien *monter (en graine)* • plotseling opkomen ★ dat schoot haar door het hoofd *cela lui a traversé l'esprit* • SPORT ‹m.b.t. schietsport› *faire du tir*; ‹trappen› *shooter* ★ er naast ~ *manquer son but*

schietgat *meurtrière* v

schietgebed *courte prière* v; *oraison* v *jaculatoire*

schietlood *fil* m *à plomb*

schietpartij *fusillade* v

schietschijf *cible* v

schietstoel *siège* m *éjectable*

schiettent *salon* m *de tir*; *tir* m

schiften **I** OV WW sorteren *séparer*; *trier*; *faire le tri* **II** ON WW klonteren *tourner*; *se cailler*

schifting *triage* m; *sélection* v

schijf • platrond voorwerp *disque* m • draaibord ‹v. pottenbakker› *tour* m; ‹v. katrol› *rouet* m • plakje *tranche* v; *rouelle* v • schietschijf *cible* v ★ ~ schieten *tirer à la cible* • damschijf *pion* m • COMP. *disquette* v ★ harde ~ *disque dur* m ▼ over veel schijven lopen *être bien compliqué*

schijfrem *frein* m *à disque*

schijn • schijnsel *clarté* v; *lueur* v; ‹weerschijn› *reflet* m • valse indruk *apparence* v; *semblant* m ★ onder de ~ van *sous prétexte de*; *sous le couvert de* ★ de ~ hebben van *avoir l'air de* ★ naar de ~ beoordelen *juger sur les apparences* ★ de ~ redden *sauver les apparences* ▼ ~ bedriegt *les apparences sont trompeuses*

schijnaanval *fausse attaque* v

schijnbaar **I** BNW niet werkelijk *apparent* **II** BIJW blijkbaar *apparemment*; *en apparence*

schijnbeweging *feinte* v; MIL. *démonstration* v

schijndood **I** ZN *mort* v *apparente* **II** BNW *mort en apparence*

schijnen • stralen *luire*; *briller* ★ de zon schijnt *le soleil brille*; *il fait (du) soleil* ★ de maan schijnt *la lune brille* ★ de zon schijnt in mijn kamer *le soleil donne dans ma chambre* • lijken *paraître*; *sembler*; *avoir l'air (de)* ★ naar het schijnt *à ce qu'il paraît*

schijngestalte *apparence* v; ‹v. maan› *phase* v

schijnheilig *hypocrite*

schijnhuwelijk *mariage* m *blanc*

schijnproces *simulacre* m *de procès*

schijnsel *lueur* v; *clarté* v

schijntje *soupçon* m ★ voor een ~ *pour trois fois rien*

schijnvertoning *comédie* v

schijnwerper *projecteur* m; *phare* m

schijnzwanger *souffrant d'une grossesse nerveuse*
schijt *merde* v ▾ ~ hebben aan *se foutre de*
schijten *chier*
schijterig *froussard; trouillard*
schijthuis *chiottes* v mv
schijtlijster *froussard* m; *dégonflé* m
schijtluis *froussard* m; *pétochard* m; INF. *trouillard* m
schik • tevredenheid *contentement* m ★ in zijn ~ zijn *être content* • plezier *plaisir* m ★ ze heeft er geen ~ in *ça ne lui plaît pas; ça ne l'amuse pas*
schikgodin *Parque* v
schikken I OV WW • goed plaatsen *arranger; mettre en ordre* • regelen *disposer; régler* ★ het zo ~ dat *s'arranger pour* **II** ON WW gelegen komen *arranger; convenir* ★ als het u schikt *si cela vous arrange|convient* **III** WKD WW • berusten *se résigner à* • voegen naar *s'accomoder de; s'adapter à* ★ zich naar de omstandigheden ~ *s'accommoder des circonstances* ★ zich ~ naar *se régler sur*
schikking • ordening *arrangement* m • overeenkomst *arrangement* m; *accord* m ★ tot een ~ komen *arriver à un accord; s'arranger* ★ minnelijke ~ *arrangement à l'amiable*
schil *peau* v; *pelure* v; ‹v. citroen› *zeste* m; ‹v. tak› *écorce* v
schild • beschermingsmiddel *bouclier* m; ‹v. kanon› *bouclier* m; HER. *écusson* m; *écu* m • dekschild *carapace* v ▾ ze voeren iets in hun ~ *ils mijotent qc*
schilder • huisschilder *peintre* m • kunstschilder *(artiste* m/v*) peintre*
schilderachtig I BNW pittoresk *pittoresque* **II** BIJW *d'une manière pittoresque*
schilderen I ZN *peinture* v **II** OV WW • verven *peindre* ★ blauw ~ *peindre en bleu* ★ met olieverf/waterverf ~ *peindre à l'huile/à l'aquarelle* • afbeelden *peindre* • beschrijven *dépeindre* **III** ON WW ▾ staan te ~ *poireauter*
schilderij *tableau* m [mv: *tableaux*]; *toile* v
schildering • schilderij *peinture* v • beschrijving *portrait* m
schildersbedrijf • vak *peinture* v *en bâtiment* • bedrijf *entreprise* v *de peinture en bâtiment*
schildersezel *chevalet* m
schildertechniek *techniques* v mv *picturales*
schilderwerk *peinture* v
schildklier *glande* v *thyroïde*
schildknaap *écuyer* m
schildpad *tortue* v
schildwacht *sentinelle* v; *factionnaire* m ★ op ~ staan *être en faction; monter la garde*
schilfer *écaille* v; ‹v. huid› *pellicule* v
schilferen *s'écailler*
schilferig *écailleux* [v: *écailleuse*]; ‹huid› *pelliculeux* [v: *pelliculeuse*]
schillen I ZN *épluchage* m **II** OV WW van schil ontdoen *éplucher; peler*
schilling *épluchage* m
schim • schaduwbeeld *ombre* v • geest *ombre* v; *fantôme* m • vage gedaante *ombre* v
schimmel • paard *cheval* m *blanc* • zwam *champignon* m • uitslag *moisissure* v; *moisi* m; MED. *mycose* v
schimmeldraad *mycélium* m
schimmelen *(se) moisir*
schimmelig *moisi*
schimmelkaas *fromage* m *fermenté*
schimmelvorming *moisissure* v
schimmenrijk *enfers* m mv
schimmenspel • voorstelling *théâtre* m *d'ombres* • onwerkelijke vertoning *fantasmagorie* v
schimmig *fantomatique*
schimp *sarcasme* m
schimpen *dénigrer* ★ op iem. ~ *dénigrer qn*
schimpscheut *sarcasme* m; *trait* m *satirique*
schip • vaartuig *bateau* m [mv: *bateaux*]; ‹groot› *navire* m; *bâtiment* m; GESCH. *vaisseau* m [mv: *vaisseaux*] • beuk van kerk *nef* v ▾ schoon ~ maken *faire place nette*
schipbreuk *naufrage* m ★ ~ lijden *faire naufrage*
schipbreukeling *naufragé* m
schipper *commandant* m; *capitaine* m
schipperen *biaiser; louvoyer*
schipperstrui *pull* m *marin*
schisma *schisme* m
schitteren • fel schijnen *briller; étinceler* • uitblinken *briller*
schitterend I BNW • glinsterend *brillant; éclatant; resplendissant* • prachtig *splendide; éblouissant* **II** BIJW *brillamment; splendidement*
schittering • het schitteren *éclat* m mv; *miroitement* m • pracht *éclat* m; *splendeur* v; ‹v. diamant› *feux* m mv
schizofreen *schizophrène*
schizofrenie *schizophrénie* v
schlager ≈ *chanson* v *populaire*
schlemiel • slappeling *chiffe* v *molle; flandrin* m • pechvogel *déveinard* m
schmink *maquillage* m; *fard* m
schminken *maquiller*
schnabbel *à-côté* m [mv: *à-côtés*]
schnabbelen *se faire des à-côtés*
schnitzel *escalope* v
schobbejak *chenapan* m
schoeien • van schoeisel voorzien *chausser* • beschoeien *boiser; revêtir de planches*
schoeiing *palée* v
schoeisel *chaussure* v
schoen *chaussure* v; *soulier* m; ‹met veters› *chaussure* v *à lacets* ★ hoge ~ *chaussure montante* ★ lage ~ *chaussure basse* ★ open ~ *soulier découvert* ★ zijn ~en aandoen *se chausser* ▾ weten waar hem de ~ wringt *savoir où se trouve la difficulté* ▾ wie de ~ past, trekke hem aan *que celui qui se sent visé en fasse son profit* ▾ naast zijn ~en lopen *se croire sorti de la cuisse de Jupiter; marcher à côté de ses pompes*
schoenborstel *brosse* v *à chaussures*
schoencrème *cirage* m
schoenendoos *boîte* v *à chaussures*
schoenenwinkel *magasin* m *de chaussures*
schoener *schooner* m
schoenlepel *chausse-pied* m [mv: *chausse-pieds*]

schoenmaat *pointure* v
schoenmaker *cordonnier* m
schoenpoetser *cireur* m; *décrotteur* m
schoensmeer *cirage* m
schoenveter *lacet* m
schoenzool *semelle* v
schoep *pale* v; *aube* v
schoffel *binette* v; *sarcloir* m
schoffelen *biner*; *sarcler*
schofferen • beledigen *offenser* • verkrachten *violer*
schoffie *vaurien* m [v: *vaurienne*]
schoft • schurk *salaud* m; *canaille* v • schouder van dier *épaule* v; ‹v. paard› *garrot* m
schoftenstreek *vacherie* v
schofterig *dégueulasse*
schofthoogte *hauteur* v *au garrot*
schok • stoot *choc* m; *heurt* m; *secousse* v • stroomstoot *décharge* v • emotionele gebeurtenis *choc* m
schokabsorberend *amortisseur* [v: *amortisseuse*]
schokbestendig *antichoc* [onv]
schokbeton *béton* m *vibré*
schokbreker *amortisseur* m
schokdemper *amortisseur* m
schokeffect *effet* m *de choc*
schokgolf *onde* v *de choc*
schokken I ov ww heftig beroeren *choquer*; *bouleverser*; ‹doen wankelen› *ébranler* II on ww schudden *tressauter*; *balloter*
schokkend *choquant*; *bouleversant*
schokschouderen *hausser les épaules*
schoksgewijs *en cahotant*
schol • vis *carrelet* m • ijsschots *glaçon* m • GEO. *bloc* m
scholastiek *scolastique* v
scholekster *huîtrier* m
scholen I ov ww onderwijzen *former*; *instruire* II on ww samenscholen *s'attrouper*
scholengemeenschap *groupement* m *scolaire*
scholier *écolier* m [v: *écolière*]; ‹op middelbare school› *lycéen* m [v: *lycéenne*]; *collégien* m [v: *collégienne*]
scholing *formation* v; *instruction* v
schommel *balançoire* v
schommelen • heen en weer bewegen *se balancer*; ‹v. slinger› *osciller* • fluctueren *balancer*
schommeling *balancement* m; *oscillation* v; *fluctuation* v
schommelstoel *fauteuil* m *à bascule*; *berceuse* v; *rocking-chair* m [mv: *rocking-chairs*]
schonkig *taillé à coups de hache*
schoof *gerbe* v ★ in schoven zetten *mettre en gerbes*
schooien *quémander*; *mendier*
schooier • zwerver *va-nu-pieds* m [onv] • schoft ‹kind› *polisson* m [v: *polissonne*]
school • onderwijsinstelling *école* v ★ openbare ~ *école publique/laïque* ★ middelbare ~ *école d'enseignement secondaire* ★ naar ~ gaan *aller à l'école*; *fréquenter une école* ★ van ~ doen *retirer de l'école* ★ ~tje spelen *jouer à la classe* ★ bijzondere ~ *école libre* ★ hogere ~ *école supérieure* ★ ~ met de bijbel *école protestante* ★ een kind op ~ doen *mettre un enfant à l'école* • lessen *cours* m mv ★ ~ hebben *avoir cours*; ‹op lagere school› *avoir classe* ★ geen ~ hebben *ne pas avoir cours*; *être en congé*; ‹op lagere school› *ne pas avoir classe* ★ op ~ *à l'école*; *en classe* ★ de ~ verzuimen *manquer les cours*; *faire l'école buissonnière* • schoolgebouw *école* v ★ op ~ *à l'école* • richting *école* v • vissen *banc* m *de poissons* ▾ uit de ~ klappen *commettre une indiscrétion*
schoolagenda *agenda* m
schoolarts *médecin* m *scolaire*
schoolbank *banc* m *d'école*
schoolbezoek ‹door inspecteur› *inspection* v; ‹door leerlingen› *fréquentation* v *scolaire*
schoolblijven *être en retenue*; *être collé*
schoolboek *livre* m *scolaire*; *livre* m *de classe*
schoolbord *tableau* m *(noir)* [m mv: *tableaux*]
schoolbus *car* m *de ramassage scolaire*
schooldag *jour* m *de classe*
schooldecaan *conseiller* m *d'orientation scolaire et professionnelle* [v: *conseillère* ...]
schoolfeest *fête* v *scolaire*
schoolfrans *français* m *scolaire*
schoolgaand *d'âge scolaire*
schoolgeld *frais* m mv *de scolarité*
schoolhoofd *directeur* m *d'école* [v: *directrice* ...]
schooljaar *année* v *scolaire*
schooljeugd *scolaires* m mv; *écoliers* m mv; ‹op middelbare school› *lycéens* m mv
schooljuffrouw *maîtresse* v
schoolkeuze • *choix* m *de l'école* • *choix* m *du type d'enseignement*
schoolklas *classe* v
schoolkrant *journal* m *de l'école* [m mv: *journaux* ...]
schoolkrijt *craie* v; *bâton* m *de craie*
schoollokaal *(salle* v *de) classe*
schoolmeester *maître* m *d'école*
schoolonderzoek ≈ *contrôle* m *continu des connaissances*
schoolplein *cour* v *de récréation*
schoolpsycholoog *psychologue* m/v *scolaire*
schoolreis *voyage* m *scolaire*
schools I BNW • zoals op school *scolaire* • niet zelfstandig *scolaire*; *conventionnel* [v: *conventionnelle*] II BIJW *de façon scolaire*; *conventionnellement*
schoolslag *brasse* v
schooltandarts *dentiste* m/v *scolaire*
schooltas *sac* m *(d'écolier)*; *cartable* m
schooltelevisie *télévision* v *scolaire*
schooltijd • lestijd *heures* v mv *de cours*; *classe* v • schooljaren *années* v mv *de scolarité* ★ buiten ~ *en dehors des heures de cours* ★ onder ~ *pendant la classe*
schoolvakantie *vacances* v mv *scolaires*
schoolvereniging • scholierenvereniging *club* m *scolaire* • vereniging die school opricht *comité* m *pour la création et l'administration d'un établissement scolaire*
schoolverlater ≈ *jeune* m *arrivant sur le marché du travail*

schoolverzuim *absentéisme* m *scolaire*
schoolvoorbeeld *exemple* m *type*
schoolziek ≈ *qui simule une maladie*
schoolzwemmen *natation* v *scolaire*
schoon I BNW • niet vuil *propre* ★ ~ goed aantrekken *mettre du linge propre* ★ ~ water *eau pure* v • mooi *beau* [m mv: *beaux*] [v: *belle*] [onr: *bel*] • netto *net* II BIJW • niet vuil *de façon à être propre* • mooi *bien*; IRON. *joliment*
schoonbroer *beau-frère* m [mv: *beaux-frères*]
schoondochter *belle-fille* v [mv: *belles-filles*]
schoonfamilie *belle-famille* v [mv: *belles-familles*]
schoonheid *beauté* v
schoonheidsfout *petit défaut* m
schoonheidsideaal *beauté* v *idéale*
schoonheidskoningin *reine* v *de beauté*
schoonheidssalon *salon* m *de beauté*
schoonheidsslaapje *petit somme* m
schoonheidsspecialiste *esthéticienne* v
schoonheidsvlekje *grain* m *de beauté*
schoonheidswedstrijd *concours* m *de beauté*
schoonhouden *tenir propre*; *nettoyer*
schoonmaak *nettoyage* m
schoonmaakbedrijf *entreprise* v *de nettoyage*
schoonmaakbeurt *coup* m *de balai*; *nettoyage* m
schoonmaakwoede *manie* v *du nettoyage*
schoonmaken I ZN *nettoyage* m; ‹v. groenten› *épluchage* m; ‹door spoelen› *rinçage* m; ‹door wissen› *essuyage* m II OV WW • reinigen *nettoyer*; ‹met spons› *éponger*; ‹met borstel› *brosser*; ‹door schuren› *récurer*; ‹v. sloot› *curer* ★ groenten ~ *éplucher des légumes* ★ een konijn/vis ~ *vider un lapin/du poisson* • uitvegen *essuyer* • afspoelen *rincer*
schoonmaker *nettoyeur* m [v: *nettoyeuse*]; ‹in huis› *homme* m *de ménage* [v: *femme de ménage*]
schoonmoeder *belle-mère* v [mv: *belles-mères*]
schoonouders *beaux-parents* m mv
schoonrijden *patinage* m *artistique*
schoonschrift *calligraphie* v
schoonschrijven *calligraphier*
schoonspringen *plongeon* m *acrobatique*
schoonvader *beau-père* m [mv: *beaux-pères*]
schoonzoon *gendre* m
schoonzus *belle-sœur* v [mv: *belles-soeurs*]
schoorsteen *cheminée* v
schoorsteenmantel *manteau* m *de la cheminée*
schoorsteenveger *ramoneur* m
schoorvoetend I BNW *hésitant* II BIJW *à contrecœur* ★ ~ iets doen *faire qc à contrecœur*
schoot • bovendijen *genoux* m mv ★ op iemands ~ *sur les genoux de qn* • deel kledingstuk *creux* m *(de)* • boezem ★ de ~ der Kerk *le giron de l'Église* • SCHEEPV. *genoux* m mv; *écoute* v
schoothondje *bichon* m [v: *bichonne*]
schootsafstand *portée* v *d'un fusil* ★ op ~ *à portée de fusil*
schootsveld *champ* m *de tir*
schop • trap *coup* m *de pied* ★ een vrije ~ *un coup franc* • spade *pelle* v; *bêche* v
schoppen I ZN ‹in spel› *pique* m ★ ~ is troef *atout pique* II OV WW schop geven *donner des coups de pied à* III ON WW schop geven ★ tegen een bal ~ *donner des coups de pied dans un ballon*
schopstoel *siège* m *éjectable* ▼ op de ~ zitten *être dans l'incertitude*; ‹m.b.t. werk› *être sur le point d'être renvoyé*
schor I BNW *enroué*; *rauque* II BIJW *d'une voix enrouée*
schorem I ZN *racaille* v II BNW *canaille*
schoren *étayer*
schorpioen • dier *scorpion* m • sterrenbeeld *Scorpion* m
schors *écorce* v
schorsen • buiten dienst stellen ‹m.b.t. functie› *suspendre (qn) de ses fonctions* • tijdelijk opheffen *suspendre*
schorseneer *scorsonère* v
schorsing *suspension* v; ‹v. geestelijke› *suspense* v; ‹v. werknemer› *mise* v *à pied*
schort *tablier* m
schorten I OV WW opschorten *suspendre* II ON WW haperen *manquer*; *faire défaut* ★ het schort hun aan goede wil *ils manquent de bonne volonté*; *la bonne volonté leur fait défaut*
schot • het schieten *coup* m *de feu*; ‹v. geweer› *coup* m *de fusil*; ‹v. kanon› *coup* m *de canon* ★ onder ~ hebben *avoir à portée de fusil* ★ buiten ~ zijn *être hors d'atteinte* • SPORT *tir* m; *shoot* m • tussenschot *cloison* v; *séparation* v • vaart *progrès* m ★ er zit geen ~ in het werk *le travail n'avance pas* ★ ~ brengen in *faire progresser qc* ▼ buiten ~ blijven *rester hors d'atteinte*
Schot *Écossais* m [v: *Écossaise*]
schotel • schaal *plat* m; ‹bij kopje› *soucoupe* v; ‹voor gebak› *assiette* v ★ vliegende ~ *soucoupe volante* • gerecht *plat* m
schotelantenne *antenne* v *parabolique*
schotenwisseling *échange* m *de coups de feu*
Schotland *l'Écosse* v ★ in ~ *en Écosse*
schots I BNW *de travers* ★ ~ en scheef *sens dessus dessous* II BIJW *rudement*; *grossièrement*
Schots *écossais*
schotschrift *libelle* m
schotwond *blessure* v *de balle*
schouder *épaule* v ★ de ~breedte *carrure* v ★ de ~s ophalen *hausser les épaules*
schouderband *bretelle* v; ‹v. hemd› *épaulette* v
schouderblad *omoplate* v
schoudergewricht *articulation* v *scapulo-humérale*
schouderhoogte *hauteur* v *d'épaule*
schouderkarbonade *côte* v *de porc (d'épaule)*
schouderklopje *tape* v *amicale sur le dos* ★ iem. een ~ geven *donner une tape amicale sur le dos de qn*
schouderophalen *haussement* m *d'épaules*
schoudertas *sac* m *à bandoulière*
schoudervulling *épaulette* v
schout • GESCH. *bailli* m • dijkgraaf *directeur* m

S

de l'administration des eaux
schout-bij-nacht *contre-amiral* m [mv: *contre-amiraux*]
schouw • stookplaats *cheminée* v • inspectie *inspection* v • boot *bateau* m [mv: *bateaux*]; *bac* m
schouwburg *théâtre* m
schouwen • inspecteren *contrôler*; *inspecter* • lijkschouwen *autopsier*
schouwspel *spectacle* m
schraag *chevalet* m; *tréteau* m
schraal I BNW • mager *maigre*; *maigrichon* [v: *maigrichonne*] • karig *frugal* [m mv: *frugaux*] ⋆ dat is schrale kost *c'est un repas bien frugal* • uitgedroogd *desséché* ⋆ schrale huid *peau* v *rêche/rugueuse* • onvruchtbaar *aride*; *stérile* • guur ⋆ schrale wind *vent* m *âpre* ⋆ ~ bier *bibine* v II BIJW *maigrement*; *pauvrement*
schraalhans *grigou* m ▾ ~ is er keukenmeester *on y dîne par cœur*
schraapzucht *rapacité* v; *avidité* v
schragen • ondersteunen *soutenir* • sterken *fortifier*
schram *égratignure* v; *éraflure* v
schrammen *égratigner*; *écorcher*
schrander I BNW *intelligent*; *perspicace*; *ingénieux* [v: *ingénieuse*] II BIJW *intelligemment*; *avec perspicacité*; *ingénieusement*
schranderheid *intelligence* v; *perspicacité* v
schransen *s'empiffrer*; *bouffer*
schranspartij *bombance* v; *ripaille* v; INF. *bâfrée* v
schrap I ZN • kras *égratignure* v • doorhaling *trait* m; *marque* v; *rayure* v II BIJW ⋆ zich ~ zetten *se raidir*; *s'arc-bouter* ⋆ ~ staan *être en posture*; *ne pas lâcher pied*
schrapen • afkrabben *gratter*; *racler* ⋆ zijn keel ~ *s'éclaircir la voix* • verzamelen *amasser*
schraper • schraapijzer *racloir* m • persoon *grippe-sou* m [mv: *grippe-sou(s)*]
schrappen • schrapen *racler* ⋆ een vis ~ *écailler un poisson* • doorhalen *rayer*; *biffer*
schrede *pas* m; *enjambée* v ⋆ met rasse ~n *à pas rapides*; *à grands pas*
schreef *trait* m; *ligne* v; *barre* v ▾ over de ~ gaan *passer les bornes*
schreeuw *cri* m
schreeuwbek INF. *gueulard*
schreeuwen I OV WW iets hard roepen *crier*; *hurler* ⋆ heel hard ~ *crier comme un sourd* II ON WW • hard roepen ‹woedend› *vociférer*; *crier*; INF. *brailler*; ‹hard› *gueuler* ⋆ het ~ van de pauw *les cris du paon* • ~ **om** ⋆ om brood ~ *réclamer du pain* ⋆ om hulp ~ *crier au secours* • huilen *crier*; *pleurer* ▾ hij schreeuwt voordat hij geslagen wordt *il crie avant qu'on l'écorche*
schreeuwend *flagrant*; ‹v. kleur, stem› *criard* ⋆ ~e kleuren *des couleurs criardes* ⋆ ~ onrecht *une injustice flagrante*
schreeuwerig • schreeuwend *criard*; INF. *braillard* • opzichtig *criard*
schreeuwlelijk *criard* m
schreien *pleurer*; INF. *chialer* ▾ ten hemel ~de toestanden *des circonstances choquantes*
schriel I BNW • mager *maigre*; *gringalet* [v: *gringalette*] • gierig *chiche* II BIJW *chichement*
schrielhannes *gringalet* m
schrift I ZN (de) ⋆ de Heilige Schrift *l'Ecriture sainte* II ZN (het) • cahier *cahier* m ⋆ op ~ brengen *mettre par écrit* • handschrift *écriture* v
schriftelijk I BNW *écrit* ⋆ ~ onderwijs *cours* m mv *par correspondance*; *enseignement* m *par correspondance* ⋆ ~ werk *un travail écrit*; *une interrogation écrite* II BIJW *par écrit*
schriftgeleerde *exégète* m; GESCH. *scribe* m
schrijden *marcher à pas comptés*
schrijfbehoeften *fournitures* v mv *de bureau*
schrijfbenodigdheden *articles* m mv *de bureau*
schrijfblok *bloc-notes* m [mv: *blocs-notes*]
schrijfmachine *machine* v *à écrire*
schrijfmap *nécessaire* m *de correspondance*
schrijfpapier *papier* m *à lettres*
schrijfster *auteur* m; *femme* v *écrivain*; SCHERTS. *écrivaine* v
schrijfstijl *style* m *scriptural*
schrijftaal *langue* v *écrite*
schrijfvaardigheid *expression* v *écrite*
schrijfwerk *travaux* m mv *d'écritures*; ‹op school› *devoirs* m mv *écrits*
schrijfwijze • spelling *orthographe* v • handschrift *écriture* v
schrijlings *à califourchon (sur)*; *à cheval (sur)*
schrijnen *brûler*; ‹v. wond› *cuire*
schrijnend *cuisant*; *poignant*
schrijnwerker *ébéniste* m; *menuisier* m
schrijven I ZN brief *lettre* v II OV WW *écrire* ⋆ duidelijk ~ *écrire lisiblement* ⋆ dik/fijn ~ *écrire gros/fin* ⋆ met inkt/pen ~ *écrire à l'encre/au stylo* ⋆ ~ op een advertentie *répondre à une annonce* ⋆ hoe schrijf je dat? *ça s'écrit comment?*
schrijver *écrivain* m; *auteur* m; *romancier* m
schrijverschap *métier* m *d'écrivain*
schrik • plotseling angstgevoel *peur* v; *effroi* m; ‹sterker› *frayeur* v ⋆ door ~ bevangen *saisi de frayeur* • vrees *peur* v • angstaanjagend iets/iemand ⋆ de ~ zijn van *être la terreur de*
schrikaanjagend *effrayant*; *terrifiant*
schrikachtig *peureux* [v: *peureuse*]; ‹v. paard› *ombrageux* [v: *ombrageuse*]
schrikbarend I BNW *terrible*; *effroyable* II BIJW *terriblement*; *de manière effrayante* ⋆ ~ hoge kosten *des coûts terriblement élevés*
schrikbeeld *cauchemar* m
schrikbewind *terreur* v ⋆ een ~ voeren *faire régner la terreur*
schrikdraad *fil* m *électrifié* ⋆ ~omheining *clôture* v *électrique*
schrikkeldag *jour* m *intercalaire*
schrikkeljaar *année* v *bissextile*
schrikkelmaand *mois* m *de février*
schrikken *s'effrayer*; *avoir peur (de)*; ‹opschrikken› *sursauter* ⋆ wakker ~ *se réveiller en sursaut* ⋆ ik schrok me dood *j'étais mort de frayeur*; *j'ai eu une de ces*

peurs
schrikreactie *réaction* v *de peur*
schril • schel *perçant*; *strident*; *aigu* [v: *aiguë*] • scherp afstekend *criard*; *voyant*
schrobben *frotter*; *laver à grande eau*
schrobber *balai-brosse* m [mv: *balais-brosses*]
schrobbering *réprimande* v
schroef • pin met schroefdraad *vis* v ★ een ~ aandraaien/losdraaien *serrer/desserrer une vis* • propeller *hélice* v • bankschroef *étau* m ▾ alles op losse schroeven zetten *remettre tout en question*
schroefas *arbre* m *d'hélice*
schroefdeksel *couvercle* m *à vis*
schroefdop *bouchon* m *à vis*
schroefdraad *filet* m
schroeien I OV WW oppervlak verbranden *roussir*; *brûler* II ON WW aan oppervlakte branden *roussir*
schroeiplek *brûlure* v
schroeven *fixer avec une/des vis*; *visser* ★ uit elkaar ~ *dévisser* ★ vaster ~ *serrer les vis* ▾ omhoog ~ *relever*
schroevendraaier *tournevis* m
schrokken *manger comme un goinfre*; *manger goulûment*
schrokop *goinfre* m/v
schromelijk I BNW *énorme*; *terrible* II BIJW *énormément*; *terriblement*
schromen • aarzelen *hésiter (à)* ★ zonder ~ *sans hésitation* • duchten *craindre*
schrompelen *se ratatiner*
schroom • vrees *crainte* v • verlegenheid *hésitation* v; *scrupule* m
schroomvallig I BNW verlegen *timide*; *hésitant* II BIJW *timidement*; *en hésitant*
schroot *ferraille* v
schroothandel *commerce* m *de la ferraille*
schroothoop *tas* m *de ferraille* ★ die auto is rijp voor de ~ *cette voiture est bonne pour la casse*
schub *écaille* v
schubachtig *écailleux* [v: *écailleuse*]
schubdier *pangolin* m
schuchter I BNW *timide*; *hésitant* II BIJW *timidement*
schuddebuiken *rire à ventre déboutonné* ★ ~ van het lachen *se tenir le ventre*
schudden I OV WW bewegen *secouer*; *agiter*; ‹v. hoofd› *hocher* ★ de kaarten ~ *battre/mêler les cartes* ★ ~ voor het gebruik *agiter avant l'usage* ★ wakker ~ *réveiller en secouant* ★ iem. de hand ~ *serrer la main à qn* II ON WW bewogen worden *être secoué*; *être agité* ★ doen ~ *ébranler* ★ nee ~ *faire non de la tête*
schuier *brosse* v
schuif • grendel *verrou* m; ‹knip› *targette* v • klep ‹schot› *panneau* m *coulissant*
schuifdak *toit* m *ouvrant*
schuifdeur *porte* v *coulissante*; *porte* v *à coulisse*
schuifelen • voortbewegen *avancer en glissant*; ‹v. slangen› *glisser*; *glisser*; ‹sloffen› *traîner les pieds* • dansen *danser le slow*
schuifladder *échelle* v *coulissante*
schuifmaat *jauge* v *coulissante*
schuifpui *baie* v *vitrée*
schuifraam ‹verticaal schuivend› *fenêtre* v *à guillotine*; ‹horizontaal schuivend› *fenêtre* v *à glissière*
schuiftrombone *trombone* m *à coulisse*
schuiftrompet *trombone* m *à coulisse*
schuifwand *cloison* v *coulissante*; *cloison* v *extensible*
schuiladres *cachette* v; *adresse* v *clandestine*; *planque*
schuilen • beschutting zoeken *s'abriter*; *se mettre à l'abri (de)* • zich verbergen *se cacher* • te vinden zijn ★ daar schuilt wat achter *cela cache qc*
schuilgaan • zich verbergen *se cacher* • verscholen zijn *disparaître*
schuilhouden (**zich**) • zich verbergen *se cacher* • zich afzonderen *se tenir à l'écart*
schuilhut *cabane* v; ‹in bergen› *refuge* m
schuilkelder *abri* m
schuilnaam *pseudonyme* m
schuilplaats • *abri* m • om zich te verbergen *planque*
schuim *mousse* v; ‹als blusmiddel› *mousse* v *carbonique*; ‹v. zee› *écume* v
schuimbad *bain* m *moussant*
schuimbekken *écumer*
schuimblusser *extincteur* m *(à mousse carbonique)*
schuimen *mousser*; ‹v. zee› *écumer*
schuimgebakje *meringue* v
schuimig • als van schuim *écumeux* [v: *écumeuse*] • schuimend *moussant*; ‹v. bier› *mousseux* [v: *mousseuse*]
schuimkop ★ bedekt met ~pen *moutonneux* [v: *moutonneuse*]
schuimkraag *faux col* m
schuimlaag *couche* v *d'écume/de mousse*
schuimpje *meringue* v
schuimplastic *mousse* v *plastique*
schuimrubber *caoutchouc* m *mousse*
schuimspaan *écumoire* v
schuin I BNW • scheef *oblique*; *de travers*; ‹hellend› *penché*; *incliné* ★ ~e lijn *ligne oblique* v ★ de ~e zijde *le côté opposé à l'angle droit*; *l'hypoténuse* v • dubbelzinnig *scabreux* [v: *scabreuse*]; *leste*; *grivois* II BIJW dwars *de biais*; *de travers*; *obliquement* ★ ~ oversteken *traverser de biais* ★ ~ afsnijden *couper en biseau* ★ ~ lopen *biaiser* ★ ~ afslaan naar rechts *obliquer à droite* ★ ze hebben hier ~ tegenover gewoond *ils ont habité presque en face d'ici*
schuins *oblique*; ‹hellend› *en pente*
schuinschrift *écriture* v *anglaise*
schuinsmarcheerder *bambocheur* m [v: *bambocheuse*]
schuinte • schuine richting *biais* m ★ in de ~ *dans le biais*; *obliquement* • helling *inclinaison* v; *pente* v
schuit *bateau* m; ‹plat› *barge* v; PEJ. *rafiot* m
schuitje *petit bateau* m ▾ in hetzelfde ~ zitten *être logé à la même enseigne*
schuiven I OV WW • duwen langs *pousser*; *(faire) glisser* ★ in elkaar ~ *s'emboîter* ★ dichterbij ~ *rapprocher* ★ de schuld ~ op *rejeter la faute sur* • opium roken *fumer (de*

l'opium) II ON WW schuivend bewegen *coulisser*; *(se) glisser* ★ dichterbij ~ *se rapprocher*; *rapprocher sa chaise* ★ dit raam schuift makkelijk *cette fenêtre coulisse facilement*

schuiver *glissade* v; ‹te voet› *faux pas* m

schuld • verantwoordelijkheid *faute* v; *tort* m ★ dood door ~ *homicide par imprudence* m ★ het is mijn ~ dat *c'est (de) ma faute si* ★ het is zijn ~ niet *ce n'est pas (de) sa faute*; *il n'y est pour rien* ★ wiens ~ is het? *à qui la faute?* ★ ~ belijden *s'avouer coupable* ★ iem. de ~ van iets geven *imputer qc à qn* ★ de ~ doorschuiven *rejeter la faute de qc sur qn* ★ de ~ ligt bij *c'est la faute de* ★ de ~ op zich nemen *assumer la responsabilité de qc* • verplichting *dette* v ★ vlottende ~ *dette flottante* ★ ~en maken *s'endetter* ★ uitstaande ~ *dette active* ★ te betalen ~ *dette passive* ▾ vergeef ons onze ~en *pardonnez-nous nos offenses*

schuldbekentenis • promesse *reconnaissance* v *de dette*; *obligation* v; *titre* m *de créance* • bekennen van schuld *aveu* m

schuldbesef *sentiment* m *de culpabilité*

schuldbewust *conscient de sa faute*

schuldcomplex *complexe* m *de culpabilité*

schuldeiser *créancier* m [v: *créancière*]

schuldeloos I BNW *innocent* II BIJW *innocemment*

schuldenaar *débiteur* m [v: *débitrice*]

schuldenlast *endettement* m

schuldgevoel *sentiment* m *de culpabilité* ★ iem. een ~ geven *culpabiliser qn* ★ een ~ krijgen *se sentir coupable*

schuldig • schuld hebbend *coupable* ★ zich ~ maken aan *se rendre coupable de* ★ ~ verklaren *déclarer coupable* • verschuldigd *redevable* ★ hoeveel ben ik u ~? *je vous dois combien?* ★ ik ben hem geld ~ *je lui dois de l'argent* ★ ~ blijven aan *être redevable*

schuldige *coupable* v

schuldigverklaring *prononcé* m *de la culpabilité*

schuldvereffening *acquittement* m *d'une dette/de dettes*; *compensation* v

schuldvraag *question* v *de la culpabilité*

schulp ▾ in zijn ~ kruipen *rentrer dans sa coquille*

schunnig I BNW • armzalig *miteux* [v: *miteuse*] ★ er ~ uitzien *avoir l'air minable* • obsceen ‹v. boek› *cochon*; *cochon* [v: *cochonne*]; *sale* ★ ~e taal uitslaan *dire des saletés* II BIJW *bassement*; *salement*; *minablement*

schuren I OV WW glad maken ‹met schuurpapier› *poncer*; *passer au papier de verre*; *frotter* ★ een pan ~ *récurer une casserole* ★ de huid ~ *s'exfolier (en douceur) la peau* II ON WW schuiven *frotter contre*

schurft *gale* v

schurftig *galeux* [v: *galeuse*]; *véreux* [v: *véreuse*]; *louche*

schurk *bandit* m; *brigand* m; SCHERTS. *filou* m; *coquin* m

schurkachtig I BNW *canaille*; *de salaud* ★ een ~e streek *un tour de cochon* II BIJW *comme une canaille*

schut • waterkering *écluse* v • bescherming *protection* v; ‹verplaatsbaar› *paravent* m; ‹wand› *cloison* v

schutblad • PLANTK. *bractée* v • blad in boek *page* v *de garde*

schutkleur *couleur* v *de camouflage*

schutsluis *écluse* v *à sas*

schutspatroon *patron* m

schutten ★ schepen ~ *écluser des péniches*

schutter *tireur* m [v: *tireuse*]

schutteren *agir maladroitement*; INF. *chipoter*

schutterig *maladroit*; INF. *empoté*

schutterij *association* v *de tir*

schuttersput *trou* m *individuel*

schutting *clôture* v *(en bois)*

schuttingtaal *langage* m *grossier*; *langage* m *ordurier*

schuttingwoord *gros mot* m; *mot* m *grossier*

schuur *remise* v; *hangar* m; ‹bij boerderij› *grange* v

schuurpapier *papier* m *de verre*; *papier* m *émeri* ★ met ~ wrijven *passer au papier de verre*

schuurpoeder *poudre* v *à récurer*

schuurspons *éponge* v *à récurer*

schuw I BNW *farouche*; *timide*; *sauvage* ★ ~ maken *effaroucher* ★ ~ worden *s'effaroucher* II BIJW *timidement*; *d'un air farouche*

schuwen *éviter*; *craindre*

schuwheid *timidité* v

schwung *élan* m; *entrain* m; *dynamisme* m

sciencefiction *science-fiction* v

scientology *scientologie* v

scoliose *scoliose* v

scoop *scoop* m

scooter *scooter* m

score *score* m

scorebord *tableau* m *d'affichage*

scoren SPORT *marquer un point*

scoreverloop *déroulement* m *du score*

scout • padvinder *scout* m • talentenjager *recruteur* m *de jeunes talents*

scouting • padvinderij *scoutisme* m • zoeken naar talenten *recrutement* m *de jeunes talents*

scrabbelen *scrabbler*

scrabble *scrabble* m

scratchen *scratcher*

scratch-pad COMP. *zone* v *de travail*

screenen ≈ *faire une enquête des antécédents*

screensaver COMP. *économiseur* m *d'écran*

screentest *bout* m *d'essai*

scribent *auteur* m; *écrivailleur* m

script *script* m

scriptie *mémoire* m

scriptiebegeleider *directeur* m *d'un mémoire*

scrollbar *barre* v *de défilement*

scrollen *faire rouler*; *dérouler*; *faire défiler*

scrotum *scrotum* m

scrupule *scrupule* m

scrupuleus *scrupuleux* [v: *scrupuleuse*]

sculptuur *sculpture* v

seance *séance* v

sec *sec* [v: *sèche*]

secondair *secondaire*

secondant *témoin* m

seconde *seconde* v
secondelijm *colle* v *uni-rapide*
seconderen *seconder*
secondewijzer *aiguille* v *de secondes*; *trotteuse* v
secreet ‹man› *fumier* m; ‹vrouw› *garce* v
secretaire *secrétaire* m
secretaresse *secrétaire* v
secretariaat *secrétariat* m
secretarie *secrétariat* m
secretaris *secrétaire* m/v
secretaris-generaal *secrétaire* m *général* [m mv: *secrétaires généraux*] [v: *secrétaire générale*]
sectie • afdeling *section* v • autopsie *autopsie* v
sector *secteur* m
secularisatie *sécularisation* v
seculier *séculier* [v: *séculière*]
secundair *secondaire* ⋆ de ~e sector *le secteur secondaire*
secuur I BNW • zorgvuldig *minutieux* [v: *minutieuse*]; *précis* • veilig *sûr* **II** BIJW *minutieusement*; *précisément*; *sûrement*
sedert → **sinds**
sedertdien *depuis (lors)*
sediment *sédiment* m
sedimentatie *sédimentation* v
segment *segment* m
segmentatie *segmentation* v
segregatie • rassenscheiding *ségrégation* v *raciale* • afzondering *ségrégation* v
sein • teken *signal* m [mv: *signaux*]; *signe* m ⋆ een sein geven *faire un signe* ⋆ seinen geven *faire des signaux* ⋆ een sein negeren *brûler un signal* • waarschuwing, hint *signal* m [mv: *signaux*]; *signe* m
seinen I OV WW telegraferen *télégraphier* **II** ON WW een sein geven *faire des signaux*
seinhuis *poste* m *d'aiguillage*
seinpaal *sémaphore* m
seinsleutel *manipulateur* m
seismisch *sismique*
seismograaf *sismographe* m
seismoloog *s(é)ismologue* m/v
seizoen *saison* v
seizoenarbeid *travail* m *saisonnier*
seizoenopruiming *soldes* v mv *des fins de série*
seizoenskaart SPORT *carte* v *pour la saison*
seizoenswerk *travail* m *saisonnier*
seizoenwerkloosheid *chômage* m *saisonnier*
seks *rapports* m mv *sexuels*; *sexe* m ⋆ seks hebben met iem. *avoir des rapports sexuels avec qn*
seksbioscoop *cinéma* m *porno*
seksbom *pin-up* v [onv]
sekse *sexe* m
seksisme *sexisme* m
seksist *sexiste* m/v
seksistisch I BNW *sexiste* **II** BIJW *de façon sexiste*
seksleven *vie* v *sexuelle*
sekslijn *téléphone* m *rose*
seksmaniak *obsédé* m *sexuel*
seksualiteit *sexualité* v
seksueel I BNW *sexuel* [v: *sexuelle*] **II** BIJW *sexuellement*
seksuoloog *sexologue* m/v

S

sektarisch *sectaire*
sekte *secte* v ⋆ aanhanger van een ~ *membre d'une secte* m
sekteleider *chef* m *de secte*
sektelid *membre* m *d'une secte*
selderie *céleri* m
selderij → **selderie**
select *choisi*
selecteren *sélectionner*
selectie *sélection* v
selectiecriterium *critère* m *de sélection*
selectief *sélectif* [v: *sélective*]
selectiewedstrijd *match* m *de sélection* ⋆ ~en *éliminatoires* v mv
semafoon *sémaphone* m
semantiek *sémantique* v
semester *semestre* m
semi-automatisch *semi-automatique*
Semiet *Sémite* m
seminarie *séminaire* m
seminarium *séminaire* m
semi-overheidsbedrijf *entreprise* v *semi-publique* [v mv: *entreprises semi-publiques*]
semi-permeabel *semi-perméable*
semi-prof *semi-professionnel* m [mv: *semi-professionnels*] [v: *semi-professionnelle*]
Semitisch *sémite*; ‹v. taal› *sémitique*
semtex *semtex* m
senaat *sénat* m
senator *sénateur* m
Senegal *le Sénégal* ⋆ in ~ *au Sénégal*
seniel *sénile*
senior *père* ⋆ de heer Cools ~ *M. Cools père*
seniorenelftal *équipe* v *senior*
seniorenkaart *carte* v *du troisième âge*
seniorenpas *carte* v *vermeil*
seniorenwoning *habitation* v *pour personnes âgées*
sensatie *sensation* v
sensatieblad *journal* m *à sensation* [m mv: *journaux ...*]
sensatiepers *presse* v *à scandale*
sensatiezucht *sensationnalisme* m
sensationeel *sensationnel* [v: *sensationnelle*]
sensibel *sensible* ⋆ ~e zenuwen *nerfs sensitifs*
sensitief *sensitif* [v: *sensitive*]
sensor *capteur* m; *détecteur* m; *palpeur* m
sensualiteit *sensualité* v
sensueel I BNW *sensuel* [v: *sensuelle*] **II** BIJW *sensuellement*
sentiment *sentiment* m
sentimentaliteit *sentimentalité* v
sentimenteel *sentimental* [m mv: *sentimentaux*]
separaat *séparé*
separatisme *séparatisme* m
separatistisch *séparatiste*
sepia *sépia* v
seponeren *classer*
september *septembre* m
septet MUZ. *septuor* m
septisch *septique*
sequentie *séquence* v
SER *Conseil* m *économique et social*
sereen *serein*
serenade *sérénade* v
sergeant *sergent* m

sergeant-majoor *sergent-major* m [mv: *sergents-majors*]
serie *série* v; ‹op tv› *feuilleton* m
serieel *sériel* [v: *sérielle*]
seriemoordenaar *tueur* m *en série* [v: *tueuse* ...]
serienummer *numéro* m *de série*
serieproductie *production* v *en série*
serieus *sérieux* [v: *sérieuse*]
sering *lilas* m ⋆ witte ~ *lilas blanc*
seroendeng *copra* m *moulu, grillé et épicé (avec des cacahuètes)*
seropositief *séropositif* [v: *séropositive*]
serpent *serpent* m
serpentine *serpentin* m
serre • broeikas *serre* v *(chaude)* • glazen veranda *véranda* v
serum *sérum* m
serveerster *serveuse* v
serveren *servir*
servet *serviette* v
servetring *rond* m *de serviette*
service • *service* m • bij tennis *service* m; *mise* v *en jeu (de la balle)*
servicebeurt *révision* v
servicedienst *service* m *après-vente*
serviceflat *(appartement* m *dans une) résidence-services*
servicekanon SPORT *appareil* m *qui sert la balle*
servicekosten ≈ *charges* v mv
servicestation *station-service* v [mv: *stations-service*]
Servië *la Serbie*
serviel *servile*
Serviër *Serbe* m/v
servies *service* m
serviesgoed *vaisselle* v
servieskast *vaisselier* m
Servisch *serbe*
Servo-Kroatisch *serbo-croate*
sesam *sésame* m
sessie *séance* v; *session* v
sessiemuzikant *musicien* m *de session*
set • stel *jeu* m *(de)* • SPORT *manche* v; *set* m
setpoint *balle* v *de set* ⋆ op ~ staan *jouer la balle de set*
settelen (**zich**) *s'installer*; *s'établir*
setter *setter* m
setting *cadre* m; *décor* m
set-up SPORT *passe* v *d'attaque*
sex-appeal *sex-appeal* m
sextant *sextant* m
sextet MUZ. *sextuor* m
sexy *érotique*; *sexy*
Seychellen *Seychelles* v mv ⋆ op de ~ *aux Seychelles*
SF science fiction *science-fiction* v
sfeer • stemming *atmosphère* v; *ambiance* v ⋆ ~verlichting *lumière d'ambiance* v ⋆ er heerste een gespannen ~ *l'atmosphère était tendue* • domein *domaine* m
sfeervol *où il y a de l'ambiance*
sfinx *sphinx* m
shag *tabac* m *(à rouler)*
shampoo *shampooing* m
shampooën *shampooiner*; *shampouiner*
shawl *écharpe* v; *châle* m
sheet *transparent* m
sheriff *shérif* m
sherry *sherry* m; *xérès* m
shii-take *shiitake* m
shirt • overhemd *chemise* v • SPORT *maillot* m
shirtreclame *publicité* v *sur maillots*
shoarma *chiche-kebab* m [mv: *chiches-kebabs*]
shock *choc* m
shockproof *antichoc*
shocktherapie *thérapeutique* v *de choc*
shocktoestand *état* m *de choc*
shoppen *faire du shop(p)ing*
shortcut COMP. *raccourci* m
shorts *short* m
shorttrack schaatsen I ZN *patinage* m *de vitesse à courte distance* **II** ON WW *faire du patinage de vitesse à courte distance*
shot • opname *prise* v *de vue* • injectie *piquouse* v
shovel *chouleur* m
show • voorstelling *show* m • vertoning *numéro* m
showbink *fanfaron* m
showbusiness *show-business* m; INF. *showbiz* m
showen *présenter*
showroom *salon* m *d'exposition*; *salle* v *d'exposition*
shuttle • SPORT *volant* m • ruimteveer *navette* v
Siamees ▾ Siamese tweeling *frères/sœurs siamois(es)*
Siberië *la Sibérie*
Siberisch *sibérien* [v: *sibérienne*]
sic! *sic!*
Sicilië *la Sicile* ⋆ op ~ *en Sicile*
sickbuildingsyndroom *maladie* v *dont peuvent être atteints les employés travaillant dans des bureaux climatisés*
sidderaal *anguille* v *électrique*
sidderen *frémir*
siddering *frémissement* m
sidderrog *torpille* v
SI-eenheid *Système* m *International d'Unités*
sier *parure* v ▾ goede sier maken *faire bombance*
sieraad • juweel *bijou* m [mv: *bijoux*] • opschik *ornement* m; *parure* v
sieren • tooien *orner*; *parer* • tot eer strekken *honorer*
siergewas *plante* v *ornementale*
sierheester *arbuste* m *ornemental*
sierlijk I BNW *élégant*; *gracieux* [v: *gracieuse*] **II** BIJW *élégamment*; *gracieusement*
sierlijstje *baguette* v
sierplant *plante* v *ornementale*
Sierra Leone *la Sierra Leone*
sierspeld *broche* v; *barrette* v
sierstrip *bande* v *décorative*
siervuurwerk *feu* m *d'artifice* [m mv: *feux* ...]
siësta *sieste* v ⋆ ~ houden *faire la sieste*
sifon *siphon* m
sigaar *cigare* m ▾ de ~ zijn *être chocolat*
sigarenbandje *bague* v *de cigare* ⋆ met een ~ *bagué*
sigarenroker *fumeur* m *de cigares* [v: *fumeuse* ...]

sigaret *cigarette* v
sigarettenautomaat *distributeur* m *(automatique) de cigarettes*
sigarettenpijpje *fume-cigarette* m [onv]
sightseeën *faire du tourisme*
signaal *signal* m [mv: *signaux*]; ⟨teken⟩ *signe* m; ⟨als waarschuwing⟩ *avertissement* m ★ signalen uitzenden *émettre des signaux*
signaalversterker TECHN. *répétiteur* m *de signaux*
signalement *signalement* m
signaleren *signaler*
signatuur • voorkeur *appartenance* v *politique* • handtekening *signature* v
signeren *signer*
significant I BNW *significatif* II BIJW *de façon significative*
sijpelen ⟨in druppels⟩ *ruisseler*; *suinter* ★ het ~ *le suintement*; ⟨in druppels⟩ *le ruissellement*
sijs *tarin* m *des aulnes*
sik • baard *barbiche* v • geit *chèvre* v
sikkel • mes *faucille* v • maangestalte *croissant* m
sikkelcelanemie MED. *drépanocytose* v
sikkelvormig *en croissant*
sikkeneurig *grincheux* [v: *grincheuse*]
Silezië *la Silésie*
silhouet *silhouette* v
siliconen *silicones* v mv
siliconenkit *lut* m *de silicone*
silo *silo* m
Silurisch *silurien* [v: *silurienne*]
Siluur *silurien* m
simpel • eenvoudig *simple* • onnozel *simple d'esprit*; *niais*
simpelweg *tout simplement*
simplificeren *simplifier*
simplistisch *simpliste*
simsalabim *abracadabra*
simulant *simulateur* m [v: *simulatrice*]
simulatie *simulation* v
simulator *simulateur* m
simuleren *simuler*
simultaan *simultané*
simultaanpartij *partie* v *simultanée*
sinaasappel *orange* v
sinaasappelsap *jus* m *d'orange*
sinas *orangeade* v
sinds I VZ *depuis* ★ ~ zijn vroegste kinderjaren *depuis sa petite enfance* ★ ~ kort/lang *depuis peu/longtemps* II VW *depuis que* ★ het gaat beter ~ zij weg is *ça va mieux depuis qu'elle est partie*
sindsdien *depuis*
sinecure *sinécure* v
Singapore *Singapour*
singel • weg *rue/route* v *le long d'un canal* • stadsgracht *canal* m [mv: *canaux*] • buikriem *sangle* v
single • grammofoonplaat *quarante-cinq* m *tours*; *single* m • alleenstaande *personne* v *seule* • honkslag *simple* m • SPORT *simple* m
singlet *maillot* m *de corps*
sinister *sinistre*
sinoloog *sinologue* m/v
sint *saint* m [v: *sainte*] ▾ de goede Sint *saint Nicolas* m
sint-bernard *saint-bernard* m [mv: *saint-bernard(s)*]
sintelbaan *cendrée* v
sinterklaas ⟨feest⟩ *Saint-Nicolas* v
Sinterklaas *saint Nicolas* m
sinterklaasavond *veille* v *de la Saint-Nicolas*
sinterklaasfeest *fête* v *de la Saint-Nicolas*
sinterklaasgedicht *poème* m *pour la Saint-Nicolas*
sint-janskruid *millepertuis* m; *herbe* v *de Saint-Jean*
sint-juttemis ▾ met ~ *à la saint-glinglin*
Sint-Maarten • heilige *Saint-Martin* m • eiland *Saint-Martin* m
Sint-Nicolaas → **sinterklaas**
Sint-Niklaas → **sinterklaas**
Sint-Petersburg *Saint-Petersbourg*
sinus *sinus* m
sinusitis *sinusite* v
sinusoïde *sinusoïde* v
sip I BNW *déçu* II BIJW ★ sip kijken *faire triste mine*
Sire *sire* m
sirene *sirène* v
sirocco *sirocco* m
siroop *sirop* m
sirtaki *sirtaki* m
sisal *sisal* m
sissen *siffler*; ⟨v. vocht/vet⟩ *grésiller*; ⟨v. water⟩ *chanter*
sisser *crapaud* m ▾ met een ~ aflopen *se terminer en queue de poisson*
sitar *sitar* m
site ⟨ook internet⟩ *site* m
sit-in *sit-in* m
situatie *situation* v
situatieschets *aperçu* m *de la situation*
situeren *situer*; *placer*
Sixtijns ★ ~e kapel *Chapelle Sixtine*
sjaal *écharpe* v; ⟨v. dunne stof⟩ *foulard* m; ⟨omslagdoek⟩ *châle* m
sjabloon • modelvorm *pochoir* m • geijkt patroon *poncif* m
sjacheraar *traficoteur* m
sjacheren *traficoter*; *marchander*
sjah *s(c)hah* m
sjalom *je vous souhaite la paix*
sjalot *échalote* v
sjans ▾ ~ hebben *faire une touche*
sjasliek *chachlik* m
sjeik *cheik* m
sjekkie *sèche* v
sjerp *écharpe* v
sjezen • niet slagen *être collé* • hard gaan *filer*; *foncer*; ⟨met auto⟩ *rouler à plein gaz* ▾ een gesjeesd student *un dropé*
sjiiet *Chiite* m
sjiietisch *chiite*
sjilpen *gazouiller*; *pépier*
sjirpen *chanter* ★ het ~ van de krekels *le cricri des cigales*
sjoege *comprenette* v ▾ ergens geen ~ van hebben *ne rien piger à qc* ▾ geen ~ geven *la fermer*
sjoelbak ≈ *jeu* m *de palets*
sjoelen ≈ *jouer au palet*

sjoemelen • knoeien *magouiller* • vals spelen *tricher*
sjofel *miteux* [v: *miteuse*]; *minable* ★ er ~ uitzien *avoir l'air miteux*
sjokken *traîner les pieds* ★ de trap op ~ *monter l'escalier en traînant des pieds*
sjorren • vastbinden *attacher*; *amarrer* • trekken *traîner*
sjouw *travail* m *pénible* ▾ op ~ *en vadrouille*
sjouwen I OV WW dragen *trimballer*; *traîner* II ON WW • zwoegen *peiner*; *s'éreinter*; INF. *trimer* • rondlopen *se trimballer*
sjouwer *porteur* m [v: *porteuse*]
ska *ska* m
Skagerrak *Skagerrak* m
skai *skaï* m
skateboard *planche* m *à roulettes*; *skate(-board)* m
skaten *faire du patin à roulettes*; *faire du skate|skating*
skater *patineur* m *à roulettes* [v: *patineuse* ...]
skeeler *patin* m *de randonnée*
skeeleren *faire du patinage de randonnée*
skelet *squelette* m
skeletbouw *construction* v *en ossature*
skelter *kart* m
sketch *sketch* m
ski *ski* m ★ op ski's *en skis*
skibril *lunettes* v mv *de ski*
skibroek *pantalon* m *de ski*
skiën I ZN *ski* m II ON WW *faire du ski*; *skier*
skiër *skieur* m [v: *skieuse*]
skiff *skif(f)* m
skiffle *skiffle* m
ski-jack *anorak* m
skileraar *moniteur* m *de ski* [v: *monitrice de ski*]
skilift *téléski* m; *remonte-pente* m [mv: *remonte-pentes*]
skinhead *skinhead* m
skippybal *ballon* m *sauteur*
skischans *tremplin* m
skischoen *chaussure* v *de ski*
skispringen *faire du saut à skis*
skistok *bâton* m *de ski*
skivakantie *vacances* v mv *de neige*
skybox *loge* v *V.I.P.*; *cabine* v *luxueuse (dans un stade)*
skyline *ligne* v *des toits*
sla • groente *salade* v; PLANTK. *laitue* v • gerecht *salade* v
slaaf *esclave* m/v
slaafs *servile*
slaag ★ iem. een pak ~ geven *donner une correction à qn*; *rosser qn* ★ een pak ~ krijgen *prendre une raclée*
slaags ★ ~ raken *en venir aux mains*; MIL. *engager le combat* ★ ~ zijn *se battre*
slaan I OV WW • slagen geven *battre*; *frapper* ★ een spijker in de muur ~ *enfoncer un clou dans le mur* ★ iem. in elkaar ~ *tabasser qn* • in een toestand brengen ★ iets naar binnen ~ *avaler qc*; ‹v. drank› *siffler* ★ de armen/benen over elkaar ~ *croiser les bras|les jambes* ★ iem. de armen om de hals ~ *jeter les bras autour du cou de qn* ★ de arm om iemands middel ~ *passer le bras autour de la taille de qn* • verslaan *battre*; *vaincre* • van het speelbord nemen *prendre* • vervaardigen ★ een brug ~ *jeter un pont* ▾ zich ergens doorheen ~ *se débrouiller* ▾ zich door het leven ~ *faire sa vie* II ON WW • een slaande beweging maken *frapper*; *battre* ★ tegen de grond ~ *tomber par terre* ★ naar iets ~ *lancer un coup à qc* • kloppen *battre* • geluid maken *sonner* ★ het slaat drie uur *trois heures sonnent* • ~ **op** *se rapporter à*
slaand *battant*; ‹v. klok› *sonnant*; *à sonnerie* ★ met ~e trom *tambour battant*
slaap • neiging tot slapen *sommeil* m ★ ~ hebben *avoir sommeil* ★ ~ krijgen *commencer à avoir sommeil* • rust *sommeil* m ★ in ~ vallen *s'endormir* ★ in ~ brengen *endormir* ★ ~jes doen *faire dodo* ★ in de ~ *pendant le sommeil*; *en dormant* • oogvuil *chassie* v • zijkant van hoofd *tempe* v
slaapbank *canapés-lits* m mv; *divan-lit* m [mv: *divans-lits*]
slaapcoupé *compartiment* m *à couchettes*; *couchettes* v mv
slaapdrank *potion* v *soporifique*
slaapdronken I BNW *engourdi de sommeil*; *ensommeillé*; *tout endormi* II BIJW *dans un demi-sommeil*
slaapgebrek *manque* m *de sommeil*
slaapgelegenheid *endroit* m *où passer la nuit*; *possibilité* v *d'hébergement*
slaapkamer *chambre* v *(à coucher)* ★ ~geheimen *secrets d'alcôve*
slaapkop *dormeur* m [v: *dormeuse*]
slaapliedje *berceuse* v
slaapmatje *natte* v
slaapmiddel *somnifère* m; *soporifique* m
slaapmutsje ≈ *petit verre* m *avant de se coucher*
slaapogen *yeux* m mv *lourds de sommeil*
slaappil *somnifère* m
slaapplaats • een plaats om te slapen *endroit* m *pour dormir* • ligplaats in boot of trein *couchette* v
slaapstad *ville-dortoir* v [mv: *villes-dortoirs*]
slaapstoornis *troubles* m mv *du sommeil*
slaaptrein *train-couchettes* m [mv: *trains-couchettes*]
slaapverwekkend • saai *ennuyeux* [v: *ennuyeuse*] • slaperig makend *soporifique*
slaapwandelaar *somnambule* m/v
slaapwandelen I ZN *somnambulisme* m II ON WW *être somnambule*
slaapzaal *dortoir* m
slaapzak *sac* m *de couchage*; ‹met dons› *duvet* m
slaatje *salade* v ▾ ergens een ~ uit slaan *faire son profit de qc.*
slab *bavette* v; *bavoir* m
slablad *feuille* v *de laitue*
slaboon *haricot* m *vert*
slacht *abattage* m
slachtbank FIG. *boucherie* v; *abattoir* m; ≈ *billot* m
slachten • vermoorden *massacrer* • doden van vee *abattre*; *tuer*

S

slachter *tueur* m; ⟨v. varkens⟩ *saigneur* m
slachthuis *abattoir* m
slachting • het slachten *abattage* m • bloedbad *boucherie* v; *tuerie* v; *carnage* m
slachtoffer *victime* v; ⟨v. bedrog⟩ *dupe* v; ⟨v. ongeval⟩ *accidenté* m; ⟨v. ramp⟩ *sinistré* m
slachtofferhulp *aide* v *aux victimes*
slachtpartij *carnage* m
slachtvee *animaux* m mv *de boucherie*
slag I ZN (de) • klap *coup* m; ⟨met vuist⟩ *coup* m *de poing*; ⟨op wang⟩ *gifle* v ★ met één slag *d'un seul coup*; *tout d'un coup* ★ zonder slag of stoot *sans coup férir* ★ op slag *sur le coup* • keer dat iets slaat *coup* m; ⟨v. hart, vleugel⟩ *battement* m • tegenslag *coup* m; *malheur* m; ⟨verlies⟩ *perte* v • veldslag *bataille* v • geluid *coup* m; ⟨v. hart⟩ *battement* m ★ donderslag *coup de tonnerre* • golving ⟨v. water⟩ *houle* v; ⟨in haar⟩ *ondulation* v • handigheid *tour* m *de main*; *truc* m ★ de slag van iets hebben *s'entendre à qc.*; *avoir le coup pour faire qc.* ★ de slag van iets kwijtraken *perdre la main*; *perdre l'habitude de qc.* ★ de slag te pakken krijgen *attraper le coup* • ronde van kaartspel *pli* m; *levée* v ★ alle slagen halen *faire toutes les levées* ★ aan slag komen *prendre la main* • haal, streek *coup* m; ⟨zwemslag⟩ *brasse* v • roeier *chef* m *de nage* ▾ aan de slag gaan *se mettre au travail* ▾ van slag zijn *être perturbé* ▾ een slag om de arm houden *se ménager une porte de sortie* II ZN (het) soort *espèce* v; *sorte* v ★ mensen van hetzelfde slag *des gens de la même espèce* ★ een slag groter/kleiner *un peu plus grand/petit* ★ van allerlei slag *de tout poil*
slagader *artère* v ★ grote ~ *aorte* v
slagbal ≈ *sorte* v *de base-ball*
slagboom *barrière* v
slagen • succes hebben *réussir* ★ het ~ van een onderneming *la réussite d'une entreprise* • goede uitslag behalen *parvenir (à)*; ⟨voor een examen⟩ *réussir (à)*; *être reçu (à)*
slagenwisseling SPORT *échange* m *de balles*; *rallye* m
slager *boucher* m
slagerij *boucherie* v
slaggitaar *guitare* v *rythmique*
slaghoedje *amorce* v; *détonateur* m
slaghout *batte* v
slaginstrument *instrument* m *de percussion*
slagkracht *combativité* v
slaglinie *ordre* m *de bataille*
slagorde *ordre* m *de bataille*
slagpen • vleugelveer *rémige* v • slagpin *percuteur* m
slagpin *percuteur* m
slagregen *pluie* v *battante*; *averse* v
slagroom ⟨ongeklopt⟩ *crème* v *fraîche*; ⟨stijfgeklopt⟩ *crème* v *fouettée/Chantilly*
slagroompunt *part* v *de gâteau à la crème*
slagroomtaart *gâteau* m *à la crème*
slagschip *cuirassé* m; *navire* m *de ligne*
slagtand *défense* v
slagvaardig • doortastend *combatif* [v: *combative*] • gevat *qui a l'esprit d'à-propos* • strijdvaardig *prêt à combattre*
slagveld *champ* m *de bataille*
slagwerk • MUZ. *instruments* m mv *à percussion* • deel uurwerk *sonnerie* v
slagwerker MUZ. ⟨bij jazz, popmuziek⟩ *batteur* m; *percussioniste* m/v
slagzij *bande* v ★ ~ maken *donner de la bande*
slagzin *slogan* m
slak • weekdier *escargot* m; ⟨naakt⟩ *limace* v; ⟨met huis ook⟩ *colimaçon* m; ⟨als gerecht⟩ *escargot* m • sintel ⟨erts⟩ *scories* v mv
slaken *pousser* ★ zuchten ~ *pousser des soupirs*
slakkengang *marche* v *très lente*; *allure* v *de tortue* ★ met een ~ gaan *avancer comme un escargot/une tortue*; FIG. *traîner en longueur*; *marcher à pas de tortue*
slakkenhuis • huis van slak *coquille* v *d'escargot* • gehoorgang *limaçon* m
slalom *slalom* m
slamix *assaisonnement* m *pour salade*
slampamper *flemmard* m [v: *flemmarde*]
slang I ZN (de) • buis *tuyau* m ★ de brand~ *le tuyau d'incendie* • reptiel *serpent* m II ZN (het) Bargoens *argot* m
slangenbezweerder *charmeur* m *de serpents*
slangengif *venin* m *de serpent*
slangenleer *peau* v *de serpent*
slangenmens • lenig mens *homme* m *serpent*; *femme* v *serpent* • artiest *contorsionniste* m/v
slank *mince*; *svelte* ★ ~ maken *amincir* ★ ~ makend *amincissant* ★ ~er worden *s'amincir* ★ ~ zijn *avoir la taille fine/mince*
slankheidsmenu *menu* m *minceur*
slaolie *huile* v *de table*
slap I BNW • niet stijf *flasque*; *mou* [v: *molle*] [onr: *mol*] ★ slappe band *pneu* m *mou* • zwak, niet sterk *faible*; *mou* [v: *molle*] [onr: *mol*]; *sans force* • niet strak *lâche*; *relâché*; *détendu* • niet pittig *léger* [v: *légère*]; *faible*; ⟨waterig⟩ *dilué* ★ dit is slappe koffie *ce café n'est pas très fort*; INF. *c'est du jus de chaussette* • niet doortastend *mou* [v: *molle*] [onr: *mol*]; *faible*; *molasse* ★ slappe houding *attitude* v *faible*; *laxisme* m • inhoudsloos ★ slap geklets *des bavardages insignifiants* • niet druk ★ de beurs is slap *la bourse est faible* ★ slappe tijd *morte-saison* v II BIJW *mollement*
slapeloos I BNW *sans sommeil* ★ een slapeloze nacht *une nuit blanche* II BIJW *sans dormir*; *sans fermer l'œil*
slapeloosheid *insomnie* v ★ aan ~ lijden *avoir des insomnies*
slapen • in slaap zijn *dormir* ★ gaan ~ *aller se coucher/dormir* ★ licht ~ *avoir le sommeil léger* ★ vast ~ *avoir le sommeil profond*; *dormir à poings fermés* ★ hij kan niet ~ van de zorgen *les soucis lui font perdre le sommeil* ★ lang ~ *faire la grasse matinée* • suffen *dormir* • de nacht doorbrengen *coucher (chez)* ★ bij iem. ~ *passer la nuit chez qn* • met iemand naar bed gaan *coucher (avec)* • tintelen van ledematen *être engourdi* ★ mijn arm slaapt *j'ai le bras engourdi* ★ mijn benen ~ *j'ai des fourmis dans les jambes*
slaper • iemand die slaapt *dormeur* m [v:

dormeuse]; ‹iemand die veel slaapt› *grand dormeur* m • dijk *digue* v *intérieure*
slaperig • slaap hebbend *ensommeillé* ⋆ hij wordt ~ *il est pris de sommeil* • suf *engourdi*; *somnolent*
slapie *voisin* m *de lit* [v: *voisine de lit*]
slapjanus *lavette* v; *mollusque* m
slapjes *faiblement*; *mollement*
slappeling *chiffe* v *molle*; *mollusque* m
slapstick *slapstick* m
slapte • krachteloosheid *faiblesse* v • weekheid *mollesse* v
slasaus *sauce* v *vinaigrette*; *mayonnaise* v
slash TYP. *slash* m
slavenarbeid • werk van slaven *travail* m *d'esclave* • zwaar werk *travail* m *d'esclave*; *travail* m *pénible*
slavenarmband *bracelet* m *d'esclave*
slavendrijver *meneur* m *d'esclaves*
slavenhandel *commerce* m *des esclaves*
slavenhandelaar *négrier* m
slavenwerk → **slavenarbeid**
slavernij • onderworpenheid *servitude* v • het stelsel *esclavage* m
slavin *esclave* v ⋆ de handel in blanke ~nen *la traite des blanches*
slavink ≈ *paupiette* v
Slavisch *slave*
slavist *slaviste* m/v
slavistiek *slavistique* v
slecht I BNW • niet deugdelijk *mauvais* ⋆ ~e manieren hebben *avoir de mauvaises manières* • ongunstig *mauvais* ⋆ ~e zaken doen *faire de mauvaises affaires* ⋆ het is een ~e tijd *les temps sont durs* ⋆ ~ weer *du mauvais temps* • moreel slecht *mauvais*; ‹kwaad› *mauvais*; *méchant* ⋆ zich op het ~e pad begeven *s'engager sur la mauvaise voie*; *mal tourner* ⋆ een ~e keus maken *faire un mauvais choix* ⋆ dat loopt ~ af *ça va mal se terminer* ⋆ het weer wordt ~er *le temps se gâte* ⋆ een ~ karakter hebben *avoir mauvais caractère* ▾ een ~ huis *un mauvais lieu* **II** BIJW niet goed *mal* ⋆ het gaat ~ met de zieke *l'état du malade s'aggrave* ⋆ dat ziet er ~ uit *ça s'annonce mal* ⋆ hoe langer hoe ~er *de plus en plus mal*; *de mal en pis*
slechten • effen maken *aplanir* • slopen *démolir*; *raser*
slechterik *méchant* m
slechtheid ‹v. kwaliteit› *mauvaise qualité* v; *méchanceté* v; *perversité* v
slechthorend *dur d'oreille* ⋆ de ~en *les malentendants* m mv
slechts *seulement*; *ne ... que* ⋆ nog ~ *ne ... plus que* ⋆ niet ~ *ne ... pas que*
slechtvalk *faucon* m *pèlerin*
slechtziend *malvoyant*; *qui a la vue faible*
sledehond *chien* m *de traîneau*
slee • voertuig *traîneau* m [mv: *traîneaux*]; ‹klein› *luge* v • grote auto *grosse bagnole* v
sleedoorn *prunellier* m
sleeën *faire de la luge*
sleehak *semelle* v *compensée*
sleep • deel van gewaad *traîne* v • gevolg *suite* v; *train* m ⋆ een ~ kinderen *une ribambelle d'enfants* • vaar-/voertuig ‹auto› *voiture* v *en remorque*; ‹schepen› *bateau* m *en remorque* ⋆ een ~auto *une auto-grue*; *une dépanneuse*
sleepauto *auto-grue* v
sleepboot *remorqueur* m
sleepdienst *service* m *de remorquage*
sleep-in *hôtel-dortoir* v
sleepkabel *câble* m *de remorque*
sleepketting ‹v. auto› *chaîne* v *de remorquage*
sleeplift *remonte-pente* m [mv: *remonte-pentes*]; *téléski* m
sleepnet *traîne* v; *chalut* m
sleeptouw *câble* m *de remorque*; ‹v. ballon› *guiderope* m ⋆ op ~ nemen *prendre en remorque* ▾ iemand op ~ nemen *entraîner qn*
sleepvaart *remorquage* m
sleets *qui use vite ses vêtements/ses chaussures* ⋆ die jongen is erg ~ *ce garçon use tout ce qu'il porte*
slempen *ripailler*; *faire bombance*
slemppartij *ripaille* v
slenk *fossé* m; *effondrement* m
slenteren *flâner*; ‹verveeld› *traîner* ⋆ over straat ~ *traîner dans les rues*; *battre le pavé*
slentergang *démarche* v *lente*; *pas* m *nonchalant*
slepen I OV WW voortslepen *traîner*; *tirer*; ‹met sleeptouw› *remorquer* ⋆ gesleept worden *se faire remorquer* ▾ dat is er met de haren bij gesleept *c'est tiré par les cheveux* **II** ON WW • over de grond gaan *traîner (par terre)* • traag verlopen ⋆ de tijd sleept voort *le temps ne passe pas*
sleper *traîneur* m [v: *traîneuse*]; ‹schip› *remorqueur* m
slet *traînée* v; *coureuse* v
sleuf • groef *rainure* v; *cannelure* v; ‹geleidend› *coulisse* v • opening *fente* v
sleur *routine* v; *train-train* m ⋆ in de ~ blijven *s'encroûter* ⋆ de alledaagse ~ *le train-train quotidien*
sleuren I OV WW voortslepen *traîner* ▾ door het slijk ~ *traîner dans la boue* **II** ON WW traag voortgaan *traîner*
sleurwerk • langzaam vorderend werk *travail* m *qui n'avance pas* • routinewerk *travail* m *de routine*
sleutel • werktuig dat slot opent *clé/clef* v • gereedschap ⋆ Engelse ~ *clef anglaise* ⋆ Duitse ~ *clef forée*
sleutelbeen *clavicule* v
sleutelbloem *primevère* v
sleutelbos *trousseau* m *de clefs*
sleutelen *bricoler*
sleutelfiguur *personnage-clé* m [mv: *personnages-clés*]
sleutelfunctie *fonction-clé* v [mv: *fonctions-clés*]
sleutelgat *trou* m *de serrure*
sleutelgeld *reprise* v; *pas* m *de porte*
sleutelhanger *porte-clés* m [onv]
sleutelkind *enfant* m/v *à la clef*
sleutelpositie *position-clé* v [mv: *positions-clés*]
sleutelring *porte-clés* m [onv]
sleutelrol *rôle-clé* m [mv: *rôles-clés*]
sleutelwoord *mot-clé* m [mv: *mots-clés*]

slib • bezinksel *boue* v • slijk *vase* v; *limon* m
slibberig *glissant*
sliding • roeibankje *banc* m *de nage* • glijbeweging *tacle* m
sliert • lange rij *file* v • heleboel ⋆ een ~ kinderen *une flopée d'enfants* • neerhangend iets ⋆ een ~ haar *une vilaine mèche* • lange slungel *perche* v
slijk • modder *boue* v • aangeslibde grond *vase* v; *limon* m ⋆ in het ~ blijven steken *rester dans la boue* ▾ iemand door het ~ halen *traîner qn dans la boue* ▾ het ~ der aarde *le vil métal* ▾ uit het ~ halen *tirer du ruisseau*
slijm *glaire* v; ‹vocht› *bave* v; MED. *mucosité* v
slijmafscheiding *sécrétion* v *de mucus*
slijmbal ≈ *lécheur* m [v: *lécheuse*]
slijmbeurs *bourse* v *synoviale*
slijmen • aanpappen *faire de la lèche* • slijm opgeven *cracher*
slijmerd INF. *lèche-cul* m [mv: *lèche-culs*]
slijmerig *glaireux* [v: *glaireuse*]; *muqueux* [v: *muqueuse*]
slijmjurk *lèche-cul* m [mv: *lèche-culs*]
slijmlaag *couche* v *muqueuse*
slijmvlies *muqueuse* v
slijmvliesontsteking *inflammation* v *des muqueuses*
slijpen • scherp maken *aiguiser*; *affûter* • polijsten *polir*; ‹v. diamanten› *tailler* • graveren *graver*
slijper *émouleur* m; ‹m.b.t. diamanten› *tailleur* m
slijpsteen *pierre* v *à aiguiser*
slijtage *usure* v
slijtageslag *guerre* v *d'usure*
slijten I OV WW • verslijten *user* • tijd doorbrengen *passer* ⋆ z'n laatste dagen in de bergen ~ *finir ses jours à la montagne* • verkopen *débiter* II ON WW achteruitgaan *s'user*
slijter *marchand* m *de vins et spiritueux*
slijterij *magasin* m *de vins et spiritueux*
slijtplek *endroit* m *usé*
slijtvast *inusable*; *résistant à l'usure*
slik *boue* v
slikken • doorslikken *avaler*; *prendre* ⋆ pillen ~ *avaler*/*prendre des pilules* • aanvaarden *avaler*; *accepter* ⋆ hij moet heel wat ~ *il en voit de toutes les couleurs*
slikreflex *réflexe* m *de déglutition*
slim I BNW vindingrijk *malin* [v: *maligne*]; *ingénieux* [v: *ingénieuse*]; ‹listig› *malin* [v: *maligne*]; *futé*; *astucieux* [v: *astucieuse*] ⋆ iem. te slim af zijn *mettre qn dans sa poche* ⋆ een slimme vrouw *une femme intelligente* ⋆ dat is niet erg slim van hem *ce n'est pas bien malin de sa part* ⋆ hij was zo slim om *il a eu la présence d'esprit de* ▾ een slimme vos *un fin renard* II BIJW vindingrijk *astucieusement*; ‹listig› *d'un air malin*
slimheid *habileté* v; *finesse* v; *intelligence* v; PEJ. *ruse* v
slimmerik *finaud* m; *fine mouche* v; *futé* m
slimmigheid • foefje *astuce* v; PEJ. *ruse* v; *finesse* v • het slim zijn *habileté* v; *intelligence* v; PEJ. *ruse* v

S

slinger • het slingeren *oscillation* v • zwengel *manivelle* v • deel van klok *balancier* m • versiering *guirlande* v
slingeraap *atèle* m
slingeren I OV WW • werpen *lancer*; *jeter* • winden om *enrouler autour de* II ON WW • zwaaien *osciller*; *se balancer* • waggelen *zigzaguer* • kronkelen *zigzaguer*; *serpenter* • SCHEEPV. *rouler* • ordeloos liggen *traîner* ▾ heen en weer geslingerd worden tussen vrees en hoop *balancer entre la crainte et l'espoir*
slingerplant *plante* v *grimpante*
slingeruurwerk *pendule* v; *horloge* v *à balancier*
slingerweg *chemin* m *tortueux*
slinken *amoindrir*; *décroître*; *diminuer*
slinks I BNW *sournois*; ‹v. zaak› *détourné* ⋆ ~e streek *ruse* v; *subterfuge* m II BIJW *sournoisement*; *d'une façon détournée*
slip • afhangend deel *pan* m; ‹v. jas› *basque* v; ‹v. das› *bout* m • onderbroek *slip* m • uitglijding *dérapage* m
slipcursus *cours* m *antidérapage*
slipgevaar *risque* m *de dérapage* ⋆ weg met ~ ‹op verkeersbord› *chaussée* v *glissante*
slip-over *débardeur* m
slippen I ZN *dérapage* m II ON WW • doorschieten *déraper*; *glisser* ⋆ die niet kan ~/slipwerend *antidérapant* • uitglijden *glisser*; *s'échapper*
slipper *sandale* v
slippertje *escapade* v ⋆ een ~ maken *faire une escapade amoureuse*
slipstream SP. *aspiration* v; FIG. *sillage* m
slissen *chuinter*
slobberen I OV WW slurpen, lebberen *avaler bruyamment*; ‹v. dieren› *laper*; ‹v. mensen› *lamper* II ON WW flodderig zitten *flotter*; *être trop large*
slobbertrui *pull-over* m *flottant* [m mv: *pulls-overs* ...]
slobeend *souchet* m
sloddervos *négligent* m [v: *négligente*]; *débraillé* m
sloeber • stakker *(pauvre* m*) bougre* • smeerlap *vaurien* m
sloep • kleine boot *chaloupe* v [m mv: *bateaux* ...] • reddingsboot *bateau* m *de sauvetage* [m mv: *bateaux de sauvetage*]
sloerie *salope* v
slof • pantoffel *pantoufle* v; *savate* v; ‹oosters› *babouche* v • pak sigaretten *cartouche* v ▾ het vuur uit zijn sloffen lopen *se mettre en quatre* ▾ uit zijn slof schieten *se laisser aller*; *se risquer à son tour*
sloffen I OV WW verwaarlozen *négliger*; *se ficher de* II ON WW lopen *traîner les pieds*
slogan *slogan* m
slok • het slikken *trait* m; *coup* m ⋆ in één slok *d'un trait*; *d'un coup* • een keer slikken *gorgée* v
slokdarm *oesophage* m
slokken *avaler gloutonnement*; *engloutir*; *dévorer*
slokop *goinfre* m/v; *glouton* m [v: *gloutonne*]
slome *lambin* m; *traînard* m

slons *sans-soin* m/v [onv]; *souillon* v
slonzig I BNW *débraillé*; *négligé* II BIJW *négligemment*
sloof *boniche* v; *bonne* v *à tout faire*
sloom I BNW *lent*; *mou* [v: *molle*] [onr: *mol*]; ‹v. karakter› *lambin* II BIJW *lentement*; *mollement*
sloop • het slopen *démolition* v • sloperij *casse* v ★ naar de ~ sturen *envoyer à la ferraille* • kussensloop *taie* v *d'oreiller*
sloopauto *voiture* v *bonne pour la casse*
sloopkogel *boulet* m *de démolition*
slooppand *bâtiment* m *à démolir*
sloot *fossé* m
slootjespringen *sauter les fossés*
slootwater *eau* v *de vaisselle*
slop • steegje *impasse* v; *cul-de-sac* m [mv: *culs-de-sac*] • impasse ★ in het slop raken *être dans une impasse*
slopen • afbreken *démolir*; *raser* • uitputten *épuiser* ★ ~d werk *un travail épuisant*
sloper *démolisseur* m; *entrepreneur* m *de démolitions*
sloperij *chantier* m *de démolitions*; ‹voor auto's› *casse* v
slopersbedrijf *entreprise* v *de démolitions*; ‹auto› *entreprise* v *de casse*
sloppenwijk *bidonville* m; *quartier* m *très pauvre*
slordig I BNW • onverzorgd *peu soigné*; ‹v. uiterlijk› *débraillé*; *négligé* ★ ~ zijn op zichzelf *se négliger* • onnauwkeurig *négligent*; *nonchalant*; *peu soigné* • ruim *environ* ★ het kost een ~e 2 miljoen *ça coûte environ 2 millions* II BIJW *négligemment*; *avec négligence* ★ iets ~ afmaken *bâcler qc*
slordigheid • iets slordigs *négligence* v • onverzorgdheid *négligence* v; *nonchalance* v; ‹v. kleren› *débraillé* m
slot • sluiting *serrure* v; ‹v. dagboek, halsketting e.d.› *fermoir* m; ‹hangslot› *cadenas* m ★ achter slot *sous clef* ★ achter slot en grendel zetten *mettre sous les verrous*; *écrouer* ★ iets op slot doen *fermer qc à clef* • einde *fin* v; *conclusion* v; ‹v. muziekstuk› *finale* m • kasteel *château* m ▾ iemand een slot op de mond doen *imposer le silence à qn*; *bâillonner qn*
slotakkoord MUZ. *accord* m *final*
slotakte • laatste akte *dernier acte* m • resultaat van conferentie *accords* m mv
slotbijeenkomst *réunion* v *finale*
slotenmaker *serrurier* m
slotgracht *douve* v
slotkoers *cours* m *de clôture*
slotopmerking *remarque* v *finale*
slotsom *conclusion* v
slotverklaring *déclaration* v *finale*
slotwoord • afsluitende woorden *discours* m *de clôture* • epiloog *épilogue* m
slotzin *dernière phrase* v
Sloveen *Slovène* m/v
Sloveens *slovène*
Slovenië *la Slovénie* v
Slowaak *Slovaque* m/v
Slowaaks I ZN *slovaque* m II BNW *slovaque*
Slowakije *la Slovaquie* ★ in ~ *en Slovaquie*

slow motion *ralenti* m ★ een filmscène in ~ *une séquence au ralenti*
sluier *voile* m; ‹kort› *voilette* v; ‹rouwsluier› *crêpe* m
sluierbewolking *nébulosité* v *légère*; *ciel* m *voilé*
sluieren *voiler*
sluik ‹v. kleding› *tombant*; ‹v. haar› *plat*
sluikhandel *contrebande* v
sluikreclame *publicité* v *clandestine*
sluimer *somnolence* v
sluimeren • licht slapen *sommeiller* • latent aanwezig zijn *être latent*; *sommeiller*
sluimering *assoupissement* m; *somnolence* v
sluipen • lopen *se glisser*; *se faufiler* • ongemerkt opkomen *se glisser* ★ er is een fout in de berekening geslopen *il s'est glissé une faute dans le calcul*
sluipmoord ≈ *assassinat* m
sluipmoordenaar ≈ *assassin* m
sluiproute *chemin* m *détourné*
sluipschutter *tireur* m *d'élite (embusqué)*
sluipverkeer ≈ *circulation* v *qui évite les encombrements*
sluipweg • stille weg ≈ *route* v *qu'on suit pour éviter les encombrements* • oneerlijk middel *détour* m ★ langs ~en een doel bereiken *atteindre un but par des moyens détournés*
sluis *écluse* v
sluisdeur *porte* v *d'écluse*
sluisgeld *coût* m *d'éclusage*
sluiswachter *éclusier* m
sluiten I OV WW • dichtdoen *fermer* • opbergen *enfermer* ★ iem. in zijn armen ~ *serrer qn dans ses bras* ★ iets in de kast ~ *enfermer qc dans l'armoire* • beëindigen *arrêter*; *terminer* ★ een debat ~ *clore un débat* ★ een vergadering ~ *lever une séance* • aangaan ★ vrede ~ *faire la paix*; *conclure la paix* ★ een akkoord/een contract ~ *passer un accord/un contrat* ▾ de hielen ~ *joindre les talons* II ON WW • dichtgaan *fermer* • ten einde lopen *(se) terminer*
sluiter *obturateur* m
sluitertijd *temps* m *d'obturateur*
sluiting • het sluiten *fermeture* v; ‹v. vergadering› *clôture* v; *levée* v *(de séance)* • iets dat sluit *fermeture* v; ‹v. tas, halsketting e.d.› *fermoir* m
sluitingsdatum *date* v *de fermeture*
sluitingstijd *heure* v *de fermeture*
sluitpost *appoint* m ★ als ~ dienen *servir de bouche-trou* m
sluitspier *sphincter* m
sluitstuk *culasse* v
sluizen • SCHEEPV. *écluser* • overbrengen *transférer*
slungel *grande perche* v; *grande asperge* v; *échalas* m
slungelig *dégingandé*
slurf • flexibele buis ‹v. vliegtuig› *passerelle* v *télescopique* • lange snuit *trompe* v
slurpen *boire en faisant du bruit*
sluw I BNW *rusé*; *astucieux* [v: *astucieuse*]; *malin* [v: *maligne*] II BIJW *d'une manière rusée*
sluwheid *astucité* v; *ruse* v

SM sadomasochisme *SM* m; *sadomasochisme* m
smaad *diffamation* v ★ iem. aanklagen wegens ~ *déposer une plainte en diffamation contre qn*
smaak • zintuig *goût* m • wat men proeft *goût* m; *saveur* v ★ een gerecht op ~ brengen *assaisonner un plat* • schoonheidszin *goût* m • voorkeur ★ in de ~ vallen *plaire* ★ dat is naar haar ~ *c'est à son goût* • graagte, genoegen *appétit* m ★ met ~ eten *manger avec appétit* ▾ de ~ van iets te pakken hebben *prendre goût à qc*
smaakje • bijsmaak *petit goût* m • smaakstof *aromatisant* m
smaakmaker • smaakstof *aromatisant* m • trendsetter *lanceur* m *de mode* [v: *lanceuse* ...]
smaakpapil *papille* v *gustative*
smaakstof *aromatisant* m
smaakvol I BNW *de bon goût*; *du meilleur goût* II BIJW *avec (beaucoup de) goût*
smaakzin *goût* m
smachten • verlangen *désirer ardemment* ★ ~ naar iets *soupirer après qc* • kwijnen *se flétrir* ★ ~ van dorst *mourir de soif*
smachtend I BNW • kwijnend *languissant* • verlangend *langoureux* [v: *langoureuse*] ★ ~e blikken *des regards langoureux* II BIJW *d'une manière languissante*
smadelijk I BNW *honteux* [v: *honteuse*] II BIJW *honteusement*
smak • klap *choc* m; *coup* m • val *lourde chute* v • smakkend geluid *bruit* m *de bouche*
smakelijk I BNW lekker *délicieux* [v: *délicieuse*]; *appétissant* II BIJW lekker *délicieusement*; *savoureusement*; *avec appétit* ★ eet ~! *bon appétit!* ▾ ~ lachen *rire de bon cœur*
smakeloos I BNW *de mauvais goût* II BIJW *sans goût*
smaken I OV WW genieten *goûter*; *éprouver* II ON WW • smaak hebben *avoir le goût de*; *avoir du goût* ★ die wijn smaakt *ce vin est très bon*; *ce vin a du goût* • naar de zin zijn ★ het heeft me goed gesmaakt *j'ai bien mangé*; *j'ai mangé de bon appétit* • ~ **naar** *avoir un goût de* ★ dat smaakt naar ui *ça a un goût d'oignon*; *ça sent l'oignon*
smakken I OV WW smijten *balancer*; *flanquer par terre* II ON WW • vallen *tomber lourdement* • hoorbaar eten *faire du bruit en mangeant* ▾ de deur dicht~ *claquer la porte*
smal *étroit*
smaldeel *escadre* v; *flottille* v
smalen *parler avec condescendance*; *dénigrer*
smalend I BNW *dédaigneux* [v: *dédaigneuse*]; *condescendant* II BIJW *avec condescendance*; *avec mépris*
smalfilm *film* m *de format réduit*
smalltalk *bavardage* m
smaragd *émeraude* v
smart *douleur* v; *souffrance* v
smartcard *carte* v *à mémoire*
smartelijk I BNW *douloureux* [v: *douloureuse*]; *tragique* II BIJW *douloureusement*; *tragiquement*
smartengeld *réparation* v *pour préjudice moral*; ‹in paardensport› *forfait* m
smartlap *chanson* v *mélo*
smash SPORT *smash* m
smeden • bewerken *forger* ★ gloeiend ~ *forger à chaud* • uitdenken *forger*; *créer*; ‹beramen› *machiner*
smederij *forge* v
smeedijzer • smeedbaar ijzer *fer* m *forgeable* • gesmeed ijzer *fer* m *forgé*
smeedwerk *objets* m mv *en fer forgé*
smeekbede *supplication* v
smeer • smeersel *graisse* v; ‹vervuild wagensmeer› *cambouis* m • vuil *crasse* v
smeerbaar *tartinable*
smeerboel *saleté* v; *crasse* v
smeergeld *pots-de-vin* m mv
smeergeldaffaire *affaire* v *des pots-de-vin*; *affaire* v *des dessous-de-table*
smeerkaas *fromage* m *fondu*
smeerlap • smeerpoets *cochon* m [v: *cochonne*]; *dégueulasse* v • gemeen persoon *salaud* m; *salope* v
smeerlapperij • viezigheid *cochonnerie* v • gemeenheid *saloperie* v
smeerolie *huile* v *de graissage*
smeerpijp *cochon* m [v: *cochonne*]; *dégueulasse* v
smeerpoets *cochon* m
smeersel *pommade* v
smeken *supplier (qn de faire qc)*; *implorer (qc de qn)*
smeltbaar *fusible*
smelten I OV WW vloeibaar maken *faire fondre* II ON WW • vloeibaar worden *fondre* ★ suiker smelt in water *le sucre se dissout dans l'eau* • weemoedig worden *fondre*
smeltkroes • kroes *creuset* m • bont geheel *creuset* m; *melting-pot* m [mv: *melting-pots*]
smeltpunt *point* m *de fusion*
smeltsneeuw *neige* v *fondante*
smeltwater *eau* v *de fonte*
smeren I ZN *graissage* m; *lubrification* v II OV WW • invetten *graisser*; *lubrifier*; ‹met olie› *huiler*; ‹met boter› *beurrer* • uitstrijken *étendre* ▾ 'm ~ *filer*; *se tirer*
smerig I BNW • vuil *sale*; *crasseux* [v: *crasseuse*]; *dégueulasse* • schunnig *sale*; *sordide* • gemeen *méchant* ★ een ~e streek *un coup méchant* II BIJW • vuil *salement* • schunnig *sordidement*; *d'une façon obscène* • gemeen *méchamment*
smeris *poulet* m; *flic* m; ARG. *keuf*
smet • vlek *tache* v; *salissure* v • schandvlek *tache* v; *souillure* v ★ een smet werpen op *noircir*; *porter atteinte à*
smetteloos *propre*; *sans tache*; FIG. *irréprochable*
smetvrees *phobie* v *des microbes*
smeuïg • zacht *crémeux* [v: *crémeuse*]; *onctueux* [v: *onctueuse*] • smakelijk *savoureux* [v: *savoureuse*]
smeulen • gloeien *couver sous la cendre* • broeien *couver*
smid • handwerksman *forgeron* m • hoefsmid *maréchal* m *ferrant*

smidse *forge* v

smiecht • gemenerik *crapule* v • slimmerik *malin* m [v: *maligne*]

smiezen ▾ iets in de ~ hebben *piger qc* ▾ iemand in de ~ hebben *avoir qn dans le collimateur*; *voir clair dans le jeu de qn*

smijten *flanquer*; *ficher* ★ iem. iets naar het hoofd ~ *jeter qc. à la tête de qn*

smikkelen *se régaler (de)*

smoel *gueule* v

smoes *prétexte* m; *faux-fuyant* m [mv: *faux-fuyants*]

smoezelig *sali*; *défraîchi*; FIG. *douteux* [v: *douteuse*]

smoezen *raconter des histoires*; *chuchoter* ★ met elkaar ~ *bavarder*; *faire des messes basses*

smog *smog* m

smogalarm *discipline* v *de base*

smoking *smoking* m ★ in ~ *en smoking*

smokkel *contrebande* v; *trafic* m

smokkelaar *contrebandier* m [v: *contrebandière*]; ‹v. mensen› *passeur* m

smokkelarij *contrebande* v; *trafic* m

smokkelen I OV WW heimelijk vervoeren *trafiquer* II ON WW • heimelijk vervoeren *faire de la contrebande*; *passer des marchandises en fraude* • regels ontduiken *frauder*; *tricher*

smokkelhandel *contrebande* v

smokkelroute *route* v *de contrebande*

smokkelwaar *marchandise* v *de contrebande*

smoor ▾ er de ~ in hebben *être en rogne* ▾ de ~ hebben aan *avoir horreur de qc*; *ne pas pouvoir sentir qn* ▾ ~ zijn op iemand *être fou de qn*

smoorheet *étouffant*; *accablant* ★ het is ~ hier! *on étouffe ici!*

smoorverliefd I BNW *follement amoureux* [v: *follement amoureuse*] II BIJW *amoureusement*

smoren I OV WW • verstikken *étouffer*; *étrangler* • gaar laten worden *braiser*; *étuver* II ON WW stikken *étouffer*

smörgåsbord *repas* m *suédois se composant de canapés*

smoushond *griffon* m

smullen ★ ~ van een verhaal *se régaler d'un récit*

smulpaap *gourmand* m [v: *gourmande*]

smulpartij *festin* m

smurf *schtroumpf* m

smurrie *crasse* v; ‹v. modder› *gadoue* v

snaaien *barboter*; *chiper*

snaak • guit *farceur* m [v: *farceuse*]; *loustic* m • vent *gaillard* m; *type* m; *oiseau* m; *zèbre* m

snaaks *drôle*

snaar *corde* v

snaarinstrument *instrument* m *à cordes*

snack *snack* m; *coupe-faim* m [onv]

snackbar *snack* m; *snack-bar* m [mv: *snack-bars*]

snakken • verlangen ★ ~ naar *aspirer à* • benauwd happen ≈ *haleter* ★ naar adem ~ *être essoufflé*

snappen • begrijpen *comprendre*; *piger* ★ snap je? *tu piges?* ★ hij snapt er niets van *il n'y comprend rien*; *il n'y pige rien* • betrappen *attraper*; *piquer*

snars ★ geen ~ *rien du tout* ★ het kan hem geen ~ schelen *il en a rien à cirer*; *il s'en moque comme de l'an quarante*

snater *bec* m ★ hou je ~! *la ferme!*; *ta gueule!*

snateren • kwaken ‹v. gans› *cacarder*; ‹v. eend› *cancaner*; ‹v. vogels› *criailler* • kwebbelen *jacasser*

snauw *coup* m *de bec* ★ iem. een ~ geven *rabrouer qn*

snauwen I OV WW op bijtende wijze toevoegen *dire d'un ton hargneux* II ON WW bits spreken *rudoyer* ★ tegen iem. ~ *rembarrer qn*; *envoyer qn sur les roses*

snauwerig *hargneux* [v: *hargneuse*]

snavel *bec* m

snedig I BNW *sagace*; *judicieux* [v: *judicieuse*] ★ ~ antwoord *repartie* v II BIJW *promptement*; *judicieusement* ★ ~ antwoorden *riposter* ★ ~ kunnen antwoorden *avoir l'esprit d'à-propos*

snee • insnijding *incision* v; *entaille* v • snijwond *coupure* v; *plaie* v; ‹in gezicht ook› *estafilade* v • plak *tranche* v ★ een snee brood *une tranche de pain* • scherpe kant *tranchant* m • snijvlak *section* v ★ goud op snee *doré sur tranche*

sneer *coup* m *de bec*

sneeren *lancer des piques*

sneeuw *neige* v ★ natte ~ *de la neige fondue* ★ eeuwige ~ *les neiges éternelles*

sneeuwbal *boule* v *de neige*

sneeuwbaleffect ▾ het is een ~ *ça fait boule de neige*

sneeuwballengevecht *combat* m *de boules de neige*

sneeuwband *pneu* m *de neige*

sneeuwblind *ébloui par la neige*

sneeuwbril *lunettes* v mv *de ski*

sneeuwbui *chute* v *de neige*

sneeuwen *neiger* ★ het sneeuwt *il neige*

sneeuwgrens *limite* v *des neiges*

sneeuwjacht *tourmente* v *de neige*

sneeuwkanon *canon* m *à neige*

sneeuwketting *chaîne* v *(antidérapante)* ★ banden met ~en *pneus* m mv *chaînés*

sneeuwklokje *perce-neige* m [onv]

sneeuwlandschap • landschap *paysage* m *sous la neige* • schilderij enz. *paysage* m *de neige*

sneeuwman *bonhomme* m *de neige*

sneeuwploeg • sneeuwruimers *équipe* v *de déneigement* • machine *chasse-neige* m [onv]

sneeuwpop *bonhomme* m *de neige*

sneeuwschuiver • schop *pelle* v • auto *chasse-neige* m [onv]

sneeuwstorm *tempête* v *de neige*

sneeuwuil *harfang* m

sneeuwvakantie *vacances* v mv *de neige*

sneeuwval • neerslag *chute* v *de neige* • lawine *avalanche* v

sneeuwvlok *flocon* m *de neige*

sneeuwvrij *désenneigé*

sneeuwwit *blanc comme la neige*; *neigeux* [v: *neigeuse*]

Sneeuwwitje *Blanche-Neige* v

sneeuwzeker ‹v. gebied› *skiable*

snel I BNW vlug *rapide*; *prompt* ★ een snelle

S

pols *un pouls rapide/élevé* ★ in snelle vaart *à toute vitesse* ★ snel van begrip zijn *avoir l'esprit agile* ★ sneller dan het geluid *supersonique* II BIJW • vlug *vite*; *rapidement*; *à toute vitesse* ★ snel praten *parler très vite* • gauw *vite*

snelbinder *tendeur* m

snelbuffet *self-service* m

snelbus *bus* m *rapide*

sneldicht *épigramme* v

snelfiltermaling *moulage* m *spécial-filtre*

snelheid • het snel gaan *rapidité* v; *vitesse* v ★ ~ van begrip *agilité* v *d'esprit* ★ ~ van spreken *volubilité* v • vaart *vitesse* v ★ op volle ~ *à toute vitesse* ★ met een ~ van 100 km per uur *à une allure de 100 km par heure*

snelheidsbegrenzer *limitateur* m *de vitesse*

snelheidsduivel *fou* m *du volant*

snelheidslimiet *limitation* v *de vitesse*

snelheidsovertreding *excès* m *de vitesse*

snelkoker *bouilloire* v *électrique*; ‹onder druk› *autocuiseur* m

snelkookpan *cocotte-minute* v [mv: *cocottes-minutes*]; *autocuiseur* m

snelkookrijst *riz* m *à cuisson rapide*

snellekweekreactor *surrégénérateur* m

snellen *accourir*; *s'élancer*; *se précipiter*

snelrecht *comparution* v *immédiate*

snelschaken *jouer une partie d'échecs rapide*

sneltram *tram(way)* m *rapide*

sneltrein *(train* m*) express*; *(train* m*) rapide*; *train* m *direct*

sneltreinvaart *grande vitesse* v ★ in ~ *à toute allure*

snelverband *pansement* m *de secours*

snelverkeer *circulation* v *rapide*

snelvuur *rafale* v

snelvuurwapen *mitrailleuse* v

snelwandelen I ZN *marche* v *athlétique* II ONV WW ★ hij doet aan ~ *il fait de la marche athlétique*

snelweg *autoroute* v

snerpen • schril klinken *percer* • striemen ‹v. kou› *cingler*; ‹v. pijn› *cuire* ★ een ~de kou *un froid cinglant*

snert • erwtensoep *soupe* v *aux pois* • troep *camelote* v ★ wat ze tegenwoordig verkopen is ~ *c'est de la camelote ce qu'ils vendent aujourd'hui* ▾ dat is ~ *c'est des blagues*

snert- *fichu*

sneu *fâcheux* [v: *fâcheuse*] ★ wat sneu! *comme c'est dommage* ★ sneu kijken *avoir l'air déconfit*

sneuvelen • omkomen *mourir (à la guerre)* • stukgaan *se briser*; *se casser*

snibbig I BNW *aigre*; *hargneux* [v: *hargneuse*] II BIJW *hargneusement*

sniffen *renifler*; *souffler bruyamment*

snijbloem *fleur* v *coupée*

snijboon *haricot* m *mange-tout*

snijbrander *chalumeau* m *(autogène)*

snijdbaar *sécable*

snijden I OV WW • af-/uitsnijden *couper*; ‹v. kleed› *tailler*; *découper* ★ in stukken ~ *couper en morceaux* • een snijpunt hebben *couper* ★ a snijdt b in c *la ligne a coupe la ligne b en C* • opzijdringen *faire une queue de poisson* • castreren *châtrer* II ON WW pijn veroorzaken *couper*; *cingler* ▾ er zal flink in de overheidsuitgaven gesneden moeten worden *une sérieuse réduction des dépenses publiques sera nécessaire*

snijdend • doordringend *aigu* [v: *aiguë*]; *perçant* ★ een ~e kou *un froid pénétrant* ★ een ~e wind *un vent âpre* • pijn veroorzakend *aigu* [v: *aiguë*]

snijmachine *coupeuse* v; ‹v. boekbinder› *rogneuse* v

snijplank *planche* v *à découper*

snijpunt *point* m *d'intersection*; *intersection* v

snijroos *rose* v *coupée*

snijtafel *table* v *de dissection*

snijtand *incisive* v

snijvlak • snijdend deel *tranchant* m • doorsnede *plan* m *d'intersection*

snijwerk • versiering *ciselures* v mv • kunstwerk *sculpture* v

snijwond *coupure* v

snik *sanglot* m ★ in snikken uitbarsten *éclater en sanglots* ▾ de laatste snik geven *rendre son dernier soupir*

snikheet *étouffant* ★ het is ~ *il fait une chaleur étouffante*

snikken *sangloter*

snip *bécasse* v

snipper *rognure* v ★ ~s papier *des rognures de papier*

snipperdag *jour* m *de congé* ★ (verplichte) ~(en) opnemen tussen feestdag(en) en weekeinde *faire le pont*

snipperen *couper en petits morceaux*

snipverkouden *très enrhumé*

snit *coupe* v; *façon* v ★ naar de laatste snit *du dernier cri*

snob *snob* m/v

snobisme *snobisme* m

snobistisch *snob*

snoeien • afknippen *tailler*; *émonder* • inkorten ★ ~ in een begroting *rogner sur un budget*

snoeimes ‹op stok› *ébranchoir* m; *serpe* v; *serpette* v

snoeischaar *sécateur* m

snoek *brochet* m

snoekbaars *sandre* m/v

snoekduik *saut* m *carpé*

snoep *bonbons* m mv; *friandises* v mv

snoepautomaat *distributeur* m *de bonbons*

snoepen I OV WW iets lekkers eten *manger* II ON WW heimelijk eten *manger (qc.) en cachette* ▾ van ~ houden *aimer les friandises*

snoeper • iemand die snoept *amateur* m *de sucreries* • flirt *coureur* m *de jupons*

snoepgoed *bonbons* m mv; *friandises* v mv

snoepje *bonbon* m

snoeplust *gourmandise* v

snoepreisje *petit voyage* m *d'agrément*

snoer • koord *cordon* m; ‹hengelsnoer› *ligne* v ★ elektrisch ~ *fil* m *électrique* • streng *collier* m

snoeren *attacher avec une corde*

snoerloos *sans fil*

snoes *chou* m [mv: *choux*] ★ een ~ van een

kind *un amour d'enfant*
snoeshaan ⋆ vreemde ~ *un drôle de type; un drôle de zèbre; un drôle d'ostrogoth*
snoet *museau* m [mv: *museaux*]; ‹gezicht› *frimousse* v ⋆ een leuk ~je *une jolie frimousse*
snoeven *faire le fanfaron*
snoever *fanfaron* m [v: *fanfaronne*]
snoezig *mignon* [v: *mignonne*]; *adorable*
snol *grue* v
snood I BNW *odieux* [v: *odieuse*]; *méchant* ⋆ snode plannen *des plans odieux; de noirs desseins* II BIJW *odieusement*
snoodaard *méchant* m; *canaille* v; *crapule* v
snooker *jeu* m *de billard américain; jeu* m *de snooker*
snor *moustache* v; ‹v. dier› *moustaches* v mv ⋆ een snor hebben *porter la moustache* ▾ dat zit wel snor *c'est dans la poche*
snorder *maraudeur* m
snorfiets *cyclomoteur* m
snorhaar *poil* m *de moustache*
snorkel *tuba* m
snorkelen *nager avec un tuba*
snorren ‹v. vlieg› *bourdonner; ronfler*; ‹v. motor› *vrombir*; ‹v. kat› *ronronner*
snot *morve* v; *mouchure* v
snotaap *morveux* m [v: *morveuse*]
snotneus • loopneus *nez* m *qui coule* • snotaap *galopin* m; *morveux* m [v: *morveuse*]
snottebel *chandelle* v
snotteren • neus ophalen *renifler* • huilen *pleurnicher*
snotverkouden *très enrhumé*
snowboard *snowboard* m
snowboarden *faire du snowboard*
snuffelaar *fouineur* m [v: *fouineuse*] ⋆ ~ in oude boeken *fureteur* m [v: *fureteuse*]; *rat* m *de bibliothèque*
snuffelen • speuren *fouiller; fureter* ⋆ altijd in boeken ~ *avoir toujours le nez dans les livres* • ruiken *flairer*
snuffelpaal *poteau* m *renifleur*
snuffen *renifler*
snufferd *pif* m ⋆ het staat vlak voor je ~! *il est sous ton nez*
snufje • klein beetje ⋆ een ~ zout *une pincée de sel* • nieuwigheidje *gadget* m ⋆ het nieuwste ~ *la dernière trouvaille*
snugger I BNW *éveillé; malin* [v: *maligne*] ⋆ dat is ook ~! *ce n'est pas bien malin* II BIJW ‹spottend› *intelligemment*
snuif *tabac* m *à priser*
snuifje *pincée* v
snuisterij *bibelot* m ⋆ een handelaar in ~en *un bimbelotier*
snuit • gezicht *bec* m; *gueule* v • deel van kop *museau* m [mv: *museaux*]; ‹v. varken› *groin* m
snuiten *moucher* ⋆ zijn neus ~ *se moucher*
snuiter *hurluberlu* m; *individu* m; *type* m ⋆ een rare ~ *un drôle d'oiseau*
snuiven I OV WW tabak/cocaïne gebruiken *priser; snif(f)er* II ON WW • de neus ophalen *renifler* • ademen *respirer bruyamment*; ‹v. paard› *s'ébrouer*
snurken *ronfler*
soa seksueel overdraagbare aandoening *M.S.T.* v; *(maladie sexuellement transmissible)*
soap ‹tv› *soap-opéra*
soap opera *feuilleton* m *télévisé mélo*
sober *sobre*
sociaal *social* [m mv: *sociaux*]; ‹m.b.t. persoon› *sociable* ⋆ ~-cultureel werker *animateur socio-culturel* [v: *animatrice socio-culturelle*] ⋆ de Sociale Verzekeringsbank *la Banque des assurances sociales* ⋆ de sociale voorzieningen ‹stelsel› *la sécurité sociale*; ‹per individu› *la prestation sociale*
sociaal-cultureel *socioculturel* [v: *socioculturelle*]
sociaal-democraat *social-démocrate* m/v [m mv: *sociaux-démocrates*]
sociaal-economisch *socioéconomique*
socialezekerheidsstelsel *régime* m *de la sécurité sociale*
socialisatie *acculturation* v
socialiseren *socialiser*
socialisme *socialisme* m
socialist *socialiste* m/v
socialistisch *socialiste*
sociëteit • genootschap *société* v ⋆ de Sociëteit van Jezus *la Compagnie/la Société de Jésus* • vereniging *cercle* m; *club* m
society *haute société* v
sociolinguïstiek *sociolinguistique* v
sociologie *sociologie* v
socioloog *sociologue* m/v
soda • natriumcarbonaat *soude* v • sodawater *soda* m
sodawater *eau* v *gazeuse; soda* m
sodemieter ▾ iemand op zijn ~ geven *en foutre sur la gueule à qn* ▾ als de ~ *illico* ▾ ergens geen ~ van snappen *n'y piger que dalle*
sodomie *sodomie* v
soebatten *faire de la lèche*; FORM. *quémander*
Soedan *le Soudan*
Soedanees *Soudanais* m
soefibeweging *mouvement* m *soufi*
soelaas *soulagement* m ⋆ ~ bieden *soulager*
soep *potage* m; ‹dik› *soupe* v; ‹helder› *consommé* m ▾ in de soep zitten *être dans la purée* ▾ z'n auto in de soep rijden *bousiller sa voiture*
soepballetje ≈ *boulette* v *de viande*
soepbord *assiette* v *à soupe*
soepel I BNW *souple* ⋆ ~ maken *assouplir* ⋆ zich ~ opstellen *faire preuve de souplesse* II BIJW *avec souplesse*
soepgroente *herbes* v mv *potagères*
soepjurk *robe* v *sac*
soepkom *bol* m
soeplepel • opscheplepel *louche* v • eetlepel *cuiller* v *à soupe* [v mv: *cuillers à soupe*]
soepstengel *gressin* m
soeptablet *cube* m *de bouillon*
soes *chou* m *(à la crème)* [m mv: *choux (à la crème)*]; *profiterole* v
soesa *histoires* v mv; *embêtements* m mv
soeverein I ZN *souverain* m II BNW *souverain*
soevereiniteit *souveraineté* v
soevereiniteitsoverdracht *passation* v *de*

souveraineté
soezen *somnoler*
soezerig *somnolent*
sof *fiasco* m
sofa *canapé* m; *sofa* m
sofinummer *numéro* m *attribué à chaque personne pour l'application des lois fiscales et sociales*
softbal SPORT *soft-ball* m
softdrugs *drogues* v mv *douces*
softijs *glace* v *à l'italienne*
software *logiciel* m; *software* m
software-industrie *industrie* v *de software|logiciel*
softwareontwikkelaar *révélateur* m *de progiciel*
softwareprogramma *progiciel* m
soja *soja* m ★ sojasaus *sauce de soja* v
sojamelk *lait* m *de soja*
sojaplant *soja* m
sojasaus *sauce* v *de soja*
sok *chaussette* v; ‹tot de enkel› *socquette* v ★ op sokken lopen *marcher en chaussettes* ▾ iemand van de sokken rijden *tailler un short à qn* ▾ ouwe sok *vieille barbe*; *vieux ramollo*
sokkel *socle* m
solair *solaire*
solarium *solarium* m
soldaat *soldat* m ★ ~je spelen *jouer au soldat* ▾ een fles ~ maken *s'envoyer une bouteille* ▾ ~je ‹brood› *croûton* m
soldeer *soudure* v
soldeerbout *fer* m *à souder*
soldeerdraad *fil* m *pour souder*
soldeersel *soudure* v
solderen *souder*
soldij *solde* v
soleren *se produire en soliste*
solidair *solidaire* ★ zich ~ verklaren met *se solidariser avec*
solidariteit *solidarité* v
solidariteitsbeginsel *principe* m *de solidarité*
solidariteitsgevoel *sentiment* m *de solidarité*
solide I BNW • vast *solide* • betrouwbaar *sérieux* [v: *sérieuse*]; ‹duurzaam› *solvable* ★ ~ wissels *des traites* v mv *solvables* II BIJW *solidement*; *sérieusement*
solist MUZ. *soliste* m/v
solitair *solitaire*
sollen ~ **met** *en prendre à son aise avec quelqu'un* ★ (niet) met zich laten ~ *(ne pas) se laisser faire*; *(ne pas) se laisser marcher sur les pieds*
sollicitant *candidat* m [v: *candidate*]
sollicitatie *candidature* v; *demande* v *d'emploi*
sollicitatiebrief *lettre* v *de candidature|de demande d'emploi*
sollicitatiecommissie *commission* v *de sélection des postulants|candidats*
sollicitatiegesprek *entretien* m *d'embauche*
sollicitatieplicht *obligation* v *de chercher un emploi*
sollicitatieprocedure *procédure* v *d'embauche*
sollicitatietraining *entraînement* m *de la demande d'emploi*
solliciteren • naar baan dingen *postuler*; *poser sa candidature (à)* ★ ~ naar een baan *poser sa candidature à un poste*; *postuler un emploi* • ~ **naar** ★ hij solliciteert naar een pak slaag *il fait tout pour recevoir une paire de claques*
solo I ZN *solo* m II BIJW *en solo* ★ solo spelen *jouer un solo*; *jouer en solo*
solocarrière MUZ. *carrière* v *en soliste*
solopartij *solo* m
soloplaat *disque* m *(en) solo*
solotoer ★ op de ~ gaan *agir en solitaire*
solovlucht *vol* m *en solo*
solozanger *(chanteur* m*) soliste*
solutie *solution* v
solvabel *solvable*
solvent I BNW *solvant* m II BNW *solvable*
solventie *solvabilité* v
som • uitkomst *somme* v; *total* m • bedrag *montant* m • WISK. *calcul* m; ‹vraagstuk› *problème* m ★ sommen maken *faire des calculs*
Somalië *la Somalie* ★ in Somalia *en Somalie*
somatisch *somatique*
somber • donker *sombre*; ‹v. weer› *gris* • bedrukt *morose*; *triste* ★ ~ kijken *avoir l'air sombre*
somma *montant* m; *total* m
sommelier *sommelier* m
sommeren • aanmanen *sommer* ★ ~ tot betaling *sommer de payer* • WISK. *additionner*
sommige *certains*; *quelques* ★ ~n *quelques-uns*
soms • nu en dan *parfois*; *quelquefois* • misschien *peut-être*; *par hasard* ★ weet jij soms of *saurais-tu par hasard si*
sonar *sonar* m
sonarapparatuur *équipement* m *sonar*
sonate *sonate* v ★ Mondschein~ *Sonate au Clair de lune*
sonde *sonde* v
songfestival *festival* m *de la chanson*
songtekst *texte* m *d'une chanson*
sonisch *sonore*
sonnet *sonnet* m
sonoor *sonore*
soort *genre* m; *espèce* v; *sorte* v ★ in zijn ~ *dans son genre* ★ allerlei ~en *toutes sortes de* ★ een ~ mantel *une sorte de manteau* ▾ ~ zoekt soort *qui se ressemble s'assemble*
soortelijk *spécifique*
soortement *espèce* v *(de)*
soortgelijk *pareil* [v: *pareille*]
soortgenoot *congénère* m/v
soortnaam *nom* m *générique*
soos *amicale* v; *club* m
sop *eau* v *savonneuse*; ‹bij wassen van kleren› *lessive* v ▾ het ruime sop kiezen *prendre le large* ▾ het sop is de kool niet waard *le jeu ne vaut pas la chandelle* ▾ iemand in zijn sop laten gaar koken *laisser cuire qn dans son jus*
sophisticated *de manière sophistiquée*; *très perfectionné*
soppen *tremper*
sopraan *soprano* m/v
sorbet *coupe* v *glacée*; *sorbet* m
sorbitol *sorbitol* m
sores *embêtements* m mv ★ ik heb al genoeg ~

aan mijn hoofd *j'ai déjà suffisamment d'embêtements comme ça*
sorry *pardon*; *excusez-moi*
sorteermachine *trieuse* v
sorteren *classer*; *trier*; *faire le tri* ▾ effect ~ *faire son effet*
sortering *assortiment* m ★ een grote ~ *un grand choix*
SOS *SOS* m
soubrette *soubrette* v
soufflé *soufflé* m
souffleren *souffler*
souffleur *souffleur* m [v: *souffleuse*] ★ op de ~ spelen *se fier au souffleur*
soul *soul* m
soundtrack *bande* v *sonore*
souper *souper* m
souperen *souper*
souplesse *souplesse* v
sousafoon *bombardon* m
sous-chef *sous-chef* m [mv: *sous-chefs*]
souteneur *souteneur* m; INF. *maquereau* m
souterrain *sous-sol* m [mv: *sous-sols*]
souvenir *souvenir* m
souvenirwinkel *magasin* m *de souvenirs*
sovjet I ZN *soviet* m II BNW *soviétique*
sovjetrepubliek *république* v *soviétique*
Sovjet-Unie *l'Union* v *soviétique* ★ in de ~ *en Union soviétique*
sowieso *de toute manière*
spa *bêche* v
spaak I ZN deel van wiel *rayon* m ▾ een ~ in het wiel steken *mettre des bâtons dans les roues (de qn)* II BIJW ▾ ~ lopen *mal tourner*; *échouer*
spaakbeen *radius* m
spaan • spaander ‹splinter› *éclat* m *de bois*; *copeau* m [mv: *copeaux*] • schuimspaan *spatule* v
spaander *copeau* m; *éclat* m *de bois* ★ aan ~s slaan *réduire en miettes*; *démolir*
spaanplaat *(panneau* m *d') aggloméré*
Spaans I ZN *espagnol* m II BNW *espagnol*
Spaanse *Espagnole* v
Spaanstalig *de langue espagnole*
spaaractie *action* v *épargne*
spaarbank *caisse* v *d'épargne* ★ geld naar de ~ brengen *mettre de l'argent à la caisse d'épargne*
spaarbankboekje *livret* m *de caisse d'épargne*
spaarbekken *réservoir* m; *bassin* m *d'épargne*
spaarbrander *brûleur* m *à économiseur*
spaarbrief *bon* m *d'épargne*
spaarcenten INF. *pécule* m; *petit magot* m
spaardeposito *dépôt* m *d'épargne*
spaarder *épargnant* m [v: *épargnante*] ▾ de kleine ~s *la petite épargne*
spaarfonds *caisse* v *d'épargne*
spaargeld *économies* v mv; *épargnes* v mv
spaarlamp *lampe* v *économique*
spaarpot • busje *tirelire* v mv • spaargeld *économies* v mv; *cagnotte* v
spaarrekening *compte* m *d'épargne*
spaarvarken *tirelire* v
spaarzaam I BNW zuinig *économe* ★ hij is ~ met woorden *il est peu causant* II BIJW • zuinig *de façon économe* • zelden *rarement* ★ ~ omgaan met iets *ménager qc*
spaarzegel *timbre-épargne* m [mv: *timbres-épargne*]
spaarzin *sens/esprit* m *de l'épargne*
spacecake *space cake* m
spaceshuttle *navette* v *spaciale*
spade *bêche* v
spadrille *espadrille* v
spagaat *grand écart* m ★ een ~ maken *faire le grand écart*
spaghetti *spaghetti* m mv
spaghettiwestern *western-spaghetti* m [mv: *westerns-spaghetti*]
spalk *attelle* v; *éclisse* v
spalken • verbinden *éclisser* • splijten *se fendre*
span I ZN (de) ▾ een spanne tijds *un laps de temps* II ZN (het) • stel *couple* m; ‹v. zaken/personen› *paire* v • trekdieren *attelage* m
spandoek *banderole* v
spandraad *hauban* m
spaniël *épagneul* m
Spanjaard *Espagnol* m
Spanje *l'Espagne* v ★ in ~ *en Espagne*
spanjolet *espagnolette* v
spankracht • veerkracht *élasticité* v • kracht *force* v *expansive*; ‹v. spier› *force* v *de contraction*
spannen I OV WW • strak trekken *tendre*; *bander*; ‹v. geweer/fototoestel› *armer* • aanspannen *atteler* • uitrekken *tendre* ▾ de aandacht ge~ houden *fixer l'attention* II ON WW spannend zijn *être juste* ★ het zal erom ~ wie er wint *le vainqueur l'emportera de justesse*
spannend *passionnant*; *captivant*
spanning • het strak getrokken zijn *tension* v • druk *pression* v • potentiaalverschil *tension* v; ‹m.b.t. elektriciteit› *voltage* m • onrust *tension* v; *suspense* m
spanningsboog *arc* m *de tension*
spanningscoëfficiënt *coefficient* m *de tension*
spanningshaard *foyer* m *de tension*
spanningsveld *champ* m *électrique* ▾ een ~ tussen twee landen *une zone de tension entre deux pays*
spanningzoeker *détecteur* m *de tension*
spant ‹v. dak› *chevron* m; SCHEEPV. *couple* m
spanwijdte • overspanning *portée* v • vleugelbreedte *envergure* v
spar *sapin* m
sparappel *pomme* v *de pin*
sparen • besparen *épargner*; *économiser* ★ het ~ *l'épargne* v • verzamelen *collectionner* • ontzien *ménager* ★ zich ~ *se ménager* ▾ kosten noch moeite ~ *ne pas épargner sa peine*
sparringpartner *sparring-partner* m [mv: *sparring-partners*]
Spartaans I BNW streng *spartiate* II BIJW streng *à la spartiate*
spartelen *gigoter*; *remuer*; ‹v. vis› *frétiller*
spasme *spasme* m; *convulsion* v
spasmisch *spasmodique*
spastisch I BNW verkrampt *spastique* II BIJW *de manière spastique*

S

spat *éclaboussure* v; *tache* v
spatader *varice* v
spatbord *garde-boue* m [onv]; ‹v. auto› *aile* v
spatel *spatule* v
spatie *espace* v
spatiebalk *barre* v *d'espacement*
spatiëring *espacement* m
spatietoets *barre* v *d'espacement*
spatje ‹glaasje jenever› *goutte* v *(de genièvre)* ★ ~s/spatsies hebben *faire des chichis*
spatlap *pare-boue* m [onv]
spatten I OV WW bespatten *éclabousser*; KUNST *tacher* II ON WW spetteren *jaillir*; *gicler*; ‹v. pen› *cracher* ★ uit elkaar ~ *éclater*
spawater *eau* v *de Spa/minérale*
speaker • commentator *speaker* m • luidspreker *haut-parleur* m [mv: *haut-parleurs*]
specerij *épice* v
specht *pic* m ★ groene ~ *pivert* m ★ zwarte ~ *pic noir* ★ bonte ~ *épeiche* v
speciaal *spécial* [m mv: *spéciaux*]
speciaalzaak *magasin* m *spécialisé*
special *émission* v *spéciale*
specialisatie *spécialisation* v
specialiseren (**zich**) *se spécialiser (dans/en)*
specialisme *spécialisme* m
specialist *spécialiste* m/v
specialistisch *spécialiste* ★ ~e kennis *des connaissances* v mv *spécialisées*
specialiteit *spécialité* v
specie *mortier* m
speciebriefje *bordereau* m *des espèces*
specificatie ‹v. rekening› *décompte* m; *spécification* v ★ volgens ~ *comme il est spécifié*
specificeren *spécifier*
specifiek I BNW typisch *spécifique*; *particulier* [v: *particulière*] II BIJW kenmerkend *spécifiquement*; *explicitement* ★ ergens ~ op wijzen *signaler qc explicitement*
specimen *spécimen* m
spectaculair *spectaculaire*
spectrum NAT. *spectre* m
speculaas *spéculo(o)s* m
speculaaspop *figure* v *de spéculos*
speculant *spéculateur* m [v: *spéculatrice*]
speculatie *spéculation* v
speculatief I BNW *spéculatif* [v: *spéculative*] II BIJW *d'une manière spéculative*; *pour spéculer*
speculeren • gissingen doen *faire des spéculations* • ECON. *spéculer*; *faire des spéculations* ★ ~ op de daling van de koersen *spéculer à la baisse* • ~ **op** *spéculer (sur)*
speech *discours* m; *speech* m ★ een ~ afsteken *faire un discours*; INF. *faire un laius*
speed *speed* m
speedboot *canot* m *à moteur de course*
speeksel *salive* v
speekselklier *glande* v *salivaire*
speelautomaat *machine* v *à sous*
speelbal • bal *balle* v • slachtoffer *jouet* m
speelbank *maison* v *de jeu*; *tripot* m
speelbord • dambord *damier* m • schaakbord *échiquier* m

speeldoos • muziekdoos *boîte* v *à musique* • doos met speelgoed *boîte* v *à jouets*
speelfilm *long métrage* m; *(grand) film* m
speelgerechtigd *ayant droit à jouer*
speelgoed *jouets* m mv; INF. *joujoux* m mv
speelgoedafdeling *rayon* m *des jouets*
speelgoedautootje *petit auto* m *jouet*
speelgoedbeer *ours* m *en peluche*; ‹kind› *nounours* m
speelgoedwinkel *magasin* m *de jouets*
speelhal *hall* m *de jeux*
speelhelft • helft van veld *moitié* v *du terrain* • helft speelduur *mi-temps* v
speelhol *tripot* m
speelkaart *carte* v *(à jouer)*
speelkameraad *camarade* m/v *de jeu*
speelkwartier *récréation* v
speelplaats *terrain* m *de jeu*; ‹op school› *cour* v
speelruimte • ruimte om te spelen *terrain* m *de jeu* • handelingsvrijheid *liberté* v • speling *marge* v
speels I BNW • dartel *qui aime jouer*; *joueur* [v: *joueuse*] • luchtig *ludique*; *léger* [v: *légère*]; ‹grillig› *plein de fantaisie* II BIJW *de manière capricieuse*; *en jouant*
speelschuld *dette* v *de jeu*
speeltafel • tafel in casino *table* v *de jeu*; INF. *tapis* m *(vert)* • MUZ. *clavier* m
speelterrein *terrain* m *de jeu*
speeltje *joujou* m
speeltuin *jardin* m *d'enfants*
speelzaal *salle* v *de jeu*
speen *tétine* v
speenkruid *fausse renoncule* v
speenvarken *cochon* m *de lait*
speer *lance* v; SPORT *javelot* m
speerpunt *fer* m *de lance*
speerwerpen I ZN *lancer* m *du javelot* II ONV WW *lancer le javelot*
speerwerper *lanceur* m *de javelot* [v: *lanceuse ...*]
spek *lard* m ★ eieren met spek *des œufs au bacon* ★ mager spek *lard maigre*
spekglad *très glissant* ★ het is ~ op de weg *la route est très glissante*
spekken ‹v. pot e.d.› *remplir*; ‹v. persoon› *remplir les poches de* ★ zijn beurs ~ *remplir son porte-monnaie*
spekkie *guimauve* v
spekkoek *gâteau* m *indonésien à base d'œufs*
speklap *tranche* v *de lard*
spektakel • schouwspel *spectacle* m • lawaai *tapage* m; *vacarme* m
spektakelstuk *pièce* v *à grand spectacle*
spekvet *graisse* v *de lard*
spekzool *semelle* v *de crêpe*
spel • wijze van spelen *jeu* m ★ dat is geen eerlijk spel *c'est de la triche* ★ eerlijk spel *du fair-play* • bezigheid *jeu* m [mv: *jeux*] • partij *match* m; *partie* v ★ goed spel (te zien) geven *faire une excellente partie*; *faire un bon match* • speelbenodigdheden *jeu* m • toneelstuk *pièce* v *(de théâtre)* ▾ alles op het spel zetten *risquer le tout pour le tout* ▾ vrij spel hebben *avoir les mains libres* ▾ een spelletje met iemand spelen *se payer*

S

la tête de qn ▾ zijn leven staat op het spel *il y va de sa vie* ▾ iets op het spel zetten *mettre qc en jeu* ▾ buiten spel blijven *rester sur la touche*

spelbederf *antijeu* m

spelbepaler *meneur* m *de jeu*

spelbreker *trouble-fête* m/v [onv]; *rabat-joie* m [onv]

spelcomputer *ordinateur* m *de jeux*

speld • naaigerei *épingle* v • haarspeld *barrette* v • broche *broche* v ⋆ een ~je *un insigne* ▾ een ~ in een hooiberg zoeken *chercher une aiguille dans une botte de foin*

spelden *épingler*

speldenknop *tête* v *d'épingle*

speldenkussen *pelote* v *à épingles*

speldenprik • prik met speld *coup* m *d'épingle* • hatelijkheid *pique* v

speldje • button *badge* m • onderscheiding *insigne* m

spelelement *élément* m *ludique*

spelen I OV WW • opvoeren *jouer* • zich voordoen als ⋆ de baas ~ *commander* **II** ON WW • luchtig omgaan met ⋆ met iem. ~ *se payer la tête de qn* ⋆ zij laten niet met zich ~ *ils se ne laissent pas faire* ⋆ met zijn gezondheid ~ *jouer avec sa santé* • zich afspelen *se passer*; *avoir lieu* ⋆ het stuk speelt in Saint-Lazare *la scène se passe à Saint-Lazare* • ~ **op** *jouer sur* ⋆ op stijging/daling ~ *jouer à la hausse/à la baisse* ▾ iemand iets in de handen ~ *livrer qc à qn* **III** OV + ON WW • zich met spel bezighouden *jouer* ⋆ een kaart ~ *jouer une carte* ⋆ een spel ~ *jouer à un jeu* • acteren *interpréter un rôle*; *jouer un rôle* ⋆ voor heks ~ *jouer la sorcière* ⋆ hij heeft Descartes gespeeld in L'entretien ... *il a joué Descartes dans L'entretien ...* • MUZ. *jouer* ⋆ piano ~ *jouer du piano* ⋆ na het ~ van het volkslied *après l'exécution de l'hymne national*

spelenderwijs *en jouant*; *par jeu*; ‹gemakkelijk› *avec aisance*

speleoloog *spéléologue* m/v

speler *joueur* m [v: *joueuse*]; ‹in film› *acteur* m [v: *actrice*]; ‹op toneel› *comédien* m [v: *comédienne*]; MUZ. *musicien* m [v: *musicienne*]

spelersbank *banc* m *des remplaçants*

spelersgroep *groupe* m *des joueurs*

spelevaren *se promener en bateau*

spelfout *faute* v *d'orthographe*

speling • tussenruimte *jeu* m ⋆ ~ krijgen *prendre du jeu* • marge *marge* v; ‹m.b.t. tijd› *battement* m • gril *jeu* m [mv: *jeux*] ⋆ door een ~ van het lot *grâce au hasard*

spelleider *meneur* m *de jeu* [v: *meneuse de jeu*]; ‹als presentator› *animateur* m [v: *animatrice*]; *présentateur* m [v: *présentatrice*]

spellen • correct schrijven *s'écrire* ⋆ hoe spel je dat woord? *comment s'écrit ce mot?* ⋆ je hebt dat woord verkeerd gespeld *tu as fait une faute d'orthographe* • aandachtig lezen *épeler*

spelletje *jeu* m; *partie* v

spelling *orthographe* v

spellingchecker *correcteur* m *orthographique*

spellinggids *guide* m *d'orthographe*

spellingshervorming *réforme* v *de l'orthographe*

spelmaker *meneur* m *de jeu*

spelonderbreking *temps* m *mort*

spelonk *caverne* v

spelregel *règle* v *du jeu*

spencer *spencer* m

spenderen *consacrer (à)*; ‹v. geld› *dépenser*; ‹v. tijd› *mettre* ⋆ ik heb veel tijd gespendeerd aan die brief *j'ai mis beaucoup de temps à écrire cette lettre*

spenen *sevrer*

sperma *sperme* m

spermabank *banque* v *de sperme*

spermadonor *donneur* m *de sperme*

spermatozoïde *spermatozoïde* m

spertijd *couvre-feu* m [mv: *couvre-feux*]

spervuur *tir* m *de barrage*

sperwer *épervier* m

sperzieboon *haricot* m *vert*

spetter • spat *éclaboussure* v • stuk ‹man› *beau mec* m; ‹vrouw› *belle nana* v

spetteren *éclabousser*

speurder *enquêteur* m [v: *enquêtrice*]; *détective* m

speuren • opsporen *enquêter* • onderzoeken *examiner*

speurhond *limier* m

speurneus • fijne neus *nez* m *fin* • persoon *limier* m

speurtocht *exploration* v; ‹naar iemand› *recherches* v mv

speurwerk *recherche* v; *travaux* m mv *de recherches*

speurzin *flair* m

spichtig *effilé*; *mince*; ‹v. persoon› *maigre*

spie • wig *coin* m • pen *clavette* v; *cheville* v; *goupille* v

spieden *épier*; *guetter*; *espionner*

spiegel • spiegelend voorwerp ‹groot› *glace* v; *miroir* m; ‹v. auto› *rétroviseur* m • oppervlak *surface* v; ‹vloeistofhoogte› *niveau* m • MED. *taux* m *(plasmatique)*

spiegelbeeld • weerkaatsing *image* v *(réfléchie)*; *reflet* m • omgekeerd beeld *image* v *renversée*

spiegelei *œuf* m *sur le plat*

spiegelen I ON WW weerkaatsen *réfléchir* **II** WKD WW • weerkaatst worden *se refléter* • ~ **aan** ⋆ zich aan iem. ~ *prendre qn pour exemple*

spiegelglad *lisse comme un miroir*

spiegeling • weerkaatsing *reflet* m; ‹glinstering› *miroitement* m • spiegelbeeld *réflexion* v; *reflet* m

spiegelreflexcamera *(appareil* m*) reflex* m

spiegelruit *glace* v

spiegelschrift *écriture* v *en miroir*

spiekbriefje *petit papier* m; INF. *feuille* v *de pompe*; *antisèche* v ⋆ ~ ter staving aanhalen *alléguer*

spieken *tricher*; *copier (sur son voisin)*

spier *muscle* m ⋆ een ~ kneuzen *se froisser un muscle* ⋆ een ~ scheuren *se claquer un muscle* ▾ hij vertrok geen ~ *il n'a pas sourcillé*

spieractiviteit *activité* v *musculaire*
spieratrofie *atrophie* v *musculaire*; *amyotrophie* v
spierbal *muscle* m
spierbundel *faisceau* m *musculaire*; FIG. *(gros) balèze* m
spiercontractie *contraction* v *musculaire*
spierdystrofie *dystrophie* v *musculaire*
spiering *éperlan* m
spierkracht *force* v *musculaire*
spierlaag *musculeuse* v
spiernaakt *nu comme un ver*; INF. *à poil*
spierpijn *courbature* v; *myalgie*
spiertraining *musculation* v
spierverrekking *claquage* m *d'un muscle*
spierweefsel *tissu* m *musculaire*
spierwit *blanc comme la neige* [v: *blanche ...*]; ‹v. persoon› *livide*
spierzwakte *myasthénie* v
spies • speer *épieu* m [mv: *épieux*] • grillpen *brochette* v
spietsen *empaler*; *embrocher*
spijbelaar *élève* m/v *qui sèche un cours*
spijbelen *sécher (un cours)*; *faire l'école buissonnière*
spijker *clou* m ★ de ~ houdt *le clou tient bon* ▾ ~s met koppen slaan *ne pas prendre de demi-mesures* ▾ de ~ op de kop slaan *mettre le doigt dessus*
spijkerbroek *(blue-)jean* m [mv: *(blue)-jeans*]
spijkeren *clouer*; *enfoncer un (des) clou(s)*
spijkerhard *dur comme le fer* ▾ ze stelden zich ~ op *ils ont adopté une attitude intransigeante*
spijkerjasje *blouson* m *en jean*
spijkerschrift *écriture* v *cunéiforme*
spijkerstof *jean* m
spijl *barreau* m; *barre* v
spijs • vulling *pâte* v *d'amandes* • gerecht *mets* m; *plat* m
spijskaart *menu* m; *carte* v
spijsvertering *digestion* v ★ een goede/slechte ~ hebben *avoir une bonne/mauvaise digestion*
spijsverteringsenzym *enzyme* v *digestive*
spijsverteringskanaal *tube* m *digestif*; *voies* v mv *digestives*
spijsverteringsorganen *organes* m mv *digestifs*
spijsverteringssysteem *appareil* m *digestif*
spijt *regret* m; *remords* m; ‹verdriet› *chagrin* m ★ tot mijn ~ *à mon grand regret* ★ ~ hebben van iets *regretter qc*
spijtbetuiging *témoignage* m *de regrets*
spijten *regretter*; *être désolé* ★ het spijt me dat ik u stoor *je suis désolé de vous déranger* ★ het spijt me zeer! *je suis désolé!* ★ het zal je ~ *tu le regretteras*
spijtig *regrettable*; *fâcheux* [v: *fâcheuse*]
spijtoptant ≈ *personne* v *regrettant amèrement sa décision*
spikes *(chaussures* v mv *à) pointes*
spikkel *tache* v; *moucheture* v
spiksplinternieuw *flambant neuf* [v: *flambant neuve*]
spil • as *pivot* m; *axe* m; ‹aandrijfas› *arbre* m; ‹v. spinnewiel› *fuseau* m • persoon *pivot* m ★ zij is de spil van het huishouden *elle est le pivot de la maison*
spilkoers *cours* m *moyen*; *taux-pivot* m
spillebeen ≈ *personne* v *qui a des jambes fuselées/des jambes de coq*
spiltrap *escalier* m *à noyau plein*
spilziek *dépensier* [v: *dépensière*]
spin *araignée* v
spinaal *spinal* [m mv: *spinaux*]; *médullaire*
spinaker *spinaker* m; INF. *spi* m
spinazie *épinards* m mv
spinet *épinette* v
spinnen I ov ww tot garen maken *filer* II on ww snorren *ronronner* ▾ garen bij iets ~ *faire son beurre de qc*
spinnenweb *toile* v *d'araignée*
spinnerij *filature* v
spinnewiel *rouet* m
spinnijdig *furieux* [v: *furieuse*]
spin-off ECON. *sous-produit* m [mv: *sous-produits*]
spinrag *toile* v *d'araignée*
spint I zn (de) mijt *araignée* v *rouge* II zn (het) spinsel *toile* v
spion *espion* m [v: *espionne*]
spionage *espionnage* m
spionagesatelliet *satellite* m *espion*
spioneren *espionner*
spiraal • voorwerp *ressort* m • escalatie *spirale* v
spiraalmatras • onderstel *sommier* m *à ressorts* • matras *matelas* m *à ressorts*
spiraaltje *stérilet* m
spiraalvormig *en spirale*
spirit *allant* m; *dynamisme* m; *esprit* m *d'initiative*
spiritisme *spiritisme* m
spiritualiën *spiritueux* m mv
spiritueel *spirituel* [v: *spirituelle*]
spiritus *alcool* m *(à brûler)*
spiritusbrander *réchaud* m *à alcool*
spiritusstel *réchaud* m *à alcool*
spit • pen *broche* v • MED. *lumbago* m ★ spit hebben *avoir un lumbago*; INF. *avoir un tour de reins*
spits I zn • top ‹v. toren› *aiguille* v; *flèche* v; *pointe* v • SPORT *avant* m • voorhoede *avant-garde* v [mv: *avant-gardes*] • spitsuur *heures* v mv *de pointe/d'affluence* ★ buiten de ~ *aux heures creuses* ▾ op de ~ drijven *pousser à outrance* ▾ de ~ afbijten *faire la grosse besogne* ▾ het ~ afbijten *attacher le grelot* II BNW • puntig *pointu*; *aigu* [v: *aiguë*] • slim *perspicace*; *caustique* III BIJW • puntig *en pointe* • slim *avec perspicacité*
spitsen *aiguiser*; *tailler en pointe* ★ de hond spitst zijn oren *le chien dresse les oreilles*
spitsheffing *taxe* v *au trafic (aux heures) de pointe*
spitsheid *acuité* v; FIG. *acuité* v *(d'esprit)*; *perspicacité* v
spitskool *chou* m *pointu* [m mv: *choux ...*]
spitsmuis *musaraigne* v
spitsstrook *bande* v *de route utilisable aux heures de pointe*
spitsuur *heure* v *de pointe* ★ de spitsuren *heure(s)* v (mv) *d'affluence*; ‹in verkeer›

heures v mv *de pointe* ★ tijdens de spitsuren *aux heures de pointe*
spitsvignet *vignette* v *pour le trafic aux heures de pointe*
spitsvondig *ingénieux* [v: *ingénieuse*]; *subtil*
spitten *bêcher*; *creuser*
spitzen *chaussons* m mv *à pointes*; *pointes* v mv
spleet *fente* v; *crevasse* v; ‹in muur› *lézarde* v
spleetoog *œil* m *bridé* [m mv: *yeux bridés*]
splijten I ov ww klieven *fendre*; *crevasser*; ‹v. atoom› *fissionner*; ‹v. diamant› *cliver* II ON WW een scheur krijgen *se fendre*
splijting *scission* v; *fissuration* v; ‹v. atoom› *fission* v; ‹v. diamant› *clivage* m
splijtstof *combustible* m *nucléaire*
splijtzwam *pomme* v *de discorde*
splinter *écharde* v; *éclat* m ★ ik heb een ~ in mijn vinger *j'ai une écharde dans le doigt*
splinteren I ov ww tot splinters slaan *fendre*; *faire voler en éclats* II ON WW tot splinters breken *se fendre*; *éclater*
splintergroepering *groupuscule* m
splinternieuw *flambant neuf* [v: *flambant neuve*]; *tout neuf* [v: *toute neuve*]
splinterpartij *groupuscule* m
split *fente* v
spliterwt *pois* m *cassé*
splitpen *goupille* v *fendue*
splitrok *jupe* v *fendue*
splitsen *séparer*; *diviser*; ‹in tweeën› *dédoubler*; CHEM. *décomposer*; ‹v. atoom› *désagréger*; *fissionner* ★ hier splitst de weg zich in tweeën *ici la route se sépare en deux*
splitsing • scheuring *division* v; *séparation* v; ‹door onenigheid› *scission* v; ‹in tweeën› *dédoublement* m; CHEM. *décomposition* v; ‹v. atoom› *fission* v • plaats van splitsing ‹v. spoorlijn/weg› *bifurcation* v
spoed *hâte* v; *promptitude* v ★ met ~ *vite* ★ ~ maken *se dépêcher*; *se presser* ★ ~ ‹opschrift› *urgent* ▾ haastige ~ is zelden goed *qui trop se hâte reste en chemin*
spoedbehandeling *traitement* m *d'urgence*
spoedbestelling *distribution* v *en exprès*; ‹v. post› *envoi* m *par exprès*
spoedcursus *cours* m *intensif*; *cours* m *accéléré*
spoedeisend *urgent*
spoeden (**zich**) *se rendre en hâte*
spoedgeval *cas* m *urgent*
spoedig I BNW *rapide*; *prompt* II BIJW *bientôt*; *rapidement*; *vite* ★ zo ~ mogelijk *le plus vite possible* ★ ik kom ~ terug *je reviens bientôt*
spoedoperatie *opération* v *urgente*
spoedopname *hospitalisation* v *d'urgence*
spoedoverleg *consultation* v *d'urgence*
spoel *bobine* v; ‹v. naaimachine› *navette* v
spoelbak *évier* m
spoelen • reinigen *rincer*; *laver* • opwinden *bobiner*
spoeling *rinçage* m; *lavage* m
spoelkeuken *pièce* v *où on lave la vaisselle*
spoelwater *eau* v *de vaisselle*
spoelworm *ascaride* m
spoiler *spoiler* m
spoken I ON WW *errer* II ONP WW ★ het spookt op zolder *il y a des fantômes dans le grenier* ▾ het spookt op zee *il y a une violente tempête sur la mer*
sponde *couche* v
spondylitis *spondylite* v
sponning *rainure* v; *coulisse* v
spons *éponge* v ★ met de ~ over het bord gaan *passer l'éponge sur le tableau noir*
sponsen *éponger* ★ het ~ *l'épongeage*
sponsor *sponsor* m; *commanditaire* m
sponsorcontract *contrat* m *de sponsorisation*
sponsoren *sponsoriser*
sponsoring *sponsoring* m; *sponsorisation* v
sponszwam *sparassis* m
spontaan *spontané*
sponzenduiker *pêcheur* m *d'éponges*
sponzig *spongieux* [v: *spongieuse*]
spook • geest *fantôme* m; *revenant* m • schrikbeeld *spectre* m • akelig mens *chipie* v
spookachtig I BNW • *terrifiant*; *lugubre* • als (van) een spook *fantomatique* II BIJW • griezelig *d'une façon effrayante* • als van een spook *comme un fantôme*
spookbeeld *perspective* v *effrayante*
spookhuis *maison* v *hantée*
spookrijder *voiture* v *roulant à contresens*
spookschip *vaisseau* m *fantôme* [m mv: *vaisseaux ...*]
spookstad *ville* v *fantôme*
spookverhaal *histoire* v *de revenants*
spoor I ZN (de) • uitsteeksel rijlaars *éperon* m • PLANTK. *spore* v • hoornige uitwas *ergot* m II ZN (het) • overblijfsel *vestige* m • afdruk *trace* v; *empreinte* v; ‹v. wild› *piste* v; ‹v. wagen› *ornière* v • teken *trace* v ★ geen ~ van *ne ... pas l'ombre de* • spoorweg *voie* v *(ferrée)* • spoorbedrijf *chemins* m mv *de fer* ★ per ~ reizen *voyager en chemin de fer* ★ per ~ verzenden *envoyer par rail* • geluidsstrook *piste* v ▾ op een dood ~ zitten *être dans une impasse* ▾ uit het goede ~ raken *quitter le droit chemin*
spoorbaan *voie* v *ferrée*
spoorbiels *traverse* v
spoorboekje *indicateur* m *des chemins de fer*
spoorboom *barrière* v *(d'un passage à niveau)*
spoorbrug *pont* m *de chemin de fer*
spoorlijn *ligne* v *de chemin de fer*
spoorloos *sans (laisser de) traces*
spoorslags *à bride abattue*
spoortrein *train* m; *convoi* m
spoorweg *voie* v *ferrée*; *ligne* v *de chemin de fer* ★ de ~en *les chemins* m mv *de fer*; ‹in Frankrijk› *la S.N.C.F.*
spoorwegmaatschappij *compagnie* v *ferroviaire*; *société* v *de chemin de fer*
spoorwegnet *réseau* m *ferroviaire*
spoorwegovergang *passage* m *à niveau*
spoorwegpersoneel *personnel* m *de chemin de fer*
spoorwegpolitie ‹in Frankrijk› *police* v *de l'air et des frontières*
spoorwegstaking *grève* v *des chemins de fer*
spoorwegverbinding *ligne* v *de chemin de fer*
spoorzoeken *relever des signes de piste*; *pister*
sporadisch *sporadique*
spore *spore* v

sporediertje *sporozoaire* m
sporen • stroken met *aller dans le même sens que* • met de trein reizen *voyager en chemin de fer*
sporenelement *oligo-élément* m
sporenplant *cryptogame* m/v
sport • trede *échelon* m • stoelspaak *barreau* m [mv: *barreaux*] • lichaamsoefening *sport* m ⋆ aan ~ doen *pratiquer un sport; faire du sport*
sportacademie ≈ *U.R.E.P.S.* v
sportaccommodatie *équipement(s)* m (mv) *sportif(s)*
sportauto *voiture* v *de sport*
sportblessure *blessure* v *due au sport*
sportbond *fédération* v *sportive*
sportbril *lunettes* v mv *de sport*
sportclub *association* v *sportive*
sportdag *journée* v *sport*
sportduiker *plongeur* m *sous-marin*
sporten *faire du sport*
sporter *sportif* m
sportevenement *rencontre* v/*manifestation* v *sportive*
sportfiets *vélo* m *de sport*
sportfondsenbad *piscine* v *financée par une caisse d'association sportive*
sporthal *salle* v *omnisports*
sportief I BNW *sportif* [v: *sportive*] ⋆ ~ gekleed zijn *être habillé sport* II BIJW *d'une manière sportive; sportivement*
sportieveling *sportif* m [v: *sportive*]
sportiviteit *sportivité* v
sportjournalist *journaliste* m *sportif*
sportkeuring *visite* v *médicale sportive*
sportkleding *vêtements* m mv *de sport; sportwear* m
sportman *sportif* m [v: *sportive*]
sportpagina *page* v *sportive*
sportschool *centre* m *sportif; école* v *de sports (de combat)*
sportuitzending *émission* v *sportive*
sportvissen *pêche* v *sportive*
sportvisser *pêcheur* m *sportif*
sportvlieger *aviateur* m *sportif* [v: *aviatrice sportive*]
sportvliegtuig *avion* m *de sport/de tourisme*
sportwagen *voiture* v *de sport*
sportwedstrijd *épreuve* v *sportive*
sportzaak *magasin* m *de sport*
sportzaal *salle* v *omnisports*
spot • het spotten *moquerie* v ⋆ de spot drijven met *se moquer de; tourner en dérision* • reclame *spot* m *(publicitaire)* • lamp *spot* m
spotgoedkoop *très bon marché*
spotlight *(lumière* v *des) projecteurs* m mv ⋆ in de ~s staan *être sous les projecteurs*
spotnaam *sobriquet* m
spotprent *caricature* v
spotprijs *prix* m *dérisoire*
spotten • belachelijk maken *tourner en dérision; se railler (de); se moquer (de)* • zich niet storen aan *se moquer (de)* ⋆ daar moet je niet mee ~ *il ne faut pas plaisanter avec ces choses-là* ⋆ daar valt niet mee te ~ *il ne faut pas prendre cela à la légère*

S

spottenderwijs *d'une manière moqueuse*
spotter *moqueur* m [v: *moqueuse*]
spotvogel • vogel *hypolaïs* m *ictérine* • persoon *moqueur* m [v: *moqueuse*]
spouwmuur *mur* m *creux*
spraak • vermogen om te spreken *langage* m; *parole* v • manier van spreken *façon* v *de parler* ⋆ zijn ~ verloren hebben *avoir perdu la parole*
spraakcentrum *centre* m *de la parole*
spraakgebrek *défaut* m *d'élocution*
spraakgebruik *usage* m
spraakherkenner *système* m *de reconnaissance de la parole*
spraakkunst *grammaire* v
spraakles *cours* m *d'orthophonie*
spraakmakend *retentissant* ⋆ een ~ interview *une interview qui a beaucoup fait parler d'elle* ▾ de ~e gemeente *la communauté linguistique*
spraakstoornis *trouble* m *de la parole*
spraakvermogen *faculté* v *de parler; parole* v
spraakverwarring *confusion* v *des langues*
spraakwaterval *moulin* m *à paroles*
spraakzaam *loquace; causant; communicatif* [v: *communicative*] ⋆ ~ zijn *être causant* ⋆ ~ maken *délier la langue*
sprake ⋆ er is ~ van *il est question de* ⋆ (er is) geen ~ van *(il n'en est) pas question* ⋆ iets ter ~ brengen *évoquer qc; mettre qc sur le tapis*
sprakeloos ‹v. verbazing› *interdit; muet* [v: *muette*]
sprankelen *étinceler*
sprankje *brin* m
spray *spray* m
spreadsheet *tableur* m
spreekbeurt *exposé* m ⋆ een ~ vervullen *faire/donner une conférence*
spreekbuis *porte-parole* m [onv]
spreekgestoelte *chaire* v; *tribune* v
spreekkamer *cabinet* m; ‹v. arts› *cabinet* m *de consultation*; ‹in gesloten inrichtingen› *parloir* m
spreekkoor *personnes* v mv *qui parlent en chœur*
spreekstalmeester *écuyer* m
spreektaal *langue* v *parlée; langage* m *courant*
spreekuur *(heures* v *de) consultation* ⋆ ~ houden *recevoir*
spreekvaardigheid *expression* v *orale*
spreekverbod *interdiction* v *de parler*
spreekwoord *proverbe* m
spreekwoordelijk *proverbial* [m mv: *proverbiaux*] ⋆ ~ worden *passer en proverbe*
spreeuw *étourneau* m [mv: *étourneaux*]
sprei *couvre-lit* m [mv: *couvre-lits*]; *dessus-de-lit* m [onv]
spreiden • uitspreiden *étendre; étaler* ⋆ de benen ~ *écarter les jambes* ⋆ iets ten toon ~ *étaler qc* • verdelen over *répartir (sur)*; ‹alleen in tijd› *échelonner (sur)*
spreiding • het spreiden ‹v. instellingen/macht› *déconcentration* v; *étalement* m • verdeling ‹in tijd› *étalement* m; *échelonnement* m; ‹v. afstand› *écart* m
spreidlicht *projecteur* m

spreidsprong *saut* m *écarté*
spreidstand *jambes* v mv *écartées*
spreidzit *grand écart* m
spreken I OV WW • zeggen *parler* • gesprek hebben met *parler*; ‹op informele toon› *causer* ★ ~ met iem. *parler à qn*; *causer avec qn* ★ met wie spreek ik? ‹over telefoon› *qui est à l'appareil?* ★ u spreekt met Zijlstra *vous parlez avec Zijlstra* • taal beheersen *parler* ★ Frans ~ *parler français* **II** ON WW • praten *parler*; ‹een toespraak houden› *faire un discours*; *faire une conférence* ★ duidelijk ~ *parler clairement* ★ ~ over *parler de* • zich uiten ★ iem. te ~ vragen *demander à parler à qn* • duidelijk uitkomen ★ uit haar ogen spreekt liefde *ses yeux expriment de l'amour* ★ niets spreekt ten gunste van hem *rien ne témoigne en sa faveur* ▾ dat spreekt vanzelf *cela va de soi*; *cela va sans dire* ▾ ~ is zilver, maar zwijgen is goud *la parole est d'argent, le silence est d'or*
sprekend I BNW • met spraak *parlant* ★ een ~e film *un film parlant* • treffend *frappant* ★ een ~e gelijkenis *une ressemblance frappante* • veelzeggend ★ een ~ bewijs *une preuve évidente* ★ ~e kleuren *des couleurs* v mv *vives* ★ ~e ogen *des yeux* m mv *expressifs* **II** BIJW *exactement* ★ dat lijkt ~ *c'est très ressemblant*
spreker *orateur* m [v: *oratrice*]; ‹op lezing› *conférencier* m [v: *conférencière*]
sprenkelen *asperger*; *arroser* ★ het wasgoed met water be~ *asperger le linge avec de l'eau*
spreuk *dicton* m; *maxime* v; *aphorisme* m
spriet • halm *brin* m • meisje *perche* v • voelhoorn *antenne* v
sprietig ‹spichtig› *maigrichon* [v: *maigrichonne*]; ‹v. haar› *rebelle*
springbak SPORT *fosse* v *de réception*
springbok • SPORT *cheval* m • dier *springbok* m
springconcours *saut* m *d'obstacles*; *jumping* m
springen • zich in de lucht verheffen *sauter*; *bondir*; ‹v. vloeistof› *jaillir* ★ over een sloot ~ *sauter un fossé* ★ in het water ~ *se jeter à l'eau* ★ uit bed ~ *sauter à bas de son lit* • barsten *se gercer*; *se crevasser* • ontploffen *éclater*; *sauter* ★ mijn band is gesprongen *mon pneu a crevé* • bankroet gaan *faire faillite*; *sauter*
springerig *sautillant* ★ ~ haar *des cheveux* m mv *rebelles*
spring-in-'t-veld *enfant* m *espiègle*
springlading *charge* v *explosive*
springlevend *plein de vie*
springmatras ‹matras/onderstel› *matelas* m *à ressorts*; ‹onderstel› *sommier* m *à ressorts*; SPORT *matelas* m
springnet *toile* v *de sauvetage*
springpaard • dier *sauteur* m • turntoestel *cheval* m
springplank *tremplin* m
springschans *tremplin* m
springstof *explosif* m
springstok *perche* v
springtij *grande marée* v
springtouw *corde* v *à sauter*
springveer *ressort* m
springvloed • springtij *grande marée* v • vloedgolf *raz* m *de marée*
sprinkhaan *sauterelle* v ▾ een magere ~ *une sauterelle*; *un gringalet*
sprinkhanenplaag *invasion* v *de sauterelles*
sprinkler *sprinkler* m
sprinklerinstallatie *installation* v *d'arrosage*
sprinklersysteem → **sprinklerinstallatie**
sprint *sprint* m
sprinten *sprinter*
sprinter *sprinter* m; *sprinteur*; *coureur* m *de vitesse* [v: *coureuse* ...]
sproeiapparaat *arroseur* m
sproeien *arroser*
sproeier • sproeitoestel *arroseur* m; ‹met bestrijdingsmiddelen› *pulvérisateur* m; ‹kop van gieter/douche› *pomme* v • TECHN. *gicleur* m
sproeikop *pomme* v *d'arrosoir*; ‹v. douche› *pomme* v *d'une douche*
sproeimiddel *bouillie* v
sproeivliegtuig *avion* m *d'arrosage*
sproet *tache* v *de rousseur*
sprokkelen *ramasser du bois mort*; FIG. *glaner*
sprokkelhout *bois* m *mort*
sprong • het springen *saut* m; *bond* m ★ met één ~ *d'un bond* ★ ~ naar voren *bond en avant* • gesprongen afstand *saut* m ▾ een ~ in het duister doen *faire un saut dans l'inconnu* ▾ kromme ~en maken *faire des folies*
spronggewricht *articulation* v *talocrurale*
sprongsgewijs *par bonds*
sprookje *conte* m *de fées* ★ het ~ van Moeder de Gans *le conte de ma mère l'Oie*
sprookjesachtig *féerique*
sprookjesboek *livre* m *de contes*
sprookjesfiguur *personnage* m *de contes de fées*
sprookjesprinses *princesse* v *de conte de fées*
sprookjeswereld *monde* m *féerique*
sprot *sprat* m
spruit • groente *chou* m *de Bruxelles* [m mv: *choux* ...] • uitloper *pousse* v; *jet* m • kind *rejeton* m
spruiten • loten krijgen *donner des rejets* • ontspruiten *descendre (de)*; *être issu (de)*
spruitjes *choux* m mv *de Bruxelles*
spruitstuk *embranchement* m
spruw *muguet* m; *aphte* m
spugen • speeksel uitspugen *cracher* • braken *vomir*
spuien • lozen *évacuer*; ‹v. koopwaar› *écouler (des marchandises)* ★ overtollig water ~ *évacuer des eaux superflues* • uiten *exprimer* ★ zijn zorgen ~ *raconter ses soucis*
spuigat *déversoir* m; ‹v. schip› *dalot* m ▾ dat loopt de ~en uit *cela dépasse les bornes*
spuit • werktuig *tuyau* m [mv: *tuyaux*]; ‹brandspuit› *lance* v *d'incendie* ★ drijvende ~ *bateau-pompe* m • injectiespuit *seringue* v • injectie ‹v. drugsverslaafde› *shoot* m; *piqûre* v ★ iem. een ~je geven *faire une piqûre à qn*
spuitbus *bombe* v *(aérosol)*
spuiten I OV WW • injecteren *injecter* • naar

buiten persen ‹bij brand› *arroser*; ‹v. parfum› *pulvériser* • bespuiten *arroser*; ‹lakken› *peindre au pistolet* II ON WW • te voorschijn komen *jaillir*; *gicler* ★ de walvis spuit *la baleine souffle* • drugs gebruiken *se shooter*
spuiter • druggebruiker *drogué* m *qui se shoote*; *junky* m • spuitende opening of bron *puits* m *en éruption*
spuitfles *siphon* m
spuitgast *pompier* m
spuitwater *eau* v *gazeuse*
spul • goedje *marchandise* v; INF. *camelote* v ★ dat is goed spul *c'est de la bonne marchandise* • benodigdheden *affaires* v mv; *barda* m ★ je moet je spullen opruimen *il faut que tu ranges tes affaires*
spurt *sprint* m
spurten • sprinten *sprinter* • snellen *foncer*
sputteren • morren *rouspéter*; *râler* • pruttelen, spetteren *pétiller*; ‹v. motor› *crachoter*
sputum *expectorations* v mv
spuug *salive* v; ‹uitgespuugd› *crachat* m
spuuglelijk *laid à faire peur*
spuuglok *accroche-cœur* m [mv: *accroche-coeurs*]
spuugzat ▾ iets ~ zijn *en avoir ras le bol de qc*
spuwen • spugen *cracher* • braken *vomir*
squadron *escadrille* v
squash *squash* m
squashbaan *salle* v *de squash*
squaw *squaw* v
Sri Lanka *le Sri Lanka* ★ in ~ *au Sri Lanka*
Sri Lankaans *srilankais*
sst *chut!*
staaf *barre* v; *lingot* m
staafdiagram *histogramme* m
staaflantaarn *torche* v *électrique*
staafmixer *mixeur* m *plongeur*
staak • stok *perche* v; *bâton* m; ‹bonenstaak› *piquet* m; *rame* v • persoon *perche* v
staakt-het-vuren *cessez-le-feu* m
staal • materiaal *acier* m; FIG. *fer* m • MED. *fer* m • monster *échantillon* m; *exemple* m
staalarbeider *ouvrier* m *métallurgiste*
staalblauw *bleu (d')acier*
staalborstel *brosse* v *métallique*
staalconstructie *construction* v *en acier*
staaldraad *fil* m *d'acier*
staalerts *minerai* m *permettant d'obtenir un acier de bonne qualité*
staalindustrie *industrie* v *de l'acier*
staalkaart *carte* v *d'echantillons*; FIG. *éventail* m
staalkabel *câble* m *d'acier*
staalpil *comprimé* m *de fer*
staalwol *paille* v *de fer*
staan • rechtop staan *être debout*; *se tenir debout* ★ gaan ~ *se lever*; *se mettre debout*; ‹v. hond› *tomber en arrêt* ★ op een tafel gaan ~ *monter sur une table* ★ tegen de muur gaan ~ *s'appuyer contre le mur* ★ het ~ *la station debout* • stilstaan *être*; *être immobile* ★ tot ~ brengen *arrêter* ★ blijven ~ *s'arrêter/s'immobiliser/ne plus bouger* ★ tot ~ komen *s'arrêter* • opgetekend zijn *se trouver*; *figurer*; *être inscrit*; *être marqué* ★ het staat in de krant *cela se trouve dans le journal* ★ haar naam staat op de lijst *son nom figure sur la liste* • passen *aller à quelqu'un*; *convenir à quelqu'un*; ‹betamen› *être convenable* ★ dat staat je niet *cela ne te va pas* ★ die hoed staat je goed *ce chapeau te va bien* • onaangeroerd blijven ★ alles laten ~ *tout laisser là* ★ zijn eten laten ~ *ne pas toucher à son repas* ★ laat dat ~ *laissez cela* • zijn *aller*; *être*; *se trouver* ★ hoe ~ de zaken? *comment ça va?* ★ zoals de zaken nu ~ *au point où en sont les choses* ★ er goed voor ~ *avoir toutes les chances de réussir* ★ er slecht voor ~ *être en mauvaise posture* ★ het staat u vrij om *vous êtes libre de* • betekenen *être passible de* ★ daar staat boete/straf op *cela est passible d'une amende/d'une peine* • ~ **tot** ★ 2 staat tot 4 als 5 tot 10 *2 est à 4 comme 5 à 10* • bezig zijn *être en train (de)* ★ hij staat al een uur te wachten *voilà une heure qu'il est là à attendre* • op het punt staan om *être sur le point de* ★ op instorten ~ *menacer de s'écrouler* • eisen *exiger que*; *tenir à ce que*; *insister pour que* ★ hij staat erop dat wij komen *il exige que nous venions*; *il tient à ce que nous venions* • geconfronteerd worden met ★ ergens alleen voor ~ *se retrouver seul pour résoudre qc* ▾ laat ~ dat *sans parler de* ▾ hij staat voor niets *il ne recule devant rien* ▾ erboven ~ *être au-dessus de qc*
staand ▾ iemand ~e houden *arrêter qn* ▾ een theorie ~e houden *défendre une théorie*
staande *pendant* ★ ~ de vergadering *séance tenante*
staander *montant* m
staanplaats • plaats waar men moet staan *place* v *debout* • standplaats *place* v
staar *cataracte* v
staart • BIOL. *queue* v • haarstreng *queue* v *(de cheval)* • nasleep *suite* v • restantje *restant* m ▾ met de ~ tussen de benen *la queue basse*
staartbeen *coccyx* m
staartdeling *division* v
staartklok *horloge* v *à caisse allongée*
staartstuk *queue* v
staartvin *nageoire* v *caudale*
staat • toestand *état* m; *situation* v; *position* v ★ ~ van beleg *état de siège* ★ ~ van dienst *état de service* • rijk *État* m; *nation* v • gelegenheid ★ in ~ stellen/zijn te *mettre/être en état de* ★ niet in ~ zijn iem. te helpen *ne pas être en mesure d'aider qn*; *ne pas avoir la possibilité d'aider qn* • lijst *liste* v; *relevé* m; *tableau* m ▾ Provinciale Staten *les États Provinciaux* ▾ ~ maken op iets *compter sur qc*
staathuishoudkunde *économie* v *politique*
staatkunde *politique* v
staatkundig *politique*
staatsaandeel *participation* v *d'Etat*
staatsaanklager *procureur* m
staatsbedrijf *entreprise* v *publique*
staatsbelang *intérêt* m *de l'État*
staatsbestel *régime* m

S

staatsbezoek *visite* v *officielle*
staatsblad *Journal* m *officiel*
staatsbosbeheer *administration* v *des Eaux et des Forêts*
staatsburger *citoyen* m [v: *citoyenne*]
staatsburgerschap *nationalité* v
Staatscourant *Journal* m *officiel*
staatsdienst *service* m *de l'État*; *fonction* v *publique*
staatsdomein *domaine* m *de l'État*
staatsdrukkerij *Imprimerie* v *Nationale*
staatseigendom *propriété* v *de l'État*
staatsexamen *examen* m *d'État*
staatsgeheim *secret* m *d'État*
staatsgreep *coup* m *d'État*; *putsch* m
staatshoofd *chef* m *de l'État* ★ de ~en *les chefs d'État*
staatsie *cérémonie* v; *pompe* v
staatsieportret *photo* v *officielle*
staatsinrichting • staatsbestuur *organisation* v *politique* • leervak *instruction* v *civique*
staatskas *trésor* m *public*; *Trésor* m
staatslening *emprunt* m *d'État*
staatsloterij *loterie* v *nationale*
staatsman *homme* m *d'État*; *homme* m *politique*
staatsorgaan *organe* m *de l'État*
staatspapier *fonds* m *d'État*; *bon* m *du Trésor*
staatsprijs *prix* m *d'État*
staatsrecht ‹m.b.t. staatsinrichting› *droit* m *constitutionnel*; ‹m.b.t. burgers› ≈ *droit* m *civique*
staatsrechtelijk *de droit constitutionnel*
staatsschuld *dette* v *publique*
staatssecretaris *secrétaire* m/v *d'État*
staatsvorm *régime* m
staatswege ★ van ~ *de la part de l'État*
stabiel *stable*
stabilisatie *stabilisation* v
stabilisator *stabilisateur* m
stabiliseren *stabiliser*
stabiliteit *stabilité* v
stacaravan *caravane* v *résidentielle*
stad *ville* v ★ in de stad wonen *habiter la ville*; ‹in het centrum› *habiter en ville/le centre-ville* ★ de stad ingaan *aller en ville* ★ de stad Parijs *la ville de Paris*
stadgenoot *concitoyen* m [v: *concitoyenne*]
stadhouder *gouverneur* m; ‹in Nederland› *stathouder* m
stadhuis *hôtel* m *de ville*; *mairie* v
stadion *stade* m
stadium *stade* m; *phase* v ★ tbc in het eerste ~ *une tuberculose au premier degré*
stads • van/in de stad *urbain*; ‹m.b.t. personen› *citadin* • uit de stad *de la ville*
stadsbeeld *paysage* m *urbain*
stadsbestuur *conseil* m *municipal*
stadsbus *(auto)bus* m
stadsgezicht *vue* v *d'une ville*
stadskern *centre* m *de la ville*
stadskind *enfant* m/v *de la ville*
stadslicht *feu* m *de stationnement* [m mv: *feux* ...]
stadsmens *citadin* m [v: *citadine*]
stadsrecht • stedelijk recht *droit* m *municipal* • privileges *charte* v *d'affranchissement d'une ville*
stadsreiniging *voirie* v *urbaine*
stadsschouwburg *théâtre* m *municipal*
stadsvernieuwing *rénovation* v *urbaine*
stadsverwarming *chauffage* m *urbain*
stadswacht *garde* v *municipale*
stadswapen *armes* v mv *de la ville*
staf • stok *bâton* m • leiding *direction* v; *cadres* m mv; MIL. *état-major* m [mv: *états-majors*]
stafchef *chef* m *d'état-major*
staffunctie *fonction* v *de direction*
stafkaart *carte* v *d'état-major*
staflid *membre* m *de la direction*
stafylokok *staphylocoque* m
stag *étai* m ★ over stag gaan *virer de bord*
stage *stage* m ★ ~ lopen *faire un stage*
stagebegeleider *directeur* m *du stage*; *directrice* v *du stage*
stageld *frais* m mv *de location d'un emplacement*
stageplaats *place* v *de stagiaire*
stagiair *stagiaire* m/v
stagnatie *stagnation* v
stagneren *stagner*
stahoogte ≈ *hauteur* v *en station debout*
sta-in-de-weg *gêneur* m [v: *gêneuse*]
staken I OV WW ophouden met *arrêter*; *s'arrêter de*; *cesser* ★ het vuren ~ *cesser le feu* II ON WW • werk neerleggen *faire la grève* ★ er wordt gestaakt *c'est la grève* • gelijkstaan ★ de stemmen ~ *il y a partage des voix*
staker *gréviste* m/v
staking • het ophouden met iets *arrêt* m; *cessation* v • werkstaking *grève* v ★ een ~ afkondigen *annoncer une grève* ★ een onaangekondigde ~ *une grève sans préavis* ★ een wilde ~ *une grève sauvage* • het gelijk staan bij stemming ★ bij ~ van stemmen *en cas de partage (des voix)*
stakingsbreker *briseur* m *de grève* [v: *briseuse* ...]; *jaune* m
stakingsgolf *vague* v *de grèves*
stakingsleider *chef* m *de grève*
stakingsrecht *droit* m *de grève*
stakingsverbod *interdiction* v *de grève*
stakker *malheureux* m [v: *malheureuse*]
stal *étable* v; ‹paardenstal› *écurie* v ★ op stal zetten *mettre à l'étable*; *mettre à l'écurie*
stalactiet *stalactite* m
stalagmiet *stalagmite* m
stalen • van staal *d'acier* • zeer sterk *de fer* ★ ~ gezicht *visage impassible* ★ ~ zenuwen *des nerfs d'acier*
stalinisme *stalinisme* m
stalknecht *garçon* m *d'écurie*
stallen *rentrer*; *garer*; ‹v. dieren› *rentrer*
stalles *fauteuils* m mv *d'orchestre*
stalletje *étal* m; *éventaire* m
stalling • het stallen ‹dier› *mise* v *à l'étable/à l'écurie* • bewaarplaats *garage* m; ‹v. treinen/bussen› *dépôt* m
stam • PLANTK. ‹v. boom› *tronc* m; ‹stengel› *tige* v • geslacht *lignée* v; *race* v • volksstam *tribu* v • TAALK. *racine* v; ‹v. werkwoord› *radical* m [mv: *radicaux*]

stamboek ‹v. rasdieren› *pedigree* m; ‹v. paarden› *stud-book* m [mv: *stud-books*]; ‹v. personen› *registre* m *généalogique*
stamboekvee *bétail* m *de race*
stamboom *arbre* m *généalogique*; ‹v. rasdieren› *pedigree* m
stamboomonderzoek *recherches* v mv *généalogiques*
stamcafé *café* m *habituel*
stamelen *balbutier*; *bégayer*
stamgast *habitué* m [v: *habituée*]
stamhoofd *chef* m *de tribu*
stamhouder *héritier* m *du nom* [v: *héritière ...*]
stamkaart *fiche* v *signalétique*
stamkroeg *café* m *des habitués*
stammen *descendre de*
stammenoorlog *guerre* v *tribale*
stampen I OV WW fijnmaken *écraser*; *piler*; *broyer* **II** ON WW • dreunend stoten *tanguer* ★ het ~ *le tangage* • stampvoeten *frapper du pied*; *trépigner*
stamper • werktuig *pilon* m; ‹v. aardappels› *pilon* m *à purée* • BIOL. *pistil* m
stampij *tapage* m ★ ~ over iets maken *faire du tapage au sujet de qc*
stamppot *purée* v *de légumes*
stampvoeten *frapper du pied*; *trépigner*
stampvol *bondé*; *comble*; *plein à craquer* ★ een ~le bus *un autobus bondé* ★ een ~le zaal *une salle comble*
stamroos *rosier* m *(sur tige)*
stamtafel *table* v *des habitués*
stamvader *aïeul* m [mv: *aïeux*]
stamverwant *congénère*
stand • houding ‹v. mensen ook› *attitude* v; *position* v • maatschappelijke rang *condition* v; *rang* m; *situation* v ★ boven zijn ~ leven *vivre au-dessus de ses moyens* ★ zijn ~ ophouden *tenir son rang* • bestaan ★ tot ~ brengen *réaliser*; *mettre sur pied* ★ tot ~ komen *se faire*; *se réaliser* • toestand *état* m; *situation* v; *condition* v ★ de ~ van zaken *l'état des choses* ★ bij deze ~ van zaken *dans l'état actuel des choses* ★ de burgerlijke ~ *l'état civil* m • uitkomst, score *niveau* m; *score* m ★ de ~ is 2-0 voor Utrecht *le score est de deux à zéro pour Utrecht*; *Utrecht mène par deux à zéro* ★ de ~ van de barometer *ce qu'indique le baromètre* ★ de ~ van het water *le niveau de l'eau* ★ de ~ van de maan *la position de la lune* • kraam *stand* m
standaard I ZN • houder *support* m • vaandel *étendard* m • maatstaf *norme* v; *critère* m • vastgestelde eenheid *étalon* m • muntstandaard *étalon* m **II** BNW *standard*; *prêt-à-porter*
standaarddeviatie *écart-type* m [mv: *écarts-types*]
standaardformaat *format* m *standard*
standaardisatie *standardisation* v
standaardiseren *standardiser*; *normaliser*
standaardpakketpolis *police* v *type d'assurance complète*
standaardtaal *langue* v *standard*
standaarduitrusting *équipement* m *standard*
standaardwerk *ouvrage* m *de base*
standbeeld *statue* v
stand-by *de réserve*; *en attente*; *stand-by* [onv]
standenmaatschappij *société* v *de classes*
standhouden • niet wijken *résister*; *tenir bon* • blijven bestaan *durer*; *subsister*
stand-in *doublure* v
standing *standing* m; *classe* v
standje • houding *position* v • berisping *réprimande* v ★ een ~ krijgen *se faire réprimander*; *se faire attraper* ★ iem. een ~ geven *réprimander qn* • persoon ★ een opgewonden ~ *un excité*
standplaats • vestigingsplaats *poste* m • vaste plaats ‹v. persoon› *place* v *(habituelle)*; ‹voor iets› *emplacement* m ★ ~ voor taxi's *station* v *de taxis*
standpunt *point* m *de vue*; *opinion* v ★ een ~ innemen *adopter un point de vue* ★ vanuit dit ~ *de ce point de vue*; *dans cette optique* ★ van ~ veranderen *changer de point de vue*
standrecht *loi* v *martiale*
stand-up comedian *comédien* m *qui se produit en solo*
standvastig I BNW • onveranderlijk *tenace*; *constant*; *persistant* • volhardend *tenace* **II** BIJW *tenacement*; *avec tenacité*
standwerker *camelot* m
stang • staaf *barre* v; *tige* v • bit *mors* m
stangen *faire monter quelqu'un*
stank *mauvaise odeur* v; *puanteur* v
stankoverlast *nuisance* v *par les odeurs*
stanleymes *couteau* m *Stanley®*
stansen *perforer*
stanza *strophe* v
stap • pas *pas* m; ‹in proces› *phase* v ★ stap voor stap *pas à pas* ★ geen stap vooruit komen *ne pas avancer d'un pouce* • maatregel *démarche* v ★ stappen ondernemen tegen *entreprendre des démarches contre*
stapel I ZN • hoop *tas* m; *pile* v • SCHEEPV. ★ een schip van ~ doen lopen *lancer un navire* ★ een schip op ~ zetten *mettre un navire en cale* ▼ op ~ staan *être projeté* **II** BNW *fou* [v: *folle*] [onr: *fol*] ★ zij is ~ op hem *elle est folle de lui*
stapelbed *lits* m mv *superposés*
stapelen *empiler*; *entasser*
stapelgek *fou à lier* [v: *folle ...*]; INF. *complètement dingue*
stapelwolk *cumulus* m
stappen • lopen *marcher* • stap zetten *aller au pas* ★ over iets heen ~ *enjamber qc*; FIG. *ne plus parler de qc* • uitgaan *sortir*
stapsgewijs *pas à pas*; *par étapes*
stapvoets *au pas*
star I BNW • stijf *fixe* • rigide *rigide* **II** BIJW • stijf *fixement* • rigide *avec rigidité*
staren • strak kijken *fixer (qc/qn)* • wezenloos kijken *regarder dans le vide* ▼ zich blind ~ op *se fixer sur*
start • het vertrekken *départ* m; LUCHTV. *décollage* m; ‹v. motor, figuurlijk› *démarrage* m • vertrekpunt *départ* m ★ van ~ doen gaan *lancer* • begin ★ vliegende ~ *départ lancé* ★ staande ~ *départ arrêté*
startbaan *piste* v *de décollage*; *piste* v *d'envol*
startbewijs SPORT *licence* v

startblok *starting-block* m [mv: *starting-blocks*]; *cale* v *de départ*
starten I ov ww in gang zetten *mettre en marche* II on ww • op gang komen *démarrer* • vertrekken *partir*; *démarrer*; LUCHTV. *décoller*
starter • TECHN. startinrichting *démarreur* m • SPORT *starter*
startgeld ⟨te ontvangen⟩ *prime* v *de participation*; ⟨te betalen⟩ *mise* v *de participation*
startkabel *câble* m *de démarrage*
startkapitaal *capital* m *de départ* [m mv: *capitaux* ...]
startklaar *prêt (à partir)*
startmotor *démarreur* m
startnummer *dossard* m
startschot *signal* m *du départ* [m mv: *signaux* ...]
startsein *signal* m *du départ* ★ het ~ tot iets geven *donner le signal du départ de qc*
startverbod LUCHTV. *interdiction* v *de décoller*; SPORT *suspension* v
Star Wars *Guerre* v *des étoiles*
Statenbijbel *Bible* v *officielle*
statenbond *union* v *d'États*
Staten-Generaal *Parlement* m; GESCH. *États-Généraux* m mv
statie *station* v
statief *statif* m; *support* m; FOTO. *pied* m
statiegeld *consigne* v ★ ~ rekenen voor *consigner*
statig I BNW • waardig *digne* • plechtig *solennel* [v: *solennelle*] II BIJW • plechtig *solennellement* • waardig *dignement*
station • spoorweghalte *gare* v • zender *station* v
stationair *stationnaire*
stationcar *break* m; INF. *combi* m
stationeren ⟨v. persoon⟩ *poster*; ⟨v. zaken⟩ *parquer*; ⟨v. raketten⟩ *déployer*
stationschef *chef* m *de gare*
stationshal *hall* m *de gare*
stationsplein *place* v *de la gare*
stationsrestauratie *buffet* m *(de la gare)*; *restaurant* m *(de la gare)*
statisch *statique*
statisticus *statisticien* m [v: *statisticienne*]
statistiek *statistique* v ★ ~en opmaken *établir des statistiques*
statistisch *statistique*
status • sociale positie *standing* m; *position* v *sociale* • staat *état* m; JUR. *statut* m • MED. *état* m
status aparte *statu aparte* m
status-quo *statu quo* m
statussymbool *symbole* m *de prestige*
statutair *statutaire*
statutenwijziging *changement* m *des statuts*
statuut *statut* m
stavast ★ van ~ *résolu*
staven *confirmer*; *appuyer* ★ iets met bewijzen ~ *appuyer qc avec des preuves*
staving ★ ter ~ aanhalen *alléguer*
stayer *coureur* m *de fond* [v: *coureuse* ...]; ⟨in wielersport⟩ *stayer* m
steak *bifteck* m; *steak* m
stedelijk • van de stad *municipal* [m mv: *municipaux*] ★ het ~ museum *le musée municipal* • stads *urbain* ★ de ~e bevolking *la population urbaine*
stedeling *citadin* m [v: *citadine*]
stedenbouw *urbanisme* m
stedenbouwkunde *architecture* v *urbaine*
steeds I BNW van de stad *urbain*; *de la grande ville* II BIJW • telkens *toujours* ★ hij vraagt ~ hoe laat het is *il demande sans arrêt quelle heure il est* • altijd *toujours* ★ ~ meer *de plus en plus* • bij voortduring *toujours* ★ het regent nog ~ *il pleut toujours*
steeg *ruelle* v ★ een blinde ~ *une impasse*
steek • stoot met iets scherps *coup* m; ⟨v. insect⟩ *piqûre* v; *morsure* v • pijnscheut *point* m; *élancement* m ★ een ~ in de zij *un point de côté* • hatelijkheid ★ iem. een ~ onder water geven *lancer une pointe à qn* • lus, maas *point* m; ⟨breisteek⟩ *maille* v ★ een ~ laten vallen/oprapen *laisser tomber/ramasser une maille* • hoed *bicorne* m ▾ geen ~ opschieten *ne pas avancer d'une semelle*; *piétiner* ▾ iemand in de ~ laten *abandonner qn*; *laisser tomber qn*
steekhoudend *solide*; *valable*; *qui tient debout*
steekpartij *rixe* v
steekpenningen *pots-de-vin* m mv
steekproef *sondage* m ★ aselecte ~ *échantillon* m *aléatoire*
steeksleutel *clé* v *plate*
steekspel • riddertoernooi *tournoi* m • discussie *joute* v
steekvlam *flamme* v *de chalumeau*; ⟨bij explosie⟩ *jet* m *de flammes*; ⟨bij gasapparaten⟩ *retour* m *de flamme*
steekwagen *diable* m
steekwapen *arme* v *blanche*
steekwond *blessure* v *causée par un objet pointu*
steekwoord *mot-clé* m [mv: *mots-clés*]; *entrée* v
steekzak *poche* v *sans rabat*
steel • stengel ⟨v. plant⟩ *tige* v; ⟨v. bloem⟩ *pédoncule* m; ⟨v. vrucht⟩ *queue* v • handvat *manche* m; ⟨v. pan⟩ *queue* v; ⟨v. pijp⟩ *tuyau* m
steelband *steel band* m
steeldrum *tambour* m *fait d'un tonneau à l'huile vide*
steelgitaar *guitare* v *aux cordes d'acier*
steelpan *casserole* v *à manche*
steels I BNW *furtif* [v: *furtive*] II BIJW *furtivement*
steen I ZN (de) • stuk steen *pierre* v; *caillou* m [mv: *cailloux*]; ⟨edelsteen⟩ *pierre* v *précieuse* • bouwsteen *pierre* v; ⟨baksteen⟩ *brique* v; ⟨straatsteen⟩ *pavé* m; ⟨vloersteen⟩ *dalle* v; *carreau* m [mv: *carreaux*] ★ de eerste ~ leggen *poser la première pierre* • speelstuk ⟨damsteen⟩ *pion* m; ⟨dominosteen⟩ *domino* m ▾ de ~ der wijzen *la pierre philosophale* ▾ ~ en been klagen *se lamenter* II ZN (het) gesteente *pierre* v; *roche* v
steenarend *aigle* m *royal*
steenbok • dier *bouquetin* m • sterrenbeeld *Capricorne* m

steenbokskeerkring *tropique* m *du Capricorne*
steenboor *perceuse* v *de pierre*; *broche* v *à pierre*
steendruk *gravure* v *(sur pierre)*
steengoed I ZN *grès* m II BNW *formidable* III BIJW *formidablement bien*
steengrillen CUL. *faire des grillades sur pierre*
steengroeve *carrière* v
steenhard *dur comme la pierre*
steenhouwer • bewerker *tailleur* m *de pierre(s)* • arbeider *carrier* m
steenkool *houille* v; *charbon* m ★ witte ~ *la houille blanche*
steenkoolengels ≈ *anglais* m *très maladroit*
steenkoolindustrie *industrie* v *houillère*
steenkoolmijn *houillère* v
steenkoolproductie *production* v *de houille*
steenkoud • ongevoelig *de marbre*; *de glace* • ijskoud *glacé*; *glacial*
steenoven *four* m *à briques*; *briqueterie* v
steenpuist *furoncle* m
steenrijk *richissime*; *plein aux as*
steenslag • vallend gesteente *éboulis* m mv; *chute* v *de pierraille* • wegmateriaal *pierraille* v; *gravillon* m
steentijd *âge* m *de pierre*
steenuil *chouette* v *chevêche*
steenworp *jet* m *d'une pierre* ★ op een ~ afstand *à un jet de pierre*
steeplechase *steeple-chase* m; *course* v *d'obstacles*
steevast *toujours*; *à tous les coups*
steiger • aanlegplaats ‹v. aankomst› *embarcadère* m; ‹v. vertrek› *débarcadère* m • werkstellage *échafaudage* m
steigeren *se cabrer*
steil I BNW • sterk hellend *raide*; *escarpé*; *à pic* ★ een ~e helling *une pente forte*; *une côte raide* ★ een ~e daling *une descente rapide|à pic* ★ een ~e trap *un escalier raide* • star *rigide*; *borné* • sluik ★ ~ haar *des cheveux plats* II BIJW • sterk hellend *à pic* ★ ~ oplopen *monter raide* • star *de façon rigide*; *de façon bornée*
steilschrift *écriture* v *droite*
steilte • het steil zijn *raideur* v • helling *pente* v *forte*; *à-pic* m

S

stek • plantendeel *bouture* v • vaste plek *coin* m *(préféré)*
stekeblind *totalement aveugle*
stekel • punt *piquant* m; *épine* v • distel *chardon* m
stekelbaars *épinoche* v
stekeldraad *barbelés* m mv
stekelhaar *cheveux* m mv *en brosse*
stekelig I BNW • bits *acerbe*; *mordant* • met stekels *piquant*; *épineux* [v: *épineuse*] II BIJW *d'un ton acerbe*
stekelvarken • knaagdier *porc-épic* m [mv: *porcs-épics*] • egel *hérisson* m
steken I OV WW • treffen *piquer*; *blesser* • grieven *blesser* • in bepaalde plaats/toestand brengen ‹vastprikken› *piquer*; *enfoncer*; *planter*; ‹in omhulsel› *enfoncer*; *introduire*; *mettre*; ‹vaststeken› *mettre*; *attacher* ★ iem. een ring aan de vinger ~ *mettre une bague au doigt de qn* • uitspitten *enlever à la bêche* ★ turf ~ *enlever la tourbe*; *extraire la tourbe* ▾ zich in de schulden ~ *s'endetter* II ON WW pijnlijk zijn *piquer* ★ met een mes naar iem. ~ *donner un coup de couteau à qn* ★ de wond steekt *la blessure fait mal* ▾ daar steekt iets achter *ça cache qc*; *il y a qc là-dessous* ▾ er steekt een geleerde in hem *il a l'étoffe d'un savant*
stekken *bouturer* ★ het ~ van planten *le bouturage des plantes*
stekker *fiche* v *(mâle)*; *prise* v *(mâle)* ★ de ~doos *la prise multiple* ★ de ~ uit het contact trekken *retirer la fiche de la prise*
stekkerdoos *prise* v *multiple*
stekkie *coin* m *favori*
stel • aantal ‹dingen› *collection* v; *série* v; ‹personen› *bande* v ★ het hele stel *le ban et l'arrière-ban* • set *ensemble* m; *assortiment* m; *jeu* m • paar *couple* m ▾ op stel en sprong *sur-le-champ* ▾ op stel zijn *être en ordre*
stelen *voler*; *dérober*; INF. *chiper* ▾ dat is om te ~ *c'est gentil à croquer*
stellage • steiger *échafaudage* m • opbergruimte *rayonnage* m
stellen • in toestand/positie brengen *mettre*; ‹in juiste stand› *régler* ★ een machine ~ *régler une machine* ★ iets in/buiten werking ~ *mettre qc en|hors service* ★ iem. aansprakelijk ~ voor iets *rejeter sur qn la responsabilité de qc* ★ iets aan de orde ~ *soulever une question|un problème* ★ op vrije voeten ~ *mettre en liberté* ★ zich tot taak ~ iets te doen *s'engager à faire qc* • zetten, plaatsen *mettre*; *poser* ★ zich kandidaat ~ *poser sa candidature* • veronderstellen *mettre*; *supposer* ★ stel dat het waar is *mettons|supposons que ce soit vrai* • vaststellen *mettre*; *régler* ★ als regel ~ *poser comme règle* • formuleren *rédiger* • klaarspelen *faire*; *poser* ★ het zonder iets moeten ~ *devoir se passer de qc* ▾ hij heeft heel wat met haar te ~ *elle lui donne du fil à retordre*
stelletje • zootje *bande* v; *tas* m ★ ~ idioten! *bande d'idiots!* • paar ★ een aardig ~ *un couple sympathique*
stellig I BNW • werkelijk *effectif* [v: *effective*]; *réel* [v: *réelle*] • zeker *formel*; *certain*; *catégorique* II BIJW • werkelijk *réellement*; *effectivement* • zeker *catégoriquement*; *certainement*; *formellement*
stelligheid *fermeté* v; *assurance* v ★ hij beweerde met grote ~ dat *d'un ton ferme, il affirma que*
stelling • positie *position* v ★ een gunstige ~ *une position favorable* ★ de ~ van het probleem is onduidelijk *le problème n'est pas clairement posé* ★ ~ nemen tegen *prendre position contre* ★ MIL. een ~ nemen *enlever une position* • bewering *assertion* v; *thèse* v; *proposition* v; WISK. *théorème* m ★ een ~ verdedigen *soutenir|défendre une thèse* • steiger *échafaudage* m • stellage *rayonnage* m
stellingname *prise* v *de position*

stelpen *étancher; arrêter* ★ bloed ~ *étancher le sang*
stelpost *poste* m *estimatif*
stelregel *règle* v *de conduite; principe* m; *maxime* v
stelschroef • regelschroef *vis* v *de réglage* • schroef tegen losschieten *vis* v *de blocage*
stelsel *système* m; *régime* m ★ het Europese Monetaire Stelsel *le Système monétaire européen* ★ een economisch ~ *un régime économique*
stelselmatig *systématique; méthodique*
stelt *échasse* v ★ op ~en lopen *être monté sur des échasses*
steltlopen *marcher avec des échasses*
steltloper *échassier* m
stem • stemgeluid *voix* v ★ de stem verheffen *élever la voix* • spraakvermogen *voix* v • keuze bij stemming *vote* m; *suffrage* m ★ zijn stem uitbrengen *exprimer son vote* ★ met algemene stemmen *à l'unanimité* ★ een blanco stem *un bulletin blanc* • zeggenschap *voix* v • MUZ. *voix* v
stemadvies ≈ *directives* v mv
stemband *corde* v *vocale*
stembiljet *bulletin* m *de vote*
stembuiging *intonation* v
stembureau *bureau* m *de vote* [m mv: *bureaux* ...]
stembus *urne* v ★ naar de ~ gaan *aller aux urnes*
stemgedrag *comportement* m *électoral*
stemgeluid *son* m *de la voix; voix* v
stemgerechtigd *ayant le droit de vote;* ‹in vergadering› *ayant voix délibérative* ★ ~ zijn *avoir le droit de vote* ★ de ~e leeftijd *l'âge de voter* m
stemhebbend *sonore*
stemhokje *isoloir* m
stemlokaal *bureau* m *de vote* [m mv: *bureaux* ...]
stemmen I ov ww • in zekere stemming brengen *disposer; rendre* ★ het stemt mij tevreden *cela me rend content* ★ een vast gestemde markt *un marché à tendance ferme* • MUZ. *accorder* II ON WW stem uitbrengen *aller aux urnes; voter* ★ ~ over iets *voter qc* ★ ~ bij handopsteking *voter à main levée* ▾ de ~ staken *il y a partage des voix*
stemmenwinst *bénéfice* m *électoral*
stemmer • kiezer *votant* m • MUZ. *accordeur* m [v: *accordeuse*]
stemmig I BNW *sobre; discret* [v: *discrète*]; *réservé* II BIJW *sobrement; discrètement*
stemming • het stemmen *scrutin* m; *vote* m ★ hoofdelijke ~ *vote par appel nominal* ★ bij de eerste ~ *au premier tour de scrutin* ★ tot ~ overgaan *procéder au vote* • MUZ. *accord* m • gemoedstoestand *humeur* v; *moral* m • sfeer *ambiance* v; *atmosphère* v; ECON. *tendance* v *(du marché)*
stemmingmakerij *manipulation* v *de l'opinion*
stempel • werktuig om te persen/ponsen *poinçon* m; *estampe* v; *estampilleuse* v • afdruk *cachet* m; *sceau* m [mv: *sceaux*]; *tampon* m ★ een ~ zetten *tamponner* • voorwerp met afdruk *tampon* m; *timbre* m • kenmerk *cachet* m ★ zijn ~ drukken op *marquer de son empreinte; laisser une forte empreinte sur* • PLANTK. *stigmate* m ▾ van de oude ~ *de la vieille école*
stempelautomaat *composteur* m
stempeldoos *boîte* v *de tampons*
stempelen • een stempel drukken *tamponner; estampiller;* ‹v. postzegel› *oblitérer;* ‹v. trein/buskaart› *composter* • kenmerken *caractériser*
stempelkussen *tampon* m *encreur*
stemplicht *vote* m *obligatoire*
stemrecht *droit* m *de vote* ★ het algemeen ~ *le suffrage universel*
stemvee ≈ *troupeau* m *électoral*
stemverheffing *élévation* v *de la voix*
stemvork *diapason* m
stencil *(texte* m*) polycopié*
stencilen *polycopier*
stencilmachine *ronéo* v
stenen *de pierre; en pierre* ★ een ~ pijp *une pipe en terre cuite*
stengel PLANTK. *tige* v
stengun *mitraillette* v
stenigen *lapider*
stennis *boucan* m ▾ ~ schoppen *faire du boucan*
steno *sténo* v
stenograferen *sténographier*
stenografie *sténographie* v
stenografisch *sténographique*
step *trottinette* v
step-in *gaine* v
steppe *steppe* v
steppehond *lycaon* m; *chien* m *des prairies*
steppen *faire de la trottinette*
ster • hemellichaam *étoile* v; *astre* m ★ een vallende ster *une étoile filante* • figuur ‹in boeken e.d.› *astérisque* m; *étoile* v • beroemdheid *vedette* v; ‹v. film› *star* v
STER ≈ *RFP* v; *Régie* v *française de la publicité*
sterallures *airs* m mv *de star*
stereo I ZN • installatie *chaîne* v • stereofonie *stéréo* v ★ in ~ *en stéréo* II BNW *stéréo*
stereoapparatuur *installation* v *stéréophonique*
stereofonisch *stéréophonique*
stereo-installatie *chaîne-stéréo* v [mv: *chaînes-stéréos*]
stereometrie *stéréométrie* v
stereotoren *rack* m *stéréo*
stereotype • vastgeroeste opvatting *stéréotype* m • afdruk *stéréotypie* v
sterfbed *lit* m *de mort*
sterfdag *jour* m *du décès*
sterfelijk *mortel* [v: *mortelle*]
sterfgeval *décès* m ★ wegens ~ *pour cause de décès*
sterfhuis *maison* v *mortuaire*
sterfhuisconstructie ≈ *montage* m *juridique transformant les divisions déficitaires en filiales condamnées*
sterfte *mortalité* v
sterftecijfer *taux* m *de mortalité*
sterfteoverschot *excédent* m *des décès*

steriel • onvruchtbaar *stérile* • vrij van ziektekiemen *stérile*
sterilisatie *stérilisation* v
steriliseren *stériliser*
sterk I BNW • krachtig *fort*; *vigoureux* [v: *vigoureuse*]; ‹machtig› *grand*; *puissant* • bekwaam *fort (en)* • stevig *solide* • hevig *fort*; *violent*; *intense* • geconcentreerd *concentré*; ‹v. reuk/smaak› *fort* ★ een ~e oplossing *une solution concentrée* ★ de koffie is te ~ *le café est trop fort* ★ ~e boter *du beurre rance* • talrijk ★ tien man ~ *fort de dix hommes* ▾ hij maakt zich ~ dat te bewijzen *il se fait fort de prouver cela* II BIJW *fortement*; *très*; *solidement*
sterkedrank *boissons* v mv *spiritueuses*
sterken *fortifier*; *consolider*; FIG. *raffermir*; *remonter*; *conforter*
sterkers *cresson* m *alénois*
sterkte • kracht *force* v; *puissance* v • stevigheid *solidité* v; *résistance* v • geestkracht *force* v; *fermeté* v; *courage* m • intensiteit *force* v; *puissance* v; *intensité* v • talrijkheid *force* v; *nombre* m; ‹v. leger› *effectifs* m mv
sternum *sternum* m
steroïden *stéroïdes* m mv ★ anabole ~ *stéroïdes anaboles*
sterrenbeeld • groep sterren *constellation* v • teken *signe* m
sterrenhemel *ciel* m *(étoilé)*; *cieux* m mv
sterrenkijker *télescope* m
sterrenkunde *astronomie* v
sterrenregen *pluie* v *d'étoiles*
sterrenstelsel *système* m *stellaire*
sterrenwacht *observatoire* m
sterrenwichelaar *astrologue* m/v
sterrenwichelarij *astrologie* v
sterretje • teken *astérisque* v • vuurwerk *cierge* m *magique* ▾ ~s zien *voir trente-six chandelles*
sterveling *mortel* m [v: *mortelle*] ★ de gewone ~ *le commun des mortels* ▾ er was geen ~ *il n'y avait pas âme qui vive*
sterven • doodgaan *mourir*; FORM. *décéder* ★ op ~ liggen *agoniser*; *être à l'agonie*; *se mourir* ★ het ~ *la mort*; *le décès* ★ een natuurlijke dood ~ *mourir d'une mort naturelle*; *mourir de sa belle mort* • creperen *crever*
stervensbegeleiding *aide* v *aux mourants*
stervenskoud *glacé* ★ het is ~ *il fait un froid de canard/chien*
stethoscoop *stéthoscope* m
steun • stut *support* m; *appui* m; *soutien* m • hulp *appui* m; *réconfort* m; *soutien* m ★ ~ verlenen aan iem. *soutenir qn*; *donner son soutien à qn* • uitkering *allocation* v *de chômage* ★ ~ trekken *recevoir une allocation de chômage*
steunbalk TECHN. *racinal* m [mv: *racinaux*]
steunbeer *contrefort* m
steunbetuiging *preuve* v *d'appui*
steunen I OV WW • ondersteunen *soutenir*; ‹in bouwkunde› *étayer*; *appuyer* • helpen *soutenir*; *épauler* ★ met geld ~ *appuyer financièrement*; *subventionner* II ON WW • leunen *s'appuyer (sur)*; *reposer (sur)* • zich verlaten op ★ ~ op eigen kracht *compter sur sa propre force* • kreunen *gémir*
steunfonds *fonds* m *de secours*
steunfraude *fraude* v *à la sécurité sociale*
steunkous *bas* m *à varices*
steunmuur *allège* v
steunpilaar • pilaar *pilier* m; *colonne* v; *allège* v • persoon *pilier* m
steunpunt • punt waarop iets steunt *point* m *d'appui* • MIL. *base* v
steuntrekker *allocataire* m/v
steunzender *réémetteur* m
steunzool *semelle* v *orthopédique*
steur *esturgeon* m
steven ‹voor› *étrave* v; ‹achter› *étambot* m
stevenen • koers zetten *mettre le cap (sur)* • stappen naar *aller droit (à)*
stevig • solide *fort*; *solide* ★ deze stof is niet erg ~ *cette étoffe n'est pas très résistante* • krachtig *fort*; *robuste*; ‹v. eten› *substantiel* [v: *substantielle*]
steward *steward* m
stewardess *hôtesse* v *de l'air*
stichtelijk I BNW • verheffend *édifiant* • vroom *pieux* [v: *pieuse*] ▾ dank je ~! *merci, non!* II BIJW • verheffend *de manière édifiante* • vroom *pieusement*
stichten • oprichten *fonder*; *créer* • aanrichten *causer*; *provoquer* ★ kwaad ~ *faire du mal* • verheffen *édifier*
stichter *fondateur* m [v: *fondatrice*]
stichting • het oprichten *fondation* v; *création* v • rechtsvorm *fondation* v
stichtingsbestuur *direction* v *de la fondation*
stick • hockeystick *crosse* v • stickie *joint* m
sticker *autocollant* m
stickie *joint* m
stiefbroer ‹v. vaderszijde› *fils* m *du beau-père*; ‹v. moederszijde› *fils* m *de la belle-mère*
stiefdochter *belle-fille* v [mv: *belles-filles*]
stiefkind *enfant* m/v *d'un autre lit*
stiefmoeder *belle-mère* v [mv: *belles-mères*]; PEJ. *marâtre* v
stiefouder *belle-mère* v [mv: *belles-mères*]; *beau-père* m [mv: *beaux-pères*]
stiefvader *beau-père* m [mv: *beaux-pères*]
stiefzoon *beau-fils* m [mv: *beaux-fils*]
stiekem I BNW • heimelijk *secret* [v: *secrète*] • achterbaks *sournois* II BIJW • achterbaks *sournoisement* • heimelijk *en cachette*
stiekemerd *sournois* m [v: *sournoise*]
stier • dier *taureau* m • sterrenbeeld *Taureau* m
stierengevecht *course* v *de taureaux*; *corrida* v
stierennek *cou* m *de taureau*
stierenvechter *torero* m
stierlijk *drôlement*; *vachement* ★ ~ het land hebben *avoir le cafard* ★ zich ~ vervelen *s'embêter*
stift • staafje *goujon* m; *broche* v; *goupille* v • viltstift *feutre* m
stiften SPORT *faire une pichenette*
stifttand *dent* v *à pivot*
stigma *stigmate* m; *marque* v
stigmatiseren *stigmatiser*
stijf I BNW • niet soepel *raide*; *rigide* ★ ~

worden *se raidir* ★ ~ van de kou *engourdi par le froid* • stevig *épais* [v: *épaisse*] • houterig *gauche*; *maladroit* • niet spontaan *guindé*; *compassé* • koppig *têtu* ▾ een stijve hebben *bander* II BIJW • niet soepel *avec raideur*; *sans souplesse* • strak *étroitement*; *fixement* • houterig *maladroitement* • niet spontaan *avec raideur*; *avec un air guindé* ▾ ~ op zijn stuk staan *persister dans son opinion*

stijfjes *raide*; *compassé*

stijfkop *entêté* m [v: *entêtée*]; *tête* v *de mule*

stijfkoppig *obstiné*; *têtu*

stijfsel *amidon* m; ⟨in papvorm⟩ *colle* v *d'amidon* ★ linnengoed door het ~ halen *amidonner*/*empeser du linge*

stijgbeugel *étrier* m

stijgen • omhooggaan *monter* ★ het vliegtuig stijgt *l'avion prend de la hauteur* • toenemen *augmenter*; *monter* ★ de prijzen ~ *les prix augmentent* • stijgen in rangorde *monter*; *grimper*

stijging • het omhooggaan *montée* v; *ascension* v; ⟨v. water⟩ *crue* v • toename *augmentation* v; ⟨v. prijzen⟩ *hausse* v

stijl • schrijfstijl *style* m ★ met/in ~ *avec style* • handelswijze *style* m • deur-/raampost *montant* m; *jambage* m

stijlbloempje *fioriture* v *de style*

stijlbreuk *rupture* v *de style*

stijldansen *danse* v *de salon*

stijlfiguur *figure* v *de style*

stijlkamer *pièce* v *aménagée dans un style historique*

stijlloos I BNW • zonder (goede) stijl *dénué de style (propre)* • ongepast *inconvenant* II BIJW • zonder (goede) stijl *sans style* • ongepast *d'une façon inconvenante*

stijlperiode *période* v *de style*

stijlvol I BNW *de bon goût*; ⟨v. persoon⟩ *stylé* II BIJW *de bon goût*; ⟨v. persoon⟩ *avec élégance*; *avec bon goût*

stijven • met stijfsel behandelen *amidonner*; *empeser* • sterken *confirmer*; *affermir*; *fortifier*

stikdonker *tout à fait noir*; *complètement noir* ★ het is ~ *il fait noir comme dans un four*

stikheet *étouffant*

stikken I OV WW naaien *piquer* ▾ iemand laten ~ *laisser tomber qn* II ON WW het benauwd krijgen *étouffer*; *suffoquer*; *être asphyxié* III ONP WW wemelen *pulluler* ★ het stikt hier van de slangen *les serpents pullulent par ici*

stiksel *piqûre* v; ⟨als versiering⟩ *surpiqûre* v

stikstof *azote* m

stikstofdioxide *dioxyde* m *azoté*

stil I BNW • zonder geluid *silencieux* [v: *silencieuse*] • rustig *tranquille*; *calme* ★ een stille landweg *un chemin peu fréquenté* ★ de stille uren *les heures creuses* ★ een stil plekje zoeken *chercher un coin tranquille* • verborgen *secret* [v: *secrète*] ★ een stil genot *un plaisir secret* ▾ stille zaterdag *le samedi saint* ▾ de stille week *la semaine sainte* II BIJW • zonder geluid *silencieusement* • rustig *tranquillement*; *doucement* • heimelijk *secrètement*; *en secret* III TW ★ stil! *silence!*; *chut!*

stilaan *peu à peu*; *petit à petit*

stileren • in goede stijl vervatten *bien formuler*; *rédiger dans un bon style* ★ goed ~ *avoir un bon style* • een tekening vereenvoudigd uitbeelden *styliser*

stiletto *couteau* m *à cran d'arrêt*

stilhouden I OV WW • rustig houden *tenir tranquille* • verzwijgen *tenir secret*; *taire* II ON WW stoppen *s'arrêter*

stilist *styliste* m/v

stilistisch I BNW *stylistique* II BIJW *du point de vue stylistique*

stille • zwijgzaam persoon *taciturne* m/v • rechercheur *poulet* m

stilleggen *arrêter* ★ de haven ~ *paralyser le port*

stillen *assouvir*; ⟨v. dorst⟩ *étancher* ★ zijn honger ~ *assouvir sa faim*

stilletjes • zachtjes *doucement*; *silencieusement* • heimelijk *secrètement* • ongestoord *tranquillement*

stilleven *nature* v *morte*

stilliggen • niet bewegen *être couché tranquillement* • buiten werking zijn *chômer*; *être paralysé* ★ het treinverkeer ligt stil *le trafic ferroviaire est paralysé*

stilstaan • niet bewegen *rester immobile*; *rester arrêté* ★ blijven ~ *s'arrêter* • stagneren *ne pas avancer*; *ne pas évoluer* • niet functioneren *être arrêté*; *ne pas marcher* • ~ **bij** *s'arrêter (à)* ★ daar staat mijn verstand bij stil *ça me dépasse*; *je n'y comprends rien*

stilstand *immobilité* v; *tranquillité* v; ⟨stagnatie⟩ *arrêt* m; *stagnation* v

stilte • geluidloosheid *silence* m; *calme* m ★ in ~ *en silence* • rust *tranquillité* v • beslotenheid ★ iem. in alle ~ begraven *enterrer qn dans la plus stricte intimité*

stilton *stilton* m

stilvallen *s'arrêter*

stilzetten *arrêter*

stilzitten • rustig zitten *ne pas bouger*; *rester tranquille* • niet bedrijvig zijn *être inactif* [v: *être inactive*]; *rester les bras croisés* ★ wij hebben niet stilgezeten *nous ne sommes pas restés les bras croisés* ★ hij kan geen ogenblik ~ *il ne tient pas en place une minute*

stilzwijgen I ZN *silence* m; *mutisme* m ★ iem. het ~ opleggen *imposer le silence à qn* II ON WW *se taire (sur)*

stilzwijgend • zwijgend *silencieux* [v: *silencieuse*] • impliciet *tacite*

stimulans *stimulant* m

stimuleren *stimuler*; *encourager*

stimuleringsmaatregel ECON. *mesure* v *de revitalisation*

stimulus *stimulus* m

stinkbom *boule* v *puante*

stinkdier *mouffette* v

stinken *sentir mauvais*; *puer* ★ naar drank ~ *sentir l'alcool*

stip *point* m

stipendium *bourse* v *(d'études)*

stippel *point* m

stippelen *pointiller*

stippellijn *pointillé* m
stipt *exact*; *ponctuel* [v: *ponctuelle*] ⋆ ~ betalen *payer ponctuellement* ⋆ hij is altijd ~ op tijd *il est toujours exactement à l'heure*
stiptheidsactie *grève* v *du zèle*
stipuleren *stipuler*
stockcarrace *course* v *de stock-cars*
stoeien *batifoler*; *folâtrer*
stoeipoes *femme* v *peu farouche*
stoel *chaise* v; ‹met armleuning› *fauteuil* m ▾ de Heilige Stoel *le Saint-Siège*
stoelen ~ **op** *baser (sur)*; *reposer (sur)*
stoelendans *chaises* v mv *musicales*; FIG. *valse* v
stoelgang *selles* v mv; MED. *déjections* v mv ⋆ ~ hebben *aller à la selle*
stoelleuning *dos(sier)* m *de chaise*
stoelpoot *pied* m *de chaise*
stoeltjeslift *télésiège* m
stoep • trottoir *trottoir* m • stenen opstapje *perron* m
stoeprand *bordure* v *du trottoir*
stoeptegel *dalle* v *de trottoir*
stoer I BNW • flink ≈ *dur* • fors *carré*; *costaud* ⋆ een ~e bink *un gros bras* **II** BIJW *avec dureté* ⋆ ~ doen *rouler les mécaniques*
stoet • optocht *cortège* m; *procession* v • brood *miche* v
stoeterij *haras* m
stoethaspel *empaillé* m [v: *empaillée*]; *gaffeur* m [v: *gaffeuse*]
stof I ZN (de) • materie *matière* v; *substance* v • weefsel *étoffe* v; *tissu* m • onderwerp *matière* v; *sujet* m ⋆ stof geven tot *prêter à*; *donner lieu à* ▾ kort van stof zijn *être un homme/une femme de peu de paroles* ▾ lang van stof zijn *être long* **II** ZN (het) *poussière* v; *poudre* v ⋆ stof afnemen *dépoussiérer* ▾ tot stof vergaan *tomber en poussière*
stofbril *lunettes* v mv *de protection*
stofdoek *chiffon* m *à poussière*; *essuie-meubles* m [onv]
stoffeerder *tapissier* m [v: *tapissière*]
stoffelijk TAALK. *matériel* [v: *matérielle*] ⋆ het ~ overschot *dépouille* v; *corps* m
stoffen I BNW *de/en tissu*; *de/en entoffé* **II** OV WW stof afnemen *dépoussiérer*; *enlever la poussière (de)*
stoffer *balayette* v
stofferen • bekleden *recouvrir*; *tapisser*; ‹v. muur› *tapisser*; ‹met vloerbedekking› *moquetter* • inrichten ‹met gordijnen en vloerbedekking› *mettre des rideaux et de la moquette* ⋆ gestoffeerde kamers *chambres* v mv *garnies*
stoffering • tapijt, gordijnen *rideaux* m mv *et moquette* • meubelbekleding *tissu* m *d'ameublement*; *tapisserie* v
stoffig • vol stof *poussiéreux* [v: *poussiéreuse*] • saai *mort*; *poussiéreux* [v: *poussiéreuse*]
stofgoud *poudre* v *d'or*
stofjas *blouse* v
stoflong *silicose* v
stofmasker *masque* m *antipoussière*
stofnaam *nom* m *de matière*
stofnest *nid* m *à poussière*
stofregen *pluie* v *de poussière*

S

stofvrij *sans poussière*
stofwisseling *métabolisme* m
stofwisselingsziekte *maladie* v *métabolique*
stofwolk *nuage* m *de poussière*
stofzuigen *passer l'aspirateur*
stofzuiger *aspirateur* m
stoïcijns *stoïque*
stok • stuk hout *bâton* m; ‹steel› *manche* m; ‹tak› *baguette* v • stel kaarten *talon* m ▾ het met iemand aan de stok krijgen *entrer en conflit avec qn*
stokbrood ‹dun› *ficelle* v; *baguette* v
stokdoof *sourd comme un pot*
stoken I ZN • het verbranden *chauffage* m • het bereiden van sterke drank *distillation* v **II** OV WW • doen branden *entretenir*; *se chauffer à* ⋆ kolen ~ *se chauffer au charbon* ⋆ een vuurtje ~ *faire/allumer un feu* • distilleren *distiller* **III** ON WW opruien *intriguer*
stoker • machinestoker *chauffeur* m • distilleerder *distillateur* m; *bouilleur* m *(de cru)* • opruier *fauteur* m *de troubles* [v: *fautrice ...*]; *agitateur* m [v: *agitatrice*]
stokerij *distillerie* v
stokken *s'arrêter*; ‹bij praten› *rester court*
stokoud *vieux comme le monde* [v: *vieille ...*]
stokpaardje *dada* m; *cheval* m *de bataille* ⋆ op zijn ~ zitten *enfourcher son dada*
stokroos *rose* v *trémière*; *rose* v *sur tige*
stokstijf I BNW • roerloos *raide comme un manche à balai*; *raide comme une perche* • halsstarrig *obstiné* **II** BIJW ⋆ iets ~ volhouden *soutenir qc obstinément*
stokvis *morue* v *séchée*
stol *gros pain* m *aux raisins*
stola *étole* v
stollen *se coaguler*; *se figer*; *prendre* ⋆ doen ~ *coaguler*
stollingsgesteente *roche* v *endogène*
stollingspunt *point* m *de coagulation*
stollingstijd *temps* m *de coagulation*
stolp *cloche* v; ‹v. fles› *bouchon* m *de verre*
stolpboerderij *ferme* v *pyramidale*
stolsel ‹v. vloeistof› *grumeau* m; ‹v. bloed› *caillot* m
stom • zonder spraakvermogen *muet* [v: *muette*] • zonder geluid *muet* ⋆ een stomme rol *un rôle muet* • dom *bête*; *idiot* ⋆ stomme ezel *espèce* v *d'andouille* • vervelend ⋆ stom werk verrichten *faire un travail ennuyeux* ▾ geen stom woord zeggen *ne pas souffler mot*
stoma MED. *anus* m *artificiel*
stomdronken *ivre mort*
stomen I OV WW • gaar maken *faire cuire à la vapeur*; *étuver* • reinigen *nettoyer à sec/à la vapeur* **II** ON WW • dampen *fumer*; *faire/jeter de la vapeur* • varen *naviguer*
stomerij *pressing* m; *nettoyage* m *à sec* ⋆ een pak naar de ~ brengen *apporter un costume au pressing*
stomheid • het stom zijn *mutité* v; *mutisme* m • stommiteit *bêtise* v; *stupidité* v
stomkop *imbécile* m/v; *bêta* [v: *bêtasse*]
stommelen ≈ *faire un bruit sourd*
stommeling *imbécile* m/v; *bêta* m [v: *bêtasse*]

stommetje ▾ ~ spelen *faire le muet*
stommiteit • domheid *bêtise* v; *stupidité* v • flater *gaffe* v
stomp I ZN • vuistslag *coup* m *de poing*; *bourrade* v • overblijfsel *bout* m; *tronçon* m; ‹v. arm/been/tak› *moignon* m; ‹v. boom, tand› *chicot* m; *souche* v II BNW • niet scherp *émoussé* • niet puntig *obtus*; *aplati* ⋆ een ~e hoek *un angle obtus* ⋆ een ~e neus *un nez aplati/épaté*
stompen *donner des coups de poing (à)*; *battre*
stompje *bout* m
stompzinnig *stupide*
stomverbaasd *stupéfait*
stomvervelend *très ennuyeux* [v: *très ennuyeuse*]; *barbant*; *assommant*
stomweg *tout bêtement*
stoned *défoncé*
stoof *chauffe-pieds* m [onv]
stoofappel *pomme* v *à cuire*
stoofpeer *poire* v *à cuire*
stoofpot *cocotte* v
stoofschotel ≈ *pot-au-feu* m [mv: *pots-au-feu*]; *potée* v
stookolie *mazout* m; *gaz-oil* m; *fuel* m
stoom *vapeur* v
stoombad *bain* m *de vapeur*
stoomboot *bateau* m *à vapeur* [m mv: *bateaux ...*]; *steamer* m
stoomcursus *cours* m *intensif*; *cours* m *accéléré*
stoomketel *chaudière* v; *générateur* m *de vapeur*
stoomlocomotief *locomotive* v *à vapeur*
stoommachine *machine* v *à vapeur*
stoompan *autocuiseur* m
stoomschip *bateau* m *à vapeur* [m mv: *bateaux ...*]
stoomstrijkijzer *fer* m *à vapeur*
stoornis • verstoring *incident* m; *dérangement* m; *interruption* v • gebrek *trouble* m
stoorzender *brouilleur* m
stoot • bruuske beweging *heurt* m; *choc* m; ‹onderbreking in een beweging› *à-coup* m [mv: *à-coups*]; ‹v. voertuig› *cahot* m • duw *coup* m; *bourrade* v; *poussée* v; ‹bij schermen› *botte* v • hoeveelheid *cargaison* v
stootblok *butoir* m; *heurtoir* m
stootkussen • buffer *butoir* m; *tampon* m • SCHEEPV. *bourrelet* m
stoottroepen *troupes* v mv *de choc*
stootvast *antichoc*
stop I ZN • oponthoud *arrêt* m; *pause* v ⋆ een sanitaire stop *un arrêt-pipi* • stopzetting *arrêt* m; ‹bevriezing› *blocage* m • iets dat afsluit *bouchon* m • zekering *plomb* m; *fusible* m • verstelde plek *reprise* v II TW • houd op *assez!*; *ça suffit!*; *arrête!* • sta stil *halte!*; *arrête!*; ‹beleefdheidsvorm› *arrêtez!*
stopbord *stop* m; *panneau* m *stop*
stopcontact *prise* v *(de courant)*; *prise* v *électrique*
stopfles *bocal* m [mv: *bocaux*]; *flacon* m
stopkogel *balle* v *d'arrêt*
stoplap • lap *pièce* v • loos woord *cheville* v
stoplicht *feu* m *(rouge)*; *feu* m *de signalisation* [m mv: *feux ...*]
stopnaald *aiguille* v *à repriser*
stoppel • halm *chaume* m • baardhaar *poil* m *(de barbe)*
stoppelbaard *barbe* v *de deux/trois jours*
stoppelhaar *cheveux* m mv *en brosse*
stoppen I OV WW • tot stilstand brengen *stopper*; *arrêter* ⋆ een ~d middel *un constipant* • dichtmaken *boucher*; ‹herstellen› *repriser* ⋆ een lek ~ *boucher une fuite* • induwen *fourrer*; *remplir* ⋆ iets in een kast ~ *fourrer qc dans une armoire* II ON WW • ophouden *arrêter de*; *cesser de* • halt houden *s'arrêter*; *faire un arrêt*; *stopper*
stopplaats *arrêt* m; *halte* v; *station* v
stopstreep *ligne* v *d'arrêt*
stopteken *signal* m *d'arrêt* [m mv: *signaux ...*]
stoptrein *(train* m*) omnibus*
stopverbod *arrêt* m *interdit*; *interdiction* v *d'arrêt*
stopverf *mastic* m
stopwatch *chronomètre* m
stopwoord *tic* m *de langage*; *mot* m *favori*
stopzetten • doen ophouden *arrêter*; *stopper*; ‹v. fabriek› *fermer* • opschorten *suspendre*
storen *déranger*; *gêner*; ‹v. radio› *brouiller* ⋆ ik stoor toch niet? *je ne vous dérange pas, j'espère?*
storend *gênant*
storing • onderbreking *interruption* v; *dérangement* m; *gêne* v; ‹v. radiocommunicatie› *brouillage* m; ‹v. mechanisme› *dérèglement* m; ‹elektrisch› *panne* v; ‹v. gas/water/elektra› *coupure* v; ‹v. telefoon› *dérangement* m ⋆ een atmosferische ~ *une perturbation atmosphérique* ⋆ een ~ in het elektriciteitsnet *une panne de secteur* ⋆ een technische ~ *un problème technique* • depressie *dépression* v
storingsdienst *service* m *de dépannage*
storm *orage* m; *tempête* v ▾ een ~ van kritiek *une tempête de critiques* ▾ ~ lopen op *donner l' assaut à* ▾ het loopt ~ *c'est la cohue*; *il y a foule*
stormachtig I BNW • met storm *orageux* [v: *orageuse*]; ‹v. zee› *houleux* [v: *houleuse*] • onstuimig *agité*; *tumultueux* [v: *tumultueuse*] II BIJW *d'une façon agitée/tumultueuse*
stormbaan *parcours* m *du combattant*
stormbal *cône* m *de tempête*
stormdepressie *zone* v *de basse tension avec tempête*; METEO. *dépression* v *cyclonale*
stormen I ON WW voorwaarts snellen *s'élancer*; *se précipiter* II ONP WW zeer hard waaien *faire une tempête* ⋆ het gaat ~ *il va y avoir une tempête*
stormenderhand *d'assaut*; *d'emblée*
stormlamp *lampe-tempête* v [mv: *lampes-tempêtes*]
stormloop • aanval *assaut* m • run *ruée* v
stormlopen *donner l'assaut (à)*; *aller à l'assaut (de)*
stormram *bélier* m
stormschade *dégâts* m mv *causés par la/les tempête(s)*

S

stormvloed *raz-de marée* m
stormvloedkering *barrage* m *anti-tempête*
stormvogel *pétrel* m
stormwaarschuwing *préavis* m *de tempête*
stortbad *douche* v
stortbak *réservoir* m *de chasse*
stortbeton *béton* m *coulé*
stortbui *averse* v; INF. *douche* v
storten I OV WW • doen vallen *déverser*; *jeter* ★ beton ~ *couler du béton* • geld overmaken *verser*; *virer* ▾ iemand in het ongeluk ~ *plonger qn dans le malheur* II ON WW vallen *tomber*; *se précipiter* III WKD WW ★ zich op zijn werk ~ *se plonger dans son travail* ★ zich op iem. ~ *se jeter sur qn*
storting • het doen vallen *déversement* m; ‹v. afval› *décharge* v • het overmaken *versement* m; *paiement* m
stortingsbewijs *récépissé* m *de versement*
stortkoker ‹voor vuilnis› *vide-ordures* m [onv]; ‹voor water› *tuyau* m *de descente*
stortplaats *décharge* v
stortregen *pluie* v *torrentielle*; *averse* v
stortregenen *pleuvoir à verse*
stortvloed *torrent* m; FIG. *avalanche* v; *raz-de-marée* m; *torrent* m
stortzee *paquet* m *de mer*; *coup* m *de mer*
stoten I OV WW • duwen *bousculer*; *pousser*; *heurter* • bezeren *se cogner* II ON WW • botsen *heurter*; *percuter (contre)* ★ tegen de tafel ~ *buter contre la table* ★ ~ op/tegen iets *buter sur qc* ★ tegen elkaar ~ *s'entrechoquer* • schokken *tressauter*; ‹v. auto› *cahoter*; ‹v. schip› *tanguer*; ‹v. geweer› *reculer* III WKD WW zich bezeren *se cogner*; *se heurter*
stotteraar *bègue* m/v
stotteren *bégayer*; *bredouiller*
stottertherapie *thérapie* v *de bégaiement*
stout I BNW • ondeugend *méchant*; ‹v. kind› *polisson* [v: *polissonne*] • stoutmoedig *audacieux* [v: *audacieuse*] II BIJW • ondeugend *comme un polisson*; *méchamment* • stoutmoedig *audacieusement*
stouterd *petit vilain* m [v: *petite vilaine*]; *polisson* m [v: *polissonne*]
stoutmoedig *audacieux* [v: *audacieuse*]
stouwen • bergen *entasser*; SCHEEPV. *arrimer* • verorberen *s'empiffrer de*
stoven ‹in eigen stoom› *cuire à l'étuvée*/*à l'étouffée*; *cuire*; ‹langzaam› *mijoter* ★ gestoofd *braisé*; ‹v. vlees› *en daube*
straal I ZN • stroom vloeistof *jet* m ★ een ~ water *un jet d'eau* • lichtbundel *rayon* m; ‹bliksemstraal› *éclair* m; FIG. *trait* m *de lumière* • NAT. *rayon* m • WISK. *rayon* m II BIJW *carrément*; *totalement* ★ ~ negeren *ignorer carrément*
straalaandrijving *propulsion* v *par jet de gaz*/*réaction*
straalbezopen *complètement bourré*
straaljager *chasseur* m *à réaction*
straalkachel *radiateur* m *électrique*
straalmotor *moteur* m *à réaction*
straalstroom *jet-stream* m [mv: *jet-streams*]; *courant-jet* m [mv: *courants-jets*]
straalverbinding *câble* m *hertzien*
straalvliegtuig *avion* m *à réaction* ★ een ~ met 2/3/4 motoren *un bi*/*tri*/*quadriréacteur*
straat • weg *rue* v ★ op ~ *dans la rue* • bewoners *rue* v • zee-engte *détroit* m; *rue* v ▾ een werknemer op ~ zetten *licencier un employé* ▾ de ~ op gaan *descendre dans la rue*
straatarm *très pauvre*; *pauvre comme Job*
straatartiest *artiste* m *ambulant*
straatbeeld *aspect* m *de la rue*
straatgevecht *bataille* v *de rue*; *combat* m *de rue*
straatgeweld *violence* v *dans les rues*
straathandel *commerce* m *des rues*
straathond *chien* m *errant*
straatje *ruelle* v
straatjongen • op straat levende jongen ‹in Parijs› *gavroche* m; *gamin* m *des rues* • kwajongen *voyou* m
straatlantaarn *réverbère* m
straatmuzikant *musicien* m *ambulant* [v: *musicienne ...*]
straatnaam *nom* m *d'une rue*
straatprostitutie *prostitution* v *sur la voie publique*
straatroof *vol* m *à la tire*
Straatsburg *Strasbourg*
straatschender *vandale* m/v
straatsteen *pavé* m
straattoneel *théâtre* m *de rue*
Straat van Gibraltar *détroit* m *de Gibraltar*
straatveger *balayeur* m [v: *balayeuse*]; ‹machine› *balayeuse* v
straatventer *marchand* m *ambulant*; *camelot* m
straatverbod *interdiction* v *de se trouver dans une certaine zone*
straatverlichting *éclairage* m *des rues*
straatvoetbal *football* m *dans les rues*
straatvrees *agoraphobie* v
straatvuil *ordures* v mv
straatwaarde *valeur* v *marchande dans les rues*
straatweg *chaussée* v; *route* v *pavée*
stradivarius *stradivarius* m
straf I ZN *punition*; JUR. *peine*; *sanction* v ★ op ~fe van *sous peine de* II BNW • sterk *fort* ★ ~ aanhalen *serrer fort* • streng *sévère*
strafbaar *coupable*; *passible d'une peine*; ‹v. daad› *punissable* ★ iets ~ stellen *pénaliser qc*
strafbal *coup* m *franc*/*de pénalisation*
strafbepaling *clause* v *pénale*; *disposition* v *pénale*
strafblad *casier* m *judiciaire* ★ een blanco ~ *un casier judiciaire vierge*
strafexpeditie *expédition* v *punitive*
straffeloos I BNW *impuni* II BIJW *impunément*
straffen *punir*; *infliger une punition (à qn)* ★ iem. met een boete ~ *infliger une amende à qn*
strafgevangenis *maison* v *d'arrêt*
strafinrichting *établissement* m *pénitentiaire*
strafkamer *chambre* v *correctionnelle*
strafkamp *camp* m *pénitentiaire*
strafkolonie *colonie* v *pénitentiaire*
strafkorting *prélèvement* m *sur une allocation*
strafmaat *montant* m *de la peine* ★ de hoogste ~ *le maximum de la peine*

S

strafmaatregel *sanction* v
strafoplegging *pénitence* v; *application* v *de peines*
strafpleiter *avocat* m *plaidant*
strafport *surtaxe* v *(postale)* ★ met ~ belasten *surtaxer*
strafproces *procédure* v *pénale*
strafpunt *pénalisation* v ★ een ~ krijgen *être pénalisé (d'un point)*
strafrecht *droit* m *pénal* ★ het wetboek van ~ *le code pénal*
strafrechtelijk *pénal* [m mv: *pénaux*]
strafrechter *juge* m *(criminel)* ★ voor de ~ komen *comparaître devant la justice pénale*
strafregel *ligne* v *à copier*
strafregister *casier* m *judiciaire*
strafschop *penalty* m [mv: *penalties*] ★ een ~ nemen *tirer un penalty*
strafschopgebied *surface* v *de réparation*
straftijd *temps* m *de détention*
strafverordening *arrêté* m *municipal de règles dont le manquement sera puni*
strafvervolging *poursuite* v *judiciaire|pénale*
strafwerk *travail* m *supplémentaire*; *punition* v
strafwet *loi* v *pénale*
strafworp *jet* m *franc*
strafzaak *affaire* v *criminelle*
strak I BNW • gespannen *tendu*; ‹v. kleding› *(trop) juste*; *raide* ★ een ~ke spijkerbroek *des jeans qui collent aux fesses* • star, stug *impassible* ★ een ~ gezicht zetten *prendre un air impassible* II BIJW • gespannen *avec raideur* ★ ~ aanhalen *serrer* • stug *impassiblement* • onafgewend *fixement* ★ iem. ~ aankijken *fixer qn des yeux* ★ ~ voor zich uitkijken *regarder droit devant soi*
strakblauw *azuré*
straks *tout à l'heure*
stralen • stralen uitzenden ‹v. warmte› *dégager de la chaleur*; *rayonner*; *briller* • er blij uitzien *être radieux* [v: *être radieuse*] • zakken *rater (qc)*; FORM. *échouer (à)*
stralend *rayonnant*; *radieux* [v: *radieuse*] ★ ~ van vreugde *rayonnant de joie*
stralenkrans *auréole* v
straling *rayonnement* m; NAT. *radiation* v ★ aan ~ blootstellen *irradier*
stralingsbesmetting *contamination* v *radioactive*
stralingsdosis *dose* v *d'irradiation*
stralingsgevaar *risque* m *d'irradiation*
stralingswarmte *chaleur* v *rayonnante*
stralingsziekte *maladie* v *des rayons*
stram I BNW stijf *raide*; *engourdi* II BIJW *avec raideur*
stramien *trame* v; *canevas* m
strand *plage* v
stranden *échouer*
strandhuisje *cabanon* m *de plage*
strandjutter *pilleur* m *d'épaves* [v: *pilleuse ...*]
strandpaviljoen *pavillon* m *de plage*
strandstoel *transat* m; *chaise* v *longue*
strandvolleybal *volley(-ball)* m *de plage*
strandwandeling *promenade* v *sur la plage*
strandweer *temps* m *pour aller à la plage*
strapless *sans bretelles* ★ ~ jurk *robe* v *bustier*; *jupon* m *bustier*
strateeg *stratège* m
strategie *stratégie* v
strategisch *stratégique*
stratengids *plan* m *de ville*
stratenmaker *paveur* m
stratenplan *plan* m *de ville*
stratosfeer *stratosphère* v
streber *ambitieux* m [v: *ambitieuse*]; ‹in loopbaan› *carriériste* m/v
streefcijfer ≈ *objectif* m
streefdatum *date* v *prévue*
streefgetal *chiffre* m *à atteindre*; *objectif* m
streefgewicht *poids* m *idéal*
streek • gebied *région* v; *contrée* v • kompasrichting *rhumb* m; *aire* v *de vent* • daad *tour* m; *coup* m ★ streken uithalen *faire des siennes* ★ een domme ~ *une bêtise* ★ een gemene ~ *un vilain tour* • haal ‹met penseel› *coup* m; *trait* m; MUZ. *coup* m *d'archet* ▼ van ~ zijn *être décontenancé|bouleversé*; *être désemparé* ▼ mijn maag is van ~ *j'ai l'estomac dérangé* ▼ van ~ brengen *décontenancer*; *bouleverser*
streekbus *car* m *(régional)*
streekgebonden *purement régional*
streekgenoot *personne* v *de la même région*; INF. *pays* m
streekroman *roman* m *régionaliste*
streektaal *dialecte* m
streekvervoer *transports* m mv *régionaux*
streekziekenhuis *hôpital* m *régional* [m mv: *hôpitaux ...*]
streep • lijn *ligne* v; *trait* m ★ een ~ door iets halen *rayer qc*; FIG. *passer l'éponge sur qc* ★ doorgetrokken ~ *ligne continue* ★ onderbroken ~ *ligne discontinue* • strook *bande* v • onderscheidingsteken *galon* m ▼ er loopt bij hem een ~je door *il est toqué* ▼ een ~ door de rekening *un mécompte*
streepjescode *code* m *à barres*
streepjespak *costume* m *rayé*
strekken I OV WW uitrekken *allonger*; *étendre* ★ de benen ~ *se dégourdir les jambes* II ON WW • reiken *s'étendre*; *aller* • toereikend zijn *être suffisant* ★ zolang de voorraad strekt *jusqu'à épuisement du stock* • ~ **tot** *servir (à)*; *tendre (à)* ★ tot eer ~ *faire honneur à* ★ tot voorbeeld ~ *servir d'exemple*
strekkend ★ (per) ~e meter *au mètre courant*
strekking *portée* v; *signification* v; *but* m
strekspier *(muscle* m*) extenseur* m
strelen • aaien *caresser*; *faire des caresses* • aangenaam aandoen *flatter*
streling • aai *caresse* v • iets aangenaams *flatterie* v
stremmen I OV WW • stijf maken *cailler* • belemmeren *gêner*; *arrêter*; *interrompre* ★ het verkeer tussen A en B is gestremd *la circulation entre A et B a été interrompue* II ON WW stijf worden *se cailler*
stremming • het stremmen *caillage* m • stagnatie *encombrement* m; *obstruction* v
stremsel *coagulant* m
streng I ZN • bundel ★ een ~ garen *un écheveau* • koord, snoer *cordon* m; *toron* m II BNW • onverbiddelijk *sévère*; *rigoureux* [v:

S

rigoureuse] • strikt *strict*; *intransigeant* • koud ★ een ~e winter *un hiver rigoureux/rude* ▾ een ~ leven leiden *mener une vie austère* **III** BIJW • onverbiddelijk *sévèrement* ★ ~ optreden *faire preuve de sévérité* • strikt *rigoureusement*; *avec austérité*

strepen *rayer*; *strier*; ‹v. licht› *zébrer*

streptokokken *streptocoques* m mv

stress *stress* m

stressbestendig *insensible au stress*

stresssituatie *situation* v *de stress*; *situation* v *stressante*

stretch *stretch*

stretcher *lit* m *de camp*

streven I ZN • doel *aspiration*; *ambition* v • inspanning *effort* m; *recherche* v **II** ON WW *aspirer (à)*; *ambitionner (qc)*; *s'efforcer (de)*

striem • streep *marque* v; *meurtrissure* v • slag *coup* m *(de fouet)*

striemen *cingler*; *fouetter*

strijd • gevecht *lutte* v; *combat* m ★ een ~ op leven en dood *une lutte à mort* ★ de ~ om het bestaan *la lutte pour l'existence* ★ de ~ aanbinden tegen *s'engager dans la lutte contre* • wedstrijd *lutte* v; *compétition* v • tegenspraak *contradiction* v ★ in ~ met *contraire à* ▾ om ~ *à qui mieux mieux*

strijdbaar *combatif* [v: *combative*]

strijdbijl *hache* v *de guerre* ★ de ~ begraven *enterrer la hache de guerre*

strijden • vechten *lutter*; *combattre*; *se battre* ★ ~ ten gunste van *militer pour* • wedijveren *concourir*; *participer à un concours/une compétition* • twisten *disputer (de/sur)*; *débattre*

strijder • krijgsman *combattant* m [v: *combattante*] • voorvechter *militant* m [v: *militante*]; *lutteur* m [v: *lutteuse*]

strijdgewoel *mêlée* v

strijdig ★ ~ met *contraire à*; *opposé à*

strijdkrachten *forces* v mv *armées*

strijdkreet *cri* m *de guerre*

strijdlust *combativité* v

strijdlustig *combatif* [v: *combative*]

strijdmacht *force* v *armée*

strijdperk GESCH. *lice* v; *arène* v

strijdtoneel *théâtre* m *des opérations*; *champ* m *de bataille*

strijdvaardig *combatif* [v: *combative*]

strijken I OV WW • aanraken *effleurer*; *frôler* ★ met de hand over zijn voorhoofd ~ *se passer la main sur le front* • gladmaken *lisser*; ‹met strijkijzer› *repasser* • in bepaalde toestand brengen *écarter* ★ hij streek de haren uit zijn gezicht *il écarta les cheveux de son visage* • neerhalen *abaisser* ★ de zeilen ~ *amener les voiles* ★ de vlag ~ *abaisser le drapeau* ★ de riemen ~ *scier* ★ de mast ~ *caler le mât* • MUZ. *jouer du violon* **II** ON WW • gaan langs *raser*; *frôler*; *passer au ras de* • ervandoor gaan ★ hij ging met de eer ~ *c'est lui qui a récolté les lauriers*

strijker *personne* v *qui joue d'un instrument à cordes* ★ de ~s *les cordes* v mv

strijkijzer *fer* m *à repasser*

strijkinstrument *instrument* m *à cordes (frottées)*

strijkje *petit orchestre* m *(à instuments à cordes)*

strijkkwartet *quatuor* m *à cordes*

strijklicht *lumière* v *rasante*

strijkorkest *orchestre* m *à cordes*

strijkplank *planche* v *à repasser*

strijkstok *archet* m

strijktrio *trio* m *à cordes*

strik • knoop *nœud* m • gestrikt lint *ruban* m • valstrik *piège* m; *lacet* m

strikje *nœud* m *papillon*

strikken • knopen *faire un nœud à*; *nouer* ★ zijn veters ~ *lacer ses chaussures* • vangen *prendre au lacet* • overhalen *piéger* ★ iem. voor een karweitje ~ *piéger qn pour un travail*

strikt *strict*; *scrupuleux* [v: *scrupuleuse*] ★ ~ genomen *strictement parlant* ★ het ~ noodzakelijke *le strict nécessaire*

strikvraag *question-piège* v [mv: *questions-pièges*]; ‹op school of informeel› *colle* v

string *string* m

stringent *péremptoire* ★ een ~e voorwaarde *une condition sine qua non*

strip • strook *bande* v • stripverhaal *bande* v *dessinée*

stripblad *journal* m *de bandes dessinées* [m mv: *journaux ...*]

stripboek *album* m *de bandes dessinées*; *B.D.* v

stripfiguur *personnage* m *de la bande dessinée*

stripheld *héro* m *de BD (bande dessinée)*

strippen I OV WW ontdoen van het overtollige *dénuder*; ‹m.b.t. vis› *vider* **II** ON WW zich uitkleden *faire un numéro de strip-tease*

strippenkaart *carte* v *multiple*

stripper *strip(-)teaseur* m

striptease *strip(-)tease* m

stripteasedanseres *strip(-)teaseuse* v; INF. *effeuilleuse* v

striptekenaar *dessinateur* m *de bandes dessinées* [v: *dessinatrice ...*]

stripverhaal *bande* v *dessinée*; *B.D.* v

stro *paille* v; ‹in stal› *litière* v; ‹op dak› *chaume* m

strobloem *immortelle* v

strobreed ▾ iemand geen ~ in de weg leggen *laisser à qn la liberté d'agir*

stroef I BNW • niet glad *rude* • niet soepel *grippé*; *coincé* ★ een stroeve stijl *un style heurté* • stug *peu sociable*; *peu liant* **II** BIJW *difficilement* ★ de band loopt ~ *la bande passe difficilement*

strofe *strophe* v

strohalm *brin* m *de paille* ▾ zich vasthouden aan een ~ *se raccrocher à une dernière chance* ▾ zich aan een ~ vastklampen *se raccrocher à une dernière chance*

strohoed *chapeau* m *de paille* [m mv: *chapeaux ...*]

strokarton *carton-paille* m

stroken ★ ~ met *concorder avec*; *s'accorder avec* ★ niet ~ met *ne pas cadrer avec*

stroman *homme* m *de paille*

stromen ‹v. water› *couler*; ‹v. massa mensen› *affluer (vers)*; *se diriger en masse (vers)*

stroming • het stromen *courant* m • stroom *courant* m; ‹v. bloed/gas/lucht› *circulation* v

• denkwijze *courant* m; *tendance* v ★ een politieke ~ *un courant politique*

strompelen *avancer péniblement/en trébuchant*

stronk ‹v. kool› *trognon* m; ‹v. boom› *souche* v

stront • poep *merde* v • ruzie, gedoe ★ ~ krijgen *avoir des emmerdements*

stronteigenwijs ★ ~ zijn *avoir une tête de cochon*

strontium *strontium* m

strontje ‹aan ooglid› *orgelet* m

strontvervelend *super-chiant* [m mv: *super-chiants*]

strooibiljet *tract* m

strooien I BNW *de/en paille* II OV WW rondstrooien *semer*; ‹v. poeder› *saupoudrer*; *éparpiller*

strooigoed ≈ *sucreries* v mv

strooisel ‹stalstro› *litière* v; ‹v. bloemen› *jonchée* v

strooiwagen *saleuse* v

strooizout *sel* m *(de salage)*

strook *bande* v; ‹smaller› *ruban* m; ‹v. cheque› *souche* v; ‹v. postwissel› *talon* m; ‹v. japon› *volant* m

stroom ★ met de ~ meegaan *suivre le courant/(fig.) le mouvement* • stromende vloeistof *courant* m ★ met de ~ meegesleurd worden *être entraîné par le courant* ★ een ~ lava *une coulée de lave* • rivier ‹groot› *fleuve* m; *cours* m *d'eau* • elektriciteit ‹spanning› *tension* v; *courant* m ★ op ~ werken *marcher à l'électricité* ★ onder ~ staan *être sous tension*

stroomafwaarts I BNW *en aval* II BIJW *dans le sens du courant* ★ ~ varen *descendre le courant*

stroombesparing *économie* v *de courant*

stroomdraad *fil* m *conducteur*; ‹boven rails› *caténaire* m

stroomgebied *bassin* m *fluvial* [m mv: ... *fluviaux*]

stroomlijn *ligne* v *aérodynamique*

stroomlijnen *caréner*

stroomnet *réseau* m [mv: *réseaux*]

stroomopwaarts I BNW *en amont* II BIJW *à contre-courant* ★ ~ varen *remonter le courant*

stroomsterkte *intensité* v *du courant*

stroomstoot *coup* m *de courant*

stroomstoring *panne* v *de courant/de secteur*

stroomverbruik *consommation* v *d'électricité*

stroomversnelling • versnelling van stroom *rapide* m • versnelling van ontwikkeling *accélération* v

stroomvoorziening *distribution* v *d'électricité*

stroop *sirop* m; *mélasse* v ▾ iemand ~ om de mond smeren *manier la brosse à reluire*

strooplikken *flagorner*; *faire des ronds de jambe*

strooplikker *flagorneur* m [v: *flagorneuse*]; *lèche-bottes* m/v [onv]

strooptocht *pillage* m

stroopwafel *gaufrette* v *à la mélasse*

strop • lus *corde* v • tegenvaller *tuile* v; ‹financieel› *perte* v

stropdas *cravate* v

stropen • jagen *braconner* • villen *écorcher*

stroper • wildstroper *braconnier* m [v: *braconnière*] • rover *maraudeur* m

stroperig • als stroop ★ ~e vloeistof *un liquide sirupeux* m • kruiperig ★ ~e woorden *des discours* m mv *mielleux*

stroperij • wildstroperij *braconnage* m • strooptocht *pillage* m

stropop *bonhomme* m *de paille*

stroppenpot *fonds* m mv *de réserve*

strot *gosier* m; *gorge* v

strottenhoofd *larynx* m

strovuur *feu* m *de paille*

strubbeling • moeilijkheid *pépin* m; *difficulté* v • onenigheid *friction* v

structureel I BNW *structurel* [v: *structurelle*]; TAALK. *structural* [m mv: *structuraux*] ★ structurele veranderingen *des changements de structure* II BIJW *structurellement*

structureren *structurer*

structuur *structure* v; *organisation* v

structuurverf *peinture* v *à relief*

struif • omelet *omelette* v • inhoud van ei *liquide* m *d'œuf*

struik *arbuste* m; *buisson* m ★ de ~en *les buissons*; *les fourrés* m mv

struikelblok *obstacle* m; *pierre* v *d'achoppement*

struikelen • bijna vallen *trébucher (contre/sur)*; *faire un faux pas* • misstap doen *faire un faux pas*

struikgewas *broussailles* v mv

struikrover *brigand* m

struis *vigoureux* [v: *vigoureuse*]; *robuste*

struisvogel *autruche* v

struisvogelpolitiek *politique* v *de l'autruche*

struma *goitre* m

strychnine *strychnine* v

stuc *stuc* m

stucwerk *stucage* m

studeerkamer *bureau* m [mv: *bureaux*]; *cabinet* m *d'étude*

student *étudiant* m [v: *étudiante*]

studentencorps *association* v *d'étudiants*

studentendecaan *conseiller* m *d'orientation*

studentenflat *résidence* v *universitaire*

studentenhaver ≈ *(quatre) mendiants* m mv

studentenhuis *maison* v *d'étudiants*

studentenstad *ville* v *universitaire*; ‹campus› *cité* v *universitaire*

studentenstop *numerus* m *clausus*

studententijd *années* v mv *d'études*

studentenvereniging *association* v *d'étudiants*

studentikoos *estudiantin*

studeren I OV WW studie volgen *étudier*; *faire des études de* ★ Frans ~ *faire des études de français* II ON WW • leren *étudier*; *faire ses études* • ~ **op** ★ op iets ~ *étudier qc*

studie *étude* v ★ iets in ~ nemen *mettre qc à l'étude* ★ ~ naar het naakt (model) *étude* v *d'après le nu*

studieachterstand *retard* m *dans les études*

studieadviseur *conseiller* m *d'études* [v: *conseillère* ...]

studiebeurs *bourse* v *(d'études)*

studieboek *livre* m *d'étude*

S

studiefinanciering *plan* m *de financement des études*
studiegenoot *camarade* m/v *d'études*
studiegids *guide* m *de l'étudiant*
studiejaar • cursusjaar *année* v *universitaire* • lichting *promotion* v
studiepunt *unité* v *de valeur*
studiereis *voyage* m *d'études*
studierichting *orientation* v; *discipline* v
studieschuld *dette* v *d'études*
studietijd *études* v mv
studietoelage *bourse* v *d'études*
studieverlof *congé-formation* m [mv: *congés-formation*]
studiezaal *salle* v *d'études*
studio *studio* m
studium generale ≈ *série* v *de cours informatifs destinés aux étudiants et autres intéressés*
stuff *schnouff* m; *came* v; *camelote* v
stug I BNW • onbuigzaam *raide*; *rigide* • stuurs *rébarbatif* [v: *rébarbative*]; *revêche* • volhardend, flink *acharné*; *persévérant* • ongeloofwaardig *raide* II BIJW *avec acharnement*
stuifmeel *pollen* m
stuifsneeuw *neige* v *poudreuse*
stuifzand • het zand *sable* m *très fin* • verschijnsel *sables* m mv *mouvants*
stuip *convulsion* v; *spasme* m; FIG. *caprice* m; *lubie* v ▾ zich een ~ lachen *se tordre de rire*
stuiptrekken *avoir des convulsions*
stuiptrekking *convulsion* v
stuit • het terugstuiten *rebond* m • staartbeen *coccyx* m; *derrière* m; ‹v. vogel› *croupion* m
stuitbeen *coccyx* m
stuiten I OV WW tegenhouden *empêcher*; FIG. *réprimer*; *arrêter* II ON WW • kaatsen *rebondir* • ~ **op** *tomber (sur)*; *rencontrer* ★ op moeilijkheden ~ *buter sur des difficultés*
stuitend I BNW *choquant*; *révoltant*; *répugnant* II BIJW *d'une manière choquante*
stuiter ≈ *calot* m
stuiteren *jouer aux billes*
stuitligging *présentation* v *par le siège*; *siège* m
stuiven I ON WW • opwaaien *s'envoler en poussière* • snel gaan *filer*; *partir en flèche* ▾ uit elkaar ~ *se disperser* II ONP WW *faire de la poussière*

S

stuiver *pièce* v *de 5 centimes néerlandais*
stuivertje-wisselen • kinderspel *jouer aux quatre coins* • elkaars plaats innemen *échanger de place*
stuk I ZN • gedeelte *morceau* m [mv: *morceaux*]; ‹stukje› *fragment* m; *bout* m ★ aan stukken slaan *mettre en morceaux* ★ aan één stuk *d'un seul morceau* ★ een stuk zetten in *mettre une pièce à* ★ uit één stuk *d'une seule pièce* • hoeveelheid *beaucoup*; *bien* ★ dat zou een stuk schelen *ça nous arrangerait beaucoup* ★ hij is een stuk groter geworden *il a bien grandi* ★ dat is al een stuk beter *c'est déjà beaucoup mieux* • exemplaar *pièce* v; *exemplaire* m ★ drie gulden per stuk *trois florins pièce* ★ per stuk betalen *payer à la pièce* ★ de onderwerpen werden stuk voor stuk behandeld *les sujets ont été traités un à un/l'un après l'autre* • geschrift ‹akte› *pièce* v; *document* m; *dossier* m; ‹artikel› *article* m ★ een officieel stuk *un document officiel* • kunstwerk *œuvre* v; MUZ. *morceau* m; *pièce* v; ‹toneelstuk› *pièce* v • postuur ★ klein van stuk *de petite taille* • aantrekkelijk persoon *nana* v; *canon* m • standpunt ★ hij houdt voet bij stuk *il persiste dans son opinion* ▾ een stuk in zijn kraag hebben *avoir une cuite* ▾ iemand van zijn stuk brengen *déconcerter qn* ▾ van zijn stuk raken *perdre contenance* ▾ aan een stuk doorwerken *travailler sans répit* II BNW *cassé*; *détraqué*; FIG. *renversé*
stukadoor *plâtrier* m; *plafonneur* m; *stucateur* m
stukadoren *plâtrer*; *plafonner*
stuken *stuquer*; *plâtrer*
stukgoed *marchandises* v mv *diverses*
stukje • klein deel *bout* m • kort artikel *petit article* m
stukjesschrijver *chroniqueur* m [v: *chroniqueuse*]
stukloon *salaire* m *à la pièce*
stuklopen I OV WW slijten *user en marchant* II ON WW mislukken *échouer*
stukslaan *briser*; *casser* ▾ veel geld ~ *craquer de l'argent*
stukwerk *travail* m *aux pièces*; FIG. *ouvrage* m *fragmentaire*
stulp • stolp *cloche* v • huisje *cabane* v
stumper *pauvre diable* m
stumperen *patauger*
stunt *tour* m *de force*; *exploit* m
stuntel *maladroit* m [v: *maladroite*]; *empoté* m [v: *empotée*]
stuntelen *s'y prendre mal*
stuntelig *maladroit*
stunten • kunstvliegen *faire du vol acrobatique* • stunts uithalen *faire un tour de force*; *faire un exploit*
stuntman *cascadeur* m [v: *cascadeuse*]
stuntprijs *prix* m *de promotion*; *prix-choc* m [onv]
stuntvliegen *faire de la haute voltige*
stuntwerk *cascades* v mv
stupide *stupide*
sturen • zenden *envoyer*; ‹v. post› *adresser* ★ iem. om een boodschap ~ *envoyer qn faire une commission* • besturen ‹v. auto› *conduire*; ‹v. boot› *être à la barre*; ‹v. vliegtuig› *piloter* • bedienen *commander*
sturing ‹besturing› *commande*
stut • balk *étai* m; *support* m • steun *soutien* m; *support* m
stutten *étayer*; FIG. *épauler* ★ het ~ *l'étayage* m
stuur *volant* m; ‹v. boot› *gouvernail* m; *barre* v; ‹v. fiets› *guidon* m ★ achter het ~ zitten *être assis au volant*
stuurbekrachtiging *direction* v *assistée*
stuurboord *tribord* m
stuurgroep *groupe* m *de coordination*; *commission* v *d'experts*
stuurhuis *poste* m *de commande*
stuurhut *poste* m *de commande*
stuurknuppel *levier* m *de commande*; INF.

manche m
stuurloos I BNW *indirigeable* II BIJW *à la dérive*
stuurman • roerganger *timonier* m; SPORT *barreur* m • scheepsofficier *(capitaine* m *en) second*
stuurmanskunst • SCHEEPV. *art* m *de la navigation*; *pilotage* m • omzichtig beleid *habileté* v; *adresse* v
stuurs *renfrogné*; *grincheux* [v: *grincheuse*]
stuurslot *antivol* m
stuurstang *levier* m *de commande*; INF. *manche* m
stuurwiel *volant* m
stuw *barrage* m
stuwadoor *entrepreneur* m *de manutention*
stuwen • voortduwen *pousser*; TECHN. *propulser* • stouwen *arrimer*
stuwing • stuwkracht *poussée* v • het stuwen *arrimage* m
stuwkracht *force* v *de propulsion*; *poussée* v; FIG. *dynamisme* m
stuwmeer *lac* m *de retenue*
stuwraket *fusée* v *propulsive*
stylen I ZN *création* v *d'un style/look*; *stylisme* m II OV WW ‹persoon› *créer un style/un look*
sub ★ sub artikel *sous* ▾ sub rosa *confidentiellement*
subatomair *subatomique*
subcommissie *sous-commission* v [mv: *sous-commissions*]
subcultuur *sous-culture* v [mv: *sous-cultures*]
subcutaan *sous-cutané*; *sous la peau*
subdirectory *sous-répertoire* m [mv: *sous-répertoires*]
subgroep *sous-groupe* m [mv: *sous-groupes*]
subiet • dadelijk *tout de suite* • plots *subitement* • beslist *absolument*
subject *sujet* m
subjectief I BNW *subjectif* [v: *subjective*] II BIJW *subjectivement*
subjectiviteit *subjectivité* v
subliem I BNW groots *sublime* II BIJW *d'une façon sublime*
sublimeren *sublimer*
subsidie *subvention* v
subsidieaanvraag *demande* v *de subvention*
subsidiëren *subventionner*
substantie *substance* v
substantieel *substantiel* [v: *substantielle*]
substantief *substantif* m
substantiëren *justifier*
substitueren *substituer*
substitutie *substitution* v; JUR. *subrogation* v
substituut *substitut* m
subtiel *délicat*; *subtil*
subtop *le second plan* m
subtropisch *subtropical* [m mv: *subtropicaux*]
subversief *subversif* [v: *subversive*]
succes *succès* m; *réussite* v ★ veel ~! *bonne chance!*
succesnummer *succès* m; MUZ. *tube* m
successie *succession* v
successierecht *droit* m *de succession*
successievelijk I BNW *successif* [v: *successive*] II BIJW *successivement*
succesvol I BNW *réussi*; *couronné de succès* II BIJW *avec succès*
sudden death SPORT *mort* v *subite*
sudderen *mijoter*; *mitonner*
sudderlap *tranche* v *de bœuf à mijoter*
suède I ZN *daim* m II BNW *en daim*
suf I BNW • duf *abruti* ★ hij ziet er suf uit *il a l'air abruti/bête* • onnadenkend *bête*; *stupide* II BIJW ★ zich suf piekeren *se creuser la tête*
suffen • soezen *rêvasser* • gedachteloos zijn *être abruti*
sufferd *abruti* m; *nouille* v
suffig *à moitié endormi*
suffix *suffixe* m
sufkop *abruti* m; *nouille* v
suggereren *suggérer*
suggestie *suggestion* v
suggestief *suggestif* [v: *suggestive*]
suïcidaal *suicidaire*
suïcide *suicide* m
suiker • zoetstof *sucre* m ★ bruine ~ *cassonade* v ★ ~ doen in *sucrer* • suikerziekte *diabète* m
suikerbiet *betterave* v *à sucre*
suikerbrood *pain* m *au sucre*
suikergoed *confiserie* v; *sucrerie* v
suikerklontje *morceau* m *de sucre* [m mv: *morceaux ...*]
suikermeloen *sucrin* m
suikeroom *oncle* m *d'Amérique*
suikerpatiënt *diabétique* m/v
suikerpot *sucrier* m
suikerraffinaderij *raffinerie* v *de sucre*
suikerriet *canne* v *à sucre*
suikerspin *barbe* v *à papa*
suikertante *tante* v *à héritage*
suikervrij *sans sucre*
suikerzakje *sachet* m *de sucre*
suikerziekte *diabète* m
suikerzoet *sucré*; FIG. *mielleux* [v: *mielleuse*]; *doucereux* [v: *doucereuse*]
suite • kamers *enfilade* v; *deux pièces* v mv *en enfilade*; ‹in hotel› *suite* v • MUZ. *suite* v
suizebollen *être étourdi*; *être groggy*
suizen • geluid maken *frémir*; *murmurer*; ‹v. water› *chanter* ★ mijn oren ~ *j'ai les oreilles qui sifflent* • snel bewegen *filer à toute vitesse*; *passer en trombe*
sujet *individu* m; *type* m ★ een gemeen ~ *un méchant individu*
sukade *cédrat* m *confit*
sukkel *andouille* v; *cloche* v ▾ aan de ~ zijn *être patraque*
sukkeldrafje ‹m.b.t. persoon› *train-train* m; *petit trot* m
sukkelen • sjokken *se traîner* • ziekelijk zijn *avoir des problèmes* ★ met zijn gezondheid ~ *avoir des problèmes de santé* ★ met zijn knie ~ *souffrir du genou* ★ met de kinderen ~ *traîner des petits malades*
sukkelgangetje *petit train-train* m
sul • goedzak *bonne poire* v • sukkel *benêt* m
sulfaat *sulfate* m
sulfiet *sulfite* m
sultan *sultan* m
summa cum laude *summa cum laude*; *avec mention excellent*
summeren *additionner*; *s'accumuler*

summier *sommaire*
summum *comble* m
sumoworstelaar *lutteur* m *de sumo*
super I ZN *super* m **II** BNW *extra*; *super*
superbenzine *super* m
supergeleider *superconducteur* m
superheffing *surtaxe* v *à la production*
superieur I ZN *supérieur* m **II** BNW *supérieur*
superioriteit *supériorité* v
superlatief *superlatif* m
supermacht *superpuissance* v
supermarkt *supermarché* m; ‹groot› *hypermarché* m
supermens *surhomme* m
supersonisch *supersonique* ★ ~e knal *bang* m *supersonique*
supertanker *superpétrolier* m; *supertanker* m
supervisie *supervision* v
supervisor *superviseur* m
supinatie *supination* v
supplement WISK. *supplément* m
suppoost *gardien* m [v: *gardienne*]; *surveillant* m [v: *surveillante*]
supporter *supporter* m
supporterslegioen *supporters* m mv
supporterstrein *train* m *de supporters*
supranationaal *supranational* [m mv: *supranationaux*]
suprematie *suprématie* v
surfen I ZN *surf* m **II** ON WW • over golven glijden *surfer* • windsurfen *faire de la planche à voile*
surfpak *costume* m *de surf*
surfplank *planche* v *à voile*
Surinaams *surinamien* [v: *surinamienne*]
Suriname *le Surinam* ★ in ~ *au Surinam*
Surinamer *Surinamien* m [v: *Surinamienne*]
surplus *surplus* m; *excédent* m
surprise *surprise* v; *paquet* m *surprise*
surprise-party *surprise-partie* v; INF. *surpatte* v
surrealisme *surréalisme* m
surrealistisch *surréaliste*
surrogaat *succédané* m
surseance *sursis* m ★ ~ van betaling *sursis de paiement*
surveillance *surveillance* v ★ ~ hebben *être de surveillance*
surveillancewagen *voiture* v *de police*; *voiture* v *radio*
surveillant *surveillant* m [v: *surveillante*]; ‹op scholen door studenten› *pion* m
surveilleren *surveiller*; *assurer la surveillance*
survivaltocht → **overlevingstocht**
sushi *sushi* m
suspense *suspense* m
sussen *apaiser* ★ een zaak ~ *étouffer une affaire*
s.v.p. *S.V.P.*; *s'il vous plaît*
Swaziland *le Swaziland* ★ in ~ *au Swaziland*
sweater *sweater* m
sweatshirt *sweat-shirt* m [mv: *sweat-shirts*]
swingen *swinguer*
switchen • van plaats wisselen *changer de place* • overgaan op iets anders *passer à autre chose*
syfilis *syphilis* v
syllabe *syllabe* v
syllabus *polycopié* m
syllogisme *syllogisme* m
symbiose *symbiose* v
symboliek • het symbolische *symbolisme* m • leer van de symbolen *symbolique* v
symbolisch *symbolique*
symboliseren *symboliser*
symbool *symbole* m
symfonie *symphonie* v
symfonieorkest *orchestre* m *symphonique*
symmetrie *symétrie* v
symmetrisch *symétrique*
sympathie *sympathie* v
sympathiek *sympathique*; INF. *sympa*
sympathisant *sympathisant* m
sympathiseren *sympathiser*; *être un sympathisant (de)*
symposium *symposium* m
symptomatisch *symptomatique*
symptoom *symptôme* m
symptoombestrijding *traitement* m *des symptômes*
synagoge *synagogue* v
synaps *synapse* v
synchroniseren *synchroniser*
synchroon *synchrone*
syndicaat *syndicat* m ★ lid van een ~ ‹v. kartel› *syndicataire*; ‹v. vakbond› *syndiqué*
syndroom *syndrome* m
synergie *synergie* v
synode *synode* m
synoniem I ZN *synonyme* m **II** BNW *synonyme* ★ het ~ zijn *la synonymie*
synopsis *synopsis* v; *tableau* m *synoptique* [m mv: *tableaux* ...]
syntaxis *syntaxe* v
synthese *synthèse* v
synthesizer *synthétiseur* m
synthetisch *synthétique*
Syrië *la Syrie* ★ in ~ *en Syrie*
Syriër *Syrien* m [v: *Syrienne*]
systeem *système* m ★ tot ~ verheffen *ériger en système*
systeemanalist *analyste* m *fonctionnel* [v: ... *fonctionnelle*]
systeembeheerder *systémicien* m [v: *systémicienne*]
systeembouw *préfabrication* v
systeemkaart *fiche* v
systeemontwerper *analyste* m *fonctionnel* [v: ... *fonctionnelle*]
systematiek *systématique* v
systematisch *systématique*; *par ordre méthodique*; *par système*
systematiseren *systématiser*
systole *systole* v

T

t *t* m
taai I BNW • stevig en buigzaam *dur; coriace* • dikvloeibaar *visqueux* [v: *visqueuse*] • volhardend *tenace*; ‹v. mens› *coriace*; ‹geestelijk› *tenace*; ‹v. plant› *vivace* ★ zich taai houden *ne pas démordre* • vervelend, moeilijk *aride* II BIJW *avec tenacité*
taaie *eau-de-vie* v
taaiheid • stevigheid *dureté* v • stroperigheid *viscosité* v • volhardendheid *ténacité* v; ‹v. lichaam› *endurance* v • saaiheid *aridité* v
taaislijmziekte *mucoviscidose* v
taaitaai ≈ *pain* m *d'épices*
taak *tâche* v ★ niet tegen zijn taak opgewassen zijn *ne pas être à la hauteur de sa tâche*
taakomschrijving *profil* m *de la fonction*
taakverdeling *répartition* v *des tâches*
taal • communicatiemiddel *langue* v • communicatiesysteem van groep *langage* m ★ jongerentaal *l'argot des jeunes* m • spraak en schrift *langue* v • taalgebruik *langue* v ★ de oude talen *les langues anciennes* ▾ taal noch teken geven *ne donner signe de vie*
taalachterstand *retard* m *linguistique*
taalbarrière *barrière* v *linguistique*
taalbeheersing *connaissance* v *de la langue*
taalfamilie *famille* v *de langues*
taalfout *faute* v *linguistique*
taalgebied • gebied waar een taal gebruikt wordt *région* v *linguistique* • geheel van een taal *domaine* m *linguistique*
taalgebruik *usage* m
taalgeschiedenis *histoire* v *de la langue/des langues*
taalgevoel *sens* m *des langues*
taalgrens *frontière* v *linguistique*
taalkunde *linguistique* v
taalkundig I BNW *linguistique* ★ een ~e ontleding *une analyse linguistique* II BIJW *du point de vue linguistique*
taalles *cours* m *de langue*
taalonderwijs *enseignement* m *des langues*
taalstrijd *querelles* v mv *linguistiques*
taalvaardigheid *connaissances* v mv *linguistiques*; *connaissances* v mv *de la langue*; ‹m.b.t. vak› *acquisition* v *de la langue*
taalverarming *appauvrissement* m *linguistique*
taalverrijking *enrichissement* m *linguistique*
taalverwerving *acquisition* v *linguistique/d'une langue*
taalwetenschap *linguistique* v; ‹v.e. taal in het bijzonder› *philologie* v
taart ‹met cakedeeg› *gâteau* m [mv: *gâteaux*]; ‹met taartdeeg› *tarte* v
taartbodem *fond* m *de tarte*
taartje ‹gebakje› *pâtisserie* v; *tartelette* v
taartpunt *part* v/*tranche* v *de gâteau*
taartschep *pelle* v *à gâteau*
taartvorkje *fourchette* v *à gâteau*
taartvorm *moule* m *à tarte*
tab *tabulateur* m
tabak *tabac* m ★ lichte ~ *tabac blond* ★ zware ~ *tabac brun* ▾ er ~ van hebben *en avoir ras le bol*
tabaksaccijns *impôt* m *(indirect) sur le tabac*
tabaksdoos *boîte* v *à tabac*
tabaksindustrie *industrie* v *des tabacs*
tabaksplant *tabac* m; *pied* m *de tabac*
tabaksvergunning *licence* v *de débit de tabac*
tabasco CUL. *tabasco* m
tabel *tableau* m [mv: *tableaux*]; *table* v ★ chronologische ~len *tables chronologiques*
tableau • schilderij *tableau* m [mv: *tableaux*] • schaal *plateau* m [mv: *plateaux*]
tablet • plak *tablette* v ★ een ~ chocola *une tablette de chocolat* • pil *comprimé* m
tabletvorm MED. ★ in ~ *en comprimé(s)*
taboe I ZN *tabou* m ★ een ~ doorbreken *lever un tabou* II BNW ★ ~ worden *devenir tabou*
taboesfeer ★ iets uit de ~ halen *lever le tabou de qc*
tabula rasa *table* v *rase*
tabulator *tabulateur* m
tachograaf *tachygraphe* m
tachtig I ZN *quatre-vingts* m II TELW *quatre-vingts*; ZWI. *octante* ★ drieën~ *quatre-vingt-trois* → **acht**
tachtiger *octogénaire* m/v
tachtigjarig • tachtig jaar oud *octogénaire* • tachtig jaar durend *de quatre-vingts ans*
tachtigste *quatre-vingtième* → **achtste**
tachymeter *tachéomètre* m
tachyon *tachyon* m
tackelen *faire un croche-pied à; tacler*
taco CUL. *taco* m
tact *tact* m; *délicatesse* v ★ tact hebben *avoir du tact*
tacticus *tacticien* m [v: *tacticienne*]
tactiek *tactique* v
tactloos I BNW *sans tact* ★ hij is ~ *il manque de tact* II BIJW *indélicatement*
tactvol I BNW *plein de tact; plein de délicatesse* II BIJW *avec tact*
Tadzjikistan *le Tadjikistan* ★ in ~ *au Tadjikistan*
taekwondo *taekwondo* m
tafel *table* v ★ de speel~ *le tapis vert* ★ de ~ dekken *mettre la table* ★ aan ~ gaan *se mettre à table* ★ van ~ gaan *sortir de table* ▾ ter ~ brengen *mettre sur le tapis*
tafelblad • bovengedeelte van een tafel *dessus* m *d'une table*; *plateau* m • inlegtafelblad *rallonge* v
tafelen *être à table*
tafelkleed • kleed *tapis* m *de table* • laken *nappe* v
tafelklem *attache-nappe* m [mv: *attache-nappes*]
tafellaken *nappe* v
tafellinnen *linge* m *de table*
tafelmanieren *manières* v mv *de table* ★ deze kinderen hebben goede ~ *ces enfants se tiennent bien à table*
tafelpoot *pied* m *de table*
tafelrede *discours* m; *toast* m
tafelschikking *disposition* v *des convives à table*

tafeltennis *tennis* m *de table* ⋆ ~ spelen *jouer au ping-pong*
tafeltennissen *jouer au tennis de table*
tafeltje-dek-je ≈ *table* v *magique*
tafelvoetbal *baby-foot* m
tafelwijn *vin* m *de table*; *vin* m *ordinaire*
tafelzilver *argenterie* v
tafereel *scène* v; *tableau* m [mv: *tableaux*]
tagliatelle *tagliatelles* v mv
tahoe *tofu* m
taille *taille* v
tailleren *resserrer à la taille*; *cintrer*
Taiwan *Taiwan* ⋆ op ~ *à Taiwan*
Taiwanees I ZN *Taïwanais* m II BNW *taïwanais*
tak • loot *branche* v; ‹kleiner› *rameau* m [mv: *rameaux*] • vertakking *branche* v; ‹v. spoor› *embranchement* m • afdeling *branche* v ⋆ een sporttak *une discipline sportive*
takel *palan* m
takelen • ophijsen *hisser*; SCHEEPV. *palanquer* • optuigen *gréer*
takelwagen *dépanneuse* v
takenpakket *ensemble* m *des tâches*
take off • LUCHTV. *décollage* m • ECON. *démarrage* m *économique*; *take-off* m
takkenbos *fagot* m
takkeweer *temps* m *de chien*
takkewijf *garce* v
taks • hoeveelheid *portion* v ⋆ ik ben aan mijn taks *je suis bourré* • dashond *basset* m
tal *nombre* m ⋆ tal van *nombre de*
talen *aspirer à*; *désirer* ⋆ niet ~ naar *ne pas se soucier de*
talenkennis *connaissances* v mv *de la/des langue(s)*
talenknobbel *don* m *des langues*
talenpracticum *laboratoire* m *de langues*
talenstudie *études* v mv *de langues*
talent *talent* m
talentenjacht *concours* m *en vue de découvrir de nouveaux talents*
talentvol I BNW *de talent*; *doué* II BIJW *avec talent*
talg ‹huidsmeer› *sébum* m; ‹dierlijk› *suif* m
talgklier *glande* v *cébacée*
talisman *talisman* m; *amulette* v
talk • talg *sébum* m • delfstof *talc* m
talkpoeder *talc* m
talkshow *talk-show* m [mv: *talk-shows*]; *débat* m *télévisé*
talloos I BNW *innombrable* II BIJW *en nombre infini*
talmen *temporiser*; INF. *traînasser*
talmoed *talmud* m
talrijk I BNW *nombreux* [v: *nombreuse*] II BIJW *en grand nombre*
talud *talus* m
tam I BNW • niet wild *docile*; *doux* [v: *douce*] • saai *mou* [v: *molle*] [onr: *mol*] II BIJW *mollement*
tamarinde *tamarin* m
tamboer *tambour* m
tamboerijn *tambourin* m
tamelijk *assez*; *passablement* ⋆ het is ~ goed gedaan *c'est plutôt bien fait* ⋆ een ~ goede wijn *un vin pas trop mauvais*
Tamil *Tamoul* m
tampon *tampon* m
tamtam *tam-tam* m ▾ zonder veel ~ *sans tambour ni trompette*
tand *dent* v ⋆ tanden krijgen *faire ses dents* ⋆ het tanden krijgen *la dentition* ▾ iemand aan de tand voelen *tâter qn*; *sonder qn* ▾ met lange tanden eten *manger du bout des dents*
tand- *dentaire*; *dento-*; TAALK. *dental*
tandarts *dentiste* m/v
tandartsassistente *assistante* v *d'un(e) dentiste*
tandbederf *carie* v
tandbeen *dentine* v
tandem *tandem* m
tandenborstel *brosse* v *à dents*
tandenknarsen *grincer des dents*
tandenstoker *cure-dents* m [onv]
tandglazuur *émail* m *des dents*
tandheelkunde *chirurgie* v *dentaire*; *dentisterie* v
tandpasta *(pâte* v*) dentifrice*
tandplak *plaque* v *dentaire*
tandrad *pignon* m; *roue* v *dentée*
tandsteen *tartre* m
tandtechnicus *prothésiste* m/v *dentaire*
tandvlees *gencive* v ▾ op zijn ~ lopen *être sur les genoux*
tandvleesontsteking *gingivite* v; *inflammation* v *des gencives*
tandwiel *roue* v *dentée*
tandzijde *fil* m *dentaire*
tanen I OV WW vaalgeel kleuren *tanner* II ON WW • vaal worden *se ternir*; *perdre de son éclat* • afnemen *décliner*
tang • gereedschap *pince* v; *pincettes* v mv; *tenailles* v mv • vrouw *mégère* v; *vipère* v; *chipie* v
tanga *slip* m *tanga*
tangens *tangente* v
tango *tango* m
tanig *tanné*; ‹v. huid› *hâlé*
tank • reservoir *citerne* v; *réservoir* m • pantservoertuig *char* m *d'assaut*
tankbataljon *bataillon* m *de chars*
tanken • brandstof innemen *prendre de l'essence* ⋆ vol~ *faire le plein* • drinken *se ravitailler*
tanker *pétrolier* m
tankstation *station-service* v [mv: *stations-service*]
tankwagen • auto *camion-citerne* m [mv: *camions-citernes*] • treinwagon *wagon-citerne* m [mv: *wagons-citernes*]
tantaluskwelling *supplice* m *de Tantale*
tante • familielid *tante* v • vrouw ⋆ een lastige ~ *une bonne femme pas commode* ⋆ een dikke ~ *une dondon*
tantième *tantième* m
Tanzania *la Tanzanie* ⋆ in ~ *en Tanzanie*
tap *robinet* m
TAP tijdelijke arbeidsplaats *emploi* m *temporaire*
tapbier *bière* v *pression*
tapdansen *faire des claquettes* ⋆ het ~ *les claquettes*
tape • plakband *ruban* m *adhésif*; *scotch* m • magneetband *bande* v *magnétique*

tapestreamer *dérouleur* m *de bandes*
tapijt • vloerkleed *tapis* m • wandkleed *tapisserie* v
tapioca *tapioca* m
tapkast *comptoir* m; *bar* m; INF. *zinc* m
tappen • uit vat schenken *tirer* ★ wijn ~ *tirer du vin* • vertellen *débiter* ★ een mop ~ *débiter une plaisanterie* ▾ een boom ~ *saigner un arbre*
tapperij *débit* m *de boissons*
taps I BNW *conique* II BIJW *en cône* ★ taps toelopend *effilé*
taptemelk *lait* m *écrémé*
taptoe • signaal *couvre-feu* m [mv: *couvre-feux*]; *extinction* v *des feux* • parade ★ ~ blazen *sonner la retraite*
tapverbod ≈ *interdiction* v *de servir des boissons alcoolisées*
tapvergunning *licence* v *de débit de boissons*
tarantula BIOL. *tarentule* v
tarbot *turbot* m
tarief *tarif* m ★ tegen gereduceerd ~ *à tarif réduit* ★ het ~ vaststellen voor *tarifer*
tariefgroep *catégorie* v *fiscale*
tariefsverlaging *réduction* v *des tarifs*
tarievenoorlog *guerre* v *des tarifs*
tarot *tarot* m
tarra *tare* v
tartaar *bifteck* m *haché*
tartanbaan *tartan* m
tarten • uitdagen *défier*; *provoquer*; *mettre au défi* ★ het noodlot ~ *défier le sort* • trotseren *affronter (le danger)*; *braver* • overtreffen *dépasser*
tarwe *froment* m
tarwebloem *fleur* v *de farine*
tarwebrood *pain* m *de froment*
tarwemeel *farine* v *de froment*; *farine* v *de blé*
tas *sac* m; *sacoche* v; ⟨voor boeken⟩ *serviette* v
tasjesdief *voleur* m *à l'arraché* [v: *voleuse* ...]
tast *toucher* m ★ op de tast *à tâtons*; *à l'aveuglette*
tastbaar I BNW • duidelijk ★ een tastbare leugen *un mensonge évident* • voelbaar *palpable*; *tangible* II BIJW • duidelijk *manifestement* • voelbaar *d'une façon palpable*
tasten I OV WW voelen *toucher*; *tâter*; *palper* II ON WW • zoekend bewegen ★ in de zak ~ *mettre la main à la poche* ★ naar iets ~ *chercher qc à tâtons*
tastzin *toucher* m
tatoeage *tatouage* m
tatoeëren *tatouer*
taugé *germes* m mv *de soja*
taupe *taupe*
t.a.v. • ten aanzien van *en ce qui concerne*; *au sujet de* • ter attentie van *à l'attention de*
taveerne *taverne* v
taxateur *expert* m
taxatie *estimation* v; ⟨door een taxateur⟩ *expertise* v
taxatierapport *rapport* m *d'expertise*
taxeren I OV WW • waarde bepalen *expertiser*; *évaluer* • inschatten *estimer*; *évaluer* II ON WW *faire une expertise*
taxfree *exempt*; *exonéré d'impôt*; *hors taxes*; *en franchise* ★ ~shop *free shop* m
taxi *taxi* m
taxichauffeur *chauffeur* m *de taxi* [v: *femme taxi*]; INF. *taxi* m
taxidermie *taxidermie* v
taxiën *rouler*
taximeter *taximètre* m
taxionderneming *entreprise* v *de taxis*
taxistandplaats *station* v *de taxis*
taxivervoer *transport* m *par taxis*
taxus *if* m
tbc tuberculose *tuberculose* v
T-biljet *demande* v *de restitution d'impôts sur le revenu*
tbs → **terbeschikkingstelling**
t.b.v. • ten behoeve van *en faveur de* • ten bate van *au profit de*
te I BIJW *trop* ★ te groot *trop grand* ★ te veel *trop* ★ te laat komen *arriver en retard* ★ des te beter/erger *tant mieux/pis* ▾ te meer daar *d'autant plus que* ▾ te mooi om waar te zijn *trop beau pour être vrai* II VZ • in/op *à* ★ te water *à l'eau* ★ te Utrecht *à Utrecht* ★ te paard *à cheval* ★ te voet *à pied* • ⟨+ inf.⟩ *à* ★ veel te doen hebben *avoir beaucoup à faire* ★ moeilijk te verstaan *difficile à comprendre* ★ zonder iets te zeggen *sans rien dire* ★ blij je te zien *je suis content de te voir*
teak *teck* m
teakhout *(bois* m *de) teck* m
teakolie *huile* v *à teck*
te allen tijde *à tout moment*
team *équipe* v
teambuilding *constitution* v *d'une solide équipe*
teamgeest *esprit* m *d'équipe*
teamspeler *joueur* m *d'équipe* [v: *joueuse* ...]
teamsport *sport* m *d'équipe*
teamverband *équipe* v ★ in ~ werken *travailler en équipe*
teamwork *travail* m *d'équipe*
techneut *techno* m
technicolor *technicolor* m
technicus *technicien* m [v: *technicienne*]
techniek • vaardigheid *technique* v • werktuigkundige bewerking *technologie* v
technisch I BNW *technique* ★ mts ≈ *collège d'enseignement technique* m ★ hts ≈ *école supérieure d'enseignement technique* v ★ een ~ adviseur *un ingénieur conseil* ★ ~ directeur *directeur* m *technique* II BIJW *techniquement*
techno MUZ. *techno(house)* v
technocratie *technocratie* v
technokeuring *contrôle* m *technique*
technologie *technologie* v
teckel *teckel* m; *basset* m *allemand*
tectyl *pâte* v *antirouille*
teddybeer *ours* m *en peluche*; *teddy-bear* m
teder I BNW *tendre*; *affectueux* [v: *affectueuse*] II BIJW *tendrement*
tederheid • zachtheid *tendresse* v • gevoeligheid *sensibilité* v; *délicatesse* v
teef • dier *chienne* v; ⟨v. jachthond⟩ *lice* v • vrouw *salope* v
teek *tique* v
teelaarde • humusrijke aarde *terreau* m

T

• bovenste akkerlaag *terre* v *végétale*

teelbal *testicule* m

teelt • het telen ‹v. planten› *culture* v; ‹v. dieren› *élevage* m • het geteelde *jeunes animaux* m mv; ‹v. planten› *jeunes plantes* v mv

teen • deel van voet *orteil* m; *doigt* m *de pied* ★ op de tenen lopen *marcher sur la pointe des pieds* ★ iem. op de tenen trappen FIG. *piquer qn au vif*; *marcher sur les pieds de qn* • twijg *brin* m *d'osier* ▾ een teentje knoflook *une gousse d'ail*

teenager *adolescent* m [v: *adolescente*]

teenslipper *tongue* v

teer I ZN *goudron* m **II** BNW *délicat* **III** BIJW ★ van een teer blauw *d'un bleu tendre*

teergevoelig ‹week› *tendre*; ‹zacht v. gevoel› *sensible*

teerling ▾ de ~ is geworpen *les jeux sont faits*

teerzeep *savon* m *au goudron*

tegel *carreau* m [mv: *carreaux*]; ‹alleen op vloer› *dalle* v

tegelijk • op hetzelfde moment *en même temps* • samen met iets/iemand *ensemble* • tevens *en même temps*

tegelijkertijd *simultanément*

tegellijm *colle* v *à carreaux*

tegelvloer *carrelage* m; ‹vloer› *dallage* m

tegelwerk *carrelage* m; ‹vloer› *dallage* m

tegelzetter *carreleur* m

tegemoet *à la rencontre de* ★ zij liep hem ~ *elle allait à sa rencontre*

tegemoetkoming • bijdrage ‹in de schade› *indemnité* v; ‹in de kosten› *avance* v • concessie *concession* v

tegemoettreden *aller à la rencontre de*

tegen I ZN *le contre* m ★ voors en ~s *des pours et des contres* **II** BIJW • anti *contre* ★ zij is fel ~ *elle est farouchement contre* ★ ~ stemmen *voter contre* • niet mee ★ wind ~ *vent contre*; ‹v. boot/vliegtuig› *vent debout* ▾ daar moet je ~ kunnen *il faut pouvoir le supporter* **III** VZ • in tegengestelde richting ★ ~ de wind (in) *contre le vent* ★ ~ het licht houden *tenir qc à la lumière* • in aanraking met *contre* ★ het staat ~ de muur *c'est placé contre le mur* ★ ~ de schenen schoppen *blesser qn* • ter bestrijding van *anti-*; *contre* ★ een vaccin ~ aids *un vaccin anti-SIDA* ★ de strijd ~ tbc *le combat contre la tuberculose* • in strijd met *contraire à* ★ ~ de regels *contraire aux règles* • in ruil voor *contre* ★ ~ 8% rente *à 8% d'intérêt* ★ ~ een vergoeding van *moyennant une compensation de* • jegens ★ hij doet altijd erg aardig ~ mij *il est toujours très gentil avec moi* • bijna *vers* ★ ~ middernacht *vers minuit* ★ hij is ~ de vijftig *il approche la cinquantaine* • aan *à* ★ dat moet je niet ~ hem zeggen! *ne le lui dit pas!* ▾ tien ~ een *dix contre un*

tegenaan *contre*

tegenaanval *contre-attaque* v [mv: *contre-attaques*]

tegenactie *contre-offensive* v [mv: *contre-offensives*]

tegenargument *argument* m *contraire*; *parade* v; *objection* v

tegenbeeld • tegenstelling *contraste* m • tegenhanger *pendant* m

tegenbericht *avis* m *contraire* ★ zonder ~ *sauf avis contraire*

tegenbeweging *mouvement* m *opposé*

tegenbezoek ★ iem. een ~ brengen *rendre sa visite à qn*

tegendeel *contraire* m; *opposé* m

tegendraads I BNW in de contramine *contrariant* **II** BIJW *de façon contrariante*

tegendruk • weerstand *résistance* v; *contre-pression* v • afdruk *contre-épreuve* v [mv: *contre-épreuves*]

tegengaan *combattre*

tegengas ▾ ~ geven *donner un coup de frein à qc*

tegengesteld I BNW *contraire*; *opposé* ★ het ~e verdedigen *prendre le contre-pied d'une opinion* ★ in ~e richting *en sens contraire* ★ het ~e *le contraire* **II** BIJW *en sens inverse*; *en sens contraire*

tegengestelde *contraire* m

tegengif *antidote* m

tegenhanger *pendant* m

tegenhebben *être désavantagé (par)* ★ ze heeft haar leeftijd tegen *elle est desservie par son âge*

tegenhouden • beletten voort te gaan *arrêter*; *retenir* • verhinderen *empêcher*

tegenin ★ ergens ~ gaan *s'opposer à qc*

tegenkandidaat *candidat* m *du parti opposé*; *rival* m [mv: *rivaux*]

tegenkomen *rencontrer*

tegenlachen *sourire (à)*

tegenlicht *contre-jour* m

tegenligger *véhicule* m *venant en sens inverse* ★ ~s! *circulation à double sens!*

tegennatuurlijk I BNW *contre nature* **II** BIJW *de façon contre nature*

tegenoffensief *contre-offensive* v

tegenover I BIJW *en face (de)* ★ hij woont hier ~ *il habite en face* ★ daar staat ~ dat hij *en revanche, il* ★ wat staat er ~? *qu'y a-t-il en échange?* **II** VZ • aan de overkant van *face à* ★ ~ het station *face à la gare* • ten opzichte van ★ zij staan lijnrecht ~ elkaar *ils sont diamétralement opposés l'un à l'autre* ★ licht ~ donker *la lumière par opposition à l'obscurité*

tegenovergesteld *contraire*; *opposé* ★ het ~e *le contraire*; *l'inverse* m

tegenoverstellen • vergelijken *opposer* • compenseren *proposer en échange*

tegenpartij *adversaire* m/v; JUR. *partie* v *adverse*; MUZ. *seconde* v *partie*

tegenpool *pôle* m *opposé*; *opposé* m

tegenprestatie *compensation* v ★ als ~ voor *en compensation de*

tegenregering *contre-gouvernement* m

tegenslag *échec* m ★ ~en *les revers de fortune*

tegenspartelen *se débattre*

tegenspel *résistance* v; SPORT *jeu* m ★ goed ~ bieden *opposer de la résistance*

tegenspeler • acteur *partenaire* m/v • SPORT *adversaire* m/v

tegenspoed *infortune* v; *malchance* v

tegenspraak • ontkenning *contestation* v;

démenti m ★ geen ~ dulden *ne pas admettre de discussion* • tegenstrijdigheid *contradiction* v ★ in ~ zijn met *être en contradiction avec*
tegenspreken • ontkennen *démentir* • betwisten *contester*; *discuter* • tegenstrijdig zijn *contredire*
tegensputteren *rouspéter*
tegenstaan *dégoûter*; *répugner à* ★ zijn gedrag staat me tegen *son comportement me répugne*
tegenstand • weerstand *opposition* v; *résistance* v ★ ~ ondervinden *rencontrer de l'opposition* • verzet *résistance* v ★ ~ bieden *opposer de la résistance*; *résister*
tegenstander *adversaire* m/v
tegenstelling *contraste* m; *opposition* v; TAALK. *antithèse* v ★ in ~ met *par opposition à* ★ in ~ zijn met *contraster avec* ★ in ~ tot *en contrepoint de*
tegenstribbelen *résister*
tegenstrijdig I BNW *contradictoire* ★ ~ zijn *se contredire* II BIJW *de façon contradictoire*
tegenstrijdigheid *contradiction* v
tegenvallen *décevoir* ★ dat valt me tegen van hem *j'espérais mieux de sa part* ★ het resultaat valt tegen *le résultat ne répond pas aux attentes*
tegenvaller *déception* v; INF. *tuile* v
tegenvoeter *antipode* m
tegenvoorbeeld *contre-exemple* m [mv: *contre-exemples*]
tegenvoorstel *contre-proposition* v [mv: *contre-propositions*]
tegenwerken *contrarier*; *faire obstacle à*
tegenwerking *opposition* v
tegenwerpen *objecter*
tegenwerping *objection* v ★ ~en maken *soulever des objections*
tegenwicht *contrepoids* m ★ een ~ vormen tegen *compenser*
tegenwind *vent* m *contraire*
tegenwoordig I BNW • huidig *actuel* [v: *actuelle*] • aanwezig *présent* ★ ~ zijn bij *assister à*; *être présent à* II BIJW *actuellement*; *de nos jours*
tegenwoordigheid *présence* v ★ de ~ van geest *la présence d'esprit* ★ in ~ van *en présence de*; *devant*
tegenzet *riposte* v
tegenzin *aversion* v; *répugnance* v ★ met ~ *à contrecœur*
tegenzitten *être défavorable* ★ het weer zit ons tegen *le temps nous est défavorable*
tegoed I ZN *avoir* m; *crédit* m; ‹v. vordering› *créance* v ★ van iemands ~ aftrekken *réduire sur l'avoir de qn* II BIJW ★ hij heeft nog vijftig gulden van me ~ *je lui dois encore cinquante florins*
tegoedbon *avoir* m
tehuis *maison* v; *foyer* m ★ een ~ voor meisjes *une maison d'accueil pour jeunes filles* ★ een militair ~ *un foyer du soldat*
teil *bassine* v
teint *teint* m
teisteren • ernstig schaden *ravager*; *sévir* • kwellen *tourmenter*; *affliger*
tekeergaan *tempêter*
teken *signe* m ★ in het ~ staan van *être sous le signe de* ★ het is een ~ dat *c'est signe que* ★ een ~ geven om *faire signe de* ★ ~ van leven geven *donner signe de vie* ★ ten ~ van *en signe de*
tekenaar *dessinateur* m [v: *dessinatrice*]
tekendoos *boîte* v *à dessin*
tekenen • afbeelden *dessiner* • kenschetsen *marquer*; *peindre* ★ dat tekent hem *on le reconnaît bien là*; *c'est bien lui* ★ het ~ *le dessin* ★ het rechtlijnige ~ *le dessin linéaire* • ondertekenen *signer*
tekenend *caractéristique*
tekenfilm *dessin* m *animé*
tekening • afbeelding *dessin* m • ondertekening *signature* v
tekenkunst *dessin* m; *art* m *du dessin*
tekenles *leçon* v *de dessin*
tekenpapier *papier* m *à dessin*
tekentafel *table* v *à dessin*
tekort *déficit* m; *manque* m; ‹bij de bank› *découvert* m ★ het ~ aanvullen *combler le déficit*
tekortdoen *faire tort à (qn)*
tekortkomen *manquer de (qc)*
tekst *texte* v mv; MUZ. *paroles* v mv
tekstanalyse *analyse* v *de texte*
tekstballon *bulle* v
teksteditie *édition* v *d'un texte*
tekstschrijver MUZ. *parolier* m [v: *parolière*]; FILM *scénariste* m/v; ‹v. reclame› *rédacteur* m *publicitaire* [v: *rédactrice ...*]
tekstverklaring *commentaire* m
tekstverwerker • computer *machine* v *de traitement de textes* • programma *logiciel* m *de traitement de textes*
tel • het tellen *numération* v ★ de tel kwijt zijn *se tromper en comptant* • moment *seconde* v • aanzien ★ hij is niet in tel *on fait peu de cas de lui*
telebankieren ≈ *régler ses affaires financières par ordinateur*
telecommunicatie *télécommunication* v
telefoneren *téléphoner*; *appeler* ★ met iem. ~ *téléphoner à qn* ★ ~ voor rekening van de opgeroepene *téléphoner en P.V.C.*
telefonie *téléphonie* v ★ draadloze ~ *téléphonie* v *sans fil* ★ mobiele ~ *téléphonie* v *mobile*
telefonisch I BNW *téléphonique* II BIJW *par téléphone*
telefonist *standardiste* m/v
telefoon *téléphone* m ★ de ~ gaat *le téléphone sonne* ★ de ~ opnemen *décrocher* ★ de ~ neerleggen *raccrocher*
telefoonbeantwoorder *téléphone-répondeur* m [mv: *téléphones-répondeurs*]; *répondeur* m *téléphonique*
telefoonboek *annuaire* m *téléphonique*; *bottin* m
telefoonbotje INF. *petit juif* m
telefooncel *cabine* v *téléphonique*
telefooncentrale *central* m *téléphonique* [m mv: *centraux téléphoniques*]; ‹in bedrijven› *standard* m *téléphonique*
telefoondistrict *circonscription* v *téléphonique*

telefoongesprek • gesprek *conversation* v *téléphonique* • verbinding *communication* v ★ een ~ voor rekening van de ontvanger *une communication en P.C.V.*
telefoonkaart *télécarte* v
telefoonklapper *répertoire* m *téléphonique*
telefoonnet *réseau* m *téléphonique* [m mv: *réseaux* ...]
telefoonnummer *numéro* m *de téléphone* ★ een ~ draaien *faire un numéro* ★ zij heeft een geheim ~ *elle a un numéro de téléphone confidentiel*
telefoontik *unité* v
telefoontje *coup* m *de fil*; *coup* m *de téléphone*
telefoonverkeer *trafic* m *téléphonique*
telefoto *téléphotographie* v
telegraaf *télégraphe* m
telegraferen *télégraphier*
telegrafie *télégraphie* v
telegrafisch *télégraphique*
telegram *télégramme* m
telegramstijl *style* m *télégraphique*
telekinese *télékinésie* v
telelens *téléobjectif* m
telemarketing *télévente* v
telematica *télématique* v
telen ‹v. planten› *cultiver*; ‹v. dieren› *élever*
telepathie *télépathie* v
telepathisch **I** BNW *télépathique* **II** BIJW *par la télépathie*
telescoop *télescope* m
teleshoppen *téléshopping* m
teletekst *télétexte* m; *vidéotexte* m
teleurstellen *décevoir* ★ ik ben nogal teleurgesteld over de opbrengst *je suis assez déçu de la recette*
teleurstellend *décevant*
teleurstelling *déception* v
televisie • *télévision* v; INF. *télé* v • uitzending ★ op ~ komen *passer à la télévision*
televisiebewerking *adaptation* v *pour la télévision*
televisiecircuit *circuit* m *de télévision*
televisiedominee *pasteur* m *qui parle à la télévision*
televisiedrama *dramatique* v
televisiejournaal *journal* m *télévisé* [m mv: *journaux* ...]
televisieomroep *organisation* v *de télévision*; *association* v *de télévision*
televisieomroepster *téléspeakerine* v
televisieopname *prise* v *de vue(s) pour télévision*
televisieprogramma *programme* m *de télé*
televisiereclame *publicité* v *télévisée*
televisiereportage *téléreportage* m
televisiescherm *écran* m *de télévision*
televisieserie *feuilleton* m *télévisé*
televisiespel *jeu* m *télévisé* [m mv: *jeux* ...]
televisiestation *station* v *de télévision*
televisietoestel *téléviseur* m; *télévision* v
televisie-uitzending *émission* v *télévisée*
telewerk(en) *télétravail* m
telewinkelen *faire du téléshopping*|*téléachat*
telex *télex* m
telexbericht *message* m *(transmis) par télex*
telfout *erreur* v *de calcul*

T

telg • afstammeling *descendant* m • loot *rejeton* m
telkens *à chaque instant*; *tout le temps* ★ ~ als *chaque fois que*; *toutes les fois que*
tellen *compter* ★ dat telt voor tien punten *cela compte pour dix points* ▾ dat telt niet *cela ne compte pas*
teller • apparaat *compteur* m • REKENK. *numérateur* m
telling *numération* v; *recensement* m ★ een volks~ *un recensement*
teloorgang *perte* v; *ruine* v; *naufrage* m
telraam *boulier* m
telwoord *nom* m *de nombre*; *numéral* m [mv: *numéraux*]; *adjectif* m *numéral* [m mv: *adjectifs numéraux*]
temeer *d'autant plus* ★ ~ omdat *d'autant plus que*
temen • lijzig spreken *parler sur un ton geignard*|*plaintif* • talmen *traîner*
temidden *au milieu (de)*
temmen • mak maken *apprivoiser* • africhten *dompter*
tempé *pâte* v *fermentée de soja*
tempel *temple* m
tempera *tempera* v
temperament *tempérament* m
temperamentvol *ayant beaucoup de tempérament*; *plein d'entrain*
temperaturen *prendre la température*
temperatuur *température* v ★ van gelijke ~ *isotherme*
temperatuurdaling *chute* v|*baisse* v *de température*
temperatuurschommeling *variation* v *de température*
temperatuurstijging *hausse* v *de température*
temperatuurverschil *écart* m *de températures*
temperen *modérer*; *tempérer*; ‹v. verdriet› *soulager*
tempo • snelheid *rythme* m • MUZ. *tempo* m ★ in 4 ~'s *en quatre temps* ★ een versneld ~ *un mouvement accéléré*
tempobeurs *bourse* v *transformée en prêt en cas de résultats insuffisants*
tempoera CUL. *tempura* v
tempowisseling *changement* m *de tempo*
ten ▾ ten eerste *premièrement*; *tout d'abord*
tenaamstelling *enregistrement* m *au nom de*
tendens *tendance* v
tendentieus **I** BNW *tendancieux* [v: *tendancieuse*] **II** BIJW *tendancieusement*
tendinitis *tendinite* v
teneinde *afin de*
teneur *esprit* m; *intention* v
tengel • vinger *patte* v ★ blijf met je ~s van die bloemen af *enlève tes pattes de ces fleurs* • lat *latte* v; *tringle* v
tenger • *gracile* • slank en teer *délicat*; *frêle*
tengevolge ★ ~ van *par suite de*
tenietdoen *annihiler*; *annuler*
tenlastelegging • het ten laste leggen *inculpation* v • beschuldiging in de dagvaarding *chef* m *d'accusation*
tenminste *au moins*; *du moins* ★ ~ als *pourvu que* [+ subj.] ★ als er ~ een mogelijkheid is *si possibilité il y a*

tennis *tennis* m
tennisarm *tennis-elbow* m [mv: *tennis-elbows*]; *épycomdilyte* v
tennisbaan *court* m *de tennis* ★ overdekte ~ *tennis* m *couvert*
tennisracket *raquette* v *de tennis*
tennisschoen *chaussure* v *de tennis*
tennissen *jouer au tennis*
tennisser *joueur* m *de tennis* [v: *joueuse* ...]
tenor *ténor* m
tenorsaxofoon *saxophone* m *ténor*
tenslotte • uiteindelijk *finalement* • welbeschouwd *finalement*; *en somme*
tent • onderdak van doek *tente* v; MIL. *pavillon* m ★ een tent opslaan *dresser une tente* • openbare gelegenheid *boîte* v; ‹café› *café* m ★ in een tent *sous une tente* ★ een aardige tent *une bonne boîte* ▾ zijn tenten opslaan FIG. *planter sa tente*
tentakel *tentacule* v
tentamen *partiel* m ★ ~ doen *passer un partiel*
tentamenperiode *période* v *des examens (partiels)*
tentdoek *toile* v *de tente*
tentenkamp *campement* m
tentharing *piquet* m
tentoonspreiden *faire étalage de*
tentoonstellen *exposer*
tentoonstelling *exposition* v
tentstok *mât* m *de tente*
tentzeil *toile* v *de tente*
tenue *tenue* v; *uniforme* m
ten zeerste *extrêmement*; *énormément*
tenzij [+ subj.] *à moins que ... ne* ★ ik ben thuis, ~ ik werk *je suis chez moi, à moins que je ne travaille*
tepel *bout* m *du sein*; *mamelon* m; ‹v. dier› *tétine* v; ‹v. koe› *trayon* m
tequila *tequila* m
teraardebestelling *inhumation* v
terbeschikkingstelling *mise* v *sous protection judiciaire*; *tutelle* v *pénale*
terdege *bien* ★ ik besef ~ dat het gevaarlijk is *je réalise très bien que c'est dangereux*
terecht I BNW *juste* ★ een ~e vraag *une question pertinente* II BIJW • teruggevonden *retrouvé* ★ mijn agenda is ~ *on a retrouvé mon agenda* • met recht *à juste titre* • op de juiste plaats ★ ben ik hier ~? *est-ce bien ici?*
terechtbrengen ★ er niet veel van ~ *ne pas très bien s'en sortir*
terechtkomen • belanden *se retrouver*; ‹op zijn plaats komen› *arriver à destination* ★ ~ in *tomber dans*; *aller se loger dans* • teruggevonden worden *être retrouvé* • in orde komen *s'arranger* ★ daar komt niets van terecht *cela n'aboutit à rien*
terechtstaan *comparaître* ★ ~ voor moord *être prévenu de meurtre*
terechtstellen *exécuter*
terechtstelling *exécution* v
terechtwijzen *réprimander*; *reprendre*
terechtwijzing *réprimande* v
terechtzitting *audience* v
teren I OV WW met teer insmeren *goudronner* II ON WW ~ **op** *vivre de*
ter ere van *en l'honneur de*
tergen *agacer*
tergend ★ ~ langzaam *avec une lenteur désespérante*
tering *dépenses* v mv ▾ de ~ naar de nering zetten *vivre selon ses moyens*
terloops I BNW *en passant* II BIJW *incidemment*
term • begrip, woord *terme* m ★ in bedekte termen *à mots couverts* • reden *motif* m
termiet *termite* v
termijn • periode *délai* m ★ de wettelijke ~ *le délai légal* ★ op lange ~ *à longue échéance* ★ uiterste ~ *terme de rigueur* ★ de ~ van dienstopzegging *le délai-congé* ★ in ~en *en versements échelonnés* • tijdslimiet *terme* m • deel van schuld *terme* m
termijnbetaling *paiement* m *échelonné*
termijnhandel *transaction* v *à terme*
terminaal *terminal* ★ terminale fase *phase* v *terminale* ★ terminale patiënt *mourant* m
terminal • *terminal* m [mv: *terminaux*]; *aérogare* v • aankomst-, vertrekpunt *aérogare* v
terminologie *terminologie* v
ternauwernood *à peine*
terneergeslagen *déprimé*
terp *tertre* m
terpentijn *essence* v *de térébenthine*
terracotta • materiaal *terre* v *cuite* ★ van ~ *en terre cuite* • kleur *brun* m *rougeâtre*
terrarium *terrarium* m
terras *terrasse* v
terrein • grond *terrain* m • gebied, sfeer *domaine* m ★ op politiek ~ *sur le plan politique* ★ op bekend ~ *en pays de connaissance*
terreinfiets *vélo* m *tout-terrain*
terreingesteldheid *conditions* v mv *du terrain*
terreinwagen *voiture* v *tout terrain*
terreinwinst ★ ~ boeken *gagner du terrain*
terreur *terreur* v
terreuraanslag *attentat* m *terroriste*
terreurdaad *acte* m *de terrorisme*
terreurorganisatie *organisation* v *terroriste*
terriër *terrier* m [v: *terrière*]
terrine *terrine* v
territoriaal *territorial* [m mv: *territoriaux*]
terroriseren *terroriser*
terrorisme *terrorisme* m
terrorist *terroriste* m/v
tersluiks *furtivement*; *à la dérobée*
terstond *aussitôt*; *tout de suite*
tertiair *tertiaire* ★ de ~e sector *le secteur tertiaire* ★ de ~e kleuren *les couleurs ternaires*
terts *tierce* v ★ kleine ~ *tierce mineure* ★ grote ~ *tierce majeure*
terug • naar vorige plaats *de retour* • achteruit *en arrière* • weer *de retour* ★ ik heb niet van 10 gulden ~ *je n'ai pas la monnaie de 10 florins* • geleden *il y a* ★ een paar jaar ~ *il y quelques années*
terugbellen *rappeler*
terugbetalen *rembourser* ★ ik betaal het je morgen terug *je te rendrai ton argent demain*
terugblik *vue* v *rétrospective*; *retour* m *en arrière*; FILM *flash-back* m [mv: *flash-backs*]

terugblikken *regarder en arrière*
terugbrengen • weer op zijn plaats brengen ‹v. iets› *rapporter*; ‹v. iemand› *ramener*; *reconduire* • reduceren *réduire* ⋆ iets tot de helft ~ *réduire qc de la moitié*
terugdeinzen *reculer*
terugdoen • doen als reactie *faire en retour* ⋆ je mag er wel eens iets voor ~ *tu pourrais faire qc en retour* ⋆ doe je de groeten terug? *tu lui rends son bonjour?* • terugzetten *remettre*
terugdraaien • achteruitdraaien *tourner en sens contraire* • ongedaan maken *annuler*
terugdringen • achteruitduwen *refouler* • in aantal beperken *diminuer*
terugfluiten *rappeler à l'ordre*; SPORT *siffler un hors-jeu*
teruggaan • terugkeren *retourner*; *rebrousser chemin* ⋆ naar huis ~ *rentrer* • achteruitgaan *aller en arrière* • zijn oorsprong vinden *remonter (à)* ⋆ ~ tot 1900 *remonter à l'an 1900*
teruggang *baisse* v
teruggave *restitution* v
teruggetrokken • in afzondering *retiré* • in zichzelf *renfermé* ⋆ een ~ leven leiden *mener une vie isolée*
teruggeven *rendre*; *restituer* ⋆ ~ van 10 gulden *rendre la monnaie de 10 florins*
teruggooien *renvoyer*
teruggrijpen *s'inspirer de*; *se baser sur*
terughalen • terugnemen *récupérer* • terugtrekken *retirer* ⋆ hij haalde zijn troepen terug *il retirait ses troupes* • herinneren *se rappeler* ⋆ kun je dat ~? *tu te rappelles?*
terughoudend *réservé*
terugkeer *retour* m; ‹huiswaarts› *rentrée* v
terugkeren • teruggaan *retourner*; *revenir* ⋆ naar huis ~ *retourner à la maison*; *rentrer* • zich weer voordoen *revenir*
terugkomen • terugkeren *revenir* • ~ **op** ⋆ op zijn woorden ~ *se dédire* • ~ **van** ⋆ van een idee ~ *revenir sur une idée*
terugkomst *retour* m
terugkoppelen *soumettre*
terugkoppeling *bouclage* m; *feed-back* m
terugkrabbelen *battre en retraite*; *reculer*
terugkrijgen *recouvrer*; *recevoir en retour*
terugleggen • op oude plaats leggen *remettre* • SPORT *renvoyer* ⋆ de bal op iem. ~ *renvoyer le ballon à qn*
terugloop *recul* m
teruglopen • lopen ‹achteruit› *aller à reculons*; *reculer*; *retourner* • verminderen *être en baisse*; *fléchir* ⋆ de werkloosheid loopt terug *le chômage est en baisse*
terugnemen • weer nemen *reprendre* • intrekken *retirer* ⋆ zijn woorden ~ *se rétracter* ⋆ gas ~ *lever le pied*; *lâcher l'accélérateur*
terugreis *retour* m
terugroepen • terug laten komen *rappeler*; *révoquer* ⋆ een ambassadeur ~ *révoquer un ambassadeur* • antwoorden *répondre*
terugschrikken *reculer* ⋆ ~ voor iets *reculer devant qc*
terugschroeven • reduceren *ramener à un niveau antérieur* • ongedaan maken *annuler*
terugslaan I OV WW • naar zender slaan *renvoyer* • omslaan *rejeter* ⋆ de deken ~ *rejeter la couverture* • slaag beantwoorden *repousser* II ON WW ~ **op** *renvoyer à*
terugslag • terugstoot *choc* m; ‹v. vuurwapen› *recul* m • nadelig gevolg *contrecoup* m ⋆ een ~ hebben op *avoir une répercussion sur*
terugspelen • SPORT *renvoyer* • nog eens afspelen *repasser* ⋆ kun je die band nog eens ~? *tu pourrais repasser cette bande?* • retourneren *retourner* ⋆ zij speelde de vraag terug *elle retournait la question*
terugtocht • aftocht *retour* m; MIL. *retraite* v • reis terug *retour* m
terugtraprem *frein* m *par rétropédalage*
terugtreden • zich terugtrekken *se retirer* • aftreden *démissionner*
terugtrekken I OV WW • achteruit doen gaan *retirer*; *ramener* • intrekken *retirer* II ON WW achteruitgaan *se retirer* ⋆ het leger trekt terug naar het westen *l'armée se replie vers l'ouest* III WKD WW *se retirer*
terugval *rechute* v; *retour* m
terugvallen • weer vervallen *retomber* • ~ **op** *s'appuyer sur (qn)*
terugverdienen *récupérer*
terugverlangen I OV WW terugvragen *redemander*; *réclamer* II ON WW verlangen *regretter* ⋆ ~ naar vroeger *regretter le passé*
terugvinden *retrouver*
terugvoeren *ramener* ⋆ tot de kern ~ *ramener à l'essentiel*
terugvorderen *réclamer*
terugweg *retour* m ⋆ op de ~ *en retournant*
terugwerkend *d'effet rétroactif* ⋆ met ~e kracht *à effet rétroactif*
terugwinnen *récupérer*
terugzakken • naar beneden zakken *redescendre* • dalen in niveau *être en perte de vitesse*; *être en recul*
terugzien I OV WW weerzien *revoir* II ON WW terugblikken *se remémorer*
terwijl • gedurende *pendant que* ⋆ ~ zij zongen *pendant qu'ils chantaient* • waarbij ook *tandis que*
terzijde ‹naar de zijkant› *de côté*; ‹aan de zijkant› *à part*; *à côté* ⋆ ~ blijven staan *rester à l'écart* ⋆ iets ~ laten *négliger qc*
test *test* m
testament • laatste wil *testament* m ⋆ een erfenis zonder ~ *une succession ab intestat* ⋆ bij ~ *par testament* • bijbeldeel *Testament* m
testamentair I BNW *testamentaire* II BIJW *par testament*
testauto *voiture* v *d'essai*
testbaan *piste* v *d'essai*
testbeeld *mire* v
testcase • proef *essai* m • proefproces *affaire-test* v
testen *tester*
testikel *testicule* m
testimonium *attestation* v; *certificat* m
testosteron *testostérone* v

testpiloot, testrijder *pilote* m/v *d'essai*
testvlucht *vol* m *d'essai*
tetanus *tétanos* m ★ tegen ~ *antitétanique*
tête-à-tête *tête-à-tête* m [onv]
tetteren • toeteren *claironner* • kwebbelen *jacasser* • zuipen *pinter*
teug ‹v. lucht› *bouffée* v; ‹v. drank› *gorgée* v ★ met kleine teugen *à petites gorgées* ★ met volle teugen inademen *respirer à pleins poumons* ★ in één teug *d'un seul trait*
teugel *bride* v
teut *pompette*
teuten *traîner*; *lambiner*
Teutoons *teuton* [v: *teutonne*]
teveel *trop*
tevens • ook *aussi* • tegelijkertijd *en même temps*; *et aussi*; *à la fois*
tevergeefs I BNW *vain* II BIJW *en vain*; *vainement*
te voorschijn ★ ~ komen *apparaître* ★ ~ halen *sortir qc*
tevoren *avant* ★ waarschuw even ~ *avertis-moi à l'avance*
tevreden *content*
tevredenheid *satisfaction* v
tevredenstellen *contenter*
tewaterlating *mise* v *à l'eau*
teweegbrengen *provoquer*; *causer*; *donner lieu à*
tewerkstellen *embaucher*
textiel I ZN • stof *textile* m • textielwaren *textile* m • industrie *industrie* v *textile* II BNW *textile*
textielarbeider *ouvrier* m *textile* [v: *ouvrière* ...]
textielindustrie *industrie* v *textile*
textielverf *teinture* v *de textile*
textuur *texture* v
tezamen *ensemble*
t.g.v. • ten gevolge van *par suite de* • ter gelegenheid van *lors de*; *à l'occasion de*
TGV Train à Grande Vitesse *TGV* m
Thailand *la Thaïlande* ★ in ~ *en Thaïlande*
Thais *thaïlandais*
thans *maintenant*; *actuellement*; *aujourd'hui*
theater *théâtre* m
theaterbezoek *sortie* v *au théâtre*
theatercriticus *critique* m *de théâtre*
theatervoorstelling *représentation* v *de théâtre*
theatraal I BNW *théâtral* [m mv: *théâtraux*] II BIJW *théâtralement*
thee *thé* m ★ theedrinken *prendre le thé* ★ thee zetten *faire du thé*
theeblad • theeblaadje *feuille* v *de thé* • dienblad *plateau* m *à thé* [m mv: *plateaux* ...]
theedoek *torchon* m
thee-ei *boule* v *à thé*
theeën *prendre du thé*
theeglas *verre* m *à thé*
theekransje *personnes* v mv *qui se réunissent pour prendre le thé et pour converser*
theelepeltje *cuiller* v *à thé*
theelichtje *chauffe-théière* m [mv: *chauffe-théières*]
theemuts *couvre-théière* m [mv: *couvre-théières*]
theepauze *heure* v *du thé*
theepot *théière* v
theeservies *service* m *à thé*
theevisite *visite* v *pour prendre le thé*
theewater *eau* v *pour le thé* ▾ boven zijn ~ zijn *être pompette*
theezakje *sachet* m *de thé*
theezeefje *passe-thé* m [onv]
theïne *théine* v
thema *thème* m
themanummer *numéro* m *spécial*
themapark *parc* m *thématique*
thematiek *thématique* v
thematisch I BNW *thématique* II BIJW *par sujet*
theologie *théologie* v
theologisch *théologique*
theoloog *théologien* m [v: *théologienne*]
theoreticus *théoricien* m [v: *théoricienne*]
theoretisch *théorique* ★ de ~e mechanica *la mécanique rationnelle*
theoretiseren *théoriser*; *spéculer*
theorie *théorie* v
theorie-examen *examen* m *de théorie*
theorievorming *élaboration* v *de théories*
therapeut *thérapeute* m/v
therapie *thérapie* v
thermiek *ascendance* v *thermique*
thermodynamica *thermodynamique* v
thermometer *thermomètre* m
thermosfles *bouteille* v *thermos*; *thermos* m
thermoskan *cafetière* v *thermos*; *théière* v *thermos*
thermostaat *thermostat* m
thesaurus *thésaurus* m
these *thèse* v
thesis → **these**
thinner *diluant* m
thorax *thorax* m
thriller *thriller* m; FILM *film* m *à suspense*
thuis I ZN *chez-soi* m II BIJW • in huis *à la maison*; *chez soi* ★ zich niet ~ voelen *se sentir dépaysé* ★ is Giovanni ~? *Giovanni est là?* ★ niem. ~ vinden *trouver porte close* ★ doet u alsof u ~ bent *faites comme chez vous* ★ wel ~! *bon retour!* • op de hoogte ★ ~ zijn in *s'y connaître en qc*
thuisadres *domicile* m
thuisbankieren *régler ses affaires bancaires à la maison*
thuisbasis *point* m *d'attache*
thuisbezorgen *livrer à domicile*
thuisblijven *rester à la maison*
thuisbrengen • naar huis brengen ‹v. iets› *porter à domicile*; ‹v. iemand› *reconduire chez lui* • plaatsen ★ ik kan hem niet ~ *je ne le remets pas*
thuisclub *équipe* v *locale*
thuisfront *arrières* m mv ★ bericht krijgen van het ~ *recevoir des nouvelles de chez soi*
thuishaven *port* m *d'attache*
thuishoren ★ niet ~ in *ne pas avoir sa place dans*
thuiskomen *rentrer*
thuiskomst *retour* m
thuisland *homeland* m
thuisloos *sans logis*; *sans domicile fixe*
thuismarkt *marché* m *intérieur*

T

thuisreis *voyage* m *du retour*; *retour* m ★ op de ~ *au retour*; *en rentrant*
thuisvoordeel SPORT ≈ *le fait de jouer devant un public acquis d'avance*
thuiswedstrijd *match* m *à domicile*; ‹na uitwedstrijd› *match* m *retour*
thuiswerker *travailleur* m *à domicile* [v: *travailleuse* ...]
thuiszorg *soins* m mv *à domicile*
tiara *tiare* v
Tibetaans *tibétain*
tic • zenuwtrek *tic* m • aanwensel *manie* v
ticket *billet* m
tiebreak *tie-break* m
tien I ZN *dix* m II TELW *dix* ★ plezier hebben voor tien *avoir du plaisir pour dix* → **acht**
tiende *dixième* ★ een ~ van het totale bedrag *un dixième du montant total* → **achtste**
tiener *adolescent* m [v: *adolescente*]; *teenager* m/v
tieneridool *idole* v *des teenagers*
tienermeisje *adolescente* v; *teenager* v
tienertoer ★ op de ~ (gaan) *en voyage avec carte* v *jeune*
tienkamp *décathlon* m
tienrittenkaart *carte* v *pour dix voyages en (train etc.)*
tiental *dizaine* v
tientje *billet* m *de dix florins*
tierelantijn *fanfreluches* v mv; *falbalas* m mv
tieren • gedijen *prospérer* ★ het onkruid tiert welig *les mauvaises herbes prospèrent* • tekeergaan *tempêter*
tierig I BNW • goed gedijend *vigoureux* [v: *vigoureuse*]; *prospère* • opgewekt *vif* [v: *vive*] II BIJW • goed gedijend *vigoureusement* • opgewekt *avec vivacité*
tiet *nichon* m ▾ het loopt als een tiet *ça marche comme sur des roulettes*
tig *cent fois*; *mille fois*
tij *marée* v ★ opkomend tij *marée montante* v; *flux* m ★ afgaand tij *marée descendante*; *reflux*
tijd • duur *temps* m ★ lange tijd *longtemps* ★ dat heeft de tijd *cela ne presse pas* ★ geen tijd hebben *ne pas avoir le temps* ★ we hebben alle tijd *nous avons tout notre temps* • tijdvak *période* v ★ de laatste tijd *ces derniers temps* ★ in mijn tijd *de mon temps* ★ de tijd van de aardbeien *la saison des fraises* ★ de tijd van de impressionistische kunst *l'époque de l'art impressionniste* ★ binnen de gestelde tijd *dans les délais prévus* ★ in tijd van oorlog *en temps de guerre* ★ na die tijd *passé ce temps* • tijdstip *heure* v ★ van tijd tot tijd *de temps en temps*; *de temps à autre* ★ plaatselijke tijd *heure locale* ★ de tijd vragen *demander l'heure* ★ het is tijd *c'est l'heure* ★ het wordt tijd dat *il est temps de*; *il est temps que* [+ subj.] ★ precies op tijd *juste à l'heure* ★ er zal een tijd komen, dat *l'heure viendra où* ★ 10 minuten over tijd zijn *être en retard de 10 minutes* ★ (te) allen tijde *de tout temps* • TAALK. *temps* m ★ de tegenwoordige/toekomende/verleden tijd *le présent/futur/passé* ▾ de tijd zal het leren *qui vivra verra* ▾ komt tijd, komt raad *qui vivra verra* ▾ te zijner tijd *en temps utile* ▾ zij is over tijd *elle est en retard sur son terme* ▾ hij heeft zijn tijd gehad *il a fait son temps* ▾ met zijn tijd meegaan *être de son temps* ▾ uit de tijd *démodé*; *dépassé*
tijdbom *bombe* v *à retardement*
tijdelijk I BNW • voorlopig *temporaire*; *provisoire* ★ ~ personeel *personnel temporaire* m • vergankelijk *temporel* [v: *temporelle*] ★ het ~e *le temporel* II BIJW • voorlopig *temporairement* • vergankelijk *temporellement*
tijdens *pendant*
tijdgebonden *indissociable de son époque*
tijdgebrek *manque* m *de temps*
tijdgeest *esprit* m *du siècle*; *tendances* v mv *actuelles*
tijdgenoot *contemporain* m [v: *contemporaine*]
tijdig I BNW *arrivé à temps*; *opportun* II BIJW op tijd *à temps* ★ ~ opstaan *se lever de bonne heure* ★ ~ betalen *rembourser dans les délais*
tijding *nouvelle* v
tijdloos *intemporel* [v: *intemporelle*]; *indémodable*
tijdmelding *horloge* v *parlante*
tijdnood *manque* m *de temps* ★ in ~ komen *être pris de court*
tijdperk *époque* v; *âge* m; *ère* v ★ het stenen ~ *l'âge de pierre* ★ het ~ van de Franse revolutie *l'époque de la révolution française*
tijdrekening *chronologie* v ★ christelijke ~ *ère chrétienne* v ★ de joodse ~ *le calendrier israélite*
tijdrekken I ZN *atermoiement* m II ON WW *atermoyer*
tijdrit *(course* v*) contre la montre*; *chrono* m
tijdrovend *long* [v: *longue*]; *qui prend beaucoup de temps*
tijdsbeeld *conjoncture* v *d'une époque*; *image/représentation* v *d'une époque*
tijdsbestek *laps* m *de temps*
tijdschakelaar *minuterie* v; *temporisateur* m
tijdschema *horaire* m; *emploi* m *du temps* ★ een strak ~ *un emploi du temps très serré*
tijdschrift *magazine* m; *périodique* m; *revue* v
tijdsduur *durée* v
tijdsein *signal* m *horaire* [m mv: *signaux* ...]
tijdslimiet *limite* v *de temps*
tijdslot *serrure* v *à minuterie*
tijdspanne *espace* m *de temps*; *période* v
tijdstip *moment* m; *heure* v
tijdsverloop *laps* m *de temps* ★ na een ~ van twee jaar *après une période de deux ans*
tijdvak *période* v
tijdverdrijf *passe-temps* m [onv]; *divertissement* m ★ uit ~ *pour passer le temps*
tijdverlies *perte* v *de temps*
tijdverspilling *perte* v *de temps*
tijdwinst *gain* m *de temps*
tijdzone *fuseau* m *horaire* [m mv: *fuseaux* ...]
tijger *tigre* m
tijgerbrood *pain* m *à la croûte tigrée*
tijgeren ≈ *ramper*
tijgerhaai *requin-tigre* m
tijgervel *peau* v *de tigre*

tijm *thym* m
tik *tape* v; *gifle* v; ⟨geluid⟩ *coup* m *sec* ▾ een tik van de molen hebben *travailler du chapeau*
tikfout *faute* v *de frappe*
tikje • klopje *tape* v • beetje *petit peu* m; *brin* m ★ met een ~ rum *avec un soupçon de rhum*
tikkeltje *brin* m
tikken I OV WW • kloppen *frapper*; *taper* • aantikken *toucher* • typen ★ een brief ~ *taper une lettre à la machine* II ON WW geluid geven *taper*; ⟨v. klok⟩ *faire tic-tac* ★ op de deur ~ *frapper à la porte* ★ de regen tikt zachtjes tegen het zolderraam *la pluie bat doucement contre la lucarne*
til *pigeonnier* m ▾ er is iets op til *il se prépare qc*
tilde *tilde* m
tillen • omhoog heffen *soulever*; *lever* • afzetten *rouler* ▾ zij tilt overal zo zwaar aan *elle fait toujours grand cas de tout ce qui arrive*
tilt *tilt* m ★ op tilt slaan *faire tilt*; FIG. *devenir fou de rage*
timbaal *timbale* v
timbre *timbre* m
timen • klokken *chronométrer* • op geschikt moment doen *programmer*; *minuter*
time-out *time-out* m; *temps* m *mort*
timer *minuteur* m
timesharing *temps* m *partagé*; *time-sharing* m
timide *timide*
timing *minutage* m; *timing* m
timmeren *être menuisier*; ⟨voor grof werk⟩ *être charpentier* ▾ hij timmert niet aan de weg *ce n'est pas un carriériste*
timmergereedschap *outils* m mv *de menuisier*
timmerhout *bois* m *de construction*; ⟨voor dak⟩ *bois* m *de charpente*
timmerman *menuisier* m; ⟨voor grof werk⟩ *charpentier* m
timmerwerf *chantier* m *de charpentier*
timmerwerk *menuiserie* v
tin *étain* m
tinctuur *teinture* v
tinerts *minerai* m *d'étain*
tingelen *tinter*; ⟨formeel⟩ *tintinnabuler*; *faire tinter* ★ liedjes ~ op een gitaar *gratter des airs sur une guitare*
tinkelen *tinter*; ⟨geluid⟩ *sonner*; ⟨licht⟩ *scintiller*
tinnen *d'étain*
tint *teinte* v; *couleur* v; ⟨v. gezicht⟩ *teint* m ★ een feestelijk tintje *un air de fête*
tintelen • twinkelen *étinceler*; *scintiller*; FIG. • prikkelen ★ zijn vingers ~ *il a l'onglée* ★ een ~d gevoel *une sensation de picotement*
tinteling • prikkelend gevoel *picotement* m; ⟨in de vingers⟩ *onglée* v • het twinkelen *scintillement* m
tinten *colorer*; *teinter*
tip • uiterste punt *bout* m; *pointe* v ★ een tip van de sluier oplichten *soulever un coin du voile* • hint INF. *tuyau* m [mv: *tuyaux*] • fooi *pourboire* m
tipgeld *pot-de-vin* m
tipgever *tuyauteur* m [v: *tuyauteuse*]; ⟨v. politie⟩ *indicateur* m [v: *indicatrice*]; INF. *indic* m/v
tippelaarster *femme* v *qui fait le trottoir*
tippelen • lopen *trottiner* • prostitutie bedrijven *faire le trottoir*
tippelverbod *interdiction* v *de faire le trottoir*
tippelzone *zone* v *de racolage*
tippen I OV WW • hint geven *tuyauter* • doodverven *considérer* II ON WW ▾ het kan er niet aan ~ *ceci n'est rien auprès de cela*
tipsy *pompette*
tiptoets *touche* v *à effleurement*
tiptop I BNW *parfait*; *impeccable* ★ ~ gekleed zijn *être bien sapé* II BIJW *on ne peut mieux*; *parfaitement*
tirade *tirade* v
tiramisu CUL. *tiramisu* m
tiran *tyran* m
tirannie *tyrannie* v
tiranniek *tyrannique*
tiranniseren *tyranniser*
Tirol *Tyrol* m
tissue *mouchoir* m *en papier*
titaan *titane* m
titanenstrijd *combat* m *titanesque*
titanium *titane* m
titel *titre* m
titelblad *page* v *de titre*
titelgevecht *match* m *de championnat*
titelhouder *tenant* m *du titre* [v: *tenante* ...]
titelkandidaat *candidat* m *pour le titre*
titelrol *rôle* m *principal* [m mv: *rôles principaux*]; *rôle-titre* m [mv: *rôles-titres*]
titelsong ⟨v. plaat⟩ *chanson* v *titre*; ⟨v. film⟩ *thème* m *d'un film*
titelverdediger *tenant* m *du titre* [v: *tenante* ...]
titulatuur *titulature* v
tja *ma foi*
tjalk *galiote* v
tjaptjoi *chop* m *suey*
tjee *oh! là! là!*
tjilpen *pépier*; *gazouiller*
tjokvol *bondé*; *comble*
t.k.a. te koop aangeboden *A.V. (à vendre)*
T-kruising *croisement* m *en T*
tl-buis *tube* m *au néon*
t.n.v. ten name van *au nom de*
t.o. tegenover *en face de*; *vis-à-vis de*
toast *toast* m
toasten *porter un toast*
toaster *grille-pain* m [onv]
toastje *toast* m
tobbe *baquet* m
tobben • zwoegen *travailler dur* • piekeren *être tourmenté*
tobberig *bileux* [v: *bileuse*]
toch • desondanks *cependant*; *pourtant*; *tout de même*; *quand même* ★ en toch heeft hij geen gelijk *et pourtant il n'a pas raison* • immers *en effet*; *de toute façon* ★ ik zeg het je toch *puisque je te le dis* ★ toch heeft hij zijn plicht gedaan *de toute façon, il a fait son devoir* ★ het is toch al te laat *de toute façon, il est déjà trop tard* • als nadruk *donc* ★ kom toch hier! *viens donc ici!* • als wens

au fond ⋆ vertel me toch eens *raconte-moi un peu* • als bevestiging *non?* ⋆ je weet toch dat hij weg is? *tu sais qu'il est parti, non?* ⋆ je bent toch niet ook nog eens een keer ziek? *tu n'es pas malade, au moins?* ⋆ je neemt er toch zeker geen zes?! *tu ne vas quand même pas en prendre six, j'espère!*
tocht • luchtstroom *courant* m *d'air* ⋆ op de ~ zitten *être dans un courant d'air* • reis *voyage* m; ‹dagtocht› *excursion* v; *promenade* v; ‹zwerf-/trektocht› *randonnée* v ⋆ een ~je met de auto maken *faire une promenade en voiture*
tochtdeur *contre-porte* v; *porte* v *va-et-vient* [v mv: *portes ...*]
tochten ⋆ het tocht hier *il y a des courants d'air ici*
tochtgat ‹ruimte ruimte› *endroit* m *exposé aux courants d'air*; ‹trekgat› *ventouse* v
tochtig • met veel tocht *exposé aux courants d'air* ⋆ een ~ huis *une maison où il y a des courants d'air* • bronstig *en chaleur*
tochtlat *bourrelet* m
tochtstrip *bourrelet* m *adhésif*
toe I BIJW • heen *vers* ⋆ waar wil je naar toe? *où veux-tu en venir?* • erbij *en plus* ⋆ op de koop toe *par-dessus le marché* ▾ er slecht aan toe zijn *aller mal* ▾ ik kom er niet toe *je ne puis m'y résoudre* ▾ ik ben toe aan een borrel *j'ai besoin d'un petit verre* ▾ niet weten waar men aan toe is *ne pas savoir à quoi s'en tenir* II TW ⋆ toe! *allons!* ⋆ toe maar! ‹ga uw gang!› *allez-y!*; ‹verontwaardigd› *eh bien alors!*; ‹ga je gang!› *vas-y!* ⋆ toe nou! *allez!*
toebedelen *attribuer*
toebehoren I ZN *accessoires* m mv II ON WW *appartenir à*
toebrengen *donner* ⋆ iem. een klap ~ *porter un coup à qn*
toeclip *cale-pied* m [mv: *cale-pied(s)*]
toedekken ⋆ warm ~ *border chaudement*
toedichten *attribuer*
toedienen *administrer*; *donner*
toedoen I ZN *intervention* v; *rôle* m; *concours* m ⋆ buiten mijn ~ *sans que j'y sois pour rien* ⋆ door ~ van *à cause de* II OV WW • dichtdoen *fermer* • bijdragen *ajouter* ▾ dat doet er niets toe *cela n'a aucune importance*
toedracht *circonstances* v mv
toedragen *porter (à)* ⋆ haat ~ *avoir de la haine pour*
toe-eigenen (**zich**) *s'approprier*
toef *touffe* v ⋆ een toef haar *une touffe de cheveux* ⋆ een toef slagroom *une rosace de chantilly*
toegaan *se passer* ⋆ het gaat er daar vreemd aan toe *il se passe des drôles de choses là-bas*
toegang • mogelijkheid tot toegang *accès* m ⋆ ~ hebben tot *avoir accès à* • ingang *entrée* v
toegangsbewijs *billet* m *d'entrée*; *ticket* m
toegangsprijs *prix* m *d'entrée*
toegangsweg *voie* v *d'accès*
toegankelijk • te bereiken *accessible* • gemakkelijk te begrijpen *abordable*
toegedaan • aanhangend *partisan de* ⋆ de mening ~ zijn dat *être d'avis que* [+ ind.] ⋆ zijn vrouw is een andere mening ~ *sa femme ne partage pas son point de vue* • gunstig gezind *attaché (à)*; *dévoué (à)*
toegeeflijk I BNW *indulgent* II BIJW *avec indulgence*
toegenegen *dévoué (à)*
toegepast *appliqué*
toegeven I OV WW • erkennen *admettre* ⋆ toegegeven, ... *d'accord, ...* ⋆ ik geef toe dat *j'admets que* [+ ind.]; *il est vrai que* [+ ind.] • extra geven *donner par-dessus le marché* II ON WW • inschikkelijk zijn ⋆ van geen ~ willen weten *être inflexible* • geen weerstand bieden *céder*
toegevend *indulgent*
toegewijd *dévoué*
toegift *extra* m; MUZ. *bis* m ⋆ als ~ spelen *jouer en bis*
toehappen • happen *mordre* • ingaan op *marcher*; ‹bij buitenkansje› *saisir l'occasion*
toehoorder *auditeur* m [v: *auditrice*] ⋆ de ~s *l'auditoire* m
toejuichen *applaudir (à)*
toekennen • verlenen JUR. *adjuger*; *allouer*; *accorder* ⋆ een premie ~ *accorder une indemnité* ⋆ een prijs ~ *décerner un prix* ⋆ iem. een voorrecht ~ *accorder un privilège à qn* • erkennen *attribuer*; *reconnaître*
toekijken *assister en spectateur (à)* [v: *... spectatrice*]
toeknikken *faire un signe de tête à*
toekomen • naderen *s'approcher (de)*; *parvenir (à)* ⋆ op iem. ~ *s'avancer vers qn* • toezenden *parvenir* • toebehoren *appartenir*; *revenir à* ⋆ ieder wat hem toekomt *(à) chacun son dû* • ~ **aan** ⋆ niet aan rust ~ *ne pas arriver à un moment de repos* • ~ **met** *joindre les deux bouts avec*
toekomend • TAALK. ⋆ de ~e tijd *le futur* • toebehorend ⋆ het ieder ~e deel *la part afférente à chacun*
toekomst *avenir* m ⋆ in de ~ *à l'avenir*
toekomstig *futur*
toekomstmuziek *beaux projets* m mv
toekomstperspectief *perspectives* v mv *d'avenir*
toekomstvisie *vision* v *de l'avenir*
toelaatbaar *admissible* ⋆ niet ~ *inadmissible*
toelachen *sourire (à)*
toelaten • binnenlaten *admettre* • accepteren *accepter* • goedvinden *permettre*; *autoriser* ⋆ de toegelaten snelheid *la vitesse autorisée*
toelating • toestemming *permission* v • het accepteren *admission* v
toelatingseis *condition* v *d'admission*
toelatingsexamen *examen* m *d'admission*
toelatingsnorm *condition* v *d'admission*
toelatingsprocedure *procédure* v *d'admission|d'inscription*
toeleggen I OV WW bijbetalen *ajouter* ⋆ (geld) op iets ~ *y perdre* II WKD WW ~ **op** *se consacrer à*
toeleveren *fournir*
toelichten *expliquer*; *éclaircir*; *commenter*
toelichting *éclaircissement* m; *explication* v
toeloop *affluence* v

T

toelopen • komen aanlopen *se rendre à*; ‹samenstromen› *affluer* ⋆ op iem. ~ *s'avancer vers qn* • uitlopen ⋆ spits ~ *se terminer en pointe*
toen I BIJW • vervolgens *alors*; *puis* • in die tijd *alors* ⋆ van toen af *dès lors* II VW *lorsque*; *quand*; *comme* ⋆ juist toen hij wegging *comme il sortait*
toenadering *rapprochement* m ⋆ ~ zoeken met *chercher à se rapprocher de*
toenaderingspoging *avances* v mv
toendra *toundra* v
toenemen • groter worden *augmenter*; *croître*; *s'accroître* ⋆ de werkloosheid neemt toe *le chômage augmente* ⋆ in omvang ~ *prendre de l'ampleur* • sterker worden *s'intensifier* ⋆ de wind neemt sterk toe *le vent redouble*
toenmalig *d'alors*; *de l'époque*
toepasbaar *applicable*
toepasselijk • van kracht *applicable* • passend *à propos*; *bien placé*
toepassen *appliquer*
toepassing *application* v ⋆ in ~ brengen *mettre en pratique* ⋆ van ~ zijn op *s'appliquer à*
toer • omwenteling *tour* m; *révolution* v ⋆ op volle toeren draaien FIG. *travailler à pleine capacité* • reis *tour* m; *excursion* v • reeks breisteken *rang* m • kunstje *tour* m *(d'adresse)* ⋆ acrobatische toeren *acrobaties* v mv ▾ een hele toer *tout un travail*
toerbeurt *tour* m ⋆ bij ~ *à tour de rôle*
toereikend *suffisant* ⋆ ~ zijn *suffire*
toerekeningsvatbaar *responsable*
toeren *faire une promenade*; *faire un tour* ⋆ een eindje ~ met de auto *faire une promenade en voiture*
toerental *régime* m
toerenteller *compte-tours* m [onv]
toerfiets *randonneuse* v
toerisme *tourisme* m
toerist *touriste* m/v
toeristenkaart • reisdocument *carte* v *de tourisme* • plattegrond *carte* v *touristique*
toeristenklasse *classe* v *touriste*
toeristenmenu *menu* m *touristique*
toeristensector *industrie* v *du tourisme*
toeristisch *touristique*
toermalijn *tourmaline* v
toernooi *tournoi* m
toeroepen *crier* ⋆ iem. iets ~ *crier qc à qn*
toertocht *randonnée* v *récréative*
toerusten *équiper*
toeschietelijk *accommodant*; *facile* ⋆ weinig ~ *peu sociable*
toeschieten *s'élancer*; *accourir*
toeschijnen *sembler*
toeschouwer *spectateur* m [v: *spectatrice*]
toeschrijven *attribuer* ⋆ toe te schrijven aan *attribuable à*
toeslaan I OV WW • slaan *envoyer*; *lancer* ⋆ iem. een bal ~ *lancer un ballon à qn* • dichtslaan *fermer bruyamment*; ‹v. deur› *claquer* II ON WW zijn slag slaan *frapper*
toeslag • aanvulling *supplément* m • toewijzing bij veiling *adjudication* v
toesnellen *accourir*; *s'élancer*
toespelen *envoyer*; *passer*
toespeling *allusion* v ⋆ een ~ maken op *faire allusion à* ⋆ een bedekte ~ *un sous-entendu*
toespitsen • concentreren op *concentrer (sur)*; *diriger (sur)* • op de spits drijven *envenimer*
toespraak *discours* m; *allocution* v
toespreken *adresser la parole à quelqu'un* ⋆ de menigte ~ *haranguer la foule*
toestaan • goedvinden *permettre*; *autoriser* • toewijzen *accorder*
toestand • situatie *situation* v; *état* m ⋆ in goede ~ *en bonne condition* ⋆ de ~ van de bijstandsvrouwen *la condition sociale des femmes assistées* • gedoe *histoire* v
toesteken I OV WW aanreiken *passer*; *tendre* ⋆ iem. een reddende hand ~ *tendre la perche à qn* II ON WW steken *porter un coup à quelqu'un*
toestel • apparaat *appareil* m; ‹radio, televisie› *poste* m; ‹v. gymnastiek› *agrès* m mv • vliegtuig *avion* m
toestemmen *consentir*; *permettre*; *autoriser* ⋆ ergens in ~ *consentir à qc*
toestemming *consentement* m ⋆ ~ geven tot *autoriser*
toestoppen • geven *glisser* ⋆ iem. iets ~ *glisser qc dans la main de qn* • toedekken *border*
toestromen *affluer*; *se rendre en foule*
toet • gezicht *minois* m • knoet *chignon* m
toetakelen • ruw aanpakken *maltraiter*; INF. *rosser*; *abîmer* • opdirken *accoutrer*; INF. *fagoter*
toetasten *se servir*
toeten *corner* ▾ hij weet van ~ noch blazen *il ne sait rien de rien*
toeter I ZN • blaasinstrument *corne* v • claxon *klaxon* m II BNW *rond*
toeteren I OV WW hard zeggen *claironner*; *corner* II ON WW • op een toeter blazen *corner* • claxonneren *klaxonner*
toetje *dessert* m
toetreden ~ **tot** *adhérer (à)*
toetreding *adhésion* v; *affiliation* v
toets • examen *test* m ⋆ de ~ kunnen doorstaan *soutenir l'épreuve* • druktoets *touche* v
toetsen *essayer*; *examiner*; FIG. *mettre à l'épreuve* ⋆ aan de werkelijkheid ~ *contrôler par les faits*
toetsenbord *clavier* m
toetsenist *joueur* m *d'instruments à clavier* [v: *joueuse ...*]
toetsing *essai* m; FIG. *vérification* v
toetssteen *pierre* v *de touche*
toeval • omstandigheid *hasard* m ⋆ bij ~ *par hasard* • MED. *accès* m; *attaque* v
toevallen • dichtvallen *se fermer* • ten deel vallen *échoir*; *tomber en partage à*
toevallig I BNW *dû au hasard* [v: *due au hasard*]; *accidentel* [v: *accidentelle*]; *occasionnel* [v: *occasionnelle*]; *fortuit* II BIJW • bij toeval *par hasard*; *accidentellement*; *fortuitement* ⋆ ~ ontmoeten *rencontrer par hasard* • misschien *par hasard*
toevalstreffer *hasard* m

toeven *séjourner*
toeverlaat *refuge* m ⋆ zij is mijn steun en ~ *elle est ma providence*
toevertrouwen *confier* ⋆ dat vertrouw ik jou toe *je te le confie*
toevloed *affluence* v; *foule* v
toevlucht • veilige plek *asile* m; *refuge* m • bescherming *recours* m ⋆ zijn ~ nemen tot *recourir à; avoir recours à*
toevluchtsoord *asile* m; *refuge* m
toevoegen • erbij doen *ajouter (à)* • ten dienste stellen *adjoindre* • zeggen tegen *adresser; lancer*
toevoeging • het toevoegen *addition* v; *adjonction* v • toevoegsel *additif* m
toevoer ‹v. gas, water› *distribution* v; ‹v. waren› *arrivage* m; *alimentation* v
toevoerkanaal *canal* m *d'adduction/d'amenée*
toewensen *souhaiter*
toewijding • zorg *dévouement* m • vroomheid *consécration* v
toewijzen *accorder; allouer;* JUR. *assigner; adjuger* ⋆ de kinderen toegewezen krijgen *se faire assigner la garde des enfants*
toezeggen *promettre*
toezegging *promesse* v
toezenden *envoyer; expédier*
toezicht *surveillance* v ⋆ de raad van ~ *le comité de surveillance/de contrôle* ⋆ onder ~ staan *être surveillé*
toezien • toekijken *regarder* • toezicht houden *surveiller* ⋆ ~ op *veiller à; prendre soin de*
tof I BNW leuk *terrible* II BIJW *du tonnerre*
toffee *caramel* m *mou*
toga *robe* v; *toge* v
Togo *le Togo* ⋆ in Togo *au Togo*
toilet • wc *toilettes* v mv ⋆ een chemisch ~ *un w.c. chimique* • kleding *toilette* v • het zich optutten *toilette* v ⋆ zijn ~ maken *faire sa toilette*
toiletartikelen *articles* m mv *de toilette*
toiletjuffrouw *dame* v *des lavabos*
toiletpapier *papier* m *toilette*
toiletpot *cuvette* v
toiletreiniger *détergent* m *pour toilettes*
toiletrol *rouleau* m *de papier toilette* [m mv: *rouleaux ...*]
toilettafel *coiffeuse* v
toilettas *trousse* v *de toilette*
toiletverfrisser *désodorisant* m *W.-C.*
toiletzeep *savon* m *de toilette*
toi toi toi! *bonne chance!*
tok! *cot!*
tokkelen *pincer; jouer* ⋆ op de harp ~ *pincer/jouer de la harpe* ⋆ een liedje ~ *jouer un air*
tokkelinstrument *instrument* m *à cordes pincées*
toko ≈ *magasin* m *de produits indonésiens*
tol • tolgeld *péage* m • speelgoed *toupie* v
tolerant *tolérant*
tolerantie *tolérance* v
tolgeld *péage* m
tolheffing *perception* v *de péage*
tolhuis *péage* m
tolk *interprète* m/v ▾ de tolk zijn van *être l'interprète de; interpréter*
tolken *servir d'interprète; traduire*
tolk-vertaler *traducteur-interprète* m [mv: *traducteurs-interprètes*] [v: *traductrice-interprète*]
tollen • met een tol spelen *jouer à la toupie* • ronddraaien *tourner*
toltunnel *tunnel* m *à péage*
tolvrij *exempt de péage*
tolweg *route* v *à péage*
tomaat *tomate* v
tomahawk *tomahawk* m
tomatenketchup *ketchup* m
tomatenpuree *concentré* m *de tomates*
tomatensap *jus* m *de tomate*
tomatensoep *potage* m *aux tomates*
tombola *tombola* v
tommygun *mitraillette* v
tompoes *millefeuille* m
ton • vat *tonneau* m • boei *balise* v • inhoudsmaat *tonneau* m [mv: *tonneaux*] • gewicht *tonne* v • geld *100.000 florins* m mv [mv]
tondeuse *tondeuse* v
toneel • dramatische kunst *théâtre* m ⋆ bij het ~ zijn *faire du théâtre* • schouwspel *scène* v • deel van bedrijf *scène* v • podium *scène* v
toneelclub *cercle* m *dramatique*
toneelgezelschap *troupe* v; *compagnie* v
toneelgroep *groupe* m *de théâtre*
toneelkijker *lorgnette* v; *jumelles* v mv
toneelknecht *machiniste* m/v
toneelmeester *régisseur* m [v: *régisseuse*]
toneelschool *école* v *d'art dramatique; conservatoire* m
toneelschrijver *auteur* m *dramatique*
toneelspel • het spelen *jeu* m • stuk *pièce* v *de théâtre*
toneelspelen • acteren *faire du théâtre* • zich aanstellen *jouer la comédie*
toneelspeler • acteur *acteur* m [v: *actrice*] • aansteller *comédien* m [v: *comédienne*]
toneelstuk *pièce* v *de théâtre*
tonen I OV WW laten zien *montrer; faire voir* ⋆ ~ wat men kan *donner toute sa mesure* II ON WW ogen *faire un effet*
toner *(encre* v *en poudre) toner* m
tong • orgaan *langue* v • vis *sole* v ▾ de boze tongen *les mauvaises langues* ▾ een scherpe tong *une langue acérée* ▾ over de tong gaan *faire les frais de la conversation* ▾ rap van tong zijn *avoir la langue bien pendue*
tongfilet *filet* m *de sole*
tongriem *filet* m; *frein* m *de la langue* ▾ goed van de ~ gesneden zijn *avoir la langue bien pendue*
tongstrelend *flattant le palais*
tongval • accent *accent* m • dialect *patois* m
tongzoen *pelle* v ⋆ een ~ geven *rouler une pelle*
tonic *tonic* m; *tonique*
tonicum *tonique* m
tonijn *thon* m
tonisch *tonique*
tonnage *tonnage* m
tonnetjerond *tout rond; rondelet* [v:

rondelette]
tonsuur *tonsure* v
tonus *tonus* m
toog • priestertoga *soutane* v • tapkast *comptoir* m
tooien *parer*; FIG. *orner*
toom • dieren *groupe* m ⋆ een toom biggen *une cochonnée* • teugel *bride* v; FIG. *frein* m ⋆ in toom houden *maîtriser*
toon • klank *ton* m ⋆ de toon aangeven *donner la note* ⋆ de hoge tonen *l'aigu* ⋆ de lage tonen *le grave* • stembuiging *ton* m ⋆ iets op gedempte toon zeggen *dire qc à mi-voix* ⋆ op zachte toon *d'une voix douce* ⋆ de toon van haar stem *le timbre de sa voix* • kleurschakering *ton* m ▾ uit de toon vallen *détonner* ▾ een andere toon aanslaan *changer de ton* ▾ een hoge toon aanslaan *le prendre de haut* ▾ ten toon spreiden *étaler*
toonaangevend *qui donne le ton*; *qui donnent ...*
toonaard ▾ in alle ~en *sur tous les tons*
toonbaar *présentable*
toonbank *comptoir* m
toonbeeld *modèle* m
toonhoogte *ton* m
toonkunst *musique* v
toonladder *gamme* v ⋆ ~s spelen *faire des gammes*
toonloos • TAALK. *atone* • zonder veel klank *sourd* ⋆ met toonloze stem *d'une voix sourde*
toonsoort *ton* m
toonvast *qui tient le ton*
toonzaal *salle* v *d'exposition*
toorn *courroux* m; *colère* v ⋆ in ~ ontsteken *se mettre en colère*
toorts *torche* v; *flambeau* m [mv: *flambeaux*]
top • (hoogste) punt *sommet* m; ‹v. boom of berg› *cime* v; ‹v. gebouw› *faîte* m; ‹v. vinger› *bout* m; FIG. *comble* m ⋆ de hoogste toppen van de Alpen *les points* m mv *culminants des Alpes* • de besten *personnalités* v mv; *élite* v • hoogste leiding *direction* v • topconferentie *sommet* m ▾ van top tot teen *des pieds à la tête*
topaas *topaze* v
topambtenaar *fonctionnaire* m *de premier plan*
topberaad *réunion* v *au sommet*
topclub *club* m *vedette*
topconditie *pleine forme* v; *superforme* v
topconferentie *conférence* v *au sommet* ⋆ ~ van de vijftien EG-landen *sommet des Quinze* m
topdrukte *affluence* v *record*
topfunctie *haute fonction* v
topfunctionaris *fonctionnaire* m *de premier plan*
tophit *tube* m
topjaar *année* v *record*
topje • kledingstuk *haut* m; *corsage* m • hoogste punt *sommet* m
topklasse *classe* v *supérieure*
topless *seins nus*
topman *grand patron* m
topniveau *niveau* m *supérieur* ⋆ op ~ acteren *jouer à un niveau supérieur*
topografie *topographie* v
topografisch *topographique*
topontmoeting *rencontre* v *au sommet*
topoverleg *concertation* v *au sommet*
topper • hoogtepunt *sommet* m; *point* m *culminant* • wedstrijd *match* m *vedette* • populair product ‹m.b.t. lied› *succès* m; *tube* m; ‹m.b.t. boek› *succès* m *de librairie*; *best-seller* m [mv: *best-sellers*]
topprestatie *performance* v; *record* m
toppunt • hoogste punt *sommet* m • uiterste *sommet* m; *comble* m ⋆ dat is het ~ *c'est le comble*
topscorer *meilleur buteur* m
topsnelheid *vitesse* v *de pointe*
topspin *lift* m
topsport *sport* m *de haute compétition*; *sport* m *de haut niveau*
top-tien *top* m *dix*
topvorm *superforme* v ⋆ ik ben in ~ *je suis en pleine forme*
topzwaar *trop chargé en hauteur*
tor *coléoptère* m
toren *tour* v; ‹v. kerk› *clocher* m
torenflat *tour* v; *building* m
torenhaan *girouette* v *en forme de coq*
torenhoog *colossal* [m mv: *colossaux*]
torenklok • uurwerk *horloge* v • luiklok *cloche* v
torenspits *flèche* v
torenvalk *crécerelle* v
tornado *tornade* v
tornen I OV WW losmaken *découdre* **II** ON WW ~ **aan** ⋆ aan iets ~ *chercher à changer qc*
torpederen *torpiller*
torpedo *torpille* v
torpedoboot *torpilleur* m
torpedojager *contre-torpilleur* m [mv: *contre-torpilleurs*]
torsen *porter avec effort*; FIG. *être accablé par*
torsie *torsion* v
torso *torse* m
tortilla *tortilla* v
tossen *jouer à pile ou face*
tosti *croque-monsieur* m [onv]
tosti-ijzer *appareil* m *pour la préparation de croque-monsieur*
tot I VZ • zo ver als *jusqu'à* ⋆ tot 1 mei *jusqu'au premier mai* ⋆ tot nu toe *jusqu'à maintenant* ⋆ tot tien tellen *compter jusqu'à dix* ⋆ tot driemaal toe *à trois reprises* ⋆ de bus gaat tot Assen *le bus va jusqu'à Assen* ⋆ tot grote hoogte reiken *arriver à une hauteur considérable* ⋆ tot ziens *au revoir* ⋆ van uur tot uur *d'heure en heure* • tegen *à* ⋆ hij sprak tot de menigte *il s'est adressé à la foule* ⋆ tot elke prijs *coûte que coûte*; *à tout prix* • als/voor ⋆ een opleiding tot arts *une formation de médecin* ⋆ iem. tot een jaar veroordelen *condamner qn à un an de prison* ⋆ hij werd tot chef benoemd *il a été nommé chef* ⋆ tot beter begrip *pour une meilleure compréhension* ▾ dat is (nog) tot daar aan toe *passe encore* **II** VW *jusqu'à ce que* ⋆ hij sliep tot het donker werd *il dormait jusqu'à ce que la nuit tombait*
totaal I ZN *total* m [mv: *totaux*] ⋆ in ~ *au total*

II BNW *total* [m mv: *totaux*] III BIJW *totalement*; *complètement*
totaalbedrag *total* m [mv: *totaux*]; *somme* v *totale*
totaalbeeld *vue* v *d'ensemble*
totaalvoetbal *football* m *total*
totaalweigeraar *insoumis* m
totalisator *totalisateur* m; ‹bij paardenrennen› *pari* m *mutuel*
totalitair *totalitaire*
totaliteit *totalité* v
total loss *bon pour la casse* [v: *bonne* ...] ★ een auto ~ rijden *faire une perte totale*
totdat *jusqu'à ce que*
totempaal *mât* m *totémique*
toto *pronostics* m mv
totstandkoming *réalisation* v
touch-down ‹vliegtuig› *atterrissage* m
touché *touché*
toucheren *toucher*
touperen *crêper*
toupet *postiche* m
tour de force *tour* m *de force*
touringcar *autocar* m
tournedos *tournedos* m
tournee *tournée* v ★ op ~ *en tournée*
tourniquet OOK MED. *tourniquet* m
touroperator *voyagiste* m/v; *tour-opérateur* m [mv: *tour-opérateurs*]
touw • streng *corde* v; ‹dik› *câble* m; SCHEEPV. *cordage* m • koord *cordon* m • bindtouw *ficelle* v • weefgetouw *métier* m ▾ in touw zijn *être occupé* ▾ op touw zetten *organiser*; *entreprendre* ▾ daar is geen touw aan vast te knopen *on s'y perd*
touwklimmen *grimper à la corde*
touwladder *échelle* v *de corde*
touwschoen *espadrille* v
touwtje *ficelle* v
touwtjespringen *sauter à la corde*
touwtrekken *lutte* v *à la corde*; *tir* m *à la corde*; FIG. *tiraillements* m mv
touwtrekkerij *tiraillements* m mv
t.o.v. • ten opzichte van *à l'égard de* • ten overstaan van *en présence de*; ‹bij notaris› *par-devant*
tovenaar *sorcier* m [v: *sorcière*]; FIG. *magicien* m [v: *magicienne*]
tovenarij *magie* v
toverdrank *potion* v *magique*; ‹liefdesdrank› *philtre* m
toveren I OV WW goochelen *faire par enchantement* II ON WW wonderbaarlijke dingen doen *exercer la magie*
toverformule *formule* v *magique*
toverheks *sorcière* v
toverij *magie* v; *sorcellerie* v
toverkracht *vertu* v *magique*
toverkunst *tour* m *de magie*
toverslag *coup* m *de baguette* ★ als bij ~ *comme par enchantement*
toverspreuk *formule* v *magique*
toverstaf *baguette* v *magique*
toxicologie *toxicologie* v
toxicoloog *toxicologue* m/v
toxine *toxine* v
toxisch *toxique*

traag I BNW • (te) langzaam *lent* • laks *lent* • NAT. *inerte* II BIJW • (te) langzaam *lentement* • NAT. *d'une façon inerte*
traagheid • het langzaam zijn *lenteur* v ★ ~ van geest *lenteur d'esprit* • NAT. *inertie* v • laksheid *lenteur* v
traan • oogvocht *larme* v • olie *huile* v *de poisson* ▾ in tranen uitbarsten *éclater en sanglots* ▾ in tranen *tout en larmes*
traanbuis *conduit* m *lacrymal*
traangas *gaz* m *lacrymogène*
traangasgranaat *grenade* v *lacrymogène*
traanklier *glande* v *lacrymale*
traanvocht *larmes* v
traanzakje *sac* m *lacrymal*
tracé *tracé* m
traceren • nasporen *rechercher les traces de* • aftekenen *tracer*
trachea *trachée* v
trachten *chercher à*; *tâcher de*; *s'efforcer de*
tractie *traction* v
tractor *tracteur* m
trade-mark *marque* v *de fabrique*; *nom* m *déposé*
traditie *tradition* v ★ van de ~ afwijken FORM. *déroger à la tradition*
traditiegetrouw I BNW *traditionnel* [v: *traditionnelle*] II BIJW *traditionnellement*
traditioneel I BNW *traditionnel* [v: *traditionnelle*] II BIJW *traditionnellement*
tragedie *tragédie* v
tragiek • het tragische *tragique* m • leer van de tragedie *tragédie* v
tragikomedie *tragi-comédie* v [mv: *tragi-comédies*]
tragikomisch *tragi-comique* [m mv: *tragi-comiques*]
tragisch I BNW *tragique* ★ het ~e *le tragique* II BIJW *tragiquement* ★ ~ doen over iets *dramatiser qc*
trailer *semi-remorque* v [mv: *semi-remorques*]
trainen I OV WW coachen *entraîner* II ON WW zich oefenen *s'entraîner* III WKD WW *s'entraîner à* ★ zich ~ in assertiviteit *s'entraîner à montrer plus d'affirmation identitaire*
trainer *entraîneur* m [v: *entraîneuse*]
traineren *traîner (en longueur)*; *s'éterniser*
training *entraînement* m; *training* ★ in ~ *à l'entraînement*
trainingsbroek *pantalon* m *de survêtement*
trainingspak *survêtement* m; *training*
traiteur *traiteur* m
traject *trajet* m; *parcours* m
traktaat • verdrag *traité* m; *convention* v • verhandeling *traité* m
traktatie *régal* m [mv: *régals*]
trakteren I OV WW onthalen op *payer quelque chose à* ★ ik trakteer je op een drankje *je te paye un verre* II ON WW rondje geven ‹m.b.t. lekkernijen› *offrir des friandises*; *payer* ★ ik trakteer! *c'est moi qui paye!*
tralie *barreau* m [mv: *barreaux*] ★ de ~s *la grille* ▾ achter de ~s *sous les verrous*
traliehek *grille* v
tram *tramway* m
trambestuurder *conducteur* m *de tramway*

tramhalte *arrêt* m *du tramway*
tramkaartje *ticket* m *de tram*
trammelant *histoires* v mv ★ ~ maken *engueuler tout le monde*
trampoline *trampoline* m
trampolinespringen *faire du trampoline*
tramrail *rail* m *de tramway*
trance MUZ. *transe* v
tranen • traanvocht afscheiden *larmoyer* • druppels afscheiden *pleurer*
tranquillizer *tranquillisant* m
transactie *transaction* v
transatlantisch *transatlantique*
transcendent *transcendant*
transcendentaal *transcendant*; *transcendental* [m mv: *transcendentaux*]
transcontinentaal *transcontinental* [m mv: *transcontinentaux*]
transcriberen *transcrire*
transcriptie *transcription* v
transfer *transfert* m
transferbagage *bagage* m *de transit*
transfermarkt *marché* m *des transferts*
transfervrij *libre de contrat*; *libre de transfert*; *disponible*
transformatie *transformation* v
transformator *transformateur* m
transformeren *transformer*
transfusie *transfusion* v
transgeen *transgénique*
transistor *transistor* m ★ ~radio *transistor*
transit • doorreis *transit* m • tussenstop *escale* v
transitief I BNW *transitif* [v: *transitive*] II BIJW *transitivement*
transito *transit* m
transitohaven *port* m *de transit*
transitorium *locaux* m mv *provisoires*
transitvisum *visa* m *de transit*
transmissie *transmission* v
transmitter MED. *(neuro)transmetteur* m
transparant I ZN *transparent* m II BNW *transparent*
transpiratie *transpiration* v
transpireren *transpirer*
transplantatie *transplantation* v
transplanteren *transplanter*
transponder *transpondeur* m
transport • vervoer *transport* m ★ op ~ stellen naar *diriger vers* • ADM. *report* m
transportband *transporteur* m *(à bande)*; *chemin* m *roulant*
transportbedrijf *entreprise* v *de transports*
transportonderneming *entreprise* v *de transports*
transseksueel I ZN *transsexuel* m [v: *transsexuelle*] II BNW *transsexuel* [v: *transsexuelle*]
trant *genre* m; *style* m; *manière* v ★ in de ~ van *à la manière de*; *dans le style de*
trap • schop *coup* m *de pied* ★ een vrije trap *un coup franc* • constructie met treden *escalier* m ★ een open trap *une échelle de meunier* ★ op de trap *dans l'escalier* ★ van de trap vallen *tomber dans l'escalier*; INF. *dégringoler l'escalier* ★ trappen klimmen *gravir des marches* • graad *degré* m ★ trappen van vergelijking *degrés de comparaison*
trapeze *trapèze* m
trapezewerker *trapéziste* m/v
trapezium *trapèze* m
trapezoïde *trapézoïde* m
trapgat *jour* m *d'escalier*
trapgevel *pignon* m *à redans*
trapleuning *rampe* v
traplift *monte-escalier* m [mv: *monte-escaliers*]
traploper *chemin* m *d'escalier*
trappelen • stampvoeten *trépigner*; *piétiner*; ‹v. paard› *piaffer* • de benen op en neer bewegen *gigoter*
trappelzak *sac* m *de couchage pour bébé*
trappen I OV WW schoppen *donner des coups de pied à* ▾ lol ~ *s'amuser comme des fous* II ON WW • voet neerzetten ★ ~ op *marcher sur* • fietsen *pédaler* ▾ erin ~ *tomber dans le piège*
trappenhuis *cage* v *d'escalier*
trapper *pédale* v
trappist *trappiste* m
trapportaal *palier* m
trapsgewijs I BNW *graduel* [v: *graduelle*] II BIJW *graduellement*
traptrede *marche* v *d'escalier*
trauma • geestelijk litteken *traumatisme* m • MED. *lésion* v; *trauma(tisme)* m
traumateam *équipe* v *médicale d'urgence*
traumatisch *traumatique*; PSYCH. *traumatisant*
traumatologie *traumatologie* v
traumatoloog *traumatologiste* m/v
travellerscheque *traveller's chèque* m; *chèque* m *de voyage*
traverse • dwarsverbinding *traverse* v • zijwaartse sprong *travers* m
travestie *travestissement* m
travestiet *travesti* m [v: *travestie*]
trawant • handlanger *acolyte* m • bijplaneet *satellite* m
trawler *chalutier* m
tray *plateau* m [mv: *plateaux*]
trechter *entonnoir* m
tred *démarche* v; *allure* v ★ gelijke tred houden met *marcher du même pas que*; FIG. *marcher de pair avec*
trede *marche* v; ‹v. ladder› *échelon* m; FIG. *degré* m
treden *marcher* ★ in dienst ~ *entrer en fonctions* ★ buiten de oevers ~ *déborder*
tredmolen *train-train* m [onv]
tree → **trede**
treeplank *marchepied* m
treffen I ZN *rencontre* v II OV WW • raken *atteindre*; *toucher* ★ doel ~ *toucher le but* • overkómen *toucher* • ontroeren *toucher*; *émouvoir* • aantreffen *rencontrer*; *trouver* • opvallen *frapper* • boffen ★ het ~ *avoir de la chance* ★ het slecht ~ *ne pas avoir de chance* III ONP WW gelegen komen *tomber bien* ★ dat treft! *quelle chance!*; *ah, ça tombe bien!*
treffend I BNW • aandoenlijk *touchant* • opvallend *frappant* II BIJW • aandoenlijk *d'une façon touchante* • opvallend *d'une manière frappante*

treffer • raak schot *coup* m *direct*; *coup* m *réussi* • gelukje *chance* v
trefpunt • punt dat getroffen wordt *point* m *d'impact* • ontmoetingspunt *rendez-vous* m [onv]; ‹op station e.d.› *point* m *de rencontre*
trefwoord *entrée* v
trefzeker *précis*; *qui va droit au but*
trein *train* m ★ de ~ missen *manquer son train* ★ doorgaande ~ *train direct* ★ met de ~ *en train*
treinkaartje *billet* m *de train*
treinongeluk *accident* m *de chemin de fer*
treinreis *voyage* m *en train*
treinreiziger *voyageur* m *par chemin de fer*
treinstaking *grève* v *ferroviaire*
treinstation *station* v *de chemin de fer*
treinstel *rame* v
treintaxi *taxi* m *pour usager du rail*
treinverbinding *communication* v/*liaison* v *ferroviaire*
treinverkeer *trafic* m *ferroviaire*
treiteren *agacer*
trek • het trekken ‹aan sigaret› *bouffée* v ★ een trek van zijn pijp nemen *tirer sur sa pipe* • tocht *courant* m *d'air*; ‹in schoorsteen› *tirage* m ★ er is geen trek in de kachel *le poêle ne tire pas* • verhuizing *migration* v; *exode* m ★ trek naar de grote steden *exode rural* • eigenschap *trait* m ★ in grote trekken *à grands traits*; *dans les grandes lignes* • lijn in het gezicht *traits* m mv • zin *envie* v • eetlust *appétit* m; *envie* v ★ ik heb nergens trek in *je n'ai envie de rien* ▾ in trek zijn *être recherché*; *être en vogue*
trekdier *animal* m *de trait* [m mv: *animaux* ...]
trekhaak *crochet* m *(de remorque)*; *attache-caravane* m
trekharmonica *accordéon* m
trekken I ov ww • naar zich toehalen *tirer* ★ iem. uit het water ~ *retirer qn de l'eau* • in genoemde toestand, plaats brengen *tirer* ★ van elkaar ~ *séparer* • uittrekken *arracher*; *extraire* ★ zich de haren uit het hoofd ~ *s'arracher les cheveux* ★ het ~ van een kies *l'extraction d'une dent* • slepen *tirer*; *tracter* ★ een aanhangwagen ~ *tracter une remorque* ★ het ~ *la traction* • aantrekken *attirer*; *séduire* ★ verre reizen ~ mij niet *les voyages lointains ne me séduisent pas* ★ volle zalen ~ *faire salle comble* • met spierbeweging maken *tirer*; *faire* • afleiden *tirer* • krijgen *toucher* ★ een uitkering ~ *toucher une allocation* • aftreksel maken *laisser mijoter*; ‹m.b.t. thee› *faire infuser* ★ de thee laten ~ *laisser infuser le thé* II on ww • gaan *émigrer*; ‹rondreizen› *voyager* • naar zich toehalen *tirer (sur)* • spierbeweging maken *traîner* ★ met het rechterbeen ~ *tirer*/*traîner la jambe droite* • luchtstroom doorlaten *tirer* ▾ voordeel ~ uit *profiter de*
trekker • reiziger *randonneur* m [v: *randonneuse*] • tractor *tracteur* m • onderdeel van vuurwapen *détente* v
trekking *tirage* m
trekkingslijst *liste* v *du tirage*
trekkracht *force* v *de traction*
trekpleister • MED. *vésicatoire* m • attractie *attraction* v
trektocht *randonnée* v
trekvogel *oiseau* m *migrateur* [m mv: *oiseaux* ...]; FIG. *oiseau* m *de passage*
trekzalf *pommade* v *désinfectante*
trema *tréma* m
trend • ontwikkeling *tendance* v • mode *mode* v
trendgevoelig *sensible à la mode*
trendsetter *personne* v *qui donne le ton*
trendvolger • iemand met een bepaald loon ≈ *personne* v *assimilée au niveau des salaires* • iemand die de mode volgt *personne* v *qui suit une mode*
trendwatcher *suiveur* m *de modes*
trendy *à la mode*; *moderne*; *branché*
treuren *être triste*
treurig I BNW • verdrietig *triste* • erbarmelijk *déplorable* ★ het is diep ~ *c'est navrant* II BIJW • verdrietig *tristement*; *avec tristesse* • erbarmelijk *déplorablement*
treurmuziek *musique* v *funèbre*
treurspel *tragédie* v
treurwilg *saule* m *pleureur*
treuzelen *lambiner*; *traînasser*
triade *triade* v
triangel *triangle* m
triatleet *triathlète* m; *triathlonien* m [v: *triathlonienne*]
triatlon *triathlon* m
tribunaal *tribunal* m [mv: *tribunaux*]
tribune *tribune* v
triceps *(muscle) triceps* m
tricot • materiaal *tricot* m; *jersey* m • kleding *maillot* m
triest *triste* ★ diep ~ *lamentable*
trigonometrie *trigonométrie* v
triljoen *trillion* m
trillen • beven *trembler*; *frémir* • heen en weer gaan *vibrer*
triller *trille* m; *trémolo* m ★ een dubbele ~ *un battement*
trilling *vibration* v; *tremblement* m; *trépidation* v
trilogie *trilogie* v
trimaran *trimaran* m
trimbaan *parcours-santé* m [onv]
trimester *trimestre* m
trimmen I ov ww haar knippen *toiletter* II on ww zich fit houden *se mettre en condition*
trimmer • TECHN. *trimmer* m • SPORT *personne* v *qui fait du sport pour se tenir en condition*
trimsalon *salon* m *de tondage*
trimschoen ≈ *chaussure* v *de sport*
trio *trio* m; ‹m.b.t. paarden› *tiercé* m ▾ een triootje maken *faire l'amour à trois*
triomf *triomphe* m
triomfantelijk I BNW *triomphant* II BIJW *triomphalement*
triomfboog *arc* m *de triomphe*
triomferen *triompher*
triomfkreet *cri* m *de triomphe*
triomfpoort *arc* m *de triomphe*

triomftocht *marche* v *triomphale*; *entrée* v *triomphale*
trip • uitstapje *excursion* v • effect van drugs *trip* m
triple-sec *liqueur* m *d'orange*
triplex *contre-plaqué* m [mv: *contre-plaqués*]
triplo ★ in ~ *en triple exemplaire*
trippelen *trottiner*
trippen *faire un trip*
triptiek *triptyque* m
triviaal • platvloers *trivial* [m mv: *triviaux*] • alledaags *banal* [m mv: *banals*]
troebel *trouble* ★ ~ maken *troubler* ★ ~ worden *se troubler*
troebleren *troubler*; *rendre confus*
troef *atout* m ★ ~ bekennen *fournir atout* ★ wie moet ~ maken? *à qui de faire?* ★ ~ maken *faire l'atout*; *nommer la couleur*
troefkaart *atout* m
troela ‹waarderend› *pépée* v
troep • rommel *pagaille* v • groep toneelspelers *troupe* v • MIL. *troupe* v ★ de buitenlandse ~en *les troupes étrangères*
troepenconcentratie *concentration* v *de(s) troupes*
troepenmacht *forces* v mv *militaires*
troeteldier ‹beertje› *nounours* m
troetelkind *favori* m [v: *favorite*]
troetelnaam *surnom* m *affectueux*
troeven *couper*
trofee *trophée* m
troffel *truelle* v
trog *auge* v
Trojaans *de Troie*
Troje *Troie* v
trol *troll* m
trolleybus *trolleybus* m
trombocyt *thrombocyte* m
trombone *trombone* m
trombonist *trombone* m
trombose *thrombose* v
trombosedienst *service* m *de thrombose*
tromgeroffel *roulement* m *de tambour*
trommel • doos *boîte* v *(en fer blanc)* • trom *tambour* m • cilinder *barillet* m
trommelaar *tambour* m
trommeldroger *essoreuse* v
trommelen *battre du tambour*
trommelrem *frein* m *à tambour*
trommelvlies *tympan* m
trommelvliesontsteking *inflammation* v *du tympan*
trommelwasmachine *machine* v *à laver à tambour*
trompe-l'oeil *trompe-l'œil* m [onv]
trompet *trompette* v
trompetgeschal *fanfare* v
trompetten I OV WW ten gehore brengen *claironner* II ON WW geluid maken *jouer de la trompette*; ‹v. olifant› *barrir*
trompettist *trompettiste* m/v
tronen *trôner*; *régner*
tronie *gueule* v; *trogne* v
troon *trône* m
troonopvolger *héritier* m *du trône* [v: *héritière ...*]
troonopvolging *succession* v *au trône*
troonrede *discours* m *du trône*; *message* m *de la couronne*
troonsafstand *abdication* v
troonsbestijging *avènement* m *au trône*
troonzaal *salle* v *du trône*
troost *consolation* v ★ schrale ~ *faible consolation*
troosteloos I BNW ‹streek› *morne*; *inconsolable* II BIJW • desolaat *tristement* • ontroostbaar *désespérément*
troosten *consoler*; *réconforter*
troostprijs *prix* m *de consolation*
tropen *tropiques* m mv ★ in de ~ *sous les tropiques*
tropenhelm *casque* m *colonial*
tropenjaren *années* v mv *passées sous les tropiques*
tropenklimaat *climat* m *tropical*
tropenkolder *folie* v *des tropiques*
tropenpak *costume* m *colonial*
tropenrooster *ajustement* m *des horaires en fonction de la canicule*
tropisch I BNW *tropical* [m mv: *tropicaux*] II BIJW ★ ~ heet *d'une chaleur tropicale*
tros • SCHEEPV. *aussière* v • bloeiwijze *grappe* v; ‹v. bananen› *régime* m
trots I ZN • eigenwaarde *orgueil* m; *amour-propre* m • fierheid *fierté* v • hoogmoed *orgueil* m • voorwerp van trots *orgueil* m ★ de ~ zijn van *être l'orgueil de* II BNW • fier *fier* [v: *fière*] ★ ~ zijn op iem. *être fier de qn* • indrukwekkend, statig *superbe*; *majestueux* [v: *majestueuse*] • hoogmoedig *orgueilleux* [v: *orgueilleuse*]; *hautain* III BIJW *orgueilleusement*; *avec fierté*
trotseren • weerstaan *braver* • het hoofd bieden *affronter*; *braver*; *défier*
trottoir • stoep *trottoir* m • verlaagd trottoir (bij uitrit) *bateau* m
trottoirband *bordure* v
troubadour *troubadour* m
trouw I ZN • het trouw zijn *fidélité* v; *loyauté* v ★ een eed van ~ *un serment d'allégeance* • huwelijk *mariage* m ▾ te goeder ~ *de bonne foi* ▾ te kwader ~ *de mauvaise foi* II BNW • getrouw *fidèle*; *loyal* [m mv: *loyaux*] ★ een ~e bezoeker *un habitué*; *un hôte assidu* • stipt *exact* III BIJW • getrouw *fidèlement*; *loyalement* • stipt *exactement*
trouwakte *acte* m *de mariage*
trouwboekje ≈ *livret* m *de famille*; ‹in België› *livret* m *de mariage*
trouwdag • bruiloftsdag *jour* m *des noces*; *mariage* m • verjaardag *anniversaire* m *de mariage*
trouweloos I BNW ontrouw *infidèle*; *traître* II BIJW *traîtreusement*; *infidèlement*
trouwen I OV WW • tot echtgenoot nemen *épouser*; *se marier avec* • in de echt verbinden *marier*; *unir* II ON WW huwen *se marier*
trouwens *d'ailleurs*
trouwerij *noce* v
trouwfoto *photo* v *de mariage*
trouwhartig I BNW • trouw *loyal* [m mv: *loyaux*] • eerlijk *ouvert*; *honnête* II BIJW

• trouw *loyalement* • eerlijk *ouvertement*; *honnêtement*
trouwjurk *robe* v *de mariée*
trouwkaart *faire-part* m *de mariage* [onv]
trouwpartij *noce* v
trouwplannen *projets* m mv *matrimoniaux*
trouwplechtigheid *cérémonie* v *nuptiale*; *cérémonie* v *du mariage*
trouwring *alliance* v; *anneau* m *nuptial* [m mv: *anneaux nuptiaux*]
truc *truc* m
trucage *truquage* m
trucfilm *film* m *à trucs*
truck *camion* m; *camion-remorque* m [mv: *camions-remorques*]
trucker *routier* m
truffel *truffe* v
trui *pull-over* m [mv: *pull-overs*]; SPORT *maillot* m *de sport* ⋆ de gele trui *le maillot jaune*
truïsme *truisme* m
trukendoos *boîte* v *à malice*
trust *trust* m ⋆ een ~ vormen *créer un trust*
trustee *trustee* m
trustvorming *formation* v *d'un trust*
trut *conne* v ⋆ stijve trut *petite-bourgeoise* v
truttig *empoté* ▾ ~ staan *faire ringard*
try-out *essai* m
tsaar *tsar* m
tseetseevlieg *mouche* v *tsé-tsé*
T-shirt *tee-shirt* m [mv: *tee-shirts*]; *T-shirt* m [mv: *T-shirts*]
Tsjaad *le Tchad* ⋆ in ~ *au Tchad*
Tsjech *Tchèque* m/v
Tsjechië *État* m *tchèque*
Tsjechisch I ZN *tchèque* m II BNW *tchèque*
Tsjecho-Slowaaks *tchécoslovaque*
Tsjecho-Slowakije *la Tchécoslovaquie* ⋆ in ~ *en Tchécoslovaquie*
TU Technische Universiteit *École* v *polytechnique*
tuba *tuba* m
tube *tube* m
tuberculeus *tuberculeux* [v: *tuberculeuse*]
tuberculose *tuberculose* v
tucht *discipline* v
tuchtcollege *conseil* m *de discipline*
tuchtcommissie *conseil* m *de discipline*
tuchthuis *maison* v *d'arrêt*
tuchtigen *corriger*
tuchtmaatregel *mesure* v *disciplinaire*
tuchtraad *conseil* m *de discipline*
tuchtrecht *droit* m *disciplinaire*
tuchtschool *école* v *pénitentiaire*
tuffen *rouler* ⋆ een eindje ~ *rouler un bout de chemin*
tuig • touwwerk ‹v. trekdier› *harnais* m; SCHEEPV. *gréement* m ⋆ het tuig *le harnais* • gespuis *canaille* v
tuigage *gréement* m
tuigje *harnais* m *de sécurité*
tuil *gerbe* v; *bouquet* m
tuimelaar *culbuto* m
tuimelen • omrollen *faire la culbute* • vallen *tomber*
tuimeling *culbute* v
tuimelraam *fenêtre* v *à bascule*

tuin *jardin* m ▾ iemand om de tuin leiden *tromper qn*
tuinaarde *terreau* m
tuinarchitect *(jardinier* m*) paysagiste* m
tuinboon *fève* v
tuinbouw *horticulture* v; ‹v. groente› *culture* v *maraîchère*
tuinbouwgebied *région* v *horticole*
tuinbouwschool *école* v *d'horticulture*; ‹v. groente› *école* v *maraîchère*
tuinbroek *salopette* v
tuincentrum *jardinerie* v
tuinder *maraîcher* m [v: *maraîchère*]
tuinderij • tuinbouwbedrijf *maraîchage* m • bedrijf van een kweker *exploitation* m *maraîchère*
tuinfeest *garden-party* v [mv: *garden-parties*]
tuingereedschap *outil* m *de jardinage*
tuinhek *grille* v *autour du jardin*
tuinhuisje *pavillon* m
tuinier • beroeps *jardinier* m [v: *jardinière*] • hobbyist *amateur* m *de jardinage*
tuinieren *jardiner*; *faire du jardinage* ⋆ het ~ *le jardinage*
tuinkabouter *nain* m *de jardin*
tuinkers *cresson* m *alénois*
tuinkruiden *fines herbes* v mv
tuinman *jardinier* m [v: *jardinière*]
tuinmeubel *meuble* m *de jardin*
tuinpad *sentier* m *de jardin*
tuinslang *tuyau* m *d'arrosage* [m mv: *tuyaux* ...]
tuinstoel *chaise* v *de jardin*
tuit *bec* m *(verseur)*
tuiten I OV WW tot tuit maken *pointer* ⋆ de lippen ~ *avancer les lèvres* II ON WW suizen *tinter*
tuk I ZN ▾ iemand tuk hebben *avoir fait marcher qn* II BNW *friand (de)*; *avide (de)* ⋆ tuk zijn op chocolade *raffoler de chocolat*
tukje *somme* m
tulband • hoofddeksel *turban* m • cake ≈ *kouglof* m
tule *tulle* v
tulp *tulipe* v
tulpenbol *oignon* m *de tulipe*; *bulbe* m *de tulipe*
tumor *tumeur* v
tumult *tumulte* m
tumultueus *tumultueux* [v: *tumultueuse*]; *turbulent*; ‹leven› FIG. *mouvementé*
tune *indicatif* m
tuner *récepteur* m *radio*
tuner-versterker *ampli-tuner* m [mv: *ampli-tuners*]
Tunesië *la Tunisie* ⋆ in ~ *en Tunisie*
Tunesisch *tunisien* [v: *tunisienne*]
tunnel *tunnel* m; ‹voor voetgangers› *passage* m *souterrain* ⋆ een ~ graven *percer un tunnel*
turbine *turbine* v
turbo • krachtversterker *turbine* v ⋆ ~stofzuiger *aspirateur turbo*; *m* • auto *turbo* m
turbulent *turbulent*
turbulentie • luchtwerveling *turbulence* v ⋆ het vliegtuig had last van ~ *l'avion était*

gêné par des turbulences • onrust *turbulence* v
tureluurs ⋆ het is om ~ van te worden *c'est à devenir fou*
turen ⋆ ~ naar *regarder fixement*
turf *tourbe* v ⋆ turf steken *tourber* ⋆ een turf *une motte de tourbe*
turfaarde *sol* m *tourbeux*
turfmolm *poussier* m *de tourbe*
turfsteken *tourber* ⋆ het ~ *le tourbage*
Turk *Turc* m [v: *Turque*]
Turkije *la Turquie* ⋆ in ~ *en Turquie*
Turkmenistan *le Turkménistan*
turkoois *turquoise* v
Turks I ZN *turc* m II BNW *turc* [v: *turque*]
turnen *faire de la gymnastique*
turner *gymnaste* m/v
turnvereniging *club* m *de gymnastique*
turquoise *turquoise*
turven *cocher*
tussen I BIJW ▾ er van ~ gaan *détaler* ▾ hij werd er ~ genomen *il a été mené en bateau* II VZ • ingevoegd in *entre* ⋆ ~ nu en 6 uur *entre maintenant et six heures* ⋆ een voet ~ de deur *un pied dans la porte* ⋆ ~ de middag *entre midi et deux heures* • te midden van *au milieu de* ⋆ ~ de omstanders *au milieu des spectateurs* • beperkt tot ⋆ een contract ~ twee partijen *un contrat entre deux partis* ⋆ ~ ons *entre nous* ▾ ~ neus en lippen door zeggen *dire qc mine de rien*
tussenbalans *bilan* m *provisoire*
tussenbeide ⋆ ~ komen *intervenir*
tussendeur *porte* v *de communication*
tussendoor *entre les deux*; *à travers*
tussendoortje *en-cas* m [onv]; *coupe-faim* m [onv]
tussengelegen *intermédiaire*
tussengerecht *entremets* m
tussenhandel *commerce* m *de demi-gros*
tussenin *entre les deux*
tussenkomst *intervention* v ⋆ door ~ van *par l'intermédiaire de*; *par le canal de*
tussenlanding *escale* v ⋆ een ~ maken *faire escale*
tussenmuur ‹tussen twee huizen› *mur* m *mitoyen*; ‹binnen huis› *mur* m *de refend*
tussenpersoon *intermédiaire* m/v
tussenpoos *intervalle* m ⋆ bij tussenpozen *par intervalles* ⋆ bij lange tussenpozen *à longs intervalles* ⋆ zonder ~ *sans discontinuer*
tussenruimte *intervalle* m; ‹tussen regels› *interligne* m ⋆ met een ~ van 3 of 4 weken *à 3 ou 4 semaines de distance* ⋆ met (flinke) ~n *bien espacé*
tussenschot *cloison* v
tussensprint SPORT *sprint* m *de bonification*; FIG. *accélération* v *temporaire*
tussenstand *score* m *provisoire*
tussenstation *station* v *intermédiaire*
tussenstop *escale* v
tussentijd *intervalle* m ⋆ in de ~ *en attendant*; *d'ici là*
tussentijds I BNW *intérimaire* ⋆ een ~e verkiezing *une élection partielle* II BIJW *entre-temps*
tussenuit ▾ er ~ gaan *changer d'air*
tussenuur *heure* v *creuse*
tussenvoegen *intercaler*
tussenwand *cloison* v
tussenweg *compromis* m
tussenwerpsel *interjection* v
tutoyeren *tutoyer* ⋆ het ~ *le tutoiement*
tutten *faire la cloche*
tuttifrutti *tutti frutti* m
tuttig *tarte*; *cloche*
tut tut! *tout doux!*
tuurlijk → **natuurlijk**
tv → **televisie**
tv-omroep *organisation* v *de télévision*
tv-presentator *présentateur* m *de la télévision* [v: *présentatrice*]; *speaker* m [v: *speakerine*]
tv-programma *programme* m *de télévision*; ‹kanaal› *chaîne*
tv-uitzending *émission* v *télévisée*
twaalf *douze* ⋆ ~ uur 's middags *midi* ⋆ ~ uur 's nachts *minuit* → **acht**
twaalfde *douzième* → **achtste**
twaalftal *douzaine* v
twaalfuurtje *déjeuner* m; *casse-croûte* m [onv]
twee I ZN *deux* m II TELW *deux* → **acht**
tweebaansweg *route* v *à deux voies*
tweecomponentenlijm *colle* v *à deux composants*
tweed *tweed* m
tweede *deuxième*; *second* ⋆ op de ~ plaats *deuxièmement*; *en second lieu* ⋆ een ~ huis *une résidence secondaire* ⋆ een ~ taal *une seconde langue* → **achtste**
tweedegeneratieproblematiek *problématique* v *de seconde génération*
tweedegraads *de second degré*
tweedehands *d'occasion*; *de seconde main*
tweedejaars I ZN *étudiant* m *de deuxième année* II BNW *de deuxième année*
Tweede Kamer *Chambre* v *des députés*
Tweede-Kamerlid *député* m [v: *députée*]
tweedelig WISK. *binaire* ⋆ een ~ kostuum *un costume en deux pièces*
tweedeling ⋆ sociale ~ *fracture* v *sociale*
tweederangs *inférieur*; *de second ordre*
tweedeursauto *deux portes* v
tweedracht *discorde* v
tweedrank *jus* m *de deux fruits*
twee-eiig *bivitellin*
tweegevecht *combat* m *singulier*; *duel* m
tweehoog *au deuxième (étage)*
tweekamerflat *deux-pièces* m
tweeklank *diphtongue* v
tweekwartsmaat *deux-quatre* m [onv]
tweeledig • uit twee delen/leden bestaand *double* ⋆ een ~e term *un binôme* • dubbelzinnig *ambigu*; *équivoque*
tweeling • twee kinderen *jumeaux* m mv; *jumelles* v mv • sterrenbeeld *Gémeaux* m mv • één van tweeling *jumeau* m [v: *jumelle*] ⋆ een ~broer *un frère jumeau* ⋆ een ~zus *une sœur jumelle*
tweemaal *deux fois*
tweemaster *deux-mâts* m
twee-onder-een-kapwoning *maison* v *jumelle*
tweepersoonsbed *lit* m *à deux personnes*
tweepits *à deux feux*

tweerichtingsverkeer *circulation* v *dans les deux sens*
tweeslachtig • hermafrodiet *hermaphrodite*; *bisexué* • amfibisch *amphibie* • ambivalent *double*
tweespalt *discorde* v
tweespraak *dialogue* m
tweesprong *bifurcation* v
tweestemmig *à deux voix* ★ een ~ lied *un duo*
tweestrijd ★ in ~ staan *hésiter*
tweetal *paire* v; ‹mensen› *couple* m
tweetalig *bilingue*
tweeverdieners *ménage* m *à deux revenus*
tweevoud *nombre* m *pair* ★ in ~ *en double*
tweewieler *deux-roues* m
tweezijdig I BNW *bilatéral* [m mv: *bilatéraux*] ★ een ~ contract *un contrat synallagmatique* II BIJW *bilatéralement*
tweezitsbank *canapé* m *à deux places*; *causeuse* v
twijfel *doute* m ★ in ~ trekken *mettre en doute* ★ de ~s wegnemen *lever le doute*
twijfelaar • iemand die twijfelt *sceptique* m/v; *douteur* m [v: *douteuse*] • scepticus *sceptique* m/v
twijfelachtig I BNW • dubieus *douteux* [v: *douteuse*]; *incertain* • onzeker *incertain* II BIJW *douteusement*
twijfelen • onzeker zijn *hésiter* • ~ **aan** *douter de* ★ ik twijfel aan zijn oprechtheid *je doute de sa sincérité* ★ eraan ~ of *douter que* [+ subj.]
twijfelgeval *cas* m *limite*; *cas* m *douteux*
twijg *rameau* m [mv: *rameaux*]; *scion* m
twinkelen *scintiller*
twinkeling *scintillement* m
twintig I ZN *vingt* m II TELW *vingt* ★ zij is nog geen ~ *elle n'a pas encore vingt ans* ★ ver in de ~ zijn *aller sur les trente ans* ★ in de jaren ~ *dans les années vingt* → **acht**
twintiger *personne* v *entre vingt et trente ans*
twintigste *vingtième* → **achtste**
twist • ruzie *dispute* v; *querelle* v; *altercation* v • dans *twist* m
twistappel *pomme* v *de discorde*
twisten • ruziën *se quereller*; *se disputer* ★ ~ over *disputer de* • dansen *twister*
twistgesprek *discussion* v; *dispute* v
twistpunt *point* m *en litige*
twistziek *querelleur* [v: *querelleuse*]
t.w.v. ter waarde van *du montant de*; *s'élevant à*
tycoon *magnat* m
tyfoon *typhon* m
tyfus *typhus* m; *(fièvre* v*) typhoïde* m
type *type* m
typecasting *distribution* v *des rôles*
typediploma *diplôme* m *de dactylo*
typefout *faute* v *de frappe*
typemachine *machine* v *à écrire*
typen *écrire à la machine*; INF. *taper (à la machine)*; *dactylographier* ★ het ~ *la dactylographie*
typeren *caractériser*
typerend *caractéristique*
typesnelheid *vitesse* v *de frappe*
typevaardigheid *vitesse* v *de frappe*
typisch I BNW • typerend *typique*; *caractéristique* • eigenaardig *curieux* [v: *curieuse*]; *drôle* II BIJW • typerend *typiquement* • eigenaardig *curieusement*
typist *dactylo(graphe)* m/v
typografie *typographie* v
typologie *typologie* v
t.z.t. te zijner tijd *en temps utile*

U

u *vous* ★ als ik u was *si j'étais vous; à votre place* ★ je moet u tegen hem zeggen *il te faut le vouvoyer* ▾ een record waar je U tegen zegt *un record impressionnant*
überhaupt *absolument*
U-bocht *courbe* v *en U*
UEFA *UEFA* v
ufo *objet* m *volant non identifié; OVNI* m
ui *oignon* m
uienbrood *pain* m *à l'oignon*
uiensoep *soupe* v *à l'oignon*
uier • klier *mamelles* v mv; ‹v. koe, geit, ooi› *pis* m • speen *mamelle* v; *tétine* v
uierzalf *onguent* m *antibiotique*
uil *hibou* m
uilenbril *bésicles* v mv
uilskuiken *gros bêta* m; *(gros) malin* m
uiltje *petit hibou* m; *petite chouette* v ▾ een ~ knappen *faire un somme*
uit I BIJW • (naar) buiten *dehors* ★ zij liep de straat uit *elle est allée jusqu'au bout de la rue* ★ de bal is uit *la balle est sortie* • beëindigd *fini* ★ het verhaal is uit *c'est la fin de l'histoire* ★ het is uit tussen hen *c'est fini entre eux deux* ★ de school is uit *l'école est finie* ★ ik heb m'n boek uit *j'ai fini mon livre* • niet populair (meer) *démodé; ringard* ★ hoge hakken zijn uit *les hauts talons ne sont plus à la mode* • niet brandend *éteint* ★ de kaars/lamp is uit *la bougie/lampe est éteinte* ▾ in een week uit en thuis zijn *ne pas être parti plus d'une semaine* ▾ uit de hand lopen *déraper* II VZ • (naar) buiten *à* ★ uit de gratie *en disgrâce* ★ iets uit het raam gooien *jeter qc par la fenêtre* ★ het ligt een kilometer uit het centrum *cela se trouve à un kilomètre du centre* • van(daan) *de* ★ zij komt uit Suriname *elle vient du Surinam* ★ uit welk boek heb je dat? *de quel livre tiens-tu cela?* • vanwege *par* ★ uit medelijden *par pitié* ▾ uit het hoofd *par cœur*
uitademen • adem uitblazen *expirer* • uitwasemen *exhaler*
uitbaggeren *draguer; excaver*
uitbakken *bien faire revenir*
uitbalanceren *équilibrer*
uitbannen • verbannen *bannir; expulser* • uitdrijven *bannir* ★ een duivel ~ *exorciser un démon*
uitbarsten • exploderen *exploser; éclater;* ‹v. vulkaan› *être en éruption* • zich fel uiten *exploser* ★ in tranen ~ *fondre en larmes* ★ in lachen ~ *éclater de rire*
uitbarsting • het uitbarsten *explosion* v; ‹v. vulkaan› *éruption* v • uiting *explosion* v; ‹v. gelach› *éclat* m ★ een ~ van woede *une explosion de fureur*
uitbaten *exploiter*
uitbater *exploitant* m
uitbeelden *représenter*
uitbeelding • ‹voorstelling in beeld› *représentation* v • ‹vertolking v.e. rol› *incarnation* v
uitbenen *désosser;* FIG. *exploiter*
uitbesteden • aan anderen overdragen *confier* ★ de elektrische installatie ~ *sous-traiter l'installation électrique* • in de kost doen *mettre en pension*
uitbesteding • *adjudication* v; ‹mbt werk› *sous-traitance* v • *hébergement* m; ‹mbt kind› *logement* m
uitbetalen *payer;* ‹via storting› *verser*
uitbetaling *paiement* m; *versement* m
uitbijten *corroder*
uitblazen I OV WW *souffler* II ON WW op adem komen *reprendre haleine*
uitblijven *ne pas se produire;* ‹laat gebeuren› *tarder à arriver* ★ dat kon niet ~ *cela ne pouvait pas manquer*
uitblinken *briller; exceller*
uitblinker *as* m; INF. *crack* m
uitbloeien *se faner*
uitbotten *bourgeonner*
uitbouw • het uitbouwen *agrandissement* m; FIG. *développement* m • aanbouwsel *saillie* v
uitbouwen • uitbreiden *agrandir; élargir* • verder ontwikkelen *développer*
uitbraak *évasion* v
uitbraakpoging *tentative* v *d'évasion*
uitbraken *vomir*
uitbranden I OV WW reinigen van wond *cautériser* II ON WW door vuur verwoest worden *brûler; être ravagé par le feu*
uitbrander *savon* m; *réprimande* v ★ iem. een ~ geven *réprimander qn* ★ een ~ krijgen *recevoir un bon savon*
uitbreiden I OV WW vergroten *élargir; développer; agrandir* II WKD WW zich uitstrekken *s'étendre; se développer;* ‹v. ziekte› *se propager*
uitbreiding *extension* v; *développement* m; *élargissement* m; *expansion* v; ‹v. ziekte› *propagation* v ★ de stads~ *l'expansion de la ville*
uitbreidingsplan *plan* m *d'extension;* ‹v. stad› *plan* m *d'urbanisation*
uitbreken I OV WW losmaken *enlever;* ‹v. muur› *démolir* II ON WW • ontsnappen *s'échapper* • uitbarsten *éclater;* ‹v. ziekte, brand› *se déclarer*
uitbrengen • uiten *émettre;* ‹v. woorden› *prononcer; proférer* ★ geen woord kunnen ~ *ne pouvoir prononcer un mot* • kenbaar maken ★ zijn stem ~ *voter* • op de markt brengen *lancer (sur le marché); sortir;* ‹v. boek› *publier* ★ een nieuw product ~ *lancer un nouveau produit* ▾ een toast op iemand ~ *porter un toast à qn*
uitbroeden • beramen *mûrir; couver* • eieren doen uitkomen *faire éclore*
uitbuiten *exploiter*
uitbundig I BNW *exubérant; enthousiaste* II BIJW *avec exubérance; avec enthousiasme*
uitbundigheid *exubérance* v; *enthousiasme* m; *débordement* m
uitbureau *bureau* m *où se procurer des billets d'entrée aux théâtres etc.*
uitchecken *passer le contrôle (de sortie);* ‹hotel› *régler les formalités de départ*

uitdagen *défier*; *provoquer*
uitdagend I BNW *provocant*; *provocateur* [v: *provocatrice*]; *de défi* II BIJW *d'une manière provocante*
uitdager *provocateur* m [v: *provocatrice*]; SPORT *challengeur* m
uitdaging *défi* m; *provocation* v ★ de ~ aannemen *relever le défi*
uitdelen *distribuer* ★ bevelen ~ *donner des ordres*
uitdenken *concevoir*; *imaginer*
uitdeuken *débosseler*
uitdienen *faire son temps*
uitdiepen *creuser*; *approfondir*
uitdijen *s'amplifier*; *gonfler*
uitdoen • uittrekken *enlever*; *ôter* ★ zijn kleren ~ *se déshabiller* • uitschakelen *éteindre* ★ het licht ~ *éteindre la lumière*
uitdokteren *concocter*
uitdossen *attifer*; *affubler*
uitdraai *liste* v; *listage* m ★ een ~ maken *lister*
uitdraaien I OV WW • uitdoen *éteindre*; ‹v. gas› *fermer* • printen *imprimer*; *lister* II ON WW ~ **op** *aboutir à*; *finir par* ★ op niets ~ *aboutir à rien* ★ op een mislukking ~ *se solder par un échec*
uitdragen *répandre* ★ een geloof ~ *propager une foi|religion*
uitdrager *fripier* m [v: *fripière*]; ‹v. meubels› *brocanteur* m [v: *brocanteuse*]
uitdragerij ‹v. kleding› *friperie* v; ‹v. meubels› *brocante* v
uitdrijven *chasser*; ‹v. duivel› *exorciser*
uitdrogen ‹v. land e.d.› *se dessécher*; ‹v. bron› *se tarir*; ‹v. lichaam› *se déshydrater*
uitdroging *dessèchement* m; *tarissement* m; MED. *déshydratation* v
uitdrukkelijk I BNW *explicite*; *formel* [v: *formelle*]; JUR. *exprès* [v: *expresse*] II BIJW *explicitement*; *formellement*; *expressément*
uitdrukken • uitknijpen *presser* ★ een tube tandpasta ~ *presser un tube de dentifrice* ★ een sigaret ~ *écraser une cigarette* • uiten *exprimer* ★ zich duidelijk ~ *s'exprimer clairement* ★ in getallen uitgedrukt *exprimé en chiffres*
uitdrukking *expression* v ★ een vaste ~ *une locution figée*
uitduiden *expliquer*
uitdunnen *élaguer*; ‹v. bos› *éclaircir*
uiteen *séparément*
uiteenbarsten *éclater*; *exploser*; *crever*
uiteendrijven *disperser*
uiteengaan *se séparer*
uiteenlopen • niet dezelfde kant uitlopen *diverger* • verschillen *diverger*; *différer*
uiteenvallen *se décomposer*
uiteenzetten *expliquer*; *exposer*
uiteenzetting • uitleg *explication* v • beschrijving *exposé* m
uiteinde • uiterste einde *bout* m; *extrémité* v • afloop *fin* v ▼ iemand een zalig ~ wensen *souhaiter une bonne fin d'année à qn*
uiteindelijk *final* [m mv: *finals|finaux*]
uiten I OV WW uitdrukken *exprimer*; *manifester*; *prononcer* ★ zijn woede ~ *manifester sa colère* ★ dreigementen ~ *proférer des menaces* ★ zijn vermoeden ~ *exprimer ses soupçons* II WKD WW *s'exprimer*
uitentreuren *continuellement*
uiteraard *évidemment*; *forcément*; *cela va de soi*
uiterlijk I ZN voorkomen *apparence* v; *physique* m II BNW van buiten *extérieur* III BIJW op zijn laatst *au plus tard*
uitermate *extrêmement*
uiterst I BNW • het meest verwijderd *extrême* • grootst ★ zijn ~e best doen *faire tout son possible* ★ met ~e krachtsinspanning *de toutes ses forces* • laatst *dernier* [v: *dernière*]; *limite* ★ in het ~e geval *à la rigueur*; *à la limite* II BIJW *extrêmement* ★ ~ belangrijk *extrêmement important*
uiterste *extrémité* v; *excès* m ★ de ~n raken elkaar *les extrêmes se touchent* ★ van het ene ~ in het andere vallen *aller d'un extrême à l'autre* ★ tot het ~ brengen *pousser à bout* ★ tot het ~ gaan *aller jusqu'au bout* ★ het ~ wagen *tenter l'impossible*
uiterwaard *franc-bord* m [mv: *francs-bords*]
uiteten I OV WW ‹maaltijd› *terminer un plat*; ‹arm maken› *exploiter* II ON WW *finir*
uitfluiten *siffler*; *huer*
uitgaan • naar buiten gaan *sortir*; ‹verdwijnen› *disparaître*; *partir* ★ het huis ~ *quitter la maison* • op weg gaan *partir à* ★ op avontuur ~ *partir à l'aventure* • leegstromen ★ de school gaat uit *les enfants sortent de l'école* • zich gaan vermaken *sortir* ★ ga je vanavond met me uit? *tu sors avec moi ce soir?* • doven *s'éteindre* • te voorschijn komen ★ er gaat een goede invloed van hem uit *il a une bonne influence sur son entourage* • ~ **van** *partir de* ★ ~ van de verkeerde veronderstellingen *partir de mauvaises données|hypothèses*
uitgaansavond *soirée* v *de sortie*
uitgaanscentrum *quartier* m *récréatif*; *complexe* m *d'activités récréatives*
uitgaansgelegenheid *cinémas, théâtres, restaurants* m mv
uitgaanskleding *tenue* v *habillée*
uitgaansleven *possibilités* v mv *de sortie*
uitgaansverbod *interdiction* v *de sortir* ★ een ~ uitvaardigen *décréter le couvre-feu*
uitgang • doorgang *sortie* v; *issue* v • TAALK. *terminaison* v; *désinence* v
uitgangspositie *point* m *de départ*
uitgangspunt *point* m *de départ*
uitgave • het uitgeven *publication* v; ‹v. aandelen› *émission* v • uitgegeven geld *dépense* v • publicatie *édition* v
uitgeblust FIG. *épuisé*; *démoralisé*
uitgebreid I BNW • veelomvattend *étendu*; *vaste* • uitvoerig *détaillé* II BIJW *en détail*
uitgebreidheid *étendue* v
uitgehongerd *affamé*
uitgekiend *étudié*; *calculé*
uitgekookt *rusé*; *roublard*
uitgelaten I BNW *très gai*; *exubérant* II BIJW *avec exubérance*
uitgeleefd *décrépit*
uitgeleide ★ iem. ~ doen *raccompagner qn*

uitgelezen *de choix; choisi; d'élite*
uitgemaakt *décidé* ⋆ dat is een ~e zaak *l'affaire est décidée*
uitgemergeld *famélique*
uitgeput *épuisé; à bout de forces*
uitgerekend I BNW berekenend *intéressé; calculateur* [v: *calculatrice*] II BIJW juist (nu) *justement;* ⋆ ~ hij moest dat zeggen *il a fallu que ce soit lui qui le dise*
uitgeslapen • uitgerust *(bien) reposé* • pienter *éveillé; déluré*
uitgesproken I BNW *net* [v: *nette*] ⋆ een ~ voorkeur hebben voor iets *avoir un goût prononcé pour qc* II BIJW *nettement*
uitgestorven • niet meer bestaand *disparu* • verlaten *désert* ⋆ ~ straten *des rues désertes*
uitgestreken *impassible* ⋆ met een ~ gezicht *sans sourciller*
uitgestrekt *étendu; vaste*
uitgestrektheid *étendue* v
uitgeteerd *décharné*
uitgeteld • neergeteld *payé; versé* • uitgeput *épuisé* • uitgerekend *calculé*
uitgeven • publiceren *éditer; publier* • in omloop brengen *émettre* • besteden *dépenser* • doen alsof *faire passer pour* ⋆ (zich) ~ voor *(se) faire passer pour*
uitgever *éditeur* m [v: *éditrice*]
uitgeverij *maison* v *d'édition*
uitgewerkt • gestopt met werken ⋆ hij is ~ *il a fini de travailler* • vervolledigd *élaboré* • niet langer effect hebbend *qui n'a plus d'effet*
uitgewoond *délabré*
uitgezakt *avachi*
uitgezocht *excellent; de choix*
uitgezonderd I VZ *à l'exception de; excepté* II VW *excepté; sauf*
uitgifte • het uitgeven *émission* v; *publication* v • verstrekking *distribution* v
uitgiftekoers *cours* m *d'émission*
uitglijden *glisser*
uitglijder *bévue* v; *gaffe* v
uitgommen → **uitgummen**
uitgooien *jeter (dehors); vider* ⋆ het raam ~ *jeter par la fenêtre*
uitgraven *déterrer*
uitgroeien • boven/buiten iets uitkomen *s'élever (au-dessus de); dépasser* • ~ **tot** *se développer (en)*
uitgummen *gommer*
uithaal • beweging *coup* m; FIG. *coup* m *de griffe; coup* m *de patte* • langgerekte toon *tenue* v
uithalen I OV WW • baten *rapporter* ⋆ niets ~ *ne produire aucun effet; ne servir à rien* • besparen *économiser* ⋆ de kosten ergens ~ *rentrer dans ses frais* • uitspoken *faire* ⋆ wat heb je nu weer uitgehaald? *qu'est-ce que tu as encore fait?* • los-/uithalen *tirer;* ‹v. breiwerk› *défaire* II ON WW • arm/been uitslaan *donner un coup* • uitvaren *fulminer (contre)*
uithangbord *enseigne* v
uithangen I OV WW • buiten ophangen ‹v. vlag› *mettre (dehors); sortir;* ‹v. wasgoed› *étendre* • zich gedragen als *faire* ⋆ de held ~ *jouer les héros* ⋆ de clown ~ *faire le pitre* ⋆ de beest ~ *faire des siennes* II ON WW • breeduit hangen *être étendu; pendre dehors* • verblijven *se trouver*
uitheems *étranger* [v: *étrangère*]; *exotique*
uithoek *coin/trou* m *perdu; endroit* m *reculé* ⋆ in een ~ van het land *dans un trou perdu*
uithollen • hol maken *creuser; évider* • ontkrachten *miner; saper*
uithongeren *affamer*
uithoren • tot einde luisteren *écouter jusqu'au bout* • uitvragen *interroger;* INF. *cuisiner* ⋆ iem. ~ over iets *cuisiner qn à propos d'une affaire*
uithouden • uitgestrekt houden *tenir étendu* • volhouden *endurer; supporter* ⋆ het is niet om uit te houden *c'est insupportable* ⋆ ik houd het niet meer uit *je ne le supporte plus;* INF. *je ne tiens plus le coup*
uithoudingsvermogen *endurance* v; SPORT *fond* m ⋆ een groot ~ hebben *avoir du fond*
uithuilen *pleurer tout son content; pleurer un bon coup*
uithuizig *souvent absent; de sortie*
uithuwelijken *donner en mariage*
uiting • het uiten *expression* v ⋆ ~ geven aan zijn gevoelens *exprimer ses sentiments* ⋆ tot ~ komen *se manifester* • wat geuit wordt *expression* v; *manifestation* v
uitje *sortie* v
uitjouwen *huer; conspuer*
uitkafferen *engueuler*
uitkammen *démêler;* FIG. *ratisser* ⋆ de buurt ~ *passer le quartier au peigne fin*
uitkeren *payer;* ‹via storting› *verser;* ‹v. dividend› *distribuer*
uitkering • het uitkeren *paiement* m; ‹via storting› *versement* m • uitgekeerde som ‹v. dividend› *distribution* v; ‹v. toelage› *allocation* v ⋆ sociale ~ *prestation* v *sociale*
uitkeringsfraude *recours* m *abusif aux prestations*
uitkeringsgerechtigd *allocataire* m/v
uitkeringsgerechtigde *allocataire* m/v
uitkeringstrekker *allocataire* m/v; *prestataire* m/v
uitkienen *tirer au clair; étudier*
uitkiezen *choisir* ⋆ met zorg ~ *trier sur le volet*
uitkijk *poste* m *d'observation* ⋆ op de ~ staan *faire le guet*
uitkijken • uitzicht geven op *avoir vue sur; donner sur* ⋆ wij kijken op zee uit *nous avons vue sur la mer* ⋆ deze kamer kijkt uit op de binnenplaats *cette chambre donne sur la cour* • oppassen *faire attention* ⋆ kijk uit! *attention!;* INF. *fais gaffe!* ⋆ je moet goed ~ *tu dois faire attention* • zoeken ⋆ naar een baan ~ *être à la recherche d'un emploi* • verlangen naar *guetter* ⋆ naar de vakantie ~ *attendre les vacances avec impatience* ▾ ik ben erop uitgekeken *cela ne m'intéresse plus*
uitkijkpost *poste* m *d'observation*
uitkijktoren *tour* v *d'observation;* ‹v. gevangenenkamp› *mirador* m
uitklapbaar *dépliant*
uitklaren *dédouaner*
uitklaring *expédition* v *en douane*

uitkleden • ontkleden *déshabiller* ★ zich ~ *se déshabiller* • arm maken *dépouiller*
uitkloppen ‹v. pijp› *vider*; *battre*; *secouer*
uitknijpen *presser*
uitknippen *découper*
uitkomen • te voorschijn komen *sortir* • uitbotten *éclore* ★ de plantjes komen uit *les plantes commencent à pousser* • uit ei komen *éclore* • aan het licht komen *être découvert*; *se savoir* ★ het geheim kwam uit *le secret a été découvert*; *le secret s'est ébruité* • in druk verschijnen *sortir*; *paraître*; *être publié* • aftekenen tegen *se détacher (sur)*; *ressortir* ★ het schilderij komt goed uit tegen de achtergrond *le tableau ressort bien sur l'arrière-plan* ★ mijn stem kwam niet boven het lawaai uit *le vacarme couvrit le son de ma voix* • toegang geven tot *déboucher sur*; *donner sur* ★ deze straat komt op het marktplein uit *cette rue débouche sur la place du marché* • genoemde uitkomst hebben *revenir* ★ dat komt goedkoper uit *cela reviendra meilleur marché* • opgaan, kloppen *être juste|exact* ★ mijn droom is uitgekomen *mon rêve s'est réalisé* ★ de weersvoorspellingen komen niet altijd uit *les prévisions météorologiques ne sont pas toujours justes* ★ de deling komt uit *la division se fait sans reste* • rondkomen *s'en sortir* ★ hij komt niet uit met zijn salaris *son salaire ne lui suffit pas* • gelegen komen *convenir* ★ dat komt goed uit *cela tombe bien* ★ dat komt hem niet uit *cela ne lui convient pas* • SPORT *jouer* ★ PSV komt aanstaande zondag tegen Feyenoord uit *dimanche prochain PSV rencontrera Feyenoord* ★ Jansen komt voor Ajax uit *Jansen joue pour Ajax* • als eerste spelen ★ wie moet ~? *à qui de jouer?* ★ met ruiten ~ *jouer carreau* ★ u moet ~ ‹in kaartspel› *vous avez la main* • ~ **voor** *reconnaître* ★ ik kom er openlijk voor uit *je ne m'en cache pas*
uitkomst • resultaat *résultat* m • oplossing *issue* v; *solution* v; ‹v. vraagstuk› *résultat* m; *solution* v
uitkopen *désintéresser*
uitkotsen *vomir*
uitkramen ★ onzin ~ *débiter des absurdités*; *dire n'importe quoi*
uitkristalliseren *se cristalliser*
uitlaat • opening *tuyau* m *d'échappement* [m mv: *tuyaux ...*] • uitingsmogelijkheid *exutoire* m
uitlaatgas *gaz* m *d'échappement*
uitlaatklep *soupape* v *d'échappement*; FIG. *exutoire* m
uitlachen *se moquer de* ★ uitgelachen worden *se faire rire au nez*
uitladen *décharger*
uitlaten I OV WW • dier naar buiten laten *promener*; *sortir* • naar buiten geleiden *accompagner à la porte*; *raccompagner à la porte*; *reconduire* II WKD WW ★ zich gunstig over iem. ~ *parler en bien de qn* ★ zich prijzend ~ over iets *parler avec éloge de qc* ★ zich niet verder over iets ~ *ne pas se prononcer plus avant sur qc*
uitlating *déclaration* v
uitleen- *de prêt*
uitleentermijn *durée* v *du prêt*
uitleg *explication* v
uitlegbaar FIG. *explicable*
uitleggen • vergroten *agrandir*; ‹v. kleed› *élargir*; ‹v. kleren› *agrandir*; *rabattre* ★ een zoom ~ *refaire un ourlet (en vue d'agrandir)* • uitspreiden *étendre*; *étaler* • verklaren *expliquer*; *interpréter* ★ ongunstig ~ *mal interpréter*
uitlekken • bekend worden *s'ébruiter* • uitdruipen *s'égoutter* ★ de sla laten ~ *laisser égoutter la salade*
uitlenen *prêter*
uitleven (zich) ▾ zich ~ *se défouler*
uitleveren *extrader*
uitlevering *extradition* v
uitleveringsverdrag *traité* m *d'extradition*
uitleveringsverzoek *demande* v *d'extradition*
uitlezen ★ een boek ~ *finir un livre*; *achever la lecture d'un livre*
uitlichten *lever*; *relever*
uitlijnen *aligner*; ‹v. auto› *équilibrer*
uitloggen COMP. *se déconnecter*; *sortir du système*
uitlokken *provoquer*
uitloop • afvoer *bouche* v *d'évacuation* • het uitlopen *marge* v ★ met een ~ van twee maanden *avec une marge de deux mois*
uitlopen I OV WW • ten einde aflopen *suivre jusqu'au bout*; *terminer* ★ u loopt deze straat uit *vous allez au bout de cette rue*; *vous continuez cette rue jusqu'au bout* • ruimer maken ★ schoenen ~ *assouplir des chaussures* II ON WW • naar buiten lopen *sortir* • leiden tot *aboutir à*; *se terminer par* ★ op niets ~ *ne pas aboutir* • uitmonden *déboucher sur* • uitbotten *éclore*; *bourgeonner* • vlekkerig worden ‹v. inkt› *s'écouler*; *se répandre* • tot stilstand komen *s'arrêter petit à petit*; *s'arrêter progressivement* • voorsprong nemen *prendre de l'avance*; *gagner (du temps) sur son adversaire* • ruimer worden *s'assouplir à l'usage* • langer duren *se prolonger*; *durer|prendre plus de temps que prévu*; *se terminer plus tard que prévu*
uitloper • uitgroeisel *jet* m; *pousse* v • randgebergte *contrefort* m
uitloten • trekken *tirer au sort* • uitsluiten *exclure par tirage au sort*; ‹v. lening› *amortir par voie de tirage au sort* ▾ de nummers die ~ *les numéros sortants*
uitloting *tirage* m *au sort*
uitloven *proposer*; ‹v. belofte› *promettre*
uitluiden *sonner la fin de*
uitmaken • doen ophouden ‹v. vuur› *éteindre*; ‹v. verkering› *rompre*; *en finir avec* ★ hij heeft het uitgemaakt met zijn vriendin *il a rompu avec sa copine* • beslissen *décider* ★ wij hebben uitgemaakt dat *nous avons établi que* • vormen *former*; *constituer* ★ deel ~ van *faire partie de* • betekenen *faire*; *avoir de l'importance* • ~ **voor** *traiter de* ★ iem. ~ voor alles wat lelijk is *traiter qn de tous les noms*
uitmelken • leegmelken *traire complètement*

• eindeloos behandelen *épuiser* • uitvragen *tirer les vers du nez de* • armer maken *saigner à blanc*
uitmesten ‹v. mest› *enlever le fumier*; ‹v. rommel› *nettoyer à fond*
uitmeten • afmeten *mesurer* • uitvoerig noemen ⋆ breed ~ *s'étendre sur*
uitmonden *se jeter*
uitmonsteren • uitrusten *équiper de* • uitdossen *accoutrer*
uitmoorden *massacrer*
uitmunten *exceller (à/dans)*
uitmuntend I BNW *excellent* II BIJW *excellemment*
uitneembaar *amovible*; *démontable*
uitnemend I BNW *excellent* II BIJW *d'une manière excellente*
uitnodigen *inviter* ⋆ iem. ~ voor een feestje *inviter qn à une fête*
uitnodiging *invitation* v ⋆ op ~ van *sur l'invitation de*
uitoefenen • bedrijven *exercer*; *pratiquer* ⋆ een beroep ~ *exercer un métier* • doen gelden *exercer* ⋆ druk ~ op *faire pression sur*; *exercer une pression sur* ⋆ kritiek ~ op iets *critiquer qc*
uitpakken I OV WW uit verpakking halen *déballer*; ‹v. koffer› *défaire* II ON WW • aflopen *tourner*; *finir* • gul zijn *se mettre en frais* • tekeergaan *vider son sac*
uitpersen • leegpersen *presser* • uitbuiten *exploiter*
uitpluizen *éplucher*; *dépouiller*
uitpraten I OV WW oplossen *régler* II ON WW ten einde praten *finir (de parler)* ⋆ we raakten niet uitgepraat *nous n'avons pas cessé de parler* ⋆ laat hem ~ *laisse-le finir/terminer/achever*
uitprinten *imprimer*; *lister*
uitproberen *essayer*
uitpuffen *souffler*
uitpuilen *se gonfler*; *sortir* ⋆ ~de ogen *des yeux exorbités*
uitputten *épuiser* ⋆ zich ~ *s'épuiser* ▾ zich ~ in verontschuldigingen *se confondre en excuses*
uitputting *épuisement* m
uitputtingsslag *guerre* v *d'usure*
uitpuzzelen *combiner*; *inventer*
uitrangeren *écarter définitivement*
uitrazen *se calmer* ⋆ laat hem maar even ~ *laisse-lui le temps de décolérer*
uitreiken *remettre*; FORM. *délivrer*
uitreiking *remise* v; *distribution* v
uitreisvisum *visa* m *de sortie*
uitrekenen *calculer*
uitrekken *allonger*; *étirer* ⋆ zich ~ *s'étirer*
uitrichten *faire* ⋆ ik kon niets ~ *je ne pouvais rien faire*
uitrijden I OV WW voltooien *terminer* II ON WW tot het eind rijden *aller jusqu'au bout*
uitrijstrook *bande* v *de ralentissement*
uitrijverbod *interdiction* v *de sortir*
uitrijzen *s'élever (au-dessus de)*; FIG. *surpasser* ⋆ de hoog boven de stad ~de toren *la tour qui domine la ville*
uitrit *sortie* v
uitroeien ‹v. onkruid› *extirper*; *exterminer*
uitroep *cri* m; *exclamation* v
uitroepen • roepend zeggen *crier*; *s'écrier*; *s'exclamer* • afkondigen *proclamer* • verkiezen *proclamer*
uitroepteken *point* m *d'exclamation*
uitroken *enfumer*
uitruimen *vider*
uitrukken I OV WW los trekken *arracher* II ON WW erop uitgaan *se mettre en marche*
uitrusten I OV WW toerusten *équiper de*; *munir de* ⋆ deze auto is uitgerust met een katalysator *cette voiture est équipée d'un catalyseur* II ON WW rusten *se reposer*
uitrusting *équipement* m
uitschakelen • afzetten *débrancher*; *déconnecter*; *couper* • elimineren *éliminer*
uitschakeling • TECHN. *débranchement* m; *déconnexion* • *élimination* v
uitscheiden I OV WW afscheiden *excréter*; ‹v. vocht› *sécréter*; *éliminer des liquides* II ON WW *(s')arrêter* ⋆ schei uit met die onzin! *arrête tes conneries!*
uitscheidingsorgaan *organe* m *excréteur*
uitschelden *injurier*; *insulter* ⋆ iem. ~ voor *traiter qn de*
uitschieten I OV WW haastig uittrekken *enlever rapidement*; *retirer en toute hâte* II ON WW • onbeheerst bewegen *déraper*; *glisser* ⋆ zijn mes schoot uit *son couteau a glissé* • uitspruiten *bourgeonner*
uitschieter *pointe* v; ‹v. wind› *saute* v *de vent*
uitschot *rebut* m
uitschrijven • uitwerken *écrire*; ‹overschrijven› *copier*; *recopier* • invullen ‹v. rekening› *dresser* • afkondigen *annoncer*; ‹v. lening› *lancer*; ‹v. prijsvraag› *organiser un concours*; ‹v. vergadering› *convoquer* ⋆ verkiezingen ~ *annoncer des élections* • schrappen *rayer*
uitschudden • schoonschudden *secouer*; *vider en secouant* • plukken *dépouiller*; *dévaliser*
uitschuifbaar *coulissant*; *escamotable*; ‹bank› *dépliant* ⋆ uitschuifbare tafel *table* v *à rallonges*
uitschuifladder *échelle* v *coulissante*
uitschuiven • naar buiten schuiven *pousser* • vergroten *allonger*; *tirer*
uitschuring *abrasion* v
uitserveren ‹eten› *servir*; SPORT *servir out*
uitslaan I OV WW • uitkloppen *secouer* ⋆ de sla ~ *secouer la salade* • naar buiten bewegen *ouvrir*; ‹v. armen› *étendre*; ‹v. vleugels› *déployer*; ‹v. kaart› *déplier*; SPORT *faire sortir la balle* • uitkramen ⋆ onzin ~ *débiter des absurdités* II ON WW • naar buiten komen *jaillir* • uitslag krijgen *suinter*
uitslaapkamer ‹ziekenhuis› *salle* v *de réveil/de réanimation*
uitslag • plek *moisissure* v; ‹vocht› *suintement* m; ‹v. huid› *éruption* v • afloop *résultat* m • uitwijking *déviation* v
uitslapen *faire la grasse matinée*
uitsloven (zich) *se donner beaucoup de mal*; ‹overdreven› *faire du zèle*
uitslover • iemand die zich uitslooft *quelqu'un qui fait du zèle* • vleier *fayot* m
uitsluiten • buitensluiten *exclure* ⋆ het een

sluit het ander niet uit *l'un n'exclut pas l'autre* ★ dat is uitgesloten! *cela est (tout à fait) exclu!* • uitzonderen *excepter*
uitsluitend I BNW • exclusief *exclusif* [v: *exclusive*] • alleen *unique* II BIJW • exclusief *exclusivement* • alleen *uniquement*
uitsluiting *exclusion* v; *exception* v ★ met ~ van *à l'exception de*
uitsluitingsgrond • *motif* m *d'exclusion* • SPORT *motif* m *de disqualification*
uitsluitsel *réponse* v *définitive* ★ iem. ~ geven over *fixer qn sur*
uitsmeren • smerend uitspreiden *étaler*; *étendre* • verdelen *répartir* ★ de kosten over 2 jaar ~ *répartir les coûts sur deux ans*
uitsmijter • persoon *videur* m • gerecht ≈ *des œufs* m mv *sur le plat avec du jambon ou du fromage*
uitsnijden • wegsnijden *couper* • door snijden vormen *découper*
uitspannen • uitstrekken *tendre* • uit gareel losmaken *dételer*
uitspanning • pleisterplaats *café* m; *relais* m • ontspanning *distraction* v
uitspansel *firmament* m
uitsparen • open laten *ménager* • besparen *économiser*
uitsparing • opengelaten plek *ouverture* v; *évidement* m • besparing *économie* v
uitspatting *excès* m; *débauche* v
uitspelen • tot het eind spelen *finir*; *terminer* • in het spel brengen *jouer* • manipuleren ★ mensen tegen elkaar ~ *monter des gens les uns contre les autres*
uitsplitsen • ontleden *détordre* • selecteren *ventiler* ★ naar leeftijd ~ *répartir en classe d'âge*
uitspoelen • reinigen *rincer*; ‹wassen› *laver* • MED. ‹uithollen› *éroder*
uitspoken *fabriquer*
uitspraak • wijze van uitspreken *prononciation* v • bewering *propos* m; *mots* m mv; *paroles* v mv • JUR. *arrêt* m; *sentence* v ★ ~ doen *rendre son jugement* ★ ~ doen in een zaak *se prononcer sur une affaire* ★ ~ over veertien dagen *le tribunal statuera dans deux semaines*
uitspreiden ‹v. armen› *étendre*; ‹v. vleugels› *déployer*; ‹v. benen› *écarter*
uitspreken I OV WW • uiten *exprimer* • bekendmaken *prononcer* • articuleren *prononcer*; *articuler* II ON WW ten einde spreken *finir de parler* ★ laat me ~ *laissez-moi finir* III WKD WW *se prononcer* ★ zijn veto ~ over iets *mettre|opposer son veto à qc* ★ zich ~ voor *se prononcer en faveur de* ★ zich ~ tegen *se prononcer contre* ★ zich tegen abortus ~ *s'opposer au droit de l'avortement*
uitspringen • opvallen *se distinguer* • uitsteken *avancer*; *saillir* ★ een ~de hoek *un angle saillant*
uitspugen *cracher*
uitstaan I OV WW dulden *souffrir*; *supporter* ★ iem. niet kunnen ~ *ne pas pouvoir sentir qn* ★ doodsangsten ~ *avoir une peur bleue* II ON WW • uitsteken *faire saillie* • uitgeleend zijn ★ geld uit hebben staan *avoir de l'argent dehors* ▾ daarmee heb ik niets uit te staan *je n'y suis pour rien dans cette affaire*
uitstalkast *vitrine* v
uitstallen *étaler*
uitstalling *étalage* m
uitstalraam *vitrine* v
uitstapje *excursion* v ★ ~s maken *faire des excursions*
uitstappen *descendre* ▾ alle reizigers wordt verzocht uit te stappen *tous les voyageurs sont priés de descendre*
uitsteeksel *saillie* v; *pointe* v
uitstek ▾ bij ~ *par excellence*
uitsteken I OV WW • naar buiten steken *tendre* ★ de vlag ~ *arborer le drapeau* • eruit steken ★ iem. de ogen ~ *crever les yeux à qn* ▾ hij steekt geen poot uit *il ne fiche rien du tout* ▾ iemand de ogen ~ *faire crever qn de jalousie* II ON WW • naar buiten/vooruit steken *dépasser*; *saillir* • zichtbaar zijn *dominer* ★ ~ boven *dépasser*
uitstekend I BNW heel goed *excellent* II BIJW *excellemment*
uitstel *délai* m; *ajournement* m ★ ~ van betaling *sursis* m ★ ~ van dienst krijgen *obtenir un sursis d'appel*
uitstellen *différer*; *remettre* ★ tot nader order ~ *remettre jusqu'à nouvel ordre*
uitsterven *être en voie de disparition* ★ de olifant wordt met ~ bedreigd *l'éléphant est menacé d'extinction* ▾ de stad is uitgestorven *la ville est déserte*
uitstijgen • uitstappen *descendre (de)* • ~ **boven** *dépasser*
uitstippelen *tracer*; *jalonner*
uitstoot *émission* v; *rejet* m
uitstorten • legen *déverser* • uiten *soulager* ★ zijn hart ~ bij iem. *ouvrir son cœur à qn*
uitstoten • eruit stoten *expulser* • uiten *pousser* • verstoten *expulser*
uitstralen *émettre* ★ licht ~ *répandre de la lumière*
uitstraling *rayonnement* m; FIG. *présence* v
uitstrekken I OV WW voluit strekken *allonger*; *étendre* II WKD WW bepaalde oppervlakte innemen *s'étendre* ★ deze maatregel strekt zich uit over *cette mesure s'étend sur*
uitstrijken *étaler*
uitstrijkje *frottis* m
uitstroming *écoulement* m; ‹v. gas› *fuite* v
uitstrooien • strooien *épandre* • overal vertellen *répandre*
uitstroompercentage *pourcentage* m *d'écoulement*
uitstulping *hernie* v; *bosse* v
uitsturen *envoyer* ★ iem. om eieren ~ *envoyer qn chercher des œufs* ★ een leerling de klas ~ *renvoyer|expulser un élève de la classe*
uittekenen *dessiner*; FIG. *décrire* ★ ik kan hem wel ~ *je le connais comme si je l'avais fait*
uittesten *tester*
uittikken *taper à la machine*
uittocht *exode* m
uittrap *coup* m *de pied de but*
uittreden ‹uit functie› *donner sa démission*; *se*

retirer; ⟨m.b.t. lidmaatschap⟩ *se désaffilier*; ⟨v. priester⟩ *se défroquer* ★ vervroegd ~ *partir en préretraite*

uittreding *départ* m; ⟨uit functie⟩ *démission* v ★ de vervroegde ~ *la préretraite*

uittrekken I ov ww • uitdoen *ôter*; *quitter* • verwijderen *arracher* ★ onkruid ~ *arracher les herbes folles* ★ een splinter ~ *retirer une écharde* • uittreksel maken *faire un résumé de* • bestemmen *destiner (à)*; *affecter (à)* II ON WW weggaan *sortir* ▾ erop ~ ≈ *partir*

uittreksel *extrait* m; ⟨v. boek⟩ *résumé* m ★ een ~ maken van *faire un extrait de* ★ een ~ uit het geboorteregister *un extrait de naissance* ★ een ~ uit het bevolkingsregister *une fiche d'état civil*

uittypen *taper au net*

uitvaagsel *rebut* m; *lie* v

uitvaardigen ⟨v. arrestatiebevel⟩ *lancer*; ⟨v. wet⟩ *promulguer*

uitvaart *obsèques* v mv

uitvaartcentrum *funérarium* m

uitvaartdienst *office* m *funèbre*; *messe* v *des morts*; *funérailles* v mv/*obsèques* v mv *religieuses*

uitvaartstoet *cortège* m *funèbre*

uitvaartverzekering *assurance* v *obsèques*

uitval • SPORT *attaque* v • MIL. *percée* v • haaruitval *chute* v • boze uiting *apostrophe* v

uitvallen • loslaten *tomber*; ⟨v. bloem⟩ *s'effeuiller* • wegvallen SPORT *abandonner* ★ de stroom valt uit *il y a une panne d'électricité* ★ de trein van 8.03 uur is uitgevallen *le train de 8h.03 a été supprimé* • agressief spreken *apostropher* • plotseling aanvallen *faire une percée* • mee-/tegenvallen ★ goed ~ *réussir*; *bien tourner* ★ slecht ~ *mal réussir*/*tourner*

uitvalsbasis • uitgangspunt *base* v *de départ* • MIL. *base* v *d'opérations*

uitvalsweg *route* v *de sortie*

uitvaren • naar buiten varen *prendre le large*; *appareiller* • boos uitvallen *fulminer (contre qn)*; *apostropher (qn)*

uitvechten *décider par les armes*; FIG. *vider une querelle* ★ iets ~ voor de rechtbank *vider un différend devant le tribunal*

uitvegen • schoonvegen *balayer* • uitwissen *effacer*

uitvergroten *agrandir*

uitverkocht • niet meer te koop *épuisé* • vol *complet* [v: *complète*] ★ een ~e zaal *une salle comble*

uitverkoop *soldes* m mv

uitverkoren *élu*; REL. *prédestiné*

uitverkorene *élu* m

uitvinden • uitdenken *inventer* • te weten komen *découvrir*

uitvinder *inventeur* m [v: *inventrice*]

uitvinding *invention* v

uitvissen *tirer au clair*

uitvlakken *effacer*

uitvliegen *s'envoler*

uitvloeisel *conséquence* v; *résultat* m

uitvlooien *éplucher*

uitvlucht *échappatoire* v; *prétexte* m; *faux-fuyant* m [mv: *faux-fuyants*]

uitvoegen ≈ *serrer à droite pour quitter une route*

uitvoegstrook *bande* v *de ralentissement*

uitvoer • export *exportation* v • COMP. *sortie* v • uitvoering ★ ten ~ brengen *mettre à exécution*; *réaliser*

uitvoerbaar *faisable*; *réalisable*

uitvoerbelasting *taxe* v *à l'exportation*

uitvoerder *réalisateur* m [v: *réalisatrice*]; *exécutant* m [v: *exécutante*]

uitvoeren • exporteren *exporter* • volbrengen *effectuer*; *exécuter*; ⟨ten gehore⟩ *exécuter* • vervaardigen *faire*; *fabriquer* • vertonen *représenter* • verrichten *faire* ★ hij voert geen klap uit *il ne fout rien du tout*

uitvoerig I BNW *détaillé*; *circonstancié* ★ te ~ zijn *se perdre dans les détails* II BIJW *en détail*; *amplement*

uitvoering • het uitvoeren *exécution* v; *réalisation* v; *mise* v *en œuvre* ★ in ~ *en cours de réalisation* • vervaardigingsvorm ⟨v. auto e.d.⟩ *modèle* m; ⟨v. boek⟩ *version* v ★ in luxe ~ *modèle luxe* • voordracht ⟨m.b.t. toneel⟩ *représentation* v; ⟨v. muziek⟩ *exécution* v

uitvoeringsbesluit *décision* v *de réaliser qc*

uitvoeroverschot *excédent* m *d'exportation*

uitvoerrecht *droit* m *d'exportation*; *taxe* v *à l'exportation*

uitvoervergunning *licence* v *d'exportation*

uitvogelen *tirer au clair*

uitvouwbaar *dépliant*

uitvouwen *déplier*

uitvragen *questionner*; *interroger*

uitvreten *fabriquer*; *ficher*; *foutre*

uitvreter *pique-assiette* m [onv]

uitwaaien • doven *être éteint*/*soufflé par le vent* • frisse neus halen ≈ *prendre l'air*

uitwas • uitgroeisel *excroissance* v; *protubérance* v • exces *excès* m

uitwasemen *dégager*

uitwassen *laver*; *nettoyer*; ⟨v. vlek⟩ *enlever*; *faire partir*

uitwatering • het uitwateren *évacuation* v *(des eaux)* • plaats *déversoir* m

uitwedstrijd *match* m *en déplacement*

uitweg *issue* v

uitweiden *faire une digression* ★ ~ over *disserter longuement sur*

uitwendig I BNW *externe*; *extérieur* ★ voor ~ gebruik *à usage externe* ▾ het ~e *l'extérieur* m II BIJW *extérieurement*

uitwerken • bewerken *développer*; *élaborer* • oplossen *résoudre*; *calculer* ★ een vraagstuk ~ *résoudre un problème* • uithalen *effectuer*; *opérer*

uitwerking • het uitwerken *développement* m; *élaboration* v • effect *impact* m; *effet* m; *résultat* m ★ zijn ~ missen *ne pas produire l'effet désiré* ★ zonder ~ *inopérant*

uitwerpselen *excréments* m mv

uitwijken • opzij gaan *s'écarter* ★ naar links/rechts ~ *se déporter à gauche*/*droite* ★ de auto kon maar net voor de voetganger ~ *c'est à peine si la voiture a pu éviter le piéton* ★ voor iem. ~ *laisser passer qn* • de wijk nemen *émigrer*

uitwijkmanoeuvre • *manœuvre* v *d'évitement* • ‹uitvlucht› *dérobade* v
uitwijkmogelijkheid • mogelijkheid om iets te voorkomen *échappatoire* v; *porte* v *de sortie* • alternatief *alternative* v; *solution* v *de remplacement*
uitwijzen • aantonen *montrer*; *révéler* • verdrijven *expulser*
uitwijzing *expulsion* v
uitwisbaar *effaçable*
uitwisselen *échanger*
uitwisseling *échange* m
uitwisselingsproject *projet* m *d'échange*
uitwisselingsverdrag *traité* m *d'échange*
uitwissen *effacer*
uitwonend ‹niet bij ouders wonend› *qui n'habite pas chez ses parents*; *externe*
uitworp SPORT *remise* v *en jeu*
uitwrijven • schoonwissen *astiquer* • door wrijven verspreiden *étendre en frottant* ▾ zich de ogen ~ *se frotter les yeux*
uitwringen *essorer*; *tordre*
uitwuiven *accompagner quelqu'un qui part*
uitzaaien I OV WW verspreiden *semer* II WKD WW verspreiden *se disséminer*
uitzaaiing MED. *métastase* v
uitzakken *s'affaisser*; *descendre*
uitzendarbeid *travail* m *intérimaire*
uitzendbureau *agence* v *de travail intérimaire*; *agence* v *d'intérim*; INF. *intérim* m
uitzenden • TELECOM. *diffuser*; *émettre*; ‹op radio› *radiodiffuser*; ‹op tv› *télédiffuser* ★ een SOS-bericht ~ *lancer un s.o.s.* • met opdracht wegsturen *envoyer*; MIL. *détacher*
uitzending *émission* v ★ in de ~ zijn *être sur l'antenne* ★ in de ~ komen *passer à l'antenne*
uitzendkracht *intérimaire* m/v; INF. *intérim* m
uitzet ‹v. bruid› *trousseau* m; ‹v. kind› *layette* v
uitzetten I OV WW • buiten iets zetten *mettre dehors* ★ de sloepen ~ *mettre les chaloupes à la mer* • uitwijzen *expulser* • verspreid zetten *disposer*; *répandre*; ‹v. wachtposten› *poster* ★ pootvis in een rivier ~ *aleviner une rivière* ★ een lijnstuk ~ *tracer un segment* • buiten werking stellen *éteindre* • beleggen *placer* II ON WW uitdijen *se gonfler*; *se dilater*
uitzetting • lengte-/volumetoename ‹zwelling› *extension* v; *dilatation* v; *expansion* v • verwijdering *expulsion* v
uitzicht • het uitzien *vue* v • vergezicht *vue* v ★ ~ hebben op *avoir vue sur* ★ het ~ belemmeren *boucher la vue* • vooruitzicht *perspective* v
uitzichtloos *sans issue*
uitzichtloosheid *situation* v *sans issue*
uitzichttoren *belvédère* m
uitzieken ★ laten ~ *laisser la maladie suivre son cours*; FIG. *laisser les choses suivre leur cours*
uitzien • zicht geven op *donner sur* ★ de vensters zien uit op de tuin *les fenêtres donnent sur le jardin* • op zoek gaan ★ naar werk ~ *être à la recherche d'un emploi* • verlangen ★ ~ naar de vakantie *attendre les vacances avec impatience*

U

uitzingen *tenir* ★ het een maand kunnen ~ *pouvoir tenir pendant un mois*
uitzinnig I BNW *forcené* II BIJW *comme un forcené*
uitzinnigheid • ‹vreugde› *exubérance* • *folie* v
uitzitten *attendre la fin* ★ zijn tijd ~ *faire son temps*
uitzoeken • kiezen *choisir* • sorteren *faire le tri*; *trier* • te weten komen *tirer au clair* ▾ je zoekt het zelf maar uit *débrouille-toi tout seul*
uitzonderen *excepter*
uitzondering *exception* v ★ met ~ van *à l'exception de* ★ op enkele ~en na *à quelques exceptions près* ▾ ~en bevestigen de regel *l'exception confirme la règle* ▾ bij ~ *par exception*; *pour une fois*
uitzonderingsgeval *cas* m *exceptionnel*
uitzonderingspositie *situation* v *d'exception* ★ een ~ innemen *se trouver dans une situation exceptionnelle*
uitzonderlijk I BNW *exceptionnel* [v: *exceptionnelle*] II BIJW *exceptionnellement*
uitzoomen *zoomer en plan général*
uitzuigen • leegzuigen *sucer* • uitbuiten *exploiter*
uitzuiger *vampire* m; *sangsue* v; *exploiteur* m [v: *exploiteuse*]
uitzwaaien ≈ *reconduire à la porte*
uitzwermen ‹v. bijen› *essaimer*; ‹v. personen› *se disperser*
uitzweten • wegzweten *guérir en transpirant* • uitdrijven *suer*
uiver *cigogne* v
uk *très petit garçon* m; *moucheron* m
ukelele *guitare* v *hawaïenne*
ukkepuk → **uk**
ultiem *ultime*
ultimatum *ultimatum* m ★ een ~ stellen *poser|lancer|adresser un ultimatum*
ultra- *ultra-*
ultracentrifuge *ultracentrifugeuse* v
ultramodern *ultramoderne*
ultrarechts *d'extrême droite*
ultraviolet *ultraviolet* [v: *ultraviolette*]
ULV ultralicht vliegtuig *ULM* m; *ultra léger motorisé*
umlaut *umlaut* m
UN *ONU* v; *Organisation* v *des Nations Unies*
unaniem *unanime*
Unctad *C.N.U.C.E.D.* v; *Conférence* v *des Nations Unies sur le commerce et le développement*
undercover agent *agent* m *secret*
underdog *plus faible* m/v
understatement *litote* v
Unesco *UNESCO* v
unfair *injuste*; *déloyal* [m mv: *déloyaux*]
UNHCR *HCR* m; *Haut Commissariat* m *des Nations Unies pour les Réfugiés*
unheimisch *sinistre*; *angoissant*
Unicef *UNICEF* m; *Fonds* m *international de secours à l'enfance*
unicum *chose* v *unique*
unie *union* v
uniek *unique*
unificatie *unification* v

UNIFIL *FINUL* v; *Force* v *Intermédiaire des Nations Unies pour le Liban*
uniform I ZN *uniforme* m II BNW *uniforme*
uniformeren *uniformiser*
uniformiteit *uniformité* v
unilateraal I BNW *unilatéral* [m mv: *unilatéraux*] II BIJW *unilatéralement*
uniseks *unisexe*
unisono *à l'unisson*
unit *unité* v
universalistisch *universaliste*
universeel I BNW *universel* [v: *universelle*] ⋆ ~ erfgenaam *légataire universel* m II BIJW *universellement*
universitair *universitaire*
universiteit *université* v
universiteitsbibliotheek *bibliothèque* v *universitaire*
universiteitsgebouw *bâtiment* m *universitaire*
universiteitsraad *Conseil* m *de l'université*
universiteitsstad *ville* v *universitaire*
universum *univers* m
UNO *ONU* v; *Organisation* v *des Nations Unies*
updaten *mettre à jour*
upgraden TECHN. *améliorer; moderniser; supplémenter*
uppercut *uppercut* m
uppie ▾ in zijn ~ ↑ *tout seul*
ups en downs ‹v.h. leven› *les hauts et les bas*
up-to-date *à jour* ⋆ zij is ~ *elle est à la page*
uraan *uranium* m
uranium *uranium* m ⋆ verrijkt ~ *uranium enrichi*
urbanisatie *urbanisation* v
urbaniseren *urbaniser*
ure → **uur**
urenlang I BNW *qui dure des heures* II BIJW *de longues heures*
ureum *urée* v
urgent I BNW *urgent* II BIJW *d'urgence*
urgentie *urgence* v
urgentieverklaring *attestation* v *d'urgence*
urine *urine* v
urinebuis *urètre* m
urineleider *uretère* m
urineonderzoek *analyse* v *d'urine*
urineren *uriner*
urinewegen *voies* v mv *urinaires*
urinoir *urinoir* m
urn *urne* v
urologie *urologie* v
uroloog *urologue* m/v
uroscopie *uroscopie* v
Uruguay *l'Uruguay* m ⋆ in ~ *en Uruguay*
user COMP. *utilisateur* m
utiliteitsbouw *construction* v *d'utilité publique*
Utopia *Utopie* v
utopie *utopie* v
utopisch *utopique*
uur *heure* v ⋆ over een uur *dans une heure* ⋆ om twaalf uur 's nachts *à minuit* ⋆ het is tien uur *il est dix heures* ⋆ na een uur *au bout d'une heure* ⋆ anderhalf uur *une heure et demie* ⋆ om het uur *toutes les heures* ⋆ op de hele en halve uren *toutes les heures et demi-heures* ⋆ honderdveertig kilometer per uur *cent quarante kilomètres à l'heure* ⋆ om zes uur *à six heures* ▾ te elfder ure *au dernier moment* ▾ zijn uur heeft geslagen *sa dernière heure a sonné*
uurloon *salaire* m *horaire*
uurwerk • klok *horloge* v • mechaniek *mécanisme* m
uurwijzer *petite aiguille* v
uv-licht *lumière* v *UV*
U-vormig *en u*
uw *votre* [m mv: *vos*] ⋆ de/het uwe *le vôtre* m; *la vôtre* v [m mv: *les vôtres*]
uzi *uzi* m

U

V

v *v* m
vaag • niet scherp omlijnd *flou; indistinct* • *vague*
vaak *souvent*
vaal • verkleurd *passé; décoloré* • kleurloos *terne; livide* ★ een vale huid *une peau livide*
vaalbleek *blafard; livide*
vaandel *drapeau* m [mv: *drapeaux*]; ‹v. cavalerie› *étendard* m
vaandeldrager *porte-drapeau* m [mv: *porte-drapeau(x)*]
vaandrig *aspirant* m
vaantje • windwijzer *girouette* v • vlaggetje *fanion* m
vaarbewijs *permis* m *de navigation*
vaarboom *gaffe* v
vaardiepte *tirant* m *d'eau*
vaardig *adroit; habile*
vaardigheid • handigheid *adresse* v; *habileté* v • vlugheid *promptitude* v
vaargeul *chenal* m [mv: *chenaux*]
vaarroute *route* v *de navigation*
vaars *génisse* v
vaart • snelheid *allure* v; *vitesse* v ★ in volle ~ *à toute allure* ★ ~ zetten achter *activer* • het varen *navigation* v ★ de grote ~ *la navigation au long cours* • kanaal *canal* m [mv: *canaux*] ▾ dat zal zo'n ~ niet lopen *cela s'arrangera*
vaartuig *navire* m; *bateau* m [mv: *bateaux*]
vaarverbod *interdiction* v *de naviguer*
vaarwater *eau* v *navigable* ▾ in iemands ~ zitten *mettre des bâtons dans les roues de qn*
vaarwel *adieu* m [mv: *adieux*]
vaarwelzeggen ‹aan iemand› *dire adieu à*; ‹aan iets› *renoncer à* ★ zijn werk ~ *quitter son travail*
vaas *vase* m
vaat *vaisselle* v ★ de vaat doen *faire la vaisselle*
vaatbundel *fibre* v *vasculaire*
vaatdoek *torchon* m ▾ zo slap als een ~ zijn *avoir les jambes en coton*
vaatwasmachine *lave-vaisselle* m [onv]
vaatwasser → **vaatwasmachine**
vaatwerk *vaisselle* v
vaatziekte *maladie* v *vasculaire*
vacant *vacant* ★ een ~e zetel *une vacance*
vacature *poste* m *vacant*
vacaturebank *bourse* v *de l'emploi*
vacaturestop *arrêt* m *de l'embauchage* ★ een ~ instellen *établir un arrêt de l'embauchage*
vaccin *vaccin* m
vaccinatie *vaccination* v
vaccineren *vacciner*
vacht *pelage* m; ‹v. schaap› *toison* v
vacuüm *vide* m
vacuümpomp *pompe* v *à vide*
vacuümverpakking *emballage* m *sous vide*
vadem *toise* v
vademecum *vade-mecum* m [onv]
vader • ouder *père* m • grondlegger *auteur* m
vaderbinding *fixation* v *oedipienne*
vaderdag *fête* v *des pères*
vaderfiguur *figure* v *de père*
vaderland *patrie* v ★ het ~ verlaten *s'expatrier* ★ naar het ~ terugzenden *rapatrier*
vaderlands • van het vaderland *national* [m mv: *nationaux*] • patriottisch *patriotique*
vaderlandsgezind *patriotique*
vaderlandsliefde *patriotisme* m
vaderlandslievend *patriotique*
vaderlijk I BNW *paternel* [v: *paternelle*] II BIJW *paternellement*
vaderloos *ayant perdu son père* ★ vaderloze wezen *orphelins de père*
vaderschap *paternité* v
vadsig I BNW *indolent* II BIJW *indolemment*
vagant GESCH. *goliard* m
vagebond *vagabond* m ★ rondzwerven als een ~ *vagabonder*
vagelijk *vaguement*
vagevuur *purgatoire* m
vagina *vagin* m
vaginaal *vaginal* [m mv: *vaginaux*]
vak • deel van vlak *compartiment* m; ‹v. muur› *pan* m; ‹v. zoldering› *caisson* m • hokje *case* v; *casier* m • beroep *métier* m; *profession* v ★ een man van het vak *un spécialiste* ★ zijn vak kennen *connaître son métier* • leervak *matière* v; *discipline* v
vakantie *vacances* v mv [mv] ★ ~ hebben *être en vacances; être en congé* ★ ~ nemen *prendre des vacances* ★ met ~ gaan *partir en vacances*
vakantie- *de vacances*
vakantieadres *adresse* v *de vacances*
vakantiebestemming *destination* v *pour les vacances*
vakantieboerderij *gîte* m *rural*
vakantiedag *jour* m *de congé*
vakantiedrukte *période* v *des grands départs en vacances*; ‹(bij vertrek)› *exode* m
vakantieganger *vacancier* m [v: *vacancière*]
vakantiegeld *indemnité* v *de congés payés*
vakantiehuis *maison* v *de vacances*
vakantiekolonie *colonie* v *de vacances*
vakantieland *pays* m *de vacances*
vakantieoord *villégiature* v
vakantieperiode → **vakantietijd**
vakantiespreiding *étalement* m *des vacances*
vakantiestemming *ambiance* v *de vacances*
vakantietijd *période* v *des vacances*
vakantiewerk *travail*|*job* m *de vacances*
vakbekwaam *qualifié*
vakbeurs *salon* m; *foire* v *spécialisée*
vakbeweging • vakbonden *syndicats* m mv [mv] • streven v.d. vakbonden *mouvement* m *syndical; syndicalisme* m
vakblad *journal* m *professionnel* [m mv: *journaux ...*]
vakbond *syndicat* m
vakbondsleider *leader* m *syndical*
vakbroeder *collègue* m/v
vakcentrale *centrale* v
vakdiploma *certificat* m *d'aptitude professionnelle; C.A.P.* m
vakdocent *enseignant* m *spécialisé*
vakgebied *discipline* v; *branche* v ★ dat valt buiten zijn ~ *ce n'est pas de sa branche*
vakgenoot *collègue* m/v; ‹bij vrij beroep›

confrère m
vakgroep ‹v. universiteit› *unité* v *d'enseignement et de recherche*; *U.E.R.* v
vakidioot ≈ *personne* v *qui ne vit que pour son travail*
vakjargon *jargon* m; *argot* m *de métier*
vakjury *jury* m *d'experts*
vakkennis *connaissances* v mv *professionnelles*
vakkenpakket *ensemble* m *de matières choisies*
vakkenvuller ‹winkel› *gondolier*
vakkring *milieu* m *professionnel*
vakkundig I BNW *expert*; *compétent* ★ onder ~e leiding *dirigé par les experts* **II** BIJW *de façon professionnelle*
vakliteratuur *littérature* v *spécialisée*
vakman *spécialiste* m; *expert* m
vakmanschap *compétence* v; *métier* m
vakonderwijs *enseignement* m *professionnel*
vakopleiding *formation* v *professionnelle*
vakorganisatie *organisation* v *syndicale*
vakpers *presse* v *spécialisée*
vaktaal *vocabulaire* m *spécialisé*/*technique*
vaktechnisch *technique*; *spécialisé* ★ een ~e scholing *une formation technique*
vakterm *terme* m *technique*; *terme* m *de métier*
vakvereniging *syndicat* m; ‹v. werkgevers› *syndicat* m *patronal* [m mv: *syndicats patronaux*]
vakvrouw *spécialiste* v; *experte*
vakwerk • werk van een vakman *travail* m *de professionnel* • wandconstructie *colombage* m ★ een ~huis *une maison à colombage*
vakwerkbouw *construction* v *à colombage*
val • het vallen *chute* v • daling *chute* v; ‹v. water› *décrue* v • ondergang *chute* v ★ ten val brengen *faire tomber*; *renverser* ★ het kabinet ten val brengen *faire tomber le cabinet* • vangtoestel *piège* m ★ in de val lopen *donner dans le piège* ★ een val opzetten voor iem. *tendre un piège à qn*
valbijl • toestel *guillotine* v • mes *couperet* m
valentijnskaart *carte* v *de la Saint-Valentin*
valeriaan *valériane* v
valhelm *casque* m
valide *valide*
validiteit *validité* v
valies *valise* v
valium *valium* m
valk *faucon* m
valkenier *fauconnier* m
valkenjacht *fauconnerie* v
valkuil *trappe* v; FIG. *piège* m
vallei *vallée* v
vallen • neervallen *tomber* ★ er valt sneeuw *il tombe de la neige* • ten val komen *tomber* • neerhangen *tomber* • sneuvelen *tomber*; *périr* ★ er zijn drie doden ge~ *trois personnes ont été tuées* • afnemen *baisser*; *décroître*; *diminuer* • plaatsvinden *tomber* ★ er viel een schot *un coup de feu partit* ★ er viel een stilte *il y eut un silence* ★ zijn verjaardag valt op een vrijdag *son anniversaire tombe un vendredi* • in toestand geraken *tomber* ★ in slaap ~ *s'endormir* ★ de verdenkingen zijn op mij ge~ *les soupçons se sont portés sur moi* • op zekere wijze zijn *être*; *tomber* ★ die opmerking viel verkeerd *cette remarque est mal tombée* ★ het valt hem zwaar om *il lui en coûte de*; *il lui est pénible de* ★ er valt hier niets te doen *il n'y a rien à faire ici* • behoren tot *appartenir à* ★ dat valt buiten mijn bevoegdheid *cela n'est pas de mon ressort* ★ onder een categorie ~ *tomber dans une catégorie* ★ aan iem. ten deel ~ *échoir à qn* • ~ **op** *avoir un faible pour* ★ hij valt op je *tu lui plais* • ~ **over** *trébucher sur*; FIG. *se scandaliser de* ▾ met ~ en opstaan *avec des hauts et des bas* ▾ iemand om de hals ~ *sauter au cou de qn* ▾ bij het ~ van de avond *à la tombée de la nuit* ▾ iemand laten ~ *lâcher qn* ▾ er vielen woorden *on en vint aux invectives*
vallicht *jour* m
valluik *trappe* v
valpartij *chutes* v mv *en série*
valreep *échelle* v ▾ op de ~ *au (tout) dernier moment*
vals I BNW onwaar *faux* [v: *fausse*]; ‹m.b.t. hond› *méchant* **II** BIJW • bedrieglijk *faux*; *faussement* • onzuiver van toon ★ vals zingen *chanter faux*
valsaard *judas* m; *perfide* m
valscherm *parachute* m
valselijk *faussement*
valsemunter *faux-monnayeur* m [mv: *faux-monnayeurs*]
valserik • gemenerik *salaud* m; *salope* v • hypocriet *faux-jeton* m [mv: *faux-jetons*]
valsheid • het onecht zijn *fausseté* v • het vervalsen ★ ~ in geschrifte *faux en écriture* m • boosaardigheid *méchanceté* v
valstrik *piège* m
valuta *monnaie* v ★ harde ~ *monnaie forte* ★ zwakke ~ *monnaie faible*
valutahandel *marché* m *des devises*
valutakoers *taux* m *de change*
valutamarkt *marché* m *des changes*
valwind ‹landwind› *vent* m *cabatique*; *vent* m *descendant*
vamp *vamp* v
vampier *vampire* m
van I BIJW • over *en* ★ wat weet jij daar van? *qu'est-ce que tu en sais?* • weg *en* ★ zij nam er wat van *elle en prit qc* • door ★ hij werd er rijk van *cela l'a rendu riche* ★ daar word je sterk van *cela fortifie* **II** VZ • in bezit van, toebehorend aan *de*; *à* ★ dat geld is van mij *cet argent est à moi* ★ van adel *de sang noble* ★ een vriend van mij *un de mes amis* • door *de* ★ een cantate van Bach *une cantate de Bach* ★ ze is zwanger van hem *elle est enceinte de lui* ★ beven van schrik *trembler de peur* ★ dat komt van het vallen *c'est à cause de la chute* • afkomstig van *de* ★ de appel valt van de boom *la pomme tombe de l'arbre* ★ ik kreeg een brief van hem *j'ai reçu une lettre de sa part* • uit/vandaan *de* ★ het komt van boven *ça vient d'en haut* ★ van 1918 *de 1918* ★ de drie van Breda *les trois captifs de Breda* • bestaande uit *de* ★ een hart van goud *un cœur d'or* ★ een briefje van 100 *un billet de 100 florins*

• gebeurend met/aan ★ houden van *aimer* ★ het dorsen van graan *le battage du blé* • wat ... betreft *de* ★ dokter van beroep *docteur de sa profession* ★ bij wijze van spreken *pour ainsi dire* ★ ik ken hem van gezicht *je le connais de vue* ★ klein van postuur *de petite taille* ★ levend van de visvangst *vivant de la pêche* ▾ dat is lief van je *c'est gentil de ta part* ▾ van dag tot dag *de jour en jour* ▾ van vader op zoon *de père en fils* ▾ hij zegt van niet *il dit que non* ▾ daar had hij niet van terug! *il n'avait pas de réponse à cela*

vanaf • daarvandaan ★ ~ daar wordt het moeilijk *à partir de là, cela commence à être difficile* ★ ~ het dak *depuis le toit* • met ingang van *à partir de* ★ ~ vandaag *à partir d'aujourd'hui*

vanavond *ce soir*

vanbinnen *à l'intérieur*

vanbuiten *à l'extérieur*

vandaag *aujourd'hui* ★ ~ of morgen *un de ces jours*

vandaal *vandale* m/v

vandaan • van weg ★ blijf daar ~ *n'y va pas* • van uit ★ hier ~ is het niet te zien *d'ici on ne peut pas le voir* • van afkomstig ★ daar ~ *de là* ★ waar ... ~? *d'où ...?*

vandaar • daarvandaan *de là-bas* • daarom ★ ~ dat *c'est pourquoi*

vandalisme *vandalisme* m

vangarm *tentacule* m

vangbal *balle* v *de volée*

vangen • grijpen *attraper; prendre* • opvangen *attraper* • erin laten lopen *attraper* • verdienen *toucher*

vangnet • veiligheidsnet *filet* m *de sécurité* • net om dieren te vangen *filet* m

vangrail *glissière* v *de sécurité*

vangst • het vangen *prise* v; *capture* v • het gevangene ‹v. vis› *pêche* v ▾ de politie heeft een goede ~ gedaan *la police a fait un fameux coup de filet*

vangzeil *toile* v *de sauvetage*

vanille *vanille* v

vanille-extract *extrait* m *de vanille*

vanilleijs *glace* v *à la vanille*

vanillesmaak *goût* m *de vanille*

vanillestokje *gousse* v *de vanille*

vanillesuiker *sucre* m *vanillé*

vanillevla *crème* v *à la vanille*

vankrachtwording *entrée* v *en vigueur*

vanmiddag *cet après-midi*

vanmorgen *ce matin*

vannacht *cette nuit*

vanochtend *ce matin*

vanouds *depuis longtemps* ★ als ~ *comme d'habitude/toujours*

van tevoren *d'avance; à l'avance*

vanuit • uit a naar b ★ ~ het raam keek ze naar beneden *de la fenêtre, elle regardait en bas* • op grond van ★ dat doet hij ~ zijn overtuiging *il le fait par conviction*

vanwaar • waarvandaan *d'où* • waarom *pourquoi*

vanwege • wegens *à cause de* • van de zijde van *de la part de*

vanzelf • uit eigen beweging *de soi; de soi-même; tout seul* • vanzelfsprekend *automatiquement; tout seul*

vanzelfsprekend I BNW *évident* ★ dat is ~ *cela va de soi* II BIJW *de toute évidence; naturellement*

vanzelfsprekendheid *évidence* v

varen I ZN *fougère* v II ON WW • gesteld zijn ★ wel ~ bij *trouver son compte à; se trouver bien de* • per vaartuig gaan *aller en bateau; naviguer* ★ naar Engeland ~ *aller en Angleterre en bateau* ★ onder Franse vlag ~ *battre pavillon français* ▾ een plan laten ~ *renoncer à un projet; abandonner un projet*

varia *varia* m mv

variabel *variable*

variabele *variable* v

variant *variante* v

variatie • afwisseling *variation* v • verscheidenheid *variété* v

variëren I OV WW afwisselen *varier* II ON WW onderling verschillen *varier*

variété *spectacle* m *de variétés*

variëteit *variété* v

varken • dier *porc* m; *cochon* m • scheldwoord *cochon* m ▾ hij zal dat ~ wel wassen *il s'en charge*

varkensmesterij *porcherie* v; *élevage* m *de porcs*

varkenspest *peste* v *porcine*

varkensvlees *porc* m; *viande* v *de porc*

varkensvoer *pâtée* v *pour les porcs*

varsity *régates* v mv

vasectomie *vasectomie* v

vaseline *vaseline* v

vast I BNW • niet beweegbaar *fixe* ★ een vast tapijt *une moquette* ★ een vaste brug *un pont fixe* • stevig *solide* ★ vaste stoffen *des (corps) solides* • onveranderlijk *fixe* ★ een vaste prijs *un prix fixe* ★ een vaste benoeming *une nomination en titre* ★ een vaste betrekking *une situation fixe* ★ een vaste klant *un habitué* ★ zijn vaste leverancier *son fournisseur attitré* • stabiel *stable* ★ een vaste ligging op de weg *une bonne tenue de route* ★ een vaste hand hebben *avoir la main sûre* • niet licht te verstoren ★ een vaste slaap *un sommeil profond* • concreet *concret* [v: *concrète*] ★ vaste vormen aannemen *prendre forme* • stellig *ferme* ★ het vaste voornemen hebben om *avoir la ferme intention de* II BIJW • niet beweeglijk *fixement* • stevig *solidement* ★ vast slapen *dormir profondément* • zeker *certainement; sans doute* • stellig *fermement* ★ vast geloven *croire fermement* • alvast *en attendant; toujours*

vastberaden *résolu; ferme*

vastberadenheid *détermination* v; *résolution* v; *fermeté* v

vastbesloten *résolu*

vastbeslotenheid → **vastberadenheid**

vastbijten (**zich**) *s'accrocher à*

vastbinden *attacher*

vasteland • vaste wal *terre* v *ferme* • continent *continent* m

vasten I ZN (de) vastentijd *carême* m II ON WW *jeûner*; ‹geen vlees op vrijdag› *faire maigre* ★ de ~ onderhouden *observer le carême*
Vastenavond *mardi* m *gras*
vastenmaand ‹v. christendom› *mois* m *du Carême*; ‹v. islam› *ramadan* m
vastentijd *carême* m
vastgoed *immobilier* m; *biens* m mv *immeubles*
vastgrijpen *empoigner*; *s'accrocher à*
vastgroeien ‹aan elkaar groeien› *s'attacher*; *prendre racine*; ‹wortelschieten› *s'enraciner*
vasthechten *attacher*; *fixer*; ‹met lijm› *coller*
vastheid • stevigheid *fermeté* v; *solidité* v • zekerheid *sûreté* v
vasthouden I OV WW • niet loslaten *maintenir*; *tenir* • bewaren *garder*; *conserver* II ON WW ~ **aan** *persévérer (dans)*; *persister (dans)*
vasthoudend *tenace*; *persévérant*
vastigheid *sûreté* v
vastketenen *enchaîner*; *mettre à la chaîne*
vastklampen (zich) *se cramponner à*
vastklemmen I OV WW ‹vastzetten› *coincer*; *attacher (avec une pince|agrafe)* II WKD WW *se cramponner (à)*
vastkleven *coller (à, sur)*
vastknopen *nouer (à)*; *attacher*
vastleggen • vastmaken *attacher*; ‹v. boot› *amarrer* • schriftelijk bepalen *fixer (par écrit)* • beleggen *immobiliser*; *engager*
vastliggen • vastgebonden zijn *être attaché*; ‹v. boot› *être amarré* • vastgesteld zijn *être fixé*
vastlopen • vast raken *se coincer*; *se bloquer* • in impasse raken *être dans une impasse*
vastmaken *attacher*; ‹v. boot› *amarrer*
vastomlijnd *bien défini*; *bien déterminé*
vastpakken *saisir*; *prendre*
vastpinnen *goupiller* ▾ iemand op iets ~ *prendre qn au mot*
vastplakken *coller (à, sur)*
vastpraten I OV WW ★ iem. ~ *mettre qn au pied du mur* II WKD WW *s'enferrer*
vastprikken *attacher (à)*; *fixer (sur)*
vastrecht *forfait* m
vastroesten FIG. *s'encroûter*; *se rouiller*
vastschroeven *visser*
vastspelden *épingler*; *fixer (avec une épingle)*
vaststaan *être certain* ★ dat staat vast *c'est un fait certain* ★ het staat vast dat *il est établi que* [+ ind.]; *il est certain que* [+ ind.]
vaststaand *certain*; *acquis* ★ een ~ feit *un fait acquis*
vaststellen • bepalen *déterminer*; *fixer*; *établir* ★ de prijzen ~ *fixer les prix* • constateren *constater*; *établir*
vastvriezen *être pris dans la glace*; *s'attacher (à qc) par le gel*
vastzetten • doen vastzitten *fixer*; *bloquer* • gevangen zetten *emprisonner* • beleggen *placer*
vastzitten • bevestigd zijn *être coincé*; SCHEEPV. *avoir échoué* ★ de olietanker zit vast aan de grond *le pétrolier (s')est engravé*; *le pétrolier a échoué* • gebonden zijn *être fixé*; ‹aan iemand› *être attaché (à)* ★ aan iets ~ *être tenu à qc* • klem zitten *ne savoir que faire*; INF. *être coincé* • gevangen zitten *être en prison* ★ voor tien maanden ~ *en avoir pour dix mois*
vat I ZN (de) *prise* v ▾ vat hebben op iemand *avoir prise sur qn* II ZN (het) • ton *tonneau* m [mv: *tonneaux*]; *fût* m; ‹v. hout› *futaille* v; ‹voor olie› *baril* m • bloedvat *vaisseau* m [mv: *vaisseaux*] ▾ uit een ander vaatje tappen *changer de ton* ▾ wat in het vat zit, verzuurt niet *ce qui est différé n'est pas perdu*
vatbaar • ontvankelijk *sensible (à)* ★ voor rede ~ *raisonnable* • zwak van gestel *sensible*; *fragile* ★ zij is ~ voor kou *elle est sensible au froid* ★ ~ maken *prédisposer*
Vaticaan *Vatican* m
Vaticaanstad *cité* v *du Vatican*
vatten • grijpen *prendre*; *saisir* • in iets zetten *encadrer*; ‹v. edelsteen› *sertir* • begrijpen *comprendre* • opdoen *attraper* ▾ post ~ *s'établir*
vazal *vassal* m [mv: *vassaux*]
vazalstaat *(pays* m*) satellite* m
vbo ≈ *enseignement* m *professionnel préparatoire*
vechten *se battre* ★ ~ om *se battre pour* ★ tegen de tranen ~ *lutter contre les larmes*
vechter *lutteur* m [v: *lutteuse*]
vechtersbaas *bagarreur* m; *batailleur* m
vechtfilm *film* m *plein d'aggressions*
vechtjas *bagarreur* m [v: *bagarreuse*]
vechtlust *combativité* v
vechtmachine *machine* v *à lutter*
vechtpartij *bagarre* v ★ een ~ beginnen met *se colleter avec*
vechtsport *sport* m *de combat*
vector *vecteur* m
veder *plume* v; ‹hoed› *plumet*
vedergewicht I ZN bokser *poids* m *plume* II ZN klasse *poids* m *plume*
vederlicht *léger comme une plume* [v: *légère* ...]
vedette *vedette* v
vee *bestiaux* m mv; *bétail* m ★ groot/klein vee *gros|menu bétail*
veearts *vétérinaire* m|v
veeartsenijkunde *médecine* v *vétérinaire*
veedrijver *toucheur* m *de bestiaux*
veefokker *éleveur* m *de bétail*
veefokkerij → **veehouderij**
veeg I ZN • het vegen ‹met borstel› *coup* m *de brosse*; ‹met bezem› *coup* m *de balai*; ‹met doek› *coup* m *de torchon* • vlek *trace* v • oorveeg *gifle* v ▾ een veeg uit de pan *un coup de bec* II BNW • onheilspellend ★ dat is een veeg teken *c'est de mauvaise augure*; *c'est mauvais signe* • in gevaar ★ het vege lijf redden ↓ *sauver sa peau*
veegmachine *balayeuse* v
veegwagen *balayeuse* v
veehandel *commerce* m *de bestiaux*
veehandelaar *marchand* m *de bestiaux*
veehouder *éleveur* m [v: *éleveuse*]
veehouderij *élevage* m *de bétail*
vee-jay *vidéo-jockey* m [mv: *vidéo-jockeys*]; *annonceur* m

veel I BIJW • in ruime mate *beaucoup* • vaak *souvent*; *fréquemment* ★ hij komt veel *il vient souvent* II TELW *beaucoup (de)*; *un tas de*; INF. *plein (de)*; *nombreux* [v: *nombreuses*]; *nombre de* ★ heel veel *énormément* ★ velen *beaucoup de gens*; *bien des gens* ★ er zijn er te veel *il y en a trop* ★ veel te veel rijst *beaucoup trop de riz* ★ het vele eten *les grandes quantités de nourriture* ★ zijn vele vrienden *ses nombreux amis*
veelal *souvent*
veelbeduidend *significatif* [v: *signicative*]
veelbelovend *prometteur* [v: *prometteuse*]
veelbesproken *fameux* [v: *fameuse*]
veelbetekenend I BNW *significatif* [v: *significative*] II BIJW *d'une manière significative*
veelbewogen *mouvementé*; *agité*
veeleer *plutôt*
veeleisend *difficile*; *exigeant*
veelgevraagd *fort demandé*
veelheid • groot aantal *grand nombre* m ★ een ~ aan vragen *des tas de questions* • het veelvoudig zijn *multiplicité* v; *pluralité* v
veelhoek *polygone* m
veelkleurig *polychrome*; *bigarré*; *multicolore*
veelomvattend *vaste*; *complexe*
veelsoortig *de plusieurs espèces*; *multiple*
veelstemmig *à plusieurs voix*; MUZ. *polyphonique*
veeltalig ‹v. persoon› *polyglotte*; ‹v. tekst› *plurilingue*
veelvlak *polyèdre* m
veelvormig *polymorphe*
veelvoud *multiple* m ★ het kleinste gemene ~ *le plus petit commun multiple*
veelvoudig I BNW • in veelvoud *multiple* • gevarieerd *multiple* • veel voorkomend *multiple*; *fréquent* II BIJW *fréquemment*
veelvraat *glouton* m
veelvuldig I BNW • veel voorkomend *multiple*; *fréquent* • gevarieerd *multiple* II BIJW *fréquemment*
veelzeggend *significatif* [v: *significative*]; *qui en dit long*
veelzijdig • met veel zijden *varié*; *multiple*; WISK. *polygonal* [m mv: *polygonaux*] • allround ★ ~ ontwikkeld *universel* [v: *universelle*]
veemarkt *marché* m *au bétail*
veen • turfland *tourbière* v ★ hoogveen *tourbières* v mv *hautes* ★ laagveen *tourbières* v mv *basses* • grondsoort *tourbe* v
veenaarde *sol* m *tourbeux*
veenbes *canneberge* v
veengrond *tourbe* v
veenkolonie *village* m *de tourbiers*
veer I ZN (de) • vleugelpen *plume* v; ‹als schrijfgerei› *plume* v *(d'oie)* • spiraalvormig voorwerp *ressort* m II ZN (het) • overzetplaats *passage* m • veerboot *bac* m
veerboot *bac* m; *ferry* m
veerdienst *service* m *de bac*
veerkracht • elasticiteit *élasticité* v • wilskracht *énergie* v; *ressort* m ★ ~ hebben *avoir du ressort*
veerkrachtig • elastisch *élastique* • wilskrachtig *qui a du ressort*; *résistant*
veerman *passeur* m
veerpont *bac* m
veertien I ZN *quatorze* m II TELW *quatorze* ★ ~ dagen geleden *il y a quinze jours* → **acht**
veertiende *quatorzième* → **achtste**
veertig I ZN *quarante* m II TELW *quarante* → **acht**
veertiger *quadragénaire* m/v
veertigste *quarantième* → **achtste**
veestapel *cheptel* m; ‹v. runderen› *cheptel* m *bovin*
veeteelt *élevage* m
veevoeder *aliments* m mv *pour le bétail*
veewagen • vrachtwagen *bétaillère* v • treinwagon *fourgon* m *à bestiaux*
veganisme *végétalisme* m
vegen ‹met bezem› *balayer* ★ zijn voeten ~ *essuyer ses pieds* ★ de schoorsteen ~ *ramoner la cheminée*
veger • borstel *brosse* v • persoon *balayeur* m [v: *balayeuse*]
vegetariër *végétarien* m [v: *végétarienne*]
vegetarisch *végétarien* [v: *végétarienne*]
vegetarisme *végétarisme* m
vegetatie *végétation* v
vegetatief *végétatif* [v: *végétative*]
vegeteren *végéter*
vehikel *véhicule* m
veilen *vendre publiquement*; *vendre aux enchères*; *vendre à la criée*; ‹met veilingklok› *vendre au cadran*
veilig I BNW • vrij van gevaar *sûr*; *sauf* [v: *sauve*] ★ de weg is ~ *la voie est libre* ★ Veilig Verkeer ≈ *Prévention routière* v • beschermend *sûr* II BIJW • buiten gevaar *en sûreté*; *hors de danger* • zonder risico *sans risque*; *en confiance*; *sûrement*
veiligheid • het veilig zijn *sécurité* v ★ in ~ brengen *mettre en sûreté*; *mettre en lieu sûr* ★ de openbare ~ *la sécurité publique* • beveiliging *sûreté* v
veiligheidsbril *lunettes* v mv *de sécurité*
veiligheidsdienst *service* m *de sécurité* ★ de binnenlandse ~ *la sûreté nationale*
veiligheidseis *exigence* v *de sécurité*
veiligheidsglas *verre* m *de sécurité*
veiligheidsgordel *ceinture* v *de sécurité* ★ de ~ vastmaken *attacher la ceinture de sécurité* ★ ~ met rolautomaat *ceinture de sécurité à enrouleur*
veiligheidshalve *pour plus de sûreté*; *pour des raisons de sécurité*
veiligheidsklep *soupape* v *de sûreté*; FIG. *soupape* v; *exutoire* m
veiligheidskooi *habitacle* m *indéformable*
veiligheidsoverweging *mesure* v *de sécurité*
Veiligheidsraad *Conseil* m *de Sécurité*
veiligheidsriem *ceinture* v *de sécurité* ★ de ~(en) omdoen *s'attacher*
veiligheidsslot *serrure* v *de sûreté*/*de sécurité*; ‹fiets› *antivol* m
veiligheidsspeld *épingle* v *de nourrice*; *épingle* v *de sûreté*
veiligheidstroepen *troupes* v mv *de sécurité*
veiligheidszone *zone* v *de sécurité*
veiling *vente* v *aux enchères*; *vente* v *publique*;

‹met veilingklok› *vente* v *au cadran* ★ in ~ brengen *mettre en vente*

veilinggebouw *hôtel* m *des ventes*; *halles* v mv

veilinghal *salle* v *des ventes*

veilingklok *horloge* v *de ventes aux enchères*

veilingmeester *commissaire-priseur* m [mv: *commissaires-priseurs*]

veinzen *feindre*; *simuler*

vel • huid *peau* v • vlies *peau* v • blad papier *feuille* v ★ los vel *feuille* v *mobile* ▾ uit zijn vel springen *piquer une colère* ▾ iemand het vel over de oren halen *saigner qn à blanc*

veld • vlakte *champ* m; *plaine* v ★ in het vrije veld *en rase campagne* • slagveld *champ* m *de bataille* ★ te velde trekken *partir en guerre* • speelterrein *terrain* m *(de jeu)* • vakje *case* v • vakgebied *terrain* m; *domaine* m • krachtveld *champ* m ▾ uit het veld geslagen *décontenancé*; *perplexe* ▾ iemand uit het veld slaan *déconcerter qn*

veldbed *lit* m *de camp*

veldbloem *fleur* v *des champs*

veldboeket *bouquet* m *champêtre*

veldfles *gourde* v

veldheer *général* m [mv: *généraux*]; *capitaine* m

veldhospitaal *hôpital* m *mobile* [m mv: *hôpitaux mobiles*]

veldloop *cross-country* m [mv: *cross-countries*]

veldmaarschalk ‹in Frankrijk› ≈ *maréchal* m *de France* [m mv: *maréchaux* ...]; ‹in Duitsland› *feld-maréchal* m [mv: *feld-maréchaux*]

veldmuis *souris* v *des champs*

veldonderzoek *recherches* v mv *sur le terrain*

veldrijden *faire du tout-terrain*

veldsla *mâche* v

veldslag *bataille* v

veldsport *sport* m *de plein air*

veldtocht *campagne* v

veldwachter *garde* m *champêtre*; ‹boswachter› *garde-chasse* m [mv: *garde(s)-chasses*]

veldwerk *travail* m/*recherches* v mv *sur le terrain*

velen *supporter*; *endurer*; *souffrir* ★ zij kan niet ~ dat *elle ne supporte pas que (+ subj.)*

velerlei *toutes sortes de* ★ op ~ gebied *dans des domaines variés*

velg *jante* v

velgrem *frein* m *à patins*

vellen • doen vallen *abattre* ★ het ~ *l'abattage* m • doden *abattre* • uitspreken *prononcer* ★ een oordeel ~ over iets *juger qc* ▾ door de griep geveld *cloué au lit par la grippe*

velours *velours* m

ven *étang* m

vendetta *vendetta* v

venduhouder ≈ *personne* v *qui crie une vente*

venerisch *vénérien* [v: *vénérienne*]

Venetië *Venise*

Venezuela *le Vénézuéla* ★ in ~ *au Vénézuéla*

venijn *venin* m; *poison* m

venijnig I BNW gemeen *perfide* ★ een ~e tong *une langue de vipère* II BIJW • gemeen *avec perfidie*; *avec méchanceté* • heftig *avec virulence*

venkel *fenouil* m

vennoot *associé* m [v: *associée*] ★ een beherend ~ *un commandité* ★ een stille ~ *un (associé) commanditaire*

vennootschap *association* v; ‹op commercieel gebied› *société* v ★ besloten ~ *société à responsabilité limitée*; *S.A.R.L.* ★ naamloze ~ *société anonyme*; *S.A.* ★ stille ~ *société en commandite* ★ ~ onder firma *société en nom collectif*

vennootschapsbelasting *impôt* m *sur les sociétés*

venster • raam *fenêtre* v • glasruit *vitre* v

vensterbank *appui* m *de fenêtre*; ‹in architectuur› *banquette* v ★ op de ~ *sur le rebord de la fenêtre*

vensterenvelop *enveloppe* v *à fenêtre*

vensterglas *verre* m *à vitre*

vent *homme* m; *type* m ★ een aardige vent *un chic type* ★ een slimme vent *un rusé*

venten *colporter*; *faire du porte à porte*

venter *colporteur* m [v: *colporteuse*]; *marchand* m *ambulant*

ventiel *valve* v

ventieldop *capuchon* m *de valve*

ventielklep *clapet* m

ventielslang *tube* m *pour valve*

ventilatie *ventilation* v

ventilator *ventilateur* m

ventileren • lucht verversen *ventiler*; *aérer* • uiten *exprimer*

ventweg *contre-allée* v [mv: *contre-allées*]

Venus *Vénus* v

venusheuvel *mont* m *de Vénus*

ver I BNW ‹m.b.t. ruimte› *éloigné*; ‹m.b.t. tijd› *lointain* ★ een verre reis *un long voyage* II BIJW *loin*; ‹gevorderd› *avancé* ★ het ver brengen *aller loin* ★ te ver gaan *aller trop loin*; *dépasser les bornes* ★ hoe ver zijn we? *où en sommes-nous?* ★ hoe ver is het van hier tot Dijon? *combien y a-t-il d'ici à Dijon?* ★ tot hoe ver? *jusqu'où?*

veraangenamen *rendre plus agréable*

verabsoluteren *absolutiser*

verachtelijk I BNW • verachting verdienend *méprisable*; *abject* • verachting tonend *dédaigneux* [v: *dédaigneuse*] II BIJW • verachting verdienend *indignement*; *bassement* • verachting tonend *avec mépris*

verachten *mépriser*

verachting *mépris* m; *dédain* m

verademing *soulagement* m

veraf *loin*

verafgelegen *éloigné*; *écarté*

verafgoden *idolâtrer*

verafschuwen *détester*; *avoir horreur de*

veralgemenen *généraliser*

veralgemeniseren *généraliser*

veramerikanisering *américanisation* v

veranda *véranda* v

veranderen I OV WW anders maken *changer*; *transformer*; *modifier*; ‹ten kwade› *altérer* ★ een jurk ~ *arranger une robe* II ON WW • anders worden *changer* • wisselen *changer de*

V

verandering • wijziging *changement* m; *transformation* v; *modification* v ⋆ ~en aanbrengen *faire des changements* • afwisseling *changement* m ⋆ voor de ~ *pour changer*
veranderlijk *changeant*; *variable*
verankeren *ancrer*
verankering OOK FIG. *ancrage* m
verantwoord • veilig *raisonnable* ⋆ het is niet ~ de kinderen alleen te laten *il n'est pas raisonnable de laisser les enfants seuls* • weloverwogen *justifié* ⋆ een ~e beslissing *une décision dûment considérée* ⋆ artistiek ~ *conforme aux normes artistiques*
verantwoordelijk *responsable* ⋆ ~ stellen voor *rendre responsable de*
verantwoordelijkheid *responsabilité* v
verantwoordelijkheidsgevoel *sens* m *de la responsabilité*
verantwoorden I OV WW • rekenschap afleggen *justifier*; *expliquer* • rechtvaardigen *justifier* II WKD WW *se justifier*; *rendre compte de*
verantwoording • rekenschap *justification* v ⋆ iem. ter ~ roepen *demander des comptes à qn* • verantwoordelijkheid *responsabilité* v ⋆ hij neemt het op zijn ~ *il en assume la responsabilité*
verantwoordingsplicht *obligation* v *de se justifier*
verarmen I OV WW armer maken *appauvrir* II ON WW *s'appauvrir*
verarming *appauvrissement* m
verassen *incinérer*
verbaal I ZN *procès-verbal* m [mv: *procès-verbaux*] II BNW *verbal* [m mv: *verbaux*]; *oral* [m mv: *oraux*] ⋆ ~ begaafd *éloquent*; *ayant du bagou(t)*
verbaasd *étonné*; *surpris*
verbalisant *verbalisateur* m [v: *verbalisatrice*]
verbaliseren *dresser un procès-verbal*; *verbaliser (contre)*
verband • samenhang *rapport* m; *connexion* v ⋆ ~ houden met *se rattacher à* ⋆ oorzakelijk ~ *rapport de cause à effet* ⋆ een ~ leggen tussen *établir un rapport entre* ⋆ in ~ met de regen *en raison de la pluie* ⋆ iets uit zijn ~ rukken *sortir du contexte* • zwachtel *pansement* m; *bandage* m
verbanddoos *trousse* v *de secours*; *boîte* v *à pansements*; ‹in auto› *mallette* v *de secours*
verbandgaas *compresse* v *de gaze*
verbandtrommel → **verbanddoos**
verbannen • uitwijzen *bannir*; *exiler* • uitbannen *bannir*; *reléguer*
verbanning *exil* m; *bannissement* m
verbanningsoord *lieu* m *d'exil*
verbasteren *corrompre*; *altérer*
verbastering *altérnation* v; *déformation* v
verbatim I BNW *littéral* II BIJW *mot à mot*; *mot pour mot*
verbazen I OV WW *surprendre*; *étonner* II WKD WW *s'étonner*
verbazend I BNW *étonnant*; *prodigieux* [v: *prodigieuse*] II BIJW *étonnamment*; *prodigieusement*
verbazing *surprise* v ▾ van de ene ~ in de andere vallen *aller de surprise en surprise*
verbazingwekkend I BNW *étonnant* II BIJW *étonnamment*
verbeelden I OV WW uitbeelden *figurer*; *représenter* II WKD WW zich inbeelden *se figurer*; *s'imaginer* ⋆ hij verbeeldt zich dat hij belangrijk is *il se croit important*
verbeelding • inbeelding *imagination* v • fantasie *imagination* v • verwaandheid *présomption* v ⋆ veel ~ hebben *avoir une trop haute opinion de soi-même*
verbeeldingskracht *imagination* v
verbergen *cacher*; *dissimuler*; *masquer*
verbeten • fel *acharné* • vertrokken ⋆ met ~ gezicht *le visage crispé* • ingehouden *rentré* ⋆ met ~ woede *la rage au cœur*
verbeteren I OV WW • beter maken *perfectionner*; *améliorer* • herstellen *réparer*; *rectifier*; ‹corrigeren› *corriger* • overtreffen *améliorer* II ON WW beter worden *s'améliorer*
verbetering • het beter maken *amélioration* v; *perfectionnement* m • correctie *correction* v; *rectification* v
verbeurdverklaren *confisquer*
verbeurdverklaring *confiscation* v; *saisie* v
verbeuren *perdre*
verbieden *défendre*; *interdire*; ‹bij de wet› *prohiber*
verbijsteren *déconcerter*; *stupéfier*; *atterrer*
verbijsterend *déconcertant*; *stupéfiant*
verbijstering *stupéfaction* v; *stupeur* v ⋆ tot mijn ~ *à ma grande stupéfaction*
verbijten I OV WW *réprimer*; *contenir* II WKD WW *se contenir*
verbijzonderen *spécifier*
verbinden • koppelen *relier*; *allier*; ‹v. begrippen› *associer* • telefonisch aansluiten *mettre en communication* ⋆ wilt u mij ~ met *voulez-vous me passer* ⋆ ben ik verbonden met X? *je suis bien chez X?* • verplichten *engager (à)* • omzwachtelen *panser*
verbinding • samenvoeging *union* v; *réunion* v; *association* v; *assemblage* m • aansluiting ‹telefoonverbinding› *communication* v; *moyen* m *de communication*; *liaison* v; MIL. *liaison* v • contact *relation* v; *contact* m; *rapport* m ⋆ in ~ staan met *être en contact* ⋆ zich in ~ stellen met *se mettre en contact avec* • CHEM. *combinaison* v
verbindingsdienst *service* m *des transmissions*
verbindingskanaal *canal* m *de raccordement*
verbindingsstreepje *trait* m *d'union*
verbindingsstuk *raccord* m
verbindingsteken *trait* m *d'union*
verbindingstroepen *unités* v mv *des transmissions*
verbindingsweg *voie* v *de communication*; ‹tussen wegen› *bretelle* v *de raccordement*
verbindingsweg *voie* v *de raccordement* / *de jonction*
verbintenis • contract ⋆ een ~ aangaan *se lier par contrat* • verplichting *obligation* v; *engagement* m • huwelijk *union* v; *alliance* v
verbitterd I BNW *amer* [v: *amère*] II BIJW *amèrement*
verbitteren *exaspérer*

V

verbittering *amertume* v
verbleken *pâlir*; ‹v. gezicht› *blêmir*; ‹v. kleur› *se décolorer*; FIG. *se faner*
verblijden *réjouir*
verblijf • het verblijven *séjour* m • verblijfplaats *demeure* v • onderkomen *logement* m
verblijfkosten *frais* m mv *de séjour*
verblijfplaats *résidence* v; *domicile* m
verblijfsduur *durée* v *de séjour*
verblijfstitel *titre* m *de résident*
verblijfsvergunning *permis* m *de séjour*
verblijven *demeurer*; ‹tijdelijk› *séjourner* ▼ ... verblijf ik met vriendelijke groet *Veuillez agréer, Monsieur, l'expression de mes sentiments distingués*
verblinden *aveugler*; *éblouir*
verbloemen • in bedekte termen aanduiden *déguiser* • verzwijgen *cacher*; *dissimuler*
verbluffend *stupéfiant*
verbluft *ébahi*; *stupéfait*
verbod *défense* v; *interdiction* v; ‹door de wet› *prohibition* v
verbodsbepaling *clause* v *prohibitive*
verbodsbord *panneau* m *d'interdiction* [m mv: *panneaux* ...]
verbolgen *en colère*; FORM. *courroucé*
verbond • vereniging *coalition* v; *ligue* v; *union* v • verdrag *alliance* v; *pacte* m; REL. *alliance* v ★ een ~ sluiten *conclure une alliance*; *s'allier*
verbondenheid *solidarité* v
verborgen *caché*; ‹v. gebrek› *dissimulé*; *secret*
verbouwen • veranderen *transformer*; *rénover* • telen *cultiver*
verbouwereerd *ahuri*
verbouwing • verandering *transformation* v; *rénovation* v ★ wegens ~ *pour cause de transformation* • het telen *culture* v
verbranden I OV WW aantasten *brûler* ★ onvolledig verbrande gassen *des gaz imbrûlés* m II ON WW • aangetast worden *être brûlé*; *se consumer*; ‹verkolen› *carboniser* • rood worden *être brûlé*; ‹door zon› *attraper un coup de soleil*
verbranding • het verbranden ‹vernietiging› *destruction* v *par le feu*; ‹v. doden› *incinération* v; ‹verwonding› *brûlure* v • CHEM. *combustion* v
verbrandingsmotor *moteur* m *à combustion*
verbrassen *gaspiller*
verbreden I OV WW *élargir* II WKD WW *s'élargir*
verbreding *élargissement* m
verbreiden *répandre*; ‹v. gerucht/nieuws› *divulguer*; *propager*
verbreiding *divulgation* v; *propagation* v; ‹v. toestand› *extension* v
verbreken • niet nakomen *annuler* ★ een contract ~ *résilier un contrat* • af-/stukbreken *briser*; *rompre*; ‹v. telefoonverbinding› *couper* ★ de verbinding is verbroken *la communication a été coupée*
verbreking *rupture* v; ‹v. contract› *résiliation* v
verbrijzelen *broyer*; *briser*; *écraser*
verbrijzeling *broyage* m; *écrasement*
verbroederen I OV WW verenigen *unir* II ON WW verenigd worden *fraterniser* III WKD WW ★ zich met iem. ~ *fraterniser avec qn*
verbroedering *fraternisation* v
verbrokkelen I OV WW in stukjes splitsen *morceler* II ON WW in stukjes uiteenvallen *s'effriter*
verbrokkeling *morcellement* m; *effritement* m; *émiettement* m
verbruien *gâcher*
verbruik *consommation* v ★ eigen ~ *autoconsommation* v
verbruiken *consommer*
verbruiksartikel *article* m *de consommation*
verbruiksbelasting *impôt* m *sur la consommation*
verbruikscoöperatie *coopérative* v *de consommation*
verbruiksgoederen *biens* m mv *de consommation*
verbuigen • ombuigen *déformer*; *tordre* ★ een wiel ~ *voiler une roue* ★ een verbogen sleutel *une clé faussée* • TAALK. *décliner*
verbuiging • ombuiging *torsion* v • TAALK. *déclinaison* v
verbum *verbe* m
verchromen *chromer*
vercommercialiseren *commercialiser*
verdacht I BNW • verdenking wekkend *suspect*; *douteux* [v: *douteuse*] • onder verdenking *suspect* ★ ~ worden van *être soupçonné de* • ~ **op** *préparé à* ★ ik was er op ~ *je m'y attendais* II BIJW *de façon suspecte*; *étrangement*
verdachte *suspect* m [v: *suspecte*]; JUR. *prévenu* m [v: *prévenue*]; ‹beschuldigde› *accusé* m [v: *accusée*]
verdachtenbank *banc* m *des accusés*
verdachtmaking *insinuation* v
verdagen *ajourner*; POL. *proroger*
verdaging *ajournement* m; *prorogation* v; ‹uitstel› *remise* v
verdampen *s'évaporer*
verdamping *évaporation* v
verdedigbaar • te verdedigen *défendable* • te rechtvaardigen *soutenable*
verdedigen *défendre* ★ een proefschrift ~ *soutenir une thèse*
verdediger • beschermer *défenseur* m; ‹v. proefschrift› *soutenant* m • JUR. *défenseur* m • SPORT *arrière* m
verdediging *défense* v; ‹v. proefschrift› *soutenance* v
verdedigingslinie *ligne* v *de défense*
verdeelcentrum *centre* m *de distribution*
verdeeld I BNW *partagé*; *divisé* II BIJW ★ er werd ~ gereageerd op het voorstel *en ce qui concerne la proposition, les avis étaient partagés*
verdeeldheid *discorde* v; *division* v
verdeelsleutel *clé* v *de répartition*
verdeelstekker *fiche* v *domino/multiple*
verdekt *caché* ★ zich ~ opstellen *se mettre en embuscade*
verdelen • splitsen *diviser* • uitdelen *distribuer*; *partager*; ‹spreiden› *répartir* ★ ~ over acht jaar *échelonner sur huit ans* • tweedracht zaaien *désunir*; *diviser*

verdelgen *détruire; exterminer*
verdeling • splitsing *division* v • het uitdelen *distribution* v; *partage* m; *répartition* v
verdenken *soupçonner; suspecter* ★ iem. van moord ~ *soupçonner qn de meurtre*
verdenking *soupçon* m; *suspicion* v
verder I BNW • voor de rest *autre* • nader *ultérieur* II BIJW • verderop *plus loin* ★ zij woont twee huizen ~ *elle habite deux maisons plus loin* ★ daar kom je niet veel ~ mee *cela ne t'avancera guère* • vervolgens *après; ensuite* ★ hoe ging het ~? *et ensuite?; et qu'est-ce qui s'est passé ensuite?* • overigens *en outre; de plus* ★ ~ is het erg praktisch *en plus c'est très pratique* ★ ~ geen nieuws *pour le reste rien de nouveau* • voorts ★ ~ werken *continuer à travailler* ★ en zo ~ *et ainsi de suite*
verderf *perte* v; *ruine* v; REL. *perdition* v ★ iem. in het ~ storten *perdre qn*
verderfelijk I BNW *pernicieux* [v: *pernicieuse*]; *funeste; fatal* II BIJW *pernicieusement*
verderop *plus loin* ★ een stukje ~ *un peu plus loin*
verdichten *condenser*
verdichting *condensation* v
verdichtsel *fiction* v; *invention* v
verdienen • als loon/winst krijgen *gagner* • waard zijn *mériter* ▾ waar heeft zij dat aan verdiend? *qu'est-ce qu'elle a fait pour être récompensée de la sorte?*
verdienste • loon *salaire* m • winst *gain* m • verdienstelijkheid *mérite* m ★ naar ~ *selon ses mérites*
verdienstelijk I BNW *méritant; méritoire* ★ een ~ man *un homme de mérite* ★ zich ~ maken *se rendre utile* II BIJW ★ dat heb je ~ gedaan *tu as très bien fait cela*
verdiepen I OV WW dieper maken *creuser; approfondir* II WKD WW bestuderen *se plonger (dans)*
verdieping • het (zich) verdiepen *approfondissement* m • etage *étage* m ★ een huis met één ~ *une maison sans étage* ★ de gelijkvloerse ~ *le rez-de-chaussée* ★ op de derde ~ *au troisième*
verdikking • het dikker worden *épaississement* m • zwelling *enflure* v
verdikkingsmiddel *épaississant* m
verdisconteren ECON. *escompter*
verdoemen *damner;* REL. *réprouver*
verdoemenis *damnation* v; REL. *réprobation* v
verdoen *gaspiller* ★ zijn tijd ~ *gaspiller son temps*
verdoezelen *dissimuler*

V

verdomboekje → **verdomhoekje**
verdomd I BNW *maudit; sacré* II BIJW *rudement* ★ dat is ~ vervelend *c'est drôlement embêtant* ★ het smaakt ~ lekker *c'est vachement bon* III TW *putain!*
verdomhoekje ▾ in het ~ zitten *être pris en grippe*
verdomme *merde!*
verdommen • vertikken ↑ *refuser net* • schelen *importer* ★ het kan me niks ~ *je m'en fous*
verdonkeremanen *détourner; escamoter*
verdoofd *abruti*
verdorie *zut (alors)!; mince (alors)!*
verdorren *se dessécher; sécher*
verdorven *corrompu; dépravé*
verdoven • gevoelloos maken MED. *anesthésier; endormir; insensibiliser* ★ ~de middelen *la drogue; les stupéfiants* ★ verdoofd door de kou *engourdi par le froid* • doof maken *assourdir*
verdoving • MED. *anesthésie* v • gevoelloosheid *insensibilité* v; *engourdissement* m
verdovingsmiddel *anesthésique* m; *narcotique* m
verdraagbaar *supportable; tolérable*
verdraagzaam I BNW *tolérant* II BIJW *avec tolérance*
verdraaid I BIJW *drôlement; sacrément* ★ ~ weinig *très peu* II TW *fichtre!; nom d'une pipe!*
verdraaien • anders draaien *tourner;* ‹verwringen› *forcer; tordre* • fout weergeven *altérer; défigurer* ★ iemands woorden ~ *dénaturer les paroles de qn* ★ de feiten ~ *fausser les faits*
verdraaiing • het verdraaien *torsion* v • foute weergave *altération* v; *défiguration* v
verdrag *traité* m; *pacte* m ★ een ~ sluiten *conclure un traité* ★ een ~ opzeggen *dénoncer un traité*
verdragen • dulden *supporter; endurer; souffrir* ★ dat kan ik van hem ~ *je lui passe cela* • gebruiken zonder er last van te hebben *supporter; tolérer* ★ dat verdraagt zijn maag niet *son estomac ne le supporte pas*
verdragsbepaling *clause* v *conventionnelle*
verdriet *chagrin* m; *peine* v ★ iem. ~ aandoen *causer du chagrin à qn*
verdrietig *triste* ★ ~ worden *s'affliger*
verdrijven • verjagen *chasser* ★ de zon verdrijft de mist *le soleil dissipe le brouillard* ★ de vijand uit zijn stellingen ~ *déloger l'ennemi de ses positions* • doen voorbijgaan ★ de tijd ~ *passer le temps*
verdringen • wegduwen *pousser; bousculer* • plaats innemen *évincer; supplanter* • onderdrukken *refouler*
verdringing *bousculade* v; *éviction* v; PSYCH. *refoulement* m
verdrinken I OV WW • doen omkomen *noyer* • wegdrinken ★ zijn verdriet ~ *noyer son chagrin* II ON WW omkomen *se noyer*
verdrinkingsdood *noyade* v
verdrogen *se dessécher;* ‹v. rivier e.d.› *se tarir*
verdrukken *opprimer*
verdrukking • knel ★ in de ~ raken *être coincé;* FIG. *être négligé* • onderdrukking *oppression* v
verdubbelen I OV WW tweemaal zo groot maken *doubler* ★ zijn ijver ~ *redoubler de zèle* II ON WW tweemaal zo groot worden *doubler; redoubler*
verdubbeling *(re)doublement* m; *duplication* v
verduidelijken *éclaircir; préciser*
verduidelijking *éclaircissement* m; ‹uitleg› *explication* v; *précision* v

verduisteren I ov ww • donker maken *obscurcir*; *assombrir* • stelen *détourner* II on ww donker worden *s'obscurcir*; ‹v. zon› *s'éclipser*

verduistering • het donker maken *obscurcissement* m • eclips *éclipse* v • het stelen *détournement* m

verdunnen ‹v. vloeistof› *délayer*; ‹v. oplossing› *étendre*; ‹v. gas› *raréfier* ★ een saus ~ *éclaircir une sauce* ★ wijn ~ *couper le vin*

verdunner *diluant* m

verdunning ‹v. vloeistof› *délayage* m; ‹v. gassen› *raréfaction* v

verduren *endurer*; *souffrir*

verduurzamen *conserver* ★ verduurzaamde levensmiddelen *conserves* v mv *alimentaires*

verdwaasd *égaré*

verdwalen *se perdre*; *s'égarer*

verdwijnen *disparaître*

verdwijning *disparition* v; *effacement* m; ‹tijdelijk› *éclipse* v

veredelen *améliorer*

vereenvoudigen *simplifier*; WISK. *réduire*

vereenvoudiging *simplification* v

vereenzaamd *esseulé*; *solitaire*

vereenzamen *s'isoler*

vereenzelvigen *identifier* ★ zich ~ met *s'identifier avec/à* ★ zich ~ met zijn rol *entrer dans la peau de son personnage*

vereenzelviging *identification* v

vereeuwigen *immortaliser*

vereffenen • betalen *acquitter* ★ een rekening ~ *solder un compte* • bijleggen *arranger*; *régler*

vereisen *exiger*; *demander* ★ dat klusje vereist vakmanschap *ce travail nécessite une main experte* ★ de aandacht die het verkeer vereist *l'attention requise par le trafic*

vereiste *condition* v; *exigence* v

veren I BNW *de plumes*; *en plumes* II ON WW *être élastique*; *faire ressort* ★ goed ~d *bien suspendu*

verenigbaar *compatible*

Verenigde Arabische Emiraten *Émirats* m mv *arabes unis*

Verenigde Staten van Amerika *États-Unis* m mv *d'Amérique* ★ in de ~ *aux États-Unis*

verenigen • samenvoegen *réunir*; *unir*; *joindre* ★ in zich ~ *réunir* • overeenbrengen *accorder*; *concilier*

vereniging • samenvoeging *union* v; *réunion* v • club *association* v; *société* v; *union* v ★ de ~ voor vreemdelingenverkeer *le syndicat d'initiative*

verenigingsleven *vie* v *associative*

verenigingsproces *évolution* v *d'unification*

vereren • eer bewijzen *honorer*; *révérer* • aanbidden *vénérer*

verergeren I ov ww erger maken *aggraver* II ON WW erger worden *empirer*; *s'aggraver*; *se détériorer*

verergering *aggravation* v; *détérioration* v

verering *vénération* v

verf *peinture* v; ‹voor stof› *teinture* v ★ de verf is nog nat *la peinture est toute fraîche*

verfbad *bain* m *de peinture*

verfbom *bombe* v *à la peinture*

verfdoos *boîte* v *de couleurs*

verfijnd *raffiné*

verfijnen *raffiner*

verfijning *raffinement* m

verfilmen *filmer*; *porter à l'écran*; *adapter à l'écran*

verfilming *adaptation* v *cinématographique*

verfje *couche* v *de peinture*

verfkwast *brosse* v; *pinceau* m [mv: *pinceaux*]

verflauwen *s'affaiblir*; ‹v. kleur› *s'estomper*; *faiblir*

verfoeien *détester*

verfoeilijk *détestable*; *abominable*

verfomfaaien *chiffonner*; *froisser*

verfraaien *embellir*; *enjoliver*

verfraaiing *embellissement* m; *enjolivement* m

verfrissen • opfrissen *rafraîchir* • verversen *renouveler*

verfrissend OOK FIG. *rafraîchissant*

verfrissing *rafraîchissement* m

verfroller *rouleau* m *(de peintre)*

verfrommelen *friper*; *froisser*

verfspuit *pistolet* m

verfstof • verf *colorant* m • grondstof *matière* v *colorante*

verftube *tube* m *à peinture*

verfverdunner *diluant* m

verfwinkel *magasin* m *de peintures*

vergaan • creperen *crever* ★ ik verga van de dorst *je meurs de soif* • ten onder gaan *périr* ★ het schip is ~ *le bateau a coulé* • verteren *pourrir* • voorbijgaan *passer*; *se passer* ★ het lachen zal je ~ *l'envie de rire te passera*

vergaand *extrême*

vergaarbak • reservoir *réservoir* m; *bassin* m • verzamelplaats *dépotoir* m

vergaderen I ov ww verzamelen *réunir* II ON WW bijeenkomen *se réunir*

vergadering *réunion* v; *assemblée* v; ‹zitting› *séance* v ★ algemene ~ *assemblée générale* ★ in ~ zijn *être en réunion*

vergaderzaal *salle* v *de réunion*

vergallen *gâcher*; *empoisonner*

vergalopperen (**zich**) *gaffer*

vergankelijk *éphémère*

vergapen (**zich**) ★ zich aan iets ~ *s'émerveiller de qc*

vergaren *accumuler*; *amasser*

vergassen • in gas omzetten *gazéifier* • met gas doden *gazer*

vergasten *régaler (de)*

vergeeflijk • te vergeven *pardonnable* • vergevingsgezind *indulgent*

vergeefs I BNW *inutile*; *vain* II BIJW *inutilement*; *vainement*; *en vain*

vergeetachtig *distrait*

vergeetboek ▼ in het ~ raken *tomber dans l'oubli*

vergeet-mij-niet *myosotis* m

vergelden *payer* ▼ kwaad met goed ~ *rendre le bien pour le mal*

vergeldingsmaatregel *représailles* v mv; JUR. *mesure* v *de rétorsion*

vergelen *jaunir* ★ het ~ *le jaunissement*

vergelijk *arrangement* m; *compromis* m ★ tot

een ~ komen *aboutir à un compromis*
vergelijkbaar *comparable*
vergelijken *comparer*; *confronter*
vergelijkenderwijs *comparativement*; *par comparaison*
vergelijking • het vergelijken *comparaison* v ★ in ~ met *en comparaison de* • WISK. *équation* v ★ ~ van de eerste/tweede/derde graad *équation du premier/second/troisième degré*
vergemakkelijken *faciliter*; *simplifier*
vergen *exiger* ★ te veel ~ van *présumer de*
vergenoegd *content*; *satisfait*
vergenoegen *satisfaire*; *contenter*
vergetelheid *oubli* m ★ in ~ raken *tomber dans l'oubli* ★ aan de ~ ontrukken *tirer de l'oubli*
vergeten *oublier*
vergeven • vergiffenis schenken *pardonner* ★ (na biecht) iemands zonden ~ *absoudre qn* • weggeven *donner*; *distribuer* • vergiftigen *empoisonner*
vergevensgezind *clément*; *indulgent*
vergeving *pardon* m; *rémission* v
vergevorderd *avancé*
vergewissen *assurer* ★ zich ervan ~ dat *s'assurer que (+ ind.)*
vergezellen *accompagner*
vergezicht *vue* v; *perspective* v; *panorama* m
vergezocht *(trop) recherché*; *tiré par les cheveux*
vergiet *passoire* v
vergif *poison* m
vergiffenis *pardon* m; REL. *absolution* v
vergiftig ‹v. dier› *venimeux* [v: *venimeuse*]; ‹v. plant› *vénéneux* [v: *vénéneuse*]; ‹v. stof› *toxique*; FIG. *envenimé*
vergiftigen *empoisonner*; *intoxiquer*; FIG. *empoisonner*
vergiftiging *empoisonnement* m; *intoxication* v
vergissen (zich) *se tromper*
vergissing *erreur* v; *méprise* v ★ bij ~ *par erreur*
vergoeden • goedmaken *compenser*; *réparer* • terugbetalen *rembourser*; ‹schadeloosstellen› *indemniser*; *dédommager* ★ iem. iets ~ *dédommager/indemniser qn de qc* ★ worden de reiskosten vergoed? *on rembourse les frais de déplacement?*
vergoeding • het vergoeden *réparation* v • schadeloosstelling *dédommagement* m; *indemnité* v ★ ~ voor reis- en verblijfskosten *indemnité de frais de voyage et de séjour* ★ tegen ~ *moyennant rétribution*
vergoelijken *excuser*
vergokken *perdre au jeu*
vergooien *gaspiller*; *gâcher*
vergrendelen *verrouiller*
vergrijp *délit* m; *attentat* m
vergrijpen (zich) • schenden *attenter à*; *violer* ★ zich aan iem. ~ *porter atteinte à qn* • stelen *toucher à*
vergrijzen *blanchir*; *grisonner*; FIG. *vieillir*
vergrijzing *grisonnement* m; ‹v. bevolking› *vieillissement* m
vergroeien • door groei verdwijnen *s'effacer*; MED. *se cicatriser* • krom groeien *se déformer*; *dévier* • aaneengroeien *se souder* ★ ~ met *se souder à*
vergrootglas *loupe* v; *verre* m *grossissant*
vergroten • groter maken *agrandir* ★ een foto ~ *agrandir une photo* • vermeerderen *augmenter* ★ de omzet ~ *augmenter le chiffre d'affaires* ★ iemands verwarring ~ *ajouter à la confusion de qn*
vergroting • het groter maken *grossissement* m; *agrandissement* m • vermeerdering *augmentation* v • foto *agrandissement* m
vergruizen *broyer*; *écraser*
vergruizing *broiement* m
verguizen *discréditer*
verguld • bedekt met bladgoud *doré* ★ ~ op snee *doré sur tranche* ★ ~ zilver *vermeil* m • blij *ravi (de)* ★ ~ met *enchanté de* ▾ ~e armoede *la misère en habit noir*
vergulden • bedekken met bladgoud *dorer* • blij maken *ravir*
vergunnen *accorder*; *permettre*
vergunning *autorisation* v; *permission* v; ‹bewijs› *permis* m; ‹v. onderneming› *concession* v
verhaal • vertelling *histoire* v; *récit* m ★ een kort ~ *une nouvelle* ★ een ~ vertellen *raconter une histoire* • vergoeding *réparation* v; JUR. *recours* m ★ ~ hebben op *avoir recours contre* ▾ op ~ komen *se remettre*
verhaallijn *trame* v; *histoire* v
verhalen • vertellen *raconter* • verhaal halen ★ de schade ~ op iem. *se faire indemniser par qn*
verhalend *narratif* [v: *narrative*]
verhandelen *négocier*; *vendre*
verhangen I OV WW *déplacer* II WKD WW *se pendre*
verhapstukken ★ aan iets veel te ~ hebben *avoir beaucoup à faire avec qc* ★ iets met iem. te ~ hebben *avoir un compte à régler avec qn*
verhard • hard geworden *durci*; ‹v. weg› *revêtu*; MED. *induré* • ongevoelig *endurci*
verharden I OV WW • hard maken ‹v. weg› *revêtir*; *durcir*; *endurcir* • ongevoelig maken *endurcir* II ON WW • hard worden *durcir* • ongevoelig worden *s'endurcir*
verharen *perdre ses poils*; ‹tijdens rui› *muer*
verhaspelen • verkeerd uitspreken *massacrer* • verknoeien *défigurer*
verheerlijken *glorifier* ▾ een verheerlijkte blik *un air ravi*
verheerlijking *glorification* v; *exaltation* v
verheffen • harder praten *élever* • WISK. *élever (à)* ★ tot de derde macht ~ *élever à la puissance trois*
verhelderen I OV WW helder maken *éclaircir* II ON WW helder worden *s'éclaircir*
verhelen *cacher*; *dissimuler*
verhelpen *remédier (à)*; *arranger*
verhemelte *palais* m
verheugd *content*; *heureux* [v: *heureuse*]
verheugen I OV WW blij maken *réjouir* II WKD WW zich verblijden *se réjouir (de)*

verheugend *réjouissant*
verheven *élevé*; ‹hoogstaand› *élevé*; *sublime* ★ boven iets ~ zijn *être au-dessus de qc* ★ het ~e *le sublime*
verhevigen I OV WW heviger maken *intensifier* **II** ON WW heviger worden *s'intensifier*
verheviging *intensification* v
verhinderen *empêcher* ★ iem. iets ~ *empêcher qn de faire qc*
verhindering *empêchement* m ★ bij ~ *en cas d'empêchement*
verhit • verwarmd *chauffé* • opgewonden *échauffé*; *exalté*
verhitten • heet maken *chauffer* • opwinden *échauffer*
verhitting *chauffage* m; FIG. *échauffement* m
verhoeden *empêcher* ★ wat de Hemel verhoede *ce qu'à Dieu ne plaise*
verhogen • hoger maken *rehausser*; MUZ. *élever* • versterken *faire ressortir* • vermeerderen *augmenter*; *relever* ★ een verhoogde prijs *un prix majoré* ★ de belastingen ~ *augmenter les impôts*
verhoging • het hoger/beter maken *rehaussement* m; *élévation* v ★ de ~ van de levensstandaard *l'augmentation du niveau de vie* • vermeerdering *augmentation* v; *relèvement* m; ‹v. prijs› *majoration* v; ‹v. productie› *accroissement* m • verhoogde plaats *hauteur* v; ‹in zaal› *estrade* v • koorts *température* v ★ ~ hebben *faire de la température*
verholen • steels *furtif* [v: *furtive*] ★ een ~ glimlach *un sourire dissimulé* • verborgen *caché*
verhongeren I OV WW uithongeren ★ iem. laten ~ *laisser mourir de faim qn* **II** ON WW omkomen *mourir de faim*
verhoor *interrogatoire* m; ‹v. getuigen› *audition* v
verhoren • ondervragen *interroger* • inwilligen *entendre*; *exaucer*
verhoring • *interrogatoire* m • ‹v. wens› *exaucement* m
verhouden (zich) *avoir un rapport de ... à* ★ a verhoudt zich tot b als 1 staat tot 2 *a est égal à la moitié de b*
verhouding • relatie *rapport* m; *relation* v ★ gespannen ~ *relation* v *tendue* • liefdesrelatie *liaison* v • evenredigheid *proportion* v ★ in ~ tot *proportionnellement* ★ naar ~ van *en proportion de*; *au prorata de* ★ in ~ *proportionnellement*
verhoudingsgewijs *proportionnellement*; *toutes proportions gardées*
verhuiskaart *avis* m *de changement d'adresse*
verhuiskosten *frais* m mv *de déménagement*
verhuisonderneming *entreprise* v *de déménagement*
verhuiswagen *camion* m *de déménagement*
verhuizen I OV WW inboedel overbrengen *déménager* **II** ON WW elders gaan wonen *déménager*
verhuizer *déménageur* m
verhuizing *déménagement* m
verhullen *cacher*; *déguiser* ★ de waarheid ~ *déguiser la vérité*
verhuren *louer*
verhuur *location* v
verhuurbedrijf *entreprise* v *de location*
verhuurder *loueur* m [v: *loueuse*]
verificatie *vérification* v
verifiëren *vérifier* ★ niet te ~ *invérifiable*
verijdelen *déjouer*
verijzen *se glacer*
vering • het veren *suspension* v • verend gestel *suspension* v; ‹v. bed› *sommier* m
verjaardag *anniversaire* m
verjaardagkalender *calendrier* m *de dates d'anniversaire*
verjaardagscadeau *cadeau* m *d'anniversaire* [m mv: *cadeaux* ...]
verjaardagsfeest *fête* v *d'anniversaire*
verjaardagskaart *carte v d'anniversaire*
verjagen *chasser*; ‹verdrijven› *expulser*
verjaging *mise* v *en fuite*; *expulsion* v
verjaren • ongeldig worden *se prescrire*; *se périmer* • jarig zijn *célébrer son anniversaire*
verjaring • ‹verjaardag› *anniversaire* m • JUR. *prescription* v
verjaringstermijn *délai* m *de prescription*
verjongen *rajeunir*
verjonging *rajeunissement* m ★ OOK FIG. ~sbron *fontaine|source* v *de jouvence*
verkalken *se calcifier*
verkalking *calcification* v; MED. *sclérose* v
verkapt I BNW *déguisé* **II** BIJW *de manière déguisée*
verkassen *se tirer*; *changer de crémerie*
verkavelen *lotir*; *diviser en lots*
verkaveling *lotissement* m; ‹ruil-› *remembrement* m
verkeer • omgang *fréquentation* v; *commerce* m ★ internationaal ~ *relations* v mv *internationales* ★ in het dagelijks ~ *dans la vie de tous les jours* • voertuigen, personen *circulation* v; *trafic* m ★ de ~sveiligheid *la sécurité routière* ★ 'doorgaand ~' *'toutes directions'* v mv ★ langzaam rijdend en stilstaand ~ op de A16 *circulation difficile sur l'A16*
verkeerd I BNW • niet goed *faux* [v: *fausse*]; *incorrect* ★ het ~e nummer draaien *se tromper de numéro* • omgekeerd *renversé* ★ de ~e kant *l'envers* m **II** BIJW • niet juist *mal* ★ ~ aflopen *finir mal* ★ ~ aansluiten *donner le mauvais numéro* ★ ~ verstaan *entendre mal* • verkeerd om *de travers* ★ ~ aantrekken *mettre à l'envers*
verkeersader *artère* v
verkeersagent *agent* m *de la circulation*
verkeersbord *panneau* m *de signalisation* [m mv: *panneaux* ...]
verkeerscentrale *centre* m *de contrôle routier*
verkeersdiploma *diplôme* m *de code de la route*
verkeersdrempel *ralentisseur* m; *dos* m *d'âne*
verkeersheuvel *ralentisseur* m; *dos* m *d'âne*
verkeersinformatie *centre* m *d'information routière*
verkeersknooppunt *nœud* m *routier*
verkeersleider *contrôleur* m *de navigation aérienne*; *aiguilleur* m *du ciel*

verkeerslicht *feu* m *(de signalisation)* [m mv: *feux ...*]
verkeersongeval *accident* m *de la route*
verkeersopstopping *bouchon* m; *embouteillage* m
verkeersovertreder *contrevenant* m *de la circulation*
verkeersplein *rond-point* m [mv: *ronds-points*]
verkeerspolitie *police* v *routière*
verkeersregel *règle* v *du code de la route* ⋆ de ~s *le code de la route*
verkeersslachtoffer *victime* v *de la route*
verkeerstoren *tour* v *de contrôle*
verkeersvlieger *pilote* m *de ligne*
verkeersvliegtuig *avion* m *de ligne*
verkeersweg *route* v *à grande circulation* ⋆ grote ~ *artère* v
verkeerszuil *borne* v; *poteau* m *indicateur* [m mv: *poteaux ...*]
verkennen *reconnaître*; *explorer*
verkenner • verspieder *observateur* m [v: *observatrice*]; ‹militair› *éclaireur* m • padvinder *(jeune) scout* m
verkenning *reconnaissance* v; *exploration* v ⋆ op ~ uitgaan *reconnaître le terrain*; FIG. *tâter le terrain*
verkenningstocht *mission* v *de reconnaissance*
verkenningsvliegtuig *avion* m *de reconnaissance*
verkeren • zich bevinden *être*; *se trouver* ⋆ in onzekerheid ~ *être dans l'incertitude* ⋆ in hogere kringen ~ *fréquenter la haute société* • ~ **met** *fréquenter*
verkering ⋆ ~ hebben *avoir un petit ami/une petite amie*
verkiesbaar *éligible*
verkieslijk I BNW *préférable* II BIJW *préférablement*
verkiezen • willen *choisir (de)*; *vouloir* ⋆ hij verkiest niet te blijven *il ne veut pas rester*; *il choisit de partir* • prefereren *préférer*; *aimer mieux* ⋆ ik verkies dit boek boven het andere *je préfère ce livre à l'autre* • kiezen *élire*
verkiezing • het stemmen *élection* v ⋆ ~en in eerste ronde *élections* v mv *primaires*; *premier tour* m *de scrutin* ⋆ ~en voor de Tweede Kamer ≈ *(élections) législatives* • keuze *choix* m; *préférence* v ⋆ naar ~ *au choix*
verkiezingscampagne *campagne* v *électorale*
verkiezingsstrijd *bataille* v *électorale*
verkiezingsuitslag *résultat* m *des élections*
verkijken I ON WW voorbij laten gaan ⋆ de kans is verkeken *l'occasion est perdue* II WKD WW verkeerd beoordelen *se tromper*; *mal voir*
verkikkerd *fou (de)* [v: *folle*] [onr: *fol*]
verklaarbaar *explicable*
verklappen *trahir*
verklaren I OV WW • kenbaar maken *déclarer* ⋆ zijn liefde ~ *déclarer son amour* ⋆ iem. schuldig ~ *déclarer qn coupable* ⋆ hij heeft verklaard dat *il a affirmé/déclaré que* • uitleggen *expliquer*; *éclaircir*; *interpréter* II WKD WW *se déclarer*; *s'expliquer* ⋆ verklaar je nader *explique-toi*
verklaring • mededeling *déclaration* v • uitleg *explication* v; *éclaircissement* m; JUR. *déposition* v • attest *certificat* m; *attestation* v ⋆ een dokters~ *un certificat médical*; *une attestation médicale*
verkleden I OV WW • omkleden *changer de vêtements*; *changer d'habits* • vermommen *déguiser*; *travestir* ⋆ als vrouw verkleed *déguisé en femme*; *travesti* II WKD WW • anders kleden *se changer*; *changer d'habits* • zich vermommen *se déguiser*; *se travestir*
verkleefd *attaché*
verkleinen • kleiner maken *réduire*; *rapetisser* • geringer maken/verminderen *réduire*; *diminuer*; *amoindrir* • kleineren *diminuer*
verkleining *rapetissement* m; *réduction* v; OOK FIG. *diminution* v
verkleinvorm *diminutif* m
verkleinwoord *diminutif* m
verkleumd *engourdi (par le froid)*; *transi*
verkleumen *être transi*
verkleuren I OV WW *décolorer* II ON WW • van kleur veranderen *changer de couleur* • kleur verliezen *se décolorer*; *déteindre*; *pâlir*
verkleuring *décoloration* v
verklikken *dénoncer*; *rapporter*
verklikker • toestel *détecteur* m; *avertisseur* m • verrader *dénonciateur* m [v: *dénonciatrice*]; *rapporteur* m [v: *rapporteuse*]; INF. *indic* m
verkloten *cochonner*; *saloper*
verknallen *bousiller* ⋆ een kans ~ *gâcher une occasion*
verkneukelen (**zich**) *jubiler*
verkneuteren (**zich**) *jubiler*
verknippen *abîmer en coupant*
verknipt *toqué*
verknocht *attaché (à)*
verknoeien • verspillen *gaspiller* • bederven *gâcher*; *gâter*
verkoelen I OV WW koel maken *rafraîchir*; *refroidir*; FIG. *refroidir* II ON WW koel worden *se rafraîchir*; *se refroidir*; FIG. *se refroidir*
verkoeling OOK FIG. *refroidissement* m
verkolen I OV WW tot houtskool maken *carboniser* II ON WW tot kool worden *se carboniser*
verkommeren *dépérir*
verkondigen *annoncer*; *propager*; REL. *prêcher*
verkondiging REL. *annonce* v; *prédication* v
verkoop *vente* v; ‹v. hoeveelheid› *débit* m ⋆ telefonische ~ *télévente* v ⋆ executoriale ~ *vente exécutoire*
verkoopbaar • aannemelijk *acceptable* • te verkopen *vendable*; *commercialisable*
verkoopcijfer *chiffre* m *d'affaires*
verkoopleider *chef* m *des ventes*
verkooporganisatie *réseau* m *commercial*
verkooppraatje ⋆ ~s houden *pousser à la vente*; *faire l'article*
verkoopprijs *prix* m *de vente*
verkooppunt *point* m *de vente*
verkoopster *vendeuse* v
verkooptruc ⋆ dit is een ~ *c'est un truc pour faire acheter*
verkopen I OV WW • tegen betaling leveren *vendre* ⋆ bij het gewicht ~ *vendre au poids*

★ iets ~ voor vijftig gulden *vendre qc cinquante florins* • aannemelijk maken *faire accepter* • opdissen *débiter*; *dire* ★ onzin ~ *dire n'importe quoi* • toedienen *donner* ★ een trap ~ *donner un coup de pied* II ON WW *se vendre*
verkoper *vendeur* m [v: *vendeuse*]
verkoping *vente* v; ‹in het openbaar› *vente* v *publique*
verkorten *raccourcir*; *abréger* ★ een toespraak ~ *abréger un discours*
verkorting *raccourcissement*; *abrègement* m
verkouden *enrhumé* ★ ~ worden *s'enrhumer*; *attraper un rhume*
verkoudheid *rhume* m
verkrachten *violer*
verkrachter *violeur* m
verkrachting • aanranding *viol* m • schending *violation* v
verkrampen *se crisper*; *se contracter*
verkrampt *crispé*; *contracté*
verkreukelen I OV WW in elkaar frommelen *froisser*; *chiffonner* II ON WW kreukels krijgen *se froisser*
verkrijgbaar *en vente*; *disponible* ★ ~ bij *en vente chez*
verkrijgen • verwerven *obtenir*; *acquérir* ★ hij heeft grote bekendheid verkregen *il a acquis une grande renommée* • ontvangen *avoir*; ‹voor geld› *acheter*; *acquérir* • door bewerking bereiken *obtenir* ▼ hij kan het niet van zich ~ *il ne peut s'y résoudre*
verkromming *courbement* m; MED. *déviation* v
verkroppen *avaler*; *digérer* ★ een verkropte woede *une fureur contenue* ★ hij kan het niet ~ *il ne peut pas digérer cela*
verkruimelen I OV WW tot kruimels maken *émietter* II ON WW tot kruimels worden *s'émietter*
verkwanselen *bazarder*
verkwikken *rafraîchir*; FIG. *réconforter*
verkwikkend *rafraîchissant*; FIG. *bienfaisant*; *réconfortant*
verkwisten *gaspiller*; *dilapider*
verkwistend *gaspilleur* [v: *gaspilleuse*]
verkwisting *gaspillage* v; *dissipation* m; *dilapidation*
verlagen • lager maken *baisser*; *diminuer*; ‹v. rang› *dégrader*; *abaisser* ★ tegen verlaagde prijs verkopen *vendre au rabais* • vernederen *avilir*; *diminuer*
verlaging *abaissement* m; ‹v. prijs/belasting› *baisse* v; *réduction* v
verlakken *rouler*; *avoir*; *duper*
verlamd *paralysé*
verlammen I OV WW lam maken *paralyser* II ON WW lam worden *devenir paralysé*
verlamming *paralysie* v
verlangen I ZN *désir* m; *souhait* m; *envie* v ★ aan zijn ~ voldoen *se rendre à ses désirs* II OV WW • willen *désirer* • eisen *demander*; *exiger*; *réclamer* III ON WW ~ **naar** *désirer*; *souhaiter*; *aspirer (à)* ★ ik verlang er naar hem weer te zien *j'ai envie de le revoir*; *il me tarde de le revoir*
verlanglijst *liste* v *de choses désirées* ★ een ~ van een bruidspaar *une liste de mariage*
verlaten I BNW • in de steek gelaten *abandonné*; *délaissé* • afgelegen *abandonné*; *désert* II OV WW • weggaan *quitter* • in de steek laten *quitter*; *abandonner*; *délaisser* III WKD WW • te laat komen *être en retard* • ~ **op** *se reposer (sur)*; *faire confiance (à)*
verlatenheid *abandon* m; *solitude* v
verleden I ZN *passé* m II BNW *passé*; *dernier* [v: *dernière*] ★ ~ zondag *dimanche dernier* ★ ~ week *la semaine dernière* ★ het ~ deelwoord *le participe passé* ★ onvoltooid ~ tijd *imparfait* m ★ de voltooid ~ tijd *le plus-que-parfait*
verlegen I BNW • schuchter *timide* ★ ~ maken *embarrasser*; *confondre* ★ ~ worden *se troubler* • geen raad wetend *gêné*; *embarrassé* ★ ~ zijn met *ne savoir que faire de* • ~ **om** ★ ergens om ~ zitten *avoir besoin de qc* II BIJW *timidement*
verlegenheid • het verlegen zijn *timidité* v • moeilijkheid *gêne* v; *embarras* m
verleggen *déplacer*
verleidelijk I BNW *séduisant* II BIJW *d'une manière séduisante*
verleiden • verlokken *tenter*; *inciter (à)* ★ hij laat zich niet ~ tot een uitspraak *impossible de lui arracher une déclaration* • tot geslachtsgemeenschap brengen *séduire*
verleider *séducteur* m [v: *séductrice*]
verleiding ‹m.b.t. liefde› *séduction* v; *tentation* v
verlekkerd I BNW *gourmand (de)*; *friand (de)* II BIJW ★ ~ zitten te kijken *avoir les yeux gourmands*
verlekkeren *allécher*
verlenen *donner*; *accorder*; *attribuer* ★ gratie ~ *accorder la grâce*; *gracier*
verlengde *prolongement* m
verlengen • langer maken *prolonger*; *allonger* • langer laten duren *prolonger*; *renouveler* ★ een abonnement ~ *renouveler un abonnement*
verlenging ‹in lengte› *prolongement* m; *allongement* m; ‹in tijd› *prolongation* v; JUR. *prorogation* v ★ de ~ van het contract *le renouvellement du contrat*
verlengsnoer *rallonge* v; *cordon* m *prolongateur*
verlengstuk *rallonge* v; FIG. *appendice* m
verleppen *se faner*; *se flétrir*
verlept *flétri*; *fané*
verleren *oublier*; *désapprendre*
verlet • beletsel *empêchement* m • tijdverlies *perte* v *de temps*; *retard* m • uitstel *délai* m
verlevendigen *vivifier*; *ranimer*; ‹v. kleuren› *aviver*; *raviver*
verlichten • minder zwaar maken *alléger*; FIG. *soulager*; *faciliter* ★ iem. het werk ~ *faciliter le travail à qn* ★ de sociale lasten ~ *alléger les charges publiques* • beschijnen *éclairer*; *illuminer* • kennis bijbrengen *éclairer*
verlichting • leniging *allègement* m • opluchting *soulagement* m • lampen *éclairage* m; *illumination* v • GESCH. ★ de eeuw der Verlichting *le Siècle des Lumières*
verliefd I BNW liefde voelend *amoureux* [v: *amoureuse*]; FORM. *épris (de)* ★ ~ worden op

tomber amoureux de II BIJW *amoureusement*
verliefdheid *amour* m; PEJ. *amourette* v
verlies *perte* v ★ een ~ lijden *subir une perte* ★ met ~ *à perte* ★ de ~- en winstrekening *le compte de pertes et profits*
verliesgevend *déficitaire*
verliespost *poste* m *déficitaire*
verliezen I OV WW *perdre* II WKD WW *se perdre*
verliezer *perdant* m [v: *perdante*]
verlijden ★ een akte ~ *passer un acte* ★ het ~ van een akte *la passation*
verlinken ↑ *dénoncer*
verloederen *s'avilir*; *se clochardiser*
verloedering *dégradation* v; *détérioration* v; FIG. *pourrissement* m
verlof • vrijstelling *congé* m; MIL. *permission* v ★ met groot ~ zijn *être libéré* ★ van ~ terugkomen *rentrer de congé* • vergunning *permission* v; *autorisation* v ★ ~ hebben om *avoir la permission de*
verlofdag *jour* m *de congé*
verlofganger *permissionnaire* m/v
verlofpas • stuk bij invrijheidstelling *carnet* m *du libéré* • bewijs van verlof *permission* v
verlokken *attirer*; *séduire*; *tenter*
verloochenen *renier*; *désavouer*
verloochening *reniement* m; *désaveu* m
verloofd *fiancé*
verloofde *fiancé* m [v: *fiancée*]
verloop • ontwikkeling *évolution* v; *marche* v; *progrès* m ★ het ~ van de ziekte *l'évolution de la maladie* • het verstrijken *déroulement* m; *cours* m ★ na ~ van tijd *au bout d'un certain temps* • het komen en gaan *mouvement* m; ‹m.b.t. afvloeiing› *départs* m mv • achteruitgang *baisse* v
verloopstekker *fiche* v *de raccordement*
verloopstuk *pièce* v *de réduction*
verlopen I BNW • ongeldig *passé*; *expiré* • verliederlijkt ★ een ~ kerel *un mauvais sujet*; *un débauché* II ON WW • voorbijgaan *s'écouler*; *passer* • zich ontwikkelen *marcher*; *suivre son cours* ★ kalm ~ *se dérouler dans le calme* • ongeldig worden *expirer* • achteruitgaan *baisser*; *diminuer*; ‹v. getij› *refluer*; FIG. *péricliter*
verloren *perdu* ★ ~ gaan *se perdre*
verloskamer *salle* v *d'accouchement*
verloskunde *obstétrique* v
verloskundige *accoucheur* m [v: *accoucheuse*]
verlossen • bevrijden *délivrer* • helpen bevallen *accoucher*
verlosser *libérateur* m [v: *libératrice*]
verlossing • bevrijding *délivrance* v; REL. *rédemption* v • bevalling *accouchement* m
verloten *mettre en loterie*
verloting *mise* v *en loterie*; *tirage* m *(au sort)*
verloven (zich) *se fiancer*
verloving *fiançailles* v mv
verlovingsring *bague* v *de fiançailles*
verluiden ★ naar verluidt *à ce qu'on dit*
verlustigen (zich) *se divertir* ★ zich ~ aan iets *se délecter à/de qc*
vermaak *amusement* m; *plaisir* m ★ ~ scheppen in *se plaire à*
vermaard *célèbre*; *fameux* [v: *fameuse*]
vermaatschappelijking *socialisation* v
vermageren *maigrir*
vermagering *amaigrissement* m
vermageringskuur *régime* m *(amaigrissant)*
vermakelijk I BNW *amusant*; INF. *rigolo* [v: *rigolote*]; *marrant* II BIJW *d'une façon amusante*
vermaken • amuseren *amuser*; *divertir* • nalaten *léguer* • veranderen *changer*; *refaire* ★ een jurk ~ *refaire une robe*
vermalen *moudre*; *broyer*
vermanen *réprimander*
vermaning *réprimande* v
vermannen (zich) *se ressaisir*
vermeend *prétendu*; *supposé*; *soi-disant*
vermeerderen *augmenter*
vermeerdering *augmentation* v; *accroissement* m; BIOL. *propagation* v; *multiplication* v
vermelden *mentionner*; *citer*
vermelding *mention* v; *citation* v ★ eervolle ~ *mention honorable* ★ de simpele ~ *le simple énoncé*
vermengen *mélanger*; *mêler*; ‹met water› *couper* ★ zijn wijn met water ~ *tremper son vin*
vermenging *mélange* m; CHEM. *amalgame* m
vermenigvuldigen *multiplier (par)* ★ zich ~ *se multiplier*
vermenigvuldiging *multiplication* v
vermetel I BNW *audacieux* [v: *audacieuse*]; *téméraire* II BIJW *audacieusement*
vermicelli *vermicelle* m
vermijdbaar *évitable*
vermijden *éviter*
vermiljoen *vermillon*
verminderen I OV WW minder maken *diminuer*; *réduire* ★ snelheid ~ *ralentir* II ON WW minder worden *diminuer*; *décroître* ★ ~ tot *se réduire à*
vermindering *diminution* v; *réduction* v; *amoindrissement* m
verminken • lichamelijk schenden *mutiler*; ‹v. gezicht› *défigurer* • beschadigen *mutiler*
verminking OOK FIG. *mutilation* v; *défiguration* v; *déformation* v
vermissen *ne pas/plus retrouver* ★ vermist worden ‹v. zaken› *manquer*; ‹v. personen› *être porté disparu* ★ vermist *disparu* [v: *disparue*]
vermissing *disparition* v
vermiste *disparu* m [v: *disparue*]
vermits *attendu que*; *comme*
vermoedelijk *probable* ★ een ~e erfgenaam *un héritier présomptif*
vermoeden I ZN • veronderstelling *supposition* v • verdenking *soupçon* m; JUR. *présomption* v II OV WW • veronderstellen *supposer*; *présumer* • bedacht zijn op *soupçonner*; *se douter de*
vermoeid *fatigué*; FORM. *las* [v: *lasse*] ★ ~e trekken *traits* m mv *tirés*
vermoeidheid *fatigue* v; FORM. *lassitude* v
vermoeidheidsverschijnsel *phénomène* m *de fatigue*
vermoeien *fatiguer*; FORM. *lasser*
vermoeiend *fatigant*

vermogen I ZN • capaciteit *puissance* v ★ het nuttig ~ *le rendement* • macht *pouvoir* m mv ★ ik zal alles doen wat in mijn ~ ligt *je ferai tout mon possible*; *je ferai tout ce qui est en mon pouvoir* • bezit *fortune* v; *biens* m mv ★ het nationaal ~ *le patrimoine national*; *la richesse nationale* ★ vreemd ~ *fonds* m mv *d'emprunt* ★ eigen ~ *fonds* m mv *propres* II OV WW in staat zijn *pouvoir*; *être capable de* ★ niets ~ *être impuissant*
vermogend • rijk *fortuné*; *riche* • invloedrijk *puissant*
vermogensaanwas *accroissement* m *de l'actif*; *augmentation* v *de fortune* ★ belasting op de ~ *impôt* m *sur l'accroissement de l'actif social*
vermogensaanwasdeling ≈ *participation* v *aux bénéfices de l'entreprise*
vermogensbelasting *impôt* m *sur la fortune|sur le capital*
vermogensmarkt *échange* m *de l'offre et de la demande concernant le crédit à long terme*
vermolmd *vermoulu*
vermommen *déguiser*
vermomming *déguisement* m; *mascarade* v; FIG. *camouflage* m
vermoorden • doden *tuer*; *assassiner* • verknoeien *massacrer*
vermorzelen *broyer*; *écraser*
vermorzeling *broiement* m; FIG. *écrasement* m
vermout *vermouth* m
vermurwen • week worden *se ramollir* • week maken *amollir* • mededogend worden *s'attendrir* • mededogend maken *attendrir*; *fléchir*
vernauwen *rétrécir*
vernauwing *resserrement* m
vernederen *humilier*
vernedering *humiliation* v
vernederlandsen • Nederlandse gewoonten aannemen *s'adapter aux mœurs néerlandaises* • Nederlandse taal aannemen *s'adapter au néerlandais*
vernemen *apprendre* ★ gaarne zou ik ~ waarom *j'aimerais apprendre pourquoi*
vernielen *détruire*; *ravager*
vernieling • het vernielen *destruction* v • wat vernield is *dégâts* m mv; *ravages* m mv
vernielzucht *rage* v *destructrice*; *vandalisme* m
vernietigen • verwoesten *détruire*; *anéantir* • nietig verklaren *annuler* ★ een vonnis ~ *casser un arrêt*
vernietigend *destructeur* [v: *destructrice*] ★ een ~e kritiek *une critique impitoyable* ★ een ~e blik *un regard foudroyant* ★ een ~ bewijs *une preuve accablante*
vernietiging • OOK FIG. *anéantissement* m; *écrasement* m; *destruction* v; *démolition* v • ‹uitroeing› *extermination* v • ‹vonnis› *annulation* v
vernietigingskamp *camp* m *d'extermination*
vernieuwen • vervangen ‹v. overeenkomst› *renouveler*; *remplacer* ★ de schokdempers moeten vernieuwd worden *il faudra remplacer les amortisseurs* • opknappen *remettre à neuf*; *rénover*
vernieuwing ‹vervanging› *rénovation* v; *remplacement*
vernikkelen I OV WW met nikkel bedekken *nickeler* II ON WW verkleumen *geler*
vernis *vernis* m
vernissage *vernissage* m
vernissen *vernir*; ‹v. aardewerk› *vernisser*
vernoemen ★ vernoemd zijn naar iem. *porter le nom de qn* ★ zij is vernoemd naar haar oma *elle porte le nom de sa grand-mère*
vernoeming *désignation* v; *éponyme* m
vernuft *ingéniosité* v; *génie* m
vernuftig I BNW *ingénieux* [v: *ingénieuse*] II BIJW *ingénieusement*
veronachtzamen *négliger*
veronderstellen *supposer* ★ doen ~ *porter à croire*
veronderstelling *supposition* v
verongelijkt I BNW *dépité* II BIJW *d'un air dépité*
verongelukken *s'écraser*; ‹v. persoon› *se tuer dans un accident* ★ een verongelukte auto *une voiture accidentée*
verontreinigen *salir*; ‹v. milieu› *polluer*; FORM. *souiller*
verontreiniging ‹v. milieu› *pollution* v; FORM. *souillure* v
verontrusten *inquiéter*; *alarmer*
verontrustend *inquiétant*
verontrusting *inquiétude* v
verontschuldigen I OV WW *excuser* II WKD WW *s'excuser*
verontschuldiging *excuse* v ★ zijn ~en aanbieden *présenter ses excuses*
verontwaardigd I BNW *indigné* II BIJW *d'une façon indignée*
verontwaardigen *indigner* ★ zich ~ over iets *s'indigner de qc*
verontwaardiging *indignation* v
veroordeelde *condamné* m [v: *condamnée*]
veroordelen *condamner* ★ ter dood ~ *condamner à mort* ★ ~ in de kosten *condamner aux dépens*
veroordeling *condamnation* v
veroorloven *permettre* ★ zich de weelde ~ van *s'offrir le luxe de*
veroorzaken *provoquer*; *donner lieu à*; *causer* ★ een ongeluk ~ *causer un accident*
verorberen *consommer*; *savourer*
verordenen *décréter*; *ordonner*
verordening *arrêté* m; *décret* m ★ bij ~ vaststellen *statuer sur*
verouderd • oud geworden *vieilli* • ouderwets *vieillot* [v: *viellotte*]; *suranné* ★ ~ zijn *dater* ★ een ~ woord *un archaïsme*; *un mot archaïque*
verouderen I OV WW ouder maken *vieillir* II ON WW • ouder worden *vieillir* • in onbruik raken *tomber en désuétude*; ‹ouderwets zijn› *être dépassé*
veroudering *vieillissement* m; ECON. *désuétude* v
veroveraar *conquérant* m [v: *conquérante*]; ‹in de liefde› *séducteur* m [v: *séductrice*]
veroveren *conquérir*; *s'emparer de*; FIG. *conquérir*
verovering *conquête* v; *prise* v
verpachten *affermer*; *louer à bail*; *amodier*

verpakken *emballer*; FIG. *enrober*
verpakking *emballage* m ★ ~ inbegrepen *emballage compris*
verpakkingsmateriaal *matériaux* m mv *d'emballage*
verpanden *mettre en gage*; *engager* ★ een huis ~ *hypothéquer une maison*
verpatsen *bazarder*
verpauperen *s'appauvrir*
verpersoonlijking *personnification* v
verpesten *empoisonner*; ‹v. lucht› *infecter*
verpieteren *dépérir*; ‹m.b.t. voedsel› *cuire trop longtemps*
verplaatsen I OV WW elders plaatsen ‹v. boom› *transplanter*; ‹v. ambtenaar› *muter*; *déplacer*; *transporter* II WKD WW • zich voortbewegen *se déplacer* • ~ **in** ★ zich in iem. ~ *se mettre à la place de qn*
verplaatsing *transfert* m; ‹v. boom› *transplantation* v; *déplacement* m
verplanten *transplanter*
verpleegdag *journée* v *d'hospitalisation*
verpleeghuis *centre* m *hospitalier*; *établissement* m *hospitalier*
verpleeghulp *aide-soignant* m [v: *aide-soignante*]
verpleegkundige *infirmier* m [v: *infirmière*]
verpleegster *infirmière* v
verplegen *soigner*
verpleger *infirmier* m
verpleging *soins* m mv *(médicaux)*; *assistance* v *médicale* ★ in de ~ werken *être infirmier|infirmière*
verpletteren • vermorzelen *aplatir*; *écraser* • overweldigen *accabler*; *foudroyer* ★ een ~de nederlaag *une défaite écrasante*
verplettering OOK FIG. *écrasement* m
verplicht • voorgeschreven *obligatoire* ★ avondkleding ~ *la tenue de soirée sera de rigueur* ★ ~ verzekerd *obligatoirement assuré* ★ een ~e feestdag *un jour férié* ★ SPORT ~e figuren *figures* v mv *imposées* • genoodzaakt *obligé (de)*; *tenu (de)* ★ ~ zijn om *être dans l'obligation de* ★ zich ~ achten om *se croire obligé de*
verplichten *obliger (à)* ★ dat verplicht hem tot niets *cela ne l'engage à rien* ★ ik ben u zeer verplicht *je vous suis très obligé*
verplichting *engagement* m; *obligation* v ★ zijn ~en nakomen *faire face à ses obligations* ★ zonder ~ uwerzijds *sans aucun engagement de votre part*
verpoppen (zich) *se chrysalider*; *coconner*
verpoten *transplanter*
verpotten *rempoter*
verpozen (zich) *se délasser*; *se reposer*
verprutsen *gaspiller*; *gâcher*
verpulveren *pulvériser*
verraad *trahison* v
verraden *trahir*
verrader *traître* m [v: *traîtresse*]
verraderlijk I BNW • gevaarlijk *traître* • als verrader *traître* [v: *traîtresse*]; FORM. *perfide* II BIJW *traîtreusement*
verramsjen *liquider*
verramsjing *vente* v *à l'abattage*
verrassen *surprendre*
verrassend *surprenant*; *étonnant*
verrassing *surprise* v ★ ~spakket *pochette-surprise* v
verrassingsaanval *attaque-surprise* v [mv: *attaques-surprise*]
verre • ver ★ ~ overtreffen *dépasser de beaucoup* ★ zich ~ houden van *s'abstenir de* • allesbehalve ★ hij is ~ van dom *il est loin d'être bête*
verrechtsen *se droitiser*
verregaand *extrême*
verregenen *être abîmé par la pluie*
verreikend • *à longue portée*; FIG. *d'une grande portée* ★ deze maatregel zal ~e gevolgen hebben *cette mesure sera lourde de conséquences* • ‹v.e. gevolg› *lourd de conséquences*
verreisd *fatigué de voyage* ★ er ~ uitzien *avoir un visage dans lequel la fatigue du voyage se lit*
verrek *merde!*; *zut!*
verrekenen I OV WW *régler*; ‹v. cheque› *porter en compte* II WKD WW *faire une erreur de calcul*
verrekening • *règlement* m; *compensation* v • ‹foute rekensom› *erreur* v *de calcul*
verrekijker ‹voor beide ogen› *jumelles* v mv; ‹voor één oog› *longue-vue* v [mv: *longues-vues*]; ‹toneelkijker› *lorgnette* v
verrekken I OV WW te ver rekken *se fouler* ★ een spier ~ *se froisser un muscle* ★ zij heeft haar arm verrekt *elle s'est foulée le bras* II ON WW creperen *crever*
verrekking ‹ontwrichting› *luxation* v; ‹spier› *claquage*
verreweg *de beaucoup*; *de loin* ★ dat is ~ de beste methode *c'est de loin la meilleure méthode* ★ ~ de meeste bezoekers kwamen met de trein *la grande majorité des visiteurs sont venus en train*
verrichten *faire*; *exécuter*
verrichting *exécution* v; *réalisation* v
verrijden • rijdend verplaatsen *transporter* • aan rijden besteden *dépenser en frais de déplacement*
verrijken *enrichir*
verrijking *enrichissement* m
verrijzen • oprijzen *se dresser*; *se lever* • opstaan *ressusciter*
verrijzenis *résurrection* v
verroeren *bouger*; *remuer*
verroest *rouillé*
verroesten *rouiller*; *se rouiller* ▾ verroest! *zut (alors)!*
verrot I BNW • rot geworden *pourri* • vervloekt *misérable* ▾ iemand ~ slaan *casser la figure à qn* II BIJW *drôlement* ★ dat is ~ moeilijk *c'est drôlement difficile*
verrotten • rot worden *pourrir* • schelen ★ het kan me niets ~ *je m'en fous*
verrotting *pourriture* v; FIG. *pourrissement* m
verruilen *échanger*; *changer*; *troquer*
verruimen *élargir*
verruiming *élargissement* m; *extension* v; *agrandissement* m; *dilatation* v
verrukkelijk *ravissant*; *délicieux* [v: *délicieuse*]
verrukken *ravir*; *enchanter*

verrukking • gevoel *ravissement* m • dat wat verrukt *charme* m

vers I ZN • dichtregel *vers* m; REL. *verset* m • strofe *couplet* m • gedicht *poème* m II BNW nieuw, fris *frais* [v: *fraîche*]; *nouveau* [v: *nouvelle*] [onr: *nouvel*] ★ vers brood *pain frais* III BIJW *fraîchement*; *nouvellement* ▾ vers in het geheugen liggen *être encore présent à la mémoire*

versagen • bang worden *reculer* • moedeloos worden *perdre courage*

verschaffen *procurer*; *fournir* ★ zich toegang ~ tot *s'introduire dans* ★ wat verschaft u het recht om *qu'est-ce qui vous autorise à*

verschaffing *fourniture* v; JUR. *dation* v ★ ~ van kapitaal *prestation* v *de capitaux*

verschalen *s'éventer*

verschalken • verorberen ★ een glaasje ~ *s'envoyer un verre* • te slim af zijn *tromper*; *duper*

verschansen I OV WW *fortifier* II WKD WW *se retrancher*

verschansing • bolwerk *fortification* v • reling *bastingage* m

verscheiden *divers*; *différent*

verscheidene *plusieurs*; *divers*; *différents* ★ ~ malen *à plusieurs reprises*

verscheidenheid • verschil *diversité* v; *différence* v • variatie *diversité* v; *variété* v

verschepen • per schip verzenden *transporter* • overladen ‹verladen› *transborder*; *embarquer*

verscheping *embarquement* m; ‹overladen› *transbordement* m; *transport* m *par eau*

verscherpen • aanscherpen *aiguiser*; *renforcer* ★ het toezicht ~ *rendre la surveillance plus étroite* • verergeren *aggraver* ★ dat verscherpt het conflict alleen maar *cela ne fera qu'aggraver le conflit*

verscherping • het aanscherpen *aiguisage* m; *renforcement* m • verergering *aggravation* v

verscheuren • scheuren *déchirer* • in verdeeldheid brengen *déchirer* • verslinden *dévorer*

verscheurend • *déchirant* • *carnassier*; ‹dier› *féroce*

verschiet • verte *lointain* m; *horizon* m • toekomst *avenir* m; *perspective* v ★ in het ~ *en perspective*

verschieten I OV WW verbruiken *épuiser ses munitions* II ON WW • wegschieten *se déplacer brusquement*; ‹v. ster› *filer* • verbleken *passer*; *se décolorer*; *changer de couleur*; ‹v. mensen› *pâlir* ★ de kleur is verschoten *la couleur s'est altérée*

verschijnen • zich vertonen *apparaître*; *arriver*; JUR. *comparaître* • uitkomen *paraître* ★ juist verschenen *vient de paraître*

verschijning • het verschijnen *apparition* v; JUR. *comparution* v; ‹het uitkomen› *parution* v • geestverschijning *apparition* v

verschijnsel • fenomeen *phénomène* m • symptoom *symptôme* m

verschikken *disposer*

verschil • onderscheid *différence* v; ‹v. mening› *divergence* v; ‹in afstand, tijd› *décalage* m ★ een ~ in leeftijd *une différence d'âge* • REKENK. *différence* v ▾ het ~ delen INF. *couper la poire en deux*

verschillen *différer* ★ zij ~ maar drie jaar *ils ne diffèrent que de trois ans* ★ hemelsbreed ~ *différer du tout au tout*

verschillend I BNW *différent*; *distinct* II BIJW *différemment*

verschilpunt *ce qui en un sens est différent*

verschimmelen *moisir*

verscholen *caché*

verschonen • schoon goed aandoen *changer* ★ de bedden ~ *changer les draps* • verontschuldigen *excuser* • vrijwaren *épargner*; *dispenser* ★ iem. van iets verschoond doen blijven *épargner qc à qn*

verschoning • schoon goed *linge* m *de rechange* ★ een ~ bij zich hebben *avoir du linge pour se changer* • verontschuldiging *excuse* v

verschoningsrecht *droit* m *d'exemption*

verschoppeling *paria* m

verschralen • verminderen van kwaliteit *s'altérer* • verslechteren van weer *se détériorer*

verschraling *altération* v; *détérioration* v; ‹v. huid› *dessèchement* m

verschrijven (zich) *se tromper*

verschrikkelijk I BNW schrikbarend *terrible*; *effroyable* II BIJW schrikbarend *terriblement*; *affreusement* ★ ~ lelijk *laid à faire peur*

verschrikking *horreur* v; *terreur* v

verschroeien I OV WW schroeien *brûler*; *roussir* ▾ de tactiek der verschroeide aarde *la tactique de la terre brûlée* II ON WW verschroeid worden *être brûlé*

verschrompelen *se racornir*; *se ratatiner*

verschrompeling *racornissement* m; MED. *atrophie* v

verschuilen (zich) *se cacher*

verschuiven I OV WW • verplaatsen ‹naar voren› *avancer*; ‹naar achteren› *reculer*; *déplacer*; *faire glisser* • uitstellen *différer*; *remettre* II ON WW zich verplaatsen *se déplacer*

verschuiving • verplaatsing *déplacement* m; *glissement* m; GEO. *glissement* m • uitstel *ajournement* m

verschuldigd • te betalen *dû* [v: *due*]; *redevable* ★ het ~e (bedrag) *ce qui est dû*; *le dû* • verplicht *obligé*

versgebakken *frais* [v: *fraîche*]; ‹v. brood› *qui sort du four*

versheid *fraîcheur* v

versie *version* v ★ de oorspronkelijke ~ *la version originale*

versierder *séducteur* m [v: *séductrice*]; INF. *dragueur* m [v: *dragueuse*]

versieren • verfraaien *décorer*; *embellir* • voor elkaar krijgen *arranger* ★ hij heeft het versierd om *il s'est débrouillé pour* • verleiden *séduire*; INF. *draguer*

versiering • decoratie *ornement* m; *décoration* v • het versieren *décoration* v

versiertoer ★ op de ~ gaan *draguer*

versjacheren *bazarder*

versjouwen *déplacer avec effort*

verslaafd *esclave (de)*; ‹aan drugs› *drogué*;

toxicomane; ‹aan drank› *alcoolique*
verslaafde *intoxiqué* m [v: *intoxiquée*]; ‹aan drugs› *drogué* m [v: *droguée*]
verslaafdheid *dépendance* v; ‹aan drugs› *toxicomanie* v
verslaan • overwinnen *battre*; *vaincre* • verslag geven *rapporter*; *faire un compte-rendu de*
verslag • rapport *rapport* m; *compte-rendu* m [mv: *comptes-rendus*] ⋆ ~ doen van *rendre compte de* • reportage *reportage* m
verslagen • overwonnen *vaincu*; *battu* • terneergeslagen *abattu*; *consterné*
verslaggever *reporter* m; ‹ter plekke› *correspondant* m [v: *correspondante*] ⋆ vaste ~ *chroniqueur* m [v: *chroniqueuse*] ⋆ speciale ~ *envoyé spécial* m [mv: *envoyés spéciaux*] [v: *envoyée spéciale*]
verslaggeving *reportage* m
verslagjaar *exercice* m
verslapen I ov ww slapend doorbrengen ⋆ zijn tijd ~ *passer son temps à dormir* II WKD WW te lang slapen *dormir trop longtemps*
verslappen I ov ww slap maken *amollir*; FIG. *relâcher* II ON WW • slap worden *affaiblir*; *s'affaiblir*; *s'amollir* • teruglopen *se relâcher*
verslapping *ramollissement* m; *affaiblissement* m; *relâchement* m
verslavend *qui engendre l'accoutumance*
verslaving ‹aan drugs› *dépendance* v; *toxicomanie* v
verslechteren *empirer*; *s'aggraver*
verslechtering *aggravation* v; *détérioration* v; *dégradation* v
verslepen *traîner*
versleten • afgeleefd *décrépit* • afgesleten *usé* ⋆ tot op de draad ~ *râpé*
verslijtbaar *qui peut s'user*
verslijten I ov ww • doen slijten *user* • ~ **voor** *prendre pour* II ON WW slijten *s'user*
verslikken (**zich**) • fout slikken *avaler de travers* • ergens moeite mee hebben *se méprendre (sur)*
verslinden *dévorer*; *engloutir*
verslingerd *fou (de)* [v: *folle*]
verslingeren (**zich**) *s'amouracher (de)*; ‹aan dingen› *s'engouer (de)*
versloffen *négliger*; *laisser traîner* ▾ hij heeft zijn werk laten ~ *il a négligé son travail*
verslonzen *abîmer*
versmachten *mourir (de)*
versmaden *refuser*; ‹minachtend› *dédaigner* ⋆ dat is niet te ~ ‹v. voedsel› *c'est délicieux*
versmallen I ov ww *rétrécir* II ON WW smaller worden *se rétrécir*
versmalling *rétrécissement* m
versmelten I ov ww • doen samensmelten *faire un alliage*; FIG. *fusionner* ⋆ kobalt met koper ~ *allier le cobalt avec le cuivre* • omsmelten *fondre* II ON WW • wegsmelten *fondre* • samensmelten *se fondre* ▾ in tranen ~ *fondre en larmes*
versmelting *fusion* v; *fonte* v; *alliage* m
versnapering *friandise* v
versnellen *accélérer*
versnelling • het versnellen *accélération* v • mechanisme ‹v. fiets› *dérailleur* m; ‹v. auto› *changement* m *de vitesse*; ‹stand van schakelinrichting› *vitesse* v ⋆ naar de tweede ~ schakelen *passer la seconde vitesse*; INF. *passer en seconde*
versnellingsbak *boîte* v *de vitesses* ⋆ een automatische ~ *une boîte automatique* ⋆ met de hand bediende ~ *une boîte manuelle*
versnijden • kapotsnijden *découper*; *gâter par une mauvaise coupe* • aanlengen *couper*
versnipperen I ov ww • in snippers snijden *couper en petits morceaux*; *morceler* • te klein verdelen *éparpiller* ⋆ zijn krachten ~ *éparpiller ses forces* II ON WW *se morceler*
versnippering • *morcellement* m; *fragmentation* v • *éparpillement* m
versoberen • soberder worden *réduire (ses dépenses)*; *restreindre* • *se ménager*
versoepelen I ov ww soepeler maken *assouplir* II ON WW soepeler worden *s'assouplir* ⋆ de regels zijn versoepeld *la réglementation a été assouplie*
versoepeling ‹v. beperkingen› *assouplissement* m; *allègement*
versomberen *assombrir*; *obscurcir*
verspelen • verbeuren *perdre* ⋆ zijn voorsprong ~ *perdre son avance* • spelend verliezen *perdre au jeu*; *gaspiller en jouant* ⋆ zijn tijd ~ *passer son temps à jouer*
verspenen *repiquer*
versperren *bloquer*; *obstruer* ⋆ iem. de weg ~ *barrer la route à qn* ⋆ een straat ~ *embouteiller une rue*
versperring • het versperren *barrage* m • barricade *barrage* m; *barricade* v
versperringsvuur *tir* m *de barrage*
verspillen *gaspiller*; ‹v. geld› *dilapider*
verspilling *gaspillage* m; *dissipation* v
versplinteren I ov ww tot splinters maken *fracasser*; FIG. *faire éclater* II ON WW tot splinters worden *éclater*
versplintering • *éclatement* m • POL. *fractionnement* m
verspreid *dispersé*; *épars*
verspreiden • uiteen doen gaan *disperser* • verbreiden *répandre*; *propager*; *diffuser*; ‹uitdelen› *distribuer*
verspreiding *distribution* v; ‹v. bericht› *diffusion* v
verspreken (**zich**) • iets verklappen *se trahir* • iets verkeerd zeggen *se tromper*
verspreking *lapsus* m
vérspringen I ZN *saut* m *en longueur* II ON WW *sauter en longueur*
verspríngen • springend veranderen *se déplacer*; ‹v. veer› *se déclencher*; ‹v. getij› *avancer* ⋆ het stoplicht verspringt *le feu passe au vert/rouge* • niet in één lijn of vlak liggen *être décalé* • telkens op een andere datum vallen ⋆ een feest dat verspringt *une fête mobile*
versregel *vers* m
verstaan • horen *entendre* • begrijpen *comprendre* ⋆ Frans ~ *comprendre le français* • beheersen *s'y connaître en* ⋆ hij verstaat de kunst van het koken *il sait faire la cuisine* • ~ **onder** *entendre (par)* ⋆ wat verstaat men onder 'verstedelijking'? *qu'est-ce qu'on*

entend par 'l'urbanisation'?
verstaanbaar *intelligible*
verstaander ▾ een goed ~ heeft maar een half woord nodig *à bon entendeur, salut!*
verstand • denkvermogen *intelligence* v; *raison* v ★ (niet) bij zijn volle ~ zijn *(ne pas) avoir toute sa raison* • kennis van zaken *connaissance* v ★ ~ hebben van *s'y connaître en* ★ ik heb er geen ~ van *je ne m'y connais pas* ▾ het gezond ~ *le bon sens* ▾ dat gaat mijn ~ te boven *cela me dépasse* ▾ iemand iets aan het ~ brengen *faire comprendre qc à qn* ▾ met dien ~e dat *à condition que*
verstandelijk I BNW *intellectuel* [v: *intellectuelle*] II BIJW *intellectuellement*
verstandhouding *entente* v; *intelligence* v
verstandig I BNW • met verstand *intelligent*; *sensé*; *raisonnable* • doordacht *raisonnable*; *sage*; ‹voorzichtig› *prudent* ★ hij was zo ~ om *il a eu la sagesse de* II BIJW • met verstand *intelligemment*; *raisonnablement* • doordacht *sagement*
verstandshuwelijk *mariage* m *de raison*
verstandskies *dent* v *de sagesse*
verstandsverbijstering *aliénation* v *mentale*
verstappen (**zich**) *faire un faux pas*
verstarren *se figer*; FIG. *stagner*
verstarring *stagnation* v
verstedelijken *être urbanisé* ★ verstedelijkt gebied *région urbanisée* v
verstedelijking *urbanisation* v
verstek • JUR. *contumace* v; *défaut* m ★ bij ~ *par contumace* ★ ~ laten gaan *faire défaut* • TECHN. *onglet* m ★ in ~ zagen *scier en onglet*
verstekbak *boîte* v *à onglets*
verstekeling *passager* m *clandestin* [v: *passagère*]
verstelbaar *réglable*; *ajustable*
versteld *perplexe*; *interdit* ★ daar sta ik ~ van *je n'en reviens pas*
verstellen • anders stellen *régler* • herstellen *raccommoder*; *réparer*
verstelwerk *raccommodage* m
verstenen • tot steen worden *se pétrifier* • wreed worden *s'endurcir*
versterf • afsterving *nécrose* v • overgang van goed door erfenis *succession* v
versterken • sterker maken *fortifier*; *consolider*; *raffermir*; ‹v. geluid› *amplifier*; ‹v. kleur› *intensifier*; CHEM. *concentrer* ★ de inwendige mens ~ *se restaurer* • aanvullen *renforcer*
versterker *amplificateur* m; INF. *ampli* m
versterking • het versterken *fortification* v; *renforcement* m; ‹v. geluid› *amplification* v • wat versterkt *renfort* m; MIL. *renforts* m mv; MED. *fortifiant* m; ‹voor hart› *tonifiant* m
verstevigen *renforcer*; *raffermir*
versteviging *renforcement* m; *consolidation* v
verstijven I OV WW stijf maken *raidir*; *engourdir* II ON WW stijf worden *se raidir*; *s'engourdir*
verstikken I OV WW *étouffer*; ‹door gas› *asphyxier* II ON WW *s'étouffer*; *suffoquer*
verstikking *étouffement* m; *asphyxie* v
verstikkingsdood *mort* v *par asphyxie*
verstild *apaisé*
verstillen *s'apaiser*; ‹v. persoon› *devenir muet*
verstoken I BNW *privé (de)*; *dépourvu (de)* II OV WW brandstof verbruiken *brûler*; *consommer*
verstokt *endurci*
verstommen *se taire* ★ het geroezemoes verstomde *le brouhaha cessa* ★ iem. doen ~ *faire taire qn*
verstoord *irrité*
verstoppen • verbergen *cacher* • dichtstoppen *engorger*; *boucher*; *obstruer* ★ verstopt MED. *constipé* ★ het verkeer zit verstopt *il y a des embouteillages*
verstoppertje ★ ~ spelen *jouer à cache-cache*
verstopping • het verstopt zijn *obstruction* v; *engorgement* m • verkeersopstopping *embouteillage* m • constipatie *constipation* v
verstoren *perturber*; *troubler*; *déranger* ★ de orde ~ *troubler l'ordre*
verstoring *perturbation* v; *trouble* m; *dérangement*
verstoten *repousser*; *répudier* ★ zijn vrouw ~ *répudier sa femme* ★ een kind ~ *abandonner un enfant*
verstoting *répudiation* v; SOC. *rejet* m
verstouwen *engouffrer*
verstrakken *se durcir*; *se raidir*
verstrekken *fournir*; *procurer*; *distribuer* ★ inlichtingen ~ *fournir/donner des renseignements*
verstrekkend *lourd de conséquences*
verstrekking *distribution* v; *fourniture* v; *procuration* v
verstrijken ‹v. termijn› *expirer*; ‹v. tijd› *s'écouler* ★ na het ~ van de termijn *à l'expiration du délai* ★ het ~ van de tijd *l'écoulement du temps*
verstrikken *prendre au piège* ★ verstrikt raken in zijn leugens *s'empêtrer dans ses mensonges*
verstrooid I BNW • verspreid *éparpillé*; *épars* • afwezig *distrait* II BIJW *distraitement*
verstrooien • verspreiden *disperser*; *éparpiller* • afleiding bezorgen *distraire*
verstrooiing • verspreiding *dispersion* v; *éparpillement* m • ontspanning *distraction* v • divergentie van licht NAT. *diffusion* v
verstuiken *se donner une entorse (à)*; *se fouler* ★ zijn enkel ~ *se tordre/se fouler la cheville*
verstuiking *entorse* v; *foulure* v
verstuiven I OV WW doen vervliegen *pulvériser*; *vaporiser* II ON WW vervliegen *être emporté par le vent*
verstuiver *pulvérisateur* m; *vaporisateur* m; *atomiseur* m; *brumisateur* m *(d'eau minérale) (pour les soins du visage)*
verstuiving • het verstuiven *pulvérisation* v; *vaporisation* v • terrein *sables* m mv *mouvants*
versturen *envoyer*
versuffen I OV WW suf maken *abrutir* II ON WW *s'abêtir*; *s'abrutir*
versuft *hébété*; *abruti*
versuftheid *abrutissement* m; *hébétement*
versukkeling ★ in de ~ raken ‹v. persoon›

dépérir; ‹v. zaak› *être en perte de vitesse*
versus *face à* ★ conservatief ~ progressief *les conservateurs face aux forces progressives*
versvoet *pied* m
vertaalbaar *traduisible*
vertaalbureau *bureau* m *de traduction* [m mv: *bureaux ...*]
vertaalcomputer *(ordinateur* m*) traducteur* m; *traductrice* v
vertaalwoordenboek *dictionnaire* m *bilingue*; ‹voor meerdere talen› *dictionnaire* m *plurilingue*
vertakken (zich) *se ramifier*
vertakking • het vertakken *ramification* v • zijtak ‹v. leiding› *branchement* m; *branche* v; *secteur* m
vertalen *traduire* ★ ~ uit het Frans *traduire du français* ★ ~ naar het Russisch *traduire en russe* ★ het automatisch ~ *la traduction automatique*; *la traductique*
vertaler *traducteur* m [v: *traductrice*] ★ beëdigd ~ *traducteur assermenté/juré*
vertaling *traduction* v; ‹op school, uit vreemde taal› *version* v; ‹op school, naar vreemde taal› *thème* m
verte *lointain* m ★ in de ~ *au loin*; *dans le lointain* ★ uit de ~ *de loin* ▾ in de verste ~ niet *pas le moins du monde*
vertederen I OV WW teder maken *attendrir* II ON WW teder worden *s'attendrir*
vertederend *attendrissant*; *touchant*; *émouvant*
vertedering *attendrissement* m
verteerbaar *digestible* ★ licht ~ *facile à digérer*
vertegenwoordigen • waarde hebben van *représenter*; *constituer* • handelen namens *représenter*
vertegenwoordiger • afgevaardigde *représentant* m; *délégué* m [v: *déléguée*] ★ wettelijke ~ *représentant légal* [m mv: *représentants légaux*] • handelsagent *représentant* m; *démarcheur* m [v: *démarcheuse*]; ‹v. auto› *concessionnaire* m/v
vertegenwoordiging *représentation* v
vertekenen *déformer* ★ een vertekend beeld van de werkelijkheid geven *donner une image faussée de la réalité*
vertellen I OV WW verhalen *dire*; *raconter* ★ iem. een nieuwtje ~ *apprendre une nouvelle à qn* ▾ hij heeft hier niets te ~ *ce n'est pas lui qui commande ici* II WKD WW *se tromper*
verteller *conteur* m [v: *conteuse*]; ‹in boek› *narrateur* m [v: *narratrice*]
vertelling *récit* m; *conte* m
vertelwijze *mode* m *narratif*; *style* m *de la narration*
verteren I OV WW • doen vergaan ‹door vuur› *consumer*; ‹door roest› *ronger* • voedsel afbreken *digérer* • verbruiken *consommer*; *manger* • verkroppen *digérer* ▾ verteerd worden door spijtgevoelens *être rongé par le remords* II ON WW afgebroken worden ‹v. voedsel› *se digérer*; ‹v. metaal› *se corroder* ★ plastic verteert niet *le plastic n'est pas biodégradable*
vertering • spijsvertering *digestion* v • consumptie *consommation* v
verticaal I ZN *verticale* v II BNW *vertical* [m mv: *verticaux*] III BIJW *verticalement*
vertier • afleiding *distraction* v • bedrijvigheid *animation* v; *mouvement* m
vertikken *refuser* ★ ik vertik het *je ne marche pas*
vertillen (zich) *se donner un tour de rein*
vertoeven *séjourner*
vertolken • weergeven *exprimer*; *traduire* • uitbeelden *interpréter*
vertolking • uitbeelding *interprétation* v • vertaling *traduction* v
vertonen • opvoeren *présenter*; ‹toneel› *jouer*; FILM *projeter* • laten zien/blijken *montrer*; *présenter* ★ gebreken ~ *présenter des défauts*
vertoning • het vertonen *exposition* v; *présentation* v • schouwspel *spectacle* m ★ een malle ~ *un drôle de spectacle* • voorstelling ‹op toneel› *représentation* v; FILM *projection* v
vertoon • het vertonen *présentation* v ★ op ~ van *sur présentation de* ★ op ~ betaalbaar *payable au porteur* • tentoonspreiding *étalage* m ★ ~ maken *faire étalage de qc*
vertoornd *irrité*
vertragen • trager maken *ralentir* ★ in vertraagd tempo opnemen *tourner au ralenti* ★ een vertraagde film *un film au ralenti* • uitstellen *retarder*
vertraging • het vertragen *ralentissement* m • oponthoud *retard* m ★ ~ hebben *prendre du retard* ★ een uur ~ hebben *avoir un retard d'une heure*; *avoir une heure de retard* ★ de ~ inlopen *rattraper le retard*
vertrappen *piétiner*
vertrek • het vertrekken *départ* m ★ bij zijn ~ *à son départ* • kamer *pièce* v; *chambre* v
vertrekhal *salle* v *des départs*
vertrekken I OV WW anders trekken *grimacer*; *faire une grimace* II ON WW weggaan *partir*; *s'en aller*
vertrekpunt OOK FIG. *point* m *de départ*
vertreksein *signal* m *du départ*
vertrektijd *heure* v *du départ*
vertroebelen *troubler*; *embrouiller*
vertroetelen *choyer*; INF. *chouchouter*; *pouponner*
vertroosting *consolation* v
vertrouwd • bekend *familier* [v: *familière*] • op de hoogte *familiarisé* ★ zich ~ maken met *se familiariser avec* ★ met iets ~ zijn *bien connaître qc*; *être au courant de qc* • betrouwbaar *sûr*
vertrouwelijk I BNW • familiair *familier* [v: *familière*] • in geheim *confidentiel* [v: *confidentielle*] II BIJW • familiair *familièrement* • in geheim *confidentiellement*
vertrouweling *confident* m [v: *confidente*]
vertrouwen I ZN *confiance* v ★ ~ hebben in *faire confiance à* ★ iem. in ~ nemen *mettre qn dans la confidence* ★ in ~ *confidentiellement* ★ ~ stellen in *mettre sa confiance en* ★ met het volste ~ *en toute confiance* II OV WW • betrouwbaar achten *se fier à* ★ ik vertrouw hem niet zo *il ne*

m'inspire pas confiance ★ te ~ zijn *être digne de foi* ★ het niet ~ *se méfier* • ~ **op** *avoir confiance (en)*; *compter sur* ★ ik vertrouw erop dat *j'aime à croire que*
vertrouwensarts *médecin* m *de confiance*
vertrouwenskwestie *question* v *de confiance*
vertrouwensman *homme* m *de confiance*
vertrouwenspositie *poste* m *de confiance*
vertwijfeld I BNW *désespéré* II BIJW *désespérément*
vertwijfeling *désespoir* m
veruit *de loin*
vervaard *effrayé* ▾ zij is voor geen kleintje ~ *elle ne recule devant rien*
vervaardigen *faire*; *fabriquer*; ‹v. kleding› *confectionner*
vervaardiging *fabrication* v; *confection* v; *production* v
vervaarlijk I BNW • zeer groot *énorme* • angstwekkend *redoutable*; *épouvantable* II BIJW • angstwekkend *épouvantablement* • zeer groot *énormément*
vervagen *devenir vague*; *s'estomper*
verval • achteruitgang *déclin* m; ‹v. gebouw› *délabrement* m; FIG. *décadence* v ★ het ~ van krachten *la déperdition de forces* ★ het ~ der zeden *la dépravation des mœurs* • hoogteverschil *différence* v *de niveau*; *chute* v
vervaldatum *échéance* v
vervallen I BNW • bouwvallig *délabré*; *en ruine* • niet meer geldig *aboli*; *supprimé*; ‹verstreken› *échu*; *périmé* ▾ ~ verklaard van de troon *déchu du trône* II ON WW • achteruitgaan *se détériorer*; *se dégrader* • bouwvallig worden *se délabrer* • geraken, komen *tomber (dans)*; ‹opnieuw› *retomber (dans)* ★ tot armoede ~ *être réduit à la pauvreté* • niet meer gelden *être supprimé*; *être aboli* ★ heel zijn redenering vervalt *tout son raisonnement tombe* • in eigendom overgaan *revenir à*; *échoir à* • invorderbaar worden ‹v. wissel› *échoir*; *expirer*
vervalsen • namaken *falsifier* • veranderen *contrefaire*
vervalser *falsificateur* m [v: *falsificatrice*]; *contrefacteur* m; *faussaire* m
vervalsing • het vervalsen *falsification* v; *altération* v • het vervalste *contrefaçon* v; *faux* m
vervangen *remplacer*; *substituer (à)* ★ elkaar ~ *se relayer*
vervanger *remplaçant* m [v: *remplaçante*] ★ de ~ van de minister *le suppléant du ministre*
vervanging *remplacement* m; *substitution* v
vervatten *contenir* ★ in deze termen vervat *conçu en ces termes*
verve *verve* v ★ met veel ~ *avec verve*
verveeld ★ hij kijkt altijd zo ~ *l'ennui se lit toujours sur son visage*
vervelen I OV WW *ennuyer*; INF. *embêter* II WKD WW verveling voelen *s'ennuyer*
vervelend I BNW • onaangenaam *désagréable*; INF. *embêtant* ★ het erg ~ vinden *être très ennuyé* • saai *ennuyeux* [v: *ennuyeuse*] II BIJW • onaangenaam *désagréablement* • saai *ennuyeusement*
verveling *ennui* m
vervellen ‹v. mensen› *peler*; ‹v. dieren› *changer de peau*; *muer*
verveloos *sans peinture* ★ een ~ raamkozijn *un châssis lépreux*
verven • schilderen *peindre* ★ pas geverfd! *peinture fraîche!* • kleuren *teindre*
verversen • vervangen *renouveler* ★ olie ~ *vidanger* • opfrissen *rafraîchir*
verversing • het verversen *rafraîchissement* m; *renouvellement* m; ‹v. olie› *vidange* v • eten of drinken *rafraîchissement* m
verviervoudigen *quadrupler*
vervilten *se feutrer*
vervlaamsen *flamandiser*
vervlakken • vlak maken *niveler*; *égaliser* • verflauwen *émousser*; *affaiblir*
vervliegen • vervluchtigen *s'évaporer*; *se volatiliser* ★ het ~ *l'évaporation* v; *la fuite* • verdwijnen *s'écouler*; *passer vite*
vervloeken • *maudire* • vloek uitspreken ★ vervloekt! *diable!*
vervloeking *malédiction* v; FORM. *imprécation* v
vervlogen ★ de ~ jaren *les années* v mv *passées* ★ ~ hoop *espoir perdu* m
vervluchtigen *se volatiliser*; *s'évaporer*
vervoegen I OV WW TAALK. *conjuguer* II WKD WW zich melden ★ zich ~ bij iem. *se rendre auprès de qn*; *s'adresser à qn*
vervoeging *conjugaison* v
vervoer • transport *transport* m • transportmiddel *moyen* m *de transport* ★ openbaar ~ *transports* m mv *en commun* ★ het stads~ *le transport urbain*
vervoerbewijs *titre* m *de transport*
vervoerder *transporteur* m
vervoeren • transporteren *transporter* • meeslepen *ravir*
vervoering *extase* v; *transport* m ★ in ~ *transporté de joie*; *en extase*
vervoermiddel *moyen* m *de transport*
vervolg • voortzetting *suite* v • komende tijd ★ in het ~ *à l'avenir*; *désormais*
vervolgblad *page* v *suivante*
vervolgen • voortzetten *poursuivre*; *continuer* ★ wordt vervolgd *à suivre* • achtervolgen *poursuivre*; ‹wegens geloof› *persécuter* • JUR. *poursuivre*; *actionner*
vervolgens *ensuite*; *puis*
vervolging • voortzetting *continuation* v • het vervolgd worden *poursuite* v; ‹wegens geloof› *persécution* v • rechtsvervolging *poursuites* v mv
vervolgingswaanzin *délire* m *de persécution*
vervolgonderwijs *enseignement* m *secondaire*
vervolgverhaal *feuilleton* m
vervolmaken *perfectionner*
vervolmaking *perfectionnement* m
vervormen I OV WW vertekenen *transformer*; *déformer* II ON WW vertekend worden *se transformer*; *se déformer*
vervorming *transformation* v; *déformation* v; ‹v. geluid› *distorsion* v
vervreemden I OV WW vreemd maken *aliéner* II ON WW geestelijk verwijderen *s'éloigner*

de; se détacher de

vervreemding *aliénation* v

vervroegen *avancer; anticiper* ★ vervroegde verkiezingen *élections* v mv *anticipées* ★ dagtekening ~ *antidater*

vervuilen I OV WW vuilmaken *encrasser; salir;* ‹v. milieu› *polluer* II ON WW vuil worden *s'encrasser;* ‹v. water› *croupir;* ‹v. milieu› *se polluer*

vervuiler *pollueur* m [v: *pollueuse*] ★ de ~ betaalt *qui pollue paie*

vervuiling *encrassement* m; ‹v. milieu› *pollution* v

vervullen • vol doen zijn *remplir* • verwezenlijken *accomplir; effectuer; réaliser* ★ zijn taak ~ *remplir sa tâche* • bezetten *remplir*

vervulling *accomplissement* m; *réalisation* v ★ in ~ gaan *se réaliser*

verwaand I BNW *présomptueux* [v: *présomptueuse*]; *suffisant* II BIJW *présomptueusement; avec suffisance*

verwaardigen ★ iem. met geen blik ~ *ne pas accorder un regard à qn* ★ zich niet ~ iem. te groeten *ne pas daigner saluer qn*

verwaarlozen *négliger* ★ te ~ *négligeable*

verwaarlozing *négligence* v

verwachten • rekenen op *s'attendre à; attendre* ★ bezoek ~ *attendre du monde* • voorzien ★ zoals te ~ was *comme on pouvait s'y attendre* ★ ik verwacht dat *je m'attends à ce que* [+ subj.] • zwanger zijn ★ een kind ~ *attendre un bébé; être enceinte*

verwachting • het verwachten *attente* v • wat verwacht wordt *espérances* v mv ★ boven ~ *au-delà des prévisions* ▼ in (blijde) ~ zijn *être enceinte*

verwant I ZN *parent* m ★ de naaste ~en *les proches parents* II BNW • familie zijnd *apparenté (à); parent (de)* • overeenkomend *proche (de); analogue (à)*

verwantschap • het verwant zijn *parenté* v • overeenkomst *affinité* v; *alliance* v

verward I BNW • onordelijk *en désordre; embrouillé* ★ ~e gedachten *pensées embrouillées* • onduidelijk *confus; embrouillé* ★ ~ raken in *s'embarrasser dans* • van streek *embarrassé; troublé* II BIJW • onordelijk *confusément* • bedremmeld *avec embarras*

verwarmen • warm maken *chauffer* ★ een kamer ~ *chauffer une chambre* • opwarmen *réchauffer*

verwarming • het verwarmen *échauffement* m; *chauffage* m • installatie *chauffage* m ★ centrale ~ *chauffage central*

verwarmingsbron *source* v *de chauffage*

verwarmingsbuis *tuyau* m *de chauffage* [m mv: *tuyaux* ...]

verwarmingselement *élément* m *de chauffage*

verwarmingsketel *chaudière* v

verwarren • in de war brengen *embrouiller; troubler* • verlegen maken *troubler; embarrasser* • ~ **met** *confondre (avec)*

verwarring *confusion* v ★ in ~ brengen *embrouiller; jeter le désordre dans*

verwateren • waterig worden *se diluer* • verflauwen *se relâcher* ★ de vriendschap verwatert *l'amitié s'effrite*

verwedden *parier*

verweer *défense* v; *résistance* v

verweerd *rongé par le temps;* ‹v. gezicht› *buriné;* ‹v. steen› *effrité*

verweerschrift *défense* v; *apologie* v

verwekken • door bevruchting doen ontstaan *engendrer* ★ een kind ~ *faire un enfant* • veroorzaken *causer; provoquer; susciter*

verwekker • vader *générateur* m • veroorzaker *auteur* m; ‹v. ziekte› *agent* m

verwelken *se faner; se flétrir*

verwelkomen *souhaiter la bienvenue à; accueillir*

verwelkoming *bienvenue* v

verwend *gâté* ★ ~ nest *enfant gâté* m

verwennen *gâter*

verwennerij *gâterie* v

verwensen *maudire*

verwensing • het vervloeken *malédiction* v; FORM. *imprécation* v • vloek *juron* m

verwereldlijken *séculariser*

verweren I ON WW *être rongé par les intempéries;* ‹v. gesteente› *s'effriter* II WKD WW *se défendre*

verwerkelijken *réaliser*

verwerken • maken tot iets *transformer* ★ ~ tot *convertir en* • bij bewerken opnemen *traiter* • verkroppen *accepter; digérer*

verwerkingseenheid *unité* v *de traitement* ★ centrale ~ *unité* v *centrale de traitement*

verwerpelijk *blâmable; condamnable*

verwerpen • afwijzen *rejeter* • afkeuren *repousser; condamner*

verwerping *rejet* m; ‹afkeuring› *désapprobation* v

verwerven *acquérir*

verwerving *acquisition* v

verwesteren *s'occidentaliser*

verweven • samenhangen *imbriquer* ★ de feiten zijn nauw met elkaar ~ *les faits sont étroitement imbriqués* • wevend verwerken *tisser*

verwezenlijken *réaliser*

verwezenlijking *réalisation* v

verwijden *élargir; dilater*

verwijderd *éloigné; distant*

verwijderen I OV WW • wegnemen *enlever* ★ vlekken ~ *enlever des taches* • wegsturen *expulser* ★ een leerling van school ~ *renvoyer un élève de l'école* II WKD WW weggaan *s'éloigner*

verwijdering • het verwijderen *éloignement* m; *enlèvement* m; *écartement* m • afstand *distance* v • bekoeling *distance* v

verwijding *élargissement* m; *dilatation* v

verwijfd *efféminé*

verwijsbriefje *lettre* v *d'introduction*

verwijt *reproche* m

verwijten *reprocher* ★ iem. iets ~ *reprocher qc à qn*

verwijzen *renvoyer (à);* JUR. *déférer (à)* ★ mag ik u ~ naar *permettez-moi de vous renvoyer à*

verwijzing *renvoi* m; *référence* v; JUR. *condamnation* v ★ onder ~ naar *en se référant à*

verwikkelen *impliquer* ★ in een zaak verwikkeld zijn *être impliqué dans une affaire*
verwikkeling • het verwikkelen *implication* v • moeilijkheid *complication* v • plot *intrigue* v
verwilderd • wild geworden *redevenu sauvage*; ‹v. grond› *inculte* • woest *hagard*
verwilderen • wild worden ‹v. dieren› *devenir sauvage*; ‹v. grond› *devenir inculte* • bandeloos worden *s'abrutir*
verwisselbaar *interchangeable*; *permutable*
verwisselen • verruilen *échanger*; *changer*; *substituer* • verwarren *confondre*
verwisseling *changement* m; ‹ruil› *échange* m; ‹vervanging› *substitution* v
verwittigen *informer*; *avertir* ★ iem. van iets ~ *informer qn de qc*
verwoed I BNW • woedend *furieux* [v: *furieuse*]; *enragé*; *acharné* ★ ~e gevechten *combats* m mv *acharnés* • fervent *passionné*; *fervent* ★ een ~ postzegelverzamelaar *un passionné de la philatélie* II BIJW • woedend *furieusement* • fervent *passionnément*
verwoesten *détruire*; *ravager*
verwoesting *destruction* v; *ravage(s)* m (mv)
verwonden *blesser*
verwonderen I OV WW *étonner*; *surprendre* II WKD WW *s'étonner (de)* ★ het verwondert mij dat *cela m'étonne que* [+ subj.]
verwondering *étonnement* m; *surprise* v
verwonderlijk I BNW verbazend *étonnant*; *surprenant* II BIJW verbazend *étonnamment*
verwonding *blessure* v ★ aan zijn ~en bezwijken *mourir à la suite de ses blessures*
verwoorden *formuler* ★ dat heb je treffend verwoord *tu l'as exprimé d'une façon parlante*
verworden • anders worden *changer* • ontaarden *dégénérer*; *se gâter*
verworvenheid *acquis* m
verwringen *tordre*; *forcer*
verwurging ‹judo› *étranglement* m
verzachten *adoucir*; *modérer*; *soulager*; MED. *lénifier* ★ de pijn ~ *soulager la douleur* ★ ~de omstandigheden *circonstances* v mv *atténuantes*
verzachting *adoucissement* m; ‹v. straf› *atténuation* v; *soulagement* m
verzadigen • volop bevredigen *rassasier*; *assouvir* ★ niet te ~ *insatiable* ★ de markt is verzadigd *le marché est saturé* • CHEM. *saturer*
verzadiging *satiété* v; *saturation* v; CHEM. *saturation* v
verzadigingspunt *point* m *de saturation*
verzaken *renier* ★ zijn plicht ~ *manquer à son devoir* ▾ schoppen ~ *renoncer à pique*
verzakken *s'affaisser*
verzakking • *affaissement* m • MED. *prolapsus* m
verzamelaar *collectionneur* m [v: *collectionneuse*]
verzamelband *reliure* v
verzamelbedrijf *la chasse et la pêche ensemble (moyen d'existence)*
verzamelelpee *disque* m *de compilation*
verzamelen • bijeenbrengen *rassembler* ★ rijkdommen ~ *amasser des richesses* ★ zijn gedachten ~ *recueillir ses idées* • verzameling aanleggen *collectionner*
verzameling • het verzamelen *rassemblement* m • collectie *collection* v • WISK. *ensemble* m ★ de leer der ~en *la théorie des ensembles*
verzamelnaam *collectif* m
verzamelplaats *lieu* m *de rassemblement* [m mv: *lieux* ...]
verzamelpunt *point* m *de rencontre*
verzamelstaat *état* m *récapitulatif*
verzanden • vol zand raken *s'ensabler* • vastlopen *s'enliser*
verzegelen *cacheter*; JUR. *sceller*; *apposer les scellés sur*
verzegeling *cachetage* m
verzeilen ★ ergens verzeild raken ‹toevallig› *arriver quelque part par hasard*; ‹vastlopen› *échouer quelque part*
verzekeraar *assureur* m
verzekerd • zeker *assuré*; *certain*; *sûr* ★ in ~e bewaring nemen JUR. *incarcérer* • gedekt *assuré* ★ verplicht ~ *assuré social* ★ vrijwillig ~ *assuré volontaire*
verzekerde *assuré* m [v: *assurée*]
verzekeren I OV WW *assurer* ★ ~ tegen brand *assurer contre l'incendie* ★ zijn huis ~ *faire assurer sa maison* ★ iem. iets ~ *assurer qc à qn*; *assurer qn de qc* II WKD WW *s'assurer*
verzekering • *assurance* v ★ sociale ~ *assurance sociale* • assurantie ★ gecombineerde ~ *assurance* v *multirisque*
verzekeringsagent *agent* m *d'assurances*
verzekeringsinspecteur *inspecteur* m *d'assurances*
verzekeringsmaatschappij *compagnie* v *d'assurances*
verzekeringsplichtig *assujetti à la loi sur les assurances*
verzekeringspolis *police* v *d'assurance*
verzekeringspremie *prime* v *d'assurance*
verzelfstandiging *émancipation* v
verzenden *envoyer*; *expédier*
verzendhuis *maison* v *de vente par correspondance*
verzending *envoi* m; *expédition* v ★ de afdeling ~ *le service d'expédition*
verzendkosten *frais* m mv *d'expédition*
verzengen *brûler*; *roussir*
verzet • tegenstand *opposition* v; *résistance* v ★ in ~ komen tegen *s'opposer à*; *s'insurger contre* ★ ~ aantekenen tegen *faire opposition à* ★ lijdelijk ~ *résistance passive* • verzetsbeweging *Résistance* v • fietsversnelling *braquet* m
verzetje *détente* v
verzetsbeweging *Résistance* v; ‹in Frankrijk› *Maquis* m
verzetshaard *noyau* m *de résistance* [m mv: *noyaux* ...]
verzetsstrijder *résistant* m [v: *résistante*]
verzetten I OV WW • elders zetten *déplacer*; *avancer*; ‹in spel› *jouer*; ‹v. afspraak› *remettre à un autre jour* ★ geen voet ~ *ne pas bouger* • verrichten *faire*; *effectuer*

• afleiding geven *distraire* ★ de zinnen ~ *distraire l'esprit* II WKD WW weerstand bieden *s'opposer (à)*
verzieken *gâcher*
verziend *presbyte*
verziendheid *presbytie* v
verzilveren • met zilver bedekken *argenter* • innen *encaisser*
verzinken I OV WW • diep inslaan *noyer* • galvaniseren *galvaniser*; *zinguer* II ON WW verdiept raken *se plonger dans* ▾ in het niet ~ bij *pâlir devant*
verzinnen • uitvinden *inventer* • fantaseren *imaginer*
verzinsel *fiction* v; *invention* v
verzitten *changer de position*
verzoek • vraag *demande* v ★ aan een ~ voldoen *accéder à une prière* ★ een ~ om gratie *un recours en grâce* ★ op ~ *sur demande* ★ op ~ tonen *présenter sur demande* • verzoekschrift *demande* v; *requête* v
verzoeken • vragen *prier*; *demander* ★ iem. om iets ~ *demander qc à qn* ★ iem. ~ het pand te verlaten *prier qn de quitter les lieux* ★ verzoeke *prière de* ★ men wordt verzocht *on est prié de* • uitnodigen *inviter (à)*; *prier (de)* • beproeven *tenter*
verzoeking *tentation* v ★ in ~ brengen *soumettre à la tentation*
verzoeknummer *numéro* m *demandé par le public*
verzoekprogramma *programme* m *demandé par le public*
verzoekschrift *pétition* v; *requête* v
verzoendag *jour* m *du Grand Pardon*; *fête* v *de l'Expiation*
verzoenen *réconcilier*
verzoening *réconciliation* v
verzolen *ressemeler*
verzorgd *soigné*
verzorgen • zorgen voor *soigner*; *prendre soin de* ★ ik verzorg de koffie *je m'occupe du café* ★ een reis ~ *organiser un voyage* • onderhouden *entretenir* ★ zijn nagels ~ *se soigner les ongles*; *se faire les ongles*
verzorger ‹v. dieren› *gardien* m [v: *gardienne*]; SPORT *soigneur* m
verzorging ‹v. mensen en dieren› *soins* m mv [mv]; ‹v. grondstoffen en verbruiksgoederen› *approvisionnement* m
verzorgingsflat *résidence* v *du troisième âge*
verzorgingsstaat *État-providence* m [mv: *États-providences*]
verzorgingstehuis *home* m *pour vieillards*
verzot *fou de* [v: *folle de*]; *passionné de*; *avide de*
verzuchten *soupirer*
verzuchting *soupir* m; *gémissement* m
verzuiling *compartimentage* m
verzuim • nalatigheid *négligence* v; *omission* v; JUR. *défaut* m ★ een ~ herstellen *réparer un oubli* • het wegblijven *absentéisme* m
verzuimen • nalaten *négliger*; *omettre* • niet opdagen *manquer* ★ school ~ *manquer la classe*; ‹spijbelen› *sécher les cours*
verzuipen I OV WW • doen verdrinken *noyer* • TECHN. *noyer* • uitgeven aan drank *boire* II ON WW verdrinken *se noyer*
verzuren I OV WW • zuur maken *aigrir* • vergallen *gâcher* II ON WW zuur worden *s'aigrir*
verzuring *acidification* v
verzwakken I OV WW zwakker maken *affaiblir*; *atténuer* II ON WW zwakker worden *s'affaiblir*
verzwakking *affaiblissement* v; *atténuation* v
verzwaren • zwaarder maken *alourdir*; ‹ter versteviging› *renforcer* • vergroten *aggraver*; *alourdir* ★ een diefstal met ~de omstandigheden *un vol qualifié* ★ ~de omstandigheden *circonstances* v mv *aggravantes*
verzwaring *alourdissement* m; FIG. *renforcement* m
verzwelgen *engloutir*
verzwijgen *taire*; *cacher*
verzwikken *se fouler*; *se faire une entorse* ★ zijn pols ~ *se fouler le poignet*
vesper *vêpres* v mv
vest • deel van pak *gilet* m • soort trui *gilet* m; *cardigan* m
vestiaire *vestiaire* m
vestibule *vestibule* m
vestigen • richten *fixer* ★ de aandacht ~ op *attirer l'attention sur* ★ zijn hoop ~ op iem. *mettre son espoir en qn* • tot stand brengen *fonder*; *établir* • vastleggen *établir* • nederzetten *établir*; *installer* ★ zich ~ *s'établir*; ‹v. bedrijven› *s'implanter*
vestiging • het vestigen *établissement* m • nederzetting *implantation* v • filiaal *succursale* v; *établissement* m
vestigingsvergunning *autorisation* v *d'implantation*
vesting *forteresse* v
vestingstad *ville* v *fortifiée*
vestingwerk *fortification* v
vet I ZN *graisse* v; ‹aan vlees› *gras* m ★ vetten *corps* m mv *gras* ★ op zijn vet teren *vivre de sa graisse* ▾ iemand zijn vet geven *dire à qn son fait* II BNW • met veel vet *gras* [v: *grasse*] • bevuild met vet *graisseux* [v: *graisseuse*]; ‹m.b.t. olie› *huileux* [v: *huileuse*] • dik *gras* [v: *grasse*] ★ vet worden *s'engraisser* ★ dik en vet *gros et gras* ▾ daar ben je vet mee *cela te fait une belle jambe*
vetarm *maigre*
vetbult • *boule* v *de graisse* • MED. *lipome* m
vete *brouille* v; *inimitié* v
veter *cordon* m; ‹v. schoen› *lacet* m
veteraan *vétéran* m
veteranenziekte *légionellose* v
veterinair I ZN *vétérinaire* m/v II BNW *vétérinaire*
vetgehalte *teneur* v *en matières grasses*
vetkuif • persoon *loubard* m • haardracht *banane* v
vetkussen *bourrelet* m *de graisse*
vetmesten *engraisser*; ‹v. gevogelte› *empâter*
veto *veto* m ★ zijn veto uitspreken over *mettre son veto à*
vetoogje *rond* m *de graisse*

vetorecht *droit* m *de veto*
vetplant *plante* v *grasse*
vetpot ▾ het is geen ~ *ce n'est pas le Pérou*
vetpuistje *bouton* m *d'acné*
vetrand *gras* m
vetrijk *gras* [v: *grasse*]
vettig *gras* [v: *grasse*]; *graisseux* [v: *graisseuse*]
vettigheid *graisse* v
vetvlek *tache* v *de graisse*
vetvrij • geen vet opnemend ★ ~ papier *papier sulfurisé* m • geen vet bevattend *sans matières grasses*
vetzak *gros patapouf* m
vetzucht *adipose* v
vetzuur *acide gras* m
veulen *poulain* m
vezel *fibre* v; *filament* m; ‹in vlees› *filandre* v
V-hals *décolleté* m *en V*
via • over, langs *par* ★ hij vliegt via Londen *il vole en passant par Londres* • door bemiddeling van ★ via mijn oom *par l'intermédiaire de mon oncle* ★ via via *par intermédiaire*
viaduct *viaduc* m
vibrafoon *vibraphone* m
vibratie *vibration* v
vibrato *vibrato* m
vibrator • toestel voor sensuele prikkeling *vibromasseur* m • trillend lichaam *vibrateur* m
vibreren I OV WW doen trillen *faire fibrer* II ON WW trillen *vibrer*; ‹v. stem› *faire vibrer sa voix*
vicaris *vicaire* m
vice- *vice-*
vice versa *vice-verca*
vicieus *vicieux* [v: *vicieuse*]
victorie *victoire* v ★ ~ kraaien *crier victoire*
video • videografie *vidéographie* v • film *film* m *vidéo* ★ huren we vanavond een ~? *est-ce qu'on loue une vidéo ce soir?* • recorder *magnétoscope* m
videoband *bande* v *vidéo*
videocamera *caméscope* m
videocassette *vidéocassette* v
videoclip *vidéoclip* m
videoconferencing *vidéoconférence* v
videografie *vidéographie* v
videografisch *vidéographique*
video-opname *prise* v *en vidéo*
videorecorder *magnétoscope* m ★ opnemen op ~ *enregistrer au magnétoscope*
videospel *jeu* m *vidéo*; *vidéo-game* m [mv: *vidéo-games*]
videotex *vidéotex* m
videotheek *vidéothèque* v
viditel® *viditel* m
vief I BNW *vif* [v: *vive*] II BIJW *vivement*
vier I ZN *quatre* m II TELW *quatre* → **acht**
vierbaansweg *route* v *à quatre voies*
vierde I ZN *quart* m ★ drie ~ van *(les) trois quarts de* ★ voor drie ~ *aux trois quarts* II TELW *quatrième* → **achtste**
vierdelig *de/à/en quatre parties*
vierdeursauto *voiture* v *à quatre portes*
vieren • gedenken *fêter*; *célébrer* • vereren *célébrer* • laten schieten *lâcher*
vierendelen *écarteler*
vierhoek *quadrilatère* m
viering *célébration* v
vierkant I ZN figuur *carré* m II BNW *carré* III BIJW *carrément* ★ hij werd ~ uitgelachen *on lui a ri au nez* ★ ~ houwen *équarrir*
vierkantsvergelijking WISK. *équation* v *du second degré*
vierkantswortel WISK. *racine* v *carrée*
vierkwartsmaat *mesure* v *à quatre temps*
vierling *quadruplés* m mv [v mv: *quadruplées*]
vierspan *attelage* m *à quatre*
viersprong *carrefour* m
viertal *quatuor* m ★ het ~ kwam binnen *les quatre sont entrés*
viervoeter *quadrupède* m
viervoud *quadruple* m ★ in ~ *en quatre exemplaires* ★ het ~ nemen *quadrupler*
vies I BNW • vuil *malpropre*; *sale* ★ wat ben je vies! *comme tu es sale!* ★ vieze luchtjes *mauvaises odeurs* ★ een vies mens *une femme malpropre* • onsmakelijk *dégoûtant* ★ een vies gerecht *un plat dégoûtant* ★ een vieze smaak *un goût infect* • afkeer wekkend *sale* • afkerig ★ vies zijn van *être dégoûté de*; *détester* ★ hij is niet vies van geweld *il ne craint pas (de recourir à) la violence* ★ niet vies van een beetje vlees zijn *aimer la viande* • onfatsoenlijk *obscène* ★ een vieze film *un film porno* • slecht *sale*; *mauvais* II BIJW *d'une façon malpropre*
viespeuk *cochon* m [v: *cochonne*]
Vietnam *le Vietnam/Viêt-nam*
Vietnamees I ZN (de) *Vietnamien* m [v: *Vietnamienne*] II BNW *vietnamien* [v: *vietnamienne*]
viezerik *cochon* m [v: *cochonne*]
viezigheid *saleté* v
vignet *vignette* v
vijand *ennemi* m
vijandelijk *ennemi*
vijandelijkheid *hostilité* v
vijandig *hostile*
vijandigheid • het vijandig zijn *hostilité* v; *animosité* v; *inimité* v • iets vijandigs ★ vijandigheden *hostilités* v mv
vijandschap *inimitié* v; *hostilité* v
vijf I ZN *cinq* m II TELW *cinq* ▾ na veel vijven en zessen *après toutes sortes d'objections* ▾ ze alle vijf bij elkaar hebben *être dans son bon sens* ▾ ze niet alle vijf bij elkaar hebben *être marteau* → **acht**
vijfde *cinquième* ★ Karel de Vijfde *Charles-Quint* → **achtste**
vijfenzestigplusser *personne* v *du troisième âge*
vijfhoek *pentagone* m
vijfjarenplan *plan* m *quinquennal* [m mv: *plans quinquennaux*]
vijfje *pièce* v *de cinq florins*
vijfkamp *pentathlon* m
vijfling *quintuplés* m mv [v mv: *quintuplées*]
vijftien I ZN *quinze* m II TELW *quinze* → **acht**
vijftiende *quinzième* → **achtste**
vijftig I ZN *cinquante* m II TELW *cinquante* → **acht**
vijftiger *quinquagénaire* m

vijftigste *cinquantième* → **achtste**
vijfvlak *pentaèdre* m
vijg • vrucht *figue* v • paardenvijg *crotte* v *(de cheval)*
vijgenblad • blad van vijgenboom *feuille* v *de figuier* • bedekking *feuille* v *de vigne*
vijgenboom *figuier* m
vijl *lime* v; ‹grof› *râpe* v ★ een driekantige vijl *un tiers-point*
vijlen *limer* ★ het ~ *le limage*
vijlsel *limaille* v
vijver *étang* m ★ ~tje *bassin* m
vijzel • vat *mortier* m • krik *vérin* m
vijzelen *lever à l'aide d'un vérin*
viking *viking* m
vilder *équarrisseur* m
villa *villa* v
villadorp *village* m *de villas*
villapark *parc* m *résidentiel*
villawijk *quartier* m *de villas*
villen • huid afstropen *écorcher*; ‹met name van paard› *équarrir* • afpersen *écorcher*
vilt *feutre* m
vilten *de feutre*
viltje *carton* m
viltstift *feutre* m; *stylo-feutre* m [mv: *stylos-feutres*]; *marqueur* m
vim® *poudre* v *abrasive*
vin *nageoire* v ★ borstvin *aileron* m ▾ geen vin verroeren *ne pas bouger*
vinaigrette *vinaigrette* v
vinden *trouver* ★ zich in iets kunnen ~ *se retrouver dans qc* ★ er iets op ~ *trouver une solution* ★ ~ dat *trouver que* [+ ind.]; *être d'avis que* ★ wat vind je ervan? *qu'est-ce que tu en penses?* ★ ik vind er niets aan *cela ne m'emballe pas*; *cela ne me plaît pas du tout* ★ vindt mamma het ook goed? *maman est d'accord elle aussi?* ★ ik vind het niet erg om met z'n drieën te gaan *cela ne me gêne pas d'y aller à trois*; *je suis d'accord pour y aller à trois* ▾ het goed met iemand kunnen ~ *s'entendre bien avec qn*
vindersloon *droit* m *de l'inventeur*
vinding • het vinden *découverte* v • uitvinding *invention* v
vindingrijk *inventif* [v: *inventive*]; *ingénieux* [v: *ingénieuse*]
vindplaats *lieu* m *de découverte* [m mv: *lieux* ...]; ‹v. erts› *gisement* m; ‹v. dier› *habitat* m
vinger *doigt* m ★ zijn ~ opsteken *lever le doigt* ▾ een lange ~ *un boudoir* ▾ met de natte ~ *au jugé*; *au pif* ▾ dat kun je op je ~s natellen *c'est évident* ▾ een ~ in de pap hebben *avoir son mot à dire* ▾ zij windt hem om haar ~ *elle fait de lui ce qu'elle veut* ▾ met de ~ nawijzen *montrer du doigt* ▾ zijn ~s erbij aflikken *s'en lécher les doigts* ▾ iemand op de ~s kijken *surveiller qn de près* ▾ zich in de ~s snijden *se brûler les doigts* ▾ iets door de ~s zien *fermer les yeux sur qc* ▾ de ~ op de wonde leggen *mettre le doigt sur la plaie* ▾ lange ~s hebben *être voleur comme une pie*
vingerafdruk *empreinte* v *digitale*
vingerdoekje *serviette* v *à thé*
vingeren *se toucher*
vingerhoed *dé* m *(à coudre)*
vingerhoedskruid *digitale* v
vingerkootje *phalange* v
vingeroefening • MUZ. *exercice* m *d'assouplissement (des doigts)* • vaardigheidsoefening *entraînement* m
vingertop *bout* m *du doigt*
vingervlug *agile des doigts*
vingerwijzing *indication* v; *indice* m
vingerzetting *doigté* m
vink • vogel *pinson* m • vleeslapje *paupiette* v
vinkentouw *filet* m *d'oiseleur* ▾ op het ~ zitten *être aux aguets*; *guetter sa chance*
vinnig I BNW • hevig ‹v. kou› *âpre*; *mordant* ★ een ~e slag *un coup violent* • bits ‹v. antwoord› *aigre*; ‹v. toon› *agressif* [v: *agressive*] **II** BIJW *violemment*
vinyl *vinyl* m
violet *violet* [v: *violette*]
violist *violoniste* m/v
viool *violon* m ★ de eerste ~ spelen *être premier violon*; FIG. *tenir le haut du pavé*
vioolconcert *concerto* m *pour violon*
vioolkist *étui* m *à violon*
vioolsleutel • muzieksleutel *clef* v *de sol* • schroef *cheville* v
viooltje *violette* v
vip *V.I.P.* m
viriel *viril*
virtueel *virtuel* [v: *virtuelle*]
virtuoos I ZN *virtuose* m **II** BNW *de virtuose* **III** BIJW *avec virtuosité*
virtuositeit *virtuosité* v
virus *virus* m
virusdrager *porteur* m *de virus*
virusziekte *maladie* v *à virus*
vis *poisson* m ▾ zo gezond als een vis zijn *se porter comme un charme* ▾ vis wil zwemmen *poisson sans boisson est poison*
visafslag • plaats *poissonnerie* v • verkoop *criée* v
visagist *visagiste* m/v
visakte *permis* m *de pêche*
visboer *poissonnier* m [v: *poissonnière*]
visburger *fishburger* m
viscose *viscose* v
viscositeit *viscosité* v
visgraat • skeletdeel *arête* v • dessin *chevrons* m mv
vishaak *hameçon* m
visie • zienswijze *vision* v; *opinion* v • inzage *examen* m
visioen *vision* v
visionair *visionnaire*
visitatie *visite* v
visite *visite* v ★ ~ hebben *avoir du monde* ★ op ~ gaan bij iem. *aller voir qn*
visitekaartje *carte* v *de visite* ★ zijn ~ afgeven *déposer sa carte de visite*
visiteren *fouiller*; *visiter*
viskom *bocal* m *à poissons* [m mv: *bocaux* ...]
visooglens *objectif* m *à grand angle*
visrestaurant *restaurant* m *de poisson*
visrijk *poissonneux* [v: *poissonneuse*]
visschotel • gerecht *plat* m *de poisson* • schaal *plat* m *à poisson*
visseizoen *saison* v *de la pêche*

vissen I ZN sterrenbeeld *Poissons* m mv II ON WW • vis vangen *pêcher* ★ uit ~ gaan *faire une partie de pêche* • dreggen *repêcher* • trachten te krijgen ★ naar complimenten ~ *solliciter des compliments* ★ naar iets ~ *chercher à savoir qc*
visser *pêcheur* m [v: *pêcheuse*]
visserij *pêche* v
vissersboot *bateau* m *de pêche* [m mv: *bateaux ...*]
visserslatijn *exagération* v
vissersvloot *flottille* v *de pêche*
vissnoer *ligne* v
visstand *population* v *piscicole*
visstick *bâtonnet* m *de poisson*
visstoeltje *pliant* m *de pêcheur*
vistuig *matériel* m *de pêche*
visualisatie *visualisation* v
visualiseren *visualiser*; ‹in de geest› *se faire une idée claire (de)*
visueel *visuel* [v: *visuelle*]
visum *visa* m
visumplicht *visa* m *obligatoire*
visvangst *pêche* v
visvijver *vivier* m
viswater *pêcherie* v
viswijf *marchande* v *de poisson*
vitaal • wezenlijk *vital* [m mv: *vitaux*] • levenskrachtig *vif* [v: *vive*]
vitaliteit *vitalité* v
vitamine *vitamine* v
vitaminegebrek *carence* v *en vitamines*
vitaminepreparaat *préparation* v/*comprimé* de *de vitamines*
vitaminerijk *riche en vitamines*
vitrage *vitrage* m
vitrine *vitrine* v
vitriool *vitriol* m
vitten *chicaner*; *trouver à redire (à)*
vivisectie *vivisection* v
vizier • kijkspleet in helm *visière* v • richtmiddel *viseur* m
vizierkijker *lunette* v *de tir*
vizierlijn *ligne* v *de mire*
vla • nagerecht ≈ *crème* v *dessert* • vlaai ≈ *tarte* v
vlaag • windstoot *rafale* v; *bourrasque* v • uitbarsting *accès* m *(de)* ★ bij vlagen *par bouffées* ★ in een ~ van woede *dans un accès de colère*
vlaai • taart ≈ *tarte* v • koeienpoep *bouse* v *de vache*
Vlaams I ZN *flamand* m II BNW *flamand*
Vlaamse *Flamande* v
Vlaanderen *la Flandre* ★ in ~ *en Flandre*
vlag *drapeau* m; ‹v. schip› *pavillon* m ★ de vlag uithangen *pavoiser* ★ de vlag strijken *amener le pavillon*; FIG. *baisser pavillon* ★ met vlaggen versieren *pavoiser* ★ onder goedkope vlag varen *porter pavillon de complaisance*
vlaggen *pavoiser*; *arborer le(s) drapeau(x)* ★ alle huizen vlagden *toutes les maisons étaient pavoisées*
vlaggenmast *mât* m *de pavillon*
vlaggenschip *navire* m *amiral* [m mv: *navires amiraux*]
vlaggenstok *hampe* v
vlagvertoon *présence* v *du pavillon*
vlak I ZN • platte zijde *surface* v; *plat* m ★ op een hellend vlak *sur une pente dangereuse* • WISK. *surface* v ★ een gebogen vlak *un plan courbe* ★ een hellend vlak *un plan incliné* • gebied *plan* m ★ op het sociale vlak *sur le plan social* II BNW • plat *plat*; *ras*; *uni*; WISK. *plan* ★ de vlakke hand *le plat de la main* ★ de vlakke meetkunde *la géométrie plane* ★ in het vlakke veld *en rase campagne* • zonder nuance *plat*; ‹v. stijl› *sans relief* III BIJW • plat *droit* • recht *juste*; *tout* ★ het is vlak bij *c'est tout près*; *c'est à deux pas* ★ vlak tegenover het gemeentehuis *juste en face de la mairie*
vlakgom *gomme* v
vlakte *plaine* v ▾ zich op de ~ houden *rester dans le vague* ▾ tegen de ~ slaan *terrasser*
vlaktemaat *mesure* v *de superficie*
vlakverdeling *division* v *d'une surface*
vlam *flamme* v ★ vlam vatten *prendre feu*; *s'enflammer*
Vlaming *Flamand* m
vlammen • vlammen vertonen *flamber* • fonkelen *flamboyer*; *jeter des flammes*
vlammenwerper *lance-flammes* m [onv]
vlammenzee *mer* v *de feu*
vlamverdeler • deel van fornuis *stabilisateur* m *de flamme* • los plaatje *diffuseur* m
vlas *lin* m
vlasblond *filasse*
vlashaar • lichtblond haar *cheveux* m mv *filasse* • baard-/snorhaar *duvet* m
vlassen I BNW van vlas *de lin*; *en lin* II ON WW ~ **op** *guetter*; *désirer ardemment*
vlecht • haar *natte* v; *tresse* v • touw *tresse* v
vlechten *tresser*; *natter*; FIG. *mêler*
vlechtwerk *travaux* m mv *de tressage*; FIG. *lacis* m
vleermuis *chauve-souris* v [mv: *chauves-souris*]
vlees • weefsel *viande* v; ‹v. menselijk lichaam› *chair* v • vruchtvlees *chair* v ▾ weten wat voor ~ men in de kuip heeft *connaître son bonhomme*; *savoir à qui/quoi on a affaire*; *savoir à qui/quoi on a affaire*
vleesboom *fibrome* m
vleesetend *carnivore*
vleesgerecht *plat* m *de viande*
vleeshaak *croc* m *de boucherie*
vleeskleurig *couleur chair*
vleesmes *couteau* m *à découper* [m mv: *couteaux ...*]; *coutelas* m
vleesmolen *hachoir* m
vleestomaat *grande tomate* v *à chair ferme*
vleesvork *grande fourchette* v
vleeswaren *charcuterie* v
vleeswond *plaie* v
vleet *filets* m mv *dérivants* ▾ bij de ~ *à foison*; *en quantité* ▾ geld bij de ~ hebben *avoir de l'argent à foison*
vlegel • dorsvlegel *fléau* m [mv: *fléaux*] • lomperd *malotru* m • kwajongen *animal* m [mv: *animaux*]
vleien I OV WW *flatter* II WKD WW *s'illusionner*
vleiend I BNW *flatteur* [v: *flatteuse*] II BIJW

flatteusement
vleier *flatteur* m [v: *flatteuse*]
vleierij *flatterie* v
vlek I ZN (de) • vuile plek *tache* v; ‹v. inkt› *pâté* m • anders gekleurde plek *tache* v II ZN (het) dorpje *bourg* m; *bourgade* v
vlekkeloos • zonder vlek *immaculé*; *sans tache* • foutloos *impeccable*
vlekken • vlekken krijgen *se tacher*; *se salir* • vlekken maken *tacher*
vlekkenmiddel *détachant* m
vlekkenwater *détachant* m
vlekkerig I BNW *taché* II BIJW *avec des taches*
vlektyfus *typhus* m *exanthématique*
vlekvrij *sans tache*
vlerk • vleugel *aile* v • vlegel *rustre* m
vleselijk I BNW • zinnelijk *charnel* [v: *charnelle*] • lichamelijk *en chair et en os* II BIJW *charnellement*
vleug ‹v. haar› *direction* v *du poil*; ‹v. weefsel› *sens* m *du tissu* ⋆ tegen de ~ *à contre-poil*; *à rebrousse-poil*
vleugel • vliegorgaan *aile* v • deel van vliegtuig *aile* v • deel van gebouw *aile* v • zijlinie *aile* v • piano *piano* m *à queue*
vleugellam *qui ne bat que d'une aile*; FIG. *frappé d'impuissance*
vleugelmoer *écrou* m *à oreilles*
vleugelspeler *ailier* m
vleugelverdediger *arrière* m *latéral*
vleugje *bouffée* v; FIG. *lueur* v; *étincelle* v ⋆ een ~ melk *un soupçon de lait* ⋆ een ~ hoop *l'ombre d'un espoir* v
vlezig *charnu*; ‹v. vrucht› *pulpeux* [v: *pulpeuse*]
vlieg *mouche* v ▾ iemand een ~ afvangen *souffler qc à qn*; *couper l'herbe sous le pied à qn* ▾ twee ~en in één klap slaan *faire d'une pierre deux coups*
vliegangst *phobie* v *de l'avion*
vliegas *escarbille* v
vliegbasis *base* v *aérienne*
vliegbrevet *brevet* m *d'aviateur*
vliegdekschip *porte-avions* m [onv]
vliegen I OV WW • besturen *piloter* • vervoeren *transporter par avion* II ON WW • door de lucht bewegen *voler*; ‹v. kogels› *siffler* ⋆ over een stad ~ *survoler une ville* ⋆ het ~ *le vol* • snellen *courir* • snel voorbijgaan *s'envoler* ⋆ de tijd vliegt voorbij *le temps passe vite* ▾ in brand ~ *prendre feu*; *s'enflammer*
vliegengaas *toile* v *métallique*; *filet* m *contre les mouches*
vliegengordijn *rideau* m *de lanières* [m mv: *rideaux ...*]
vliegenier *aviateur* m [v: *aviatrice*]
vliegenmepper *tapette* v
vliegensvlug *en un clin d'œil*; *à fond de train*
vliegenzwam *amanite* v *tue-mouches* [v mv: *amanites ...*]; *fausse oronge* v
vlieger • piloot *pilote* m; *aviateur* m [v: *aviatrice*] • speelgoed *cerf-volant* m [mv: *cerfs-volants*] ▾ die ~ gaat niet op *cela ne prend pas*
vliegeren *jouer au cerf-volant*
vlieggewicht SPORT *poids* m *mouche*
vliegramp *catastrophe* v *aérienne*
vliegtechniek *technique* v *de vol*; *aéronautique* v
vliegtuig *avion* m ⋆ per ~ *par avion* ⋆ een onbemand ~ *un avion-robot*
vliegtuigbouw *construction* v *aéronautique*
vliegtuigkaping *détournement* m *d'avion*
vliegtuigmoederschip *porte-avions* m
vlieguur *heure* v *de vol*
vliegvakantie *vacances* v mv *par avion*
vliegveld *aéroport* m; *aérodrome* m; ‹klein› *champ* m *d'aviation*
vliegverbinding *liaison* v *aérienne*
vliegverkeer *trafic* m *aérien*
vliegwiel *volant* m
vlier *sureau* m
vliering *soupente* v
vlies • dun laagje *pellicule* v • velletje *peau* v • BIOL. *membrane* v ▾ het Gulden Vlies *la Toison d'or*
vliet *cours* m *d'eau*
vlijen *ranger*; *arranger*
vlijmscherp *tranchant*; FIG. *acerbe*
vlijt *zèle* m; *application* v
vlijtig I BNW *appliqué*; *zélé* II BIJW *avec application*
vlinder *papillon* m
vlinderdas *nœud* m *papillon*
vlindernet *filet* m *à papillons*
vlinderslag *brasse* v *papillon*
vlo *puce* v
vloed • hoogtij *marée* v *haute*; ‹opkomend› *marée* v *montante* ⋆ het is ~ *la marée est haute* • MED. *pertes* v mv ⋆ de witte ~ *la leucorrhée*; *les pertes blanches*
vloedgolf *raz-de-marée* m [onv]
vloedlijn *courbe* v *cotidale*
vloei • sigarettenpapier *papier* m *à cigarettes* ⋆ shag met ~ *du tabac à rouler avec du papier* • absorberend papier *buvard* m
vloeibaar *liquide* ⋆ ~ maken *liquéfier* ⋆ ~ worden *se liquéfier*
vloeiblad *buvard* m
vloeien • stromen *couler*; *s'écouler* ⋆ in de kas ~ *tomber dans la caisse* ⋆ er zal bloed ~ *le sang coulera* • vaginaal bloeden *avoir des pertes de sang*
vloeiend I BNW *fluide*; ‹v. stijl› *coulant* II BIJW vlot *couramment* ⋆ hij spreekt ~ Frans *il parle couramment le français*
vloeipapier • absorberend papier *(papier* m*)* *buvard* m • dun papier *papier* m *de soie*; ‹voor shag› *papier* m *(à cigarettes)*
vloeistof *liquide* m; NAT. *fluide* m
vloeitje *papier* m *(à cigarettes)*
vloek • verwensing *malédiction* v; ‹m.b.t. religie› *blasphème* m • krachtterm *juron* m • iets rampzaligs *malédiction* v; FORM. *imprécation* v ▾ in een ~ en een zucht *en un tour de main*
vloeken • krachttermen uiten *jurer*; ‹m.b.t. religie› *blasphémer* ⋆ ~ op *pester contre* • schril afsteken *jurer* ⋆ die kleuren ~ *ces couleurs jurent entre elles*
vloekwoord *juron* m
vloer • bodem *sol* m; ‹v. hout› *plancher* m • ondergrens *plancher* m; *fond* m ▾ over de

~ komen bij *fréquenter*
vloerbedekking *revêtement* m *de sol*; ‹vastgelegd› *moquette* v
vloeren *renverser*; SPORT *tomber*
vloerkleed *tapis* m
vlok *flocon* m; ‹v. haar› *touffe* v; ‹v. stof› *mouton* m
vlokkentest *biopsie* v *du chorion*
vlokkig *floconneux* [v: *floconneuse*]
vlonder • slootplank *passerelle* v; *planche* v • plankier *caillebotis* m
vlooien *épucer*
vlooienband *collier* m *anti-puces* [m mv: *colliers ...*]
vlooienmarkt *marché* m *aux puces*
vlooienspel *jeu* m *de puces*
vlooientheater *spectacle* m *de puces savantes*
vloot • oorlogsvloot *flotte* v *(de guerre)* • groep schepen *flotte* v • luchtvloot *flotte* v • botervloot *beurrier* m
vlootbasis *base* v *navale*
vlootschouw *revue* v *navale*
vlot I ZN *radeau* m [mv: *radeaux*]; *train* m *de bois* **II** BNW • snel *rapide*; *alerte* • gemakkelijk ‹v. manieren› *agréable*; *dégagé*; ‹v. stijl› *aisé* • ongedwongen *facile à vivre*; *plein d'allant* • drijvend *renfloué* ★ weer vlot maken *renflouer* **III** BIJW • snel *couramment* • gemakkelijk *facilement*
vlotten *aller bien*; *marcher*; *fonctionner* ★ het gesprek vlotte niet erg *la conversation manquait d'entrain*
vlotter *flotteur* m
vlotweg *rapidement*
vlucht • het vluchten *fuite* v ★ de ~ nemen *prendre la fuite* ★ op de ~ jagen *mettre en fuite* • het vliegen *vol* m; FIG. *envolée* v; *essor* m ★ een hoge ~ nemen *prendre un grand essor* • vliegtocht *vol* m • troep vogels *vol* m • spanwijdte *envergure* v
vluchteling *fuyard* m; *fugitif* m [v: *fugitive*]; POL. *réfugié* m *(politique)* [v: *réfugiée (politique)*]
vluchtelingenkamp *camp* m *de réfugiés*
vluchten • ontvluchten *fuir*; *s'enfuir*; *se sauver* ★ voor gevaar ~ *fuir devant le danger* • uitwijken *se réfugier*
vluchthaven • toevluchtsoord *refuge* m • vluchtstrook *bande* v *d'arrêt d'urgence*
vluchtheuvel *refuge* m
vluchtig I BNW • snel vervliegend *volatil* • oppervlakkig *rapide* • voorbijgaand *passager* [v: *passagère*]; *fugace* **II** BIJW *rapidement*; *à la hâte*
vluchtleider *contrôleur* m *de la navigation aérienne*; *directeur* m *de vol*; *aiguilleur* m *du ciel*
vluchtleiding *direction* v *du vol*
vluchtleidingscentrum *contrôle* m *aérien*
vluchtnummer *numéro* m *de vol*
vluchtrecorder LUCHTV. *contrôleur* m *de vol*
vluchtschema *plan* m *de vol*
vluchtstrook *bande* v *d'arrêt d'urgence*
vluchtweg ≈ *sortie* v *de secours*
vlug I BNW • snel gaand *rapide* • snel handelend *prompt*; *vif* [v: *vive*] • bijdehand *éveillé*; *intelligent* **II** BIJW • snel *rapidement*; *promptement*; *vivement* ★ vlugkokend *à cuisson rapide* • spoedig *rapidement*
vluggertje • vrijpartij *coup* m ★ een ~ maken *tirer un coup* • dam- of schaakpartij *blitz* m
vlugschrift *brochure* v
vlugzout *sel* m *volatil*
VN *O.N.U.* v; *Organisation* v *des Nations-Unies*
vocaal I ZN *voyelle* v **II** BNW *vocal* [m mv: *vocaux*]
vocabulaire *vocabulaire* m
vocalisatie *vocalisation* v
vocaliseren *vocaliser*
vocalist *chanteur* m [v: *chanteuse*]
vocht • vloeistof *liquide* m • vochtigheid *humidité* v
vochtgehalte *teneur* v *en humidité*
vochtig • enigszins nat *humide*; *mouillé* ★ ~ maken *humecter* ★ ~ worden *s'humecter* ★ een ~ klimaat *un climat humide* • klam *moite*
vochtigheid • het vochtig zijn *humidité* v; *moiteur* v • vochtgehalte *humidité* v
vochtigheidsgraad *humidité* v *relative*
vochtigheidsmeter *hygromètre* m
vochtvrij • zonder vocht ★ ~ bewaren *conserver à l'abri de l'humidité* • vochtwerend *hydrofuge*
vod *chiffon* m; *haillon* m; *loque* v ▼ achter de vodden zitten *talonner*
voddenbaal *balle* v *de chiffons*; ‹persoon› *souillon* m
voddenboer *chiffonnier* m
voeden I OV WW • voedsel geven *nourrir*; *alimenter* • van toevoer voorzien *alimenter* **II** ON WW voedzaam zijn *être nourrissant*
voeder *nourriture* v; *pâture* v; *fourrage* m
voederbak *mangeoire* v; ‹klein› *écuelle* v
voederen *nourrir*; *affourrager*
voeding • het voeden *alimentation* v • voedsel *nourriture* v
voedingsbodem *bouillon* m *de culture*
voedingsleer *diététique* v
voedingsmiddel *aliment* m; *produit* m *alimentaire*
voedingsmiddelensector *secteur* m/*filière* v *alimentaire*; *(industrie* v*) agroalimentaire* m ★ voedings- en genotmiddelenindustrie *industrie* v *des denrées alimentaires, boissons et tabacs*
voedingspatroon *mode* m *d'alimentation*
voedingsstof *substance* v *nutritive*; *nutriment* m
voedingswaarde *valeur* v *nutritive*
voedsel *aliment* m; FIG. *nourriture* v ★ ~ geven aan *nourrir*
voedselhulp *aide* v *alimentaire*
voedselpakket *colis* m *alimentaire*
voedselrijk *riche en vivres*
voedselvergiftiging *intoxication* v *alimentaire*
voedselvoorziening *ravitaillement* m
voedster *nourrice* v
voedzaam *nourrissant*; *substantiel* [v: *substantielle*]
voeg *joint* m ★ uit zijn voegen rukken *déboîter*
voegen I OV WW • verbinden *joindre*; *assembler* • met specie opvullen *lier*;

jointoyer • ~ **bij** *ajouter à*; *joindre à* II WKD WW ★ zich ~ naar *s'adapter à*; *s'accommoder de*

voegijzer *fiche* v

voegwoord *conjonction* v

voelbaar I BNW • merkbaar *sensible* • tastbaar *palpable* II BIJW *sensiblement*

voelen I OV WW • gewaarworden *sentir*; *ressentir*; *éprouver* • aanvoelen *sentir* • bevoelen *palper*; *tâter*; *toucher* ▾ iets ~ voor *avoir de la sympathie pour* II ON WW • gewaarwording hebben ≈ *être (au toucher)* ★ het voelt ruw aan *c'est rugueux (au toucher)* ★ ~ in *fouiller dans* ★ ~ naar de deur *chercher la porte (à tâtons)* • ~ **voor** *être attiré par* ★ hij voelt er weinig voor *cela ne lui dit rien* III WKD WW *se sentir* ★ ik voel me uitstekend *je me sens en pleine forme* ★ hij voelt zich niet op zijn gemak *il ne se sent pas à l'aise*

voelhoorn ‹v. insecten› *antenne* v; ‹v. slakken› *tentacule* m; *corne* v

voeling *contact* m ★ ~ houden met *rester en contact avec*; *se concerter avec* ★ ~ krijgen met *prendre contact avec*

voelspriet ‹v. insecten› *antenne* v; ‹v. slakken› *tentacule* m

voer *nourriture* v; *fourrage* m

voeren • leiden *conduire*; *mener*; *affourrager* • voeden *nourrir*; *donner à manger à*; *faire manger*; *affourager* • van voering voorzien *doubler*; ‹met bont› *fourrer*; ‹v. binnen› *revêtir* • hebben ★ het woord ~ *avoir la parole* ★ de Nederlandse vlag ~ *battre pavillon néerlandais* ★ het bevel ~ *commander*

voering ‹v. stof› *doublure* v; ‹v. metaal› *revêtement* m

voerman *charretier* m [v: *charretière*]

voertaal *langue* v *véhiculaire*; *langue* v *de travail*

voertuig *véhicule* m

voet • lichaamsdeel *pied* m ★ te voet *à pied* ★ onder de voet gelopen worden *être piétiné*; ‹verslagen worden› *être écrasé* • voetdeel van kous *pied* m • onderste deel *pied* m; *socle* m; *base* v • lengtemaat *pied* m • versvoet *pied* m • wijze, grondslag *base* v; *pied* m ★ op voet van oorlog *sur le pied de guerre* ★ op voet van gelijkheid *sur (un) pied d'égalité* ★ op dezelfde voet *sur le même pied* ▾ zich uit de voeten maken *se sauver*; *filer* ▾ voet bij stuk houden *tenir bon* ▾ op staande voet *aussitôt*; *sur-le-champ* ▾ iemand voor de voeten lopen *être dans les jambes de qn* ▾ op vrije voeten (stellen) *(mettre) en liberté* ▾ op de voet volgen *suivre de près* ▾ op gespannen voet met iemand staan *avoir des rapports tendus avec qn* ▾ op goede voet met iemand blijven *rester en bons termes avec qn* ▾ op grote voet leven *vivre dans le luxe* ▾ op bescheiden voet leven *vivre sur un pied modeste* ▾ uit de voeten kunnen met iets *pouvoir se servir de qc* ▾ een portret ten voeten uit *un portrait en pied* ▾ dat is hem ten voeten uit *c'est lui tout craché* ▾ vaste voet krijgen *s'installer* ▾ iets met voeten treden *fouler qc aux pieds* ▾ voet geven aan iets *encourager qc*

voetangel *piège* m

voetbad *bain* m *de pieds*

voetbal I ZN (de) bal *ballon* m *(de football)* II ZN (het) spel *football* m; INF. *foot* m

voetbalclub *club* m *de football*

voetbalelftal *équipe* v *de football*

voetbalknie *lésion* v *du ménisque*

voetballen *jouer au football* ★ betonvoetbal spelen *bétonner*

voetballer *footballeur* m [v: *footballeuse*]

voetbalschoen *chaussure* v *de football*

voetbalveld *terrain* m *de football*

voetbalwedstrijd *match* m *de football*

voetenbank *tabouret* m; *petit banc* m

voeteneind *pied* m *du lit*

voetganger *piéton* m

voetgangersbrug *passerelle* v *pour piétons*

voetgangersgebied *zone* v *piétonnière*/*piétonne*

voetgangerslicht *feu* m *piétonnier* [m mv: *feux ...*]

voetgangersoversteekplaats *passage* m *(pour) piétons*

voetgangerstunnel *passage* m *souterrain*

voetlicht *rampe* v ★ voor het ~ komen *entrer en scène*; FIG. *se produire* ★ voor het ~ brengen *produire*; FIG. *mettre sur le tapis*

voetnoot *note* v *en bas de page*

voetpad • paadje *sentier* m • trottoir *trottoir* m

voetreis *voyage* m *à pied*; *randonnée* v

voetspoor *trace* v ★ iemands ~ volgen *marcher sur les traces de qn*

voetstap • stap *pas* m • spoor *trace* v *de pas*

voetsteun *repose-pieds* m [onv]

voetstoots *comme ça* ★ iets ~ kopen *acheter qc en bloc*

voetstuk *piédestal* m; *socle* m

voettocht *randonnée* v *(pédestre)*

voetveeg • mat *essuie-pieds* m [onv] • pispaal *souffre-douleur* m [onv]

voetvolk • gewone volk *piétaille* v • infanterie *infanterie* v

voetzoeker ≈ *pétard* m

voetzool *plante* v *du pied*

vogel • dier *oiseau* m • persoon *oiseau* m; *individu* m ★ een slimme ~ *un malin* [v: *une maligne*] ★ het is een vroege ~ *il est très matinal* ▾ beter één ~ in de hand dan tien in de lucht *un tiens vaut mieux que deux tu l'auras*

vogelaar • vogelvanger *oiseleur* m • vogelliefhebber *ornithologue* m *amateur*

vogelkooi *cage* v; ‹groot› *volière* v

vogelnest *nid* m *(d'oiseau)*

vogelsoort *espèce* v *d'oiseau*

vogelspin *mygale* v

vogelstand *faune* v *ailée*; ‹m.b.t. aantal› *population* v *ailée*

vogeltrek *migration* v *des oiseaux*

vogelverschrikker *épouvantail* m

vogelvlucht *vol* m *d'oiseau* ★ in ~ *à vol d'oiseau*

vogelvrij *proscrit* ★ ~ verklaren *mettre hors la loi*; *proscrire*

Vogezen *Vosges* v mv

voile ‹sluier› *voilette* v

Vojvodina ★ in ~ *en Vojvodine*

vol • geheel gevuld *plein (de)*; *comble*; ‹v. hotel e.d.› *complet* [v: *complète*] ★ een vol glas *un verre plein* ★ vol! *complet!* ★ de bus is vol *l'autobus est bondé*; ‹er kan niemand bij› *l'autobus est au complet* ★ een volle baard hebben *porter toute sa barbe* ★ vol maken *remplir*; *combler* • vervuld ★ vol hoop zijn *être plein d'espoir* • intens ‹v. klanken› *plein*; ‹v. kleuren› *franc* [v: *franche*] • bedekt *plein*; *couvert (de)*; *rempli* ★ je gezicht zit vol puistjes *tu as plein de boutons sur la figure* • rond *plein*; *rond*; *rebondi* ★ een vol gezicht *un visage rond* • volledig *entier* [v: *entière*]; *complet* [v: *complète*]; *plein* ★ een volle maand *tout un mois* ★ een volle dag *un jour franc* ★ vol pension *pension complète* ★ in zijn volle lengte *dans toute sa longueur* ▾ iedereen is er vol van *tout le monde en parle* ▾ iemand voor vol aanzien *prendre qn au sérieux* ▾ de tank vol laten lopen *faire le plein d'essence*

volautomatisch *entièrement automatique*

volbloed I ZN *pur-sang* m [onv] II BNW raszuiver *de race (pure)*; ‹v. paarden› *de pur-sang*

volbouwen *couvrir (de)*

volbrengen • uitvoeren *s'acquitter (de)* • afmaken *accomplir* ▾ het is volbracht *tout est consommé*

voldaan • tevreden *content (de)*; *satisfait (de)* • betaald *payé*; *acquitté*; ‹onder rekening› *pour acquit* ★ voor ~ tekenen *acquitter*

voldoen I OV WW betalen *payer*; *acquitter* II ON WW • bevredigen *contenter*; *satisfaire* • ~ **aan** *suffire à*; *satisfaire à*; *remplir*; *répondre à* ★ ~ aan de voorwaarden *répondre aux conditions*; *remplir les conditions* ★ uitstekend ~ in het gebruik *donner un excellent usage*

voldoende I ZN *note* v *suffisante* II BNW *suffisant* III BIJW *suffisamment*

voldoening • tevredenheid *satisfaction* v; *contentement* m • betaling *acquittement* m; *paiement* m

voldongen ★ een ~ feit *un fait accompli*

voldragen ‹v. levend wezen› *né à terme* ★ een ~ kind *un enfant né à terme*

volgauto *voiture* v *d'escorte*; SPORT *voiture* v *de suiveur*

volgboot *navire* m *d'escorte*

volgeboekt *complet* [v: *complète*]

volgeling *disciple* m/v; *adepte* m

volgen I OV WW *suivre* ★ een bepaalde tactiek ~ *observer une certaine tactique* II ON WW • erna komen *suivre* ★ wie volgt? *au suivant!* ★ ~ op *succéder à*; *faire suite à* ★ hij liet er op ~ *il ajouta* • ~ **uit** *résulter (de)* ★ daaruit volgt dat *il en résulte que*

volgend • erna komend *suivant*; *prochain* • verder *ultérieur*; *postérieur* ▾ ik zou graag het ~e bestellen *je voudrais commander ce qui suit*

volgens • overeenkomstig *conforme à* ★ ~ afspraak *conformément à ce qu'on a convenu* ★ niet ~ de wet *contraire à la loi* • naar mening van *selon* ★ ~ mij *selon moi*

volgnummer *numéro* m *d'ordre*

volgooien *combler*; *remplir*; ‹v. benzinetank› *faire le plein*

volgorde *ordre* m ★ in ~ leggen *classer*; *ranger* ★ in ~ van aankomst *par ordre d'arrivée* ★ in alfabetische ~ *par ordre alphabétique*

volgroeid • rijp *mûr* • volwassen *adulte*

volgwagen *voiture* v *d'escorte*

volgzaam *docile*

volharden *persévérer*; *persister*; *s'obstiner (à)* ★ in zijn mening ~ *persister dans son opinion*

volhardend *persévérant*; *persistant*

volharding *persévérance* v

volheid *plénitude* v; ‹v. wangen› *rondeur* v

volhouden I OV WW • niet opgeven *continuer* • blijven beweren *maintenir* ★ hardnekkig ~ *persister à dire* II ON WW doorgaan *continuer*; *persévérer* ★ tot het uiterste ~ *tenir jusqu'au bout*

volière *volière* v

volk • onderdanen *peuple* m • natie *nation* v • lagere klassen *peuple* m ★ het (gewone) volk *le bas peuple*; *la populace* • menigte *foule* v; ‹bijenvolk› *ruche* v ★ er was veel volk *il y avait beaucoup de monde* • slag van mensen *gens* m mv ★ een raar volkje *des gens bizarres* ▾ volk! *holà! qn!*

Volkenbond *alliance* v; GESCH. *société* v *des Nations*

volkenkunde *ethnologie* v

volkenkundig *ethnologique*

volkenkundige *ethnologue* m/v

volkenmoord *génocide* m

volkenrecht *droit* m *des peuples*; *droit* m *international*

volkomen I BNW • volledig *complet* [v: *complète*]; *entier* [v: *entière*] • volmaakt *parfait* II BIJW *parfaitement*; *complètement* ★ zich ~ op zijn gemak voelen *se sentir parfaitement à l'aise*

volkorenbrood *pain* m *complet*

volks *populaire*

volksaard *caractère* m *national*

volksbuurt *quartier* m *populaire*

volksdans *danse* v *folklorique*

volksdansen *faire de la danse folklorique*

volksetymologie *étymologie* v *populaire*

volksfeest *fête* v *populaire*

volksfront *front* m *populaire*

volksgeloof • bijgeloof *croyance* v *populaire* • volksreligie *religion* v *nationale*

volksgezondheid *santé* v *publique*

volkshuisvesting *logement* m

volksjongen *fils* m *du peuple*

volkslied • nationaal lied *hymne* m *national* ★ het Franse ~ *la Marseillaise* • overgeleverd lied *chanson* v *populaire*; *chant* m *populaire*

volksmond ★ in de ~ *populairement*

volksmuziek *musique* v *populaire*

volkspartij *parti* m *populiste*

volksrepubliek *république* v *populaire*

volksstam • volk *tribu* v; *peuplade* v • menigte *tribu* v ★ er zijn hele ~men die *il y a des tas de gens qui*

volksstemming *référendum* m ★ onderwerpen

aan een uitspraak bij ~ *soumettre au verdict populaire*
volkstaal • landstaal *langue* v *nationale* • informele taal *langue* v *populaire*
volkstelling *recensement* m
volkstoneel *théâtre* m *populaire*
volkstuin ≈ *jardin* m *familial*
volksuniversiteit *université* v *populaire*
volksverhuizing *migration* v *(des peuples)*
volksverlakkerij *tromperie* v
volksvermaak *réjouissances* v mv *populaires*
volksvertegenwoordiger *député* m
volksvertegenwoordiging *parlement* m
volksverzekering *assurances* v mv *sociales*
volksvijand *ennemi* m *du peuple*; *fléau* m
volksvrouw *femme* v *du peuple*
volkswijsheid *sagesse* v *populaire*
volkswoede *fureur* v *du peuple/de la population*
volledig I BNW *complet* [v: *complète*]; *intégral* [m mv: *intégraux*] II BIJW *complètement*; *intégralement*
volledigheidshalve *pour être complet* [v: ... *complète*]
volleerd *expert* ★ een ~ skiër *un skieur expérimenté*
vollemaan *pleine lune* v
volleybal I ZN bal *ballon* m *de volley* II ZN spel *volley-ball* m
volleyballen *jouer au volley(-ball)*
vollopen *se remplir*
volmaakt I BNW *parfait* II BIJW *parfaitement*
volmacht *pleins pouvoirs* m mv; *procuration* v ★ bij ~ *par procuration* ★ iem. blanco ~ geven *donner carte blanche à qn*
volmaken *parfaire*
volmondig I BNW *franc* II BIJW *franchement*
volop *en abondance*; INF. *à gogo*
volpompen *remplir*
volproppen *bourrer*; *gorger*
volslagen I BNW *complet* [v: *complète*]; *entier* [v: *entière*] II BIJW *complètement*; *entièrement*
volslank *bien en chair*
volstaan • voldoende zijn *suffire* • ~ **met** *se contenter (de)*
volstoppen *bourrer*
volstorten *s'exécuter entièrement*; *se libérer*
volstrekt I BNW absoluut *absolu* II BIJW • beslist *absolument* • helemaal *complètement* ★ ~ niet *pas du tout*; *nullement*
volt *volt* m
voltage *voltage* m
voltallig *au (grand) complet* ★ ~ maken *compléter*
voltarief *tarif* m *complet*
voltigeren *voltiger*
voltijdbaan *poste/emploi* m *à plein temps*
voltijder *travailleur* m *à plein temps*
voltooien *achever*; *terminer*
voltooiing *achèvement* m
voltreffer *coup* m *qui fait mouche*
voltrekken I OV WW *exécuter*; *accomplir*; *consacrer* II WKD WW *se dérouler*
voltrekking *exécution* v; ‹v. iets feestelijks› *célébration* v
voluit *en toutes lettres*
volume *volume* m
volumeknop *bouton* m *de contrôle du volume*
volumineus *volumineux* [v: *volumineuse*]
voluptueus *voluptueux* [v: *voluptueuse*]
volvet *à base de lait entier*
volvoeren *exécuter*
volwaardig *à part entière*; ‹m.b.t. waren› *de qualité supérieure*
volwassen *adulte*; *grand*
volwassene *adulte* v
volwasseneneducatie *éducation* v *permanente*
volwassenheid *âge* m *adulte*; *maturité* v
volzin *phrase* v
vondeling *enfant* m *trouvé* [v: *enfant trouvée*] ★ een kind te ~ leggen *abandonner un enfant*
vondst • het vinden *découverte* v • bedenksel *trouvaille* v
vonk *étincelle* v
vonken *jeter des étincelles*
vonnis *sentence* v; ‹v. lagere instantie› *jugement* m; ‹v. hogere instantie› *arrêt* m ★ ~ vellen *rendre un arrêt/un jugement* ★ een ~ vernietigen *casser un arrêt*
vonnissen *juger*; *prononcer un arrêt*
voodoo *vaudou* m
voogd *tuteur* m [v: *tutrice*]
voogdij *tutelle* v ★ onder ~ *en tutelle*
voogdijraad *conseil* m *de tutelle*
voor I ZN (de) *sillon* m ★ voren trekken *tracer des sillons* II ZN (het) *pour* m ★ voors en tegens *des pours et des contres* III BIJW • voorafgaand aan *avant* ★ de avond voor Sinterklaas *la veille de la Saint Nicolas* • aan de voorkant van ★ hij woont voor *il habite devant* ★ van voor naar achter *d'avant en arrière* ★ voor in het boek *au début du livre* • met voorsprong ★ hij is voor bij de anderen *il a de l'avance par rapport aux autres* ★ het team staat voor *l'équipe mène* ★ de klok loopt voor *la pendule avance* • pro *pour* ★ hij stemde voor de wetswijziging *il a voté pour l'amendement de la loi* IV VZ • eerder dan ★ voor 1993 was dat er nog niet *avant 1993, ça n'existait pas* • aan de voorkant van *devant* ★ voor het huis *devant la maison* • naar voren ★ voor zich uit kijken *regarder devant soi* • in tegenwoordigheid van *devant* ★ voor de rechter verschijnen *comparaître* • jegens *pour* ★ achting hebben voor iem. *avoir de l'estime pour qn* • gedurende *pour* ★ hij gaat voor een jaar weg *il part pour un an* • in ruil voor *pour* ★ voor 5 gulden *pour 5 florins* ★ voor wat hoort wat *donnant, donnant* • wat ... betreft *pour* ★ voor mijn part *pour ma part* ★ niet slecht voor een beginner *pas mal pour un débutant* ★ nogal groot voor een studeerkamer *grand pour un cabinet de travail* ★ net iets voor hem *c'est bien lui!* ★ een 7 voor Engels *un 7 en anglais* • na *après* ★ stuk voor stuk *l'un après l'autre* ★ een voor een *un à un* • ten bate/behoeve van ★ voor het goede doel *pour la bonne cause* ★ ik deed het voor jou *je l'ai fait pour toi* ★ een buiging maken voor *s'incliner pour* V VW ★ ik zie je nog wel voor ik vertrek *je te vois encore avant de partir*

vooraan *en avant; en tête* ★ ~ staan *être placé en tête* ★ ~ zetten *mettre en avant* ★ ~ instappen *monter par l'avant*
vooraanstaand *éminent* ★ een ~ persoon *un personnage de marque/en vue*
vooraanzicht *vue* v *de face*
vooraf *d'abord; au préalable; d'avance*
voorafgaan *précéder*
voorafje *entrée* v
vooral *surtout; notamment*
vooralsnog *pour le moment*
voorarrest *détention* v *préventive*
vooravond • begin van de avond *début* m *de soirée* • avond voor iets *veille* v
voorbaat ★ bij ~ *d'avance* ★ bij ~ mijn dank *agréez mes remerciements anticipés*
voorbarig I BNW *prématuré* II BIJW *prématurément*
voorbeeld *exemple* m; *modèle* m ★ een ~ nemen aan *prendre exemple sur* ★ zelf het ~ geven *donner l'exemple* ★ tot ~ nemen *prendre pour exemple; s'inspirer de*
voorbeeldig I BNW *exemplaire* II BIJW *à merveille*
voorbehoedmiddel *moyen* m *préventif*; ‹tegen conceptie› *contraceptif* m; ‹condoom› *préservatif* m
voorbehoud *réserve* v; *restriction* v ★ onder ~ *sous réserve* ★ onder gewoon ~ *sous les réserves d'usage*
voorbehouden *réserver*
voorbereiden *préparer*
voorbereiding *préparation* v ★ in ~ *en préparation*
voorbeschikken *prédestiner*
voorbeschikking *prédestination* v
voorbeschouwing *pronostic* m
voorbespreking *discussion* v *préalable*
voorbestemmen *prédestiner*
voorbij I BNW afgelopen *terminé* ★ de vakantie is ~ *les vacances sont terminées* II BIJW • langs ★ hij kwam ~ *il est passé* ★ hij liep me ~ zonder te groeten *il m'a passé sans me saluer* • verder dan *après* ★ het kruispunt ~ *après le carrefour* III VZ langs *après* ★ ~ de kerk rechts *après l'église à droite*
voorbijgaan • passeren *passer* ★ in het ~ *en passant* ★ een huis ~ *passer devant une maison* • verstrijken *passer* • ~ **aan** *négliger*; ‹expres› *passer sous silence; omettre*
voorbijgaand *passager* [v: *passagère*]; *transitoire*
voorbijganger *passant* m [v: *passante*]
voorbijstreven *dépasser*
voorbijzien *négliger*
voorbode *signe* m *avant-coureur* [m mv: ... *avant-coureurs*]; *présage* m; MED. *prodrome* m
voordat *avant que* [+ subj.]
voordeel • wat gunstig is *avantage* m; *intérêt* m ★ de voor- en de nadelen *les avantages et les inconvénients* ★ dat zou in het ~ van de tegenpartij werken *cela servirait les intérêts de la partie adverse* • winst *bénéfice* m; *intérêt* m ★ zijn ~ doen met *tirer profit de; profiter de* ★ ten voordele van *au bénéfice de; en faveur de* • SPORT *avantage* m
voordek *avant-pont* m
voordeur *porte* v *d'entrée*
voordeurdeler *personne* v *codomiciliée*
voordien *auparavant*
voordoen I OV WW • als voorbeeld doen *montrer* ★ iets aan iem. ~ *montrer qc à qn* ★ zal ik het je ~? *tu veux que je te montre?* • aandoen *mettre* II WKD WW • zich gedragen ★ zich ~ als politieagent *se faire passer pour un agent de police* • plaatsvinden *arriver; se présenter* ★ mochten er zich problemen ~ *dans le cas où il y aurait des problèmes; s'il devait y avoir des problèmes* ★ als dat zich voordoet, moet je weggaan *si le cas se présente, il faudra que tu partes*
voordracht • het voordragen *débit* m; *diction* v; *déclamation* v; MUZ. *exécution* v; *interprétation* v • nominatie ‹voor functie› *liste* v *des candidats; proposition* v ★ de ~ opmaken *établir un état de proposition* ★ iem. als nr. 1 op de ~ zetten *présenter qn numéro 1 sur la liste des candidats* • lezing *conférence* v
voordragen • ten gehore brengen *exposer*; ‹declameren› *réciter* • aanbevelen *proposer*
voordringen *passer avant son tour*
vooreerst *pour le moment; provisoirement* ★ hij zal ~ wel niet slagen *il n'est pas près de réussir*
voorfilm ≈ *court-métrage* m [mv: *courts-métrages*]
voorgaan • voor iemand gaan *précéder; passer le premier; passer devant* ★ gaat u voor *passez devant, je vous prie; après vous* ★ dames gaan voor *honneur aux dames* • voorlopen *avancer* • voorrang hebben *avoir la priorité* ★ verkeer van rechts laten ~ *céder le passage à droite* • het voorbeeld geven *donner l'exemple* • REL. *conduire le service*
voorgaand *précédent; dernier* [v: *dernière*]
voorganger • REL. *pasteur* m; *prédicateur* m; *officiant* m; *prêtre* • iemand die men opvolgt *prédécesseur* m
voorgeleiden *faire comparaître*
voorgenomen *projeté*
voorgerecht *hors* m *d'œuvre; entrée* v
voorgeschiedenis *origines* v mv; *antécédents* m mv
voorgeschreven *prescrit*
voorgeslacht *ancêtres* m mv
voorgevel *façade* v
voorgeven • voorwenden *prétendre; prétexter* • voorsprong geven *donner une avance*
voorgevoel *pressentiment* m ★ een ~ hebben *pressentir*
voorgoed *définitivement*
voorgrond *premier plan* m ★ op de ~ plaatsen *mettre en évidence; faire ressortir* ★ zich op de ~ plaatsen *se mettre en évidence* ★ op de ~ treden *s'imposer*
voorhamer *frappe-devant* m [onv]
voorhand *avant-main* v ▾ de ~ hebben *avoir la préférence* ▾ op ~ *d'avance*

voorhanden *disponible; en magasin* ★ niet ~ *épuisé*
voorhebben • voor zich hebben *avoir affaire à* ★ u heeft de verkeerde voor! *vous me prenez pour un autre!* • beogen *se proposer (de)* ★ het goed ~ met *vouloir du bien à* • als voordeel hebben *avoir un avantage*; ‹in spel› *avoir une avance*
voorheen *autrefois; jadis* ★ Janssen ~ Pietersen *Janssen ancienne maison Pietersen* ★ Marktweg, ~ Kerkstraat *Rue du marché, l'ancienne rue de l'Eglise*
voorhistorisch *préhistorique*
voorhoede *avant-garde* v [mv: *avant-gardes*]; SPORT *ligne* v *des avants*
voorhoedespeler *avant* m
voorhoofd *front* m
voorhoofdsholte *sinus* m *frontal*
voorhoofdsholteontsteking *sinusite* v
voorhouden • voor iemand houden ★ iem. iets ~ *tenir qc devant qn; présenter qc à qn* • wijzen op *rappeler; montrer*
voorhuid *prépuce* m
voorhuis *pièce* v *donnant sur la rue*
voorin *à l'avant; à l'entrée* ★ ~ zit je beter *tu seras mieux à l'avant*
vooringenomen *prévenu* ★ ~ zijn tegen iem. *avoir un parti-pris contre qn*
voorjaar *printemps* m ★ in het ~ *au printemps*
voorjaarsmoeheid *fatigue* v *de printemps*
voorkamer *chambre* v *donnant sur la rue*
voorkant *devant* m; ‹v. gebouw› *façade* v ★ aan de ~ *sur le devant*
voorkauwen ★ iem. iets ~ *mâcher qc à qn*
voorkennis *connaissance* v *préalable* ★ zonder zijn ~ *à son insu* ★ misbruik van ~ *délit des initiés* m
voorkeur *préférence* v ★ bij ~ *de préférence* ★ de ~ geven aan *préférer*
voorkeursbehandeling *traitement* m *préférentiel; régime* m *de faveur*
voorkeurspelling *orthographe* v *recommandée*
voorkeurstem *vote* m *préférentiel*
voorkeurzender *émetteur* m *de présélection*
voorkoken • voorbereiden *arranger dans la coulisse* • vooraf koken *précuire*
vóórkomen I ZN uiterlijk *aspect* m; *extérieur* m; ‹v. mensen› *air* m **II** ON WW • gebeuren *arriver; se passer* ★ in voorkomend geval *le cas échéant* • te vinden zijn *figurer* ★ dat komt voor bij Racine *on rencontre cela chez Racine* ★ bijna niet meer voorkomen *se faire rare* • JUR. *comparaître*; ‹v. zaak› *être présenté* • toeschijnen *sembler* ★ het komt me voor *il me semble* ★ het komt mij bekend voor *cela me rappelle qc*
vóórkomend *éventuel* [v: *éventuelle*] ★ in voorkomende gevallen *le cas échéant*
voorkómend I BNW *empressé; prévenant* **II** BIJW *avec beaucoup d'attentions*
voorlaatst *avant-dernier* [v: *avant-dernière*] ★ de ~e lettergreep *la pénultième*
voorland • buitendijks land ‹bij rivier› ≈ *franc-bord* m [mv: *francs-bords*]; ‹bij zee› ≈ *laisse* v • bestemming ★ dat is je ~ *voilà le sort qui t'attend*

voorlangs *en passant devant*
voorleggen • voor iemand leggen *mettre sous les yeux* • ter beoordeling geven *soumettre; proposer* ★ iem. een vraag ~ *soumettre une question à qn*
voorleiden *amener*
voorletter *initiale* v; ‹in boek› *lettrine* v
voorlezen ★ iem. iets ~ *lire qc à qn; faire la lecture de qc à qn*
voorlichten *éclairer; instruire; informer*
voorlichting *instruction* v; *information* v ★ seksuele ~ *éducation sexuelle* v
voorlichtingsbrochure *brochure* v *d'information*
voorlichtingscampagne *campagne* v *d'information*
voorlichtingsdienst *service* m *d'information*
voorlichtingsfilm *film* m *documentaire; film* m *d'information*
voorliefde *prédilection* v ★ een ~ hebben voor *avoir une prédilection pour*
voorliegen *mentir*
voorliggen • aan de voorkant liggen *être allongé devant* • verder zijn *être devant* ★ hij ligt ver voor *il est loin devant*
voorlijk *précoce*
voorlopen • voorop lopen *marcher en tête* • te snel gaan *avancer*
voorloper *précurseur* m
voorlopig *provisoire* ★ een ~ verslag *un rapport provisoire* ★ ~e hechtenis *détention préventive* v ★ het ~e *le provisoire*
voormalig *ancien* [v: *ancienne*] ★ de ~e president van de USSR *l'ex-président de l'URSS*
voorman • ploegbaas *contremaître* m • leider *chef* m *de file*
voormiddag • ochtend *matin* m; *matinée* v • deel van middag *début* m *de l'après-midi*
voorn *gardon* m
voornaam I ZN *prénom* m; INF. *petit nom* m **II** BNW *important*; ‹v. mensen› *distingué; d'importance*; ‹v. zaken› *capital* [m mv: *capitaux*]; *essentiel* [v: *essentielle*]; ‹v. mensen› *grand* ★ een voorname gast *un invité de marque*
voornaamwoord *pronom* m
voornaamwoordelijk *pronominal* [m mv: *pronominaux*]
voornamelijk *principalement; notamment*
voornemen I ZN *intention* v; *projet* m ★ het ~ hebben om *avoir l'intention de* **II** WKD WW *se proposer (de)* ★ zich heilig ~ om *faire vœu de*
voornemens *dans l'intention de* ★ ~ zijn te vertrekken *avoir l'intention de partir*
voornoemd *précité; susdit*
vooronder *cale* v *avant*
vooronderstellen *supposer*
vooronderstelling *supposition* v; *hypothèse* v
vooronderzoek *enquête* v *préliminaire*; JUR. *instruction* v; *enquête* v *préparatoire*
vooroordeel *préjugé* m
vooroorlogs *d'avant-guerre* ★ ~e tijd *avant-guerre* m
voorop • aan de voorkant *sur le devant* • aan het hoofd *en avant; en tête* • eerst *en premier lieu*

vooropgezet *préconçu*
vooropleiding *formation* v *(préalable)*
vooroplopen • aan het hoofd lopen *marcher en tête* ★ hij liep voorop in de demonstratie *il marchait en tête de la manifestation* • voorbeeld geven *donner l'exemple* ★ zij liepen voorop in de hervormingen *ils donnaient l'exemple en ce qui concerne les réformes*
vooropstellen *mettre en avant; poser comme principe* ★ vooropgesteld dat *pourvu que* [+ subj.]
voorouders *aïeux* m mv; *ancêtres* m mv
voorover *en avant* ★ met het hoofd ~ *la tête la première*
voorpagina *première page* v ★ op de ~ van de krant *à la une (du journal)*
voorpaginanieuws *nouvelle* v *sensationnelle*
voorpoot *patte* v *de devant*
voorportaal *vestibule* m; ‹v. kerk› *porche* m
voorpost *avant-poste* m [mv: *avant-postes*]
voorpret *joie* v *anticipée*
voorproef(je) *avant-goût* m [mv: *avant-goûts*]; INF. *acompte* m
voorprogramma *avant-programme* m [mv: *avant-programmes*]
voorprogrammeren *présélectionner*
voorpublicatie *prépublication* v
voorraad *provision* v; *réserve* v; *stock* m ★ in ~ hebben *avoir en stock/en magasin* ★ in ~ houden *réserver* ★ ~ opdoen van *s'approvisionner en* ★ uit ~ leverbaar *livrable de stock* ★ zolang de ~ strekt *jusqu'à épuisement du stock*
voorraadkast *garde-manger* m [onv]
voorraadschuur *grenier* m
voorradig *en magasin; en stock*
voorrang *priorité* v ★ ~ hebben *avoir la priorité; être prioritaire* ★ iem. ~ verlenen *laisser la priorité à qn; céder le passage à qn*
voorrangsbord *signal* m *de priorité* [m mv: *signaux ...*]
voorrangskruising *passage* m *protégé*
voorrangsweg *route* v *prioritaire*
voorrecht *privilège* m; *prérogative* v ★ onder ~ van boedelbeschrijving *sous bénéfice d'inventaire*
voorrijden *avancer* ★ de auto ~ *avancer la voiture*
voorrijkosten *frais* m mv *de déplacement*
voorronde *éliminatoire* v
voorruit *pare-brise* m [onv]
voorschieten *faire l'avance de* ★ iem. een tientje ~ *avancer dix florins à qn*
voorschijn ★ te ~ halen *sortir* ★ te ~ brengen *mettre au jour* ★ te ~ komen *se montrer*
voorschoot *tablier* m
voorschot *avance* v ★ ~ geven *faire une avance* ★ ontvangen als ~ op *toucher à valoir sur*
voorschotelen *servir* ★ de kok schotelde ons iets lekkers voor *le cuisinier nous a servi qc de bon* ▾ hij schotelde ons zijn plannen voor *il nous a presenté ses plans* ▾ onzin ~ *débiter des âneries*
voorschrift • het voorschrijven ★ op ~ van de dokter *par ordre du médecin* • regel *instruction* v; MED. *ordonnance* v ★ de ~en *la réglementation*
voorschrijven *ordonner; prescrire*
voorseizoen *début* m *de la haute saison*
voorselectie *présélection* v
voorsorteren *se placer dans le couloir de présélection*
voorspannen *tendre*
voorspel • inleiding *prélude* m; ‹v. toneelstuk› *prologue* m • liefdesspel *préliminaires* v mv
voorspelen *jouer*
voorspellen *prédire; annoncer*
voorspelling *prédiction* v; *pronostic* m
voorspiegelen ★ iem. iets ~ *faire miroiter qc à qn*
voorspoed *prospérité* v ★ in voor- en tegenspoed *pour le meilleur et pour le pire*
voorspoedig I BNW • gunstig *sans problèmes; heureux* [v: *heureuse*] • gelukkig *prospère* ★ ~ zijn *avoir du succès; prospérer* II BIJW *heureusement; sans problèmes*
voorspraak • bemiddeling *intervention* v • persoon *défense* v; *défenseur* m ★ op ~ van *grâce à l'intervention de; sur recommandation de*
voorsprong *avance* v; FIG. *avantage* m
voorst *premier; de devant* ★ de ~e rij *la rangée de devant*
voorstaan • voorstander zijn *défendre; soutenir* • voorsprong hebben ★ er beter ~ *se trouver en meilleure posture* ★ er goed ~ *avoir des chances de succès* • heugen *être présent à l'esprit* ★ daar staat me iets van voor *j'en ai un vague souvenir; je m'en souviens vaguement* ▾ zich laten ~ op *tirer vanité de*
voorstad *ville* v *située dans la banlieue* ★ de voorsteden van Parijs *la banlieue parisienne*
voorstadium *stade* m *préliminaire; premier degré* m *(de)*
voorstander *partisan* m
voorstel *proposition* v ★ op ~ van *sur proposition de* ★ een ~ indienen *soumettre/introduire une proposition*
voorstellen I OV WW • presenteren *présenter* ★ mag ik u ~ *permettez-moi de vous présenter* • als plan opperen *proposer* • betekenen *vouloir dire* • verbeelden *représenter* II WKD WW • zich indenken *se figurer; s'imaginer* • van plan zijn *se proposer (de)*
voorstelling • vertoning *représentation* v • denkbeeld *représentation* v; *idée* v • afbeelding *représentation* v ★ een grafische ~ *un graphique*
voorstellingsvermogen *imagination* v
voorsteven *étrave* v; *proue* v
voorstudie *étude* v *préparatoire*
voorstuk • voorste deel *partie* v *antérieure; devant* m • toneelstuk *lever* m *de rideau*
voort *en avant; plus loin*
voortaan *désormais; à l'avenir*
voortand *dent* v *de devant; incisive* v
voortbestaan *continuité* v; ‹v. iemand› *survie* v
voortbewegen *mettre en mouvement; propulser*
voortborduren *broder (sur)*

voortbrengen • doen ontstaan *créer* • opleveren *produire*
voortbrengsel *produit* m; *production* v
voortduren *continuer*
voortdurend I BNW *continuel* [v: *continuelle*]; *permanent* ★ een ~e aandacht *une attention soutenue* II BIJW *continuellement*
voorteken *présage* m; *signe* m *avant-coureur* [m mv: *signes avant-coureurs*]
voortent *auvent* m
voortgaan *avancer* ★ ~ met iets *continuer qc*
voortgang • voortzetting *continuation* v • vooruitgang *progrès* m; *progression* v ★ ~ maken met iets *faire avancer qc* ★ ~ boeken *avancer*
voortgezet *poursuivi* ★ ~ onderwijs *enseignement secondaire* m
voorthelpen *aider (qn à faire qc)*
voortijdig *prématuré*
voortjagen I OV WW opjagen *chasser* II ON WW rusteloos zijn *s'agiter*
voortkomen • voortvloeien *découler (de)*; *résulter (de)* • afkomstig zijn ★ ~ uit *naître de*
voortleven *continuer à vivre*; *survivre* ★ ~ in de herinnering *rester dans le mémoire*
voortmaken *se dépêcher*
voortouw ▼ het ~ nemen *prendre l'initiative*
voortplanten I OV WW verder verspreiden *propager* II WKD WW *se propager*; *se reproduire*
voortplanting • vermenigvuldiging *reproduction* v ★ de ~ uit één organisme *le clonage* • verbreiding *propagation* v
voortreffelijk I BNW *excellent*; *supérieur* II BIJW *excellemment*; *à merveille*
voortrekken *favoriser*
voortrekker *pionnier* m [v: *pionnière*]
voorts *ensuite*; *en outre*; *de plus*
voortschrijden • voortgaan *avancer* • vorderen *progresser*
voortslepen *traîner*
voortspruiten *germer*; *pousser* ★ ~ uit *sortir de*; *provenir de*
voortstuwen *propulser*; *pousser en avant*
voortstuwing *propulsion* v
voorttrekken *tirer*
voortuin *jardin* m *de devant*
voortvarend I BNW *énergique*; *expéditif* [v: *expéditive*] ★ men moet niet te ~ willen zijn *il ne faut pas brusquer les choses* II BIJW *expéditivement*; *énergiquement*
voortvloeien ★ ~ uit *résulter de*
voortvluchtig *fugitif* [v: *fugitive*]; *en fuite*
voortwoekeren *gagner du terrain*; *se propager*; *proliférer*
voortzetten *continuer*; *poursuivre* ★ wordt voortgezet *à suivre*
voortzetting *continuation* v; *(pour)suite* v
vooruit I BIJW • verder *en avant* ★ ik rijd liever ~ *je préfère être assis dans le sens de la marche* ★ iem. ~ zijn *devancer qn* • van tevoren *d'avance*; *par avance* ★ ~ betaald op *à valoir sur* ★ zijn tijd ~ zijn *être en avance sur son siècle* II TW ★ ~ dan maar! *bon, d'accord!*; ‹laten we gaan› *allons-y!*
vooruitbetalen *payer d'avance*
vooruitbetaling *paiement* m *anticipé|préalable*
vooruitblik *pronostic* m
vooruitdenken *prévoir*
vooruitgaan • voorwaarts gaan *aller en avant*; ‹ook v. promotie› *avancer* • vorderingen maken *faire des progrès*; *aller mieux* ★ ik ga er 10 procent op vooruit *j'y gagne 10 pour cent* ★ hij gaat er niet op vooruit *il n'y gagne pas* • van tevoren gaan *partir d'avance*
vooruitgang *progrès* m
vooruithelpen *aider*
vooruitkijken *prévoir*
vooruitkomen *avancer*; *faire des progrès* ★ in de wereld ~ *faire son chemin*
vooruitlopen • voorop lopen *précédér* ★ alvast ~ *partir en avant*; ‹bij ontmoeting› *aller à la rencontre de qn* • anticiperen *devancer* ★ ~ op *anticiper sur*
vooruitsteken *avancer*
vooruitstrevend *avancé*; *progressiste*
vooruitzicht *perspective* v; *prévisions* v mv ★ in het ~ van *en prévision de* ★ zonder ~en *sans espérances*
vooruitzien *être prévoyant*; *voir loin*
vooruitziend *prévoyant*
voorvader *ancêtre* m ★ ~en *ancêtres* m mv; *aïeux* m mv
voorval *événement* m; *incident* m
voorvallen *arriver*; *se passer*
voorvechter *défenseur* m
voorverkiezing POL. *premier tour* m *de scrutin*; *scrutin* m *éliminatoire*
voorverkoop *location* v
voorverpakt *pré-emballé* [m mv: *pré-emballés*]
voorverwarmen *préchauffer*
voorvoegsel *préfixe* m
voorvoelen *pressentir*
voorwaarde *condition* v ★ op ~ dat *à condition de* [+ inf.]; *à condition que* [+ subj.]
voorwaardelijk I BNW onder bepaalde voorwaarde *conditionnel* [v: *conditionnelle*] ★ een ~e veroordeling *une condamnation avec sursis* ★ de ~e wijs *le conditionnel* II BIJW *conditionnellement*
voorwaarts I BNW *en avant* II BIJW *en avant*
voorwas *prélavage* m
voorwenden • doen alsof *feindre*; *simuler* • als voorwendsel gebruiken *prétexter*
voorwendsel *prétexte* m ★ onder ~ van *sous prétexte de* ★ een aannemelijk ~ *un prétexte plausible*
voorwereldlijk *préhistorique*
voorwerk • voorafgaand werk *travaux* m mv *préliminaires*; *préparatifs* m mv ★ ~ verrichten voor een vergadering *faire des préparatifs pour une réunion* • deel van boek *les pages* v mv *préliminaires*
voorwerp • ding *objet* m • TAALK. *complément* m ★ lijdend ~ *complément d'objet direct* ★ meewerkend ~ *complément d'objet indirect*
voorwetenschap *connaissance* v *préalable*
voorwiel *roue* v *avant*
voorwielaandrijving *traction* v *avant*
voorwoord *avant-propos* m [onv]; *préface* v
voorzanger *chantre* m
voorzeggen • influisteren *souffler* ★ zij zegt

altijd voor *c'est toujours elle qui souffle* • tot voorbeeld zeggen *dicter*
voorzet *centre* m; ‹bij schaken› *trait* m ⋆ een ~ geven *faire un centre*
voorzetsel *préposition* v
voorzetsel- *prépositionnel* [v: *prépositionnelle*]
voorzetten • vooruit zetten *avancer*; *mettre en avant* • plaatsen voor *mettre*; *servir* ⋆ iem. spruitjes ~ *servir des choux de Bruxelles à qn*
voorzichtig I BNW *prudent* ⋆ wees ~ *méfie-toi*; *sois prudent* II BIJW *prudemment*; *avec précaution* ⋆ '~ behandelen' *'fragile'* III TW *attention!*
voorzichtigheid *prudence* v ▾ ~ is de moeder der wijsheid *prudence est mère de sûreté*
voorzichtigheidshalve *par précaution*
voorzien • zien aankomen *s'attendre à*; *prévoir* • ~ **in** *pourvoir à*; ‹in tekort› *rémédier à*; ‹in behoefte› *satisfaire à* ⋆ in de meest dringende behoeften ~ *parer au plus pressé* ⋆ in eigen behoeften ~ *se suffire* ⋆ de wet heeft daarin ~ *la loi a réglé cette question* • ~ **van** *munir de*; *pourvoir de* ⋆ iem. van voorraad ~ *approvisionner qn* ⋆ ~ van wapens *munir d'armes* ⋆ de pantograaf voorziet de TGV van elektriciteit *le pantographe alimente le TGV en électricité* ⋆ het GEB voorziet ons van gas *le gaz nous est fourni par GDF* ⋆ ik ben nog ~ *je suis servi* ⋆ ~ van een handtekening *revêtu d'une signature* ⋆ van alle gemakken ~ *tout confort* ▾ het ~ hebben op iemand *avoir une dent contre qn* ▾ het niet zo ~ hebben op *se méfier de*
voorzienigheid *Providence* v ⋆ door de ~ beschikt *providentiel* [v: *providentielle*]
voorziening • het voorzien *approvisionnement* m; *ravitaillement* m • faciliteit *équipement* m • maatregel *mesure* v; *disposition* v ⋆ ~en treffen *prendre des dispositions*
voorzijde *devant* m; ‹v. huis› *façade* v; ‹v. papier› *recto* m ⋆ aan de ~ *sur le devant*; ‹v. papier› *au recto*
voorzingen • als voorbeeld zingen *chanter* • voorzanger zijn *chanter en premier lieu*
voorzitten *présider*
voorzitter *président* m
voorzitterschap *présidence* v
voorzorg *précaution* v
voorzorgsmaatregel *mesure* v *de précaution*
voos • saploos *desséché* • niet deugend *creux* [v: *creuse*]; ‹bedorven› *pourri*
vorderen I OV WW eisen *demander*; *exiger*; JUR. *réquisitionner* II ON WW vorderingen maken *avancer*; *faire des progrès*
vordering • vooruitgang *progrès* m • eis *réclamation* v; ‹v. goederen› *réquisition* v; ‹v. schuld› *créance* v ⋆ een preferente ~ *une créance privilégiée*
voren • eerder ⋆ als ~ *comme ci-dessus* ⋆ van ~ af aan beginnen *recommencer* • aan de voorkant ⋆ naar ~ *en avant* ⋆ de zon van ~ hebben *avoir le soleil en face* ⋆ van ~ gezien *vu de front* ⋆ van ~ naar achteren *d'avant en arrière*
vorig • direct voorafgaand *dernier* [v: *dernière*]; *passé* ⋆ de ~e dag *la veille* ⋆ de ~e avond *la veille au soir* ⋆ ~e week *la semaine dernière* ⋆ ~e keer *l'autre fois* • vroeger *précédent*
vork • deel van bestek *fourchette* v • vorkvormig deel *fourche* v • landbouwvork *fourche* v
vorkheftruck *chariot* m *élévateur (à fourche)*
vorm • gedaante *forme* v ⋆ vaste vorm aannemen *prendre corps*; *se concrétiser* • gietvorm *moule* m • TAALK. ⋆ de bedrijvende/lijdende vorm *la voix active/passive*
vormbehoud SPORT *maintien* m *de la forme*
vormelijk I BNW formeel *cérémonieux* [v: *cérémonieuse*]; *formaliste* II BIJW *cérémonieusement*
vormen • vorm geven *former*; *façonner* • zijn *constituer*; *former* • opvoeden *former*
vormfout *vice* m *de forme*
vormgever *designer* m; *styliste* m/v
vormgeving *modelage* m ⋆ industriële ~ *esthetique* v *industrielle*
vorming • het vormen *formation* v; *constitution* v • geestelijke ontwikkeling *formation* v; *éducation* v; REL. *confirmation* v
vormingscentrum *centre* m *de formation socio-culturelle*
vormingswerk *formation* v *socio-culturelle*
vormingswerker *éducateur* m [v: *éducatrice*]
vormleer *théorie* v *de la forme*; TAALK. *morphologie* v
vormloos • zonder vorm *informe*; *amorphe* • plomp *déformé*
vormsel *confirmation* v
vormvast *indéformable*
vorsen *faire des recherches*
vorst • monarch *souverain* m • het vriezen *gelée* v ⋆ strenge ~ *forte gelée*
vorstelijk I BNW als van een vorst *princier* [v: *princière*] II BIJW *princièrement*
vorstendom *principauté* v
vorstenhuis *dynastie* v
vorstgrens *limite* v *de gel*
vorstperiode *période* v *de gel*
vorstschade *dégât* m *causé par le gel*
vorstverlet *chômage* m *pour cause de gelée*
vorstvrij *à l'abri du gel*
vos • roofdier *renard* m • paard *alezan* m • sluwe vent ⋆ een sluwe vos *un fin renard*
vossenjacht • jacht *chasse* v *au renard* • spel *jeu* m *de piste*
voucher • bewijs van betaling *voucher* m; *reçu* m • tegoedbon *bon* m; *coupon* m; ‹voor maaltijd e.d.› *ticket-restaurant* m [mv: *tickets-restaurant*]
vouw *pli* m; ‹in boek› *corne* v
vouwbeen *coupe-papier* m [onv]
vouwblad *dépliant* m
vouwboot *canot* m *pneumatique*
vouwcaravan *caravane* v *pliante*
vouwdeur *porte* v *accordéon*
vouwen *plier* ⋆ de handen ~ *joindre les mains*
vouwfiets *bicyclette* v *pliante*
vouwstoel *fauteuil* m *pliant*
voyeur *voyeur* m [v: *voyeuse*]

vozen *baiser*
vraag • taaluiting *question* v ⋆ een ~ stellen *poser une question* • vraagstuk ⋆ dat is nog maar de ~ *cela reste à savoir* ⋆ de ~ is of *la question est de savoir si* • kooplust *demande* v ⋆ ~ en aanbod *l'offre et la demande* ⋆ er is veel ~ naar dat artikel *c'est un article très demandé/recherché*
vraagbaak • boek *répertoire* m • persoon *encyclopédie* v *vivante*
vraaggesprek *interview* v
vraagprijs *prix* m *demandé*
vraagstelling • formulering *façon* v *de formuler une question* • vraagstuk *problématique* v
vraagstuk *problème* m
vraagteken *point* m *d'interrogation*
vraatzucht *gloutonnerie* v; *voracité* v
vraatzuchtig *glouton* [v: *gloutonne*]; *goulu*
vracht • lading *charge* v; *cargaison* v; *chargement* m ⋆ een ~je oppikken *transporter un chargement* • grote massa *masse* v; *quantité* v
vrachtauto *camion* m; *poids* m *lourd*
vrachtbrief *lettre* v *de voiture/de transport*; SCHEEPV. *connaissement* m
vrachtgoed *marchandises* v mv
vrachtprijs *frais* m mv *de transport*
vrachtrijder *routier* m; *camionneur* m
vrachtruimte *soute* v
vrachtschip ⟨met passagiersaccommodatie⟩ *cargo* m *mixte*; *cargo* m
vrachtvaart *transport* m *par eau*
vrachtverkeer *poids* m mv *lourds*
vrachtvervoer *transport* m *de marchandises*
vrachtwagen *poids* m *lourd*; *camion* m
vrachtwagencombinatie *tracteur* m *avec semi-remorque*
vragen I OV WW • vraag stellen *demander* ⋆ iem. iets ~ *demander qc à qn* • verzoeken *prier* ⋆ iem. ~ iets te doen *prier qn de faire qc* • uitnodigen *inviter* II ON WW • ~ **naar** *s'informer de* ⋆ naar de weg ~ *demander son chemin* • ~ **om** *demander*
vragenderwijs *en posant des questions*
vragenlijst *questionnaire* m
vragenuurtje *séance* v *réservée aux questions*
vrede *paix* v ⋆ ~ sluiten *faire la paix* ⋆ met ~ laten *laisser en paix* ▾ om de lieve ~ *pour avoir la paix* ▾ ~ hebben met *s'accommoder de* ▾ ik heb er ~ mee *je veux bien*
vredelievend *pacifique*
vredesactie *action* v *en faveur de la paix*
vredesactivist *pacifiste* m/v
vredesakkoord *traité* m *de paix*
vredesbeweging *mouvement* m *pacifiste*
vredesdemonstratie *manifestation* v *en faveur de la paix*
vredesnaam ▾ doe het in ~ niet! *au nom du ciel, ne le fais pas!* ▾ in ~ dan maar! *d'accord, puisqu'on ne peut pas faire autrement!*
vredespijp *calumet* m *de la paix*
vredestichter *réconciliateur* m [v: *réconciliatrice*]
vredestijd *temps* m *de paix*
vredesverdrag *traité* m *de paix*
vredig *paisible*; *tranquille*

vreedzaam I BNW vredelievend *pacifique* II BIJW vredelievend *pacifiquement*
vreemd I BNW • ongewoon *étrange*; *singulier* [v: *singulière*]; *bizarre* ⋆ iets ~ vinden *s'étonner de qc* • uitheems *étranger* [v: *étrangère*] • niet-eigen *étrange* • niet bekend *étranger* [v: *étrangère*] ⋆ ~ zijn aan *être étranger à* ▾ ~ gaan *tromper son ami(e)*; ⟨binnen huwelijk⟩ *avoir une relation extraconjugale* II BIJW *étrangement*
vreemde I ZN (de) vreemdeling *étranger* m [v: *étrangère*] ▾ dat heeft hij van geen ~ *il a de qui tenir* II ZN (het) land ⋆ in den ~ *à l'étranger*
vreemdeling *étranger* m [v: *étrangère*]
vreemdelingendienst *service* m *des étrangers*
vreemdelingenhaat *xénophobie* v
vreemdelingenlegioen *Légion* v *étrangère*
vreemdelingenpolitie *police* v *des étrangers*
vreemdelingenverkeer *tourisme* m
vreemdgaan *tromper son conjoint*
vreemdsoortig *bizarre*
vrees *crainte* v; *peur* v ⋆ uit ~ voor *par peur de* ⋆ iem. ~ aanjagen *faire peur à qn*; *intimider qn* ⋆ uit ~ dat hij zou komen *de crainte/peur qu'il ne vienne*
vreesachtig I BNW *craintif* [v: *craintive*]; *peureux* [v: *peureuse*] II BIJW *craintivement*; *peureusement*
vreetzak *bâfreur* m [v: *bâfreuse*]
vrek *avare* v
vrekkigheid *avarice* v
vreselijk I BNW *terrible* ⋆ een ~e misdaad *un crime atroce* II BIJW *terriblement* ⋆ zij is ~ verlegen *elle est extrêmement timide*
vreten I ZN *bouffe* v II OV WW gulzig eten *s'empiffrer*; ↑ *dévorer* ⋆ is er hier niks te ~? *il n'y a rien à bouffer ici?* ⋆ het is niet om te ~ *c'est dégueulasse* III ON WW knagen *ronger*
vreugde *joie* v
vreugdekreet *cri* m *de joie*
vreugdeloos I BNW *sans joie* II BIJW *sans joie*
vreugdevuur *feu* m *de joie* [m mv: *feux ...*]
vrezen I OV WW bang zijn voor *craindre*; *redouter* ⋆ het ergste ~ *craindre le pire* ⋆ ik vrees dat het te laat is *je crains qu'il ne soit trop tard* II ON WW ~ **voor** *craindre (pour)*
vriend • ⋆ INF. ze zijn dikke ~en *ils sont amis comme cochons* • kameraad *ami* m; INF. *copain* m ⋆ een ~ van mij *un de mes amis* • geliefde *(petit) ami* m; *amoureux* m; INF. *copain* m ⋆ heb je nog nooit een ~je gehad? *tu n'as jamais eu de petit ami?* ▾ even goeie ~en! *sans rancune!*
vriendelijk I BNW *gentil* [v: *gentille*]; INF. *sympa* ⋆ een ~e aanblik *un aspect riant* ⋆ dat is erg ~ van u *vous êtes trop gentil* ⋆ zou je zo ~ willen zijn om *voudrais-tu* ⋆ een ~ stadje *une charmante petite ville* II BIJW *gentiment* ⋆ iem. ~ ontvangen *faire bon accueil à qn* ⋆ ~ bedankt *mille fois merci*
vriendelijkheid *amabilité* v; *gentillesse* v
vriendendienst *service* m *d'ami*
vriendenkring *cercle* m *d'amis*
vriendenprijsje *prix* m *d'ami*
vriendin • kameraad *amie* v; INF. *copine* v • geliefde *(petite) amie* v; INF. *copine* v ⋆ zijn

~ heeft het uitgemaakt *sa copine a rompu avec lui*
vriendjespolitiek *favoritisme* m
vriendschap *amitié* v ★ ~ sluiten met *se lier d'amitié avec*
vriendschappelijk I BNW *amical* [m mv: *amicaux*] II BIJW *amicalement*
vriendschapsband *lien* m *d'amitié*
vriesdrogen *lyophiliser*
vrieskou *froid* m *glacial*
vriespunt *point* m *de congélation*; *zéro* m *degré*
vriesvak *glacière* v; *freezer* m
vriesweer *gel* m
vriezen *geler* ★ het vriest vijf graden *il fait moins cinq* ▼ het vriest dat het kraakt *il gèle à pierre fendre*
vriezer *congélateur* m; ‹in koelkast› *freezer* m
vrij I ZN ★ (een auto) in z'n vrij zetten *mettre (une voiture) au point mort* II BNW • onafhankelijk *libre* ★ de vrije sector *le secteur libre* • ongebonden, onbeperkt *libre* ★ de vrije slag *la nage libre* ★ het staat u vrij om te vertrekken *vous êtes libre de partir* ★ ik ben zo vrij om ... *je me permets de* • vrijaf *libre* ★ een vrije dag *un jour de congé* ★ vrije tijd *loisirs* m mv • afzonderlijk *indépendant* ★ een vrije opgang *une entrée indépendante* • onbezet *libre*; *disponible* • stoutmoedig *franc* [v: *franche*]; *sans gêne* • gratis *gratuit* • niet getrouw *libre* ★ een vrije vertaling *une traduction libre* ★ vrij naar ... *inspiré de ...* • ~ **van** *sans* ★ vrij van successierechten *exonéré de droits de succession* III BIJW • tamelijk *assez* ★ er waren vrij veel stoelen onbezet *il y avait pas mal de chaises non occupées* ★ het is vrij goed geschreven *c'est pas mal écrit* ★ het is vrij koud *il fait plutôt froid* • onbelemmerd *librement*; *franchement* ▼ de vrije wil *le libre arbitre*
vrijaf *congé* ★ ~ geven *donner un congé* ★ ~ hebben *être en congé*
vrijage *amours* v mv; *flirt* m
vrijblijvend I BNW *sans engagement* II BIJW *sans engagement*
vrijbrief *pleins pouvoirs* m mv ★ dat is geen ~ om maar je gang te gaan *cela ne signifie pas que tu peux te croire tout permis* ★ iem. een ~ geven *donner les pleins pouvoirs à qn*
vrijbuiter *flibustier* m
vrijdag *vendredi* m ▼ Goede Vrijdag *le vendredi saint*
vrijdags I BNW *du vendredi* II BIJW *le vendredi*
vrijdenker *libre-penseur* m [mv: *libres-penseurs*] [v: *libre-penseuse*] [v mv: *libres-penseuses*]
vrijelijk *librement*
vrijen • liefkozen *s'embrasser*; *se caresser* • geslachtsgemeenschap hebben *faire l'amour* ★ veilig ~ *pratiquer le safe sexe*
vrijer *amoureux* m ▼ een oude ~ *un vieux garçon*
vrijetijdsbesteding *occupation* v *des loisirs*
vrijetijdskleding *vêtements* m mv *de loisir*
vrijgeleide • escorte *escorte* v • vrije doorgang *sauf-conduit* m [mv: *sauf-conduits*]
vrijgeven I OV WW niet meer blokkeren *libérer*; *débloquer*; *autoriser* ★ het gebied is vanmorgen vrijgegeven *depuis ce matin la zone est (à nouveau) accessible au public* II ON WW vrijaf geven *donner un congé (à)*
vrijgevig I BNW *généreux* [v: *généreuse*]; *large* II BIJW *généreusement*; *largement*
vrijgevochten *indépendant*
vrijgezel *célibataire* m/v
vrijhandel *libre-échange* m
vrijhandelszone *zone* v *de libre-échange*
vrijhaven *port* m *franc*
vrijheid *liberté* v ★ in ~ stellen *libérer*; *mettre en liberté* ★ de ~ geven *rendre la liberté* ▼ ~, blijheid *là où il y a de la gêne, il n'y a pas de plaisir*
vrijheidlievend *épris de liberté*
vrijheidsberoving *séquestration* v
vrijheidsbeweging *mouvement* m *de libération*
vrijheidsstrijder *combattant* m *de la liberté*
vrijhouden • onbezet houden ★ de ingang ~ *tenir dégagé l'entrée* ★ tijd ~ *réserver du temps* • betalen voor *payer les frais de*
vrijkaart *ticket* m *gratis*
vrijkomen • vrijgelaten worden *être délivré*; *être libéré*; *être relâché* • beschikbaar komen *devenir vacant*; *être disponible* • zich afscheiden *se dégager* ▼ met de schrik ~ *en être quitte pour la peur*
vrijlaten • onbezet laten *laisser libre* • de vrijheid geven *mettre en liberté*; *libérer* • niet verplichten *laisser libre*; *donner carte blanche à*
vrijlating • *libération* v; *mise* v *en liberté* • JUR. *relaxation* v
vrijloop *point* m *mort* ★ de motor staat in de ~ *le moteur est au point mort*
vrijmaken CHEM. ‹v. mensen› *affranchir*; *émanciper*; ‹v. ruimte› *dégager* ★ kun jij je vandaag ~? *tu peux te libérer aujourd'hui?*
vrijmarkt *braderie* v
vrijmetselaar *franc-maçon* m [mv: *francs-maçons*]
vrijmetselarij *franc-maçonnerie* v
vrijmoedig I BNW *franc* [v: *franche*] II BIJW *franchement*; *ouvertement*
vrijpartij *pelotage* m
vrijplaats *refuge* m
vrijpleiten *disculper* ★ het ~ *la disculpation*
vrijpostig I BNW *impertinent* II BIJW *impertinemment*
vrijspraak *acquittement* m
vrijspreken *acquitter*
vrijstaan • geoorloofd zijn ★ het staat u vrij ... *libre à vous de...*; *vous pouvez ... si vous le voulez* • los staan *être indépendant*
vrijstaand *indépendant* ★ een ~ huis *une maison indépendante*
vrijstaat *état* m *libre*
vrijstellen *dispenser (de)*; *exempter (de)* ★ ~ van belasting *exonérer d'impôts* ★ ~ van dienst *exempter du service militaire*
vrijstelling • *dispense* v; *exemption* v; ‹v. belasting› *exonération* v ★ een ~ van voorschrift *une dérogation* ★ een tijdelijke ~ *un ajournement* • ‹v. belastingen› *détaxe* v
vrijuit *franchement*; *librement*; *sans détour*

⋆ hij gaat ~ *sa responsabilité n'est pas engagée; il n'y est pour rien*
vrijwaren *garantir (de); préserver (de)*
vrijwel *à peu près; presque; quasiment*
vrijwillig I BNW *volontaire* ⋆ een ~e gift *un don gracieux* ⋆ ~ en belangeloos *bénévole* II BIJW *volontairement; de plein gré*
vrijwilliger *volontaire* v; ‹in het leger› *engagé* m ⋆ een ~ bij de brandweer *un pompier bénévole*
vrijwilligerswerk *bénévolat* m
vrijzinnig I BNW *libéral* [m mv: *libéraux*] ▾ de ~en *les libéraux* II BIJW *libéralement*
vroedvrouw *sage-femme* v [mv: *sages-femmes*]
vroeg I BNW • aan het begin *matinal* [m mv: *matinaux*] ⋆ in de ~e morgen *au petit matin* • eerder dan verwacht *précoce* ⋆ een ~e dood *une mort prématurée* ⋆ ~e kersen *cerises* v mv *précoces* II BIJW • op vroeg tijdstip *de bonne heure; tôt* ⋆ ~ opstaan *être matinal* ⋆ een uur te ~ komen *arriver une heure à l'avance* • eerder dan verwacht *prématurément*
vroeger I BNW • voorheen *antérieur* ⋆ ~ dan *antérieur à* • voormalig *ancien* [v: *ancienne*] ⋆ de ~e abdij *l'ancienne abbaye* ⋆ de ~e echtgenote van ... *l'ex-femme de ...* II BIJW • eerder *plus tôt* • eertijds *autrefois; jadis; dans le temps*
vroegertje ⋆ gisteren had ik een ~ *hier je finissais tôt*
vroegmis *première messe* v
vroegrijp *précoce; hâtif* [v: *hâtive*]
vroegte *matinée* v ⋆ in de ~ *de bon matin*
vroegtijdig I BNW • vroeg *matinal* [m mv: *matinaux*] • voortijdig *précoce* II BIJW • vroeg *de bonne heure* • voortijdig *prématurément*
vrolijk I BNW *gai; joyeux* [v: *joyeuse*] ⋆ zich ~ maken over *s'amuser de; se moquer de* II BIJW *gaiement; joyeusement*
vrolijkheid *gaieté* v
vroom I BNW • godvruchtig *pieux* [v: *pieuse*]; *religieux* [v: *religieuse*]; *dévot* ⋆ vrome boeken *livres* m mv *de piété* • onvervulbaar ⋆ een vrome wens *une illusion* II BIJW *pieusement; religieusement; dévotement*
vrouw • vrouwelijk persoon *femme* v; INF. *nana* v ⋆ ~ des huizes *maîtresse de maison* ⋆ de ~ thuis *la femme au foyer* • echtgenote *femme* v; *épouse* v ⋆ een ~ zoeken *chercher une femme* • speelkaart *dame* v ▾ ja, ~tje *oui, mon amie*
vrouwelijk I BNW *féminin* ⋆ een ~e arts *une femme médecin* ⋆ ~ dier *femelle* II BIJW *comme une femme*
vrouwenarts *gynécologue* m/v
vrouwenbeweging *mouvement* m *féministe*
vrouwenblad *magazine* m *féminin*
vrouwenemancipatie *émancipation* v *de la femme*
vrouwenhater *misogyne* m/v
vrouwenhuis *foyer* m *de femmes*
vrouwenkiesrecht *droit* m *de vote des femmes; suffrage* m *féminin*
vrouwmens *nana* v
vrouwonvriendelijk *misogyne;* INF. *miso*
vrouwtje • kleine vrouw *petite femme* v ⋆ hij kijkt veel naar de ~s *il s'intéresse beaucoup aux belles femmes* • vrouwelijk dier *femelle* v
vrouwvriendelijk I BNW *en faveur de l'égalité des femmes* II BIJW *favorisant l'égalité des femmes*
vrucht • PLANTK. *fruit* m • fruit *fruit* m ⋆ ~ zetten *fructifier* ⋆ eerste ~en *primeurs* v mv • ongeboren kind/jong *foetus* m • resultaat *fruit* m
vruchtafdrijving *avortement* m
vruchtbaar • in staat tot voortplanting *fécond* • productief *fertile; fécond* ⋆ ~ maken *fertiliser* • lonend *productif* [v: *productive*]
vruchtbaarheid *fertilité* v; *fécondité* v
vruchtbeginsel *ovaire* m
vruchtboom *arbre* m *fruitier*
vruchtdragend *fructifère;* FIG. *fructueux* [v: *fructueuse*]
vruchteloos I BNW *infructueux* [v: *infructueuse*]; *inutile* II BIJW *inutilement*
vruchtensalade *salade* v *de fruits*
vruchtensap *jus* m *de fruits*
vruchtenwijn *vin* m *de fruits*
vruchtgebruik *usufruit* m
vruchtvlees *pulpe* v
vruchtvlies *amnios* m
vruchtwater *liquide* m *amniotique; eaux* v mv
vruchtwaterpunctie *amniocentèse* v
VS *É.-U.* m mv; *États-Unis* m mv
V-snaar *courroie* v *en V*
V-teken *signe* m *du V*
vuil I ZN • viezigheid *saleté* v; *crasse* v • afval *ordures* v mv II BNW • niet schoon *sale; crasseux* [v: *crasseuse*] ⋆ bij de vuile was doen *mettre au sale* • vulgair *sale; obscène* ⋆ vuile praatjes *obscénités* v mv • gemeen *sale; méchant* • bruto *brut*
vuilak *salopard* m
vuilbekken *dire des obscénités*
vuiligheid *saleté* v; *crasse* v
vuilnis *ordures* v mv
vuilnisbak *poubelle* v
vuilnisbakkenras *bâtard* m
vuilnisbelt *décharge* v
vuilnisemmer *poubelle* v
vuilnisman *éboueur* m
vuilniswagen *camion* m *à ordures*
vuilniszak *sac* m *poubelle*
vuiltje *grain* m *de poussière* ▾ een ~ aan de lucht *un point noir à l'horizon* ▾ geen ~ aan de lucht *rien qui menace*
vuilverbranding • proces *incinération* v *de déchets* • installatie *incinérateur* m
vuist *poing* m ▾ op de ~ gaan met iemand *en venir aux mains avec qn* ▾ voor de ~ spreken *improviser* ▾ voor de ~ weg vertalen *traduire à livre ouvert*
vuistregel *règle* v *pratique*
vuistslag *coup* m *de poing*
vulgair *vulgaire; grossier* [v: *grossière*] ▾ ~ Latijn *le latin vulgaire*
vulkaan *volcan* m
vulkanisch *volcanique*
vullen *remplir;* ‹v. eten› *bourrer;* ‹v. kies› *plomber; obturer;* ‹v. kachel› *charger;* ‹met lucht› *gonfler;* ‹v. gerecht› *farcir* ⋆ gevulde

tomaten *tomates farcies* ★ ~ met *remplir de* ★ zijn benzinetank ~ *faire le plein d'essence* ★ de accu ~ *recharger la batterie*
vulling • vulsel ‹v. gerecht› *farce* v • vulling in kies *plombage* m; *obturation* v • penpatroon *recharge* v; ‹los› *cartouche* v ★ met losse ~ *rechargeable*; *à cartouches*
vulpen *stylo* m
vulpotlood *portemine* m
vulsel *rembourrage* m; *bourre* v
vulva *vulve* v
vuren I BNW *en bois de sapin* II ON WW *faire feu*; *tirer*
vurenhout *épicéa* m
vurig I BNW • gloeiend *de feu*; *ardent* • hartstochtelijk *ardent*; *enthousiaste*; *passionné* ★ een ~ gebed *une prière fervente* ★ een ~ paard *un cheval fougueux* II BIJW *ardemment*; *passionnément*
VUT *préretraite* v; *retraite* v *anticipée* ★ met de VUT gaan *partir en préretraite*
vuur • brand *feu* m [mv: *feux*] ★ een vuur aanleggen *faire du feu* ★ met vuur spelen *jouer avec le feu* ★ het vuur aanblazen *souffler sur le feu* • het schieten ★ onder vuur nemen *ouvrir le feu sur* • geestdrift *feu* m; *ardeur* v; *passion* v ▼ tussen twee vuren zitten *être entre deux feux* ▼ vuur en vlam spuwen *jeter feu et flammes* ▼ iemand het vuur na aan de schenen leggen *mettre qn au pied du mur*
vuurbol *globe* m *de feu*; ‹meteoor› *bolide* m
vuurdoop *baptême* m *du feu* ★ de ~ ondergaan *recevoir le baptême du feu*
vuurdoorn *buisson* m *ardent*
vuurgevecht *fusillade* v
vuurhaard *foyer* m
vuurmond • kanon *bouche* v *à feu* • voorste deel van vuurwapen *bouche* v
vuurpeloton *peloton* m *d'exécution*
vuurpijl *fusée* v
vuurproef *épreuve* v *du feu* ★ de ~ doorstaan *soutenir l'épreuve*
vuurrood *couleur de feu*; ‹v. gezicht› *tout rouge* ★ met een ~ gezicht *le visage empourpré*
vuurspuwend *ignivome* ★ een ~e berg *un volcan*
vuursteen *pierre* v *à fusil*
vuurtje *petit feu* m ★ heb jij een ~ voor me? *t'as du feu?* ▼ een lopend ~ *une traînée de poudre*
vuurtoren *phare* m
vuurvast *résistant au feu*; ‹v. steen› *réfractaire* ★ ~ glas *verre* m *pyrex* ★ een ~e schotel *un plat qui va au four*
vuurvreter • circusartiest *cracheur* m *de feu* • vechtjas *dur* m *à cuire*
vuurwapen *arme* v *à feu*
vuurwerk *feu* m *d'artifice*
vuurzee *nappe* v *de feu*
VVV *Syndicat* m *d'Initiative*
vwo ≈ *enseignement* m *du second degré préuniversitaire*

W

w *w* m
W Watt *W*; *watt* m
WA *responsabilité* v *civile* ★ WA verzekerd zijn *avoir une assurance de responsabilité civile*
waadvogel *échasse* v
waag *poids* m *public*
waaghals *téméraire* m; *casse-cou* m/v [onv]
waaghalserij *action* v *risquée*
waagschaal ▼ (alles) in de ~ stellen *risquer (le tout pour le tout)*
waagstuk *coup* m *d'audace*
waaien I ON WW ▼ laat maar ~! *laisse tomber!* II ONP WW *faire du vent* ★ het waait hard *il fait beaucoup de vent* ▼ met alle winden (mee)~ *tourner à tous les vents*
waaier *éventail* m
waak • tijd van waken *veille* v • wacht *garde* m; SCHEEPV. *quart* m
waakhond *chien* m *de garde*
waaks *vigilant*
waaktoestand *état* m *de veille*
waakvlam *veilleuse* v
waakzaamheid *vigilance* v
Waal *Wallon* m [v: *Wallonne*]
Waals *wallon* [v: *wallonne*]
waan *illusion* v; *erreur* v ★ in de waan brengen *faire croire* ★ in de waan verkeren dat *s'imaginer que*
waandenkbeeld *illusion* v
waanidee *illusion* v; PSYCH. *idée* v *délirante*
waanvoorstelling *hallucination* v
waanwereld *monde* m *illusoire*
waanzin • krankzinnigheid *démence* v; *aliénation* v *(mentale)* • onzin *folie* v
waanzinnig I BNW • krankzinnig *aliéné*; *dément*; *fou* [v: *folle*] [onr: *fol*] • onzinnig *fou* II BIJW verschrikkelijk *follement*; *fou*; *vachement* ★ je ziet er ~ goed uit *t'as l'air vachement bien*
waar I ZN *marchandise* v; *article* m; ‹eetwaar› *denrée* v ★ verboden waar *contrebande* v ★ zijn waar aanprijzen *faire l'article* ▼ alle waar is naar zijn geld *à chaque chose son prix* II BNW *vrai*; *véritable* ★ een waar verhaal *un récit vécu* ★ dat is waar ook *au fait (j'y pense)* ★ er zit iets waars in *il y a du vrai là-dedans* ★ niet waar? *n'est-ce pas?* III BIJW • vragend *où* ★ waar vandaan? *d'où?* ★ waar is hier ergens het station? *c'est par où, la gare?* • betrekkelijk *où* ★ waar hij ook is *où qu'il soit*
waaraan • vragend *à quoi* • betrekkelijk *auquel* [m mv: *auxquels*] [v: *à laquelle*] [v mv: *auxquelles*]
waarachter • vragend *derrière quoi* • betrekkelijk *derrière lequel* [m mv: ... *lesquels*] [v: ... *laquelle*] [v mv: ... *lesquelles*]
waarachtig I BNW waar *vrai*; *véritable* II BIJW *vraiment*; *véritablement* ★ ~! *vraiment!*
waarbij • vragend *près de quoi* • betrekkelijk *près duquel* [m mv: ... *desquels*] [v: ... *de laquelle*] [v mv: ... *desquelles*] ★ een besluit ~ *un décret aux termes duquel* ★ het ongeval ~

hij om het leven kwam *l'accident dans lequel il a trouvé la mort* ★ het punt ~ we gebleven zijn *le point où nous sommes restés*

waarborg • onderpand *caution* v; ‹persoon› *garant* m [v: *garante*] • garantie *garantie* v

waarborgen *garantir*

waarborgfonds *fonds* m *de garantie*

waarborgsom *caution* v

waard I ZN herbergier *aubergiste* m/v; *hôte* m/v [v: *hôtesse*] ▾ zoals de ~ is vertrouwt hij zijn gasten *on mesure les autres à son aune* II BNW • genoemde waarde hebbend *de la valeur de* ★ twintig gulden ~ zijn *valoir vingt florins* ★ het zou hem heel wat ~ zijn geweest om *il aurait payé cher pour* • waardig *digne* ★ hij is het ~ *il le mérite* ★ hij is haar niet ~ *il est indigne d'elle* • dierbaar *cher* [v: *chère*] ★ ~e vriend! *cher ami!*

waarde *valeur* v ★ ~ in geld *valeur marchande* ★ aangegeven ~ *valeur déclarée* ★ innerlijke ~ *valeur intrinsèque* ★ veel ~ hechten aan *attacher beaucoup de valeur/prix à*; *tenir beaucoup à* ★ in ~ verminderen *perdre de sa valeur*; *se déprécier* ★ ter ~ van *du montant de*; *s'élevant à* ★ van gelijke ~ *équivalent*

waardebepaling *taxation* v *de la valeur*

waardebon *bon* m

waardedaling *dépréciation* v

waardeloos • zonder waarde *sans valeur*; *de pacotille* • slecht *nul* [v: *nulle*]

waardeoordeel *jugement* m *de valeur*

waardepapier *effet* m *de commerce*

waarderen *apprécier*; ‹v. personen› *estimer* ★ iem. hooglijk ~ *tenir qn en haute estime*

waardering • waardebepaling *estimation* v; *appréciation* v • erkenning *appréciation* v; ‹m.b.t. personen, daden› *estime* v

waardestijging *augmentation* v *de valeur*; ECON. *appréciation* v; *plus-value* v [mv: *plus-values*]

waardevast *de valeur stable*; ‹met prijscompensatie› *indexé*

waardeverlies *dépréciation* v; *moins-value* v [mv: *moins-values*]

waardevermeerdering *plus-value* v [mv: *plus-values*]

waardevermindering *dépréciation* v; *perte* v *de valeur*; *moins-value* v [mv: *moins-values*]

waardevol • veel waard *précieux* [v: *précieuse*]; *de (grande) valeur* • belangrijk *important*

waardig I BNW *digne (de)* ★ iets ~ zijn *être digne de qc*; *mériter qc* II BIJW *dignement*

waardigheid *dignité* v

waardin *aubergiste* v; *hôtesse* v

W

waardoor • vragend ‹middels› *par quoi*; *à travers quoi*; ‹waarlangs› *par où* • betrekkelijk *par lequel* [m mv: *par lesquels*] [v: *par laquelle*] [v mv: *par lesquelles*]

waarheen • vragend *où*; *par où* • betrekkelijk *où* ★ ~ ook *où que* [+ subj.]; *de quelque côté que* [+ subj.]

waarheid *vérité* v ★ om de ~ te zeggen *à vrai dire* ★ de ~ spreken *dire la vérité* ★ iem. flink de ~ zeggen *dire à qn ses quatre vérités* ▾ een ~ als een koe *une évidence*; *un truisme* ▾ de ~ wil niet altijd gezegd zijn *toute vérité n'est pas bonne à dire*

waarheidsgehalte ★ informatie toetsen op ~ *vérifier dans quelle mesure les informations sont exactes*

waarheidsgetrouw *véridique* ★ een ~e weergave *un compte rendu véridique*

waarin • vragend *en quoi*; *où* • betrekkelijk *où*; *en quoi*; *dans lequel* [m mv: ... *lesquels*] [v: ... *laquelle*] [v mv: ... *lesquelles*]

waarlangs • vragend *par où* • betrekkelijk *par où*; *par lequel* [m mv: *par lesquels*] [v: *par laquelle*] [v mv: *par lesquelles*]

waarlijk *vraiment*; *véritablement*

waarmaken I OV WW verwezenlijken *accomplir* ★ een belofte ~ *accomplir une promesse* II WKD WW bewijzen *faire ses preuves*

waarmee • vragend *avec quoi* • betrekkelijk *avec lequel* [m mv: ... *lesquels*] [v: ... *laquelle*] [v mv: ... *lesquelles*]

waarmerk *garantie* v *d'authenticité*; ‹stempel› *empreinte* v; *marque* v; JUR. *paraphe* m

waarmerken *légaliser*; *certifier*; *authentifier*

waarna *après quoi* ★ ~ wij afscheid namen *après/sur quoi nous nous sommes quittés*

waarnaar • vragend *vers quoi*; *où* • betrekkelijk *vers quoi*; *vers/sur lequel* [m mv: ... *lesquels*] [v: ... *laquelle*] [v mv: ... *lesquelles*] ★ de regels ~ wij ons moeten schikken *les règles auxquelles nous devons obéir* ★ de man ~ zij keek *l'homme qu'elle regardait* ★ het dorp ~ ik op weg was *le village vers lequel je me dirigeais*

waarnaast *à côté de quoi?*; *à côté duquel (enz.)*

waarneembaar *perceptible*; *sensible*

waarnemen • gewaarworden *apercevoir*; *observer*; *remarquer* • benutten *profiter de* ★ de kans ~ *saisir l'occasion* • vervullen *remplir*; ‹als vervanger› *remplacer*; *suppléer* ★ tijdens de afwezigheid van X neemt Y zijn zaken waar *pendant l'absence de X, Y prendra soin de ses affaires* ★ het voorzitterschap ~ *assurer la présidence*

waarnemend *suppléant*; *intérimaire* ★ een ~ burgemeester *un maire intérimaire*

waarnemer • iemand die waarneemt *observateur* m [v: *observatrice*] • vervanger *intérimaire* v; *remplaçant* m [v: *remplaçante*]

waarneming • perceptie *observation* v; *perception* v • vervanging *remplacement* m; *suppléance* v

waarnemingsfout *erreur* v *de perception*

waarnemingspost *poste* m *d'observation*

waarnemingsvermogen *faculté* v *perceptrice*; *perception* v

waarom I ZN *pourquoi* m II BIJW • vragend *pourquoi* • betrekkelijk *pour lequel* [v: *pour laquelle*]

waaronder • vragend *sous quoi* • betrekkelijk ‹onder welk› *sous lequel* [m mv: ... *lesquels*] [v: *sous laquelle*] [v mv: ... *lesquelles*]; ‹tussen welke› *parmi lesquels*; *dont*

waarop • betrekkelijk *où*; *sur quoi*; *sur lequel* [m mv: *sur lesquels*] [v: *sur laquelle*] [v mv: *sur lesquelles*] ★ ~ hij de deur sloot *sur quoi*

il ferma la porte • vragend *sur quoi*; *où*
waarover • betrekkelijk ‹m.b.t. plaats› *sur lequel* [m mv: *sur lesquels*] [v: *sur laquelle*] [v mv: *sur lesquelles*]; ‹m.b.t. onderwerp› *dont* ⋆ het meisje ~ het gaat *la jeune fille dont il s'agit* • vragend *de quoi*; ‹m.b.t. plaats› *sur quel*
waarschijnlijk *probable*; *vraisemblable*
waarschijnlijkheid *probabilité* v; *vraisemblance* v ⋆ naar alle ~ *selon toute probabilité*
waarschuwen *avertir*; *prévenir* ⋆ ~ voor *avertir de*; *prévenir de*; *mettre en garde contre*
waarschuwing • het waarschuwen *avertissement* m; *mise* v *en garde* • vermaning *avertissement* m
waarschuwingsbord *panneau* m *avertisseur*
waarschuwingsschot *coup* m *tiré en l'air*; *tir* m *d'avertissement*
waarschuwingsteken *signal* m *de danger*
waartegen • vragend *contre quoi* • betrekkelijk *contre lequel* [m mv: ... *lesquels*] [v: ... *laquelle*] [v mv: ... *lesquelles*]
waartoe • vragend *à quoi*; *pourquoi* • betrekkelijk *à quoi*; *où*
waartussen *entre quoi?*; *entre/parmi lesquels (enz.)*
waaruit • vragend *d'où*; *de quoi* • betrekkelijk *d'où*; *dont*
waarvan • vragend *de quoi* • betrekkelijk *dont*
waarvandaan *d'où*; *de quel côté?*
waarvoor • vragend *pourquoi* ⋆ ~ dient dit instrument? *à quoi cet instrument sert-il?* • betrekkelijk *pour lequel* [m mv: ... *lesquels*] [v: ... *laquelle*] [v mv: ... *lesquelles*]
waarzeggen *dire la bonne aventure*
waarzegger *diseur* m *de bonne aventure* [v: *diseuse* ...]
waas • nevelige sluier *voile* m *(de brume)*; ‹zweem› *voile* m • rijp op vruchten *pruine* v
wacht • het waken *garde* m; SCHEEPV. *quart* m ⋆ de ~ betrekken *monter la garde* ⋆ de ~ hebben *être de garde*; SCHEEPV. *être de quart* • één persoon *gardien* m [v: *gardienne*]; ‹gewapend› *factionnaire* m; ‹meerdere personen› *garde* m
wachtdag *jour* m *d'attente*; *journée* v *de carence*
wachtdienst *service* m *de garde*
wachten *attendre (qc/qn)* ⋆ wacht even *un instant* ⋆ op het goede moment ~ *guetter le bon moment* ▾ wacht U voor de hond! *garde au chien!*
wachter *gardien* m [v: *gardienne*]; *garde* m
wachtgeld *traitement* m *de disponibilité*
wachthuisje • schildwachthuisje *guérite* v • bus-/tramhokje *abri* m
wachtkamer *salle* v *d'attente*; *antichambre* v
wachtlijst *liste* v *d'attente*
wachtmeester ‹v. politie› *brigadier* m; ‹militair› *maréchal* m *des logis*
wachtpost *poste* m *de garde/surveillance*
wachttijd *temps* m *d'attente*
wachtwoord *mot* m *de passe*
wad *gué* m; ‹in zee› *bas-fond* m [mv: *bas-fonds*]
waddeneiland *île* v *des Wadden*
Waddenzee *mer* v *des Wadden*
waden *passer à gué* ⋆ door het slijk ~ *patauger dans la boue*
wadjan(g) *wok* m
wadlopen *traverser à gué les Wadden*
wadloper *quelqu'un qui traverse à gué les Wadden*
waf! *ouah!*
wafel *gaufre* v
wafelijzer *gaufrier* m; *moule* m *à gaufres*
wafelpatroon *modèle* m/*dessin* m *gaufré*
wagen I ZN • kar *chariot* m • auto *voiture* v; INF. *bagnole* v • wagon *wagon* m **II** OV WW • durven *hasarder*; *oser* ⋆ ik waag *je hasarde* • riskeren *risquer* ⋆ het erop ~ *tenter/risquer le coup* ⋆ het ~ om *avoir l'audace de* ▾ wie niet waagt, die niet wint *qui ne risque rien n'a rien*
wagenpark *parc* m *automobile*
wagenwijd ⋆ ~ open *grand(e) ouvert(e)*
wagenziek *qui a le mal de la route*
waggelen *chanceler*; *tituber*
wagon *wagon* m; ‹voor reizigers› *voiture* v
wajangpop *poupée* v *wayang*
wak *endroit* m *faible/trou* m *dans la glace*
waken • wakker blijven *veiller* ⋆ ~ bij een zieke *veiller un malade* • beschermend toezien *veiller à* ⋆ je moet ervoor ~ dat je hem beledigt *il faut veiller à ne pas le vexer*
waker *veilleur* m [v: *veilleuse*]
wakker I BNW niet slapend *éveillé* ⋆ ~ worden *se réveiller* ⋆ ~ maken *éveiller*; *réveiller* **II** BIJW *vivement*; *énergiquement*
wal • dam ‹ter verdediging› *rempart* m; *mur* m *de terre* • kade *quai* m • vasteland *bord* m *(de l'eau)*; *rive* v ⋆ aan wal stappen *débarquer* • huiduitzakking onder ogen *cerne* m ⋆ wallen onder de ogen hebben *avoir des poches sous les yeux*; *avoir les yeux cernés* ▾ van wal steken *se lancer* ▾ van de wal in de sloot raken *aller de mal en pis*
waldhoorn *cor* m *d'harmonie* [onv]
Wales *le pays de Galles* ⋆ in ~ *au pays de Galles*
walgelijk *dégoûtant*; *écœurant*
walgen *être dégoûté (de)*; *être écœuré (de)* ⋆ ik walg er van *cela me dégoûte*
walging *dégoût* m; *nausée* v
walhalla FIG. *paradis* m
walkie-talkie *walkie-talkie* m [mv: *walkies-talkies*]
walkman *walkman* m; *baladeur* m
Wallonië *la Wallonie* ⋆ in ~ *en Wallonie*
walm *fumée* v *épaisse*; *vapeur* v *épaisse*
walmen *fumer*
walnoot • vrucht *noix* v • boom *noyer* m
walrus *morse* m
wals • dans *valse* v • pletrol *rouleau* m *compresseur* • toestel *laminoir* m; *(cylindre* m*) lamineur* m
walsen I OV WW pletten *laminer*; *cylindrer* ⋆ koud ~ *laminer à froid* **II** ON WW dansen *valser*
walserij *laminoir* m
walsmuziek *musique* v *de valse*
walvis *baleine* v

walvisvaarder *baleinier* m
wambuis *pourpoint* m
wanbegrip *incompréhension* v
wanbeheer *mauvaise administration* v; *mauvaise gestion* v
wanbeleid *mauvaise gestion* v; *mauvaise politique* v
wanbetaler *mauvais payeur* m
wand *paroi* v; *cloison* v ⋆ houten wand *panneau de bois* m ⋆ uitschuifbare wand, uittrekbare wand *cloison extensible* ⋆ verplaatsbare wand *cloison mobile*
wandaad *méfait* m
wandbetimmering *lambris* m
wandcontactdoos *prise* v *de courant murale*
wandel • het wandelen *promenade* v • gedrag *conduite* v
wandelaar *promeneur* m [v: *promeneuse*]; ‹bij lange voettochten› *randonneur* m [v: *randonneuse*]
wandelen *se promener*; *marcher*; *aller* ⋆ ~ naar *se rendre à pied à/vers*
wandelgang *couloir* m
wandeling *promenade* v; INF. *balade* v ▾ in de ~ *communément*; *comme on dit*
wandelkaart • vergunning *carte* v *d'accès* • kaart *carte* v *des chemins pédestres*; *carte* v *de randonnée*
wandelpad *sentier* m *(pour piétons)*
wandelpas *pas* m *de route*
wandelroute *circuit* m *(pédestre)* ⋆ uitgezette/gemarkeerde ~ *circuit (pédestre) balisé/jalonné*
wandelschoen *chaussure* v *de marche*
wandelsport *footing* m; *marche* v
wandelstok *canne* v
wandeltocht *randonnée* v *(à pied)*; *excursion* v *à pied*
wandelwagen *poussette* v
wandkleed *tapisserie* v
wandluis *punaise* v
wandmeubel *meuble* m *mural*
wandrek • SPORT *espalier* m • meubelstuk *étagère* v
wandschildering *peinture* v *murale*
wanen (zich) *croire*; *s'imaginer*; *penser*
wang *joue* v ⋆ wang aan wang dansen *danser joue contre joue*
wangedrag *inconduite* v; *mauvaise conduite* v
wangedrocht *monstre* m
wanhoop *désespoir* m ⋆ zich aan ~ overgeven *se désespérer* ⋆ iem. tot ~ brengen *porter qn au désespoir*; *désespérer qn*
wanhoopsdaad *acte* m *de désespoir*
wanhoopskreet *cri* m *de désespoir*
wanhopen *désespérer*
wanhopige *désespéré* m [v: *désespérée*]
wankel • onvast *instable*; *chancelant*; ‹v. meubels› *branlant* ⋆ een ~ evenwicht *un équilibre instable* • ongewis *incertain*
wankelen • weifelen *chanceler*; *vaciller* ⋆ iem. aan het ~ brengen *ébranler qn* • onvast gaan/staan *chanceler*; *tituber*
wankelmoedig *irrésolu*; *indécis*
wanklank *note* v *discordante*; *dissonance* v ⋆ een ~ vormen *dissoner*
wanneer I BIJW *quand* II VW • als *lorsque*; *quand* • indien *si*
wanorde *désordre* m; *confusion* v
wanordelijk I BNW *désordonné* II BIJW *en désordre*
wanproduct *mauvais produit* m
wansmaak *mauvais goût* m
wanstaltig *monstrueux* [v: *monstrueuse*]; *hideux* [v: *hideuse*]
want I ZN (de) handschoen *moufle* v II ZN (het) tuigage *agrès* m; *cordages* m mv ⋆ ▾ van wanten weten *assurer* III VW *parce que*; *car*
wantoestand *situation* v *intolérable*
wantrouwen I ZN *méfiance* v II OV WW *se méfier de*
wantrouwend I BNW *méfiant* II BIJW *avec méfiance*
wantrouwig I BNW *méfiant*; *soupçonneux* [v: *soupçonneuse*] II BIJW *avec méfiance*
wanverhouding *disproportion* v
WAO ≈ *loi* v *sur l'assurance incapacité de travail* ⋆ in de WAO zitten *avoir une allocation de l'assurance incapacité de travail*
wapen • strijdmiddel *arme* v ⋆ met de ~s in de vuist *les armes à la main* • wapenschild *armes* v mv; *armoiries* v mv ▾ onder de ~s roepen *appeler sous les drapeaux*
wapenarsenaal *arsenal* m [mv: *arsenaux*]
wapenbeheersing *contrôle* m *des armements*
wapenbezit *détention* v *d'armes* ⋆ aanhouden wegens verboden ~ *arrêter pour port d'armes prohibées*
wapenbroeder *frère* m *d'armes*
wapenembargo *embargo* m *sur l'exportation des armes*
wapenen *armer*; ‹v. schip› *équiper* ⋆ zich ~ tegen *se protéger de*
wapenfeit • oorlogsdaad *fait* m *d'armes* • roemrijke daad *exploit* m
wapengeweld *force* v *des armes*
wapenhandel PEJ. *trafic* m *d'armes*
wapenleverantie *fourniture* v *d'armes*
wapenrusting *armure* v
wapenschild *écu* m
wapenschouw *revue* v; *parade* v
wapenspreuk *devise* v
wapenstilstand *trêve* v; *armistice* m
wapenstok *matraque* v
wapentuig *armement* m
wapenvergunning *permis* m *de port d'armes*
wapenwedloop *course* v *aux armements*
wapperen *flotter*; *claquer au vent*; ‹v. zeil› *faseyer*
war ⋆ in de war *en désordre*; ‹v. machine› *détraqué*; ‹v. haar› *décoiffé*; ‹v. maag› *dérangé* ⋆ in de war brengen *embrouiller* ⋆ in de war raken *s'embrouiller* ⋆ hij is vandaag helemaal in de war *il a la tête à l'envers aujourd'hui* ⋆ uit de war halen *démêler*; *débrouiller*
waranda *véranda* v
warboel *confusion* v; *chaos* m; *gâchis* m
warempel *pardi*; *ma foi*
waren I ZN *marchandises* v mv II ON WW dolen *vaguer*
warenhuis *grand magasin* m
warenwet *loi* v *sur le contrôle de la qualité des produits*

warhoofd *(esprit* m*) brouillon* m
warm I BNW • met hoge temperatuur *chaud* ★ het is warm *il fait chaud* ★ ik heb het warm *j'ai chaud* ★ warm houden *tenir au chaud* • hartelijk *chaleureux* [v: *chaleureuse*] • geïnteresseerd *chaud*; *intéressé* II BIJW • met hoge temperatuur *chaudement* • hartelijk *chaleureusement* • geïnteresseerd ★ warm lopen voor *s'intéresser vivement à*
warmbloedig • BIOL. *à sang chaud* • vurig *ardent*; *vif* [v: *vive*]
warmdraaien *faire chauffer* ▾ voor iets ~ *être emballé par qc*
warmen *chauffer*
warmhartigheid *cordialité* v
warming-up SPORT *exercices* m mv *d'échauffement*
warmlopen • SPORT *s'échauffer* • te heet worden *chauffer* • enthousiast worden *s'emballer (pour)*
warmte • het warm zijn *chaleur* v; *chaud* m ★ ~geleidend *calorifère* ★ ~-isolerend *calorifuge* ★ soortelijke ~ *chaleur spécifique* • hartelijkheid *chaleur* v
warmtebesparing *économie* v *de chaleur*
warmtebron *source* v *de chaleur*
warmtegeleider *conducteur* m
warmwaterkraan *robinet* m *d'eau chaude*
warrelen *tourbillonner*
warrig *embrouillé*; *confus*
wars ▾ wars van iets zijn *avoir horreur de qc*
Warschau *Varsovie*
wartaal *galimatias* m; *radotage* m ★ ~ uitslaan *radoter*
wartel *émerillon* m
warwinkel *désordre* m
was I ZN (de) • het wassen *lessive* v ★ de was doen *faire la lessive* ★ in de was doen *mettre qc à laver* ★ in de was zijn *être à la lessive* • wasgoed *linge* m ★ fijne was *linge fin* ★ schone was *linge propre* II ZN (de/het) vettige stof *cire* v
wasautomaat *machine* v *à laver*
wasbak *lavabo* m
wasbeer *raton* m *laveur*
wasbenzine *benzine* v
wasbeurt *lessive* v
wasdag *jour* m *de lessive*
wasdom *croissance* v
wasdroger *sèche-linge* m [onv]
wasecht *lavable*; *lessivable*; *grand teint*; *bon teint*
wasem *buée* v; *vapeur* v
wasemen *dégager de la vapeur*; *fumer*
wasemkap *hotte* v *aspirante*
wasgelegenheid *salle* v *d'eau*
wasgoed *linge* m
washandje *gant* m *de toilette*
wasinrichting *laverie* v
wasknijper *pince* v *à linge*
waskrijt *pastel* m
waslijn *corde* v *à linge*
waslijst *liste* v; *série* v
wasmachine *machine* v *à laver*
wasmand *panier* m *à linge*
wasmiddel *détersif* m; *lessive* v
waspeen *carotte* v
waspoeder *lessive* v *en poudre*
wasprogramma *programme* m *de lavage*
wassen I BNW *de cire* II OV WW reinigen *laver*; *nettoyer*; ‹v. gezicht› *débarbouiller*; ‹v. linnen› *laver*; *blanchir* III ON WW toenemen ‹m.b.t. water› *monter*; *être en crue*; *s'accroître*; *grandir*; *croître*
wassenbeeldenmuseum *musée* m/*cabinet* m *(de figures) de cire*
wasserette *laverie* v *(automatique)*
wasserij *laverie* v; *blanchisserie* v
wasstraat *station* v *de lavage*
wastafel *lavabo* m
wastobbe *cuvier* m
wasverzachter *adoucissant* m; *assouplissant* m
wasvoorschrift *instructions* v mv *de lavage*
wat I BIJW • erg ★ ze zijn wat blij! *ils sont parfaitement contents!* ★ wat is het koud! *comme il fait froid!* ★ wat mooi! *que c'est beau!* • een beetje *un peu* ★ wat langzaam *un peu lent* II VR VNW • bijvoeglijk *quel* [v: *quelle*]; *quelle sorte de* ★ wat voor boek is dat? *quel est ce livre?* • welk(e) ding(en) ‹als lijdend voorwerp› *(qu'est-ce) que ...?*; ‹als onderwerp› *qu'est-ce qui ...?* ★ wat zeg je? *qu'est-ce que tu dis?* ★ wat doe je? *que fais-tu?* ★ wát dan? *peut-on savoir?* ★ wat dán? *que faire alors?* ★ wat is dat? *qu'est-ce que c'est (que ça)?* ★ wat zou dat? *(et puis) après?*; *qu'est-ce que cela fait?* • indirect vragend *ce qui*; *ce que*; *quel* [v: *quelle*] ★ hij vraagt wat ze zegt *il demande ce qu'elle dit* • uitroep *quoi* ★ wat een mensen! ‹veel› *que de monde!*; ‹soort› *quel monde!* ★ wat een pech! *quel malheur!* ★ och wat! *allons donc!* ★ wat heeft hij geschreeuwd! *ce qu'il a crié!* ★ wat zijn ze goed geweest! INF. *qu'est-ce qu'ils ont été bien!* III BETR VNW ‹als onderwerp› *ce qui*; ‹als lijdend voorwerp› *ce que* ★ (alles) wat hij heeft *(tout) ce qu'il a* ★ wat ik nodig heb *ce dont j'ai besoin* ★ wat erger is *qui pis est* IV ONB VNW een beetje *quelque chose* ★ wat ... dan ook *quoi que* [+ subj.] ★ wat voor voorwaarden hij ook stelt *quelles que soient ses conditions* ★ heel wat werk *bien du travail*; *pas mal de travail* ★ voor wat hoort wat *rien pour rien* ★ zo blij als wat *heureux comme tout* [v: *heureuse comme tout*] ★ wat nieuws *qc de nouveau* ★ wat brood *un peu de pain* ★ wat dan ook *quoi que ce soit* V TW ★ wat?! *quoi?!*; *comment?!*
water • vloeistof *eau* v ★ stilstaand ~ *eau stagnante* ★ in het ~ vallen ‹ook fig.› *tomber à l'eau* ★ onder ~ zetten *inonder* ★ te ~ gaan *se jeter à l'eau* ★ stromend ~ *eau courante* ★ een schip te ~ laten *lancer un navire*; *mettre un navire à l'eau* ★ erwten in het ~ zetten *mettre des pois à tremper* ★ weer boven ~ komen *revenir*; *réapparaître* • binnenwater ‹rivieren en kanalen› *cours* m *d'eau* ▾ ~ bij de wijn doen *mettre de l'eau dans son vin* ▾ de territoriale ~en *les eaux territoriales* ▾ ~ in zijn wijn doen *mettre de l'eau dans son vin* ▾ een diamant van het zuiverste ~ *un diamant de la plus belle eau* ▾ het ~ komt hem in de mond

l'eau lui vient à la bouche
waterachtig *liquide*; *humide*
waterafstotend ‹v. stof› *imperméabilisé*; *hydrofuge*
waterballet *ballet* m *nautique*; FIG. *barbotage* m
waterbed *matelas* m *d'eau*
waterbekken *bassin* m
waterbestendig *résistant à l'eau*; *étanche*; ‹kleding› *imperméable*; ‹horloge› *waterproof*
waterbloem *fleur* v *aquatique*
waterbouwkunde *architecture* v *hydraulique*
waterdamp *vapeur* v *d'eau*
waterdicht *imperméable*; *étanche* ★ ~ maken *imperméabiliser*; *étancher*
waterdier *animal* m *aquatique* [m mv: *animaux* ...]
waterdoorlatend *perméable*
waterdrager *porteur* m *d'eau* [v: *porteuse d'eau*]
waterdruk *pression* v *de l'eau*
waterdruppel *goutte* v *d'eau*
wateren *uriner*; INF. *pisser*
waterfiets *pédalo* m
waterfietsen *faire du pédalo*
watergekoeld *à refroidissement par eau*
waterglas *verre* m *à eau*
watergolf *mise* v *en plis*
watergolven I ZN *brushing* II OV WW *faire une mise en plis*; *brushing*
watergruwel *entremets* m *sucré à base d'orge, de raisins secs et de jus de groseille*
waterhardheid *dureté* v *de l'eau*
waterhoen *poule* v *d'eau*
waterhoofd *hydrocéphale* m
waterhuishouding ‹in organismen› *circulation* v *de l'eau dans les végétaux*; ‹in bodem› *régime* m *des eaux souterraines*; ‹voor watervoorziening› *économie* v *hydraulique*
waterig • als water *liquide* • met veel water *aqueux* [v: *aqueuse*] ▾ een ~ zonnetje *un soleil pâle*
waterijs(je) *glace* v *à l'eau*
waterjuffer *libellule* v
waterkaart *carte* v *des eaux*
waterkanon *canon* m *à eau*
waterkant *bord* m *de l'eau*; *berge* v
waterkering *barrage* m; ‹dijk› *digue* v
waterkers *cresson* m *de fontaine*
waterkoeling *refroidissement* m *par eau*
waterkraan *robinet* m *à eau*
waterkracht *énergie* v *hydraulique* ★ elektriciteit uit ~ *hydro-électricité* v
waterkrachtcentrale *centrale* v *hydro-électrique* [v mv: *centrales hydro-électriques*]
waterlanders ↑ *larmes* v mv
waterleiding *conduite* v *d'eau*
waterleidingbedrijf *service* m *des eaux*
waterlelie *nénuphar* m
waterlijn *ligne* v *de flottaison*
waterlinie ≈ *ligne* v *de défense par l'inondation*
waterloop *cours* m *d'eau*
Waterman *Verseau* m
watermeloen *melon* m *d'eau*; *pastèque* v
watermerk *filigrane* m
watermolen *moulin* m *à eau*
wateroppervlak *surface* v *de l'eau*
wateroverlast *problèmes* m mv *causés par l'eau*
waterpas I ZN *niveau* m *(à bulle)*; *nivelle* v ★ TECHN. ~ maken *affleurer* II BNW *de niveau*; *horizontal* [m mv: *horizontaux*]
waterpeil *niveau* m *de l'eau*
waterpistool *pistolet* m *à eau*
waterplaats *urinoir* m; VULG. *pissoir* m
waterplant *plante* v *aquatique*
waterpokken *varicelle* v
waterpolitie *police* v *fluviale*
waterpolo *water-polo* m
waterpomptang *pince* v *multiprise*
waterproof *imperméable*; *waterproof* [onv]
waterput *puits* m
waterrad *roue* v *hydraulique*
waterrat • persoon *triton* m • dier *rat* m *d'eau*
waterreservoir *réservoir* m *d'eau*
waterrijk *riche en eau*; ‹met veel rivieren› *riche en cours d'eau*
waterschade *dégâts* m mv *des eaux*
waterschap ≈ *district* m *de l'administration des eaux*
waterschapsbelasting *impôt* m *finançant les syndicats des eaux*
waterschuw *qui craint l'eau*; *hydrophobe*
waterscooter *scooter* m *sur l'eau*
waterskiën *faire du ski nautique*
waterslang • dier *serpent* m *d'eau* • slang *tuyau* m *à eau* [m mv: *tuyaux* ...]
watersnip *bécassine* v
watersnood *inondations* v mv [mv]
watersnoodramp *catastrophe* v *d'inondations*
waterspiegel • oppervlakte *surface* v *de l'eau* • peil *niveau* m *de l'eau*
watersport *sport* m *nautique*; ‹pleziervaart› *navigation* v *de plaisance*
waterstaat • watergesteldheid *état* m *des eaux* • dienst *département* m *des eaux*; ‹in Frankrijk› *département* m *des Ponts et Chaussées*
waterstaatkundig *concernant les eaux*
waterstand *hauteur* v *de l'eau*; *niveau* m *de l'eau/des eaux* ★ hoge ~ *crue* v ★ lage ~ *maigre eau* v ★ laagste ~ *étiage* m ★ gevaarlijke ~ *cote d'alerte* v
waterstof *hydrogène* m
waterstofperoxide *eau* v *oxygénée*
waterstraal *jet* m *d'eau*
watertanden ▾ dat is om te ~ *cela donne l'eau à la bouche*
watertaxi *canot-taxi* m [mv: *canots-taxis*]
watertoerisme *tourisme* m *nautique*
watertoevoer *amenée* v *d'eau*
watertoren *château* m *d'eau* [m mv: *châteaux* ...]
watertrappen ≈ *faire des mouvements de pieds dans l'eau pour rester en position verticale*
waterval *cascade* v; *chute* v *d'eau* ★ een grote ~ *une cataracte*
waterverf *détrempe* v; *aquarelle* v ★ met ~ schilderen *peindre à l'aquarelle*
waterverontreiniging *pollution* v *des eaux*

watervervuiling *pollution* v *des eaux*
watervlak *surface* v *de l'eau*
watervliegtuig *hydravion* m
watervlug *rapide comme l'éclair*
watervogel *oiseau* m *aquatique* [m mv: *oiseaux ...*]
watervoorziening *distribution* v *de l'eau*; TECHN. *alimentation* v *en eau*
watervrees *hydrophobie* v
waterweg *voie* v *navigable*; *route* v *d'eau*
waterwerk • geheel van fonteinen *eaux* v mv [mv] • bouwwerk in het water *construction* v *dans l'eau*; *construction* v *hydraulique*
waterwingebied *région* v *de captage d'eau*
waterzuiveringsinstallatie *station* v *d'épuration*
watje • propje watten *tampon* m *d'ouate* • persoon *chiffe* v *molle*
watjekouw *gifle* v; *claque* v
watt *watt* m
wattage *puissance* v *en watts*
watten I ZN *(de la) ouate* v; *(du) coton* m *(hydrophile)* II BNW *de coton*; *d'ouate*
wattenstaafje *coton-tige* m [mv: *cotons-tiges*]
watteren *ouatter*
wauw! *ouah!*
wauwelen *radoter*
wave SPORT *houle* v *humaine*; *hola* v
WA-verzekering *assurance* v *à responsabilité civile*
waxinelichtje ≈ *bougie* v *pour chauffe-plats*
wazig *vague*; *vaporeux* [v: *vaporeuse*]
wc *WC* m mv; *toilettes* v mv ★ naar de wc moeten *avoir besoin d'aller aux WC*; *avoir un besoin pressant*
wc-bril *lunette* v *de WC*
wc-papier *papier* m *hygiénique*
wc-pot *cuvette* v
wc-rol *rouleau* m *de papier hygiénique* [m mv: *rouleaux ...*]
we *nous*; INF. *on*
web • spinnenweb *toile* v *d'araignée* • netwerk *tissu* m; COMP. *web* m
wecken *mettre en conserves*
weckfles *bocal* m *à conserves* [m mv: *bocaux ...*]
weckpot *bocal* m *à conserves*
wedde *traitement* m; *appointements* m mv
wedden *parier* ★ ik wed dat je het niet kunt *je te défie de faire cela* ★ op een paard ~ *jouer sur un cheval* ★ om iets ~ *parier qc*
weddenschap *pari* m ★ een ~ aangaan *faire un pari*
wederdienst *service* m *en retour* ★ INF. een ~ bewijzen INF. *renvoyer l'ascenseur* ★ tot ~ bereid *prêt à vous rendre la pareille*
wedergeboorte • herleving *renaissance* v • reïncarnatie *réincarnation* v; FORM. *régénération* v
wederhelft *époux* m [v: *épouse*]
wederkerend *réfléchi* ★ een ~ voornaamwoord *un pronom réfléchi* ★ een ~ werkwoord *un verbe pronominal* [m mv: *... pronominaux*]
wederkerig I BNW *mutuel* [v: *mutuelle*]; *réciproque* ★ een ~ werkwoord *un verbe (pronominal) réciproque* II BIJW *mutuellement*; *réciproquement*
wederom *de retour*; *de nouveau*
wederopbouw *reconstruction* v; *relèvement* m *(d'un pays)*
wederoprichting *redressement* m
wederopstanding *résurrection* v
wederrechtelijk I BNW *contraire à la loi*; *illégal* [m mv: *illégaux*] II BIJW *illégalement*
wedervaren I ZN *aventure* v; *expérience* v; *ce qui (nous) arrive* II ON WW *arriver (à)*; *survenir (à)* ★ iem. recht laten ~ *rendre justice à qn*
wederverkoper *revendeur* m [v: *revendeuse*]
wedervraag *question* v *en retour*
wederzien *revoir* m
wederzijds • van beide zijden komend *respectif* [v: *respective*] ★ ~e vorderingen *prétentions* v mv *respectives* • wederkerig *mutuel* [v: *mutuelle*]; *réciproque*
wedijver *émulation* v; *rivalité* v
wedijveren *rivaliser*
wedje *pari* m
wedloop *course* v
wedren *course* v
wedstrijd ‹in atletiek› *course* v; *épreuve* v; ‹tussen twee ploegen/mensen› *match* m; ‹voor meerdere deelnemers› *concours* m ★ ~ op de lange baan *course de fond* v
wedstrijdbal *ballon* m *de compétition*
wedstrijdbeker *coupe* v
wedstrijdleider *arbitre* m/v
wedstrijdleiding *arbitrage* m
wedstrijdsport *sport* m *de compétition*
weduwe *veuve* v; ‹adellijke› *douairière* v
weduwenpensioen *pension* v *de veuve*
weduwnaar *veuf* m
weduwschap *veuvage* m
wee I ZN barenswee *contraction* v II BNW *écœurant*; *fade* ★ wee zijn *avoir mal au cœur* ★ een weeë smaak *un goût nauséabond* III TW ▾ o wee! *oh là là!* ▾ wee u! *malheur à vous!*
weed *herbe* v
weefgaren *filé* m
weefgetouw *métier* m *à tisser*
weefsel *tissu* m
weegbrug *pont-bascule* m [mv: *ponts-bascules*]
weegs ▾ zijns ~ gaan *aller son chemin*
weegschaal • weeginstrument ‹voor personen› *pèse-personne* m [mv: *pèse-personnes*]; *balance* v • sterrenbeeld *Balance* v
weeïg *douceâtre*; *fade*
week I ZN • zeven dagen *semaine* v ★ door/in de week *en semaine*; *pendant la semaine* ★ over een week *dans huit jours* • het weken ‹vooral culinair› *macération* v; *trempage* m ★ in de week leggen/zetten *mettre à tremper* ★ de was in de week zetten *faire tremper le linge* ★ in de week liggen *tremper* II BNW • zacht *mou* [v: *molle*] [onr: *mol*]; *tendre* ★ week worden *devenir mou*; *se ramollir* ★ week maken *ramollir*; *rendre mou* ★ week ijzer *fer doux* m • teerhartig *tendre* ★ week worden *s'attendrir* ★ week maken *attendrir*
weekblad *hebdomadaire* m

weekdier *mollusque* m
weekend *week-end* m [mv: *week-ends*]
weekenddienst *service* m *de garde*
weekendretour *billet* m *fin de semaine*
weekendtas *sac* m *de voyage*
weekhartig *sensible*; *tendre*
weeklagen *se lamenter*; *se plaindre*
weekloon *semaine* v; VERO. *paye* v
weekoverzicht *bulletin* m *hebdomadaire*
weelde • overvloed *profusion* v; ‹v. planten› *luxuriance* v • luxe *luxe* m; *somptuosité* v
weelderig I BNW • overvloedig *luxuriant*; ‹v. planten› *exubérant* ★ ~e vormen *formes* v mv *opulentes* • luxueus *luxueux* [v: *luxueuse*]; *somptueux* [v: *somptueuse*] II BIJW luxueus *luxueusement*
weemoed *mélancolie* v; *tristesse* v
weemoedig I BNW *mélancolique* II BIJW *mélancoliquement*
weer I ZN (de) ▾ in de weer zijn *être occupé* ▾ vroeg in de weer zijn *être matinal* [m mv: *être matinaux*] II ZN (het) • weersgesteldheid *temps* m ★ aan weer en wind blootgesteld *exposé aux intempéries* ★ wat is het voor weer? *quel temps fait-il?* ★ het is mooi weer *il fait beau* • verwering *défense* v; *résistance* v ▾ in weer en wind, weer of geen weer *par tous les temps* III BIJW opnieuw *de nouveau*; *à nouveau*; *encore* ★ over en weer *réciproquement*
weerbaar • strijdbaar *valide* • zich kunnende weren *en état de se défendre*
weerbarstig • koppig *récalcitrant*; *rebelle* • stijf en stug *rétif* [v: *rétive*]
weerbericht *bulletin* m *météo(rologique)*; INF. *météo* v
weerborstel *épi* m
weerga *égal* m [mv: *égaux*] [v: *égale*]; *pareil* m [v: *pareille*]
weergalmen *résonner*; *retentir*
weergaloos *sans égal*; *sans pareil*; *incomparable*
weergave • kopie *reproduction* v; ‹het opschrijven› *notation* v; MUZ. *notation* v *musicale* • het weergeven *représentation* v ★ de ~ van klankopname *la lecture*
weergeven • reproduceren *reproduire* • vertolken *rendre*; *refléter*
weerhaak *barbelure* v ★ van weerhaken voorzien *barbelé*
weerhaan *girouette* v
weerhouden *retenir*
weerhuisje *hygromètre* m
weerkaart *carte* v *météorologique*
weerkaatsen I OV WW terugkaatsen *renvoyer* II ON WW teruggekaatst worden *se réfléchir*
weerklank *écho* m
weerkunde *météorologie* v
weerkundige *météorologue* m/v
weerleggen *réfuter*
weerlegging *réfutation* v
weerlicht *éclair* m; FORM. *fulguration* v
weerlichten *faire des éclairs*
weerloos *sans défense*
weermacht *forces* v mv *armées*
weerman *Monsieur* m *Météo*
weerom • terug *de retour* • opnieuw *de nouveau*
weeromstuit ▾ van de ~ *par contrecoup*
weeroverzicht *bulletin* m *météorologique*
weersatelliet *satellite* m *météorologique*
weerschijn • weerspiegeling *reflets* m mv • glans *lustre* m; *chatoiement* m
weerschijnen • weerspiegelen *refléter la lumière* • glanzen *chatoyer*
weersgesteldheid *conditions* v mv *atmosphériques*
weerslag *contrecoup* m; *répercussion* v
weersomstandigheden *conditions* v mv *atmosphériques* ★ in alle ~ *par tous les temps*
weerspannig I BNW *récalcitrant*; *rebelle* II BIJW *en rebelle*
weerspiegelen *refléter*
weerspiegeling *reflet* m
weerspreken *contredire*
weerspreuk *dicton* m *météorologique*
weerstaan *résister (à)*
weerstand *résistance* v ★ ~ bieden *résister*; *tenir tête* ★ een regelbare ~ *un rhéostat*
weerstandsvermogen *(force* v *de) résistance* v
weerstation *station* v *météorologique*
weersverandering *changement* m *de temps*
weersverbetering *amélioration* v *du temps*; *remise* v *au beau*
weersverschijnsel *phénomène* m *météorologique*
weersverwachting *prévisions* v mv *météos|météorologiques*
weersvoorspeller *météorologiste* m/v
weersvoorspelling *bulletin* m *météorologique*; INF. *météo* v
weerszijden ★ aan/van ~ *des deux côtés*; *de part et d'autre*
weertoestand *situation* v *météorologique*
weertype *type* m *de temps*
weerwil ★ in ~ van *malgré*; *en dépit de*
weerwolf *loup-garou* m [mv: *loups-garous*]
weerwoord *réponse* v
weerzien I ZN *revoir* m ★ tot ~s! *au revoir!* II OV WW *revoir*
weerzin *aversion* v; *répugnance* v
weerzinwekkend *écœurant*; *répugnant*
wees *orphelin* m [v: *orpheline*]
weesgegroetje *ave* m
weeshuis *orphelinat* m
weeskind *orphelin* m [v: *orpheline*]
weet *connaissance* v ★ aan de weet komen *apprendre* ★ nergens weet van hebben *être ignorant* ★ het is maar een weet *il faut connaître le truc*
weetal *pédant* m [v: *pédante*]
weetgierig *curieux* [v: *curieuse*]; *studieux* [v: *studieuse*]
weg I ZN • straat *chemin* m; *voie* v; ‹groot› *route* v; ‹rijweg› *chaussée* v ★ de weg wijzen *indiquer le chemin* ★ naar de weg vragen *demander son chemin* ★ de weg naar het station *le chemin de la gare* ★ aan de weg *au bord de la route* • traject *trajet* m; *parcours* m ★ kortere weg *raccourci* m ★ een weg afleggen *parcourir un chemin* • doortocht *route* v ★ op weg gaan *se mettre en route* ★ altijd op de weg zijn *être toujours par voies et par chemins* • manier, middel

voie v; *moyen* m ▾ dat zit hem in de weg *c'est ce qui le vexe* ▾ mooi op weg zijn om *être en voie de* ▾ iemand iets in de weg leggen *contrarier qn* ▾ in de weg staan *être encombrant*; FIG. *faire obstacle à*; *barrer le chemin* ▾ iemand uit de weg ruimen *se débarrasser de qn*; *supprimer qn*; *faire disparaître qn.* ▾ de moeilijkheden uit de weg ruimen *lever toutes les difficultés* ▾ uit de weg! *écartez-vous!*; *poussez-vous!* ▾ uit de weg gaan voor *se ranger devant*; *faire place à* ▾ moeilijkheden uit de weg gaan *reculer devant des difficultés*; *éviter des difficultés* ▾ zijn eigen weg gaan *agir à sa guise* ▾ alle wegen leiden naar Rome *tous les chemins mènent à Rome* II BIJW • afwezig *parti* ⋆ ik moet weg *je dois partir*; *il faut que je m'en aille* ⋆ weg daar! *éloignez-vous de là!*; INF. *décampez!* ⋆ weg ermee! *enlevez-moi ça!* ⋆ weg met die hand! INF. *bas les pattes!* ⋆ weg met X! *à bas X!* • zoek *perdu*; *disparu* ⋆ het is weg *cela n'y est plus*; *cela a disparu* • ~ **van** *fou (de)* [v: *folle*] [onr: *fol*] ⋆ hij is weg van haar *il est fou d'elle* ▾ hij heeft veel weg van zijn moeder *il tient beaucoup de sa mère*

wegaanduiding ‹bewegwijzering› *fléchage* m

wegbenen *s'en aller à grands pas*

wegbereider *précurseur* m; *pionnier* m

wegbergen *ranger*; *enfermer*

wegblazen *souffler*

wegblijven • niet komen *ne pas venir*; *rester absent*; *manquer* • niet terugkomen *ne pas revenir*

wegbonjouren *envoyer promener*

wegbranden I OV WW verbranden *cautériser* ⋆ weefsel ~ *cautériser des tissus* II ON WW verbrand worden *brûler*

wegbreken *démolir*

wegbrengen • elders brengen *porter*; ‹v. mensen› *mener* ⋆ de gewonden werden weggebracht naar het ziekenhuis *les blessés ont été transportés à l'hôpital* ⋆ de sleutels moeten nog weggebracht worden *il faudra encore porter les clés* • vergezellen *reconduire*; *accompagner* ⋆ iem. een eindje ~ *faire un bout de conduite à qn*

wegcijferen • wegredeneren *écarter* ⋆ dat is niet weg te cijferen *il faut en tenir compte* • op de achtergrond stellen ⋆ zichzelf ~ *s'effacer*

wegcircuit *parcours* m; *circuit* m

wegdek *revêtement* m ⋆ slecht ~ *chaussée* v *déformée*

wegdenken *faire abstraction de*

wegdoen • niet langer houden *se débarrasser de*; *se défaire de* • opbergen *ranger*

wegdoezelen *s'assoupir*

wegdommelen *s'assoupir*

wegdraaien I OV WW • *faire disparaître* • geleidelijk laten verdwijnen ‹beeld, geluid› *fermer en fondu* II ON WW in andere richting draaien *détourner*

wegdragen • naar elders dragen *emporter* • verwerven ⋆ de goedkeuring ~ *être approuvé par*

wegdrijven I OV WW verdrijven *chasser* II ON WW zich drijvend verwijderen *être emporté par le courant*

wegdrukken *refouler*

wegduiken • duiken *plonger* • zich verstoppen *se cacher*; *se tapir*

wegduwen *repousser*

wegebben *s'affaiblir*; *s'amoindrir* ⋆ het geluid ebde weg *le bruit s'affaiblissait*

wegen I OV WW gewicht bepalen *peser* II ON WW *peser* ⋆ op de hand ~ *soupeser* ⋆ zwaar ~ *peser lourd*

wegenaanleg *construction* v *des routes*

wegenatlas *atlas* m *routier*

wegenbelasting *impôt* m *sur les véhicules à moteur*; *vignette* v; ‹Belg.› *taxe* v *de roulage*

wegenbouw *construction* v *des routes*

wegenkaart *carte* v *routière*

wegennet *réseau* m *routier* [m mv: *réseaux* ...]

wegens *pour cause de* ⋆ ~ vakantie gesloten *fermé pour cause de vacances*

wegenwacht *assistance* v *routière automobile*; *A.R.A.* v; ‹in Frankrijk› *Relais* m *Touring Secours*; ‹in België› *touring-secours* m

wegflikkeren INF. *balancer*

weggaan • vertrekken *s'en aller*; *partir* ⋆ ~ van *quitter* • verdwijnen *s'en aller*; *partir* • verkocht worden *partir* ▾ ga weg! *c'est pas vrai!*

weggebruiker *usager* m *de la route*

weggeven *donner*

weggevertje *bricole* v

wegglippen *s'esquiver*

weggooiartikel *article* m *jetable*

weggooien *jeter*

weggooiverpakking *emballage* m *perdu*

weggrissen *attraper*; *saisir*

weghalen • wegnemen *enlever*; ‹v. iemand› *emmener*; ‹v. iets/dode› *emporter* • stelen *enlever*

weghelft *côté* m *de la chaussée*

wegjagen *chasser*

wegkapen *souffler*

wegkomen • verdwijnen *partir* ⋆ maak dat je wegkomt *va t'en!*; INF. *fiche-moi le camp*; INF. *file* • ontsnappen *réussir à sortir*; *échapper* ⋆ goed ~ *l'échapper belle*

wegkruipen • weggaan *s'éloigner en rampant* • zich verstoppen *se cacher*; *se tapir*

wegkwijnen *dépérir*; *se consumer*; *s'étioler*

weglaten *omettre*; *supprimer*; ‹overslaan› *sauter*; TAALK. *élider* ⋆ voor een stomme h wordt de klinker van het lidwoord la/le weggelaten *devant h muet la voyelle de l'article la/le est élidée*

weglatingsteken *apostrophe* v

wegleggen • terzijde leggen *poser*; *déposer*; ‹opbergen› *ranger* • sparen *mettre de côté*; *réserver* ▾ dat werk is niet voor iedereen weggelegd *tout le monde n'est pas capable de faire ce travail*

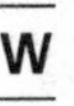

wegleiden *emmener*

wegligging *tenue* v *de route*; *adhérence* v

wegloophuis *centre* m *d'accueil pour fugueurs*

weglopen • naar elders lopen *s'en aller*; *partir* • wegvloeien *s'écouler* • er vandoor gaan *s'enfuir* • ~ **met** *s'engouer de* ▾ dat loopt niet weg *cela ne presse pas*

wegmaken • zoekmaken *égarer* • onder narcose brengen *endormir; anesthésier*
wegmarkering *signalisation* v *routière*
wegmoffelen *escamoter*
wegnemen *enlever; ôter; prendre;* MED. *enlever;* ‹bij amputatie› *faire l'amputation de* ▼ dat neemt niet weg dat *cela n'empêche pas que*
wegomlegging *déviation* v; *route* v *déviée*
wegpesten *rendre la vie impossible à quelqu'un*
wegpiraat *chauffard* m
wegpromoveren *mettre à l'écart par une promotion*
wegraken *se perdre; disparaître*
wegrestaurant *restoroute* m; *routier* m
wegrijden ‹v. persoon› *se mettre en route;* ‹v. voertuig› *démarrer*
wegroepen *appeler (ailleurs)*
wegrotten *pourrir*
wegrukken *arracher*
wegscheren I OV WW scherend verwijderen *raser; tondre* II WKD WW opkrassen *décamper* ★ scheer je weg! *fiche le camp!; file!*
wegschieten I OV WW *tirer; lancer* II ON WW *filer; partir*
wegschrijven *transférer*
wegslaan I OV WW verwijderen *chasser à coups de poing* ★ hij is niet bij zijn vriendin weg te slaan *il a pris racine chez sa copine* II ON WW verwijderd worden ★ de dijk werd weggeslagen *la digue a été emportée par les eaux*
wegslepen *entraîner;* ‹v. auto› *remorquer*
wegslikken • doorslikken *avaler (avec difficulté)* • verwerken ★ even iets moeten ~ *devoir respirer un bon coup*
wegsluipen *s'esquiver*
wegsmelten *fondre*
wegsmijten *jeter;* INF. *balancer*
wegspoelen I OV WW spoelend verwijderen *enlever à l'eau* II ON WW meegevoerd worden *être emporté par l'eau*
wegstemmen *repousser*
wegsterven *s'affaiblir*
wegstoppen *cacher; fourrer*
wegstrepen *rayer* ★ twee dingen tegen elkaar ~ *éliminer plusieurs choses en les opposant*
wegsturen • wegzenden *renvoyer* • verzenden *expédier; envoyer*
wegteren *se consumer; languir; dépérir; s'étioler*
wegtoveren *faire disparaître comme par magie*
wegtransport *transports* m mv *routiers*
wegtreiteren *dégoûter/écœurer qn jusqu'à ce qu'il parte*
wegtrekken I OV WW van zijn plaats trekken *retirer; tirer; éloigner* II ON WW • weggaan *partir; s'éloigner* • verdwijnen *se dissiper* ▼ hij trekt wit weg *il devient tout pâle*
wegvagen *effacer*
wegvallen • weggelaten worden *tomber; être supprimé* • vervallen ★ tegen elkaar ~ *se compenser* • uitvallen ★ het ~ van de druk *la chute de pression* ★ het geluid valt weg *il y a des coupures de son*
wegverharding *revêtement* m; *empierrement* m
wegverkeer *circulation* v *(routière)*
wegversmalling *rétrécissement* m *de la route*
wegversperring *barrage* m *de la route*
wegvervoer *transport* m *routier*
wegvliegen • vliegend weggaan *s'envoler* • snel heengaan *s'envoler; partir vite* • goed verkocht worden *se vendre bien*
wegvoeren *emporter; emmener*
wegwaaien I OV WW wegvoeren *emporter* II ON WW weggevoerd worden *s'envoler*
wegwerker *cantonnier* m
wegwerp- *jetable; non-repris*
wegwerpen *jeter*
wegwerpmaatschappij *société* v *du prêt-à-jeter*
wegwerpverpakking *emballage* m *perdu*
wegwezen *filer; déguerpir* ★ ~ jullie! *allez, déguerpissez, vous!* ★ terug van weggeweest *de retour*
wegwijs *au courant* ★ ~ maken *instruire; mettre au courant* ★ ~ worden *s'orienter*
wegwijzer • wegaanduiding *poteau* m *indicateur* [m mv: *poteaux ...*] ★ van ~s voorzien *signaliser* • gids *guide* m
wegwuiven *faire peu de cas de quelque chose* ★ bezwaren ~ *écarter des objections d'un geste de la main*
wegzakken • verdwijnen *s'affaisser; céder;* ‹v. water› *disparaître peu à peu;* ‹v. geluid› *s'affaiblir* ★ ~ in *s'enfoncer dans* • versuffen *s'assoupir*
wegzetten • terzijde zetten *mettre de côté* • wegbergen *ranger*
wei • weiland *pâturage* m; *pré* m; *prairie* v • melkwei *petit lait* m
weiachtig *séreux* [v: *séreuse*]
weide ‹voor hooi› *pré* m; *prairie* v; ‹voor vee› *pâturage* m
weidebloem *fleur* v *des prairies*
weidegrond *pâtis* m
weiden I OV WW laten grazen *faire paître* II ON WW grazen *paître*
weidevogel *oiseau* m *des prés* [m mv: *oiseaux* ...]
weids I BNW groots *pompeux* [v: *pompeuse*]; *somptueux* [v: *somptueuse*]; *magnifique* II BIJW *pompeusement; somptueusement; magnifiquement*
weifelaar *irrésolu* m [v: *irrésolue*]; *indécis* m [v: *indécise*]
weifelachtig *indécis*
weifelen *hésiter; être indécis* ★ hij weifelde even *il eut un moment d'hésitation*
weifeling *hésitation* v
weigeraar *récalcitrant* m
weigeren I OV WW *refuser* ★ dat mag ik niet ~ *ce n'est pas de refus* II ON WW het niet doen *refuser;* ‹v. motor› *se bloquer;* ‹v. vuurwapen› *s'enrayer*
weigering *refus* m; JUR. *déni* m ★ bij zijn ~ blijven *persister dans son refus* ★ een ~ krijgen *essuyer un refus*
weigeryup *objecteur* m *de conscience pour raisons de carrière*
weiland *prairie* v; *pré* m; *pâturage* m
weinig I BIJW • in geringe mate *peu; ne ...*

guère ★ het scheelde ~ of hij was gevallen *il a failli tomber; pour un peu il serait tombé* • zelden *rarement; ne ... pas souvent* ★ ze gaat ~ naar haar ouders *elle ne va pas souvent chez ses parents* II ONB VNW *peu (de)* ★ ~ invloed hebben *avoir peu d'influence* III TELW *peu* ★ de ~e bezoekers *les rares visiteurs; les quelques visiteurs* ★ hoe ~ ook *si peu que ce soit* ★ hoe ~ *combien peu* ★ veel te ~ *beaucoup trop peu* ★ drie te ~ *trois en moins* ★ er is iem. te ~ *il manque qn* ★ ~ bloemen *peu de fleurs*
wekdienst *service* m *de réveil; réveil* m *par téléphone*
wekelijks I BNW *hebdomadaire; de la semaine* II BIJW • elke week *chaque semaine; tous les huit jours; hebdomadairement* • per week *par semaine*
weken I OV WW *laisser tremper; mettre à tremper* II ON WW zacht worden *tremper*
wekenlang I BNW *qui dure des semaines* II BIJW *(pendant) des semaines entières*
wekken • wakker maken *réveiller* • opwekken *éveiller; susciter* ★ argwaan ~ *éveiller les soupçons*
wekker *réveille-matin* m [onv]; *réveil* m
wekkerradio *radio-réveil* m [mv: *radios-réveils*]
weksignaal *signal* m *de réveil* [m mv: *signaux ...*]
wel I ZN (de) bron *fontaine* v; *source* v II BIJW • goed ★ als ik het wel heb *si je ne me trompe* ★ ik mag hem wel *je l'aime bien* ★ alles wel *tout va bien* ★ er wel bij varen *s'en trouver bien* ★ wel thuis *bon retour* • tegenover niet ★ ik wel! *moi, si!; moi, oui!* ★ ik denk van wel *je pense que si* ★ vandaag niet, maar morgen wel *pas aujourd'hui, mais demain* • waarschijnlijk ★ je zult wel moe zijn *tu dois être fatigué* • vragend ★ ik spreek toch wel met meneer B.? *c'est bien à Monsieur B. que je parle?* ★ zal hij nog wel komen? *tu penses qu'il viendra encore?* • minstens *bien* ★ het zijn er wel honderd *il y en a bien une centaine* • versterkend ★ wel nee! *mais non!* ★ toch wel *que si* ★ dat mag men wel zeggen *c'est le cas de le dire* ★ ik zou wel eens willen weten *je voudrais bien savoir* III TW ★ ..., wel? *..., n'est-ce pas?* ★ wel! *eh bien!; voyons!* ★ wel, wel! *tiens, tiens!* ★ waar? wel, in Caen! *où? mais à Caen donc!*
welbehagen *bien-être* m; *satisfaction* v
welbekend *(bien) connu; notoire*
welbemind *bien aimé*
welbeschouwd • eigenlijk *à vrai dire; au fond* • als je het goed bekijkt *somme toute; tout bien considéré; tout compte fait*
welbespraakt *éloquent;* FORM. *disert*
welbesteed *bien employé;* ‹v. geld› *bien placé*
welbevinden *bien-être* m [onv]; *(bonne) santé* v
welbewust I BNW *conscient; intentionnel* [v: *intentionnelle*] II BIJW *sciemment*
weldaad *bienfait* m
weldadig I BNW • aangenaam *bienfaisant* • heilzaam *salutaire; bienfaisant* II BIJW *de façon salutaire*
weldenkend *bien pensant*
weldoen *faire le bien; faire la charité*
weldoener *bienfaiteur* m [v: *bienfaitrice*]
weldoordacht *longuement réfléchi|mûri*
weldoorvoed *bien nourri*
weldra *bientôt; sous peu; prochainement* ★ hij zal ~ komen *il ne tardera pas à venir*
weledel ★ ~e heer *Monsieur* m
weledelgeboren ★ ~ heer *Monsieur* m
weledelgeleerd ★ ~e heer *Monsieur* m
weledelgestreng ★ ~e heer *Monsieur* m
weledelzeergeleerd ★ ~e heer *Monsieur*
weleens *parfois*
weleer *autrefois;* ▼ de tijden van ~ *le temps jadis*
weleerwaard *révérend* ★ zijne ~e *révérend père* m
welfare *bien* m; *bien-être* m [onv]
welgemanierd *poli; bien élevé; courtois*
welgemeend • oprecht *sincère* • goed bedoeld *bien intentionné*
welgemoed I BNW *dispos; gai* II BIJW *gaiement*
welgeschapen *bien constitué; bien conformé*
welgesteld *aisé; nanti*
welgeteld *en tout (et pour tout)*
welgevallen I ZN *gré* m ★ naar ~ *à votre gré* ★ met ~ *avec complaisance* II ONV WW ▼ zich ... laten ~ FORM. *agréer ...;* ‹v. belediging› *avaler ...*
welgevallig *agréable*
welgezind *favorable; bien intentionné*
welhaast *presque*
welig I BNW *dru; abondant; luxuriant* II BIJW *abondamment; avec vigueur* ★ het onkruid tiert ~ *les mauvaises herbes poussent avec vigueur*
welingelicht *bien informé* ★ uit ~e bron *de source certaine*
weliswaar *il est vrai; certes, ...* ★ ~ ..., maar toch *il est vrai que ..., mais*
welk I VR VNW *quel* [v: *quelle*]; *lequel* [m mv: *lesquels*] [v: *laquelle*] [v mv: *lesquelles*] ★ welk land? *quel pays?* ★ welke van de twee? *lequel des deux?* II BETR VNW *lequel* [m mv: *lesquels*] [v: *laquelle*] [v mv: *lesquelles*]; *qui; que* ★ brood en rijst, welke voedingsmiddelen *le pain et le riz, aliments qui* III ONB VNW ★ welk boek je ook koopt, ik zal het betalen *quel que soit le livre de ton choix, je te le paierai; quelque livre que tu choisisses, je te le paierai*
welkom I ZN *bienvenue* v; *accueil* m II BNW *bienvenu;* FIG. *agréable* ★ iem. ~ heten *souhaiter la bienvenue à qn* ★ ~ zijn *être le bienvenu|la bienvenue|les bienvenus|les bienvenues* ★ een ~e afwisseling *un changement agréable* ★ dat bericht zal ~ zijn *cette nouvelle ne sera pas mal accueillie*
welkomstwoord *mot* m *de bienvenue*
wellen I OV WW • weken *macérer* • lassen *braser; souder* II ON WW opborrelen *jaillir*
welles *mais si!*
welletjes ▼ zo is het ~ *c'est assez; ça suffit*
wellevend I BNW *courtois* II BIJW *courtoisement*
wellicht *peut-être*
welluidend I BNW *mélodieux* [v: *mélodieuse*]; *harmonieux* [v: *harmonieuse*] II BIJW *mélodieusement; harmonieusement*

wellust *volupté* v; FORM. *lascivité* v
wellustig I BNW *voluptueux* [v: *voluptueuse*]; FORM. *lascif* [v: *lascive*] II BIJW *voluptueusement*; FORM. *lascivement*
welnee *mais non!*
welnemen *permission* v ⋆ met uw ~ *si vous le permettez*; *avec votre permission*
welnu *eh bien!*; *voyons!*
welopgevoed *bien élevé*
weloverwogen I BNW doordacht *bien pesé*; *bien/tout réfléchi* II BIJW *délibérément*
welp • dier ‹v. leeuw› *lionceau* m [mv: *lionceaux*]; ‹v. beer› *ourson* m • padvinder *louveteau* m [mv: *louveteaux*]
welriekend *d'une odeur agréable*; *odorant*; *parfumé*
welslagen *réussite* v; *succès* m
welsprekend *éloquent*
welsprekendheid *éloquence* v
welstand • welvaart *aisance* v; *bien-être* m • gezondheid *bonne santé* v ⋆ in blakende ~ *respirant la santé*
welstandsgrens *plafond* m *de revenu*
welstandsniveau *niveau* m *de prospérité/d'aisance*
weltergewicht *poids* m mv *mi-moyens*
welterusten *bonne nuit*
welteverstaan *bien entendu*
weltevreden *content*; *satisfait*
welvaart *prospérité* v
welvaartsgroei *croissance* v *de prospérité*
welvaartsmaatschappij *société* v *d'abondance*
welvaartspeil *niveau* m *de vie*
welvaartsstaat *État-providence* m [mv: *États-providences*]
welvaartsverschijnsel *phénomène* m *propre à la société d'abondance*
welvaren I ZN ‹welzijn› *bien-être* m; ‹voorspoed› *prospérité* v; ‹gezondheid› *bonne santé* v II ON WW *se porter bien*; *prospérer*
welvarend ‹voorspoedig› *prospère*; ‹gezond› *en bonne santé*
welven (**zich**) *se voûter*; *se courber*
welverdiend *juste*; *bien mérité*
welverzorgd *soigné*
welving *courbure* v; ‹v. figuur› *galbe* m; MED. *voussure* v
welvoeglijk I BNW *bienséant* II BIJW *convenablement*
welwillend I BNW *bienveillant* ⋆ met ~e medewerking van *avec le gracieux concours de*; ‹bij film e.d.› *avec l'aimable coopération de* II BIJW *avec bienveillance*
welzijn • welbevinden *bien-être* m • gezondheid *santé* v ⋆ het algemeen ~ *le bien commun/public*
welzijnssector *secteur* m *de l'aide sociale*
welzijnsvoorziening *équipement* m *d'assistance publique*; *mesure* v *d'aide sociale*
welzijnswerk *aide* v *sociale*
welzijnswerker *assistant* m *social*
welzijnszorg *aide* v *sociale*
wemelen ~ **van** *fourmiller (de)*; *grouiller (de)*
wendbaar *qui tourne facilement*
wenden I OV WW keren *tourner*; ‹v. steven› *faire virer* ⋆ zich niet kunnen ~ of keren *ne pas pouvoir se retourner* II WKD WW ~ **tot** *s'adresser à*
wending *tour* m; *tournure* v; ‹v. levensweg› *tournant* m ⋆ de zaak nam een gunstige ~ *l'affaire a pris une bonne tournure*
Wenen *Vienne*
wenk • gebaar *signe* m ⋆ iem. een wenk geven om *faire signe à qn de* ⋆ op zijn wenken bediend worden *être servi au doigt et à l'œil* • aanwijzing *conseil* m *(pratique)*; ‹waarschuwing› *avertissement* m
wenkbrauw *sourcil* m
wenkbrauwpotlood *crayon* m *à sourcils*
wenken *faire signe (à qn)*
wennen I OV WW vertrouwd maken *habituer (à)* II ON WW vertrouwd raken *s'habituer (à)*; *se faire (à)* ⋆ het went wel *on s'y fait*
wens • verlangen *désir* m; *souhait* m ⋆ naar wens *à souhait* • gelukwens *félicitation* v ⋆ mijn beste wensen *mes meilleurs vœux*; *toutes mes félicitations*
wensdroom *idéal* m [mv: *idéals/idéaux*]
wenselijk • raadzaam *souhaitable* ⋆ het is ~ dat *il est souhaitable que* [+ subj.] • te wensen *désirable*; *souhaitable*
wensen • verlangen *désirer*; *souhaiter*; *vouloir* ⋆ niets te ~ overlaten *ne laisser rien à désirer* • toewensen *souhaiter*
wenskaart *carte* v *de vœux*
wentelen I OV WW laten draaien *rouler*; *tourner* II ON WW draaien *pivoter*; *tourner*
wentelteefje *pain* m *perdu*
wenteltrap *escalier* m *en colimaçon/à vis*
wereld • aarde *terre* v • samenleving *monde* m ⋆ de omgekeerde ~ *le monde à l'envers* ⋆ ter ~ brengen *mettre au monde* ⋆ niets ter ~ *rien au monde* • leefwereld *univers* m ▾ de derde ~ *le tiers monde* ▾ de andere ~ *l'au-delà* ▾ iets uit de ~ helpen *en finir avec qc*
wereldatlas *atlas* m *du monde*
Wereldbank *Banque* v *mondiale*
wereldbeeld *vision/représentation* v *du monde*
wereldbeker *coupe* v *du monde*
wereldberoemd *d'une réputation mondiale*
wereldbeschouwing *philosophie* v; *conception* v *du monde*; FIL. *weltanschauung* v; *conception* v *métaphysique du monde*
wereldbevolking *population* v *mondiale*
wereldbol *globe* m
wereldburger • kosmopoliet *citoyen* m *du monde* [v: *citoyenne ...*]; *cosmopolite* m/v • mens *être* m *humain* ⋆ een nieuwe ~ *un nouveau-né*
wereldcup *coupe* v *du monde*
werelddeel *partie* v *du monde*; *continent* m
wereldeconomie *économie* v *mondiale*
wereldgeschiedenis *histoire* v *universelle*; *histoire* v *du monde*
wereldhandelsorganisatie *Organisation* v *mondiale du commerce*
wereldje *petit monde* m; *subculture* v ⋆ in een klein ~ leven *vivre dans un univers restreint*
wereldkaart *mappemonde* v
wereldkampioen *champion* m *du monde* [v: *championne ...*]

wereldkampioenschap *championnat* m *du monde*; ‹bij voetbal› *coupe* v *du monde*
wereldklok *horloge* v *de temps universel*
wereldkundig *notoire*; *de notoriété publique*; *public* [v: *publique*] ★ ~ maken *divulguer*; *publier*; *rendre public* [v: *rendre publique*]
wereldlijk *séculier* [v: *séculière*]; *profane*; *de ce monde* ★ het ~ gezag *le pouvoir temporel*
wereldliteratuur *littérature* v *universelle*
wereldmacht *puissance* v *mondiale*
wereldnaam *renommée* v *mondiale*
Wereldnatuurfonds *Fonds* m *Mondial pour la Nature*
wereldnieuws *nouvelle* v *d'importance mondiale*
wereldomroep *émissions* v mv *mondiales*
wereldontvanger *récepteur* m *multibandes/mondial*
wereldoorlog *guerre* v *mondiale*
wereldorganisatie *organisation* v *mondiale*
wereldpremière *première* v *mondiale*
wereldranglijst *palmarès* m *mondial*
wereldrecord *record* m *mondial* [m mv: *records mondiaux*]
wereldrecordhouder *détenteur* m *de record mondial* [v: *détentrice ...*]
wereldreis *voyage* m *autour du monde*
wereldreiziger *globe-trotter* m [mv: *globe-trotters*]
werelds • aards *temporel* [v: *temporelle*] • mondain *mondain*
wereldschokkend *bouleversant*
wereldstad *métropole* v
wereldtaal *langue* v *universelle*
wereldtentoonstelling *exposition* v *universelle*
wereldtitel *titre* m *de champion du monde*
wereldverbeteraar *redresseur* m *de torts*
wereldvrede *paix* v *universelle*
wereldvreemd *étranger à ce monde*; INF. *déphasé*
wereldwijd I BNW *mondial* II BIJW *mondialement*
wereldwijs ≈ *qui a beaucoup vu et beaucoup retenu*
wereldwinkel *magasin* m *du tiers-monde*
wereldwonder *merveille* v *du monde*
wereldzee *océan* m
weren I OV WW weghouden *repousser* II WKD WW zich verdedigen *se défendre (contre)*
werf *chantier* m *(de construction)*; *chantier* m *naval*
wering • *défense* v • voorkoming *prévention* v
werk • arbeid *travail* m [mv: *travaux*]; ‹moeilijk› *labeur* m ★ nuttig werk doen *faire du travail utile* ★ lang werk hebben om *mettre beaucoup de temps à* ★ drie maanden werk hebben *en avoir pour trois mois* ★ aan het werk! *au travail!*; *au boulot!* ★ veel werk hebben INF. *avoir du pain sur la planche* ★ schriftelijk werk *travaux écrits* • daad ★ goede werken *bonnes œuvres* v mv • product *ouvrage* m; *œuvre* v; *besogne* v ★ de verzamelde werken van Goethe *les œuvres complètes de Goethe* • baan *travail* m; *emploi* m; INF. *boulot* m ★ werk hebben *avoir du travail*; *avoir un emploi* ★ veel mensen aan het werk hebben *employer beaucoup de monde* ★ werk zoeken *chercher du travail* ★ geen werk hebben *ne pas avoir de travail*; *être au chômage* • arbeidsplaats *travail* m ▾ werk maken van iets *s'occuper de qc*; ‹naar de politie gaan› *porter plainte* ▾ openbare werken *travaux publics* ▾ de hand aan het werk slaan *mettre la main à la pâte* ▾ in het werk stellen *mettre en œuvre* ▾ te werk gaan *procéder*; *opérer*; *s'y prendre* ▾ dat is onbegonnen werk *c'est impossible*; *c'est infaisable*
werkafspraak *convention* v *de travail*
werkbank *établi* m
werkbespreking *réunion* v *de travail*
werkbezoek *visite* v *de travail*
werkbij *(abeille* v*) ouvrière* v
werkboek • oefenboek *livre* m *d'exercices* • boek met werkgegevens *livret* m *de travail*
werkbriefje *feuille* v *de travail*
werkcollege *travaux* m mv *pratiques*
werkcoupé ≈ *compartiment* m *d'étude*
werkdag *jour* m *ouvrable*; ‹werkduur› *journée* v *de travail*
werkdruk *pression* v *du travail*
werkelijk I BNW • bestaand *réel* [v: *réelle*] • effectief *effectif* [v: *effective*]; *actif* [v: *active*] ★ in ~e dienst *dans le service actif* II BIJW *vraiment*; *réellement*; *effectivement*
werkelijkheid *réalité* v
werkelijkheidszin *sens* m *de la réalité*
werkeloos *sans travail*
werkeloze *chômeur* m [v: *chômeuse*] [onv]; *sans-travail*
werken I OV WW in genoemde toestand brengen ★ iets naar binnen ~ *avaler qc* II ON WW • werk doen *travailler* ★ hard ~ *travailler dur* ★ aan een proefschrift ~ *travailler à une thèse* ★ er wordt aan gewerkt *on s'en occupe* ★ ~ voor een examen *préparer un examen* • functioneren *fonctionner*; *marcher* ★ een ~de vulkaan *un volcan (qui est) en activité* • uitwerking hebben *agir*; *produire un effet*; ‹doeltreffend› *être efficace* ★ dat werkt op mijn zenuwen *cela me porte sur les nerfs* ★ op de verbeelding ~ *frapper l'imagination* • beroep uitoefenen *travailler* • bewegen *glisser* • vervormen ‹v. hout› *gauchir*; *travailler* ▾ zich dood ~ *se tuer au travail*; *travailler comme un fou* ▾ in iemands voordeel ~ *travailler pour qn*
werkend • arbeidend *actif* [v: *active*]; *qui exerce une activité professionnelle* • bewegend *mobile* • effectief *efficace*
werker *travailleur* m ★ maatschappelijk ~ *assistant social* m [v: *assistante sociale*]
werkervaring *expérience* v *professionnelle*
werkezel ‹m.b.t. studie› *bûcheur* m [v: *bûcheuse*]; ‹m.b.t. zwaar werk› *bourreau* m *de travail* [m mv: *bourreaux ...*]
werkgeheugen *mémoire* v *de travail*
werkgelegenheid *emploi* m ★ volledige ~ *plein-emploi* ★ beperkte ~ *sous-emploi*
werkgemeenschap • groep mensen die een onderneming exploiteren *coopérative* v • groep mensen die gemeenschappelijk een probleem bestuderen *groupe* m *de*

travail
werkgever *employeur* m [v: *employeuse*]; *patron* m [v: *patronne*] ⋆ de ~s *le patronat*
werkgeversbijdrage *cotisation* v *patronale*
werkgeversorganisatie *syndicat* m *patronal*
werkgroep *groupe* m *de travail*
werkhanden *mains* v mv *de travailleur*
werkhandschoen *gant* m *de travail*
werkhouding • houding v.h. lichaam *tenue* v; *position* • motivatie *attitude* v *face au travail*
werking • het functioneren *action* v; *fonctionnement* m ⋆ in ~ stellen *mettre en marche* ⋆ buiten ~ stellen *arrêter*; *mettre hors service* ⋆ in ~ treden *entrer en vigueur* ⋆ in volle ~ *en pleine activité* • uitwerking *résultat* m; *effet* m
werkje • klusje *petit travail* m [m mv: *petits travaux*] • dessin in textiel *motif* m
werkkamer *bureau* m [mv: *bureaux*]
werkkamp *camp* m *de travail*
werkkapitaal *fonds* m *de roulement*
werkkleding *vêtements* m mv *de travail*
werkklimaat *ambiance* v *de travail*
werkkracht • werknemer *ouvrier* m ⋆ het tekort aan ~en *la pénurie de main-d'œuvre* • arbeidsvermogen *capacité* v *de travail*; *activité* v
werkkring *emploi* m
werkloos *en chômage*; *sans travail*
werkloosheid *chômage* m
werkloosheidscijfer *taux* m *de chômage*
werkloosheidsuitkering *allocation* v *de chômage*
werkloosheidswet *législation* v *sur le chômage*
werkloze *chômeur* m [v: *chômeuse*]; *sans-travail* m/v [onv]
werklunch *déjeuner* m *de travail*
werklust *goût* m *au travail*
werkmaatschappij *filiale* v
werkman *ouvrier* m
werknemer *employé* m [v: *employée*]; *salarié* m [v: *salariée*] ⋆ de ~s *le salariat*
werknemersbijdrage *cotisation* v *ouvrière*
werknemersbond *syndicat* m *(ouvrier)*
werknemersorganisatie *organisation* v *ouvrière*
werkomstandigheden *conditions* v mv *de travail*
werkonderbreking *interruption* v *de travail*; *arrêt* m *du travail*
werkoverleg *réunion* v *de travail*
werkplaats *atelier* m; ‹buiten› *chantier* m
werkplan *plan* m *de travail*
werkplek *lieu* m *de travail* [m mv: *lieux* ...]
werkploeg *équipe* v *de travail*
werkrooster *emploi* m *du temps*
werkschema *calendrier* m
werkschuw *paresseux* [v: *paresseuse*]
werksfeer *ambiance* v *de travail*
werkslaaf • een werkverslaafde ‹workaholic› *drogué* m *du travail* • uitgebuite arbeider *esclave* m/v
werkstaking *grève* v *(sur le tas)*
werkster • werkende vrouw ⋆ maatschappelijk ~ *assistante* v *sociale* • schoonmaakster *femme* v *de ménage*
werkstudent ≈ *étudiant* m *et salarié* [v: *étudiante et salariée*]
werkstuk • vervaardigd stuk werk *pièce* v; *œuvre* v • scriptie ≈ *rédaction* v; ≈ *dissertation* v
werktafel *bureau* m [mv: *bureaux*]; *table* v *de travail*; ‹werkbank› *établi* m
werktekening *épure* v
werktempo *vitesse* v *de travail*; *rythme* m *de travail*
werkterrein • terrein van werkzaamheid *champ* m *d'action* • werkplaats *chantier* m
werktijd *durée* v *du travail*; *temps* m *de travail*
werktijdverkorting *réduction* v *du temps*; *réduction* v *des heures de travail*
werktuig *outil* m; *instrument* m
werktuigbouwkunde *construction* v *mécanique*
werktuigbouwkundig *mécanique*
werktuigkunde *mécanique* v
werktuigkundige *mécanicien* m [v: *mécanicienne*]
werktuiglijk I BNW *automatique*; *machinal* [m mv: *machinaux*] II BIJW *automatiquement*; *machinalement*
werkveld *domain* m *des activités*
werkvergunning *permis* m *de travail*
werkverschaffing ≈ *intégration* v *des chômeurs*
werkverslaafde *drogué* m *du travail*
werkvloer • werkplek *atelier* m • de werkers *les ouvriers* m mv
werkweek • deel van de week *semaine* v *de travail* ⋆ een driedaagse ~ *une semaine de trois jours* v • werkkamp voor scholieren *semaine* v *d'étude* ⋆ de klas ging met ~ *la classe est partie en semaine d'étude*
werkweigeraar *personne* v *qui refuse de travailler*
werkwijze *méthode* v; *procédé* m
werkwillige *non-gréviste* m/v [m mv: *non-grévistes*]
werkwoord *verbe* m
werkwoordsvorm *forme* v *verbale*
werkzaam I BNW • arbeidzaam *laborieux* [v: *laborieuse*]; *actif* [v: *active*]; *travailleur* [v: *travailleuse*] ⋆ een ~ leven lijden *mener une vie active* • uitwerking hebbend *efficace*; *agissant* • werkend *en fonction* ⋆ ~ bij *attaché à*; *employé à* II BIJW *laborieusement*
werkzaamheden *activités* v mv ⋆ hij heeft ~ elders *il a des occupations ailleurs* ⋆ herstel~ *travaux* m mv *de réfection*
werkzoekende *demandeur* m *d'emploi* [v: *demandeuse* ...]
werpanker *ancre* v *à jet*
werpen • gooien *jeter*; *lancer* ⋆ een schaduw ~ op *jeter une ombre sur* ⋆ zich in de strijd ~ *s'engager dans la lutte* • baren *mettre bas*
werper *lanceur* m [v: *lanceuse*]
werphengel *canne* v *à lancer*
werptijd *époque* v *de la mise bas*
wervel • rugwervel *vertèbre* v • draaibare pin *tourniquet* m
wervelen *tournoyer*; *tourbillonner*
wervelend *tourbillonnant*; *trépidant* ⋆ een ~e

show *un spectacle étourdissant* m
wervelkolom *colonne* v *vertébrale*
wervelstorm *cyclone* m; *tornade* v
werven • in dienst nemen *recruter; enrôler* • trachten te winnen *recruter* ★ abonnees ~ *recruter des abonnés*
werving *recrutement* m
wervingsactie *campagne* v *de recrutement*
wesp *guêpe* v
wespennest BIOL. *nid* m *de guêpes;* OOK FIG. *guêpier* m
wespentaille *taille* v *de guêpe*
west I ZN *occident* m; *ouest* m ▾ de West *Indes* *v mv# *occidentales* II BNW *à l'ouest*
West-Duitsland *l'Allemagne* v *de l'Ouest* ★ in ~ *en Allemagne de l'Ouest; dans l'Allemagne de l'Ouest*
westelijk I BNW *(d')ouest; occidental* [m mv: *occidentaux*] II BIJW ★ het ~ van Belfort gelegen dorpje *le village, situé à l'ouest de Belfort*
Westelijke Sahara *Sahara* m *occidental*
westen *ouest* m; *occident* m; *couchant* m ★ in het ~ *à l'ouest* ★ ten ~ van *à l'ouest de* ▾ het Westen *l'Occident* ▾ buiten ~ *sans connaissance*
westenwind *vent* m *d'ouest*
westerlengte *longitude* v *ouest*
westerling *occidental* m [mv: *occidentaux*]
western *western* m
westers *occidental* [m mv: *occidentaux*]; *de l'Occident; d'Occident*
westerstorm *tempête* v *de l'ouest*
West-Europa *l'Europe* v *occidentale* ★ in ~ *dans l'Europe occidentale; en Europe occidentale*
West-Europees *de l'Europe occidentale*
westkant *côté* m *ouest*
westkust *côte* v *occidentale*
westwaarts *vers l'ouest*
wet *loi* v ★ iem. de wet voorschrijven *faire la loi à qn* ★ een wet ontduiken *éluder une loi*
wetboek *code* m ★ ~ van koophandel *code de commerce* ★ ~ van strafrecht *code pénal* ★ burgerlijk ~ *code civil*
weten I ZN *connaissance* v ★ buiten ~ van *à l'insu de* ★ naar zijn beste ~ *en conscience; le mieux possible* ★ tegen beter ~ in *contre toute évidence* ★ bij mijn ~ *autant que je (le) sache* II OV WW • kennis/besef hebben van *savoir* ★ hij weet daar niets van *il n'en sait rien* ★ iets te ~ komen door *savoir qc par; apprendre qc par* ★ je kunt nooit ~ *on ne sait jamais* ★ hij vertrekt morgen, moet je ~ *il partira demain, tu sais* ★ ik weet zeker dat *je suis sûr que* ★ er alles van ~ *s'y connaître* ★ dat moet je zelf ~ *c'est ton affaire* ★ het beter willen ~ dan *vouloir en remontrer à* ★ hij wil het niet ~ *il s'en cache* ★ er iets op ~ *avoir (trouvé) une solution* ★ er niets meer op ~ *être au bout de son latin* ★ hij wil er niets van ~ *il ne veut rien en savoir* ★ zij wil niets van hem ~ *elle ne veut pas de lui* • ~ **te** *réussir à* ★ ~ te ontkomen *réussir à s'échapper* ▾ dat weet wat! *quelle affaire!*
wetens ★ willens en ~ *sciemment; de propos délibéré*
wetenschap • het weten *connaissance* v • kennis en onderzoek van werkelijkheid *savoir* m; *science* v • tak van wetenschap *sciences* v mv
wetenschappelijk *scientifique*
wetenschapper *scientifique* m/v
wetenschapsfilosofie *philosophie* v *des sciences*
wetenschapstheorie *épistémologie* v; *théorie* v *de la connaissance*
wetenschapswinkel *centre* m *d'information scientifique*
wetenswaardig *intéressant; curieux* [v: *curieuse*]
wetenswaardigheid *curiosité* v; *chose* v *intéressante*
wetering • waterloop *cours* m *d'eau* • brede sloot *canal* m [mv: *canaux*]
wetgeleerde • schriftgeleerde *docteur* m *de la loi* • jurist *légiste* m
wetgevend *législatif* [v: *législative*]
wetgever *législateur* m
wetgeving *législation* v
wethouder *adjoint* m *(au maire)*; ‹in België/Nederland› *échevin* m
wetland *marécages* m mv
wetlook *look* m *brillant*
wetmatig I BNW *conforme aux lois (de la science)* II BIJW *conformément aux lois (de la science)*
wetmatigheid *conformité* v *aux lois*
wetsartikel *article* m *de loi*
wetsbepaling *disposition* v *légale*
wetsbesluit *décret* m
wetsdelict *infraction* v *(à la loi)*
wetsherziening *révision* v *d'une loi*
wetsinterpretatie *interprétation* v *de la loi*
wetskennis *connaissance* v *de la loi*
wetsontwerp *projet* m *de loi*
wetsovertreding *infraction* v *à la loi;* JUR. *contravention* v
wetsuit *combinaison* v *étanche*
wetsvoorstel *proposition* v *de loi*
wetswinkel ≈ *bureau* m *de conseil juridique* [m mv: *bureaux ...*]
wettekst *texte* m *d'une loi*
wettelijk I BNW volgens de wet *légal* [m mv: *légaux*] ★ de ~e aansprakelijkheid *la responsabilité civile/légale* ★ ~ aansprakelijk *civilement responsable* ★ het ~ erfdeel *la réserve héréditaire* II BIJW *légalement*
wetten *aiguiser; affiler*
wettenverzameling *recueil* m *de lois*
wettig I BNW *légal* [m mv: *légaux*]; *légitime* [m mv: *these*]; *valide* ★ een ~ huwelijk *un mariage légitime* ★ een ~ betaalmiddel *une monnaie légale* ★ ~ verklaren *légitimer; légaliser; valider* ★ door het gebruik ge~d *consacré par l'usage* ★ het ~ gedeponeerd handelsmerk *la marque déposée* II BIJW *légalement; légitimement*
wettigen • rechtvaardigen *légitimer* • wettig maken *légaliser*
WEU *UEO* v; *Union* v *de l'Europe de l'Ouest*
weven *tisser*
wever *tisserand* m; *tisseur* m [v: *tisseuse*]
weverij • het weven *tissage* m • plaats waar

geweven wordt *atelier* m *de tissage*; *fabrique* v *de tissus*
wezel *belette* v
wezen I ZN • schepsel *être* m; *créature* v; *individu* m • essentie *essence* v; *essentiel* m; *fond* m ★ uit zijn diepste ~ *du plus profond de lui* ★ in ~ *au fond* II ON WW *être* ★ wij zijn ~ dansen *nous avons été danser* ▾ hij mag er ~ *il n'est pas mal*
wezenlijk I BNW • essentieel *essentiel* [v: *essentielle*] • werkelijk bestaand *réel* [v: *réelle*] II BIJW essentieel *essentiellement*
wezenloos I BNW • onwerkelijk *chimérique*; *vain* • uitdrukkingsloos *apathique*; *égaré*; *abruti* ▾ zij is zich ~ geschrokken *elle est restée clouée sur place* II BIJW ★ ~ kijken *avoir le regard vide*
wezenpensioen *pension* v *versée à un orphelin*
whiplash *syndrome* m *cervical traumatique*
whirlpool *jacuzzi* m; *bain* m *à remous*
whisky *whisky* m
whizzkid *as* m *de l'ordinateur*
WHO *OMS* v; *Organisation Mondiale de la Santé*
whodunit *qui l'a fait, qui est le coupable*
wichelroede *baguette* v *de sourcier*
wicht • meisje *gamine* v • kind INF. *mioche* m
wicket *guichet* m
wie I VR VNW ‹als onderwerp› *(qui est-ce) qui?*; ‹als lijdend voorwerp› *(qui est-ce) que?* ★ met wie spreek ik? *c'est de la part de qui?*; *qui est à l'appareil?* ★ wie heeft het buskruit uitgevonden? *(qui est-ce) qui a inventé la poudre?* II BETR VNW ‹als onderwerp of na voorzetsel› *qui*; ‹na voorzetsel› *dont*; ‹als lijdend voorwerp› *que*; ‹degene die› *celui qui* [m mv: *ceux qui*] [v: *celle qui*] ★ de vrouw aan wie ik de sleutel heb gegeven *la femme à qui j'ai donné la clé* ★ de jongen over wie ik het heb *le garçon dont je parle* III ONB VNW ★ wie ... ook *qui que ce soit qui* [+ subj.]
wiebelen • schommelen *se balancer* • onvast staan *chanceler*; *vaciller*
wiebelig *vacillant*
wieden *sarcler*; *arracher les mauvaises herbes* ★ het ~ *le sarclage*
wiedes ▾ da's nogal ~ *c'est évident*
wiedeweerga ▾ als de ~ *illico-presto*
wieg *berceau* m [mv: *berceaux*] ▾ hij is voor schilder in de wieg gelegd *il est né peintre*
wiegelied *berceuse* v
wiegen *bercer*
wiegendood *mort* v *subite du bébé/du nourrisson*
wiek *aile* v
wiel • rad *roue* v ★ dicht wiel *roue pleine* • waal ≈ *étang* m ▾ iemand in de wielen rijden *contrarier qn*; *mettre un bâton dans les roues de qn*
wieldop *enjoliveur* m
wieldruk *charge* v *de roue*
wielerbaan *vélodrome* m
wielerklassieker *classique* v
wielerkoers *course* v *cycliste*
wielerploeg *équipe* v *de coureurs cyclistes*
wielerronde *tour* m *cycliste*

wielersport *cyclisme* m
wielewaal *loriot* m *(jaune)*
wielklem *sabot* m *(de Denver)*
wielophanging *suspension* v
wielrennen *cyclisme* m
wielrenner *coureur* m [v: *coureuse*]
wielrijder *cycliste* m/v
wier *algue* v; ‹in zee› *varech* m; *goémon* m
wierook *encens* m ★ ~ toezwaaien *encenser*
wierookgeur *odeur* v *d'encens*
wiet *herbe* v
wig *cale* v ▾ een wig drijven tussen *semer la discorde entre*
wigwam *wigwam* m
wij *nous*; INF. *on*
wijd I BNW ruim *ample*; *large*; *spacieux* [v: *spacieuse*] ★ wijder worden *s'élargir*; *s'évaser* ★ een wijd uitzicht *une vaste perspective* ★ een wijd gat *un grand trou* ▾ wijd en zijd *partout* II BIJW *loin*; *largement* ★ z'n ogen wijd openen ‹v. ogen› *écarquiller les yeux*; *ouvrir les yeux tout grand*
wijdbeens *les jambes écartées*
wijden • inzegenen *consacrer*; *bénir* ★ iem. tot priester ~ *ordonner qn prêtre* • ~ **aan** *consacrer à*; *vouer à*
wijdlopig *diffus*
wijdte *largeur* v; *ampleur* v ★ ~ van de hals *tour* m *de cou*
wijduit *écarté*
wijdverbreid *largement répandu*
wijdverspreid *largement répandu*
wijdvertakt *étendu*; *avec de nombreuses ramifications*
wijf • vrouw *bonne femme* v ★ een oud wijf *une vieille* • moordwijf *nana* v • rotwijf *salope* v
wijfie INF. *ma belle*
wijfje *femelle* v
wij-gevoel *sentiment* m *de solidarité*
wijk • stadsdeel *quartier* m • rayon *section* v • toevlucht *fuite* v ★ de wijk nemen naar het buitenland *se réfugier à l'étranger*
wijkagent *agent* m *de quartier*; *îlotier* m
wijkcentrum *foyer* m *socioculturel*
wijkcomité *comité* m *de quartier*
wijken • verdwijnen ★ het gevaar is geweken *le danger est écarté* • zich terugtrekken *se retirer*; ‹vluchten› *fuir*; *se réfugier* ★ ~ voor iem. *céder le pas à qn*
wijkgebouw *centre* m *(du quartier)*; MED. *dispensaire* m
wijkkrant *journal* m *de quartier* [m mv: *journaux* ...]
wijkplaats *asile* m; *refuge* m; *abri* m
wijkraad *conseil* m *consultatif de quartier*
wijkvereniging REL. ‹v. wijkbewoners› *association* v *de quartier*
wijkverpleegkundige *infirmière* v *visiteuse*
wijkverpleging *assistance* v *médicale à domicile*
wijkwinkel *magasin* m *de quartier*
wijkzuster *infirmière* v *visiteuse*
wijlen *feu*; *défunt* ★ ~ de koning *le défunt roi*
wijn *vin* m; INF. *pinard* m ★ een eenvoudig wijntje *un petit vin* ★ jonge wijn *vin nouveau* ★ oude wijn *vin reposé/mûr* ▾ goede wijn

behoeft geen krans *à bon vin point d'enseigne*
wijnazijn *vinaigre* m *de vin*
wijnbes *framboisier* m *de Japon*
wijnboer *vigneron* m [v: *vigneronne*]; *viticulteur* [v: *viticultrice*]
wijnbouw *viticulture* v
wijnbouwer *viticulteur* m; *vigneron* m [v: *vigneronne*]
wijnfeest ‹oogstfeest› *fête* v *des vendanges*; *soirée* v *vin*
wijnfles *bouteille* v *à vin*
wijngaard *vigne* v; *vignoble* m
wijnglas *verre* m *à vin*
wijnhandel *débit* m *de vins*
wijnhuis *débit* m *(de vins)*
wijnjaar *millésime* m
wijnkaart *carte* v *des vins*
wijnkelder *cave* v *à vin*
wijnkenner *connaisseur* m *en vins*; ‹vakman› *dégustateur* m
wijnkoeler *seau* m *à glace* [m mv: *seaux* ...]
wijnlokaal *débit* m *de vin*
wijnoogst *vendange* v
wijnpers *pressoir* m
wijnproeverij *dégustation* v *(de vin)*
wijnrank *pampre* m
wijnrek *porte-bouteilles* m [onv]
wijnrood *lie-de-vin* [onv]
wijnsaus *sauce* v *au vin*; *meurette* v
wijnstok *vigne* v; *cep* m *de vigne*
wijnstreek *région* v *viticole*
wijntje • soort wijn *petit vin* m ⋆ een lekker ~ *un bon petit vin* • glas wijn *verre* m *de vin*
wijnvat *fût* m
wijnvlek *tache* v *de vin*
wijs I ZN • melodie *air* m; *mélodie* v • manier *façon* v; *manière* v • TAALK. *mode* m ⋆ aantonende wijs *indicatif* m ⋆ onbepaalde wijs *infinitif* m ▾ van de wijs raken *se troubler* ▾ van de wijs brengen *déconcerter*; *dérouter* ▾ 's lands wijs, 's lands eer *autant de pays, autant de coutumes* **II** BNW • verstandig *sensé*; *prudent* ⋆ hij zal wel wijzer zijn *il s'en gardera bien* • wetend *sage* ⋆ wijzer worden *s'assagir* ▾ ik kan er niet uit wijs worden *je n'y comprends rien*; *j'y perds mon latin* ▾ hij is niet goed wijs *il est fou*; INF. *il est toqué/dingue* **III** BIJW *sagement*; *prudemment*; *sensément*
wijsbegeerte *philosophie* v
wijselijk *prudemment*
wijsgeer *philosophe* m/v
wijsgerig *philosophique*
wijsheid *sagesse* v ▾ de ~ in pacht hebben *avoir la science infuse*
wijsmaken *faire croire*; *faire/laisser accroire* ⋆ maak dat anderen wijs *à d'autres* ⋆ laten we elkaar niets ~ *ne faisons pas les malins* ⋆ zichzelf iets ~ *s'illusioner*
wijsneus *pédant* m [v: *pédante*]
wijsvinger *index* m
wijten *imputer* ⋆ te ~ hebben aan *devoir à* ⋆ te ~ zijn aan *être dû à* [v: *être due à*]
wijting *merlan* m
wijvenpraat *bavardages* m mv; *bêtises* v mv
wijwater *eau* v *bénite*
wijze • manier *façon* v; *manière* v ⋆ bij ~ van *en guise de* ⋆ bij ~ van proef *à titre d'essai* ⋆ bij ~ van grap INF. *histoire de rire* • persoon *sage* m ▾ bij ~ van spreken *façon de parler*; *pour ainsi dire* ▾ de ~n uit het oosten *les Rois Mages*
wijzen I OV WW • aanduiden *indiquer*; *montrer* • attenderen *signaler*; *attirer l'attention sur* ⋆ ik wil u erop ~ dat *je voudrais attirer votre attention sur le fait que* • uitspreken *prononcer (un jugement)* **II** ON WW doen vermoeden ⋆ alles wijst erop dat *tout porte à croire que*
wijzer • naald *aiguille* v; ‹v. zonnewijzer› *style* m • logaritmewijzer *caractéristique* v
wijzerplaat *cadran* m ⋆ verlichte ~ *cadran lumineux*
wijzigen *changer*; *modifier*
wijziging *changement* m; *modification* v ⋆ ~en aanbrengen *apporter des changements*
wijzigingsvoorstel *proposition* v *de modification*
wikkel • omslag, verpakking *emballage* m; *bande* v *enveloppe* • bosje tabak *carotte* v *de tabac*
wikkelen • betrekken *engager* ⋆ in een gesprek gewikkeld zijn *être engagé dans une conversation* • inwikkelen *envelopper*; *enrouler* ⋆ een baby in luiers ~ *emmailloter un nourisson*
wikkelrok *jupe* v *portefeuille*
wikken *peser*; *soupeser* ⋆ ~ en wegen *peser mûrement*; *peser le pour et le contre*
wil *volonté* v ⋆ vrije wil *libre arbitre* m ⋆ zijn goede wil tonen *faire acte de bonne volonté* ⋆ uit vrije wil *de bon gré*; *volontairement* ▾ iemand ter wille zijn *faire plaisir à qn* ▾ om Gods wil *pour l'amour de Dieu* ▾ uiterste/laatste wil *dernière volonté* v ; *testament* m
wild I ZN dieren *gibier* m ▾ aangeschoten wild FIG. *canard boîteux* **II** BNW • in natuurstaat *sauvage*; ‹v. beesten ook› *féroce*; *farouche* ⋆ wilde dieren *fauves* m mv; *bêtes fauves/féroces* v mv • onbeheerst *non contrôlé*; ‹v. vaart› *libre*; ‹v. staking› *sauvage* • dol, uitbundig *impétueux* [v: *impétueuse*]; *turbulent* ⋆ een wilde vlucht *une fuite désordonnée* ▾ in het wilde weg *au hasard*; *à l'aventure* **III** BIJW *sauvagement*
wildachtig *ayant un goût de gibier*
wildbaan *réserve* v *de chasse*
wildbraad *gibier* m; *venaison* v
wilde *sauvage* m; ‹v. kind› *sauvageon* m [v: *sauvageonne*]
wildebeest *gnou* m
wildebras *enfant* m *turbulent* [v: ... *turbulente*]
wildernis *désert* m; *brousse* v
wildgroei *prolifération* v
wildpark *parc* m *zoologique*
wildreservaat *réserve* v *zoologique*
wildstand *population* v *du gibier*
wildviaduct *passerelle* v *à gibier*; *voie* v *à cerfs*
wildvreemd *tout à fait inconnu*; *tout à fait étranger* [v: ... *étrangère*]
wildwaterbaan *parcours* m *de canoë-kayak*
wildwaterkanoën *faire du canoë-kayak d'eaux*

vives
wildwatervaren *faire du raft*
wildwestavontuur *aventure* v *du Far-West*
wildwestfilm *western* m
wilg *saule* m
wilgenkatje *chaton* m *de saule*
wilgentak *branche* v *de saule*
willekeur • goeddunken *bon plaisir* m; *volonté* v ★ naar ~ *à volonté; arbitrairement* • eigenmachtigheid *arbitraire* m; *caprice* m
willekeurig • naar willekeur *arbitraire* • onverschillig welk *quelconque; arbitraire*
willen I ov ww *vouloir* ★ liever ~ *aimer mieux; préférer* ★ wat wilt u van haar? *que lui voulez-vous?* ★ ik wil het niet hebben ‹weigering› *je n'en veux pas*; ‹verbod› *je ne le veux pas* II HWW ★ ik wil aannemen dat *je suis prêt à croire que* ▾ hij wil er niet aan *il n'en veut pas* ▾ dat wil er bij mij niet in *je refuse de le croire*
willens *à dessein; exprès* ★ ~ en wetens *de propos délibéré*
willig *docile; de bonne volonté*
willoos *sans volonté; apathique*; ‹in psychologie› *aboulique*
wilsbeschikking ★ laatste ~ *dernières volontés* v mv; *testament* m
wilsgebrek *manque* m *de volonté; veulerie* v
wilskracht *énergie* v; *(force* v *de) volonté* v
wilsonbekwaam *incapable d'exprimer ce qu'on veut*
wilsovereenstemming *entente* v
wilsuiting *manifestation* v *de la volonté; volition* v
wimpel *banderole* v; SCHEEPV. *flamme* v
wimper *cil* m
wind *vent* m ★ hoe staat de wind? *d'où vient le vent?* ★ de wind is west *le vent est de l'ouest* ★ de wind mee hebben *avoir vent arrière* ★ de wind tegen hebben *avoir vent debout* ▾ wind en weder dienende *si le temps le permet* ▾ er de wind onder hebben *mener son monde au doigt et à l'œil* ▾ iemand de wind van voren geven *passer un savon à qn* ▾ de wind van voren krijgen *recevoir un savon* ▾ in de wind slaan *négliger* ▾ van de wind leven *vivre de l'air du temps*
windbestuiving *anémophilie* v
windbuil *vantard* m
windbuks *carabine* v *à air comprimé*
winddicht *à l'abri du vent*
windei ▾ dat zal je geen ~eren leggen EUF. *tu n'y perdras pas*
winden *enrouler* ★ van een klos ~ *dévider* ★ een doek om de hand ~ *envelopper la main d'un linge* ★ op een klos ~ *bobiner*
windenergie *énergie* v *éolienne*
winderig • met veel wind *venteux* [v: *venteuse*]; *où il fait du vent; exposé au vent* ★ het is ~ *il fait du vent* • winden latend *flatulent*
windhandel *spéculation* v
windhoek • streek vanwaar de wind komt *côté* m *du vent* • plek waar het vaak waait *endroit* m *venteux*
windhond *lévrier* m; *levrette* v
windhoos *tourbillon* m; *bourrasque* v
windjack *anorak* m
windkracht *force* v *du vent* ★ ~ 10 *force 10 (Beaufort)*
windmolen *moulin* m *à vent*
windorgel *orgues* v mv *éoliennes*
windrichting *direction* v *du vent*
windroos *rose* v *des vents*
windscherm *pare-vent* m [onv]; ‹in open lucht› *brise-vent* m [onv]; ‹v. motor(fiets)› *abat-vent* m [onv]
windsnelheid *vitesse* v *du vent*
windstil *calme*
windstilte *calme* m ★ volkomen ~ *calme plat*
windstoot *coup* m *de vent; rafale* v *de vent*
windstreek *aire* v *de vent*; SCHEEPV. *rumb* m ★ naar de 4 windstreken *aux quatre points cardinaux*
windsurfen *faire de la planche à voile*
windtunnel *soufflerie* v *aérodynamique*
windvaan *girouette* v; SCHEEPV. *penon* m
windvlaag *rafale* v
windwijzer *girouette* v
windzak *manche* v *à air*
wingebied *région* v/*zone* v *d'extraction*
wingerd *vigne* v ★ wilde ~ *vigne vierge*
wingewest *territoire* m *conquis*
winkel *magasin* m; *boutique* v ★ een ~ hebben *tenir un magasin/un commerce*
winkelassortiment *assortiment* m *de magasin*
winkelbediende *vendeur* m [v: *vendeuse*]
winkelbedrijf *chaîne* v *de magasins*
winkelcentrum *centre* m *commercial* [m mv: *centres commerciaux*]
winkeldief *voleur* m *à l'étalage* [v: *voleuse* ...]
winkeldiefstal *vol* m *à l'étalage*
winkeldochter *rossignol* m
winkelen *faire du shopping*
winkelgalerij *galerie* v *marchande*
winkelhaak • scheur *accroc* m • gereedschap *équerre* v
winkelier *commerçant* m [v: *commerçante*]
winkeljuffrouw *vendeuse* v
winkelkarretje *caddie* m
winkelketen *chaîne* v *de magasins*
winkelpersoneel *employés* m mv *de magasin*
winkelprijs *prix* m *de détail*
winkelpromenade *galerie* v *marchande*
winkelruit *vitrine* v *de magasin*
winkelsluitingswet *loi* v *sur les heures d'ouverture et de fermeture des magasins*
winkelstraat *rue* v *commerçante*
winkelwaarde *prix* m *de vente*
winkelwagen • rijdende winkel *camion* m *supérette* • boodschappenwagentje *caddie* m®
winkelwagentje *chariot* m; ‹merknaam› *caddie* m
winnaar *gagnant* m [v: *gagnante*]
winnen • zegevieren *gagner* ★ zich gewonnen geven *se rendre* ★ een zaak ~ *avoir gain de cause* ★ het van iem. ~ *l'emporter sur qn* • behalen *gagner* ★ wat wint u erbij? *qu'est-ce que vous y gagnez?* • verwerven ★ iem. voor zich/zijn zaak ~ *gagner qn à sa cause* ★ gewonnen zijn voor *être acquis à* ★ erts ~ *extraire du minerai* • vorderen *gagner*

winning *exploitation* v; *extraction* v
winst *bénéfice* m; *gain* m; *profit* m ★ ~ maken *réaliser un bénéfice/des bénéfices* ★ imaginaire ~ *profit estimé* ★ zuivere ~ *bénéfice net* ★ bruto ~ *bénéfice brut*
winstaandeel *part* v *de bénéfice*; *dividende* m
winstbejag *appât* m/*amour* m *du gain*; PEJ. *amour* m *du lucre*
winstbelasting *taxe* v *sur les bénéfices*
winstberekening *calcul* m *des bénéfices*
winstbewijs *action* v *de jouissance*; *coupon* m *de dividende*
winstdaling *perte* v *de bénéfice*; *diminution* v *du bénéfice*
winstdeling *participation* v *aux bénéfices*
winstderving *perte* v *de bénéfice*; *manque* m *à gagner*
winst-en-verliesrekening *compte* m *de résultat*
winstgevend *lucratif* [v: *lucrative*]; *profitable*; *rentable*
winstmarge *marge* v *bénéficiaire*
winstoogmerk *but* m *lucratif* ★ een instelling/vereniging zonder ~ *une organisation/association à but non-lucratif*
winstpercentage • wat als winst overblijft *marge* v *bénéficiaire* • percentage v.d. winst *dividende* m
winstpunt *point* m *de gagné* ★ een ~ behalen *marquer un point*
winststijging *hausse* v/*montée* v *des bénéfices*
winstuitkering *distribution* v *du bénéfice*; *paiement* m *du bénéfice*
winter *hiver* m ★ in de ~ *en hiver* ★ in het hartje van de ~ *au plus dur de l'hiver* ★ een strenge ~ *un hiver rigoureux*
winterachtig *hivernal* [m mv: *hivernaux*]
winteravond *soirée* v *d'hiver*
wintercollectie *collection* v *d'hiver*
winterdag *jour* m *d'hiver*
winterdijk *digue* v *maîtresse*
winteren ★ het wintert *il fait un temps d'hiver*
wintergast ‹m.b.t. persoon› *hivernant* m [mv: *oiseaux ...*]; ‹m.b.t. vogel› *oiseau* m *hivernant*
wintergroente *légume* m *d'hiver*
winterhanden *engelures* v mv *aux mains*
winterhard *vivace*
winterjas *manteau* m *d'hiver* [m mv: *manteaux ...*]
winterkleding *vêtements* m mv *d'hiver*
winterkoninkje *troglodyte* m *(mignon)*
winterlandschap *paysage* m *d'hiver*
wintermaand *mois* m *d'hiver*
winterpeen *carotte* v
winterpret *plaisir* m *d'hiver*
winters *d'hiver*; *hivernal* [m mv: *hivernaux*]
winterslaap *sommeil* m *hibernal*; *hibernation* v ★ ~ houden *hiberner*
winterspelen *jeux* m mv *olympiques d'hiver*
wintersport *sports* m mv *d'hiver*
wintersportcentrum *station* v *de sports d'hiver*
wintersportplaats *station* v *de ski*
wintersportvakantie *vacances* v mv *de neige*
wintertenen *engelures* v mv *aux orteils*
wintertijd • periode *saison* v *d'hiver* • tijdrekening *heure* v *d'hiver*
wintervoeten *engelures* v mv *aux pieds*
winterweer *temps* m *hivernal*
winterwortel *carotte* v
winzucht *avidité* v; *âpreté* v *au gain*
wip • speeltuig *balançoire* v; *bascule* v • nummertje *coup* m ★ een wip maken *s'envoyer en l'air* ▾ in een wip *en un clin d'œil*; *en un tournemain* ▾ op de wip zitten ‹de doorslag kunnen geven› *être l'arbitre de la situation*; ‹ontslagen dreigen te worden› *être menacé de licenciement*
wipneus *nez* m *retroussé*
wippen I OV WW ontslaan, afzetten *faire sauter*; *balancer* II ON WW • met sprongetjes bewegen *se balancer* ★ met zijn stoel ~ *se balancer sur sa chaise* • spelen op de wip *faire la bascule* • vrijen *sauter*; *baiser*
wipstaart *bergeronnette* v; *hoche-queue* m [v mv: *hoche-queues*]
wipstoel *chaise* v *à bascule* ▾ op de ~ zitten *être menacé de licenciement*
wipwap *tapecul* m
wirwar *tourbillon* m
wisbaar *soluble*
wise guy *casseur* m *d'assiettes*; *gros malin* m
wisent *aurochs* m; *bison* m *d'Europe*
wishful thinking ★ dat is ~ *c'est prendre ses désirs pour la réalité*
wiskunde *mathématiques* v mv; INF. *math(s)* v mv ★ wis- en natuurkunde *sciences* v mv *physiques et mathématiques*
wiskundeknobbel *bosse* v *des maths*
wiskundeleraar *professeur* m *de mathématiques*
wiskundig *mathématique*
wispelturig I BNW *capricieux* [v: *capricieuse*] II BIJW *capricieusement*
wissel • spoorwissel *aiguillage* m • ECON. *lettre* v *de change*; ‹voor wie hem trekt› *traite* v; ‹voor wie hem krijgt› *remise* v ▾ een ~ trekken op iemand *tirer sur qn* ▾ een ~ trekken op de toekomst *spéculer sur l'avenir*
wisselautomaat *changeur* m *de monnaie*
wisselbad *bains* m mv *alternants*
wisselbeker *coupe* v *(de challenge)* ★ houder van ~ *tenant du titre* m [v: *tenante du titre*]
wisselborgtocht *aval* m
wisselbouw *assolement* m
wisselen • veranderen ‹tanden› *refaire ses dents* ★ van plaats ~ *changer de place* • uitwisselen *échanger* • geld ruilen *changer* ★ ik kan niet ~ *je ne peux pas vous rendre la monnaie* ★ een gulden ~ *donner la monnaie d'un florin*
wisselgeld *(petite) monnaie* v
wisseling • ruil *échange* m • verandering *change* m
wisselkantoor *bureau* m *de change* [m mv: *bureaux ...*]
wisselkoers *taux* m *de change*
wissellijst *cadre* m *amovible*
wisselmarkt *marché* m *des changes*
wisselslag *quatre nages* v mv
wisselspeler *remplaçant* m
wisselspoor *voie* v *de changement*
wisselstroom *courant* m *alternatif*

wisseltand *dent* v *de remplacement*
wisseltruc *vol* m *au rendez-moi*
wisselvallig *variable*; *changeant* ⋆ ~ weer *temps incertain/changeant/variable* m
wisselwerking *interaction* v
wisselwoning *logement* m *provisoire*
wissen *effacer*
wisser *brosse* v
wissewasje *bagatelle* v; *rien* m
wit I ZN *blanc* m; ‹de witte (schaak/dam)stukken› *les Blancs* m mv ⋆ in het wit gekleed *habillé en blanc*; *vêtu de blanc* II BNW *blanc* [v: *blanche*] ⋆ wit maken *blanchir*
witboek *livre* m *blanc*
witgoud *or* m *blanc*; ‹platina› *platine* m
witheet • witgloeiend *chauffé à blanc* • woedend *furieux* [v: *furieuse*]
witjes *pâlot* [v: *pâlotte*]
witkalk *badigeon* m
witkiel *porteur* m; *commissionnaire* m
witlof *endives* v mv
Wit-Rus *Biélorusse* m/v
Wit-Rusland *la Biélorussie*; *la Russie Blanche*
witsel • witkalk *blanc* m *de chaux* • morfine *mousseline* v
witteboordencriminaliteit *délinquance* v *en col blanc*
wittebrood *pain* m *blanc*
wittebroodsweken *lune* v *de miel*
witten • wit schilderen *badigeonner*; *blanchir à la chaux* • geld legaal maken *blanchir*
witvis • *able* m • karperachtige vis *fretin* m • witschubbige vis *cyprinidés* m mv
witwaspraktijk *blanchiment* m *(de l'argent)*
WK *championnat* m *du monde*
wodka *vodka* v
woede *fureur* v; *rage* v; ‹minder sterk› *colère* v
woedeaanval *accès* m *de fureur/de rage*
woeden *sévir*; *faire rage* ⋆ de oorlog woedt al twee jaar in Joegoslavië *cela fait deux ans que la Yougoslavie est ravagée par la guerre*
woedend I BNW *furieux* [v: *furieuse*]; *enragé* ⋆ ~ maken *faire enrager*; *mettre en rage* ⋆ ~ worden *se mettre en colère*; *entrer en fureur* ⋆ ~ zijn *être furieux* [v: *être furieuse*]; *voir rouge*; *enrager* II BIJW *furieusement*
woedeuitbarsting *accès* m *de fureur/de rage*
woef! *ouaf!*
woekeraar *usurier* m [v: *usurière*]
woekeren • woeker drijven *pratiquer l'usure* • groeien *se multiplier rapidement*; *pulluler* • ~ **met** *faire valoir*; *mettre à profit*
woekering *prolifération* v *(microbienne)*
woekerprijs *prix* m *abusif*
woekerrente *taux* m *usuraire*
woelen • onrustig bewegen *s'agiter*; *remuer* ⋆ in bed ~ *se tourner et se retourner* • wroeten *fouiller*
woelig *agité*; *remuant*; *turbulent*; *mouvementé* ⋆ een ~e menigte *une foule houleuse*
woelwater *enfant* m *turbulent/remuant* [v: ... *turbulente/remuante*]
woensdag *mercredi* m
woensdags I BNW *du mercredi* II BIJW *le mercredi*
woerd *canard* m *(mâle)*
woest I BNW • woedend *fou de rage* [v: *folle de rage*]; *furieux* [v: *furieuse*] • wild *farouche*; *sauvage* ⋆ een ~e zee *une mer démontée* • ongecultiveerd *sauvage* II BIJW *sauvagement*; *furieusement*
woesteling *brute* v *sauvage*
woestenij *désert* m
woestijn *désert* m
woestijnklimaat *climat* m *désertique*
woestijnrat *gerboise* v *(du désert)*
woestijnvorming *désertification* v
woestijnwind *vent* m *du désert*; *sirocco* m
woestijnzand *sable* m *du désert*
wok *wok* m
wol *laine* v ▾ door de wol geverfd *chevronné*; *(très) expérimenté* ▾ onder de wol kruipen *se glisser sous les couvertures*
wolachtig *laineux* [v: *laineuse*]
wolf • dier *loup* m ⋆ een jonge wolf *un louveteau* • tandbederf *carie* v ▾ ik heb honger als een wolf *j'ai une faim de loup*
wolfraam *tungstène* m
wolfshond *chien-loup* m [mv: *chiens-loups*]
wolfskers *belladone* v
wolfsklauw • sporeplant *pied-de-loup* m [mv: *pieds-de-loup*] • hubertusklauw *éperon* m *du chien*
wolk *nuage* m; ‹alleen in uitdrukkingen› *nue* v ⋆ een wolk sprinkhanen *une nuée de sauterelles* ⋆ een wolkje melk *un soupçon de lait* ▾ in de wolken zijn *être ravi*; *être au comble de la joie* ▾ een wolk van een baby *un bébé qui se porte comme un charme*
wolkam • *peigne* m • vette substantie in ruwe wol *suint* m • gezuiverd vet van schapenwol *lanoline* v
wolkbreuk *pluie* v *torrentielle*; *trombe* v *d'eau*
wolkeloos *sans nuage(s)*; FORM. *serein*
wolkendek *couche* v *de nuages*
wolkenhemel *ciel* m *nuageux*
wolkenkrabber *gratte-ciel* m [onv]
wolkenlucht *ciel* m *nuageux*
wolkenveld *forte* v *nébulosité*
wollen *en laine*
wollig • als/van wol *laineux* [v: *laineuse*] • vaag *flou* ⋆ ~ taalgebruik *des propos vagues*
wolvin *louve* v
womanizer *coureur* m *de jupons*
wombat *wombat* m; *langue* v *indigène d'Australie*
wond *blessure* v; ‹groot› *plaie* v ⋆ een gapende wond *une plaie béante* ▾ oude wonden openrijten *rouvrir une blessure/une plaie*
wonder • mirakel *miracle* m ⋆ ~en doen *opérer des miracles*; *faire merveille* • iets buitengewoons *merveille* v ⋆ het is een ~ dat *c'est un miracle que* [+ subj.] ⋆ het is geen ~ dat *ce n'est pas étonnant que* [+ subj.] ▾ ~ boven wonder! *grande merveille!*
wonderbaarlijk I BNW *étonnant* II BIJW *étonnamment*
wonderboy *crack* m; *as* m
wonderdokter *charlatan* m
wonderkind *(enfant* m*) prodige* m

wonderkruid *herbe* v *qui fait des miracles*

wonderlamp *lampe* v *magique*

wonderland • sprookjesland *pays* m *des merveilles* • mooi land *pays* m *merveilleux*

wonderlijk I BNW • wonderbaar *miraculeux* [v: *miraculeuse*]; *merveilleux* [v: *merveilleuse*]; *prodigieux* [v: *prodigieuse*] • merkwaardig *singulier* [v: *singulière*]; *bizarre* **II** BIJW • wonderbaar *miraculeusement*; *merveilleusement*; *prodigieusement* • merkwaardig *singulièrement*

wondermiddel *panacée* v

wonderolie *huile* v *de ricin*

wonderschoon *beau comme le jour* [v: *belle* ...]; *admirable*

wonderwel *à merveille*; *superbement*; *splendidement*

wondheelkunde *traumatologie* v

wondkoorts *fièvre* v *traumatique*

wondteken ‹stigmata› *cicatrice* v; *stigmates* m mv

wonen *habiter*; *demeurer*; ‹tijdelijk› *loger* ⋆ op kamers ~ *occuper un studio*; *habiter une chambre en ville*

woning *maison* v; *habitation* v; *demeure* v; *logement* m; JUR. *domicile* m ⋆ zijn ~ betrekken *emménager*

woningaanbod *offre* v *de logements*

woningbouw *construction* v *d'habitations*; *construction* v *de logements*

woningbouwvereniging *société* v *de construction de logements*

woningcorporatie *corporation* v *de construction et d'exploitation de logements*

woningdelers *codomiciliers* m mv

woninginrichting • het inrichten *aménagement* m • benodigdheden ≈ *intérieur* m

woninginspectie *inspection* v *du logement*

woningnood *crise* v *du logement*

woningruil *échange* m *de logement*; *échange* m *d'appartements*

woningtoezicht *inspection* v *du logement*

woningwet *loi* v *sur le logement*

woningzoekende *demandeur* m *de logement* [v: *demandeuse* ...]

woofer *woofer* m; *haut-parleur* m *grave*

woonachtig *demeurant (à)*; *domicilié (à)*

woonblok *bloc* m *d'habitations*

woonboot *bateau-maison* m [mv: *bateaux-maisons*]

wooneenheid *appartement* m

woonerf *quartier* m *d'habitation protégée*

woongemeenschap *communauté* v *d'habitation*

woongemeente *commune* v *d'habitation*

woongroep *communauté* v *d'habitation*

woonhuis *maison* v *d'habitation*

woonkamer *salle* v *de séjour*; *séjour* m; *living* m

woonkazerne *caserne* v

woonkern ≈ *zone* v *d'habitation*

woonkeuken *cuisine-séjour* v [mv: *cuisines-séjour*]

woonlaag *étage* m

woonlasten *charges* v mv *d'habitation*

woonplaats *domicile* m ⋆ zonder vaste woon- of verblijfplaats *sans domicile ni résidence fixe*

woonruimte *logement* m

woonvergunning *certificat* m *d'inscription*

woonvorm *habitat* m

woonwagen *roulotte* v; *caravane* v

woonwagenbewoner *nomade* m

woonwagenkamp ≈ *terrain* m *réservé aux gens du voyage*

woon-werkverkeer *trafic* m *de va-et-vient*; ‹trein› *(service* m *de) navette* v

woonwijk *quartier* m *d'habitations*; ‹luxer› *ensemble* m *résidentiel*

woord • taaleenheid *mot* m; *terme* m; ‹in zin› *parole* v ⋆ ~ voor woord *mot à mot* ⋆ met andere ~en *en d'autres termes* ⋆ geen ~ meer *pas un mot de plus* ⋆ geen ~ zeggen *ne souffler mot* ⋆ in één ~ *bref*; *en un mot* ⋆ onder ~en brengen *exprimer* • erewoord *parole* v; *promesse* v ⋆ zijn ~ breken *manquer à sa parole* • het spreken *parole* v ⋆ iem. te ~ staan ‹ontvangen› *recevoir qn*; ‹luisteren› *écouter qn* ⋆ aan het ~ zijn *avoir la parole* ⋆ iem. het ~ ontnemen *retirer la parole à qn* ▾ het Woord is vlees geworden *le Verbe s'est fait chair* ▾ een goed ~je doen voor *dire un mot en faveur de* ▾ ~en krijgen *se prendre de querelle*

woordbeeld *graphie* v

woordblind *dyslexique*

woordbreuk *rupture* v *de parole*/*de promesse*

woordelijk I BNW *littéral* [m mv: *littéraux*]; *textuel* [v: *textuelle*] **II** BIJW *littéralement*; *mot à mot*; *textuellement* ⋆ ~ opvatten *prendre à la lettre*

woordenboek *dictionnaire* m

woordenlijst *vocabulaire* m; *lexique* m

woordenschat *vocabulaire* m

woordenstrijd *dispute* v

woordenstroom *flux* m *de paroles*

woordentwist *dispute* v

woordenvloed *flux* m *de paroles*

woordenwisseling *discussion* v; *altercation* v

woordgebruik *usage* m *des mots*

woordgroep *groupe* m *de mots*

woordkeus *choix* m *des mots* ⋆ een ongelukkige ~ *une formulation malheureuse*

woordsoort *catégorie* v *grammaticale*

woordspeling *calembour* m; *jeu* m *de mots* [m mv: *jeux* ...]

woordvoerder *porte-parole* m [onv]

woordvolgorde *ordre* m *des mots*

worcestershiresaus *sauce* v *épicée au soja et au vinaigre*

worden I HWW *être* ⋆ er wordt gebeld *on sonne* ⋆ hij wordt bedreigd *il est menacé* **II** KWW *se former*; ‹met zelfstandig nw.› *se faire*; ‹bij promotie› *passer*; *devenir* ⋆ kwaad ~ *se mettre en colère* ⋆ ziek ~ *tomber malade* ⋆ erger ~ *empirer* ⋆ het begint warm te ~ *il commence à faire chaud* ⋆ hij moet soldaat ~ *il doit être soldat* ⋆ anders ~ *changer* ⋆ hij is maar dertig ge~ *il n'a vécu que trente ans* ⋆ hij wordt morgen tien jaar *demain il aura dix ans* ⋆ het wordt morgen veertien dagen *demain il y aura quinze jours* ⋆ wat zal er

van hen ~? *que deviendront-ils?*
wording *genèse* v; *formation* v; *naissance* v ⋆ in ~ *naissant*; *en voie de formation*
wordingsgeschiedenis *genèse* v
workaholic *drogué* m *du travail*
workmate *work-mate* m
workshop *atelier* m
worm *ver* m ⋆ een wormpje *un vermisseau*
wormenkuur *cure* v *de vermifuge*
wormstekig *piqué des vers*; ‹v. vrucht› *véreux* [v: *véreuse*]; ‹v. hout› *vermoulu*
worp • gooi *jet* m; ‹met dobbelsteen› *coup* m; SPORT *lancer* m ⋆ een vrije worp *un lancer franc* • nest jongen *portée* v
worst ‹dikke› *saucisson* m; ‹dunne› *saucisse* v; *andouille* v
worstelaar *lutteur* m [v: *lutteuse*]
worstelen I ZN SPORT *lutte* v II ON WW SPORT *lutter (contre)*
worsteling *lutte* v
worstenbroodje *friand* m
wortel • plantenorgaan *racine* v ⋆ ~ schieten *prendre racine*; ‹ook fig.› *s'enraciner* ⋆ ~s krijgen *pousser des racines* • groente *carotte* v • tandwortel *racine* v • oorsprong *racine* v • WISK. *racine* v ▾ met ~ en tak uitroeien *extirper jusqu'à la racine*
wortelen *prendre racine*; *s'enraciner* ▾ een diep geworteld wantrouwen *une méfiance profondément enracinée*
wortelkanaal *canal* m *de racine de dent*
wortelstok *rhizome* m
wortelteken *radical* m [mv: *radicaux*]
worteltrekken *extraction* v *de la racine*
woud *forêt* v ⋆ van het woud *forestier* [v: *forestière*]
woudloper *coureur* m *des bois*; *trappeur* m
woudreus *arbre* m *gigantesque*
would-be *soi-disant*
wouw • roofvogel *milan* m • plant *réséda* m
wouwaapje *butor* m *blongios*
wow *pleurage* m
wraak *vengeance* v; *revanche* v; *représailles* v mv ⋆ ~ nemen voor *tirer vengeance de*; *se venger de* ⋆ ~ nemen op *se venger sur*
wraakactie *représailles* v mv
wraakgevoel *esprit* m *de vengeance*; *rancune* v; *rancœur* v
wraakgodin *déesse* v *de la vengeance*
wraaklust *soif* v *de vengeance*
wraakneming *vengeance* v
wraakzuchtig *vindicatif* [v: *vindicative*]
wrak I ZN • resten *épave* v • persoon *épave* v; *loque* v II BNW *défectueux* [v: *défectueuse*]; ‹v. schip› *désemparé*; ‹v. waren› *de rebut*; *délabré*

W

wraken • JUR. *récuser* • afkeuren *rejeter*
wrakhout *débris* m *de bois*; *épave* v
wrakkig *délabré*
wrang • zuur *âpre*; *acide*; *aigre* ⋆ ~e wijn *un vin rude/âpre/râpeux* • bitter *amer* [v: *amère*]
wrat *verrue* v
wrattenzwijn *phacochère* m
wreed I BNW *cruel* [v: *cruelle*]; *féroce* II BIJW *cruellement*; *férocement*
wreedaard *homme* m *cruel* [v: *femme cruelle*]; *brute* v
wreedheid *cruauté* v
wreef *cou-de-pied* m [mv: *cous-de-pied*]
wreken I OV WW *venger* II WKD WW *se venger* ⋆ zich op iem. ~ over iets *se venger de qc sur qn*
wrevel *amertume* v; *dépit* m; *aigreur* v
wrevelig I BNW *dépité*; *grincheux* [v: *grincheuse*]; *hargneux* [v: *hargneuse*] II BIJW *avec dépit*; *grincheusement*; *hargneusement*
wriemelen • peuteren *tripoter* • krioelen *fourmiller*
wrijfpaal *pieu* m *à frotter* [m mv: *pieux ...*]
wrijven *frotter*; ‹v. lichaamsdelen ook› *frictionner*; ‹gladwrijven› *polir* ▾ zich (in) de handen ~ *se frotter les mains*
wrijving • het wrijven *frottement* m; *friction* v • onenigheid *friction* v
wrikken *faire bouger (en remuant)*
wringen I OV WW draaiend persen *tordre*; ‹v. was ook› *essorer* ⋆ iem. iets uit de handen ~ *arracher qc des mains de qn* ⋆ zich door een opening ~ *se glisser par une ouverture* II ON WW knellen *serrer*; *tordre*; *essorer*
wringer *essoreuse* v
wroeging *remords* m
wroeten • snuffelen *farfouiller*; *fouiller (dans)* • graven *creuser (qc)*; ‹v. dieren› *fouir (qc)*
wrok *rancune* v; *ressentiment* m ⋆ een wrok tegen iem. koesteren *avoir/garder une dent contre qn*
wrokkig *rancunier* [v: *rancunière*]
wrong • ineengedraaid geheel *torsade* v • haarknot *chignon* m
wrongel *caillé* m; *caillebotte* v
wuft I BNW • lichtzinnig *léger* [v: *légère*]; *frivole* • wispelturig *versatile*; *inconstant* II BIJW *légèrement*; *frivolement*; *avec légèreté*
wuiven • heen en weer bewegen *agiter ... en l'air* • groeten *saluer de la main*
wulp *courlis* m
wulps I BNW *lascif* [v: *lascive*]; *voluptueux* [v: *voluptueuse*] II BIJW *lascivement*; *voluptueusement*
wurgen *étrangler*
wurggreep • *cravate* v ⋆ iem. in de ~ houden *cravater qn* • ‹judo› *étranglement* m
wurgseks *masturbation* v *en s'étranglant*
wurgslang *serpent* m *constricteur*
wurm • worm *ver* m • kind ⋆ dat arme wurm! *le pauvre petit!*
WW *loi* v *sur l'assurance chômage* ⋆ in de WW zitten *avoir une allocation chômage*
WW-uitkeringen *Assedics* v mv
wybertje ® • dropje *réglisse* m/v *en losange* • ruitvorm *losange* m

x *x* m
X *X*
xanthoom *xanthome* m
x-as *axe* m *des x*
x-benen *jambes* v mv *cagneuses*
X-chromosoom *chromosome* m *X*
xenofobie *xénophobie* v
xenofoob I ZN *xénophobe* m/v II BNW *xénophobe*
xenotransplantatie *xénotransplantation* v

y *y* m
yahtzee *Yahtzee* m
yahtzeeën *jouer aux dés Yahtzee*
yakuza *yakusa* m
yang *yang* m
yankee *yankee* m
yard *yard* m
y-as *axe* m *des y*
Y-chromosoom *chromosome* m *Y*
yell *cri* m *d'encouragement*
yellen *pousser des cris (d'encouragement)*
yen *yen* m
yes *yes; oui*
yin *yin* m
yoga *yoga* m
yoghurt *yaourt* m
yogi *yogi* m
yucca *yucca* m
yuppie *yuppie* m

Z

z *z* m
zaad • kiem *semence* v; ‹v. planten› *graine* v; FIG. *germe* m • sperma *sperme* m ▾ op zwart zaad zitten *être à sec*
zaadbakje *auget* m
zaadbal *testicule* m
zaadbank *banque* v *du sperme*
zaadcel *spermatozoïde* m
zaaddodend *spermaticide* ★ ~e pasta *gelée spermaticide* v
zaaddonor *donneur* m *de sperme*
zaaddoos *capsule* v
zaadhandel *commerce* m *des graines*
zaadkiem *plantule* v
zaadlob *cotylédon* m
zaadlozing *éjaculation* v
zaag *scie* v
zaagbank *établi* m *de scieur de bois*; ‹mechanische zaag› *scie* v *mécanique*
zaagblad *lame* v *de scie*
zaagmachine *scie* v *(mécanique)*
zaagmolen *scierie* v
zaagsel *sciure* v
zaagsnede *cannelure* v; ‹op zaag› *lame* v *dentée*
zaagvis *poisson-scie* m [mv: *poissons-scies*]
zaaibak *bâche* v
zaaibed *semis* m
zaaien *semer* ▾ dun gezaaid *plutôt rare*
zaaier *semeur* m [v: *semeuse*]
zaaigoed *semence* v
zaaimachine *semoir* m
zaak • aangelegenheid *affaire* v; *choses* v mv • ding *chose* v; *objet* m • handel *affaire* v ★ zaken doen met *être en relation d'affaires avec* • winkel *commerce* m; *entreprise* v ★ een zaak opzetten *monter une affaire* • rechtszaak *affaire* v; *cause* v; *procès* m ★ bij een zaak betrokken zijn *être mêlé à une affaire* ★ een zaak verdedigen *plaider une cause* ▾ gemene zaak maken met *faire cause commune avec* ▾ de zaak is dat *le fait est que* ▾ het is zaak *il est important (de)* ▾ dat is zijn zaak *cela le regarde* ▾ niet veel zaaks *pas grand-chose*; INF. *pas fameux* ▾ inzake *en matière de* ▾ dat doet niets ter zake *c'est sans importance* ▾ Binnenlandse Zaken *le ministère de l'Intérieur* ▾ Buitenlandse Zaken *le ministère des Affaires étrangères* ▾ de goede zaak *la bonne cause*
zaakgelastigde *chargé* m *d'affaires*; ‹met volmacht› *plénipotentiaire* m
zaakje • minder gunstige aangelegenheid *petite affaire* v; ‹kleine zaak› *petite entreprise* v; *bazar* m • mannelijk geslachtsdeel ★ hij stond met zijn ~ te kijk *il apparut dans le plus simple appareil*
zaakregister *table* v *des matières*
zaakvoerder *gérant* m *d'affaires*
zaakwaarnemer *agent* m
zaal *salle* v
zaalbezetting *occupation* v *de la salle*
zaalhuur *location* v *d'une salle*
zaalpatiënt *patient* m *de salle commune*
zaalsport *sport* m *en salle*
zaalvoetbal *football* m *en salle*
zaalwachter *gardien* m [v: *gardienne*]
zacht I BNW • niet ruw *doux* [v: *douce*] • week *mou* [v: *molle*]; *moelleux* [v: *moelleuse*] ★ een ~ brood *un pain tendre* ★ een ~ ei *un œuf mollet*; *un œuf à la coque* ★ ~ maken *adoucir*; *ramollir* ★ een ~ potlood *un crayon tendre* ★ een ~ tapijt *un tapis moelleux* ★ een ~ bed *un lit mou* ★ lekker ~ *mollet* [v: *mollette*]; *douillet* [v: *douillette*] • niet schel ‹v. licht› *doux* [v: *douce*]; ‹v. geluid› *bas* [v: *basse*]; ‹v. kleur› *tendre* ★ ~groen *vert tendre* • gematigd *doux* [v: *douce*] ★ op een ~ vuurtje *à petit feu* ★ een ~e warmte *une chaleur tempérée* • teder *tendre* ★ een ~ karakter *un caractère doux* II BIJW • niet snel *doucement* • niet ruw/hevig *doucement*; *avec douceur* ★ ~ behandelen *ménager* • week *mollement* ★ ~ aanvoelen *être doux au toucher* • niet schel *bas* ★ het geluid ~er zetten *baisser le volume (du son)* ★ ~er spreken *baisser la voix*; *parler plus bas* ★ de radio ~er zetten *baisser le poste*
zachtaardig I BNW *doux* [v: *douce*] II BIJW *avec douceur*
zachtgroen *vert pâle*
zachtheid *douceur* v; ‹weer› *clémence* v
zachtjes • zacht *doucement* ★ ~ wakker maken *réveiller en douceur* • stil *tout bas*; *sans bruit*
zachtmoedig I BNW *doux* [v: *douce*]; *bon* [v: *bonne*] II BIJW *en douceur*; *avec bonté*
zachtzinnig I BNW *doux* [v: *douce*] II BIJW *avec douceur*
zadel *selle* v; ‹pakzadel› *bât* m ▾ vast in het ~ zitten *être bien en selle* ▾ iemand weer in het ~ helpen *remettre qn en selle* ▾ iemand uit het ~ lichten *évincer qn*
zadeldak *(toit en) bâtière*
zadeldek ‹v. paard› *couverture* v *de selle*; ‹v. fiets› *housse* v
zadelen *seller*; ‹v. lastdier› *bâter*
zadelpijn ≈ *courbature* v
zadeltas *sacoche* v
zagen *scier*
zager *scieur* m [v: *scieuse*]; ‹violist› *racleur* m [v: *racleuse*]
zagerij *scierie* v
Zaïre *le Zaïre* ★ in ~ *au Zaïre*
zak • verpakking *sac* m ★ een papieren zak *un sachet* • deel kledingstuk *poche* v; ‹in vest› *gousset* m ★ op zak hebben *avoir en poche* ★ zak met klep *poche à rabat* ★ in zijn zak steken FIG. *empocher* • buidel *poche* v • balzak *bourse* v • persoon *con* m ▾ in zak en as zitten *être désespéré* ▾ die kan je in je zak steken! *attrape ça!*
zakagenda *agenda* m *de poche*
zakbijbel *bible* v *de poche*
zakboekje *carnet* m; ‹militair› *livret* m *militaire*
zakcentje *argent* m *de poche*
zakdoek *mouchoir* m ★ papieren ~je *mouchoir* m *en papier-linge*
zakelijk I BNW • ter zake zijnd *impersonnel* [v:

impersonnelle] • bondig *concis*; *rationnel* [v: *rationnelle*] • commercieel *d'affaires*; *professionnel* [v: *professionnelle*] II BIJW • bondig *succinctement* • commercieel *professionnellement*
zakelijkheid *sens* m *pratique*; *objectivité* v
zakenadres *adresse* v *commerciale*
zakenbespreking *discussion* v *d'affaires*
zakencentrum *centre* m *d'affaires*
zakendiner ‹avondmaal› *dîner* m *d'affaires*
zakenkabinet *cabinet* m *par intérim*
zakenleven *monde/milieu* m *des affaires*
zakenlunch *déjeuner* m *d'affaires*
zakenman *homme* m *d'affaires*
zakenreis *voyage* m *d'affaires*
zakenrelatie *relation* v *d'affaires*
zakenvrouw *femme* v *d'affaires*
zakenwereld *monde* m *des affaires*
zakformaat *format* m *de poche*
zakgeld *argent* m *de poche*
zakhorloge *montre* v *de poche*
zakjapanner *calculette* v *japonaise*
zakken • dalen *descendre* • lager/minder worden *baisser*; *diminuer* ★ de prijs laten ~ *brader le prix* • niet slagen *échouer* ★ laten ~ *coller* ★ het ~ *l'échec*
zakkenrollen *pratiquer le vol à la tire*
zakkenroller *pickpocket* m; *voleur* m *à la tire* [v: *voleuse* ...]
zakkenvuller *profiteur* m [v: *profiteuse*]
zaklamp *lampe* v *de poche*
zaklantaarn *lampe* v *de poche*
zaklopen I ZN *course* v *en sac* II ONV WW *faire une course en sac*
zakmes *canif* m
zaktelefoon *(téléphone* m*) portable* m
zalf *pommade* v
zalig I BNW • heerlijk *délicieux* [v: *délicieuse*]; *divin*; *sublime* • gelukzalig ‹zedelijk gelukkig› *heureux* [v: *heureuse*] ★ ~ worden *être sauvé* ★ een ~ nieuwjaar *une bonne et heureuse année* ★ ~! *chic!*; *chouette!* ★ een ~ einde *une fin chrétienne* ★ ~ verklaren *béatifier* • *bienheureux* [v: *bienheureuse*]; *béat* II BIJW • fijn *bien* • heerlijk *délicieusement*
zaliger *feu* ★ mijn moeder ~ *feu ma mère*
zaligheid • hoogste geluk *félicité* v; REL. *béatitude* v; *salut* m ★ de eeuwige ~ *le salut éternel* • iets heerlijks *délice* m
zaligmakend *qui assure le salut*
zaligverklaring *béatification* v
zalm *saumon* m
zalmforel *truite* v *saumonée*
zalmkleurig *saumon* [onv]
zalmsalade *salade* v *de saumon*
zalven • met zalf bestrijken *oindre* • wijden ★ tot koning ~ *sacrer roi* ▾ iemands handen ~ *graisser la patte à qn*
zalvend *onctueux* [v: *onctueuse*]
Zambia *la Zambie* ★ in ~ *en Zambie*
zand *sable* m ★ fijn zand *du sable fin* ★ grof zand *gravier* m ★ in het zand vast raken *s'ensabler* ▾ zand erover! *n'en parlons plus!* ▾ iemand zand in de ogen strooien *jeter de la poudre aux yeux de qn*
zandaardappel *pomme* v *de terre des sables*
zandachtig *sableux* [v: *sableuse*]; *sablonneux* [v: *sablonneuse*]
zandafgraving • plaats *sablière* v • het afgraven *extraction* v *de sable*
zandbak • schuit *chaland* m • speelplaats *bac* m *à sable*
zandbank *banc* m *de sable*
zandbodem *terre* v *sablonneuse*
zanderig *sableux* [v: *sableuse*]; *sablonneux* [v: *sablonneuse*]
zandgebak *sablé* m
zandgeel *couleur de sable*
zandgrond • gebied *région* v *sablonneuse* • bodem *terrain* m *sablonneux*; ‹geheel van zand› *sables* m mv
zandig *sableux* [v: *sableuse*]
zandkasteel *château* m *de sable*
zandkleurig *couleur de sable*
zandloper *sablier* m
zandpad *sentier* m *sablonneux*
zandplaat *banc* m *de sable*; ‹v. riviermond› *barre* v
zandsteen *grès* m
zandstorm *tempête* v *de sable*
zandstralen *sabler*
zandstrand *plage* v *de sable*
zandverstuiving *dunes* v mv *mouvantes*
zandvlakte *plaine* v *de sable*
zandweg *chemin* m *sablonneux*
zandzak *sac* m *de sable*
zandzuiger *drague* v *aspirante*
zang *chant* m
zangbundel *recueil* m *de chants*
zanger *chanteur* m ★ de ~es *la chanteuse*
zangerig I BNW *chantant*; *mélodieux* [v: *mélodieuse*] II BIJW *mélodieusement*
zangkoor *chœur* m; ‹in rooms-katholieke kerk› *maîtrise* v
zangles *leçon* v *de chant*
zanglijster *grive* v *musicienne*
zangnoot *note* v *de musique*
zangsolo *partie* v *chantée*; *solo* m *de chant*
zangstem *voix* v *musicale*
zangtechniek *technique* v *de chant*
zangvereniging *chorale* v
zangvogel *oiseau* m *chanteur* [m mv: *oiseaux* ...]
zanik *rabâcheur* m [v: *rabâcheuse*]
zaniken • hetzelfde herhalen *rabâcher* ★ ~ over iets *rabâcher qc* ★ tegen iem. ~ om *casser les pieds à qn pour* • klagen *geindre*
zappen *zapper*
zat I BNW • verzadigd *rassasié*; *repu* ★ zich zat eten *manger tout son soûl* • beu ★ iets zat zijn *en avoir assez de qc*; INF. *en avoir marre de qc* • dronken *soûl* II BIJW • in overvloed ★ ik heb geld zat *j'ai de l'argent à ne plus savoir qu'en faire* ★ ik heb tijd zat *j'ai du temps devant moi*
zaterdag *samedi* m
zaterdags I BNW *du samedi* II BIJW *le samedi*; *tous les samedis*
zatlap *poivrot* m
zatterik *soûlard* m
ze • onbepaald voornaamwoord *on* ★ ze zeggen *on dit* • onderwerp ‹v ev› *elle*; ‹m mv› *ils*; ‹v mv› *elles* • lijdend voorwerp ‹ev›

la; ‹mv› *les*
zebra *zèbre* m
zebrapad *passage* m *(pour) piétons*
zede • zedelijk gedrag *mœurs* v mv • gewoonte *coutume* v; *usage* m
zedelijk *moral* [m mv: *moraux*]
zedelijkheid *moralité* v
zedelijkheidswetgeving *législation* v *qui intéresse les mœurs*
zedeloos *immoral* [m mv: *immoraux*]
zedenbederf *corruption* v *des mœurs*; *dépravation* v *des mœurs*
zedendelict *attentat* m *aux mœurs*
zedendelinquent ≈ *personne* v *qui s'est rendue coupable d'un attentat aux mœurs*
zedenleer • ethiek *éthique* v • geschrift *traité* m *de morale*
zedenmeester *moraliste* m/v
zedenmisdrijf *attentat* m *à la pudeur*
zedenpolitie ≈ *police* v *des mœurs*
zedenpreek *sermon* m *moralisateur*
zedenschandaal *scandale* m *de mœurs*
zedenwet *loi* v *morale*
zedig I BNW *décent*; *pudique* **II** BIJW *avec décence*
zee • zoutwatermassa *mer* v ★ in volle zee *en pleine mer*; *au large* ★ te land en ter zee *sur terre et sur mer* ★ zee kiezen *prendre la mer* ★ aan zee *au bord de la mer* ★ over zee *par mer* • grote hoeveelheid *flot* m; *mer* v ★ een zee van woorden *un flot de paroles* ★ een zee van vuur *une mer de feu* ▾ recht door zee gaan *aller droit au but*
zeeaal *congre* m
zeeanemoon *anémone* v *de mer*
zeeaquarium *aquarium* m *d'eau de mer*
zeearend *aigle* m *de mer*; *orfraie* v
zeearm *bras* m *de mer*
zeebaars *bar* m
zeebanket • exquise zeevis *poissons* m mv *de choix* • haring *hareng* m
zeebenen ▾ ~ hebben *avoir le pied marin*
zeebeving *séisme* m *sous-marin*
zeebodem *fond* m *de la mer*
zeebonk *loup* m *de mer*
zeeduivel *lotte* v *de mer*
zee-egel *oursin* m
zee-engte *détroit* m
zeef ‹grof› *crible* m; ‹fijn› *tamis* m; ‹in de keuken› *passoire* v
zeefauna *faune* v *maritime*
zeefdruk *sérigraphie* v
zeegang *houle* v
zeegat *chenal* m; *passe* v
zeegevecht *combat* m *naval*
zeegezicht • uitzicht *vue* v *sur la mer* • schilderij *marine* v
zeegras *zostère* v
zeegroen *vert de mer* [onv]
zeehaven *port* m *maritime*
zeehond *phoque* m
zeehondencrèche *refuge* m *pour phoques*
zeehoofd *jetée* v; *môle* m
zeekaart *carte* v *marine*
zeeklimaat *climat* m *maritime*
zeekoe *vache* v *marine*; *lamentin* m
zeekreeft *homard* m
zeeleeuw *otarie* v
zeelieden *marins* m mv [mv]
zeelucht *air* m *marin*
zeem I ZN (de) *peau* v *de chamois* **II** ZN (het) *chamois* m
zeemacht *forces* v mv *navales*
zeeman *marin* m
zeemanschap *connaissances* v mv *nautiques*; *art* m *de la navigation* ▾ ~ gebruiken *agir avec diplomatie*
zeemanshuis *foyer* m *pour marins*
zeemeermin *sirène* v
zeemeeuw *mouette* v ★ de grote ~ *le goéland*
zeemijl *mille* m *marin*
zeemlap *peau* v *de chamois*
zeemleer *peau* v *de chamois*
zeemleren *en peau de chamois*
zeemogendheid *puissance* v *maritime*
zeen *tendon* m; *nerf* m
zeeniveau *niveau* m *de la mer*
zeeolifant *éléphant* m *de mer*
zeeoorlog *guerre* v *navale*; *guerre* v *sur mer*
zeep *savon* m ★ groene zeep *savon noir* ★ een stuk zeep *une savonnette*
zeepaardje *hippocampe* m [mv: *chevaux ...*]; *cheval* m *marin*
zeepbakje *porte-savon* m [mv: *porte-savon(s)*]
zeepbel *bulle* v *de savon*
zeepdoos *boîte* v *à savon*
zeepkist *caisse* v *à savon*
zeepost *poste* v *maritime* ★ per ~ *par voie de mer*
zeeppoeder *savon* m *en poudre*; ‹waspoeder› *lessive* v
zeepsop *eau* v *savonneuse*
zeer I ZN pijn *mal* m; *douleur* v **II** BNW *qui fait mal*; *douloureux* [v: *douloureuse*] ★ zeer doen *faire mal* **III** BIJW *très*; *extrêmement*; ↑ *fort* ★ al te zeer *trop*
zeeramp *catastrophe* v *maritime*
zeerecht • belasting *taxe* v *de navigation* • JUR. *droit* m *maritime*
zeereis *voyage* m *par mer*; *traversée* v
zeergeleerd ★ aan de ~e heer *Monsieur*
zeerob • dier *phoque* m • persoon *loup* m *de mer*
zeerover • piraat *pirate* m; *corsaire* m • schip *bateau* m *pirate*
zeerst *considérablement*; *profondément* ★ om het ~ *à qui mieux mieux* ★ ten ~e *au plus haut point*; *infiniment*
zeeschip *navire* m
zeeschuimer *pirate* m
zeeslag *bataille* v *navale*
zeeslang *serpent* m *marin*
zeesleper *remorqueur* m *de haute mer*
zeespiegel *niveau* m *de la mer*
zeester *étoile* v *de mer*
zeestorm *tempête* v *de mer*
zeestraat *détroit* m
zeestroming *courant* m *marin*
zeevaarder *marin* m; *navigateur* m
zeevaart *navigation* v *maritime*
zeevaartschool *école* v *de la marine marchande*
zeevarend *navigateur* [v: *navigatrice*] ★ een ~ volk *un peuple de navigateurs*

zeeverkenner *scout* m *marin*
zeevis *poisson* m *de mer*
zeevisserij *pêche* v *en mer*
zeevruchten *fruits* m mv *de mer*
zeewaardig *en état de tenir la mer*
zeewaarts *vers la mer*
zeewater *eau* v *de mer*
zeeweg *voie* v *maritime*
zeewering *digue* v; *ouvrage* m *de défense contre la mer*
zeewezen *marine* v
zeewier *algue* v *marine*
zeewind *vent* m *de mer*
zeezeilen *faire de la voile en mer*
zeeziek *souffrant du mal de mer* ★ ~ zijn *avoir le mal de mer*
zeeziekte *mal* m *de mer*
zeezout *sel* m *marin*
zeg I ZN *propos* m II TW *dis-moi (un peu)!*
zege *victoire* v; *triomphe* m ★ de zege behalen op *remporter la victoire sur*
zegekrans *couronne* v *triomphale*
zegel I ZN (de) plakzegel *timbre* m II ZN (het) • zegelafdruk *cachet* m; *sceau* m; JUR. *scellés* m mv • stempel *cachet* m; *sceau* m ▾ zijn ~ aan iets hechten *donner son consentement à qc*
zegelafdruk *sceau* m
zegelen • verzegelen *cacheter*; *sceller* • van zegel voorzien *timbrer*
zegellak *cire* v *à cacheter*
zegelmerk *cachet* m
zegelring *chevalière* v
zegelstempel *cachet* m
zegen • REL. *bénédiction* v • weldaad *bonheur* m ★ veel heil en ~ *mes meilleurs vœux* m mv • sleepnet *seine* v
zegenen • de zegen geven *bénir*; *donner la bénédiction à* • begunstigen *bénir* ★ gezegend met aardse goederen *comblé de biens matériels* ★ gezegend zijn met *jouir de*
zegening • godsgave *bénédiction* v • zegen *bienfait* m
zegenrijk *bienfaisant*; *heureux* [v: *heureuse*]
zegepalm *palme* v
zegepraal • triomf *triomphe* m • overwinning *victoire* v
zegeteken *trophée* m
zegetocht *marche* v *triomphale*
zegevieren *triompher (de)*; *vaincre (qc)*
zegge I ZN *laîche* v II TW *en toutes lettres* ▾ ik heb er ~ en schrijve één gehad *j'en ai eu un seulement*
zeggen I ZN *dires* m mv [mv] ★ naar/volgens zijn ~ *à ce qu'il dit* ★ naar het ~ van *au dire de* ★ jij hebt het niet voor het ~! *c'est pas toi qui commandes!* II OV WW *dire* ★ zeg (eens) *dites (donc)* ★ zegge f 200,- *soit 200 fls* ★ beter gezegd *pour mieux dire* ★ eerlijk gezegd *à vrai dire* ★ onder ons gezegd *soit dit entre nous* ★ zo terloops gezegd *soit dit en passant* ★ naar men zegt *à ce qu'on dit* ★ dat zegt men niet *cela ne se dit pas* ★ dat kan ik u niet ~ *je ne saurais vous le dire* ★ dat laat ik me niet ~ *je proteste* ★ jij hebt hier niets te ~ *tu n'as pas d'ordres à donner ici* ★ dat wil dus ~ dat ...? *cela veut donc dire que..?* ★ je hoeft het maar te ~ of ... *tu n'as qu'à le dire*; *est-ce à dire que ...?* ★ je zou ~ dat het suiker was *on dirait du sucre* ★ daar zeg je zo iets *c'est une idée* ★ dat wil zo veel ~ als dat *cela revient à dire que* ★ dat zegt genoeg *cela en dit long* ★ wat ik ~ wil ... *à propos* ★ om zo te ~ *pour ainsi dire* ★ op alles wat te ~ hebben *trouver à redire à tout* ★ daar is niets tegen te ~ *il n'y a rien à redire à cela* ★ daar is alles voor te ~ *il y a tout à dire en faveur de cela* ★ net wat u zegt! *absolument!*; *tout à fait!* ★ laat je dat gezegd zijn *tiens-le-toi pour dit* ▾ zo gezegd, zo gedaan *aussitôt dit, aussitôt fait* ▾ zegt u dat wel *c'est le cas de le dire*
zeggenschap *pouvoir* m; *autorité* v ★ ~ over iets hebben *avoir son mot à dire sur qc*
zeggingskracht *éloquence* v
zegje ▾ zijn ~ zeggen/doen *placer son mot*
zegsman *informateur* m [v: *informatrice*] ★ wie is uw ~? *de qui tenez-vous cela?*
zeiken • plassen *pisser* • zeuren *emmerder* ★ zeik toch niet zo! *arrête de m'emmerder*
zeikerd • klier *emmerdeur*; *con*; *connard* m [v: *connasse*] • bangerik *dégonflé* m; *froussard*
zeiknat *trempé comme une soupe*
zeil • SCHEEPV. *voile* v • dekzeil *bâche* v • vloerbedekking *linoléum* m ▾ onder zeil gaan *s'endormir* ▾ alle zeilen bijzetten *mettre toutes voiles dehors*
zeilboot *bateau* m *à voiles* [m mv: *bateaux à voiles*]; *voilier* m
zeildoek ‹v.e. boot› *toile* v *à voiles*; *toile* v *cirée*
zeilen *faire de la voile*; *naviguer* ★ het ~ *la voile* ▾ de dronkaard zeilt over straat *l'ivrogne marche en zigzaguant dans la rue*
zeiler • schip *voilier* m • persoon *plaisancier* m
zeiljacht *voilier* m
zeilkamp *stage* m *de voile*
zeilmaker *voilier* m
zeilplank *planche* v *à voile*
zeilschip *navire* m *à voiles*; *voilier* m
zeilschool *école* v *de voile*
zeilsport *voile* v; *yachting* m ★ aan ~ doen *faire de la voile*
zeilvliegen *parapente* m
zeilwagen *char* m *à voile*
zeilwedstrijd *régate* v
zeis *faux* v ★ met de zeis afmaaien *faucher*
zeker I BNW • veilig *sûr* • vaststaand *certain* ★ zoveel is ~ dat *toujours est-il que* • overtuigd *certain*; *sûr*; *assuré* ★ ik ben er ~ van *j'en suis sûr* ★ ik ben er ~ van dat *je suis sûr que* ▾ het ~e voor het onzekere nemen *préférer le certain à l'incertain* II BIJW stellig *certainement* ★ ~ waar *très vrai* ★ dat is ~ niet gemakkelijk *ce ne doit pas être facile* III ONB VNW niet nader genoemd *certain* ★ op ~e dag *un (beau) jour* ★ een ~e Dubois *un nommé Dubois* ★ een ~ iem. *la personne que vous savez*; *qn* ★ een ~ iets *un je ne sais quoi* ★ in ~e zin *en quelque sorte*
zekeren I OV WW ‹borgen› *verrouiller*; ‹vuurwapen› *mettre le cran de sûreté* II ON WW ‹schip› *s'arrêter pour explorer une*

situation
zekerheid • het zeker zijn *certitude* v; ‹v. toon› *assurance* v ⋆ iets niet met ~ kunnen zeggen *ne pas pouvoir dire avec certitude* • veiligheid *sécurité* v; *sûreté* v ⋆ de sociale ~ *la sécurité sociale* • waarborg *garantie* v ▾ voor alle ~ *à tout hasard*
zekerheidshalve *pour plus de sécurité*
zekering *fusible* m; *plomb* m ⋆ een automatische ~ *un disjoncteur automatique*
zekeringskast *boîte* v *à fusibles*
zelden *rarement*; *peu* ⋆ niet ~ *souvent* ⋆ ~ of nooit *rarement ou pas du tout*
zeldzaam I BNW • uitzonderlijk *extraordinaire*; *rare* • vreemd *étrange*; *curieux* [v: *curieuse*] • schaars *rare* ⋆ zeldzamer worden *se raréfier* ⋆ het zeldzamer worden *la raréfaction* **II** BIJW • zelden *rarement* • uitzonderlijk *remarquablement*
zeldzaamheid • het zeldzaam zijn *rareté* v • iets zeldzaams *objet* m *rare*; *curiosité* v
zelf *même* ⋆ de hoffelijkheid zelf *la courtoisie même* ⋆ jij zelf *toi-même* ⋆ zij doet het zelf *elle le fait elle-même* ⋆ zelf zien *voir par soi-même* ⋆ gemakkelijk zelf te leggen *facile à poser soi-même*
zelfanalyse *introspection* v
zelfbediening *libre-service* m [mv: *libre-services*]
zelfbedieningsrestaurant *self-service* m [mv: *self-services*]
zelfbedrog *illusion* v
zelfbeeld *image* v *de soi-même*
zelfbeheersing *maîtrise* v *de soi* ⋆ zijn ~ verliezen *perdre son sang-froid* ⋆ ~ tonen *se maîtriser* ⋆ zijn ~ terugvinden *se reprendre*
zelfbehoud ⋆ drang tot ~ *l'instinct de conservation* m
zelfbeklag *apitoiement* m *sur soi-même*
zelfbeschikking *autodétermination* v
zelfbeschikkingsrecht *droit* m *d'autodétermination*
zelfbestuiving *autofécondation* v
zelfbestuur *autonomie* v
zelfbevrediging *masturbation* v
zelfbewust I BNW • bewust van zichzelf *conscient* • zelfverzekerd *assuré*; *sûr de soi* **II** BIJW *avec assurance*
zelfbewustzijn *conscience* v *de soi*
zelfde *même*
zelfdiscipline *autodiscipline* v
zelfdoding *mort* v *volontaire*
zelffinanciering *autofinancement* m
zelfgekozen *de son choix*
zelfgenoegzaam *satisfait de soi-même*; PEJ. *suffisant*
zelfhulp *effort* m *personnel*
zelfhulpgroep *groupe* m *d'entraide*
zelfingenomen *prétentieux* [v: *prétentieuse*]; *présomptueux* [v: *présomptueuse*]
zelfkant • buitenkant van stof *lisière* v • dubieus grensgebied *marge* v ⋆ aan de ~ van de samenleving *en marge de la société*
zelfkastijding *mortification* v
zelfkennis *connaissance* v *de soi*
zelfklevend *autoadhésif* [v: *autoadhésive*]; *autocollant*
zelfkritiek *autocritique* v
zelfmedelijden *apitoiement* m *sur son propre sort*
zelfmoord *suicide* m ⋆ ~ plegen *se suicider*
zelfmoordactie *mission-suicide* m [mv: *mission-suicides*]
zelfmoordenaar *suicidé* m [v: *suicidée*]
zelfmoordneiging *tendance* v *suicidaire*
zelfmoordpoging *tentative* v *de suicide*
zelfontbranding *inflammation* v *spontanée*
zelfontplooiing *épanouissement* m
zelfontspanner *déclencheur* m *automatique*
zelfontsteking *autoallumage* m
zelfopoffering *sacrifice* m *de soi*; *abnégation* v
zelfoverschatting *présomption* v
zelfoverwinning *victoire* v *sur soi-même*
zelfportret *autoportrait* m
zelfredzaamheid *autonomie* v *sociale*
zelfredzaam zijn *s'assurer*
zelfreinigend *autonettoyant*; *autoépurateur* [v: *autoépuratrice*]
zelfrespect *respect* m *de soi-même*; *amour-propre* m
zelfrijzend *fermentant* ⋆ ~ bakmeel *farine qui fermente* v
zelfs *même* ⋆ ~ als *même si*
zelfspot *ironie* v *envers soi-même*
zelfstandig I ZN ▾ de kleine ~en *les petites entreprises* v **II** BNW *indépendant* ⋆ een ~ naamwoord *un substantif* **III** BIJW ⋆ ~ denken *penser par soi-même* ⋆ ~ gebruikt *employé comme substantif* ⋆ ~ kunnende optreden *pouvant prendre la direction*
zelfstandigheid *indépendance* v; *autonomie* v
zelfstudie *formation* v *d'autodidacte* ⋆ per week tien uur ~ *dix heures de travail individuel par semaine*
zelfverdediging *autodéfense* v ⋆ een geval van ~ *un cas de légitime défense*
zelfverloochening *abnégation* v
zelfvertrouwen *confiance* v *en soi*; *assurance* v ⋆ vol ~ zijn *être sûr de soi*
zelfverwijt *remords* m mv
zelfverzekerd *sûr de soi*; *assuré*
zelfvoldaan *satisfait de soi-même*
zelfvoorziening *autosufficanse* v
zelfwerkzaamheid *effort* m *personnel*; *activité* v *individuelle*
zelfzucht *égoïsme* m
zelfzuchtig *égoïste*
zelve → **zelf**
zemel • vlies van graankorrel *son* m • persoon *radoteur* m [v: *radoteuse*]; *casse-pieds* m/v [onv]
zemelaar *radoteur* m [v: *radoteuse*]; *casse-pieds* m/v [onv]
zemelen *rabâcher*
zemen I BNW *en peau de chamois* **II** OV WW *nettoyer/frotter avec une peau de chamois*
zen *zen* m
zen-boedhisme *bouddhisme* m *zen*
zendamateur *radioamateur* m
zendapparatuur *poste* m *émetteur*
zendeling *missionnaire* m/v
zenden I OV WW sturen *envoyer*; *expédier* **II** ON WW TELECOM. *émettre*
zender • persoon *expéditeur* m • zendstation

poste m *émetteur* • apparaat *poste* m *émetteur*
zendgemachtigde *titulaire* m *d'une licence d'émission*
zending • het zenden *envoi* m; *expédition* v • missie *mission* v • het gezondene *envoi* m
zendingswerk *œuvre* v *missionnaire*
zendinstallatie *poste* m *émetteur*
zendmast *pylone* m *d'antenne*
zendpiraat *station* v *pirate*
zendschip ≈ *bateau* m *équipé d'une station d'émission*
zendstation *station* v *d'émission*; *poste* m *émetteur*
zendtijd • tijdstip *temps* m *d'émission* ★ per 1 oktober veranderen de ~en *à partir du 1er octobre l'heure des émissions changera* • duur *temps* m *d'antenne*; *créneau* m [mv: *créneaux*]
zendvergunning *licence* v *d'émission*
zengen I OV WW schroeien *flamber* II ON WW verschroeien *roussir*
zenit *zénith* m
zenuw • zenuwvezel *nerf* m • gesteldheid *nerfs* m mv ★ zijn ~en begaven het *il a craqué* ★ op zijn van de ~en *être à bout de nerfs*
zenuwaandoening *affection* v *nerveuse*
zenuwachtig I BNW *nerveux* [v: *nerveuse*] ★ dat maakt hem ~ *cela lui porte sur les nerfs* II BIJW *nerveusement*
zenuwarts *neurologue* m/v
zenuwcel *neurone* m
zenuwcentrum *centre* m *nerveux*
zenuwenoorlog *guerre* v *des nerfs*
zenuwgas *cyanogène* m
zenuwgestel *système* m *nerveux*
zenuwinzinking *dépression* v *nerveuse*
zenuwlijder • zenuwpatiënt *névrosé* m [v: *névrosée*] • zenuwachtig persoon *nerveux* m [v: *nerveuse*]
zenuwontsteking *névrite* v
zenuwoorlog → **zenuwenoorlog**
zenuwpees *paquet* m *de nerfs*
zenuwpijn *névralgie* v
zenuwslopend *exaspérant*
zenuwstelsel *système* m *nerveux*
zenuwtoeval *attaque* v *de nerfs*
zenuwtrekje *tic* m *nerveux*; *manie* v
zenuwweefsel *tissu* m *nerveux*
zenuwziek *névropathe*
zenuwziekte *maladie* v *des nerfs*
zeoliet *zéolithe* v
zepen *savonner*
zeperd *échec* m; *fiasco* m *complet*; INF. *bide* m
zeppelin *zeppelin* m
zerk *pierre* v *tombale*
zero I ZN *zéro* m II TELW *zéro*
zes I ZN *six* m ★ dubbel zes gooien *jouer double six* ▾ van zessen klaar zijn *savoir tout faire* II TELW *six* → **acht**
zesdaags *de six jours*
zesde I ZN *sixième* m II TELW *sixième* → **achtste**
zeshoek *hexagone* m
zestien I ZN *seize* m II TELW *seize* → **acht**
zestiende I ZN *seizième* m II TELW *seizième* → **achtste**
zestig I ZN *soixante* m II TELW *soixante* → **acht**
zestiger *sexagénaire* m/v
zestigpluskaart ≈ *carte* v *vermeillle*
zestigste I ZN *soixantième* m II TELW *soixantième* → **achtste**
zet • duw *poussée* v; *coup* m ★ een zetje geven *pousser* • zet in spel *coup* m ★ een zet doen *poser une pièce* ★ wit is aan zet *les Blancs ont le trait*; *c'est aux Blancs de jouer* • daad *réaction* v ★ een domme zet *une gaffe* ★ een geestige zet *un trait d'esprit* ★ een gemene zet INF. *une crasse*
zetbaas *gérant* m; FIG. *homme* m *de paille*
zetduiveltje ≈ *mauvais génie* m *du typographe*
zetel *siège* m
zetelen *siéger*; *avoir son siège*
zetelverdeling *répartition* v *des sièges*
zetelwinst *gain* m *en nombre de sièges*
zetfout *faute* v *typographique*; *coquille* v
zetmachine *machine* v *à composer*
zetmeel *amidon* m; *fécule* v
zetpil *suppositoire* m
zetsel *composition* v
zetspiegel *surface* v *de composition*
zetten • plaatsen *poser*; ‹in lijst› *encadrer*; *mettre*; *placer* ★ aan de mond ~ *porter à la bouche*; ‹v. blaasinstrument› *emboucher* ★ iets in elkaar ~ ‹een feest› *organiser*; ‹een programma› *mettre sur pied*; *monter qc* ★ een diamant ~ *sertir un diamant* ★ iets ~ tegen *appuyer qc contre* ★ in de zon ~ *exposer au soleil* ★ een artikel in de krant laten ~ *faire insérer un article dans le journal* • doen zitten *asseoir* • aannemen *prendre* ★ een blij gezicht ~ *prendre un air joyeux* • bereiden *faire* ★ thee ~ *faire du thé* • arrangeren *arranger* ★ iets op muziek ~ *mettre (qc) en musique* • gereedmaken voor druk *composer* • MED. *remettre* • doen zijn ★ geluid hoger ~ *augmenter le volume* ★ geluid lager ~ *baisser le son* ▾ uit zijn hoofd ~ *bannir* ▾ kunnen ~ *souffrir*
zetter *compositeur* m; ‹v. juwelen› *sertisseur* m [v: *sertisseuse*]
zetterij *atelier* m *de composition*
zetting • het zetten *composition* v • montering *montage* m; ‹juwelen› *sertissage* m • MUZ. *arrangement* m • inklinking *consolidation* v *par tassement* • prijsstelling *fixation* v *du prix*
zetwerk *composition* v
zeug *truie* v
zeulen *traîner*
zeur *rabâcheur* m [v: *rabâcheuse*]
zeurderig *râleur* [v: *râleuse*]
zeuren *rabâcher* ★ tegen iem. over iets ~ *rabattre les oreilles à qn de qc* ▾ een ~de pijn *une douleur sourde|diffuse*
zeurkous *rabâcheur* m [v: *rabâcheuse*]
zeurpiet *geignard* m; *geignarde* v
zeven I ZN *sept* m II OV WW ‹in de keuken› *passer*; *tamiser* III TELW *sept* → **acht**
zevende I ZN *septième* m II TELW *septième* → **achtste**
zevenklapper *pétard* m *qui claque sept fois*
zeventien I ZN *dix-sept* m II TELW *dix-sept* → **acht**

zeventiende I ZN *dix-septième* m II TELW *dix-septième* → **achtste**
zeventig I ZN *soixante-dix* m II TELW *soixante-dix*; BELG. *septante* ★ eenen~ *soixante et onze* → **acht**
zeventigste I ZN *soixante-dixième* m II TELW *soixante-dixième* → **achtste**
zich ‹3e persoon› *se*; ‹3e persoon, beklemtoond› *soi*; ‹2e persoon, beleefdheidsvorm› *vous* ★ zich wassen *se laver* ★ iets bij zich hebben *avoir qc sur soi* ▾ op zich *en soi*
zicht • gezichtsveld *vue* v ★ in ~ *en vue* • zichtbaarheid *visibilité* v ★ het ~ belemmeren *couper la vue* • inzicht *idées* v mv • beoordeling *vue* v ★ op ~ *à vue* ★ op ~ vragen *demander à vue* ★ te betalen vier dagen na ~ *payable à quatre jours de vue*
zichtbaar I BNW • te zien *visible* • merkbaar *évident*; *manifeste* II BIJW *visiblement*; *à vue d'œil*
zichtzending *envoi* m *à l'essai*
zichzelf ‹met wederkerend ww.› *se*; *soi-même* ★ ~ ontzien *se ménager* ★ bij (in) ~ zeggen *se dire à part soi* ★ op ~ *en soi* ★ uit ~ *spontanément*; *par lui-même* ★ ~ zijn *être soi*
ziedaar *voilà*
zieden I OV WW laten koken *faire bouillir* II ON WW koken *bouillir*; FIG. *être furieux* [v: *être furieuse*]
ziedend *furibond*
ziehier *voici*
ziek *malade*; FIG. *malsain* ★ ziek worden *tomber malade* ★ ziek melden *porter malade*
ziekbed • bed van een zieke *lit* m *de malade* ★ bij het ~ *au chevet du malade* • ziekte *maladie* v ★ na een langdurig ~ *après une longue maladie*
zieke *malade* m/v; ‹voor en na operatie› *patient* m [v: *patiente*]
ziekelijk • abnormaal *malsain* • telkens ziek *maladif* [v: *maladive*]
zieken *empoisonner* ★ zit niet zo te ~! *arrête d'empoisonner le monde*
ziekenauto *ambulance* v
ziekenbezoek *visite* v *des malades*
ziekenboeg *infirmerie* v
ziekenfonds *caisse* v *d'assurance maladie*
ziekenfondsbril ≈ *lunettes* v mv *cerclées de fer*
ziekenfondskaart ≈ *carte* v *d'immatriculation à une caisse d'assurance maladie*
ziekenfondspakket *ensemble* m *des prestations (fournies par la caisse d'assurance maladie)*
ziekenfondspatiënt *malade* m *affilié à l'assurance maladie*
ziekenfondspremie *cotisation* v *à l'assurance maladie*
ziekenfondsraad *Conseil* m *des caisses d'assurance maladie*
ziekenfondsverzekering *assurance* v *maladie*
ziekengeld *indemnité* v *de maladie*
ziekenhuis *hôpital* m
ziekenhuisinfectie *infection* v *d'hôpital*
ziekenhuisopname *hospitalisation* v
ziekenomroep *programme* m *diffusé à l'intention des malades de l'hôpital*
ziekenverpleger *infirmier* m [v: *infirmière*]
ziekenverzorger *aide* m *soignant* [v: *aide soignante*]
ziekenwagen *ambulance* v
ziekenzaal *salle* v *de malades*
ziekenzorg *soins* m mv *dispensés aux malades*
ziekjes *un peu malade*
ziekmakend • ‹ziekteverwekkend› *pathogène* • *dégoûtant*; *répugnant*
ziekmelding ≈ *fait* m *de se porter malade*
ziekte *maladie* v ★ een ~ oplopen *attraper une maladie* ★ aan een ~ lijden *souffrir d'une maladie* ★ een ~ onder de leden hebben *couver une maladie* ★ wegens ~ *pour cause de maladie*
ziektebeeld *syndrome* m
ziektedrager *porteur* m *de maladie (contagieuse)*
ziektekiem *microbe* m *pathogène*
ziektekosten *frais* m mv *médicaux*
ziektekostenverzekering *assurance* v *soins de santé*
ziekteverlof *congé* m *de maladie*; *arrêt* m *de travail* ★ met ~ gaan *prendre un congé de maladie* ★ met ~ sturen *donner un congé de maladie*
ziekteverschijnsel *symptôme* m
ziekteverzuim *absentéisme* m *par maladie*
ziektewet *loi* v *sur l'assurance maladie des salariés*
ziel • geest *âme* v • persoon *âme* v ★ er was geen levende ziel *il n'y avait pas âme qui vive* ★ arme ziel *pauvre homme* m; *pauvre femme* v ▾ met zijn ziel onder de arm lopen *ne savoir que faire* ▾ iemand op zijn ziel geven *flanquer une raclée à qn* ▾ ter ziele zijn *avoir rendu l'âme*
zielenheil *salut* m *de l'âme*
zielenknijper *psychiatre* m/v; *psy* m/v
zielenpiet *pauvre* m *malheureux*
zielenroerselen *mouvements* m mv *de l'âme*
zielenrust *sérénité* v; ‹v. overledene› *repos* m *de l'âme*
zielepoot *pauvre bougre* m
zielig I BNW *triste*; *malheureux* [v: *malheureuse*]; *misérable* II BIJW *misérablement*
zielloos *sans vie*
zielsbedroefd *profondément affligé* ★ ~ zijn *avoir la mort dans l'âme*
zielsblij *ravi*
zielsgelukkig *ravi*
zielsgraag *de tout son cœur*
zielsveel *de tout son cœur*
zielsverlangen *désir* m *ardent/intense*
zielsverwant *âme* v *sœur*
zieltogen *agoniser*; *être à l'agonie*
zielzorg *travail* m *pastoral*
zien I OV WW • waarnemen *voir*; ‹bemerken› *apercevoir* ★ te zien zijn *être visible* ★ hij ziet niets *il ne voit rien* ★ dat is niet meer te zien *cela ne se voit plus* ★ iets laten zien *montrer qc* • bezien *voir* • inzien *voir* • proberen *tâcher* ★ je moet zien te slagen *il faut tâcher de réussir* ▾ hij ziet het niet meer zitten *il ne sait plus où il en est*; *il a le moral à zéro* ▾ tot ziens *au revoir*; FORM. *au plaisir de vous*

revoir; INF. *salut*; INF. *tchao* ▾ graag zien dat *aimer que* ▾ ik zou graag zien dat u mijn brief snel beantwoordt *j'aimerais que vous répondiez bientôt à ma lettre* ▾ met eigen ogen zien *voir de ses propres yeux* ▾ iemand niet kunnen zien *ne pouvoir sentir qn* **II** ON WW • kunnen zien *voir* ★ goed/slecht zien *avoir une bonne/mauvaise vue* ★ scherp zien *avoir la vue perçante* ★ laat eens zien *voyons voir* ★ kun je nog zien? *vous y voyez encore?* • eruitzien *avoir l'air de* ★ bleek zien *être pâle* • uitzicht geven *donner (sur)* ★ die kamer ziet op de tuin *cette chambre donne sur le jardin*

zienderogen *à vue d'œil*

ziener *voyant* m [v: *voyante*]; ‹profeet› *prophète* m/v

zienswijze *manière* v *de voir*; *opinion* v

zier ▾ het kan hem geen zier schelen *il s'en moque tout à fait*

ziezo *voilà!*; *ça y est!* ★ ~ dat is klaar! *voilà qui est fait!*

ziften I OV WW *tamiser* **II** ON WW *chicaner*

zigeuner *tzigane* m/v

zigeunerbestaan FIG. *vie* v *de bohème*

zigeunerkamp *camp* m *de gitans*

zigeunerkoning *roi* m *tsigane*

zigeunerorkest *orchestre* m *tsigane*

zigzag *zigzag* m

zigzaggen I OV WW naaien *coudre au point zigzag* **II** ON WW verplaatsen *zigzaguer*

zigzagsteek *point* m *zigzag*

zij I ZN • kant *côté* m ★ zij aan zij *côte à côte* • vrouwelijk wezen *femme* v; ‹v. kind› *fille* v; ‹v. dier› *femelle* v **II** PERS VNW *elle* [m mv: *ils*] [v mv: *elles*] ★ zij die *ceux qui* ★ zij hebben het zelf gedaan *ils l'ont fait eux-mêmes*

zijaanzicht *vue* v *de côté*

zijbeuk *bas-côté* m [mv: *bas-côtés*]; *nef* v *latérale*

zijde • zijkant *côté* m; *flanc* m • stof *soie* v

zijdeachtig *soyeux* [v: *soyeuse*]

zijdeglans *brillant* m *de la soie*

zijdelings I BNW *latéral* [m mv: *latéraux*]; FIG. *indirect* **II** BIJW *de côté*; FIG. *indirectement*

zijden • als van zijde *soyeux* [v: *soyeuse*] • van zijde *de soie* ★ ~ stoffen *soieries* v mv

zijderups *ver* m *à soie*; *bombyx* m

zijdeur *porte* v *latérale*

zijdevlinder *bombyx* m

zijgang ‹splitst zich af splitst z. af› *couloir* m *latéral*; ‹naar één zijde› *couloir* m *de traverse*

zijgebouw *annexe* v; *aile* v; *bâtiment* m *attenant*

zijgevel *façade* v *latérale*

zij-ingang *entrée* v *latérale*

zijkamer *pièce* v *annexe*

zijkant *côté* m; ‹v. schip, berg› *flanc* m

zijligging *position* v *couchée sur le côté*

zijlijn • zijspoor *embranchement* m; *voie* v *latérale* • SPORT *(ligne* v *de) touche* v ★ over de ~ gaan *sortir en touche*

zijlinie *ligne* v *collatérale*

zijn I ZN *être* m; *existence* v **II** ON WW • bestaan *être*; *exister* ★ het kan zijn dat *il se peut que* [+ subj.] ★ hoe is het met hem? *comment va-t-il?* • plaatsvinden *y avoir*; *être* ★ er zal een optocht zijn *il y aura un défilé* ★ het was in 1960 *c'était en 1960* ★ wat is er? *qu'y a-t-il?* • zich bevinden *être* ★ er is *il y a* ★ er zijn *il y a* ★ daar zijn ze *les voilà* ★ zij zijn er *ils y sont*; FIG. *ils ont réussi* • leven *être*; *vivre* • ~ **aan** *être en train de (+ inf.)* ★ aan het werk zijn *être en train de travailler* • ~ **van** *être (à/de)* ★ dat is van mij *c'est à moi*; *cela m'appartient* ★ dat beeld is van (gemaakt door) R. *cette statue est de R.* **III** HWW *être* ★ er zijn soldaten aangekomen *il est arrivé des soldats* ★ daar is niets van waar *il n'en est rien* **IV** KWW • in hoedanigheid/toestand zijn *être*; ‹weersgesteldheid› *faire* ★ hij is het *c'est lui* ★ het is van hout *c'est en bois* ★ het is met hem als met mij *il en est de lui comme de moi* ★ twintig jaar zijn *avoir vingt ans* ★ het is koud/warm/mooi weer *il fait froid/chaud/beau* • ~ **te** ★ het is niet te doen *c'est infaisable* **V** BEZ VNW *son*; ‹voor vrouwelijk zelfstandig nw. enkelvoud, niet bij klinker of stomme h› *sa*; ‹voor zelfstandig naamwoord meervoud› *ses* ★ de/het zijne *le sien*; *la sienne* ★ zijn arm breken *se casser le bras* ★ een denkbeeld tot het zijne maken *faire sienne une idée*

zijpad *sentier* m *de traverse* ▾ zich op een ~ begeven *s'égarer*

zijrivier *affluent* m

zijspan *side-car* m [mv: *side-cars*]

zijspiegel *rétroviseur* m *extérieur*

zijspoor *voie* v *de garage* ▾ iemand op een ~ brengen *reléguer qn sur une voie de garage*

zijsprong *bond* m *de côté*; *écart* m

zijstraat *rue* v *latérale*

zijtak ‹v. boom› *branche* v; *ramification* v; ‹v. rivier› *affluent* m; *bras* m; ‹v. spoor› *embranchement* m; ‹v. familie› *branche* v *collatérale*

zijvleugel *aile* v; *annexe* v; ‹zijpaneel› *volet* m

zijwaarts I BNW *de côté*; *latéral* [m mv: *latéraux*] **II** BIJW *de côté*

zijweg *chemin* m *de traverse*; FIG. *détour* m

zijwind *vent* m *de côté*

zilt *salin*

ziltig *salé*; ‹zouthoudend› *salin*

zilver • metaal *argent* m ★ verguld ~ *vermeil* m • zilverwerk *argenterie* v

zilverachtig *argenté*; ‹v. geluid› *argentin*

zilverberk *bouleau* m *verruqueux* [m mv: *bouleaux ...*]

zilveren • van zilver *d'argent*; *en argent* • als van zilver ‹v. kleur› *argenté*; ‹v. klank› *argentin* ▾ ~ bruiloft *noces* v mv *d'argent*

zilvergeld *monnaie* v *d'argent*

zilverkleurig *argenté*

zilvermeeuw *mouette* v *argentée*

zilverpapier • tinfolie *papier* m *d'argent* • aluminiumfolie *papier* m *d'aluminium*

zilverpopulier *peuplier* m *blanc*

zilverreiger *aigrette* v

zilversmid *orfèvre* m

zilverspar *sapin* m *argenté*

zilveruitje ≈ *petit oignon* m *(conservé dans la saumure)*

zilververf *peinture* v *argent*
zilvervliesrijst *riz* m *complet*
zilvervloot GESCH. ‹grote geldsom› ≈ *fortune* v
zilvervos *renard* m *argenté*
zilverwerk *argenterie* v
Zimbabwe *le Zimbabwe* ★ in ~ *au Zimbabwe*
zin • zintuig *sens* m ★ zin voor het schone *sens esthétique* • verstand ★ niet bij zinnen zijn *avoir perdu la tête* ★ iets van zins zijn *avoir l'intention de* ★ zijn zinnen verzetten *se distraire* • lust *envie* v ★ heb je zin om naar de film te gaan? *cela te dirait d'aller au cinéma?* ★ vreselijk zin hebben in *avoir une fringale de* ★ zin hebben om *avoir envie de* ★ zij heeft geen zin in dansen *elle n'est pas d'humeur à danser* • wil *volonté* v; ‹wens› *goût* m ★ iemands zin doen *faire les volontés de qn* ★ zijn eigen zin doen *(en) faire à sa tête* ★ tegen zijn zin *contre son gré* ★ iem. zijn zin geven *céder devant qn* ★ zijn zinnen zetten op *tourner toutes ses pensées vers* ★ dat is niet naar de zin van mejuffrouw *ce n'est pas du goût de mademoiselle* ★ is het naar uw zin? *vous le trouvez à votre goût?*; *ça vous plaît-il?* ★ het iem. naar de zin maken *contenter qn* • betekenis *sens* m; *signification* v ★ in die zin *dans ce sens* ★ in eigenlijke/figuurlijke zin *au sens propre/figuré* ★ in zekere zin *en quelque sorte* • nut *sens* m ★ dat heeft geen zin *cela ne sert à rien* ★ wat heeft het voor zin ruzie te maken? *à quoi ça sert de se quereller?* • volzin *phrase* v ▾ iets in de zin hebben *concocter qc*
zindelijk I BNW *propre* II BIJW *proprement*
zinderen ★ een ~de hitte *une canicule*
zingen *chanter* ★ iem. in slaap ~ *endormir qn en chantant* ★ het ~ *le chant*
zink *zinc* m
zinken I BNW *de zinc*; *en zinc* II ON WW *couler*; FIG. *tomber* ★ tot ~ brengen *couler* ▾ diep gezonken zijn *être tombé bien bas*
zinklood *plomb* m
zinkput *puisard* m
zinkstuk *fascinage* m
zinkzalf *pommade* v *à l'oxyde de zinc*
zinnebeeld *symbole* m
zinnebeeldig *symbolique*; *allégorique*
zinnelijk I BNW • genot gevend *sensuel* [v: *sensuelle*] • zintuiglijk *des sens* II BIJW • genot gevend *sensuellement* • zintuiglijk *par les sens*
zinnen • bevallen *plaire* • ~ **op** *méditer*; *préparer*
zinnenprikkelend *érotique*
zinnig *sensé*; *raisonnable*
zinsbouw *construction* v *de la phrase*
zinsconstructie *construction* v *de la phrase*
zinsdeel *syntagme* m
zinsnede *proposition* v
zinsontleding *analyse* v *logique*
zinspelen *faire allusion à*
zinspreuk *maxime* v; *devise* v
zinsverband *contexte* m
zinsverbijstering *folie* v
zinswending *tournure* v
zintuig *sens* m

zintuiglijk I BNW *sensoriel* [v: *sensorielle*] II BIJW *par les sens*
zinverwant *proche par la signification*
zinvol *sensé*; *judicieux* [v: *judicieuse*]
zionisme *sionisme* m
zippen ‹vidoband› *zipper*; *compresser*; *parcourir*
zirkonium *zirconium* m
zirkoon *zircon* m
zit • manier van zitten ‹v. ruiter› *assiette* v • zitting *séance* v ★ een hele zit *une longue séance*
zitbad *baignoire* v *sabot*
zitcomfort *confort* m *d'être bien assis*
zitelement *chauffeuse* v
zithoek *coin* m *salon*
zitje *ensemble* m ★ een aardig ~ *un agréable endroit pour s'asseoir*
zitkamer *salle* v *de séjour*; *séjour* m; *living* m
zitkuil *fosse* v *de salon*
zitkussen *coussin* m
zitplaats ‹zitting› *siège* m; *place* v *assise*
zitstaking *grève* v *sur le tas*
zitten • gezeten zijn *être assis* ★ gaan ~ *s'asseoir*; *prendre place*; ‹v. vogel› *se poser* ★ blijven ~ *rester assis* ★ ~ blijven! *assis!* ★ ze kon niet stil blijven ~ *elle ne tenait pas en place* • zich bevinden *être*; *se trouver*; ‹in gevangenis› *faire de la prison*; ‹v. vogels e.d.› *être posé*; *être perché* ★ aan tafel ~ *être à table* ★ daar zit niet veel bij *il n'y a pas grand chose* • passen *aller* • in positie/toestand gelaten worden ★ ze zijn met die goederen blijven ~ *ces articles leur sont restés sur les bras* ★ iem. laten ~ *abandonner qn*; INF. *planter qn* ★ zij is met drie kinderen blijven ~ *elle est restée avec trois enfants sur les bras* ★ hij zal het daarbij niet laten ~ *il ne s'en tiendra pas là* ★ hij zit er behoorlijk mee in zijn maag *il est bien ennuyé* ★ op school blijven ~ *redoubler une classe* • bevestigd zijn ★ los ~ *ne pas tenir* ★ het blijft niet ~ *ça ne tient pas* ★ vast ~ *tenir* • bedekt zijn met *être* ★ vol vlekken ~ *être plein de taches* • doel treffen ★ de bal zit *le but est marqué* • functie bekleden *être membre de* ★ in het bestuur ~ *être membre de la direction* • bezig zijn met *être en train de* ★ hij zit te lezen *il est en train de lire* • beoefenen *faire* ★ op klassiek ballet ~ *faire de la danse classique* • aanraken *toucher (à)* • nabijkomen ★ achter iem./iets aan ~ *poursuivre qn/qc*; FIG. *courir après qn/qc* ▾ daar zit iets achter *il y a qc là-dessous* ▾ hoe zit dat? *comment cela se fait-il?* ▾ waar zit hem dat toch in? *à quoi cela tient-il?* ▾ het zit hem daarin dat *cela tient à ce que* ▾ dat zit erin *c'est possible*; *c'est à attendre* ▾ er warmpjes bij ~ *avoir du foin dans ses bottes*; *ne pas manquer d'argent*
zittenblijver *redoublant* m [v: *redoublante*]
zittend • gezeten *assis*; ‹v. leven, werk› *sédentaire* • zitting hebbend *en exercice*
zitting • deel van stoel *siège* m • vergadering *séance* v; ‹m.b.t. duur› *session* v; JUR. *audience* v ★ ~ houden *tenir séance*; *siéger* ★ ~ hebben in *faire partie de* ★ ~ hebben

assister à une séance ⋆ gezamenlijke ~ *séance conjointe* v
zitvlak *derrière* m
zitvlees ▾ geen ~ hebben *ne pas pouvoir rester assis longtemps*
zitzak *sac* m *servant de pouf*
zo I BIJW • op deze wijze *ainsi*; *comme cela*; *de la sorte* ⋆ ik heb zo'n honger! *j'ai si faim!* ⋆ zo iem. *un tel homme* ⋆ om zo te zeggen *pour ainsi dire*; *si l'on peut dire* ⋆ het maar zo laten *laisser tomber* ⋆ net zo handelen *agir exactement de la même manière* • in deze mate *aussi*; *autant*; *comme*; *si*; ‹zozeer› *tellement*; *tant* ⋆ niet zo groot als *pas (aus)si grand que* ⋆ ik ben niet zo dom om te veel te roken *je suis pas assez bête pour fumer trop* ⋆ ik blijf net zo lief thuis *j'aime autant rester à la maison* ⋆ al is hij nog zo gelukkig *tout heureux qu'il soit* ⋆ houd jij ook zo van appels? nee, niet zo *tu aimes les pommes toi aussi? non, pas tellement* • direct *aussitôt* ⋆ hij komt zo *il arrive dans un instant* ⋆ zo uit Parijs *tout frais arrivé de Paris* II VW • zoals *comme* ⋆ zo vader, zo zoon *tel père, tel fils* • indien *si* ⋆ zo nodig *au besoin* ⋆ zo ja *si oui* ⋆ zo niet *sinon* III TW ⋆ zo, ben je daar *ah, te voilà!* ⋆ zo, wist je het niet? *vraiment, tu ne le savais pas?*
zoal *entre autres*
zoals *comme*; *tel que* ⋆ ~ gewoonlijk *comme d'habitude*
zodanig I BIJW *tellement*; *à tel point* II AANW VNW *tel* [v: *telle*]; *pareil* [v: *pareille*]; *semblable* ▾ als ~ *en tant que tel*
zodat *si bien que*; *de sorte que*
zode *motte* v *de gazon* ⋆ zoden steken *découper des mottes de gazon* ⋆ met zoden beleggen *gazonner*
zodiacaal *zodiacal* [m mv: *zodiacaux*]
zodiak *zodiaque* m
zodiakaal *zodiacal* [m mv: *zodiacaux*]
zodoende *de cette manière*; *ainsi*
zodra *aussitôt que*; *dès que*
zo dus *et ainsi*
zoef! *zoum!*
zoek *introuvable* ⋆ zoek raken *s'égarer*; *se perdre* ⋆ op zoek naar *à la recherche de*
zoekactie *recherches* v mv [mv]
zoekbrengen *perdre*
zoeken I ZN *recherches* v mv II OV WW *chercher* ⋆ ruzie ~ *chercher la bagarre* ⋆ het ~ *la recherche* ▾ dat is vergezocht *c'est tiré par les cheveux* ▾ dat had ik niet achter haar gezocht *je ne l'en croyais pas capable*
zoeker • persoon *chercheur* m [v: *chercheuse*] • deel van camera *viseur* m
zoeklicht *projecteur* m
zoekmachine ‹internet› *moteur* m *de recherche*
zoekmaken *perdre*; *égarer*
zoekplaatje *devinette* v
zoel • drukkend warm *lourd*; *étouffant* • lekker warm *tiède*
Zoeloe *Zoulou* m [v: *Zouloue*]
zoemen *vrombir*; *bourdonner*
zoemer *vibreur* m
zoemtoon *signal* m *sonore* [m mv: *signaux sonores*]
zoen *baiser* m ⋆ een zoen geven aan *embrasser*
zoenen *embrasser*; *donner un baiser à* ⋆ elkaar ~ *s'embrasser*
zoenoffer *sacrifice* m *expiatoire*
zoet I ZN *douceur* v II BNW • zoet smakend *sucré*; *doux* [v: *douce*] ⋆ zoet smaken *avoir un goût sucré* ⋆ zoet maken *rendre sucré*; *sucrer* • braaf *gentil* [v: *gentille*]; *sage* ⋆ zoet houden *amuser* III BIJW *doucement*; *sagement*
zoetekauw *amateur* m *de sucreries*
zoetekoek *pain* m *d'épices*; *couque*
zoetelijk I BNW *mièvre* II BIJW *mièvrement*
zoethoudertje *os* m *à ronger*
zoethout *réglisse* v ⋆ een stuk ~ *un bâton de réglisse*
zoetig *douceâtre*
zoetigheid *sucreries* v mv
zoetje *édulcorant* m
zoetmiddel *édulcorant* m
zoetsappig I BNW • overdreven aardig *doucereux* [v: *doucereuse*] • zonder pit *fade* II BIJW • overdreven aardig *de manière doucereuse* • zonder pit *de manière insipide*
zoetstof *édulcorant* m
zoetwaren *sucreries* v mv
zoetwateraquarium *aquarium* m *d'eau douce*
zoetwaterfauna *faune* v *d'eau douce*
zoetwaterflora *flore* v *d'eau douce*
zoetzuur I ZN *pickles* m mv II BNW *aigre-doux* [v: *aigre-douce*]
zoeven *filer*
zo-even *tout à l'heure*; *à l'instant* ⋆ hij is zoëven vertrokken *il vient de partir*
zog • kielzog *sillage* m • moedermelk *lait* m *maternel* ▾ in iemands zog varen *marcher dans le sillage de qn*
zogeheten *soi-disant* [onv]
zogen *allaiter* ⋆ het ~ *l'allaitement* m
zogenaamd I BNW • zogeheten *dit* • quasi *prétendu*; *soi-disant* [onv] II BIJW *soi-disant*
zogenoemd *appelé*
zogezegd *pour ainsi dire*
zoiets *quelque chose dans ce genre-là*
zojuist *à l'instant*
zolang I BIJW *en attendant* ⋆ tot ~ *pendant ce temps* II VW *tant que*; *aussi longtemps que*
zolder *grenier* m
zolderetage *étage* m *mansardé*
zoldering *plafond* m
zolderkamer *mansarde* v
zolderluik *trappe* v
zoldertrap *escalier* m *du grenier*
zolderverdieping *mansarde* v
zomaar • zonder aanleiding *comme ça*; *gratuitement* • zonder beperkingen *comme ça* ⋆ kan dat ~? *c'est comme ça que ça se passe ici?*
zombie *zombi* m
zomen *ourler*
zomer *été* m ⋆ 's ~s *en été*; *l'été* ⋆ ~ en winter *été comme hiver*
zomerachtig *comme en été* [m mv: *estivaux*]; *estival*
zomerbed *lit* m *d'été*

zomerdienst(regeling) *horaire* m *d'été*
zomerdijk *digue* v *d'été*
zomeren *faire chaud*
zomerfeest *fête* v *d'été*
zomergast *estivant* m [v: *estivante*]
zomerhuis ≈ *maison* v *de vacances*
zomerjas *manteau* m *d'été* [m mv: *manteaux* ...]
zomerjurk *robe* v *d'été*
zomerkleed ⟨vacht⟩ *toison* m *d'été*; ⟨veren⟩ *plumage* m *d'été*
zomerkleren *vêtements* m mv *d'été*
zomermaand *mois* m *d'été*
zomers *d'été*; *estival* [m mv: *estivaux*]
zomerseizoen *été* m
zomerspelen *jeux* m mv *d'été*
zomersproeten *taches* v mv *de rousseur*
zomertijd • het seizoen *été* m • tijdregeling *heure* v *d'été*
zomervakantie *vacances* v mv *d'été*; *grandes vacances* v mv
zomerzon *soleil* m *d'été*
zometeen *tout de suite*; *tout à l'heure*
zomin *pas plus que* ⋆ net ~ als *pas plus que*
zompig *marécageux* [v: *marécageuze*]
zon • hemellichaam *soleil* m ⋆ de zon schijnt *il fait (du) soleil* • zonneschijn *soleil* m ⋆ in de zon *au soleil* ⋆ uit de zon *à l'abri du soleil* ⋆ in de zon te drogen hangen *mettre à sécher au soleil* ▾ hij kan de zon niet in het water zien schijnen *il est jaloux*
zo'n • zo één *tel* [v: *telle*]; ⟨voor bijvoeglijk nw. of bijwoord⟩ *si* ⋆ zo'n blij kind *un enfant si heureux* • ongeveer *quelque* [onv]
zonaanbidder *adorateur* m *du soleil*
zondaar *pécheur* m [v: *pécheresse*]
zondag *dimanche* m ⋆ op ~ *le dimanche* ⋆ om de andere ~ *un dimanche sur deux* ⋆ op zon- en feestdagen *les dimanches et jours fériés*
zondags I BNW *du dimanche*; REL. *dominical* ⋆ op zijn ~ gekleed *endimanché* II BIJW *le dimanche*
zondagsdienst • kerkdienst *service* m *dominical* [m mv: *services dominicaux*] • dienst van treinen *service* m *du dimanche* • werk ⋆ ~ hebben *être de garde dimanche*
zondagskind *enfant* m *né un dimanche* ⋆ hij is een ~ *il est né coiffé*
zondagskrant *journal* m *du dimanche* [m mv: *journaux* ...]
zondagsrijder *chauffeur* m *du dimanche*
zondagsrust *repos* m *dominical*
zondagsschilder *peintre* m *du dimanche*
zondagsschool *école* v *du dimanche*
zondagviering *Assemblée* v *Dominicale*; ⟨zonder priester⟩ *assemblée* v *Dominicale en l'Absence de Prêtre*
zonde • slechte daad *péché* m ⋆ dagelijkse ~ *péché véniel* • jammer ⋆ het is ~ *c'est dommage*
zondebelijdenis *confession* v; *aveu* m *de ses péchés*
zondebok OOK FIG. *bouc* m *émissaire*; FIG. *souffre-douleur* m [onv]
zondeloos *sans péché*
zonder • iets niet hebbend of doend *sans* ⋆ ~ geleide geen toegang *pas d'accès sans accompagnement* • buiten ⋆ zij kunnen niet ~ elkaar *ils ne peuvent se passer l'un de l'autre* • ~ **te** *sans* ⋆ hij stak de straat over ~ te kijken *il a traversé la rue sans regarder* • ~ **dat** *sans (que)* [+ subj.] ⋆ ~ dat hij het wist *à son insu*
zonderling I ZN *original* m II BNW *bizarre*; *singulier* [v: *singulière*]
zondeval *péché* m *originel*
zondevergeving *pardon* m
zondig *enclin au péché* ⋆ een ~ mens *un pécheur*; *une pécheresse* ⋆ een ~ leven leiden *vivre dans le péché*
zondigen *pécher*
zondvloed *déluge* m
zone *zone* v
zoneclips *éclipse* v *du soleil*
zonet *à l'instant* ⋆ hij is ~ vertrokken *il vient de partir*
zonkant *côté* m *ensoleillé*
zonlicht *lumière* v *du soleil*
zonnebad *bain* m *de soleil*
zonnebaden *prendre un bain de soleil*
zonnebank *solarium* m
zonnebloem *tournesol* m
zonnebloemolie *huile* v *de tournesol*
zonnebrandolie *huile* v *solaire*
zonnebril *lunettes* v mv *de soleil*
zonnecel *cellule* v *solaire*
zonnecollector *capteur* m *solaire*
zonne-energie *énergie* v *solaire*
zonnehoed *chapeau* m *de soleil* [m mv: *chapeaux* ...]
zonneklaar *clair comme le jour*; *évident*; *aveuglant*
zonneklep *pare-soleil* m [onv]
Zonnekoning *Roi-Soleil* m
zonnen *prendre un bain de soleil*; *s'allonger au soleil*
zonnepaneel *capteur* m *solaire*; *panneau* m *solaire* [m mv: *panneaux* ...]
zonnescherm *store* m; *marquise* v
zonneschijn *soleil* m ⋆ in de ~ gaan zitten *s'asseoir au soleil*
zonnesteek *coup* m *de soleil*; *insolation* v
zonnestelsel *système* m *solaire*
zonnestraal *rayon* m *de soleil*
zonneterras *terrasse* v *aménagée pour les bains de soleil*
zonnetje *soleil* m ▾ iemand in het ~ zetten *vanter les mérites de qn*
zonnevlek *tache* v *solaire*
zonnewijzer *cadran* m *solaire*
zonnig • met veel zon *ensoleillé* ⋆ het is ~ weer *il fait un temps ensoleillé* • blij *radieux* [v: *radieuse*]
zonovergoten *inondé de soleil*
zonsondergang *coucher* m *du soleil*
zonsopgang *lever* m *du soleil*
zonsverduistering *éclipse* v *de soleil*
zonvakantie *vacances* v mv *d'été*
zonwering *store* m
zonzijde *côté* m *exposé au soleil*
zoo *zoo* m
zoöfobie *zoophobie* v
zoogdier *mammifère* m
zooi • flinke hoeveelheid *tas* m; *tapée* v ⋆ de

hele zooi ‹m.b.t. mensen› *toute la bande* • troep *pagaille* v; *bordel* m ★ de hele zooi *tout le bazar*
zool • ondervlak ‹v. voet› *plante* v *du pied*; ‹v. schoeisel› *semelle* v • inlegzool *semelle* v
zoolganger *plantigrade* m/v
zoölogie *zoologie* v
zoöloog *zoologiste* m/v
zoom • omgenaaide rand *ourlet* m • buitenrand *lisière* v
zoomen ‹in alle betekenissen› *zoomer*
zoomlens *zoom* m
zoomnaad *couture* v *d'ourlet*
zoon *fils* m ▾ de verloren zoon *l'Enfant* m *prodigue*
zoonlief *fiston* m; *(mon) garçon*
zootje • hoeveelheid *ramassis* m • rommeltje ★ wat een ~! *quelle pagaille!*
zopas *à l'instant (même)*; *tout à l'heure*
zorg • verzorging *soin* m ★ zorg dragen voor *prendre soin de* ★ zorg besteden aan iets *apporter beaucoup de soin à qc*; *soigner qc* • bezorgdheid *souci* m; *inquiétude* v ★ zich zorgen maken om *se faire du souci pour* ★ dat is een hele zorg voor haar *ça lui donne beaucoup de souci* ▾ het zal mij een zorg zijn *je m'en balance*
zorgbarend *inquiétant*
zorgelijk • tobberig *bileux* [v: *bileuse*] • onrustbarend *préoccupant* • bezorgdheid uitdrukkend *soucieux* [v: *soucieuse*]
zorgeloos I BNW • zonder zorgen *insouciant* • achteloos *nonchalant* II BIJW • zonder zorgen *sans souci* • achteloos *nonchalamment*
zorgen • verzorgen *s'occuper de*; *prendre soin de* ★ voor zichzelf (kunnen) ~ *pourvoir à ses besoins*; *se suffire à soi-même* • het nodige doen *s'arranger (pour)* ★ zorg dat je sigaretten hebt *arrange-toi pour avoir des cigarettes* ★ zorg dat hij het krijgt *faites en sorte qu'il le reçoive* • regelen *s'occuper de* ★ daar zorg ik voor *je m'en charge*; *je m'en occupe*
zorgenkind *enfant* m/v *à problèmes*; FIG. *gros souci* m
zorgsector *secteur* m *de l'aide sociale*
zorgverzekeraar *assureur* m *maladie*
zorgvuldig I BNW • met zorg *soigné* • nauwkeurig *soigné*; ‹m.b.t. mensen› *soigneux* [v: *soigneuse*]; *consciencieux* [v: *consciencieuse*] II BIJW *soigneusement*
zorgvuldigheidsbeginsel *principe* m *d'attention*
zorgwekkend *préoccupant*; *inquiétant*
zorgzaam I BNW *attentif* [v: *attentive*] II BIJW *attentivement*
zot I ZN *sot*; *imbécile* m II BNW • dom *sot* [v: *sotte*]; *stupide* • dwaas *fou* [v: *folle*] [onr: *fol*]; *dingue* III BIJW *sottement*
zotternij *sottise* v
zout I ZN *sel* m ★ in het zout leggen *saler* II BNW *salé*
zoutachtig *salé*
zoutarm *pauvre en sel*
zouteloos *fade*; *insipide*
zouten *saler* ★ het ~ *le salage*
zoutig *salé*
zoutje *biscuit* m *salé*
zoutkoepel *dôme* m *de sel*
zoutkorrel *grain* m *de sel*
zoutloos *sans sel* ★ een ~ dieet *un régime sans sel*
zoutoplossing *solution* v *saline*
zoutpan *saline* v
zoutvlakte *plaine* v *de sel*
zoutwateraquarium *aquarium* m *d'eau de mer*
zoutzak • zak *sac* m *de sel* • persoon zonder energie *sac* m *à patates*
zoutzuur I ZN *acide* m *chlorhydrique* II BNW ★ zoutzure kalk *chlorure de chaux* m
zoveel I BIJW ★ ~ te meer, omdat *d'autant plus que* ★ ~ mogelijk *autant que possible* II TELW *tant*; *tellement* ★ ~ bloemen, dat *tant de fleurs que* ★ ~ is zeker, dat *toujours est-il que* ★ net ~ *autant (de)* ★ tweemaal ~ *deux fois plus*
zoveelste *énième* ★ de ~ keer *la énième fois*
zover ▾ in ~re *en ce qui concerne* ▾ voor ~ mogelijk *dans la mesure du possible*
zoverre → **zover**
zowaar I BIJW *effectivement* II TW ★ ~, je gaat mee! *en effet, tu viens aussi!*
zowat *à peu près*; *quasiment*
zowel *aussi (bien)* ★ ~ de volwassenen als de kinderen *aussi bien les adultes que les enfants*; *les adultes comme les enfants*
z.o.z. zie ommezijde *t.s.v.p.*; *tournez, s'il vous plaît*
zozeer *tellement*; *tant* ★ niet ~ om ... als wel *(non) pas tant pour ... que pour*
zozo *comme ci comme ça* ★ ik vind het maar zozo *je trouve pas ça terrible*
zucht • uitademing *soupir* m • drang *désir* m *(de)* ★ ~ naar vrijheid *amour de la liberté* m
zuchten • uitademen *soupirer* • lijden *gémir* ★ het volk zucht onder het juk van de vijand *le peuple souffre sous le joug de l'ennemi* • ~ **naar** *aspirer à*
zuchtje • lichte zucht *soupir* m • zacht windje *souffle* m *de vent*
zuid I ZN *sud* m II BNW *sud* ★ de wind is zuid *le vent est (au) sud* III BIJW ★ zuid ten westen *sud quart sud-ouest*
Zuid-Afrika *l'Afrique* v *du Sud* ★ in ~ *en Afrique du Sud*
Zuid-Afrikaans *sud-africain*
Zuid-Amerika *l'Amérique* v *du Sud* ★ in ~ *en Amérique du Sud*
Zuid-Amerikaans *sud-américain* [v: *sud-américaine*]
zuidelijk I BNW • uit het zuiden *du sud*; *méridional* [m mv: *méridionaux*] • ten zuiden *(au) sud* II BIJW naar het zuiden *au sud* ★ ~ liggen van *être au sud de* ★ ~er dan *plus au sud que*
zuiden *sud* m ★ in het ~ van Frankrijk *dans le Midi (de la France)* ★ ten ~ van *au sud de*
zuiderbreedte *latitude* v *sud*
zuiderkeerkring *tropique* m *du Capricorne*
zuiderlicht *aurore* v *astrale*
zuiderling *personne* v *qui vient du sud*; *personne* v *qui habite le sud*

Zuid-Korea *la Corée du Sud* ★ in ~ *en Corée du Sud*
Zuid-Koreaans *sud-coréen* [v: *sud-coréenne*]
zuidkust *côte* v *sud*; *côte* v *méridionale*
zuidpool *pôle* m *Sud*; *pôle* m *antarctique*
zuidpoolcirkel *cercle* m *polaire antarctique*
zuidpoolexpeditie *expédition* v *antarctique*
zuidvrucht *fruit* m *subtropical*
zuidwaarts *vers le sud*
zuidwester *suroît* m
zuigeling *nourrisson* m
zuigelingenzorg ≈ *puériculture* v
zuigen • opzuigen *sucer*; ‹aan borst› *téter* • stofzuigen *passer l'aspirateur (dans)*
zuiger • deel van motor *piston* m • baggermolen *drague* v • persoon *emmerdeur* m [v: *emmerdeuse*]
zuigfles *biberon* m
zuigkracht *force* v *aspiratrice*
zuignap *ventouse* v
zuigtablet *pastille* v *à sucer*
zuigzoen *suçon* m
zuil • pilaar *colonne* v • maatschappelijke groepering *groupement* m *religieux*
zuilengalerij *péristyle* m ★ een overdekte ~ *un portique*
zuinig I BNW ‹spaarzaam› *économe*; ↑ *parcimonieux* [v: *parcimonieuse*]; ‹voordelig› *économique* ★ ~ zijn met *ménager*; *être économe de* ▾ ~ kijken *avoir un air pincé* II BIJW *économiquement*
zuinigheid *économie* v; ‹karigheid› *parcimonie* v
zuipen I OV WW slurpen *picoler* II ON WW alcohol gebruiken *se soûler*; *picoler*
zuiperij *soûlerie* v; *beuverie* v
zuiplap *soûlaud* m [v: *soûlaude*]
zuippartij *soûlerie* v
zuipschuit *soûlard* m; INF. *poivrot* m; *soiffard* m
zuivel *laitage* m; *produits* m mv *laitiers*
zuivelfabriek *laiterie* v
zuivelindustrie *industrie* v *laitière*
zuivelproduct *produit* m *laitier*
zuiver I BNW • schoon *propre* • zonder blaam *clair*; *net* [v: *nette*] ★ een ~ geweten hebben *avoir la conscience nette* • louter *pur* • netto *net* [v: *nette*] II BIJW • enkel en alleen *purement*; *uniquement* • juist *correctement*; *juste* ★ ~ zingen *chanter juste*
zuiveren • reinigen *nettoyer*; *laver*; OOK FIG. *épurer*; FIG. *purifier* • vrijpleiten *laver (qn de qc)*
zuivering *purification* v; *épuration* v; POL. *épuration* v; *purge* v
zuiveringsactie *épuration* v
zuiveringsinstallatie *station* v *d'épuration*
zuiveringszout *bicarbonate* m *de soude*
zulk I BIJW dermate *si*; *tellement* ★ zulke mooie bloemen *de si belles fleurs* II AANW VNW zodanig *tel* [v: *telle*]; *pareil* [v: *pareille*]
zulks *une chose pareille* ★ gelijk ~ te doen gebruikelijk is *comme il est d'usage*
zullen I ON WW moeten ★ jullie ~ gehoorzamen! *je veux que vous obéissiez!*; *vous obéirez!* ▾ wat zou dat? *et puis après?* II HWW • toekomst uitdrukkend ‹nabije toekomst› *aller (+ inf.)* ★ hij zal bouwen *il bâtira* ★ hij zou bouwen *il bâtirait* ★ hij zou juist vertrekken toen *il allait partir lorsque* • modaliteit uitdrukkend *devoir* ★ hij zal zich wel vergist hebben *il a dû se tromper*
zult *fromage* m *de tête*
zurig *acidulé*; *aigrelet* [v: *aigrelette*]
zuring *oseille* v
zus I ZN zuster *sœur* v II BIJW *ainsi*; *de cette manière* ★ nu eens zus, dan weer zo *tantôt (comme) ceci, tantôt (comme) cela*
zuster • zus *sœur* v • verpleegster *infirmière* v • REL. *sœur* v
zustercongregatie *congrégation* v *de sœurs*
zusterhuis REL. *maison* v *de religieuses*; ‹v. verpleegsters› *pavillon* m *des infirmières*
zusterliefde • v.e. zuster *affection* v *d'une sœur* • tussen zusters *affection* v *entre sœurs*
zusterlijk I BNW *entre sœurs* II BIJW *comme des sœurs*; *en sœurs*
zustermaatschappij *filiale* v
zusterorganisatie *organisation* v *sœur*
zusterstad *ville* v *jumelée*
zustervereniging *association* v *sœur*
zuur I ZN • CHEM. *acide* m • azijn *vinaigre* m ★ in het zuur *au vinaigre* • maagzuur *aigreurs* v mv *d'estomac* II BNW • CHEM. *acide* • zurig *aigre*; *acide* ★ zuur worden *tourner* ★ zure melk *lait* m *tourné* • onaangenaam *dur*; *pénible* ★ iem. het leven zuur maken *rendre la vie dure à qn* III BIJW *péniblement*
zuurgraad *degré* m *d'acidité*
zuurkool *choucroute* v
zuurstof *oxygène* m
zuurstofapparaat *masque* m *à oxygène*
zuurstofcilinder *bouteille* v *d'oxygène*
zuurstoffles *bouteille* v *d'oxygène*
zuurstofgebrek *manque* m *d'oxygène*
zuurstofmasker *masque* m *à oxygène*
zuurstofopname *absorption* v|*prise* v *d'oxygène*
zuurstoftekort → **zuurstofgebrek**
zuurstok *sucre* m *d'orge*
zuurtje *bonbon* m *acidulé*
zuurverdiend *gagné péniblement* ★ ~ geld *de l'argent péniblement gagné*
zuurwaren *produits* m mv *acidulés*
zuurzoet *aigre-doux* [v: *aigre-douce*]
zwaai *tour* m; SCHEEPV. *évitage* m; FIG. *virement* m
zwaaideur *porte* v *battante*
zwaaien I OV WW heen en weer bewegen *agiter*; ‹dreigend› *brandir* II ON WW • groeten *saluer de la main* • heen en weer bewogen worden *se balancer* • slingeren *zigzaguer*
zwaailicht *gyrophare* m
zwaan *cygne* m
zwaar I BNW • veel wegend *lourd*; *pesant* ★ ~ maken *alourdir* ★ dat is 1 kilo ~ *cela pèse 1 kilo* • omvangrijk *grand*; *gros* [v: *grosse*] • moeilijk *pénible*; *difficile*; ‹te verteren› *indigeste* ★ zware arbeid *travail* m *de force* ★ zware taak *tâche* v *difficile* • ernstig *grave* ★ zware straf *peine* v *sévère* • sterk *fort* ★ ~ weer *gros temps* m • zwaar klinkend *grave* II BIJW *lourdement*; *gravement*

zwaarbeladen *lourdement chargé*
zwaarbewapend *armé jusqu'aux dents*
zwaarbewolkt *chargé de nuages noirs*
zwaard • wapen *épée* v • deel van schip *dérive* v
zwaardvechter *gladiateur* m
zwaardvis *espadon* m
zwaargebouwd *de forte carrure*; INF. *baraqué*
zwaargeschapen • mbt. man *bien membré* • mbt. vrouw *plantureuse*
zwaargewicht I ZN (de) *poids* m *lourd* II ZN (het) *poids* m mv *lourds*
zwaargewond *grièvement blessé*
zwaargewonde *grand blessé* m
zwaarlijvig *corpulent*
zwaarmoedig I BNW *mélancolique* II BIJW *avec mélancolie*
zwaarte • gewicht *poids* m; *pesanteur* v • ernst *gravité* v
zwaartekracht *pesanteur* v; *force* v *de gravité*
zwaartelijn *médiane* v
zwaartepunt • NAT. *centre* m *de gravité*; WISK. *barycentre* m • hoofdzaak *essentiel* m
zwaartillend *sombre* ★ ~ zijn *voir tout en noir*
zwaarwegend *d'un grand poids* ★ een ~ argument *un argument de poids*
zwaarwichtig I BNW *important* II BIJW *avec importance*
zwabber *vadrouille* v ▾ aan de ~ zijn *faire la noce*
zwabberen *nettoyer (avec une vadrouille)*
zwachtel *bandage* m; *bande* v
zwachtelen *bander*; *panser*
zwager *beau-frère* m [mv: *beaux-frères*]
zwak I ZN zwakke plek *point* m *faible* II BNW *faible* ★ hij heeft een zwakke maag *il a l'estomac fragile* ★ hij heeft een zwakke gezondheid *il a une santé délicate* ★ zwak worden *s'affaiblir* ★ een zwak ogenblik *un moment de faiblesse* ★ dat is zijn zwakke plek *c'est son point faible*
zwakbegaafd *peu doué*
zwakheid *faiblesse* v
zwakjes I BNW *plutôt faible* ★ hij is nog ~ *il est encore faible* II BIJW *faiblement*
zwakkeling *faible* v
zwakstroom *courant* m *faible*
zwakte *faiblesse* v
zwaktebod *signe* m *de faiblesse*
zwakzinnig *handicapé mental*
zwakzinnigenzorg *soins* m mv *aux handicapés mentaux*
zwalken *bourlinguer* ★ op zee ~ *courir les mers*
zwaluw *hirondelle* v ▾ een ~ maakt geen zomer *une hirondelle ne fait pas le printemps*
zwaluwstaart • staart van zwaluw *queue* v *d'hirondelle* • houtverbinding *queue* v *d'aronde*; *adent* m
zwam *champignon* m
zwammen *parler pour ne rien dire* ▾ in de ruimte ~ *parler dans le vide*
zwanenhals *col-de-cygne* m [mv: *cols-de-cygne*]
zwanenzang *chant* m *du cygne*
zwang ★ in ~ *d'usage* ★ in ~ komen *devenir une mode*; ‹v. gebruiken› *s'instaurer*
zwanger *enceinte* ★ 5 maanden ~ *enceinte de 5 mois* ★ ~ maken *rendre enceinte* ★ ~ worden *tomber enceinte*
zwangerschap *grossesse* v
zwangerschapsafbreking *interruption* v *volontaire de grossesse (I.V.G.)*
zwangerschapscontrole *contrôle* m *de grossesse*
zwangerschapsonderbreking *interruption* v *de grossesse*
zwangerschapsstriemen *vergetures* v mv
zwangerschapstest *test* m *de grossesse*
zwangerschapsverlof *congé* m *de maternité*
zwart I ZN *noir* ★ ~ speelt *les Noirs jouent* ★ in het ~ gekleed *vêtu de noir* ▾ het ~ op wit hebben *l'avoir par écrit* II BNW *noir* ★ ~ worden *(se) noircir* ★ ~ verven ‹met kwast› *peindre en noir*; ‹in vloeistof› *teindre en noir* ★ het zag er ~ van *l'endroit était noir de* ▾ iemand ~ maken *dire du mal de qn* ▾ de ~e handel *le marché noir* ▾ ~ kopen *acheter au noir* ▾ alles ~ inzien *broyer du noir*
zwartboek *livre* m *noir*
zwartbruin *noiraud*
zwarte *Noir* m; *Noire* v
zwartekousenkerk ≈ *Église* v *protestante orthodoxe*
zwartemarktprijs *prix* m *du marché noir*
zwartepiet ≈ *valet* m *de pique*
zwartepieten *jouer au pouilleux|au mistigri*
Zwarte Zee *mer* v *Noire*
zwartgallig *sombre*; *mélancolique*
zwartgeldcircuit *circuit* m *d'argent sale*
zwarthandelaar *trafiquant* m
zwartkijker • TELECOM. *téléspectateur* m *clandestin* [v: *téléspectatrice ...*] • pessimist *broyeur* m *de noir* [v: *broyeuse de noir*]
zwartkopmees *mésange* v *nonette*
zwartmaken *dénigrer*; *dire du mal de*
zwartrijden ‹in openbaar vervoer› *voyager sans billet*; *resquiller*; ‹in auto› *conduire sans vignette*
zwartrijder ‹in openbaar vervoer› *resquilleur* m [v: *resquilleuse*]; ‹in auto› *automobiliste* m *qui n'a pas payé sa vignette*
zwartwerker *personne* v *qui fait du travail au noir*; ‹m.b.t. werkloze› *chômeur* m *travaillant clandestinement* [v: *chômeuse ...*]
zwart-wit • met beeld in zwart en wit *noir et blanc* ★ een ~ film *un film en noir et blanc* • ongenuanceerd *absolu*; *catégorique* ★ ~ denken *avoir des idées catégoriques*
zwart-witafdruk *épreuve* v *en noir et blanc*
zwart-witdenker *personne* v *qui a des opinions catégoriques*
zwart-witfilm *film* m *en noir et blanc*
zwart-witfoto *photo(graphie)* v *en noir et blanc*
zwavel *soufre* m ★ met ~ behandelen *sulfurer*
zwaveldioxide *dioxyde* m *de soufre*
zwavelstokje *allumette* v *soufrée*
zwavelzuur I ZN *acide* m *sulfurique* II BNW *sulfaté*
Zweden *la Suède* ★ in ~ *en Suède*
Zweed *Suédois* m [v: *Suédoise*]
Zweeds I ZN *suédois* m II BNW *suédois*
zweefbrug *pont* m *suspendu*
zweefclub *club* m *de vol à voile*
zweefduik *saut* m *de l'ange*

zweefmolen *manège* m *d'avions*
zweefsport *vol* m *à voile*
zweeftrein *aérotrain* m
zweefvliegen *faire du vol à voile*
zweefvlucht • het voortzweven *vol* m *plané* • vlucht met zweefvliegtuig *vol* m *à voile*
zweem *ombre* v; *trace* v
zweep *fouet* m; ‹rijzweep› *cravache* v; ‹dresseerzweep› *chambrière* v ★ met de ~ klappen *faire claquer le fouet* ★ met de ~ geven *donner le fouet à* ▾ het klappen van de ~ kennen *connaître la musique*
zweepslag *coup* m *de fouet*
zweer • gezwel *ulcère* m • abces *abcès* m ★ een ~tje *une pustule*
zweet • transpiratie *sueur* v; *transpiration* v ★ nat zijn van het ~ *être en nage* ★ zich in het ~ werken *se mettre en sueur* ★ het koude ~ brak hem uit *il en avait des sueurs froides* • vochtuitslag *suintement* m
zweetdruppel *goutte* v *de sueur*
zweethanden *mains* v mv *moites*
zweetkaas ‹vochtuitademende kaas› *fromage* m *suintant*; ‹doordringend ruikende kaas› *fromage* m *puant*
zweetklier *glande* v *sudoripare*
zweetlucht *odeur* v *de sueur*
zweetvlek *tache* v *de sueur*
zweetvoeten ★ ~ hebben *transpirer des pieds*
zwelgen I ov ww gulzig eten/drinken *avaler* II on ww ~ **in** *se vautrer dans*; *s'enivrer de*
zwelgpartij *grande bouffe* v; *ripaille* v
zwellen I ov ww in volume doen toenemen *enfler*; *gonfler* ★ de regen heeft de beek doen ~ *la pluie a gonflé le torrent* II on ww in volume toenemen *se gonfler*; *enfler*; ‹v. geluid› *enfler* ★ gezwollen ogen *yeux* m mv *bouffis*
zwellichaam *corps* m *caverneux*
zwelling • het zwellen *enflure* v • gezwollen plek *enflure* v; *tuméfaction* v
zwemabonnement *abonnement* m *à la piscine*
zwembad *piscine* v
zwembroek *maillot* m *de bain*
zwemdiploma *brevet* m *de natation*
zwemen ★ ~ naar *tendre vers*; *friser*
zwemleraar *moniteur* m *de natation* [v: *monitrice*]
zwemmen OOK FIG. *nager* ★ in zijn kleren ~ *flotter dans ses vêtements* ★ hij gaat ~ *il va se baigner* ★ onder water ~ *nager sous l'eau* ★ een kanaal over~ *traverser un canal à la nage* ★ het ~ *baignade* v; SPORT *natation* v ★ reddings~ *natation de sauvetage*
zwemmer *nageur* m [v: *nageuse*]
zwemmerseczeem *épidermophytie* v
zwempak *maillot* m *de bain*
zwemsport *natation* v
zwemtas *sac* m *de piscine*
zwemvest *gilet* m *de sauvetage*
zwemvin *palme* v
zwemvlies • vlies *palmure* v • schoeisel *palme* v
zwemvogel *palmipède* m
zwemwedstrijd *concours* m *de natation*
zwendel *escroquerie* v; INF. *arnaque* m
zwendelaar *escroc* m; INF. *arnaqueur* m
zwendelarij *escroquerie* v; INF. *arnaque* m
zwendelen *trafiquer*; INF. *arnaquer*
zwengel *manivelle* v; *aile* v; ‹pompzwengel› *balancier* m
zwenken *tourner*; *virer* ★ naar links/rechts ~ *se déporter à gauche/droite*
zwenkwiel *roulette* v *pivotante*
zwepen *fouetter*
zweren I ov ww eed doen FIG. *jurer* II on ww • ontstoken zijn *suppurer* • ~ **bij** *jurer sur*; *prêter serment sur* ★ ~ bij *jurer par*
zwerfafval *détritus* m mv *non ramassés*
zwerfhond *chien* m *errant*
zwerfkat *chat* m *errant*
zwerfkei *bloc* m *erratique*
zwerftocht *errance* v
zwerfvuil → **zwerfafval**
zwerm *nuée* v; ‹v. bijen› *essaim* m; ‹v. vogels› *volée* v
zwermen *se déployer*; ‹v. bijen› *essaimer*; FIG. *s'empresser autour de*
zwerven • ronddwalen *errer*; *vagabonder* ★ het ~ *le vagabondage* • rondslingeren *traîner*
zwerver *clochard* m [v: *clocharde*]; *vagabond* m [v: *vagabonde*]
zweten • transpireren *suer*; *transpirer* • vocht uitslaan *suinter* ▾ ~ op *peiner sur*
zweterig *moite*; *suant*
zwetsen • dom kletsen *bavarder*; *jaser* • pochen *se vanter*
zweven • vrij hangen *planer*; ‹in vloeistof› *flotter* • zich onzeker bevinden ★ ~ tussen leven en dood *être entre la vie et la mort* • vagelijk voordoen *planer* ▾ voor de geest ~ *être présent à l'esprit* ▾ voor de ogen ~ *flotter devant les yeux*
zweverig • vaag *vague*; *confus* ★ een ~ boek *un livre fumeux* • duizelig *pris de vertige*
zwezerik *ris* m *de veau*
zwichten *céder (à)* ★ voor iemands argumenten ~ *se rendre aux argument de qn* ★ voor niem. ~ *ne céder à personne*
zwiepen I ov ww smijten *lancer* II on ww • doorbuigen *faire ressort* • krachtig slaan *fouetter*
zwier • zwaai *virement* m • gratie *élégance* v; *grâce* v ▾ aan de ~ zijn *faire la noce*
zwieren *tourner*; *virer*
zwierig I BNW *élégant*; *gracieux* [v: *gracieuse*] II BIJW *avec élégance*
zwijgen I ZN *silence* m ★ iem. het ~ opleggen *imposer le silence à qn* II on ww • niet spreken *se taire*; *garder le silence* ★ doen ~ *faire taire* ★ tot ~ brengen *réduire au silence* ★ over iets ~ *passer qc sous silence* • geen geluid geven *se taire* ▾ wie zwijgt, stemt toe *qui ne dit mot, consent*
zwijggeld *prix* m *du silence*; *pot-de-vin* m [mv: *pots-de-vin*]
zwijgplicht *loi* v *du silence*
zwijgzaam *taciturne*
zwijm ★ in ~ vallen *s'évanouir*
zwijmelen *avoir des vertiges*; FIG. *s'extasier* ★ doen ~ *enivrer*
zwijn • dier *porc* m; *cochon* m ★ een wild ~ *un sanglier* • persoon *cochon* m [v:

cochonne]
zwijnen *avoir de la veine*
zwijnenhok *porcherie* v
zwijnenstal *porcherie* v
zwijnerij *cochonnerie* v
zwik *barda* m
zwikken *se faire une entorse*
Zwitser *Suisse* m/v
Zwitserland *la Suisse* ★ in ~ *en Suisse*
Zwitsers **I** ZN *suisse* m **II** BNW *suisse*
zwoegen • hijgen *haleter* • zwaar werken *trimer*; ‹m.b.t. studie› *bûcher*
zwoeger *piocheur* [v: *piocheuse*]
zwoel • drukkend warm *lourd*; *étouffant* • sensueel *sensuel* [v: *sensuelle*]